# LA LETTERATURA ITALIANA
## STORIA E TESTI
### VOLUME 59 · TOMO I

## MEMORIALISTI DELL'OTTOCENTO
### a cura di Gaetano Trombatore

*Quanto l'Italia, la vita e la coscienza civile e politica dell'Italia nazione moderna ed europea, sia legata alla storia, alle tradizioni, agli ideali e alle passioni del Risorgimento, è superfluo a dirsi. È del resto materia di storia e di riflessione attuale, e certamente ancor per molto tempo attuale.*

*Questo primo tomo di «memorialisti dell'Ottocento» non intende di presentare opere di fondamentale valore storico, né, in senso stretto, testi di fondamentale importanza documentaria. È invece una raccolta di testimonianze rappresentative, caratteristiche, appunto «memorialistiche», rendenti al vivo passioni, idee, atteggiamenti, illusioni, contrasti, reazioni di attori e testimoni diversi di quel grande e vario dramma umano che fu il Risorgimento. Sono voci diverse, che insieme esprimono una voce, e, diciamo appunto, la più umana voce del Risorgimento.*

*Seguendo in parte, in parte integrando la distinzione critica desanctisiana delle due scuole, la «moderata» e la «democratica», il curatore ha condotto la sua scelta tenendo presente la partizione in due gruppi ideali; uno dei patrioti e letterati, l'altro, degli scrittori garibaldini. Di ognuno dei due gruppi è data un'opera completa, in qualche modo preminente. Tale, per il primo, Le mie prigioni del Pellico, insigni per la loro grandissima efficacia pratica e operativa. Tale, per il secondo gruppo, Le noterelle di uno dei Mille, insigni per la freschezza e ingenuità affettuosa, resa con squisito magistero d'arte letteraria. Integra pure è la Cronaca dei fatti di Toscana del Giusti.*

*Le scelte dagli scritti che s'accompagnano, in questo volume, alle due opere preminenti, sono condotte secondo il criterio dell'organicità e della rappresentatività. Sono testi essenzialmente autobiografici (dalle Ricordanze del Settembrini, dai Miei ricordi del D'Azeglio, dal Manoscritto d'un prigioniero del Bini, da Quel che vidi e quel che intesi del Costa, dai Mille del Bandi, da Con Garibaldi alle porte di Roma del Barrili, dalle Memorie di un garibaldino del Checchi), biografico-narrativi (dal Lorenzo Benoni del Ruffini), storico-sociali, pur con forte motivo d'esperienza vissuta (dalla Storia dello Stato Romano del Farini, dallo Stato delle persone in Calabria del Padula, da Dei costumi dell'isola di Sardegna del Bresciani). Altre tengono dell'oratorio e dell'appassionato, come quelle del Guerrazzi, rappresentato qui dalla parte più vitale dell'Apologia e da una scelta delle sue lettere. Bene e significativamente, il volume, che s'apre cogli eleganti ritrattini neoclassici e mondani della Isabella Teotochi Albrizzi, si compie, con la figura di Garibaldi, campeggiante nella sua potente e geniale semplicità e umanità d'eroe popolano e di venturiere della libertà.*

*Sarà opportuno dire che molta parte del volume offre al lettore testi non facilmente reperibili, e sfrondati da ciò ch'era confuso e caduco.*

*Il curatore, Gaetano Trombatore, ha premesso a questo denso e vario volume una introduzione che ne illumina l'interna struttura; ed ha fornito un profilo biografico ed una biblia dei «memorialisti».*

# MEMORIALISTI DELL'OTTOCENTO

*TOMO I*

# MEMORIALISTI DELL'OTTOCENTO

## TOMO I

A CURA
DI GAETANO TROMBATORE

RICCARDO RICCIARDI EDITORE
MILANO · NAPOLI

# MEMORIALISTI DELL'OTTOCENTO

INTRODUZIONE                                    IX

MEMORIE DI PATRIOTI E LETTERATI

ISABELLA TEOTOCHI ALBRIZZI                       3
  Ritratti                                       5

SILVIO PELLICO                                  17
  Le mie prigioni                               21

CARLO BINI                                     179
  Manoscritto di un prigioniero                183

GIOVANNI RUFFINI                               227
  Lorenzo Benoni                               231

MASSIMO D'AZEGLIO                              301
  I miei ricordi                               307

GIUSEPPE GIUSTI                                373
  Cronaca dei fatti di Toscana                 377
  Epistolario                                  447

FRANCESCO DOMENICO GUERRAZZI                   465
  Apologia                                     471
  Lettere                                      511

LUIGI CARLO FARINI                             535
  Lo Stato romano                              541

LUIGI SETTEMBRINI                              595
  Ricordanze della mia vita                    601
  Epistolario                                  622

ANTONIO BRESCIANI                              637
  Costumi dell'isola di Sardegna               641

CARLO PADULA                                   667
  Lo stato delle persone in Calabria           671

# SCRITTORI GARIBALDINI

GIOVANNI COSTA 719

    Quel che vidi e quel che intesi 723

GIUSEPPE CESARE ABBA 749

    Da Quarto al Volturno 755

GIUSEPPE BANDI 897

    I Mille 901

EUGENIO CHECCHI 1007

    Memorie di un garibaldino 1011

ANTON GIULIO BARRILI 1051

    Con Garibaldi alle porte di Roma 1055

GIUSEPPE GUERZONI 1085

    Garibaldi 1089

NOTA AI TESTI 1109

INDICE 1111

# INTRODUZIONE

La storia di questi memorialisti, nelle cui pagine rivivono in parte le passioni e i conflitti e le tenaci speranze in cui s'accesero e divamparono le lotte del nostro risorgimento nazionale, si risolve spontaneamente nella generale storia politica e letteraria di quell'età. La illumina e se ne illumina. Dallo studio di questi scrittori, dei quali molti furono al tempo stesso uomini di lettere e uomini di azione politica, e apertamente scrissero e militarono chi coi liberali chi coi democratici, esce confermata quell'impostazione storica, che il De Sanctis ebbe a delineare nelle sue lezioni sulla letteratura italiana del secolo XIX, e che egli lasciò purtroppo in uno stato di provvisorio abbozzo e di incompiutezza.[1] Appunto perché non ebbe modo di rimeditare e di rielaborare quelle sue lezioni, il De Sanctis riuscì poco persuasivo soprattutto nella descrizione generale delle due scuole da lui fatta in base a princìpi discriminativi troppo rigidi e insieme troppo generici; cosicché mentre le due scuole vi appaiono come affatto separate da un invalicabile spartiacque, al tempo stesso la loro distinzione non risulta abbastanza perspicua ed esauriente. Si spiegano così le sue indecisioni nell'assegnare certi scrittori all'uno o all'altro schieramento; e ne derivarono anche il suo correre a cercare qualche punto di contatto fra i due campi avversi, e il suo illudersi di averlo trovato, ora in Massimo D'Azeglio, ora in Garibaldi e Cavour. In verità, né il reale o l'ideale, né lo stile analitico o il sintetico, riescono in questo caso caratteri di sicura discriminazione; né tra i fatti politici e i letterari, fra i quali possono correre, come corsero, somiglianze e parallelismi e influenze diverse, si possono stabilire più stretti legami di dipendenza o di derivazione.[2] Conveniva invece

---

1. L'impostazione del De Sanctis aveva i suoi addentellati nel pensiero critico del tempo; per i quali si veda ora l'introduzione al volume: FRANCESCO DE SANCTIS, *Mazzini e la scuola democratica*, a cura di Carlo Muscetta e Giorgio Candeloro, Torino, Einaudi, 1951. 2. Benché mitigato, vi è nelle *Lezioni* un evidente residuo di quel principio che il De Sanctis ebbe a formulare nella sua polemica col Gervinus, quando affermò che non la politica nasce dalla letteratura, ma al contrario la letteratura nasce dalla politica. Con questo principio (dal quale appare anche quanto difficilmente egli avrebbe adottato il concetto dell'autonomia dell'arte) il De Sanctis evitò il dirizzone di far derivare i fatti concreti dalle idee astratte, e poté difendere dalle accuse del Gervinus la poesia di Alfieri e di Fo-

tener distinte le due serie di fatti, e caratterizzare gli indirizzi politici in base ai concreti programmi e ai mezzi per conseguirli, e gli orientamenti letterari in base a criteri schiettamente letterari.

Quanto alla distinzione politica, basterà qui ricordare sommariamente che i democratici erano per l'unità repubblicana, la quale stimavano di poter realizzare solo con l'iniziativa dal basso e cioè con moti insurrezionali del popolo che dovevan metter capo alla costituente nazionale; mentre i moderati, che stavano per la confederazione monarchica, miravano piuttosto a instaurare, mediante l'iniziativa dall'alto, e cioè mediante sagge e opportune riforme, regimi liberali di tipo oligarchico. Le due posizioni erano lontanissime l'una dall'altra, e questo spiega l'asprezza del conflitto tra le due parti; ma non era una lotta per la vita tra due classi nemiche; era invece un contrasto di interessi, una lotta per la conquista del potere nel seno di una stessa classe: la borghesia fondiaria e la borghesia industriale e mercantile. E giacché i democratici miravano solo a un rivolgimento politico e dovevano necessariamente studiarsi di evitare o di soffocare le complicazioni sociali che potevano nascere dall'iniziativa popolare, il loro conflitto coi moderati era predestinato a comporsi mediante una serie di transazioni e di compromessi, e le due parti non dovevano tardare a incontrarsi sul terreno dell'unità monarchica. Di tutta questa situazione ci sono molti ed eloquenti riflessi nelle pagine dei nostri memorialisti, e particolarmente significativi appaiono gli attriti e gli scontri fra il Farini e il Mazzini, fra il Giusti e il Guerrazzi.

Caratteri molto affini a quelli dei due schieramenti politici si riscontrano nelle due correnti letterarie che vi corrisposero; ma le loro vicende furono diverse da quelli, e soprattutto, attesa la sostanziale differenza che corre tra i fatti letterari e la prassi politica, non si addivenne tra loro né si poteva addivenire ad alcuna soluzione di compromesso. Sia l'una che l'altra corrente ebbero la loro origine in quel pullulare di idee romantiche a cui gli scrittori del «Conciliatore» avevano dato una provvisoria ma organica e programmatica impostazione. Quell'animosa e battagliera pattuglia derivava sì dal movimento illuministico lombardo, che

scolo. Ma nel medesimo scritto egli dovette constatare che le più celebrate tragedie dell'Alfieri sono quelle che non hanno alcuno scopo politico. Appare da questa implicita contraddizione quanto fosse inesatto quel principio; e invero le affinità e le interferenze tra letteratura e arte non possono spiegarsi se non facendo risalire le due serie di fatti a una medesima origine.

l'aveva preceduta; ma accoglieva anche voci diverse e più nuove e più ricche. Intanto è sintomatico che tra i loro idoli del recente passato accanto al Parini essi mantenessero ancora l'Alfieri; ma ancor più significativa era la loro solidarietà col Foscolo e soprattutto la loro aperta simpatia per Byron e per Schiller, e in genere per tutte le voci nuove e per le nuove scoperte, fra cui anche le letterature orientali. Con la loro lotta per l'abolizione della retorica tradizionale, per l'instaurazione di una letteratura viva e rituffata nel circolo di tutte le attività sociali, per lo svecchiamento delle lettere italiane mediante lo studio delle moderne letterature europee, i conciliatoristi tendevano soprattutto alla fondazione di una letteratura non pure civile, ma decisamente e apertamente nazionale. Nulla appariva tanto chiaro alla loro coscienza quanto l'identità che essi postulavano tra romanticismo, liberalismo e italianità. In quel primo moto romantico la nota della religiosità cristiana non era ancora dominante. Ma i fermenti e le premesse varie, di cui quel moto era ricco, non poterono avere il loro naturale sviluppo, giacché la pattuglia dei conciliatoristi andò presto dispersa ed essi finirono tutti in brevissimo tempo, chi allo Spielberg, chi in esilio. A continuare la lotta rimase allora in Milano, praticamente, il solo Manzoni, il quale tuttavia non era riuscito ad affermarsi in pieno, né con gli *Inni sacri*, né più tardi con le tragedie. Le cose cambiarono nel 1827 con la pubblicazione dei *Promessi sposi*. Allora la religiosità cristiana divenne improvvisamente l'elemento predominante e caratteristico del romanticismo lombardo; allora nacque la scuola manzoniana. Cinque anni dopo, all'apparire delle *Mie prigioni*, questo nuovo indirizzo riceveva una nuova e valida conferma.

Silvio Pellico non era un manzoniano. Anche se egli al ritorno dallo Spielberg poté conoscere il romanzo del Manzoni, è evidente che quella lettura necessariamente frettolosa e sommaria non poté influire sulla nascita delle *Mie prigioni*. In fatto di idee e di indirizzi letterari egli rimaneva sostanzialmente quale era stato al tempo del «Conciliatore». *Le mie prigioni* vanno collocate in prospettiva su questo sfondo. A lungo si è ripetuto che esse sono essenzialmente la storia di un'anima; che vi è ingenuamente narrato il faticoso ritorno dell'autore alla fede religiosa; e che pertanto esse debbano considerarsi come una sorta di *itinerarium mentis in Deum*. Tutto questo certamente c'è; e in una valutazione strettamente letteraria è giusto che a questo elemento si dia il massimo rilievo. Ma non bisogna trascurare il significato etico-politico, che è meno appariscente, non però meno essenziale. Se nel solo elemento religioso consistesse tutto il merito di quel libretto, esso non avrebbe avuto né il significato, né la fortuna che ebbe, né avrebbe così dirittamente parlato al cuore dei suoi primi innumerevoli lettori, diversi di clima, di lingua e perfino di religione. A rileggerlo oggi con animo confidente e sereno, a saper leggere quel linguaggio che pare così immediato e spontaneo ed è invece, almeno in certe occasioni, così misurato e guardingo, se ne può riportare la certezza che anche in fatto di sentimenti politici il Pellico uscì dallo Spielberg con la stessa semplice e modesta fermezza con cui vi era entrato e che nulla era valso ad avvilire: né i terrori del processo, né la prigionia angosciosa ed estenuante, né la riacquistata fede religiosa. Anzi la sua conversione in tanto vi ha un valore positivo in quanto egli ne attinse la forza di cui aveva bisogno per non smarrirsi e per non cadere. Silvio Pellico non fu né un debole né un rinunciatario. O almeno non lo era finché scriveva *Le mie prigioni*; le quali non contengono una sola parola di pentimento o di ritrattazione,[1] e si risolvono invece sempre in un implacabile e irresistibile atto di accusa. Il mordente del libro è tutto qui, è in una irresistibile correlazione, che il lettore anche suo malgrado è indotto a stabilire continuamente, fra l'inerme pietà del prigioniero e il massiccio ingranaggio dal quale egli rischia di venir travolto. E in questo rapporto il suo «delitto» svanisce e si annulla. Posta da lui la questione non in termini giuridici, ma in termini di umanità, il Pellico non può rivolgere a se stesso nessuna accusa; su questo terreno egli non poteva riconoscersi colpevole; toccando l'ultimo fondo della sua coscienza egli si ritrovava innocente. E perciò dal suo libretto si leva una sorda protesta contro i sistemi, sia pure giuridicamente corretti, del governo austriaco; ma tanto umanamente odiosi e crudeli.

È certo tuttavia che con le *Mie prigioni*, sia pur protestando, il Pellico si accomiatava dalla politica attiva. Del resto, nessuno

1. Discorrendo una volta delle *Mie prigioni* (quello scritto è ora nei miei *Saggi critici*, Firenze, La Nuova Italia, 1950), ebbi a segnalare la gravità della frase: «Io amo appassionatamente la mia patria, ma non odio alcun'altra nazione»; e andavo in cerca di attenuanti. Oggi sono convinto che in quelle sue parole il Pellico poneva una tacita distinzione fra i popoli e i loro governi.

degli altri sopravvissuti allo Spielberg si sentì di riprender la
lotta. C'era in essi l'intimo convincimento di aver fatto, come
meglio avevano potuto, tutta la loro parte. Inoltre le vicende spirituali del Pellico avevano avuto una certa affinità con quelle del
Manzoni; anche in lui si era rovesciato sulle originarie convinzioni
illuministiche lo sconvolgimento della conversione religiosa. Pertanto il risultato letterario delle *Mie prigioni* riuscì in qualche
guisa parallelo a quello dei *Promessi sposi*, e senza notevole alterazione della verità, anzi con sostanziale rispetto di essa, il Pellico
poté essere annoverato tra i manzoniani.

L'innovazione operata dal Manzoni non fu priva di notevoli conseguenze. Anzitutto il romanticismo lombardo veniva ad acquistare
in senso riformistico tutto quello che esso perdeva del suo spirito
rivoluzionario. Inoltre la preponderanza attribuita all'elemento
cristiano-cattolico lo induceva ad eliminare dalla tradizione letteraria non solo il vicino Foscolo, ma tutto ciò che non si confa-
cesse con tale spirito, da Alfieri in su fino a Dante, del quale
non si potevano condividere gli atteggiamenti eroici e titanici,
quelli più tipicamente danteschi. Infine, sempre in omaggio alle
esigenze fideistiche, esso si appartava dalle manifestazioni non
cristiane di gran parte del romanticismo europeo, e delle letterature classiche accoglieva solo quel tanto che si potesse ridurre
sotto il comune denominatore della mitezza virgiliana. Per tal
guisa si depauperava l'originaria complessità e larghezza del moto,
restava compromessa la fondazione di una letteratura nazionale di
largo orizzonte europeo, e se il genio poetico e l'elevatezza morale
e religiosa potevano permettere al Manzoni di evadere e di salvarsi
nell'universale, agli altri si offriva solo il rifugio di una letteratura
semplice, casalinga e provinciale, oppure un difficile tuffo nelle
oscure profondità della coscienza individuale. Non già che il capolavoro del Manzoni escludesse perentoriamente ogni possibilità di
sviluppi positivi. Ma tali sviluppi potevano effettuarsi nell'unico
senso di una rottura dell'equilibrio manzoniano puntando sulla opposizione tra cattolicismo e cristianesimo, e sulla necessità di una
riforma religiosa. E certo, tentativi in questo senso ce ne furono;
ma svigoriti e rimasti esiliati nell'ambito della problematica religiosa. La letteratura poetica e narrativa della scuola manzoniana
se ne tenne alla larga, ed essa si affrettò pertanto a quel suo rapido disfacimento, che il De Sanctis descrisse da par suo. Ma

mentre essa agonizzava, un nuovo alito di vita le venne dal Piemonte nella persona di Massimo D'Azeglio.

L'Azeglio non era un borghese. Egli veniva da una terra, dove, sulla base della proprietà fondiaria, sopravviveva ancora la vecchia feudalità; e di questa classe, di cui aveva ripudiati i pregiudizi e i privilegi, egli ritraeva tuttora il meglio, lo spirito cavalleresco e nobilmente pugnace, l'integerrima fedeltà a certi inviolabili princìpi morali. Datosi alla politica, egli non poteva essere se non il cavaliere del Re di Sardegna; ma la sua fedele milizia aveva per condizione il rinnovamento costituzionale della dinastia. Fattosi scrittore, egli fu naturalmente e volle essere tutto del Manzoni e dei suoi amici e discepoli; ma nella scuola introdusse qualche cosa di nuovo, una decisa accentuazione del sentimento patriottico, una maggior libertà e un certo grado di spregiudicatezza nel trattare gli altri sentimenti, specie quello amoroso, un desiderio di evasione nell'immaginoso e nel fantastico. Furono proprio gli elementi che rinsanguando la scuola diedero popolarità ai suoi due romanzi. Ma erano novità di superficie, non di sostanza: scenari di cartapesta che simulavano e non erano la natura. Perciò la sua fortuna letteraria è rimasta affidata piuttosto, pur così monchi e lacunosi come li lasciò, ai *Miei ricordi*, che sono l'opera sua più veramente manzoniana, perché egli vi parla di sé con naturalezza e semplicità, senza ricorrere a nessun travestimento arbitrario e romanzesco. E infatti nel D'Azeglio, che non ebbe un grande e originale patrimonio di idee, né altre qualità straordinarie, quel che interessa veramente è la sua vicenda umana di paggio feudale che accetta i princìpi dell' '89 e si fa borghese e italiano; vicenda simile a quella dell'Alfieri, ma vòlta a risultati diametralmente opposti, perché mentre l'astigiano si spiemontizzò per librarsi nella rarefatta atmosfera della superumanità, l'Azeglio uscì dalla sua casta e dal Piemonte per tuffarsi nell'aria grassa e polverosa e bruciata dei Castelli romani e studiarsi di viverci col proprio lavoro. Quel che più piace in lui è la sua inesauribile e semplicissima capacità e simpatia di convivenza umana con esseri di ogni ceto e condizione, anche coi più umili e primitivi. E quel che più si ammira in lui come scrittore è la schiettezza nitida con cui seppe fermare l'immagine di questa parte della sua vita. Quei capitoli dei *Miei ricordi* sono come una prima inchiesta condotta da un uomo del nord sulle inesplorate plaghe dell'Italia centromeridionale. Ma fortunatamente lo scrittore non si lasciò prender la mano dagli intenti sociali che qua e là affiorano. E magari non avesse dato libero corso tante volte alla sua *morosa senectus*, e si fosse sempre accontentato di descrivere e di narrare. D'altra parte, siccome egli non era mosso da esigenze più profonde, anche nelle pagine migliori non poté uscire dai limiti di una rappresentazione casalinga e provinciale. Inoltre: anche i *Miei ricordi* soffrono della ben nota tendenza del loro autore a far tutto *en amateur*. Alle varie forme della sua attività egli si dedicò sempre con scrupolo, con serietà e con innegabile spirito di sacrificio; ma tuttavia non nutrì nessuna passione dominante ed esclusiva. Perciò malgrado i risultati effettivi che di volta in volta egli raggiunse come pittore, romanziere, pubblicista e uomo di governo, in certo senso, e certamente nel senso più nobile e più alto, egli rimase sempre un grande dilettante. Appunto in codesto suo superiore dilettantismo è la fonte delle simpatie, e anche delle antipatie, che egli ha sempre suscitato nei suoi studiosi e lettori. E per la medesima ragione non si può ravvisare in lui il legame tra la scuola liberale e la democratica. Senza spender molte parole, quanto alle sue convinzioni politiche basterà ricordare anche solamente il suo pertinace antiunitarismo, per cui egli rimase addietro perfino agli stessi moderati; e in letteratura sono tipici e discriminanti la sua indefettibile fedeltà al Manzoni e la sua irridente antipatia per tutti gli idoli degli scrittori democratici, quali gli atteggiamenti plutarchiani, l'antitirannide all'Alfieri e il mito dell'antica Roma.

Massimo D'Azeglio servì invece da collegamento tra il moderatismo lombardo-piemontese e il moderatismo toscano e romagnolo. In virtù di molte e spontanee affinità, l'intesa fra questi gruppi, tramite l'Azeglio, fu affatto sincera e cordiale; e sostanzialmente concorde fu poi la loro condotta nei fatti del '48 e del '49 e poi anche nel '59. Ne rimangono testimonianza nel nostro volume la *Cronaca* del Giusti e lo *Stato romano* di Carlo Luigi Farini.

La figura più simpaticamente popolare del gruppo toscano era il Giusti, il quale aveva esordito con velleità sovversive e giacobineggianti; ma poi aveva mitigato i suoi non roventi ardori e aveva unito in un solo e devoto culto Gino Capponi e Alessandro Manzoni. Da questa sponda tranquilla ci si può bene immaginare con che occhi sbarrati egli dovesse guardare il Guerrazzi (il Guerrazzi!) e le scalmane livornesi. L'interesse documentario della sua

*Cronaca* è notevolissimo; buttata giù subito dopo i fatti del '49, essa registra con la più grande fedeltà e immediatezza i sentimenti, le convinzioni e i giudizi di tutta la parte moderata toscana di fronte a quello scompiglio; nulla serve quanto essa a farci rivivere in quegli anni, tra quegli uomini, quegli odii e quei contrasti e quei vari aspetti della vita, nella Firenze granducale e rivoluzionaria. È distinta in due zone in netto e immediato contrasto. C'è prima un'epoca di idillico benessere e di letizia paciosa, che al principio del '48 vibra anche di un commovente entusiasmo; poi, su tanta felicità, su così lieto viver di cittadini, cala improvvisa la tregenda del Guerrazzi; di qui, subito, imprecazioni astiose e rabbia e vituperii. Per il Giusti tutto il bene, tutto il vero, tutto il bello stavano in casa Gino Capponi e in chi la praticava; e tutto il mostruoso stava dalla parte del Guerrazzi, il quale, per appagare la sua smaniosa voglia del potere, aveva distrutto quel capolavoro di saggezza che era la costituzione oligarchica. E che sospiro di sollievo alla caduta del Dittatore, quando la folla va a prendere finalmente Gino Capponi a bandiere spiegate e lo porta in trionfo a palazzo.

La parzialità del Giusti, per dirla con altre parole sue, è tutta scoperta e sempre in convulsione; né egli fa alcun tentativo per nasconderla. Addirittura non se ne accorge. Tuttavia questo non è il difetto della *Cronaca*: questa è la sua caratteristica. Anzi, dalla sua unilateralità, dal suo risoluto parteggiare provengono i pregi migliori dell'operetta, la mordente vivacità della narrazione, la rapidità icastica e pittoresca del linguaggio. Quel che meno piace è piuttosto l'indulgere del Giusti a qualcuna delle sue qualità meno simpatiche, il suo non sapersi distrigare dai fatti e dai risentimenti personali, dalle cose spicciole che sanno di pettegolezzo, e anche una certa angustia mentale. Troppo toccato sul suo, egli, l'autore degli «scherzi», non seppe vedere le cose meno apocalitticamente, con almeno un pizzico di indulgenza e di spregiudicatezza. Coglieva certo nel segno il Guerrazzi, quando, non conoscendo la *Cronaca*, ma conoscendone bene l'autore, ebbe a dire che il Giusti, dopo avere scossa a tutta forza la casa, s'impaurì dei calcinacci. Tutta la *Cronaca* nacque appunto da codesta paura dei calcinacci; e tuttavia l'indignazione del Giusti, pur dove egli fa la voce più grossa, è così candida e ingenua, da disarmare anche la critica più severa.

Anche lo *Stato romano*, che sostanzialmente è un libello politico con un forte substrato autobiografico, nacque sulla linea politica dell'Azeglio e in seguito al rovescio del '49. Ma il carattere e le vicende dell'autore, e soprattutto la profonda differenza della situazione obiettiva che egli si trovò ad affrontare, fecero di questa del Farini un'opera assai diversa da quella del Giusti; la quale, in fondo, si risolve in infondate contumelie e in un arcadico idoleggiamento del passato regime granducale. Il giovanile rivoluzionarismo del Farini, per quanto istintivo, non era stato di parole, ma di cose; esso aveva al suo attivo l'esperienza del moto insurrezionale del '31, e si era formato e nutrito nella Romagna papalina con l'odio contro le angherie della polizia pontificia e contro il sanguinario banditismo politico dei sanfedisti. Questi precedenti non furono distrutti dal suo passaggio al moderatismo, e pertanto egli allora si poneva sì in una posizione di centro, ma di un centro veramente combattivo, per cui il nemico di sinistra, la rivoluzione mazziniana, non era meno temibile e odioso di quello di destra, la reazione sanfedista. Ed è questa l'impostazione che egli diede allo *Stato romano*. Nel quale c'è un centro ideale, che è il breve regime costituzionale di Pio IX; c'è una sinistra, che è la repubblica mazziniana; e c'è una destra, che è il soffocante sanfedismo di prima e di dopo la rivoluzione. La critica a cui il Farini sottopone la repubblica mazziniana è certamente violentissima, e la sua asprezza verbale non è forse inferiore a quella che il Giusti usò contro il Guerrazzi. Ma c'è una differenza sostanziale. A Roma il Farini si trovò di fronte uomini come Mazzini e Garibaldi, che percorsero fino in fondo la strada che si erano tracciata. Mai egli avrebbe potuto dire che il Mazzini era il Potta di Roma. L'onestà, anche finanziaria, la rettitudine e anche l'abilità del governo e inoltre gli eroismi della difesa, avevano un linguaggio aperto e chiaro, e obbligarono il Farini a un giudizio per quanto gli fosse possibile ragionato e obiettivo. E benché nel suo perdurante furore antimazziniano, per cecità e malanimo, egli sottraesse all'individuo Mazzini la sua parte di gloria, tuttavia non poté non registrare il grande valore positivo di quell'esperimento e della difesa di Roma. Ma c'è anche un altro motivo per cui, malgrado l'intemperanza verbale, la sua critica della Repubblica romana pare in fondo *telum imbelle sine ictu*. Essa non era esercitata in base a un astratto principio di costituzionalismo, ma in base all'esperienza concreta che egli ne aveva avuto sotto Pio IX, e che non era stata delle più felici; egli non si dissimulava che l'enciclica del 29 aprile era stata una grossa provocazione e un chiaro indizio che un regime di libertà non si poteva conciliare col potere temporale del papa. Abbattuta la repubblica e risorto l'odiato sanfedismo egli poteva rimpiangere solo la perdita di un regime, la cui vita, però, era stata resa difficile e precaria, non pure dalle intemperanze della piazza, ma per la sua buona parte anche dall'ostinata resistenza dell'elemento reazionario della Curia; e infatti esso non era stato restaurato dal papa, benché la Francia fosse intervenuta proprio a tale scopo. Persisteva dunque sì in lui l'avversione contro le violenze rivoluzionarie che avevano cooperato a distruggere quel breve e fragile regime; ma anche si riaccendeva, e forse con più esasperata violenza di passione, tutta la sua animosità contro il malgoverno dei preti. La critica dello stato pontificio, con il suo disordine amministrativo, con la sua giustizia arbitraria, con i suoi indegni favoritismi, con la sua avversione contro ogni lume del pensiero laico, col suo pertinace confondere e mescolare il temporale con lo spirituale e quindi col suo continuo manomettere la coscienza dei sudditi, è impressionante come l'esame clinico di un gran corpo in disfacimento. E di tanto essa riesce più persuasiva, di quanto l'autore qui, diversamente che col Mazzini, si studia di usare un linguaggio più temperato e controllato. Nuoce allo *Stato romano* il difetto di un'impostazione più chiara ed esplicita. Le legittime conclusioni a cui sarebbe dovuto giungere, e che se gli fossero state chiare avrebbero dato a tutta l'opera una diversa configurazione, cominciavano invece solo allora ad oscuramente agitarsi nel pensiero del Farini. E tuttavia esse vi permangono in qualche modo implicite. Par che emerga da un'attenta lettura la constatazione che il governo repubblicano fosse stato migliore del papalino; e vi è soprattutto internamente postulata la conclusione che per uno stato come il pontificio non c'era più speranza, e che i sudditi avrebbero potuto ottenere la loro libertà non da un suo impossibile rinnovamento, ma solo dal suo dissolversi nell'unità italiana.

Con Luigi Carlo Farini si chiude la serie dei nostri memorialisti di parte moderata. E se ora si affiancheranno ad essi, almeno idealmente, gli altri scrittori, poeti, narratori, storici, politici, e filosofi, quali Tommaso Grossi, Giulio Carcano, il Tommaseo, Cesare Cantù, Gino Capponi, Cesare Balbo, il Gioberti, il Rosmini, il Lambruschini, si vedrà come tutta la corrente si avvantaggiasse di una grande omogeneità, di una coerenza rara, le quali risultavano dalla comunanza delle idee e degli interessi sociali e politici, e in sede strettamente letteraria eran determinate dal fatto che tutti questi scrittori in vari modi riconoscevano che il loro centro spirituale, la loro patria ideale risiedeva immediatamente o mediatamente nel mondo morale e poetico di Alessandro Manzoni. Il che non avvenne certo della corrente democratica, perché nessuno scrittore di essa riuscì a generare dal suo mondo poetico o a far gravitare intorno a quello una scuola letteraria. Suo primo organizzatore fu inoltre un uomo appassionato certo di letteratura e d'arte, ma tutto anelante e tutto proteso all'azione politica, Giuseppe Mazzini. E se si pensa che il Mazzini non riuscì a mantenersi fedeli tutti i suoi seguaci neanche nell'azione strettamente politica, si vedrà facilmente come anche e soprattutto le manifestazioni letterarie della sua corrente dovessero riuscire slegate e agitate da impulsi divergenti, benché non fino al punto che tutti gli scrittori democratici non concordassero in alcuni princìpi e orientamenti fondamentali. È per questo che si può parlare dell'esistenza di una scuola democratica. E il suo primo germe si era schiuso a Genova negli anni del giovanile noviziato letterario del Mazzini e dei suoi amici.

Accogliendo gli spunti più originali e più combattivi dei conciliatoristi, mantenendo la loro simpatia, tra gli stranieri, al Byron e allo Schiller, fra gli antichi idolatrando Plutarco, essi ripercorsero la via della tradizione nazionale e prendendo le mosse dal Foscolo, attraverso Alfieri e Machiavelli risalirono a Dante, al Dante, ben s'intende, tetragono e ghibellino. Prese forma allora un diverso modo di essere romantici, diverso dal modo lombardo, e diverso non nelle premesse, ma nei fini; giacché mentre il Manzoni, dopo aver rivelato il disordine e il guasto della vita sociale, rinunziava, o pareva che rinunziasse, alla lotta, confidando nelle vie della divina provvidenza; il Mazzini, convinto che la storia europea fosse giunta a una crisi risolutiva e che fosse prossimo l'avvento di una nuova epoca umana, tendeva alla rigenerazione dell'umanità mediante la stessa umanità: il primo passo doveva essere il riscatto dei popoli, a cominciare dal popolo italiano. Nasceva così un romanticismo di tipo eroico e messianico, in cui le idee di unità, indipendenza e libertà acquistavano un dinamismo insolito

e il cui cielo, né ateo né cattolico, era abitato, per dirla col Guerrazzi, «da un Dio che rugge terribile intorno all'anima dei traditori della patria». Questo romanticismo potrebbe sembrare fortemente inquinato di classicismo, ove non si considerasse che
mentre per i classicisti la tradizione umanistica, cosa tutta del
passato, fungeva da mero repertorio letterario; questi romantici le
restituivano tutto il suo contenuto passionale ed eroico, e la volgevano risolutamente al raggiungimento dei nuovi fini. Di là da
ogni vario atteggiarsi del temperamento personale e dello stile
letterario, gli scrittori democratici si riconoscono facilmente ai comuni idoli letterari di tipo plutarchiano e byroniano, o al loro spirito tendenzialmente rivoluzionario e repubblicano, o al loro anti-
cattolicismo, oppure infine alla loro solidarietà morale col Mazzini.

Questa nuova corrente romantica, che cominciò a manifestarsi
con la collaborazione del Mazzini e dei suoi amici all'«Indicatore
Genovese» e che ebbe una sua immediata diramazione toscana
nell'«Indicatore Livornese» e nell'«Antologia» del Vieusseux, si
definì e prese corpo in quel suo primo e forse unico capolavoro,
che fu la creazione della «Giovine Italia». La quale fu fondata a
Marsiglia; ma patria vera le fu Genova, dove essa ebbe la sua sanguinosa consacrazione. E da allora, lungo tutto l'Ottocento, la
cultura genovese rimase fedele al suo nume tutelare, il Mazzini.
Uscì da essa il poeta del '48, Goffredo Mameli, che con giovanile
e commovente entusiasmo metteva in versi fin le formule politiche
del maestro; e a Genova sono indissolubilmente legate le opere
migliori di Giovanni Ruffini.

Quando scrisse il *Lorenzo Benoni* il Ruffini si era già allontanato dal Mazzini; ma se ne era allontanato quietamente, per le
sue nuove vedute politiche, non col cuore; e infatti, a differenza
di tanti altri, non poté rinnegarlo. La sua fibra morale non aveva
resistito ai tragici rovesci. Ma nel suo animo rimase sempre qualche cosa come una desolata e inerte e inconfessata nostalgia di un
bene perduto, di una fervida e favolosa stagione, nella quale egli
una volta volle tornare a vivere almeno coi modi della memoria e
della fantasia. Nacquero così le pagine in cui rievocò gli studi
universitari, il primo amore, la cospirazione carbonara, la «Giovine Italia» e la pericolosa fuga a Marsiglia, dov'era Fantasio, e
cioè il Mazzini, che rimane sempre il centro vitale di queste vicende; pagine di grande interesse documentario, perché non c'è

altro scrittore nostro che dia così sicuro e immediato il senso di quella prima e totale esperienza di vita romantica intorno al 1830, quando amore e poesia e cospirazione patriottica furono le note di una passione unica, che avvolta nel fascino del mistero e dell'avventura aveva nome gioventù. Ma c'è anche un senso più sottile: ed è la taciuta confessione che solo allora la vita del Ruffini ebbe un senso e un valore, quando, in quegli anni ormai lontani come un illusorio miraggio, egli amò e cospirò e sognò accanto al cuore grande e generoso del Mazzini.

C'è nell'esperienza del Ruffini un chiaro indizio del male che internamente minò tutta la vitalità della letteratura di questa corrente. Dal contrasto fra il vagheggiato eroismo e la modestia o addirittura l'inferiorità dell'umanità contemporanea nasceva un senso di sfiducia, di scetticismo e perfino di pessimismo, che, ove non facesse impallidire quegli ideali stessi, li collocava a un'altezza troppo difficilmente raggiungibile. La liberazione da questo circolo vizioso poteva avvenire mediante uno sciogliersi dal contingente e un rifugiarsi nell'assoluto, riconoscendo, non pure l'attuale decadenza, ma addirittura l'universale e congenita infermità della natura umana, capace solo di giovanili illusioni destinate tutte a cadere miseramente all'apparir del vero. Oppure la liberazione poteva ottenersi per la via di un umorismo generato dalla constatazione dell'inguaribile petulanza e infantilità umana. Questa vicenda si era già prodotta nel Foscolo, e più compiutamente nel Leopardi, che possono considerarsi come i due grandi iniziatori della corrente democratica, e che hanno con essa vari tratti comuni, specialmente il culto dell'antichità eroica e l'aperta laicità del loro credo morale e religioso. Non vi soggiacque il Mazzini, perché la sua ideologia non era nata nel mondo astratto della cultura e dell'immaginazione, non era vagheggiamento poetico, ma era il risultato di un ragionato esame della situazione storica e politica del suo tempo. Per questo egli uscì vittorioso dalla guerra del dubbio.

E infatti i ricordi autobiografici del Mazzini sono tra le pagine più alte e più preziose di tutta la nostra letteratura risorgimentale. La loro stesura fu occasionale e discontinua, senza un piano preordinato, e perfino senza che l'autore, nella sua schiva modestia, si proponesse di narrare compiutamente la propria vita; eppure, così com'è, lacunosa e talvolta pletorica e troppo presto inter-

rotta, quest'opera fa pensare a un abbozzo michelangiolesco. Vi
si delinea l'agitata e tempestosa vicenda di un uomo perpetuamente in lotta contro un destino avverso e maligno, ma che al destino non soggiace mai, perché nessuna sconfitta riesce a diminuire la sua potente vocazione all'apostolato politico, la sua grandezza morale, la sua aspra e granitica fedeltà ai princìpi approvati
dalla ragione e dalla coscienza.[1]

Ma chi non possedeva né la solida impostazione del Mazzini, né
la capacità di sublimarsi nell'universale, doveva rimanere a mezza
strada tra il fare e il non fare, che come è situazione adatta al-
l'umorismo, così è anche quella da cui meglio si può precipitare
negli insuccessi e nei disastri. L'instabilità della corrente letteraria democratica deriva appunto da questa sua sempre risorgente
crisi di sfiducia e di scetticismo, come apparve più chiaramente
nella sua diramazione livornese, nel Bini e nel Guerrazzi. Un
impotente grido di rivolta contro ogni ingiustizia sociale, il compiacimento per le vendette della storia, la constatazione della decadenza attuale non disgiunta dalla fede nella virtù e nella grandezza
dell'animo umano, nella gloria di Catone e di Bruto, sono tra le
note più vitali e più risentite del *Manoscritto di un prigioniero*:
opera ricca di fremiti nuovi, nascente da una aspra indignazione,
percorsa tutta da uno spirito intimamente eversore e rivoluzionario,
ma anche inesorabilmente fiaccato dallo scetticismo. Appunto per
il suo scetticismo, lo scrittore abbandona i temi più vicini e più
urgenti, e preferisce volgersi ad argomenti e a speranze di interesse
più vasto e più generale, e quindi di più lontana e più problematica realizzazione. E dallo scetticismo nacque anche l'espressione
indiretta. Esiliatosi dall'azione e seguendo le orme del suo diletto
Foscolo, Carlo Bini cercò un illusorio rifugio nell'umorismo alla
Sterne. Non nuocerebbe tuttavia al *Manoscritto* il variare di toni
da un estremo all'altro, se quel trascorrere per vari gradi dal sarcasmo alla commozione rispondesse veramente alla legge di una
segreta armonia e non fosse invece la manifestazione immediata
di una volubilità estemporanea e incontrollata. E infatti il *Manoscritto* è piuttosto uno sfogo di sentimenti vivi e brucianti, che
una espressione di cose sofferte, ma a lungo e amorosamente, anche

1. Mazzini è il grande assente di questo volume. I suoi ricordi autobiografici, coi quali va integrata la lettura di questi nostri memorialisti, si trovano nel volume che raccoglie gli scritti suoi e quelli del Cavour.

se amaramente, meditate. Esso accusa inoltre il difetto di un'ulteriore elaborazione, perché il Bini, nella sua crisi di fiducia, ritenne
perfino di non dover dar peso ai suoi scritti come a cose vane che
essi fossero, e rinunziò alla fama di scrittore. Il suo riscatto pieno
egli non lo ebbe dunque dalla letteratura; e forse non lo avrebbe
trovato neanche nell'azione, anche se si può essere certi che ove si
fosse messo per quella strada egli l'avrebbe percorsa fino in fondo, fino ad andare col suo cuore incredulo incontro al sacrificio.

Assai diversa e più istruttiva fu la parabola del Guerrazzi, a
cui la sorte offrì invano l'occasione di tradurre nella viva e concreta realtà dell'azione politica le lotte e le speranze di cui rumoreg-
giavano i suoi romanzi. Arrestato all'aprirsi del '48, liberato dopo
la pubblicazione dello Statuto, tenuto in sospetto e in quarantena
dall'oligarchia ridolfi-capponiana al potere, il Guerrazzi, tuo-
nando e fulminando contro la politica moderata, percorse in un
baleno i gradi di una carriera incredibile: portato a spalla dal
popolo, nel volger di pochi mesi fu deputato, ministro, triumviro,
dittatore. Ma come si servì del potere? Se ne servì contro il
popolo che glielo aveva dato. Egli né dichiarò decaduta la dinastia
granducale, né proclamò la repubblica, né effettuò l'unione con
Roma; al contrario attese a comprimere e a spegnere le agitazioni
popolari e cercò l'alleanza con i moderati. O *Assedio di Firenze*.
O implacate ombre di Francesco Ferrucci, di Dante da Castiglione. O ricordo di tutto un popolo in armi per la libertà. Eppure, se il Guerrazzi peccò di scetticismo, ancora più miopi di lui
furono i moderati, i quali respinsero la sua mano e attesero a vendicarsi della paura provata, e a precipitarlo. Ma la caduta del
Guerrazzi si trasse seco la definitiva ruina della libertà toscana. La
conclusione di queste poco gloriose vicende fu l'incontrastata invasione austriaca; e poi venne il famoso processo di lesa maestà.

Di tutta questa situazione è documento sostanzialmente fedele
la celebrata *Apologia*. La quale riuscì un'opera di notevole abilità ed energia dialettica irrobustita anche da molti tratti di dottrina storico-giuridica e di eloquenza; ma non poteva riuscire
un'opera grande, perché, in conseguenza della linea politica che il
Guerrazzi credette di dover seguire, nessuna grandezza ci fu negli
avvenimenti e nella sua stessa condotta personale. L'accusa della
magistratura granducale faceva onore al Guerrazzi, e lo innalzava;
la sua difesa, che fu quale doveva necessariamente essere, non di-

remo che lo immeschinisse, giacché il Guerrazzi non fu mai meschino, ma rivelò quale stoffa umana, non certo straordinaria e gigantesca ed energicamente volitiva ed eroica, ci fosse dietro il fierissimo e titanico rampognatore ed educatore.

Dal processo di lesa maestà egli non uscì solo liquidato come uomo politico: il naufragio politico coinvolgeva seco anche il naufragio letterario. Il quale allora non era chiarissimamente avvertito, ma non era perciò meno reale. Il Guerrazzi affermava volentieri di aver sacrificato nei suoi romanzi le esigenze dell'arte ai fini morali e politici. In realtà non c'è in essi alcuna traccia di tale dualismo, e dalla loro lettura si esce con la convinzione che il Guerrazzi abbia sempre detto tutto quello che voleva dire e nei modi che gli erano più propri e personali. E se ne esce anche con la persuasione che il Guerrazzi non era nato all'arte, intesa come contemplazione, ma se mai all'oratoria; e che perciò il fallimento dei suoi romanzi non va attribuito a un loro difetto d'arte, ma, per quanto questo possa sembrare paradossale, a un loro difetto di oratoria. C'è in essi uno scompenso tra l'effettiva modestia e l'ostentata grandezza del contenuto etico-politico. Il quale, non essendo illuminato dalla riflessione critica, né fecondato dalla passione, riceve alimento solo dall'immaginazione; e questa non può se non tramutarlo in parvenze effimere di una grandiosità non sostenuta da altro che da accenti illusoriamente iperbolici e impressionanti. C'è dunque all'origine un difetto di passione, di fede, cagionato da difettosa e vacua ideologia. Anche il Guerrazzi, con tutto il suo piglio travolgente, soffrì dello scetticismo comune a tanti democratici. Nella letteratura, come nella politica, il suo rivoluzionarismo era più verbale che reale. E anche egli cercò la sua evasione nell'umorismo. E non poté raggiungere neanche questa. E tuttavia, con tutti i suoi limiti e i suoi difetti, l'oratoria del Guerrazzi esercitò al suo tempo una funzione positiva. Non sul piano dell'arte; ma sul piano della cultura, del costume letterario e dello stile, il Guerrazzi sostenne con autorità e prestigio grandissimi la sua parte di antagonista del Manzoni. E inoltre la sua opera non si esaurì in se stessa. Se non gli riuscì di dare al contenuto democratico la sua compiuta espressione letteraria e se pertanto egli non creò una «scuola», le esigenze da lui rappresentate erano però vive e reali, e il Guerrazzi fu dunque l'iniziatore di un «gusto», che solo più tardi giunse al suo maturo sviluppo. Anche a un confronto superficiale appare evidentissimo quanta parte del suo contenuto etico-politico, quanta della sua prosa energicamente artificiata, il Carducci abbia mutuato dal Guerrazzi. E l'esasperato contenuto guerrazziano di violenza barbarica e di sangue andò invece a inserirsi nell'orchestrato repertorio del D'Annunzio, nel cui decadentismo, brulicante di numeri e di meraviglie, anche i lontani esordi dell'estetismo e della prosa d'arte del Guerrazzi conobbero, con la suprema fattura, anche la loro ultima dissoluzione.

Indirizzo assai diverso dai romanticismi settentrionali ebbe il romanticismo meridionale, da cui uscì il Settembrini. Mentre quelli si svilupparono su un piano prevalentemente letterario, il meridionale, ubbidendo a una diversa tradizione locale, si sviluppò, in ritardo, soprattutto sul piano del pensiero filosofico e critico, e produsse il suo tardivo capolavoro con la *Storia della letteratura italiana* del De Sanctis. Appunto per questo, anche per essere stato un prodotto quasi esclusivamente di importazione, il romanticismo letterario non ebbe nell'Italia meridionale notevole rilievo e importanza; tuttavia nei suoi tratti più rilevati, e per la tradizione giurisdizionalistica napoletana, e per l'intransigenza antiborbonica in cui dovette necessariamente trincerarsi, esso fu animato da impulsi sostanzialmente democratici e rivoluzionari. E tale fu anche il Settembrini, democratico piuttosto per istinto e per forza di cose, che per ragionata convinzione; ma pur sempre democratico, giacché anche quel suo stile così sciolto e bonario non derivava dal Manzoni e tanto meno dai manzoniani, ma si era fatto sui trecentisti alla scuola del Puoti. Nelle sue pagine non c'è traccia di byronismo o di plutarchismo, e non c'è neanche una conoscenza, sia pur superficiale e limitata, ma esatta, del pensiero del Mazzini.[1] Ma non era un manzoniano; del Manzoni egli ammirava l'arte a denti stretti e ne detestava gli insegnamenti morali. Invece era fortemente radicato in lui il culto dei martiri del '99, e nutriva una irriducibile avversione per il dogmatismo cattolico e per la tirannide papale e borbonica. Quando nell'esame degli scritti e del carattere del Settembrini si giunge a questo, che era il suo inviolabile santuario, è incredibile come quest'uomo mite

---

1. Il Mazzini «ebbe un concetto monco, la libertà e l'indipendenza, e non si curò dell'unità, che per noi italiani è idea madre di tutte le altre». Non par vero; eppure scrisse proprio questo il Settembrini nel capitolo VIII delle *Ricordanze*.

e soave divenga risoluto, tenace, inflessibile. La sua forza era in
questa salda convinzione, in questo nucleo vitale della sua coscienza di uomo, di cittadino e di scrittore. Convinzione, occorre
aggiungere, non aduggiata da alcuna ombra di fanatismo; ma che
invece permeava di sé tutto un mondo di sensibile e bonaria af-
fettuosità e tenerezza e gentilezza. L'umana e semplice grandezza
delle *Ricordanze* nasce dalla interna dirittura di quella coscienza,
che fece del Settembrini un implacabile cospiratore e gli conferì
l'incontaminata e serena dignità con cui andò incontro alla condanna a morte e superò le gravezze dell'ergastolo.

L'interna disunione della corrente democratica, quale è già emer-
sa da questa breve rassegna di memorialisti, e quale meglio apparirà
se, oltre gli scrittori già menzionati, ricorderemo anche altri della
medesima parte, come Gabriele Rossetti, Pietro Colletta, il
Berchet, il Niccolini, il Cattaneo, Giuseppe Ferrari, Carlo Pisacane, Ippolito Nievo, non compromise tuttavia l'esistenza della
corrente stessa, che mantenne la sua intima omogeneità, la sua
peculiare configurazione. La quale è indirettamente confermata
anche da quella nuova e particolare manifestazione letteraria a cui
essa diede luogo più tardi, e cioè dalla letteratura garibaldina, che
fu tutta o quasi tutta animata da sicuri e schietti sentimenti democratici. Quando nella letteratura garibaldina si fanno rientrare tutte
le opere che hanno per argomento Garibaldi e le sue imprese, quel
termine adempie semplicemente all'ufficio di una classificazione
del tutto insignificante, come una rubrica amministrativa sotto la
quale si possono elencare i più svariati prodotti. Invece quella
denominazione acquista subito un valore intimo e sostanziale se
la si riferisce solo a quelle poche opere nelle quali i loro autori,
rievocando la loro partecipazione alle gesta di Garibaldi, raggiunsero un certo grado di dignità letteraria e artistica. Un filo ideale
lega insieme queste opere, nessuna delle quali gode di assoluta
autonomia e ognuna delle quali guadagna qualche cosa a contatto
con le altre. È quel respiro di gioventù, timida ed eroica, semplice e spavalda, tutta serietà e tutta soldatesca allegria; di una
gioventù che vive, con assoluta spontaneità e quasi ignara, la sua
avventura unica e incredibile. Ed è poi la figura di Garibaldi, anzi
del Generale, che non è qui come nel Carducci o nel D'Annunzio
tolta a oggetto o a pretesto di celebrazione letteraria; ma è invece
un moto affettuoso del cuore, intimo e favoloso. Il Generale non

vi è mai idealizzato, anzi può avvenire che la sua persona sia colta in atti perfin troppo realistici; eppure essa non risulta mai esaurientemente concreta e determinata; pare che questi uomini non lo guardino con gli occhi ma col cuore, che non lo vedano ma lo sentano. E il loro sentimento, per quanto si possa di volta in volta riconoscerlo o come affetto e riverenza filiale, o come schietta simpatia e confidenza, o come trepida e devota ammirazione e idolatria, rimane sempre indefinibile nel suo complesso, come qualche cosa di mistico e di ineffabile. Garibaldi fu la comune sorgente della loro ispirazione. Come per lui essi furono soldati, così essi furono scrittori per lui. Erano scrittori di modestissima statura; e di tutti i loro libri, caduti nell'oblio, quello si è salvato in cui solo parlando di lui essi riuscirono a parlare di se stessi. A tal punto la loro sorte di scrittori fu legata alle imprese garibaldine, che i più eccellenti risultarono quelli che furono e scrissero della più gloriosa gesta di Garibaldi, l'epopea dei Mille.

Gli scrittori garibaldini erano tutti, o quasi tutti, giovani di spirito rivoluzionario e democratico, e al culto della patria li aveva svegliati la parola del Mazzini. Eppure con una istintiva certezza che così essi non rinnegavano il loro maestro, ma ne interpretavano meglio la parola, alla ortodossia mazziniana essi abdicarono nelle mani di Garibaldi; e nei ranghi garibaldini, pur così chiassosi e tumultuosi, il loro rivoluzionarismo si disciplinò e si moderò. Appunto per questo si potrebbe pensare, non senza una parte di verità, che la conciliazione fra le due scuole letterarie, che il De Sanctis cercava ora nell'uno ora nell'altro dei loro esponenti, avvenisse qui, nell'ambito della letteratura garibaldina. Ma la letteratura garibaldina è cosa troppo fragile e modesta per poter sopportare tanto peso. E inoltre queste opere, scritte quasi tutte assai tardi e apparse a molta distanza da quegli avvenimenti, furono come un muto rimprovero ed ebbero piuttosto l'ufficio di ricordare ai tralignati eredi, ai nuovi mestatori e profittatori della politica, l'onestà, il disinteresse, l'abnegazione, l'umile e semplice eroismo che avevano fatto l'Italia. Piuttosto che come una sintesi delle due correnti letterarie, la letteratura garibaldina va considerata come il tardivo epilogo di tutta la letteratura risorgimentale.

D'altronde la sintesi era implicita nella stessa essenza dei due movimenti letterari, stava alla loro radice. A chi ripercorra la loro storia, reimmergendosi nel corso degli avvenimenti, può avvenire di sposare le loro discordie e i loro conflitti, di parteggiare con essi. Ma chi si ritragga dalla mischia e consideri quel passato col debito distacco, non tarda a scorgere, di là dai contrasti, la loro sostanziale unità; giacché essi non furono, come si è già mostrato, se non due diverse ma collaboranti interpretazioni del moto romantico. Meta comune era per loro la fondazione di una letteratura concretamente e schiettamente nazionale; e comune era anche l'ostacolo che dovevano superare: le forze dell'antiromanticismo, il retoricume classicheggiante inerte e reazionario, le sopravvivenze arcadiche, gli ozi umanistici ed edonistici. Allo stesso modo si compongono in unità le contrastanti passioni politiche di cui risuonano le pagine dei memorialisti, giacché i due partiti non erano se non due diverse ma cooperanti interpretazioni del risorgimento; e unico era in fondo il loro fine: l'indipendenza e la libertà e poi anche l'unità d'Italia; e unico era il loro vero nemico: le forze antirisorgimentali costituite dalle sopravvivenze della Santa Alleanza, l'assolutismo, l'illiberalismo, il sanfedismo. Ed è appunto per questo che oggi, sopitisi o radicalmente mutatisi i motivi di quei contrasti, quell'epoca appare come conclusa in un circolo ideale; e a quelle opere che narrano una storia di congiure, di esigli, di ergastoli, allietata alfine dalle battaglie aperte e solatie dell'epopea garibaldina, si risale come alle memorie di un'età favolosa, agli incontaminati e commoventi incunaboli della nostra libertà.[1]

GAETANO TROMBATORE

1. Degli scrittori di questo volume, tre rimangono fuori della storia ideale che si è tracciata. Isabella Teotochi Albrizzi, benché non fosse del tutto insensibile ai richiami del primo romanticismo, rimase tuttavia legata alla letteratura neoclassica. Di nuovo c'è in lei l'interesse per la stoffa umana, e significativo era il suo volgersi a scrutare caratteri romantici come quello del Byron. Ma il suo interesse si esauriva tutto nei limiti troppo angusti di un'ovvia indagine psicologica, e si congelò in forme marmoree, in forme canoviane. — Antonio Bresciani, che impersonava l'antirisorgimento e l'antiromanticismo, fu nella letteratura l'esponente più combattivo del sanfedismo. Le sue opere andrebbero studiate con stretto riferimento al terreno reazionario su cui nacquero. Tutto sommato, si può dire che egli è un duro a morire. La sua presenza non va dimenticata. — Le pagine di Vincenzo Padula sono invece alla soglia della nuova storia, e appartengono a quel momento in cui parve e si sperò che lo sbocco legittimo e doveroso del moto risorgimentale fosse, nel nuovo regno, una politica interna volta a sanare, con sagge riforme, i guasti sociali di

cui specialmente soffrivano le regioni meridionali e insulari. Ma come si sa, la storia andò per altre vie. E perfino nella letteratura dominante, ai pastori del Padula con la loro miseria e i loro pidocchi si sostituirono altri pastori, migranti di settembre dalla terra d'Abruzzi al tremolar della marina.

*

# BIBLIOGRAFIA

In mancanza di lavori critici complessivi sulla letteratura memorialistica della prima metà del secolo scorso, per un primo orientamento bisogna affidarsi ai repertori, alle raccolte di saggi e alle altre opere di generale informazione letteraria. Per gli scrittori che figurano in questo volume si vedano dunque: G. MAZZONI, L'Ottocento, Milano, Vallardi, 1934; A. ALBERTAZZI, Il romanzo, Milano, Vallardi, 1904; B. CROCE, La letteratura della nuova Italia, Bari, Laterza (i sei volumi hanno avuto varie ristampe); PIETRO PANCRAZI, Racconti e novelle dell'Ottocento, Firenze 1939; LUIGI RUSSO, I narratori, Milano, Principato, 1950; e le più ampie storie letterarie, fra le quali, principalmente: ATTILIO MOMIGLIANO, Storia della lett. it., Milano, Principato, 1946 (5ª ediz.); FRANCESCO FLORA, Storia d. lett. it., vol. IV, Milano, Mondadori (varie ristampe); NATALINO SAPEGNO, Compendio di storia d. lett. it., vol. III, Firenze, La Nuova Italia, 1947.

Limitatamente alla letteratura garibaldina, oltre le opere generali sopra citate, cfr. G. STIAVELLI, Garibaldi nella letteratura, Voghera 1901; C. M. PATRONO, Garibaldi e i garibaldini, Como 1910; C. AGRATI, I Mille nella storia e nella leggenda, Milano 1933; LUIGI RUSSO, Abba e la letteratura garibaldina dal Carducci al D'Annunzio, Palermo 1933; GIANI STUPARICH, Scrittori garibaldini, Milano 1948 (in questo volume si troveranno anche altre notizie bibliografiche).

Per la necessaria illustrazione storica di tutto il periodo, naturalmente sempre in funzione dell'apprezzamento letterario di questi memorialisti, e cioè per la conoscenza generale del momento storico in cui essi vissero e al quale si collegano le loro opere, oltre il Dizionario del Risorgimento del ROSI e l'Enciclopedia italiana, si consultino le nostre più ampie storie, fra le quali la più recente è quella di CESARE SPELLANZON, Storia del Risorgimento e dell'unità d'Italia, Milano, Rizzoli (sono usciti finora i primi cinque volumi). Per tutte le campagne di Garibaldi e per le figure di un gran numero di garibaldini cfr. GUALTIERO CASTELLINI, Eroi garibaldini, Milano, Treves, 1931. Per le vicende meridionali è sempre gradevole e consigliabile la lettura di RAFFAELE DE CESARE, La fine di un regno, Città di Castello 1909 (3ª ediz.).

# MEMORIE
# DI PATRIOTI E LETTERATI

★

ISABELLA TEOTOCHI ALBRIZZI · SILVIO PELLICO

CARLO BINI · GIOVANNI RUFFINI · MASSIMO D'AZEGLIO

GIUSEPPE GIUSTI · FRANCESCO DOMENICO GUERRAZZI

LUIGI CARLO FARINI · LUIGI SETTEMBRINI

ANTONIO BRESCIANI · VINCENZO PADULA

ISABELLA TEOTOCHI ALBRIZZI

# PROFILO BIOGRAFICO

ISABELLA TEOTOCHI nacque nel 1760 a Corfù dal conte Antonio Teotochi, greco, e da Nicoletta Veja, veneziana. A sedici anni sposò, riluttante, il nobile Carlo Antonio Marin e si trasferì con lui a Venezia. Questo matrimonio fu annullato nel 1795 e l'anno seguente Isabella sposò il conte Giuseppe Albrizzi, Inquisitore di Stato. Viaggiò più volte in Toscana e a Parigi. Morì a Venezia nel 1836. Il suo salotto, che divenne ben presto uno dei più noti e ricercati d'Europa, ebbe inizio nel 1782, in seguito alla conoscenza che Isabella fece col senatore veneziano Angelo Querini. Ne fu nume tutelare Ippolito Pindemonte; lo frequentarono assiduamente fra tanti altri Saverio Bettinelli, Aurelio de' Giorgi Bertòla, Melchiorre Cesarotti; vi furono accolti durante la loro dimora a Venezia gli uomini più eminenti di quell'epoca, da Ugo Foscolo a lord Byron a Chateaubriand a Canova. Vi si parlava di letteratura e d'arte e di filosofia: ma nel tono della «conversazione» si rifletteva il dominio di Isabella, a cui le Grazie avevan fatto il dono della bellezza del viso e del corpo, che mantenne a lungo negli anni, e di uno spirito armonioso e sereno, che ella arricchì di una cultura varia e scevra di ogni profondo impegno. Frugando nella sua vita intima si son potuti trovare molti suoi amori: ma nessuna passione profondamente sentita. «Era amante per cinque giorni, ma amica per tutta la vita» disse epigrammaticamente di lei Ugo Foscolo. Si incarnò in lei, forse nella sua maggiore purezza, quell'ideale di vita e d'arte a cui si ispirava il neoclassicismo di quell'epoca. E la sua «conversazione» fu un convegno sereno di uomini colti e arguti, i quali, salendo le scale di palazzo Albrizzi, dimenticavano le fortunose vicende di quegli anni, i timori e le speranze, e si ritrovavano nell'aria pacificatrice e lieta dell'elevatezza intellettuale e morale.

Conoscere e sagacemente indagare i caratteri degli uomini seppe certamente Isabella: e ne son prova i suoi *Ritratti*. I quali, conformemente all'indole e al sentimento di lei, han linee nitide e serene, e riescono perciò alquanto statici. Ma non sì, che, rivelando nella scrittrice più tratti di penetrante analisi psicologica, essi non tocchino talvolta qualcosa di più profondo, qualcosa che, se affiorasse troppo, turberebbe la grazia e l'armonia fredda e convenzionale del disegno neoclassico, in cui il ritratto aspira a comporsi e a mantenersi: come un trasalire, appena avvertibile, dello spirito del romanticismo.

★

Il successo dei *Ritratti* non fu indifferente. La prima edizione (Brescia, per Nicolò Bettoni, 1807) si esaurì subito, e appena un anno dopo seguì la seconda a Padova, per Nicolò Zanon Bettoni, 1808; apparve poi la terza che fu stampata dalla Tipografia di Alvisopoli nel 1816, e dieci anni dopo, sempre vivente Isabella, vide la luce la quarta: «*Ritratti* scritti da ISABELLA TEOTOCHI ALBRIZZI. Quarta edizione arricchita di *Due lettere sulla "Mirra" di Alfieri* e della *Vita di Vittoria Colonna*. Pisa, presso Niccolò Capurro, co' caratteri di Didot, MDCCCXXVI». Il nostro testo deriva da questa, che ha carattere di edizione definitiva e che è la più completa dell'opera principale di Isabella.

Indirettamente stimolata dall'intensificarsi degli studi foscoliani, l'attenzione di vari studiosi si è rivolta negli ultimi tempi con simpatia a questa scrittrice, che non meritava di essere dimenticata. E questo rinnovato interesse ha fruttato l'edizione recente dei *Ritratti* a cura di TOMMASO BOZZA, Roma 1946, la quale comprende anche la *Vita di Vittoria Colonna* ed è arricchita dei *Frammenti di un romanzo autobiografico* di UGO FOSCOLO; ma non accoglie la lettera di Isabella sulla *Mirra* alfieriana (l'altra lettera sullo stesso argomento era di Stefano Arteaga), né il «ritratto» di Giustina Renier Michiel, che posteriormente alla quarta edizione Isabella pubblicò nella «Strenna di Milano», Milano, Vallardi, 1833.

Su Isabella si vedano: ANTONIO MENEGHELLI, *Notizia biografica su Isabella Albrizzi nata Teotochi*, Padova, Tipografia Minerva, 1837; VITTORIO MALAMANI, *I. T. A., i suoi amici, il suo tempo*, Torino, Tip. Locatelli, 1882; EDMONDO RHO, *La divina Isabella*, Torino 1939; e soprattutto l'introduzione premessa da T. BOZZA alla sua edizione dei *Ritratti*. Quest'ultimo volume contiene anche una compiuta bibliografia.

# DAI «RITRATTI»

## I

## IPPOLITO PINDEMONTE

La dotta e felice penna dell'immortale Plutarco richiederebbesi per dipingere l'uomo,[1] che appartenere punto non sembra a questi tempi sciagurati, in cui la virtù è sì difficile, la dottrina sì pericolosa, il fino e squisito gusto sì raro. La vivace espressione degli occhi suoi ti permette appena d'accorgerti dei danni[2] sofferti dalla fisonomia, danni però, che tosto si riconoscono essere di quella natura, a cui volontariamente l'uomo condanna se stesso per ottenere, mercé di lunghi studi, la perfezione dello spirito. All'aprirsi della bocca se gl'irradia tutto il sembiante, non essendo quell'aprirsi quasi mai scompagnato da lieto e soavissimo sorriso. Da tutta poi la dolce fisonomia traluce un carattere tale di bontà e di soave gentilezza, che desiderar non si saprebbe il migliore. L'animo suo, sempre per se stesso tranquillo, egli è qual terso specchio, che si avviva ai raggi del sole o si appanna ai vapori della nebbia, pronto a tingersi del colore lieto o tristo dei pochi, ma cari amici del suo cuore. Il suo metodo di vita è così inalterabilmente uniforme, che non si sa ben distinguere s'egli siasi fatto schiavo del tempo o se abbia reso il tempo schiavo di sé. Le ore tutte dei suoi giorni, quelle delle sue notti, sono da lui così misurate e ripartite, che si potrebbero calcolare con la stessa sicurezza con cui l'astronomo calcola le successive direzioni degli astri: il che lo rende un essere alquanto isolato e singolare. Se largamente non ridonasse se stesso nella maggior parte delle sue moltiplici, varie e tutte belle opere, in cui la profonda cognizione del cuore umano, il calore ed il candore dell'animo, i santi e puri costumi della sua vita ad ogni linea appariscono, giusto sarebbe lagnarsi di possederlo poco, ma una tale certezza[3] acqueta; quando parte si dice: «nol perdo del tutto; egli va a dipingersi,[4] lo rivedrò fra non molto». Né men ti piace,

1. Ippolito Pindemonte (1753-1828) tradusse l'*Odissea* e scrisse varie opere in versi e in prosa, nelle quali derivò gli spiriti del preromanticismo europeo. Fu poeta di vena idillica e malinconica. Il Foscolo gli dedicò i suoi *Sepolcri*. 2. *dei danni* ecc. I lunghi studi hanno sciupato la fisionomia dello scrittore. 3. *tale certezza*, di ritrovarlo nei suoi scritti. 4. *va a dipingersi*: va a scrivere qualche cosa, in cui dipingerà il suo animo.

qualora il ridicolo con robusto pennello tratteggia, l'usurpazione fa detestare, il vizio aborrire. L'arte difficilissima di tacere opportunamente sembra in esso natura. Egli è amico così fido e sicuro, che, quasi le chiavi dell'altrui secreto nelle mani di chi glielo affida restassero, liberamente si può aprirgli il cuore. Della propria indipendenza fu sempre oltre ogni dire geloso. Gli si offre una gita piacevole, un concerto di musica, un crocchio[1] aggradevole; non risponde, perché in sulle prime sarebbe tentato di tenerne l'invito;[2] ma tanto bilancia, tanto pesa e tanto calcola, che alla fine sempre rifiuta. Nulla il rimove mai da quello che si è proposto di fare; quasi temesse, non persistendo, di avere errato in proporselo: ma si trova docilità somma in lui là dove quasi mai negli autori non suol trovarsi, nel lasciar censurare le sue idee, i versi suoi, i quali puoi seco disaminare[3] quasi fossero d'altrui. Meravigliosa è poi la spassionatezza con cui giudica sì degli uomini e sì delle letterarie produzioni, quasi giustissima bilancia che dell'oro come del piombo dimostra il peso, ignara di qual vena esca il metallo. È il suo animo in ciò fare così assoluto signor di se stesso, che anche l'uomo infelice, il quale perduto avesse ogni diritto alla sua stima, dove pure si trattasse di una qualche produzione del suo ingegno, non troverebbe il più piccolo disfavore[4] nel giudizio di lui; e lo stesso dicasi pure (che è forse maggiore pericolo per animo così gentile) ove di eccellente uomo sopra non eccellente produzione il suo giudizio cader dovesse. Ma ciò che v'ha di più singolare, nol dissi: l'arte difficilissima che a meraviglia possiede, di farsi perdonare dai malvagi la bontà, dagl'ignoranti la scienza, dai viziosi la virtù, e dalle donne l'indifferenza.

---

1. *un crocchio*: una piccola riunione di amici.   2. *di tenerne l'invito*: di impegnarsi a prendervi parte.   3. *disaminare*: esaminare minutamente, criticare.   4. *disfavore*: malanimo.

## II

## GIUSEPPE ALBRIZZI

Osserva[1] come da ogni tratto di quella abbattuta fisonomia, da ogni detto e quasi quasi direi da ogni movimento della persona, esce l'immagine d'una dolce virtù. Non sai quale vi primeggi, ma certissimo sei che tutte ivi stanno raccolte; né t'inganni. Pare che la natura scelto lo abbia per effettuare una sua particolare esperienza; cioè se co' gradi del male quelli della sofferenza[2] possano crescer del pari, sicché ne risulti all'uomo, generalmente intollerante, un salutarissimo esempio di tolleranza; e di fatto cresce in lui sempre l'una in proporzione degli altri così, che quasi del suo soffrire l'occhio altrui non s'avvede. Nato con tutta quella giovialità, di cui può essere capace un uomo eccessivamente sensitivo, i mali fisici, i morali, la nequizia de' tempi, e quel peggio verificantesi ogni dì più, tinsero di un colore alquanto più cupo la dolce serenità del suo carattere. Crede di dovere tutto se stesso agli altri, e che gli altri a lui non debbano mai nulla. — Io fo il mio cammino —, suol egli dire; e questo,[3] da cui non si vide mai deviare un solo istante, dalla virtù stessa pare tracciato. Non crede di essere mai grato abbastanza per un piacere che gli vien fatto, e per mille e mille, ch'egli fa sempre altrui, della mercede d'un semplice sorriso s'appaga. Amerebbe e gusterebbe infinitamente la lettura aggradevole, l'istruttiva; ma siccome questa occupazione non sarebbe utile che a se solo, quasi sempre quelle preferisce, che riguardano gl'interessi delle persone che gli son care. È questo il solo uomo ch'io mi conosca, il quale verificar potrebbe ciò che di sé diceva quel saggio: poter egli abitare una casa trasparente. Come che fornito di giudizio fino e dilicato, bene spesso non te ne accorgeresti, tanto in tutto e per tutti si mostra di facile contentatura; e ciò perché ama meglio di essere creduto alquanto semplice, che mortificare l'amor proprio di chi che sia. Un eccesso di previdenza (della natura dono funestissimo!) lo tiene sempre inquieto, rendendogli quasi sicuri e presenti

1. Il senatore veneziano Giuseppe Albrizzi (1750-1812), secondo marito di Isabella, fu «signore di alto grado e gentiluomo compiuto, abile ed amabile conversatore, di costumi liberalissimi» (Bozza). 2. *della sofferenza*: della sopportazione del male fisico. 3. *questo*: il suo cammino, la sua regola di condotta.

i mali incerti e futuri. Quando accade un male ch'egli aveva preveduto (e già non ne accade alcuno mai ch'egli preveduto non abbia) così dello spirito suo profetico si compiace, che quasi quasi pel male stesso ne trae da questa compiacenza conforto. — Io lo aveva pur detto! — ripete, né s'accorge ch'è quanto dire: «io aveva sofferto prima d'ogni altro». Possiede il difficile dono di saper star bene con tutti: una mezza virtù, un picciolo ingegno, una tenue abilità, tutto l'appaga, e di tutto egli si compiace. Se la diffidenza è difetto sommo, dell'opposta virtù[1] soverchiamente esercitata accusarlo potrebbesi... accusarlo dell'eccesso d'una sì amabile virtù? Ah! faccialo chi ne ha il coraggio.

III

UGO FOSCOLO

— Chi è colui? — richiedi al tuo vicino. Nol sa. Tu smanioso corri a me e mel domandi.[2] Or bene, del volto dunque e dell'aspetto ne sai quanto basta: volto ed aspetto che ti eccitano a ricercarne e a conoscerne l'animo e l'ingegno. L'animo è caldo, forte, disprezzatore della fortuna e della morte. L'ingegno è fervido, rapido, nutrito di sublimi e forti idee: semi eccellenti in eccellente terreno coltivati e cresciuti. Grato alla fortuna avara, compiacesi di non esser ricco, amando meglio esserlo di quelle virtù che esercitate dalla ricchezza quasi più virtudi non sono. Pietoso, generoso, riconoscente, pare un rozzo selvaggio a' filosofi de' nostri dì. Libertà, indipendenza sono gl'idoli dell'anima sua. Si strapperebbe il cuore dal petto, se liberissimi non gli paressero i moti tutti del suo cuore. Questa dolce illusione[3] lo consola, e quasi rugiada rinfresca la troppo bollente anima sua. Alla pietà filiale, all'amistà fraterna, all'imperioso amore concede talvolta un filo ond'essere ritenuto; ma filo lungo, debole, mal sicuro contro l'impetuoso torrente di più maschie passioni. Ama la solitudine profonda; ivi meglio dispiega tutta la forza di quel ferace ingegno che ne' suoi scritti

---

1. *dell'opposta virtù*: della fiducia.  2. Ugo Foscolo e Isabella si conobbero e si amarono nel 1795. Il poeta la ritrasse suggestivamente nella Temira dei suoi *Frammenti di un romanzo autobiografico*. Il linguaggio di questo ritratto ha un chiaro sapore foscoliano.  3. *illusione*, di libertà e di indipendenza.

trasfonde. La sua vasta memoria è cera nel ricevere, marmo nel ritenere. Amico fervido ma sincero, come lo specchio, che non illude né inganna. Intollerante per riflessione[1] più che per natura. Delle cose patrie adoratore, oltre il giusto disprezzatore delle straniere. Talora parlatore felicissimo e facondo, e talora muto di voce e di persona. Pare che l'esistenza non gli sia cara, se non perché ne può disporre a suo talento: errore altrettanto dolce al suo cuore quanto amaro a quello degli amici suoi.

## IV

## ANONIMO

No, non puoi difenderti dalla curiosità che t'ispirano que' suoi inanellati biondissimi capelli, quegli occhi cerulei e vivacissimi, quella tinta di fuoco, quella figura tutta piena di vita.[2] Lo interroghi? serio e severo ti risponde: di commercio, d'arti, di costumi per eccellenza ti parla; di belle arti, di bella letteratura, di tutto quello in fine, che più particolarmente appartiene ad un gusto fino e delicato, volentieri non parla. Conosce e scrive molte lingue moderne, e le parla tutte con tanta rapidità, che chiunque lo ascolta crede essere di lui propria quella in cui l'ode favellare. Delle antiche non conosce neppur quella[3] che non è lecito ignorare. Dipinge, ma non riesce felicemente che nel ritrarre le donne, facendo servire questo stesso innocente talento a' suoi fini, sommamente rabbellendole; ma cogliendo nel tempo stesso i tratti principali della rassomiglianza, per cui il nome della persona dipinta scappa sempre dalle labbra di chi osserva il ritratto. Senza mostrar di badarvi gran fatto, conosce gli uomini a meraviglia; ma più presto de' vizi, che delle virtù loro, si accorge. La bilancia della sua stima, del suo affetto, delle sue lodi è sempre in mano del suo amor proprio. Cerca le donne senza amarne alcuna, e gli paiono più amabili quelle che mostrano per lui la maggiore indifferenza: allora, Proteo[4] novello, nulla trascura per rendersele appassionate, ve-

---

1. *per riflessione*: intollerante solo di tutto ciò che la sua ragione giudica di dover condannare. 2. Non si sa chi sia questo anonimo; ma è certo un ritratto in cui la scrittrice riesce più incisiva e più impegnata del solito. 3. *quella*: il latino. 4. *Proteo*. Divinità marina che si trasformava in mille guise.

stendo ogni forma e talento che può più loro piacere. Pure tale è
per le donne il suo disprezzo, tale il desiderio di perfezionarsi
nell'arte della seduzione, che, malgrado del suo eccessivo amor
proprio, se stesso accusa, e non mai la loro virtù, quando resistono
ad amarlo. Lovelaccio,[1] Walmont[2] e simili mostri gli paiono fanciulli
inesperti; così alta è l'idea ch'egli si è formata d'un conquistatore
di cuori. Il suo primo ed unico oggetto è di sedurre le donne, o almeno di occuparle in qualche maniera di se stesso, ed in qualche
maniera ci riesce: tel provi l'essermi io stessa occupata di scrivere
il suo Ritratto.


v

MELCHIORRE CESAROTTI

Rammenti tu l'Ulisse omerico sul punto di parlamentare in Troia?[3]
Il Ritratto che ti presento è la copia appunto di quell'originale.
Vedi tu nel luogo il più onorevole di quel numerosissimo crocchio
quel preticciuolo di abito schietto e disadorno, freddo, taciturno,
imbarazzato di sé e degli altri? Osservalo tutto raccolto nella sua
personcina, inanimato nel volto, occhi immobili, bocca chiusa,
braccia incrocicchiate, qual uom che voglia rannicchiare, impiccio-
lire o poco meno che annullare se stesso. Or vuoi tu, quasi a un
tocco di magica verga, cangiare questo essere insignificante o trasognato in un uomo, che a sol vederlo parlare ecciti in ognuno l'ammirazione col lampeggiare degli occhi; di quegli occhi però, de'
quali la sola vivacità dello spirito fa tutta la pompa e gli onori?
Trasportalo fra pochi amici, ed eccitalo a parlare senza ch'ei del
tuo artifizio s'accorga: ed eccoti balzar fuori uno spirito vivo, focoso, rapidissimo, che non oppresso né imbarazzato da una vasta
erudizione vi scorre sopra agile e disinvolto, e l'anima e l'atteggia

---

1. *Lovelaccio*: Lovelace. Personaggio del romanzo *Clarissa Harlowe*, di
Samuel Richardson (1689-1761). 2. *Walmont*. Personaggio delle *Liaisons
dangereuses*, di P. Choderlos de Laclos (1741-1803). 3. L'episodio si
trova nel Canto III dell'*Iliade*. Melchiorre Cesarotti (1730-1808), professore all'Università di Padova, fu studioso e scrittore di varia e soda dottrina
antica e moderna. Fra le opere sue che anche oggi più si ricordano è il
*Saggio sulla filosofia delle lingue*. Con la sua traduzione dell'*Ossian* di
Macpherson, che ebbe un successo clamoroso, introdusse in Italia il gusto
della poesia bardita.

a suo grado. Quel dolcissimo non far nulla, di cui tanto vengono accusati gl'Italiani, sempre gli sta sulle labbra; pure l'immaginazione sua e la sua penna non hanno posa. Genio timido, pare che non osi prodursi solo alla luce, ma che abbisogni di chi, tenendolo quasi per mano, lo guidi ed al pubblico lo presenti. Diffidente di se stesso, lagnasi sempre di tardezza e sterilità; ma ciò che sembra a lui sterilità è l'eccesso appunto dell'abbondanza. Il progetto di un'opera comincia dall'intimorirlo; non trova disegno, non idee, nulla in fine. Ci pensa alquanto, ed ecco aprirsi alla ferace sua immaginazione un campo vasto e quasi illimitato; una folla d'idee, che si presentano, e s'aggruppano; infine ricchezza ed abbondanza tale, che, difficilmente sapendo scegliere il meglio dal buono, e quasi sgomentato dalla vastità del suo concetto medesimo, spesso lo abbandona del tutto: ed ecco perché la traduzione, mettendo argini, quantunque larghi, al suo ingegno, non ispaventa la sua diffidenza con la moltitudine delle idee che lo assediano al solo immaginare d'un'opera qualunque siasi. Il suo genio però, che volevalo autore quasi a suo dispetto, vi scoppia da ogni parte, e mostra nel traduttore un originale di nuova specie da fare invidia a molti, che pur son tali, non che ai molti più, che tali si credono. Né per questo è men certo che le opere propriamente sue di prosa e di verso basterebbero sole a collocarlo fra gli ingegni più luminosi d'Italia. Della gloria può dirsi ch'essa venne a sorprenderlo senza che egli mai la cercasse. Il suo idolo è il Bello morale; capo e centro de' suoi affetti l'amore. Applausi, titoli, onori letterari sono per lui noie, imbarazzi, torture; amare ed essere amato, ecco l'unica ambizione di questo cuore soavissimo. L'affetto di cui più si compiace è quello de' giovani; perché più sinceri, più capaci di quell'entusiasmo del Bello che vorrebbe accendere in tutt'i cuori, e perché lasciano campo maggiore alla sua vivace immaginativa, che già vede sempre vicini a spiegarsi in loro mille e mille talenti diversi. Di niun letterato sì grande, delle sue occupazioni, del suo tempo, si fece mai abuso maggiore. Vuoi tu farlo comporre sopra un soggetto qualunque ei siasi? Parlagliene, soffrine la più assoluta negativa: non sa, non può; e tu parti persuaso d'avere seminato nell'arena. Il crederesti? In terreno fertilissimo hai seminato: perché quei detti appunto, come semi in eccellente terreno, nella fantasia di lui prendono radice, si sviluppano, e quasi suo malgrado è pur forza che producan le frutta. Molti, presi dalla vanità d'intitolarsi amici suoi e di mostrare una sua letterina, lo assediano, gli fanno perdere il prezioso suo tempo con lo scrivergli, interrogarlo, consultarlo; esigono risposte, versi; e che non esigono gli uomini, quando sperano di poter lusingare la propria vanità? Ed egli scrive, risponde, fa versi, e rifà gli altrui con tal buona fede, che spesso, non lasciandone né pur uno intatto, quasi di non avervi posto mano persuade a se stesso ed all'Autore così, che tutti e due ne restano pienamente convinti. Di gusto squisito nel distinguere i difetti e le bellezze di un'opera, dimentica però volentieri gli uni per esaltare le altre, e s'arresta[1] nell'altrui lode con quella compiacenza che sogliono gustare molti nel biasimo. Le sue censure anche più severe sono però salutari, perché aggiunge alla ferita il rimedio col suggerimento o l'emenda. A' morsi de' maligni o de' letterati subalterni non degnò mai di rispondere. Provocato però talvolta violentemente, seppe condire il piccante delle sue risposte con tale urbanità, e mescolar le ragioni allo scherzo con tale delicatezza, che non sai se più istruisca o diletti, se più punga o accarezzi. Del resto non conserva mai rancore, e quell'uomo stesso che lo ha offeso ha sempre il diritto di ritornarselo amico pronunziandogli quella magica parola, *amore*. Ama passionatamente la campagna. Il suo singolar Selvaggiano,[2] villetta di sua creazione, vale il maggiore elogio che possa farsi di quello che la fondò. Quivi lo vedi ad un tempo poeta, filosofo, amico tenerissimo, amante della vita campestre, nemico del fasto, pieno d'entusiasmo pel Bello semplice, dominato da quella dolce melanconia, così naturale alle anime dilicate. La natura, ch'egli ama in tutto a preferenza dell'arte, la natura architettata, ordinata, animata dalla sua fantasia, lo rende pago e felice. Selvaggiano colla varietà degli ornamenti, colla unità dell'oggetto, colla scelta e distribuzion delle piante, co' motti poetici di cui è sparso, col senso morale che ispira, parla agli spettatori dell'anima bella a cui deve la sua esistenza. Ovunque ti volga, tu vi leggi la storia del suo spirito, del suo cuore, del suo carattere.

1. *s'arresta*: si indugia nel lodare altrui.  2. *Selvaggiano*, «da Selva di Giano: è l'antico nome di Selvazzano (Selvazzano Dentro), a 9 chilometri da Padova» (Bozza).

## VI

## VITTORIO ALFIERI

Si direbbe quasi che in quel volto l'immagine respiri d'una divinità corrucciata.[1] Quel certo splendore che dopo d'avergli quasi dorati i capelli pare che si diffonda per tutta la faccia, e l'irradi: e quegli occhi che ora ei rivolge con lunghi sguardi al cielo, ed ora tiene immobilmente confitti al suolo, un essere ti annunziano straordinario del tutto. Fu egli dissipatissimo nella prima sua gioventù, e tenne in conto maggiore un bello e generoso cavallo, di tutti i filosofi del Ginnasio. Si abbandonò allo studio assai tardi; e quantunque il suo stile riveli alquanto questa increscevole verità, pure non ci volea forse meno di quel suo sommo intelletto e di quella sua incomparabile assiduità nelle lettere, perch'ei salisse alla sfera più luminosa degli italici ingegni. Come soffio di vento che nelle gole d'alte ed aggruppate montagne diventa terribile, ogni passione diventa tempesta nel suo cuore. Arde se t'ama, è di gelo se ti disprezza, e se t'odia ... ma non odia che il vizio, ed è sovr'esso che rovescia a torrenti l'amarissima sua bile. L'amabile indulgenza, virtù sì cara e dolce a chi l'esercita e verso cui si esercita, gli è virtù sconosciuta; essa esige una certa calma incompatibile con l'animo suo. L'eccessivo amor suo nazionale lo rese calunniatore della propria nazione. La negletta educazione gli parve istupidimento; i difetti gli parvero vizi; i vizi misfatti; né potendo a suo talento l'Italia innalzare agli occhi propri, parve che si compiacesse d'abbassare e riabbassare le nazioni forestiere; ingiustizia quasi da perdonarsi per la nobiltà della sua origine. La toscana favella, qual musica soavissima e divina, gli allettava non meno l'orecchio che l'animo. Per essa fissò i suoi giorni in Toscana, e per essa già da molti anni si astenne dal leggere libri forestieri e particolarmente francesi, per tenersi puro l'orecchio; sicché nella sua bella e scelta biblioteca al solo antico Montaigne fu conceduto l'onore della ospitalità. Tragico sommo, e fino a questi ultimi giorni senza rivali in Italia. Di ogni cosa che di lui fino ad ora comparve, dalle *Satire* in fuori, scrittore alto e profondo. Inal-

---

1. Isabella vide l'Alfieri nel 1796 e nel 1798 in occasione dei suoi due primi viaggi in Toscana.

terabile nel desiderio del buono e dell'onesto, parve caduto in contradizione a certuni, solo perché trovandosi deluso del bene dove più lo sperava, si dolse e del male operato e dell'inganno suo, forse più che ad un uom saggio non lice. Se vissuto fosse in un mondo eccellente, cioè ideale, si sarebbero perennemente sviluppati nel suo cuore i sentimenti più dolci ed affettuosi che desiderar si potessero; e di ciò ne fanno chiarissima fede i pochi, ma soavissimi versi ispiratigli da chi[1] avea non meno diritto alla sua che alla universale ammirazione. Ma questo secolo crudele, che si intitola umano io credo per sola vaghezza d'antitesi, lo rendeva atrabiliare e furioso, come un uomo condannato a vivere tra le serpi e le tigri. — Ma tu con fermo pennello nol pingi —, dirà forse taluno. Con fermo pennello nol pingo, è vero; ma s'egli stesso, e le tante opere sue, che pur scolpirlo, non che dipingerlo, dovevano nella mente altrui, nol fecero, di me qual meraviglia? e che scolpito bene non siasi, il conoscerai dai varii e disparatissimi giudizi, che di lui ti daranno quanti appunto saranno gli uomini a cui ti piaccia richiederne.

1. *da chi*: dalla contessa d'Albany.

SILVIO PELLICO

# PROFILO BIOGRAFICO

Silvio Pellico nacque a Saluzzo il 25 giugno 1789 e trascorse gli anni dell'infanzia e della fanciullezza a Pinerolo e a Torino, seguendo con la famiglia gli sfortunati tentativi commerciali di suo padre Onorato. Dal 1806 al 1809 visse a Lione presso un parente ricco, e fu questo il primo notevole avvenimento della sua vita. Egli era cresciuto in una famiglia di saldi ma angusti princìpi religiosi e morali, in ambienti intellettuali retrogradi e codini. A Lione si sprovincializzò. Era, quella, una delle più grandi e operose città della Francia; e quel nuovo vivere, che era nato dalla rivoluzione e che allora sentiva anche l'impulso delle conquiste napoleoniche, non poteva non esercitare una vigorosa influenza in un giovane sottratto al suo ambiente domestico, in quegli anni, dai sedici ai venti, che sogliono essere così decisivi per la formazione del carattere. Egli vi compì i suoi studi dedicandosi anche al tedesco e all'inglese, e soprattutto imparò a servirsi correntemente del francese. La sua mente si aprì a nuovi orizzonti, la sua cultura e rinnovò radicalmente e si mise in linea coi tempi. In questo grande rivolgimento anche la fede religiosa dei suoi primi anni rimase travolta. Così, quando nel 1809 si trasferì a Milano, egli vi giunse preparato a partecipare ai circoli intellettuali più avanzati e più brillanti della capitale del Regno italico.

Vi conobbe subito, tra molti altri, il Monti, Pietro Borsieri, Ludovico di Breme, Ermes Visconti; ma più d'ogni altro amò Ugo Foscolo, che lo ricambiò di tenero e costante affetto. A Milano si precisò e si decise la sua vocazione poetica; e una sua tragedia, la *Francesca da Rimini*, recitata nel 1815 dalla Compagnia di Carlotta Marchionni, ottenne un clamoroso successo. Oggi essa è generalmente dimenticata. Ma allora piacque per i suoi moti di tenerezza e di ingenuo trasporto, i quali ammorbidivano il rigido canovaccio della tragedia alfieriana; e tenne la scena per decenni. Nel 1816 il Pellico entrò come precettore nella casa del conte Luigi Porro Lambertenghi, che era forse il centro più vivo dell'intellettualità liberale milanese, e a cui convenivano anche i migliori ingegni d'Europa. Quivi fu realizzata nel settembre 1818 la pubblicazione del «Conciliatore», il famoso periodico che può considerarsi come l'araldo del romanticismo e del liberalismo in Italia: e il Pellico, oltre ad esserne assiduo collaboratore, ne fu anche il più attivo redattore. Le persecuzioni e le minacce della polizia austriaca determinarono, dopo un anno appena, la fine del «foglio azzurro».

Nel febbraio del 1820 il Pellico, che si era innamorato di una cugina di Carlotta Marchionni e frequentava perciò assiduamente quella compagnia teatrale, vi conobbe Pietro Maroncelli, un giovane musicista romagnolo, un arruffato *bohémien*, ma un cuor d'oro, innamorato, nientemeno, di Carlotta. Benché solo ventiquattrenne, egli aveva già un passato come cospiratore politico, ed era reduce da un processo che gli era stato fatto a Roma e dal quale era potuto uscire prosciolto. Ma si attuava allora clamorosamente e, pareva, felicemente il moto carbonaro di Napoli. La Carboneria, che tanta seduzione esercitava già negli animi dei giovani patrioti, sembrava allora più potente che mai. Ed ecco che il Maroncelli impianta una «vendita» a Milano, vi affilia il Pellico, e in breve tempo vi aderiscono quasi tutti i conciliatoristi, anche il conte Porro. La trama però, anche per la sventatezza di Maroncelli, fu scoperta dalla polizia e cominciarono gli arresti. Il 13 ottobre di quell'anno il Pellico fu tradotto nelle carceri di Santa Margherita, e poiché era riuscito a distruggere in tempo tutte le carte compromettenti e negli interrogatori si era mantenuto sempre sulla negativa, pareva che dovesse essere prosciolto per insufficienza di prove; ma improvvisamente giunse l'ordine del suo trasferimento a Venezia per esservi giudicato dalla Commissione speciale, che già esaminava i carbonari del Polesine e della quale era giudice inquirente il trentino Antonio Salvotti. Nel suo drammatico duello col Salvotti il Pellico, a differenza di qualche altro, non fu vittima di alcuna debolezza e riuscì a mantenere intatta la sua fermezza e la sua onorabilità; ma non poté negare il reato di cui lo si accusava. Il processo si chiuse dunque per lui, come per tanti altri, con la condanna a morte commutata in quindici anni di carcere duro da scontare nella fortezza dello Spielberg.

L'arresto, il processo, la condanna e l'angosciosa detenzione provocarono nel Pellico il ritorno alla fede religiosa che egli aveva abbandonata a Lione. Ma la conversione non lo indusse a rinnegare le idee per le quali soffriva. E anche negli ultimi suoi anni, quando forse egli era ormai più bigotto che cattolico, stanco e sfiduciato, non poté rimanere del tutto insensibile al sogno della sua gioventù.

Egli rimase allo Spielberg fino al 1° agosto 1830, essendogli stati condonati per grazia sovrana gli ultimi anni di pena. Si recò allora presso la sua famiglia a Torino, e nel 1832 pubblicò *Le mie prigioni*. Questo umile libretto, al quale è oggi unicamente affidata la fama del Pellico, si diffuse con incredibile rapidità per tutta l'Europa, giunse fino in America, e dovunque, per l'assoluto candore, per l'estrema semplicità e sincerità con cui l'autore vi narrava la sua storia dall'arresto fino alla liberazione, suscitò biasimo contro i sistemi del governo austriaco. Ma non era solo candore. Era riserbo umano, era soprattutto pudicizia, per cui il lettore avvertiva che il Pellico, di quel che aveva visto e sofferto materialmente, e di quello che aveva patito nel cuore, dei vari e strazianti moti dell'animo, non diceva tutto; ma riferiva solo quel poco che era strettamente necessario alla narrazione. E piuttosto che sul male, si soffermava sul bene, sui pochi e avari conforti che pure l'avevano consolato: il mutolino, Maddalena, la Zanze, Venezia vista dall'alto dei Piombi, la riacquistata libertà, e soprattutto il suo ritorno alla fede cattolica. Eppure, malgrado tutta la cristiana carità dell'autore, oltre tanti e tanti particolari e la lettura pubblica della sentenza, almeno i capitoli dello Spielberg costituivano, e lo sono anche oggi, un blocco compatto e pesante, una delle pagine più notevoli del nostro primo Ottocento, che nessuno ha mai potuto leggere senza sentirsi vincere da un senso amaro di pena, di sorda e desolata rivolta.

Con la pubblicazione delle *Mie prigioni* si chiude il periodo veramente significativo della vita del Pellico. Era nato infermiccio e non godé mai ottima salute; sembra un miracolo come egli abbia potuto superare tante torture morali e così gravi patimenti materiali, che uccisero altri fisicamente più forti di lui. Quando uscì dallo Spielberg era un rottame, come gli altri suoi compagni di pena; eppure sopravvisse ancora più di vent'anni. Ma non era che l'ombra di se stesso. I torinesi lo vedevano talvolta avventurarsi per le strade, piccolo, vestito di nero, trascinando la gamba sinistra, che maggiormente aveva sofferto del peso della catena. Scrisse ancora liriche, cantiche, tragedie e un libretto sui *Doveri degli uomini*, tutte cose che, se allora riscossero qualche plauso, oggi sono definitivamente e giustamente dimenticate. La sua vita si chiuse a poco a poco in un silenzio che poteva sembrare rinunzia, e forse era tale in parte. I giovani della nuova generazione, che pure dal suo libretto avevano tratto conforto e incitamento al loro ardore patriottico, non trovavano in lui, divenuto ormai un povero e piccolo uomo, la guida e l'ispiratore che essi si sognavano. Ne nacquero apprezzamenti penosi; ed era inevitabile, allora. Eppure c'è un episodio che non bisogna dimenticare. Nel luglio del 1853 egli ricevette a Torino la visita di Giuseppe Mazzini. Su questo colloquio il Pellico mantenne sempre il più scrupoloso silenzio, e non se ne è saputo mai nulla. Ma, e che cosa si doveva sapere? Di là da ogni divergenza di metodi e di programmi, altro non poteva essere quella visita se non un omaggio della Rivoluzione italiana a colui che di persona e coi suoi scritti aveva dato alla causa un così alto contributo; un omaggio e allo stesso tempo un riconoscimento.

Oggi, sedatosi il calore di quelle passioni, anche il lento tramonto, la lenta involuzione del Pellico è caduta nell'oblio, e a ben giudicare l'uomo acquista un rilievo sempre maggiore la testimonianza insospettabile di chi lo condannò a morte. Nella sua requisitoria Antonio Salvotti riconobbe lealmente che anche innanzi la Commissione inquirente — quella Commissione che incuteva tanto e così giustificato terrore — il Pellico spiegò «una franchezza, che senza degenerare in tracotanza attestava però in lui una particolare energia di carattere e di sentimenti».

Morì il 31 gennaio 1854 a Torino in casa della marchesa di Barolo, sua benefattrice.

★

Per tutte le opere cfr. MARINO PARENTI, *Bibliografia delle opere di S. P.*, Firenze 1952. L'autografo delle *Mie prigioni* è conservato nel Museo del Risorgimento di Torino. Tutte le stampe riproducono il testo della prima edizione: *Le mie prigioni*, Memorie di SILVIO PELLICO da Saluzzo, Torino, Bocca, 1832. I passi, che il Pellico vi soppresse o vi modificò per ubbidire alla censura, furono riferiti di sull'autografo nell'ed. a cura di EGIDIO BELLORINI (Milano, Vallardi, 1907). Tra le altre edizioni commentate sono particolarmente notevoli quella di DOMENICO CHIATTONE con documenti inediti degli archivi di Milano, di Roma, di Venezia, di Vienna, di Brünn (Saluzzo, Bovo, 1907), e quella riccamente illustrata a cura di CESARE SPELLANZON (Milano 1933).

Una biografia del Pellico, romanzata, ma ricchissima e sempre bene informata, è quella di BARBARA ALLASON, *Vita di S. P.*, Milano 1933. Si vedano inoltre ILARIO RANIERI, *Della vita e delle opere di S. P.*, Torino 1898-1901; i due fondamentali volumi di A. LUZIO, *Antonio Salvotti e i processi del '21*, Roma 1901, e *Il processo Pellico-Maroncelli*, Milano 1903; A. GUSTARELLI, *La vita, «Le mie prigioni» e «I doveri degli uomini»*, saggio biografico-critico, Firenze, Sansoni, 1917; GIOVANNI SFORZA, *Silvio Pellico a Venezia*, Venezia 1917; G. TROMBATORE, *Saggi critici*, Firenze 1950; F. MONTANARI, *S. P. Della mediocrità*, Genova 1935.

Per informazioni più ampie si consulti la bibliografia pubblicata da EGIDIO BELLORINI nella «Rivista di sintesi letteraria», aprile-giugno 1934.

# LE MIE PRIGIONI

## CAPO I

Il venerdì 13 ottobre 1820 fui arrestato a Milano, e condotto a Santa Margherita.[1] Erano le tre pomeridiane. Mi si fece un lungo interrogatorio per tutto quel giorno e per altri ancora. Ma di ciò non dirò nulla. Simile ad un amante maltrattato dalla sua bella, e dignitosamente risoluto di tenerle broncio, lascio la politica ov'ella sta, e parlo d'altro.

Alle nove della sera di quel povero venerdì, l'attuario[2] mi consegnò al custode, e questi, condottomi nella stanza a me destinata, si fece da me rimettere con gentile invito, per restituirmeli a tempo debito, orologio, denaro, e ogni altra cosa ch'io avessi in tasca, e m'augurò rispettosamente la buona notte.

— Fermatevi, caro voi; — gli dissi — oggi non ho pranzato; fatemi portare qualche cosa.

— Subito, la locanda è qui vicina; e sentirà, signore, che buon vino!

— Vino, non ne bevo.

A questa risposta, il signor Angiolino mi guardò spaventato, e sperando ch'io scherzassi. I custodi di carceri che tengono bettola, inorridiscono d'un prigioniero astemio.

— Non ne bevo, davvero.

— M'incresce per lei; patirà il doppio la solitudine . . .

E vedendo ch'io non mutava proposito, uscì; ed in meno di mezz'ora ebbi il pranzo. Mangiai pochi bocconi, tracannai un bicchier d'acqua, e fui lasciato solo.

La stanza era a pian terreno, e metteva sul cortile. Carceri di qua, carceri di là, carceri di sopra, carceri dirimpetto. Mi appoggiai alla finestra, e stetti qualche tempo ad ascoltare l'andare e venire de' carcerieri, ed il frenetico canto di parecchi de' rinchiusi.

Pensava: «Un secolo fa, questo era un monastero: avrebbero mai le sante e penitenti vergini che lo abitavano, immaginato che le loro celle sonerebbero oggi, non più di femminei gemiti e d'inni

---

1. L'edificio, dove erano le carceri giudiziarie e gli uffici della Direzione della polizia austriaca, era stato anticamente un monastero di religiose Benedettine, intitolato a Santa Margherita. 2. *attuario*, ufficiale di polizia.

divoti, ma di bestemmie e di canzoni invereconde, e che conterrebbero uomini d'ogni fatta, e per lo più destinati agli ergastoli o alle forche? E fra un secolo, chi respirerà in queste celle? Oh fugacità del tempo! oh mobilità perpetua delle cose! Può chi vi considera affliggersi, se fortuna cessò di sorridergli, se vien sepolto in prigione, se gli si minaccia il patibolo? Ieri, io era uno de' più felici mortali del mondo: oggi non ho più alcuna delle dolcezze che confortavano la mia vita; non più libertà, non più consorzio d'amici, non più speranze! No; il lusingarsi sarebbe follia. Di qui non uscirò se non per essere gettato ne' più orribili covili, o consegnato al carnefice! Ebbene, il giorno dopo la mia morte, sarà come s'io fossi spirato in un palazzo, e portato alla sepoltura co' più grandi onori.»

Così il riflettere alla fugacità del tempo m'invigoriva l'animo. Ma mi ricorsero alla mente il padre, la madre, due fratelli, due sorelle, un'altra famiglia[1] ch'io amava quasi fosse la mia; ed i ragionamenti filosofici nulla più valsero. M'intenerii, e piansi come un fanciullo.

CAPO II

Tre mesi prima, io era andato a Torino, ed avea riveduto, dopo parecchi anni di separazione, i miei cari genitori, uno de' fratelli e le due sorelle. Tutta la nostra famiglia si era sempre tanto amata! Niun figliuolo era stato più di me colmato di benefizi dal padre e dalla madre! Oh come al rivedere i venerati vecchi io m'era commosso, trovandoli notabilmente più aggravati dall'età che non m'immaginava! Quanto avrei allora voluto non abbandonarli più, consacrarmi a sollevare colle mie cure la loro vecchiaia! Quanto mi dolse, ne' brevi giorni ch'io stetti a Torino, di aver parecchi doveri che mi portavano fuori del tetto paterno, e di dare così poca parte del mio tempo agli amati congiunti! La povera madre diceva con melanconica amarezza: — Ah, il nostro Silvio non è venuto a Torino per veder noi! — Il mattino che ripartii per Milano, la separazione fu dolorosissima. Il padre entrò in carrozza con me, e m'accompagnò per un miglio; tornò indietro soletto. Io mi voltava a guardarlo, e piangeva, e baciava un'anello che la madre m'avea

1. un'altra famiglia, quella del conte Porro; il Pellico ne riparlerà al cap. VIII.

dato, e mai non mi sentii così angosciato di allontanarmi da' parenti. Non credulo a' presentimenti, io stupiva di non poter vincere il mio dolore, ed era forzato a dire con ispavento: «D'onde questa mia straordinaria inquietudine?» Pareami pur di prevedere qualche grande sventura.

Ora, nel carcere, mi risovvenivano quello spavento, quell'angoscia; mi risovvenivano tutte le parole udite, tre mesi innanzi, da' genitori. Quel lamento della madre: — Ah, il nostro Silvio non è venuto a Torino per veder noi! — mi ripiombava sul cuore. Io mi rimproverava di non essermi mostrato loro mille volte più tenero. «Li amo cotanto, e ciò dissi loro così debolmente! Non dovea mai più vederli, e mi saziai così poco de' loro cari volti! e fui così avaro delle testimonianze dell'amor mio!» Questi pensieri mi straziavano l'anima.

Chiusi la finestra, passeggiai un'ora, credendo di non aver requie tutta la notte. Mi posi a letto, e la stanchezza m'addormentò.

## CAPO III

Lo svegliarsi la prima notte in carcere è cosa orrenda! «Possibile!» dissi ricordandomi dove io fossi «possibile! Io qui? E non è ora un sogno il mio? Ieri dunque m'arrestarono? Ieri mi fecero quel lungo interrogatorio, che domani, e chi sa fin quando dovrà continuarsi? Ieri sera, avanti di addormentarmi, io piansi tanto, pensando a' miei genitori?»

Il riposo, il perfetto silenzio, il breve sonno che avea ristorato le mie forze mentali, sembravano avere centuplicato in me la possa del dolore. In quell'assenza totale di distrazioni, l'affanno di tutti i miei cari, ed in particolare del padre e della madre, allorché udrebbero il mio arresto, mi si pingea nella fantasia con una forza incredibile.

«In quest'istante» diceva io «dormono ancora tranquilli, o vegliano pensando forse con dolcezza a me, non punto presaghi del luogo ov'io sono! Oh felici, se Dio li togliesse dal mondo, avanti che giunga a Torino la notizia della mia sventura! Chi darà loro la forza di sostenere questo colpo?»

Una voce interna parea rispondermi: «Colui che tutti gli afflitti invocano ed amano e sentono in se stessi! Colui che dava la forza ad una Madre di seguire il Figlio al Golgota, e di stare sotto la sua croce! l'amico degl'infelici, l'amico dei mortali!»

Quello fu il primo momento, che la religione trionfò del mio cuore; ed all'amor filiale debbo questo benefizio. Per l'addietro, senza essere avverso alla religione, io poco e male la seguiva. Le volgari obbiezioni, con cui suole essere combattuta, non mi parevano un gran che, e tuttavia mille sofistici dubbi infievolivano la mia fede. Già da lungo tempo questi dubbi non cadevano più sull'esistenza di Dio, e m'andava ridicendo che se Dio esiste, una conseguenza necessaria della sua giustizia è un'altra vita per l'uomo, che patì in un mondo così ingiusto: quindi la somma ragionevolezza di aspirare ai beni di quella seconda vita; quindi un culto di amore di Dio e del prossimo, un perpetuo aspirare a nobilitarsi con generosi sacrifizi. Già da lungo tempo m'andava ridicendo tutto ciò, e soggiungeva: «E che altro è il Cristianesimo se non questo perpetuo aspirare a nobilitarsi?» E mi meravigliava come sì pura, sì filosofica, sì inattaccabile manifestandosi l'essenza del Cristianesimo, fosse venuta un'epoca in cui la filosofia osasse dire: «Farò io d'or innanzi le sue veci.» Ed in qual modo farai tu le sue veci? Insegnando il vizio? No certo. Insegnando la virtù? Ebbene sarà amore di Dio e del prossimo; sarà ciò che appunto il Cristianesimo insegna.

Ad onta ch'io così da parecchi anni sentissi, sfuggiva di conchiudere: «Sii dunque conseguente! sii cristiano! non ti scandalezzar più degli abusi! non malignar più su qualche punto difficile della dottrina della Chiesa, giacché il punto principale è questo, ed è lucidissimo: ama Dio e il prossimo.»

In prigione deliberai finalmente di stringere tale conclusione, e la strinsi. Esitai alquanto, pensando che se taluno veniva a sapermi più religioso di prima, si crederebbero in dovere di reputarmi bacchettone, ed avvilito dalla disgrazia. Ma sentendo ch'io non era né bacchettone né avvilito, mi compiacqui di non punto curare i possibili biasimi non meritati, e fermai d'essere e di dichiararmi d'or in avanti cristiano.

CAPO IV

Rimasi stabile in questa risoluzione più tardi, ma cominciai a ruminarla e quasi volerla in quella prima notte di cattura. Verso il mattino le mie smanie erano calmate, ed io ne stupiva. Ripensava a' genitori ed agli altri amati, e non disperava più della loro forza d'animo, e la memoria de' virtuosi sentimenti, ch'io aveva altre volte conosciuti in essi, mi consolava.

Perché dianzi cotanta perturbazione in me, immaginando la loro, ed or cotanta fiducia nell'altezza del loro coraggio? Era questo felice cangiamento un prodigio? era un naturale effetto della mia ravvivata credenza in Dio? — E che importa chiamar prodigi, o no, i reali sublimi benefizi della religione?

A mezzanotte, due *secondini* (così chiamansi i carcerieri dipendenti dal custode) erano venuti a visitarmi, e m'aveano trovato di pessimo umore. All'alba tornarono, e mi trovarono sereno e cordialmente scherzoso.

— Stanotte, signore, ella aveva una faccia da basilisco; — disse il Tirola — ora è tutt'altro, e ne godo, segno che non è ... perdoni l'espressione ... un birbante: perché i birbanti (io sono vecchio del mestiere, e le mie osservazioni hanno qualche peso), i birbanti sono più arrabbiati il secondo giorno del loro arresto, che il primo. Prende tabacco?

— Non ne soglio prendere, ma non vo' ricusare le vostre grazie. Quanto alla vostra osservazione, scusatemi, non è da quel sapiente che sembrate. Se stamane non ho più faccia da basilisco, non potrebb'egli essere che il mutamento fosse prova d'insensatezza, di facilità ad illudermi, a sognar prossima la mia libertà?

— Ne dubiterei, signore, s'ella fosse in prigione per altri motivi; ma per queste cose di stato, al giorno d'oggi, non è possibile di credere che finiscano così su due piedi. Ed ella non è siffattamente gonzo da immaginarselo. Perdoni sa: vuole un'altra presa?

— Date qua. Ma come si può avere una faccia così allegra, come avete, vivendo sempre fra disgraziati?

— Crederà che sia per indifferenza sui dolori altrui: non lo so nemmeno positivamente io, a dir vero; ma l'assicuro che spesse volte il veder piangere mi fa male. E talora fingo d'essere allegro affinché i poveri prigionieri sorridano anch'essi.

— Mi viene, buon uomo, un pensiero che non ho mai avuto: che si possa fare il carceriere ed essere d'ottima pasta.

— Il mestiere non fa niente, signore. Al di là di quel voltone ch'ella vede, oltre il cortile, v'è un altro cortile ed altre carceri, tutte per donne. Sono ... non occorre dirlo ... donne di mala vita. Ebbene, signore, ve n'è che sono angeli, quanto al cuore. E s'ella fosse secondino ...

— Io? — e scoppiai a ridere.

Tirola restò sconcertato dal mio riso, e non proseguì. Forse intendea, che s'io fossi stato secondino mi sarebbe riuscito malagevole non affezionarmi ad alcuna di quelle disgraziate. Mi chiese ciò ch'io volessi per colezione. Uscì, e qualche minuto dopo mi portò il caffè.

Io lo guardava in faccia fissamente, con un sorriso malizioso che voleva dire: «Porteresti tu un mio viglietto ad altro infelice, al mio amico Pietro?»[1] Ed egli mi rispose con un altro sorriso che voleva dire: «No, signore; se vi dirigete ad alcuno de' miei compagni, il quale vi dica di sì, badate che vi tradirà.»

Non sono veramente certo ch'egli mi capisse, né ch'io capissi lui. So bensì ch'io fui dieci volte sul punto di dimandargli un pezzo di carta ed una matita, e non ardii, perché v'era alcun che negli occhi suoi, che sembrava avvertirmi di non fidarmi di alcuno, e meno d'altri che di lui.

CAPO V

Se Tirola, colla sua espressione di bontà, non avesse anche avuto quegli sguardi così furbi, se fosse stata una fisionomia più nobile, io avrei ceduto alla tentazione di farlo mio ambasciatore, e forse un mio viglietto giunto a tempo all'amico gli avrebbe data la forza di riparare qualche sbaglio, — e forse ciò salvava, non lui, poveretto, che già troppo era scoperto, ma parecchi altri e me! Pazienza! doveva andar così.

Fui chiamato alla continuazione dell'interrogatorio, e ciò durò tutto quel giorno, e parecchi altri, con nessun altro intervallo che quello de' pranzi.

Finché il processo non si chiuse, i giorni volavano rapidi per me, cotanto era l'esercizio della mente in quell'interminabile rispondere a sì varie dimande, e nel raccogliermi, alle ore di pranzo ed a sera, per riflettere a tutto ciò che mi s'era chiesto e ch'io aveva rispo-

1. Pietro Maroncelli, nato a Forlì il 23 settembre 1795, aveva studiato a Napoli e a Bologna. Vero tipo di *bohémien*, musicista e poeta spiantato, grafomane, ingenuo e arruffone, aveva però un cuor d'oro. Era venuto a Milano in cerca di fortuna, e viveva stentatamente con qualche lezione e musicando qualche *vaudeville* per la compagnia Marchionni, dove come abbiamo già detto il Pellico lo conobbe. Innamorati, poeti e cospiratori entrambi, furono e rimasero amici per tutta la vita.

sto, ed a tutto ciò su cui probabilmente sarei ancora interrogato. Alla fine della prima settimana m'accadde un gran dispiacere.

Il mio povero Piero, bramoso, quanto lo era io, che potessimo metterci in comunicazione, mi mandò un viglietto, e si servì non d'alcuno de' secondini, ma d'un disgraziato prigioniero che veniva con essi a fare qualche servigio nelle nostre stanze. Era questi un uomo dai sessanta ai settant'anni, condannato a non so quanti mesi di detenzione. Con una spilla ch'io aveva, mi forai un dito, e feci col sangue poche linee di risposta, che rimisi al messaggero. Egli ebbe la mala ventura d'essere spiato, frugato, colto col viglietto addosso, e, se non erro, bastonato. Intesi alte urla che mi parvero del misero vecchio, e nol rividi mai più.

Chiamato a processo, fremetti al vedermi presentata la mia cartolina vergata col sangue (la quale, grazie al cielo, non parlava di cose nocive, ed avea l'aria d'un semplice saluto).[1] Mi si chiese con che mi fossi tratto sangue, mi si tolse la spilla, e si rise dei burlati. Ah, io non risi! Io non poteva levarmi dagli occhi il vecchio messaggero. Avrei volentieri sofferto qualunque castigo, purché gli perdonassero. E quando mi giunsero quelle urla, che dubitai essere di lui, il cuore mi s'empì di lagrime.

Invano chiesi parecchie volte di esso al custode e a' secondini. Crollavano il capo, e dicevano: — L'ha pagata cara colui . . . non ne farà più di simili . . . gode un po' più di riposo. — Né voleano spiegarsi di più.

Accennavano essi a prigionia ristretta in cui veniva tenuto quell'infelice, o parlavano così perch'egli fosse morto sotto le bastonate od in conseguenza di quelle?

Un giorno mi parve di vederlo, al di là del cortile, sotto il portico, con un fascio di legna sulle spalle. Il cuore mi palpitò come s'io rivedessi un fratello.

1. In verità, con questo scambio di biglietti i due prigionieri avevano tentato di concertare la loro difesa. Ma in questo suo libretto il Pellico non dice assolutamente nulla della vicenda giudiziaria; e anche degli interrogatori si trovano solo rarissimi accenni, solo riferiti in quanto essi possano riflettersi sulle sue nuove condizioni di esistenza. Il Pellico qui si interessa unicamente alla sua vicenda umana. Per conoscere tutto il retroscena bisogna leggere il libro del Luzio citato nella nostra bibliografia.

CAPO VI

Quando non fui più martirato dagl'interrogatorii, e non ebbi più
nulla che occupasse le mie giornate, allora sentii amaramente il
peso della solitudine.

Ben mi si permise ch'io avessi una Bibbia ed il Dante; ben fu
messa a mia disposizione dal custode la sua biblioteca, consistente
in alcuni romanzi di Scuderi, del Piazzi,[1] e peggio; ma il mio spirito era troppo agitato, da potersi applicare a qualsiasi lettura.
Imparava ogni giorno un canto di Dante a memoria, e questo esercizio era tuttavia sì macchinale, ch'io lo faceva pensando meno a
que' versi che a' casi miei. Lo stesso mi avveniva leggendo altre
cose, eccettuato alcune volte qualche passo della Bibbia. Questo
divino libro ch'io aveva sempre amato molto, anche quando pareami d'essere incredulo, veniva ora da me studiato con più rispetto che mai. Se non che, ad onta del buon volere, spessissimo
io lo leggea colla mente ad altro, e non capiva. A poco a poco divenni capace di meditarvi più fortemente, e di sempre meglio
gustarlo.

Siffatta lettura non mi diede mai la minima disposizione alla
bacchettoneria, cioè a quella devozione malintesa che rende pusillanime o fanatico. Bensì m'insegnava ad amar Dio e gli uomini, a
bramare sempre più il regno della giustizia, ad abborrire l'iniquità,
perdonando agl'iniqui. Il Cristianesimo, invece di disfare in me
ciò che la filosofia potea avervi fatto di buono, lo confermava, lo
avvalorava di ragioni più alte, più potenti.

Un giorno avendo letto che bisogna pregare incessantemente, e
che il vero pregare non è borbottare molte parole alla guisa de' pagani, ma adorar Dio con semplicità, sì in parole, sì in azioni, e fare
che le une e le altre sieno l'adempimento del suo santo volere, mi
proposi di cominciare davvero quest'incessante preghiera: cioè di
non permettermi più neppure un pensiero che non fosse animato
dal desiderio di conformarmi ai decreti di Dio.

Le formule di preghiera da me recitate in adorazione furono
sempre poche, non già per disprezzo (ché anzi le credo salutaris-

1. Sono i prolissi romanzi a chiave nei quali Maddalena de Scudéry
(1607-1701) ritrasse la società cortigiana del suo tempo, e quelli dimenti-
catissimi di Antonio Piazza (1742-1825) scrittore veneziano.

sime, a chi più, a chi meno, per fermare l'attenzione nel culto),
ma perché io mi sento così fatto, da non essere capace di recitarne
molte senza vagare in distrazioni e porre l'idea del culto in obblio.
L'intento di stare di continuo alla presenza di Dio, invece di
essere un faticoso sforzo della mente, ed un soggetto di tremore,
era per me soavissima cosa. Non dimenticando che Dio è sempre
vicino a noi, ch'egli è in noi, o piuttosto che noi siamo in esso, la
solitudine perdeva ogni giorno più il suo orrore per me: «Non
sono io in ottima compagnia?» mi andava dicendo. E mi rasse-
renava, e canterellava, e zufolava con piacere e con tenerezza.
«Ebbene,» pensai «non avrebbe potuto venirmi una febbre e
portarmi in sepoltura? Tutti i miei cari, che si sarebbero abbandonati al pianto, perdendomi, avrebbero pure acquistato a poco
a poco la forza di rassegnarsi alla mia mancanza. Invece d'una
tomba, mi divorò una prigione: degg'io credere che Dio non li
munisca d'egual forza?»
Il mio cuore alzava i più fervidi voti per loro, talvolta con qualche lagrima; ma le lagrime stesse erano miste di dolcezza. Io aveva
piena fede che Dio sosterrebbe loro e me. Non mi sono ingannato.

CAPO VII

Il vivere libero è assai più bello del vivere in carcere; chi ne dubita?
Eppure anche nelle miserie d'un carcere, quando ivi si pensa che
Dio è presente, che le gioie del mondo sono fugaci, che il vero
bene sta nella coscienza e non negli oggetti esteriori, puossi con
piacere sentire la vita. Io in meno d'un mese avea pigliato, non
dirò perfettamente, ma in comportevole guisa, il mio partito. Vidi
che non volendo commettere l'indegna azione di comprare l'impunità col procacciare la rovina altrui, la mia sorte non poteva essere se non il patibolo od una lunga prigionia. Era necessità adattarvisi. «Respirerò finché mi lasciano fiato,» dissi «e quando me lo
torranno, farò come tutti i malati allorché son giunti all'ultimo
momento. Morrò.»
Mi studiava di non lagnarmi di nulla, e di dare all'anima mia
tutti i godimenti possibili. Il più consueto godimento si era di
andarmi rinnovando l'enumerazione dei beni che avevano abbel-
lito i miei giorni: un ottimo padre, un'ottima madre, fratelli e sorelle
eccellenti, i tali e tali amici, una buona educazione, l'amore delle

lettere, ecc. Chi più di me era stato dotato di felicità? Perché non ringraziarne Iddio, sebbene ora mi fosse temperata dalla sventura? Talora facendo quell'enumerazione m'inteneriva e piangeva un istante; ma il coraggio e la letizia tornavano.

Fin da' primi giorni io aveva acquistato un amico. Non era il custode, non alcuno de' secondini, non alcuno de' signori processanti. Parlo per altro d'una creatura umana. Chi era? — Un fanciullo, sordo e muto, di cinque o sei anni. Il padre e la madre erano ladroni, e la legge li aveva colpiti. Il misero orfanello veniva mantenuto dalla Polizia con parecchi altri fanciulli della stessa condizione. Abitavano tutti in una stanza in faccia alla mia, ed a certe ore aprivasi loro la porta affinché uscissero a prender aria nel cortile.

Il sordo e muto veniva sotto la mia finestra, e mi sorrideva, e gesticolava. Io gli gettava un bel pezzo di pane: ei lo prendeva facendo un salto di gioia, correva a' suoi compagni, ne dava a tutti, e poi veniva a mangiare la sua porzioncella presso la mia finestra, esprimendo la sua gratitudine col sorriso de' suoi begli occhi.

Gli altri fanciulli mi guardavano da lontano, ma non ardìano avvicinarsi: il sordo-muto aveva una gran simpatia per me, né già per sola cagione d'interesse. Alcune volte ei non sapea che fare del pane ch'io gli gettava, e facea segni ch'egli e i suoi compagni aveano mangiato bene, e non potevano prendere maggior cibo. S'ei vedea venire un secondino nella mia stanza, ei gli dava il pane perché me lo restituisse. Benché nulla aspettasse allora da me, ei continuava a ruzzare innanzi alla finestra, con una grazia amabilissima, godendo ch'io lo vedessi. Una volta un secondino permise al fanciullo d'entrare nella mia prigione: questi, appena entrato, corse ad abbracciarmi le gambe, mettendo un grido di gioia. Lo presi fra le braccia, ed è indicibile il trasporto con cui mi colmava di carezze. Quanto amore in quella cara animetta! Come avrei voluto poterlo far educare, e salvarlo dall'abbiezione in che si trovava!

Non ho mai saputo il suo nome. Egli stesso non sapeva di averne uno. Era sempre lieto, e non lo vidi mai piangere se non una volta che fu battuto, non so perché, dal carceriere. Cosa strana! Vivere in luoghi simili sembra il colmo dell'infortunio, eppure quel fanciullo avea certamente tanta felicità quanta possa averne a quell'età il figlio d'un principe. Io facea questa riflessione, ed imparava che puossi rendere l'umore indipendente dal luogo. Governiamo l'immaginativa, e staremo bene quasi dappertutto. Un giorno è presto passato, e quando la sera uno si mette a letto senza fame e senza acuti dolori, che importa se quel letto è piuttosto fra mura che si chiamino prigione, o fra mura che si chiamino casa o palazzo? Ottimo ragionamento! Ma come si fa a governare l'immaginativa? Io mi vi provava, e ben pareami talvolta di riuscirvi a meraviglia: ma altre volte la tiranna trionfava, ed io indispettito stupiva della mia debolezza.

CAPO VIII

« Nella mia sventura sono pur fortunato,» diceva io «che m'abbiano data una prigione a pian terreno, su questo cortile, ove a quattro passi da me viene quel caro fanciullo, con cui converso alla muta sì dolcemente! Mirabile intelligenza umana! Quante cose ci diciamo egli ed io colle infinite espressioni degli sguardi e della fisionomia! Come compone i suoi moti con grazia, quando gli sorrido! Come li corregge quando vede che mi spiacciono! Come capisce che lo amo, quando accarezzo o regala alcuno de' suoi compagni! Nessuno al mondo se lo immagina, eppure io, stando alla finestra, posso essere una specie d'educatore per quella povera creaturina. A forza di ripetere il mutuo esercizio de' segni, perfezioneremo la comunicazione delle nostre idee. Più sentirà d'istruirsi e di ingentilirsi con me, più mi s'affezionerà. Io sarò per lui il genio della ragione e della bontà; egli imparerà a confidarmi i suoi dolori, i suoi piaceri, le sue brame: io a consolarlo, a nobilitarlo, a dirigerlo in tutta la sua condotta. Chi sa che tenendosi indecisa la mia sorte di mese in mese, non mi lascino invecchiar qui? Chi sa che quel fanciullo non cresca sotto a' miei occhi, e non sia adoperato a qualche servizio in questa casa? Con tanto ingegno quanto mostra d'avere, che potrà egli riuscire? Ahimè! niente di più che un ottimo secondino o qualch'altra cosa di simile. Ebbene, non avrò io fatto buon'opera, se avrò contribuito ad ispirargli il desiderio di piacere alla gente onesta ed a se stesso, a dargli l'abitudine de' sentimenti amorevoli?»

Questo soliloquio era naturalissimo. Ebbi sempre molta inclinazione pe' fanciulli e l'ufficio d'educatore mi parea sublime. Io adempiva simile ufficio da qualche anno verso Giacomo e Giulio

Porro, due giovinetti di belle speranze ch'io amava come figli miei e come tali amerò sempre. Dio sa, quante volte in carcere io pensassi a loro! quanto m'affliggessi di non poter compiere la loro educazione! quanti ardenti voti formassi perché incontrassero un nuovo maestro che mi fosse eguale nell'amarli!

Talvolta esclamava tra me: «Che brutta parodia è questa! Invece di Giacomo e Giulio, fanciulli ornati de' più splendidi incanti che natura e fortuna possano dare, mi tocca per discepolo un poveretto, sordo, muto, stracciato, figlio d'un ladrone!... che al più diverrà secondino, il che in termine un po' meno garbato si direbbe sbirro.»

Queste riflessioni mi confondeano, mi sconfortavano. Ma appena sentiva io lo strillo del mio mutolino, che mi si rimescolava il sangue, come ad un padre che sente la voce del figlio. E quello strillo e la sua vista dissipavano in me ogni idea di bassezza a suo riguardo. «E che colpa ha egli s'è stracciato e difettoso, e di razza di ladri? Un'anima umana, nell'età dell'innocenza, è sempre rispettabile.» Così diceva io; e lo guardava ogni giorno più con amore, e mi parea che crescesse in intelligenza, e confermavami nel dolce divisamento d'applicarmi ad ingentilirlo; e fantasticando su tutte le possibilità, pensava che forse sarei un giorno uscito di carcere ed avrei avuto mezzo di far mettere quel fanciullo nel collegio de' sordi e muti, e di aprirgli così la via ad una fortuna più bella che d'essere sbirro.

Mentre io m'occupava così deliziosamente del suo bene, un giorno due secondini vengono a prendermi.

— Si cangia alloggio, signore.

— Che intendete dire?

— C'è comandato di trasportarla in un'altra camera.

— Perché?

— Qualch'altro grosso uccello è stato preso, e questa essendo la miglior camera... capisce bene...

— Capisco: è la prima posa de' nuovi arrivati.

E mi trasportarono alla parte del cortile opposta, ma, ohimè! non più a pian terreno, non più atta al conversare col mutolino. Traversando quel cortile, vidi quel caro ragazzo seduto a terra, attonito, mesto: capì ch'ei mi perdeva. Dopo un istante s'alzò, mi corse incontro; i secondini volevano cacciarlo, io lo presi fra le braccia, e, sudicetto com'egli era, lo baciai e ribaciai con tenerezza, e mi staccai da lui — debbo dirlo? — cogli occhi grondanti di lagrime.

CAPO IX

Povero mio cuore! tu ami sì facilmente e sì caldamente, ed oh a quante separazioni sei già stato condannato! Questa non fu certo la men dolorosa; e la sentii tanto più che il nuovo mio alloggio era tristissimo. Una stanzaccia, oscura, lurida, con finestra avente non vetri alle imposte, ma carta, con pareti contaminate da goffe pitturacce di colore, non oso dir quale; e ne' luoghi non dipinti erano iscrizioni. Molte portavano semplicemente nome, cognome e patria di qualche infelice, colla data del giorno funesto della sua cattura. Altre aggiungeano esclamazioni contro falsi amici, contro se stesso, contro una donna, contro il giudice, ecc. Altre erano compendi d'autobiografia. Altre contenevano sentenze morali. V'erano queste parole di Pascal:[1]

« Coloro che combattono la religione imparino almeno qual ella sia, prima di combatterla. Se questa religione si vantasse d'avere una veduta chiara di Dio, e di possederlo senza velo, sarebbe un combatterla il dire *che non si vede niente nel mondo che lo mostri con tanta evidenza.* Ma poiché dice, anzi, essere gli uomini nelle tenebre e lontani da Dio, il quale s'è nascosto alla loro cognizione, ed essere appunto il nome ch'egli si dà nelle Scritture, *Deus absconditus* ... qual vantaggio possono essi trarre, allorché nella negligenza che professano quanto alla scienza della verità, gridano che la verità non vien loro mostrata?»

Più sotto era scritto (parole dello stesso autore):

«Non trattasi qui del lieve interesse di qualche persona straniera; trattasi di noi medesimi e del nostro tutto. L'immortalità dell'anima è cosa che tanto importa, e che toccaci sì profondamente, che bisogna aver perduto ogni senno per essere nell'indifferenza di saper che ne sia.»

Un altro scritto diceva:

«Benedico la prigione, poiché m'ha fatto conoscere l'ingratitudine degli uomini, la mia miseria, e la bontà di Dio.»

Accanto a queste umili parole erano le più violente e superbe

---

1. Sono qui di seguito riferiti due passi dei *Pensieri* nei quali Biagio Pascal (1623-1662), scienziato famoso, convertitosi nel 1654 e ritiratosi a vita ascetica presso i giansenisti di Port-Royal, documentò la sua drammatica esperienza religiosa.

3

imprecazioni d'uno che si diceva ateo, e che si scagliava contro Dio come se si dimenticasse di aver detto che non v'era Dio.

Dopo una colonna di tai bestemmie, ne seguiva una di ingiurie contro i *vigliacchi*, così li chiamava egli, che la sventura del carcere fa religiosi.

Mostrai quelle scelleratezze ad uno de' secondini, e chiesi chi l'avesse scritte.

— Ho piacere d'aver trovata quest'iscrizione: — disse — ve ne son tante, ed ho sì poco tempo da cercare!

E senz'altro, diessi con un coltello a grattare il muro per farla sparire.

— Perché ciò? — dissi.

— Perché il povero diavolo che l'ha scritta, e fu condannato a morte per omicidio premeditato, se ne pentì, e mi fece pregare di questa carità.

— Dio gli perdoni! — sclamai. — Qual omicidio era il suo?

— Non potendo uccidere un suo nemico, si vendicò uccidendogli il figlio, il più bel fanciullo che si desse sulla terra. Inorridii. A tanto può giungere la ferocia? E siffatto mostro teneva il linguaggio insultante d'un uomo superiore a tutte le debolezze umane! Uccidere un innocente! un fanciullo!

CAPO X

In quella mia nuova stanza, così tetra e così immonda, privo della compagnia del caro muto, io era oppresso di tristezza. Stava molte ore alla finestra la quale metteva sopra una galleria, e al di là della galleria vedeasi l'etremità del cortile e la finestra della mia prima stanza. Chi erami succeduto colà? Io vi vedeva un uomo che molto passeggiava colla rapidità di chi è pieno d'agitazione. Due o tre giorni dappoi, vidi che gli avevano dato da scrivere, ed allora se ne stava tutto il dì al tavolino.

Finalmente lo riconobbi. Egli usciva della sua stanza accompagnato dal custode: andava agli esami. Era Melchiorre Gioia![1]

Mi si strinse il cuore. «Anche tu, valentuomo, sei qui!» (Fu

1. Melchiorre Gioia (1767-1829), di Piacenza, scienziato, economista, scrittore politico, era stato uno dei frequentatori di casa Porro e aveva simpatizzato per il «Conciliatore», senza tuttavia collaborarvi. Arrestato come carbonaro, fu prosciolto dopo sette mesi, perché l'accusa era assolutamente infondata.

più fortunato di me. Dopo alcuni mesi di detenzione venne rimesso in libertà.)

La vista di qualunque creatura buona mi consola, m'affeziona, mi fa pensare. Ah! pensare ed amare sono un gran bene. Avrei dato la mia vita per salvar Gioia di carcere; eppure il vederlo mi sollevava.

Dopo essere stato lungo tempo a guardarlo, a congetturare da' suoi moti se fosse tranquillo d'animo od inquieto, a far voti per lui, io mi sentiva maggior forza, maggiore abbondanza d'idee, maggior contento di me. Ciò vuol dire che lo spettacolo d'una creatura umana, alla quale s'abbia amore, basta a temprare la solitudine. M'avea dapprima recato questo benefizio un povero bambino muto, ed or me lo recava la lontana vista d'un uomo di gran merito.

Forse qualche secondino gli disse dov'io era. Un mattino, aprendo la sua finestra, fece sventolare il fazzoletto in atto di saluto. Io gli risposi collo stesso segno. Oh quale piacere mi inondò l'anima in quel momento! Mi pareva che la distanza fosse sparita, che fossimo insieme. Il cuore mi balzava come ad un innamorato che rivede l'amata. Gesticolavamo senza capirci, e colla stessa premura, come se ci capissimo: o piuttosto ci capivamo realmente; que' gesti voleano dire tutto ciò che le nostre anime sentivano, e l'una non ignorava ciò che l'altra sentisse.

Qual conforto sembravanmi dover essere in avvenire quei saluti! E l'avvenire giunse, ma que' saluti non furono più replicati! Ogni volta ch'io rivedea Gioia alla finestra, io faceva sventolare il fazzoletto. Invano! I secondini mi dissero che gli era stato proibito d'eccitare i miei gesti o di rispondervi. Bensì guardavami egli spesso, ed io guardava lui, e così ci dicevamo ancora molte cose.

CAPO XI

Sulla galleria ch'era sotto la finestra, al livello medesimo della mia prigione, passavano e ripassavano da mattina a sera altri prigionieri, accompagnati da secondini; andavano agli esami, e ritornavano. Erano per lo più gente bassa. Vidi nondimeno anche qualcheduno che parea di condizione civile. Benché non potessi gran fatto fissare gli occhi su loro, tanto era fuggevole il loro passaggio, pure attraevano la mia attenzione; tutti qual più qual meno mi commoveano. Questo triste spettacolo, a' primi giorni, accresceva i miei dolori; ma a poco a poco mi v'assuefeci, e finì per diminuire anch'esso l'orrore della mia solitudine.

Mi passavano parimente sotto gli occhi molte donne arrestate. Da quella galleria s'andava, per un voltone, sopra un altro cortile, e là erano le carceri muliebri e l'ospedale delle sifilitiche. Un muro solo, ed assai sottile, mi dividea da una delle stanze delle donne. Spesso le poverette mi assordavano colle loro canzoni, talvolta colle loro risse. A tarda sera, quando i romori erano cessati, io le udiva conversare.

Se avessi voluto entrare in colloquio, avrei potuto. Me n'astenni, non so perché. Per timidità? per alterezza? per prudente riguardo di non affezionarmi a donne degradate? Dovevano esservi questi motivi tutti tre. La donna, quando è ciò che debb'essere, è per me una creatura sì sublime! Il vederla, l'udirla, il parlarle, mi arricchisce la mente di nobili fantasie. Ma avvilita, spregevole, mi perturba, m'affligge, mi spoetizza il cuore.

Eppure . . . (gli *eppure* sono indispensabili per dipingere l'uomo, ente sì composto) fra quelle voci femminili ve n'avea di soavi, e queste — e perché non dirlo? — m'erano care. Ed una di quelle era più soave delle altre, e s'udiva più di rado, e non proferiva pensieri volgari. Cantava poco, e per lo più questi soli due patetici versi:

> Chi rende alla meschina
> la sua felicità?

Alcune volte cantava le litanie. Le sue compagne la secondavano, ma io aveva il dono di discernere la voce di Maddalena dalle altre, che pur troppo sembravano accanite a rapirmela.

Sì, quella disgraziata chiamavasi Maddalena.[1] Quando le sue compagne raccontavano i loro dolori, ella compativale e gemeva, e ripeteva: — Coraggio, mia cara; il Signore non abbandona alcuno.

Chi poteva impedirmi d'immaginarmela più bella e più infelice che colpevole, nata per la virtù, capace di ritornarvi, s'erasene scostata? Chi potrebbe biasimarmi s'io m'inteneriva udendola, s'io

---

1. Di questa *Maddalena* (M. Grosso, condannata a otto anni) parla anche il Maroncelli nelle sue *Addizioni* e la descrive «pallidetta e con occhi espressivi e melanconici». La lettura delle *Addizioni* può riuscire utile, sia per conoscere molti particolari, specialmente della vita allo Spielberg, sia per poter misurare l'estremo pudore e la riservatezza della narrazione del Pellico.

l'ascoltava con venerazione, s'io pregava per lei con un fervore particolare? L'innocenza è veneranda, ma quanto lo è pure il pentimento! Il migliore degli uomini, l'uomo-Dio, sdegnava egli di porre il suo pietoso sguardo sulle peccatrici, di rispettare la loro confusione, d'aggregarle fra le anime ch'ei più onorava? Perché disprezziamo noi tanto la donna caduta nell'ignominia? Ragionando così, fui cento volte tentato di alzar la voce e fare una dichiarazione d'amor fraterno a Maddalena. Una volta avea già cominciato la prima sillaba vocativa: — Mad!... — Cosa strana! il cuore mi batteva, come ad un ragazzo di quindici anni innamorato; e sì ch'io n'avea trentuno, che non è più l'età dei palpiti infantili.

Non potei andar avanti. Ricominciai: — Mad!... Mad!... — E fu inutile. Mi trovai ridicolo, e gridai dalla rabbia: — Matto! e non Mad!

## CAPO XII

Così finì il mio romanzo con quella poveretta. Se non che le fui debitore di dolcissimi sentimenti per parecchie settimane. Spesso io era melanconico, e la sua voce m'esilarava: spesso, pensando alla viltà ed all'ingratitudine degli uomini, io m'irritava contro loro, io disamava l'universo, e la voce di Maddalena tornava a dispormi a compassione ed indulgenza.

Possa tu, o incognita peccatrice, non essere stata condannata a grave pena! Od a qualunque pena sii tu stata condannata, possa tu profittarne e rinobilitarti, e vivere e morir cara al Signore! Possa tu essere compianta e rispettata da tutti quelli che ti conoscono, come lo fosti da me che non ti conobbi! Possa tu ispirare, in ognuno che ti vegga, la pazienza, la dolcezza, la brama della virtù, la fiducia in Dio, come le ispiravi in colui che ti amò senza vederti! La mia immaginativa può errare figurandoti bella di corpo, ma l'anima tua, ne son certo, era bella. Le tue compagne parlavano grossolanamente, e tu con pudore e gentilezza; bestemmiavano, e tu benedicevi Dio; garrivano, e tu componevi le loro liti. Se alcuno t'ha porto la mano per sottrarti dalla carriera del disonore, se t'ha beneficata con delicatezza, se ha asciugato le tue lagrime, tutte le consolazioni piovano su lui, su' suoi figli, e sui figli de' suoi figli!

Contigua alla mia, era una prigione abitata da parecchi uomini. Io li udiva anche parlare. Uno di loro superava gli altri in autorità, non forse per maggiore finezza di condizione, ma per maggior facondia ed audacia. Questi facea, come si dice, il dottore. Rissava e metteva in silenzio i contendenti coll'imperiosità della voce e colla foga delle parole; dettava loro ciò che doveano pensare e sentire, e quelli, dopo qualche renitenza, finivano per dargli ragione in tutto.

Infelici! non uno di loro che temperasse le spiacevolezze della prigione esprimendo qualche soave sentimento, qualche poco di religione e d'amore!

Il caporione di que' vicini mi salutò, e risposi. Mi chiese come io passassi *quella maledetta vita*. Gli dissi che, sebben trista, niuna vita era maledetta per me, e che, sino alla morte, bisognava procacciar di godere il piacer di pensare e d'amare.

— Si spieghi, signore, si spieghi.

Mi spiegai, e non fui capito. E quando, dopo ingegnose ambagi preparatorie, ebbi il coraggio d'accennare, come esempio, la tenerezza carissima che in me veniva destata dalla voce di Maddalena, il caporione diede in una grandissima risata.

— Che cos'è? che cos'è? — gridarono i suoi compagni. Il profano ridisse con caricatura le mie parole, e le risate scoppiarono in coro, ed io feci lì pienamente la figura dello sciocco.

Avviene in prigione come nel mondo. Quelli che pongono la lor saviezza nel fremere, nel lagnarsi, nel vilipendere, credono follia il compatire, l'amare, il consolarsi con belle fantasie che onorino l'umanità ed il suo Autore.

CAPO XIII

Lasciai ridere, e non opposi sillaba. I vicini mi dirissero due o tre volte la parola; io stetti zitto.

— Non sarà più alla finestra . . . se ne sarà ito . . . tenderà l'orecchio ai sospiri di Maddalena . . . si sarà offeso delle nostre risa.

Così andarono dicendo per un poco. E finalmente il caporione impose silenzio agli altri che susurravano sul mio conto.

— Tacete, bestioni, che non sapete quel che diavolo vi dite. Qui il vicino non è un sì grand'asino come credete. Voi non siete capaci di riflettere su niente. Io sghignazzo, ma poi rifletto, io.

Tutti i villani mascalzoni sanno far gli arrabbiati, come facciamo noi. Un po' più di dolce allegria, un po' più di carità, un po' più di fede ne' benefizi del Cielo, di che cosa vi pare sinceramente che sia indizio?

— Or che ci rifletto anch'io, — rispose uno — mi pare che sia indizio d'essere alquanto meno mascalzone.

— Bravo! — gridò il caporione con urlo stentoreo — questa volta torno ad avere qualche stima della tua zucca.

Io non insuperbiva molto d'essere solamente reputato *alquanto meno mascalzone* di loro; eppure provava una specie di gioia, che que' disgraziati si ricredessero circa l'importanza di coltivare i sentimenti benevoli.

Mossi l'imposta della finestra, come se tornassi allora. Il caporione mi chiamò. Risposi, sperando che avesse voglia di moralizzare a modo mio. M'ingannai. Gli spiriti volgari sfuggono i ragionamenti serii: se una nobile verità traluce loro, sono capaci di applaudirla un istante, ma tosto dopo ritorcono da essa lo sguardo, e non resistono alla libidine d'ostentar senno ponendo quella verità in dubbio e scherzando.

Mi chiese poscia s'io era in prigione per debiti.

— No.

— Forse accusato di truffa? Intendo accusato falsamente, sa.

— Sono accusato di tutt'altro.

— Di cose d'amore?

— No.

— D'omicidio?

— No.

— Di carboneria?

— Appunto.

— E che sono questi carbonari?

— Li conosco così poco che non saprei dirvelo.

Un secondino c'interruppe con gran collera, e dopo d'aver colmato d'improperii i miei vicini si volse a me colla gravità non d'uno sbirro, ma d'un maestro, e disse: — Vergogna, signore! degnarsi di conversare con ogni sorta di gente! Sa ella che costoro son ladri?

Arrossii, e poi arrossii d'aver arrossito, e mi parve che il degnarsi di conversare con ogni specie d'infelici sia piuttosto bontà che colpa.

## CAPO XIV

Il mattino seguente andai alla finestra per vedere Melchiorre
Gioia, ma non conversai più co' ladri. Risposi al loro saluto, e dissi
che m'era vietato di parlare. Venne l'attuario che m'avea fatto gl'interrogatorii, e m'annunciò
con mistero una visita che m'avrebbe recato piacere. E quando
gli parve d'avermi abbastanza preparato disse: — Insomma, è suo
padre; si compiaccia di seguirmi.

Lo seguii abbasso negli uffici, palpitando di contento e di tenerezza, e sforzandomi d'avere un aspetto sereno che tranquillasse
il mio povero padre.

Allorché avea saputo il mio arresto, egli avea sperato che ciò
fosse per sospetti da nulla, e ch'io tosto uscissi. Ma vedendo che la
detenzione durava, era venuto a sollecitare il Governo austriaco
per la mia liberazione. Misere illusioni dell'amor paterno! Ei non
poteva credere ch'io fossi stato così temerario da espormi al rigor
delle leggi,[1] e la studiata ilarità con che gli parlai lo persuase ch'io
non aveva sciagure a temere.

Il breve colloquio che ci fu conceduto m'agitò indicibilmente;
tanto più ch'io reprimeva ogni apparenza d'agitazione. Il più difficile fu di non manifestarla quando convenne separarci.

Nelle circostanze in cui era l'Italia, io tenea per fermo che
l'Austria avrebbe dato esempi straordinarii di rigore, e ch'io sarei
stato condannato a morte od a molti anni di prigionia. Dissimulare
questa credenza ad un padre! lusingarlo colla dimostrazione di
fondate speranze di prossima libertà! non prorompere in lagrime
abbracciandolo, parlandogli della madre, de' fratelli e delle sorelle,
ch'io pensava non riveder più mai sulla terra! pregarlo con voce
non angosciata che venisse ancora a vedermi, se poteva! Nulla mai
mi costò tanta violenza.

Egli si divise consolatissimo da me, ed io tornai nel mio carcere
col cuore straziato. Appena mi vidi solo, sperai di potermi sollevare abbandonandomi al pianto. Questo sollievo mi mancò. Io
scoppiava in singhiozzi, e non potea versare una lagrima. La

---

1. Appena nell'agosto di quell'anno era stato infatti pubblicato l'editto
che comminava la pena di morte per i reati di carboneria.

disgrazia di non piangere è una delle più crudeli ne' sommi dolori, ed oh quante volte l'ho provata! Mi prese una febbre ardente con fortissimo mal di capo. Non inghiottii un cucchiaio di minestra in tutto il giorno. «Fosse questa una malattia mortale» diceva io «che abbreviasse i miei martirii!» Stolta e codarda brama! Iddio non l'esaudì, ed or ne lo ringrazio. E ne lo ringrazio, non solo perché dopo dieci anni di carcere ho riveduto la mia cara famiglia e posso dirmi felice; ma anche perché i patimenti aggiungono valore all'uomo, e voglio sperare che non sieno stati inutili per me.

## CAPO XV

Due giorni appresso, mio padre tornò. Io aveva dormito bene la notte, ed era senza febbre. Mi ricomposi a disinvolte e liete maniere, e niuno dubitò di ciò che il mio cuore avesse sofferto e soffrisse ancora.

— Confido — mi disse il padre — che fra pochi giorni sarai mandato a Torino. Già t'abbiamo apparecchiata la stanza, e t'aspettiamo con grande ansietà. I miei doveri d'impiego mi obbligano a ripartire. Procura, te ne prego, procura di raggiungermi presto.

La sua tenera e melanconica amorevolezza mi squarciava l'anima. Il fingere mi pareva comandato da pietà, eppure io fingeva con una specie di rimorso. Non sarebbe stata cosa più degna di mio padre e di me, s'io gli avessi detto: — Probabilmente non ci vedremo più in questo mondo! Separiamoci da uomini, senza mormorare, senza gemere; e ch'io oda pronunciare sul mio capo la paterna benedizione — ?

Questo linguaggio mi sarebbe mille volte più piaciuto della finzione. Ma io guardava gli occhi di quel venerando vecchio, i suoi lineamenti, i suoi grigi capelli, e non mi sembrava che l'infelice potesse aver la forza d'udire tai cose.

E se per non volerlo ingannare io l'avessi veduto abbandonarsi alla disperazione, forse svenire, forse (orribile idea!) essere colpito da morte nelle mie braccia?

Non potei dirgli il vero, né lasciarglielo tralucere! La mia foggiata serenità lo illuse pienamente. Ci dividemmo senza lagrime. Ma ritornato nel carcere, fui angosciato come l'altra volta, o più fieramente ancora; ed invano pure invocai il dono del pianto.

Rassegnarmi a tutto l'orrore d'una lunga prigionia, rassegnarmi al patibolo, era nella mia forza. Ma rassegnarmi all'immenso dolore che ne avrebbero provato padre, madre, fratelli e sorelle, ah! questo era quello a cui la mia forza non bastava.

Mi prostrai allora in terra con un fervore quale io non aveva mai avuto sì forte, e pronunciai questa preghiera:

— Mio Dio, accetto tutto dalla tua mano; ma invigorisci sì prodigiosamente i cuori a cui io era necessario, ch'io cessi d'esser loro tale, e la vita d'alcun di loro non abbia perciò ad abbreviarsi pur d'un giorno!

Oh beneficio della preghiera! Stetti più ore colla mente elevata a Dio, e la mia fiducia cresceva a misura ch'io meditava sulla bontà divina, a misura ch'io meditava sulla grandezza dell'anima umana, quando esce del suo egoismo e si sforza di non aver più altro volere che il volere dell'infinita Sapienza.

Sì, ciò si può! ciò è il dovere dell'uomo! La ragione, che è la voce di Dio, la ragione ne dice che bisogna tutto sacrificare alla virtù. E sarebbe compiuto il sacrificio di cui siamo debitori alla virtù, se nei casi più dolorosi luttassimo contro il volere di Colui che d'ogni virtù è il principio?

Quando il patibolo o qualunque altro martirio è inevitabile, il temerlo codardamente, il non saper muovere ad esso benedicendo il Signore, è segno di miserabile degradazione od ignoranza. Ed è non solamente d'uopo consentire alla propria morte, ma all'afflizione che ne proveranno i nostri cari. Altro non lice se non dimandare che Dio la temperi, che Dio tutti ci regga: tal preghiera è sempre esaudita.

### CAPO XVI

Volsero alcuni giorni, ed io era nel medesimo stato; cioè in una mestizia dolce, piena di pace e di pensieri religiosi. Pareami d'aver trionfato d'ogni debolezza, e di non essere più accessibile ad alcuna inquietudine. Folle illusione! L'uomo dee tendere alla perfetta costanza, ma non vi giunge mai sulla terra. Che mi turbò? La vista d'un amico infelice; la vista del mio buon Piero, che passò pochi palmi di distanza da me, sulla galleria, mentr'io era alla finestra. L'aveano tratto dal suo covile per condurlo alle carceri criminali.

Egli, e coloro che l'accompagnavano, passarono così presto, che appena ebbi campo a riconoscerlo, a vedere un suo cenno di saluto, ed a restituirglielo.

Povero giovane! Nel fiore dell'età, con un ingegno di splendide speranze, con un carattere onesto, delicato, amantissimo, fatto per godere gloriosamente della vita, precipitato in prigione per cose politiche, in tempo da non poter certamente evitare i più severi fulmini della legge!

Mi prese tal compassione di lui, tale affanno di non poterlo redimere, di non poterlo almeno confortare colla mia presenza e colle mie parole, che nulla valeva a rendermi un poco di calma. Io sapeva quant'egli amasse sua madre, suo fratello, le sue sorelle, il cognato, i nipotini; quant'egli agognasse contribuire alla loro felicità, quanto fosse riamato da tutti quei cari oggetti. Io sentiva qual dovesse essere l'afflizione di ciascun di loro a tanta disgrazia. Non vi sono termini per esprimere la smania che allora s'impadronì di me. E questa smania si prolungò cotanto, ch'io disperava di più sedarla.

Anche questo spavento era un'illusione. O afflitti, che vi credete preda d'un ineluttabile, orrendo, sempre crescente dolore, pazientate alquanto, e vi disingannerete! Né somma pace, né somma inquietudine possono durare quaggiù. Conviene persuadersi di questa verità, per non insuperbire nelle ore felici e non avvilirsi in quelle del perturbamento.

A lunga smania successe stanchezza ed apatia. Ma l'apatia neppure non è durevole, e temetti di dover, quindi in poi, alternare senza rifugio tra questa e l'opposto eccesso. Inorridii alla prospettiva di simile avvenire, e ricorsi anche questa volta ardentemente alla preghiera.

Io dimandai a Dio d'assistere il mio misero Pietro come me, e la sua casa come la mia. Solo ripetendo questi voti potei veramente tranquillarmi.

CAPO XVII

Ma quando l'animo era quetato io rifletteva alle smanie sofferte, e adirandomi della mia debolezza, studiava il modo di guarirne. Giovommi a tal uopo questo espediente. Ogni mattina, mia prima occupazione, dopo breve omaggio al Creatore, era il fare una diligente e coraggiosa rassegna d'ogni possibile evento atto a commuovermi. Su ciascuno fermava vivamente la fantasia, e mi vi prepa-

rava: dalle più care visite, fino alla visita del carnefice, io le immaginava tutte. Questo tristo esercizio sembrava per alcuni giorni
incomportevole, ma volli essere perseverante, ed in breve ne fui
contento.

Al primo dell'anno (1821) il conte Luigi Porro[1] ottenne di venirmi a vedere. La tenera e calda amicizia ch'era tra noi, il bisogno
che avevamo di dirci tante cose, l'impedimento che a questa effusione era posto dalla presenza d'un attuario, il troppo breve tempo
che ci fu dato di stare insieme, i sinistri presentimenti che mi ango-
sciavano, lo sforzo che facevamo egli ed io di parer tranquilli,
tutto ciò parea dovermi mettere una delle più terribili tempeste nel
cuore. Separato da quel caro amico, mi sentii in calma; intenerito,
ma in calma.

Tale è l'efficacia del premunirsi contro le forti emozioni.

Il mio impegno di acquistare una calma costante non movea
tanto dal desiderio di diminuire la mia infelicità, quanto dall'appa-
rirmi brutta, indegna dell'uomo, l'inquietudine. Una mente agitata
non ragiona più: avvolta fra un turbine irresistibile d'idee esagerate,
si forma una logica sciocca, furibonda, maligna: è in uno stato assolutamente antifilosofico, anticristiano.

S'io fossi predicatore, insisterei spesso sulla necessità di bandire
l'inquietudine: non si può esser buono ad altro patto. Com'era pacifico con sé e cogli altri Colui che dobbiamo tutti imitare! Non
v'è grandezza d'animo, non v'è giustizia senza idee moderate, senza
uno spirito tendente più a sorridere che ad adirarsi degli avvenimenti di questa breve vita. L'ira non ha qualche valore se non
nel caso rarissimo che sia presumibile d'umiliare con essa un
malvagio e di ritrarlo dall'iniquità.

Forse si dànno smanie di natura diversa da quelle ch'io conosco,
e meno condannevoli. Ma quella che m'aveva fin allora fatto suo

1. Il conte Luigi Porro Lambertenghi, nato a Como nel 1780, durante
la dominazione francese era stato membro del Corpo legislativo. Poi,
sotto il dominio austriaco, insieme con altri pochi, tra i quali anche il
Confalonieri, si era adoperato a promuovere il progresso economico e
culturale della Lombardia, con varie imprese tra cui, non ultima, la pubblicazione del «Conciliatore». Era carbonaro anche lui, e nell'aprile seguente,
avvertito che la polizia lo ricercava, riuscì a fuggire a Torino, poi a Parigi
e a Londra. Fu condannato a morte in contumacia. Nel 1825 fu col Santarosa in Grecia e fino al 1827 vi coprì alte cariche politiche. Poi si ritirò
a Marsiglia. Amnistiato nel 1840 poté tornare a Milano, e vi morì ottantenne nel 1860, dopo aver visto la liberazione della Lombardia.

schiavo, non era una smania di pura afflizione: vi si mescolava sempre molto odio, molto prurito di maledire, di dipingermi la società o questi o quegli individui coi colori più esecrabili. Malattia epidemica nel mondo! L'uomo si reputa migliore, abborrendo gli altri. Pare che tutti gli amici si dicano all'orecchio: — Amiamoci solamente fra noi; gridando che tutti sono ciurmaglia, sembrerà che siamo semidei. Curioso fatto, che il vivere arrabbiato piaccia tanto! Vi si pone una specie d'eroismo. Se l'oggetto contro cui ieri si fremeva è morto, se ne cerca subito un altro. — Di chi mi lamenterò oggi? chi odierò? sarebbe mai quello il mostro?... Oh gioia! l'ho trovato. Venite, amici, laceriamolo!

Così va il mondo: e, senza lacerarlo, posso ben dire che va male.

## CAPO XVIII

Non v'era molta malignità nel lamentarmi dell'orridezza della stanza ove m'aveano posto. Per buona ventura, restò vota una migliore, e mi si fece l'amabile sorpresa di darmela.

Non avrei io dovuto esser contentissimo a tale annunzio? Eppure... Tant'è; non ho potuto pensare a Maddalena senza rincrescimento. Che fanciullaggine! affezionarsi sempre a qualche cosa, anche con motivi, per verità, non molto forti! Uscendo di quella cameraccia, voltai indietro lo sguardo, verso la parete alla quale io m'era sì sovente appoggiato, mentre, forse un palmo più in là, vi s'appoggiava dal lato opposto la misera peccatrice. Avrei voluto sentire ancora una volta que' due patetici versi:

> *Chi rende alla meschina*
> *la sua felicità?*

Vano desiderio! Ecco una separazione di più nella mia sciagurata vita. Non voglio parlarne lungamente, per non far ridere di me; ma sarei un ipocrita se non confessassi che ne fui mesto per più giorni.

Nell'andarmene, salutai due de' poveri ladri, miei vicini, ch'erano alla finestra. Il caporione non v'era, ma avvertito dai compagni v'accorse, e mi risalutò anch'egli. Si mise quindi a cantarellare l'aria: *Chi rende alla meschina*... Voleva egli burlarsi di me? Scommetto che se facessi questa dimanda a cinquanta persone, quarantanove risponderebbero: — Sì. — Ebbene, ad onta di tanta pluralità di voti, inclino a credere che il buon ladro intendea di farmi una gentilezza. Io la ricevetti come tale, e gliene fui grato, e gli diedi ancora un'occhiata: ed egli, sporgendo il braccio fuori de' ferri col berretto in mano, faceami ancor cenno allorch'io voltava per discendere la scala.

Quando fui nel cortile, ebbi una consolazione. V'era il mutolino sotto il portico. Mi vide, mi riconobbe, e volea corrermi incontro. La moglie del custode, chi sa perché? l'afferrò pel collare e lo cacciò in casa. Mi spiacque di non poterlo abbracciare, ma i saltetti ch'ei fece per correre a me mi commossero deliziosamente. È cosa sì dolce l'essere amato!

Era giornata di grandi avventure. Due passi più in là, mossi vicino alla finestra della stanza già mia, e nella quale ora stava Gioia. — Buon giorno, Melchiorre! — gli dissi passando. Alzò il capo, e balzando verso me, gridò: — Buon giorno, Silvio!

Ahi! non mi fu dato di fermarmi un istante. Voltai sotto il portone, salii una scaletta, e venni posto in una cameruccia pulita, al di sopra di quella di Gioia.

Fatto portare il letto, e lasciato solo dai secondini, mio primo affare fu di visitare i muri. V'erano alcune memorie scritte, quali con matita, quali con carbone, quali con punta incisiva. Trovai graziose due strofe francesi, che or m'increscе di non avere imparate a memoria. Erano firmate *Le duc de Normandie*. Presi a cantarle, adattandovi alla meglio l'aria della mia povera Maddalena: ma ecco una voce vicinissima che le ricanta con altr'aria. Com'ebbe finito, gli gridai: — Bravo! — Ed egli mi salutò gentilmente, chiedendomi s'io era Francese.

— No; sono Italiano, e mi chiamo Silvio Pellico.

— L'autore della *Francesca da Rimini*?

— Appunto.

E qui un gentile complimento, e le naturali condoglianze sentendo ch'io fossi in carcere.

Mi dimandò di qual parte d'Italia fossi nativo.

— Di Piemonte, — dissi — sono Saluzzese.

E qui nuovo gentile complimento sul carattere e sull'ingegno de' Piemontesi, e particolare menzione de' valentuomini Saluzzesi, e in ispecie di Bodoni.[1]

1. Giambattista Bodoni (1740-1813), celebre per le edizioni di classici che vennero fuori dalla sua stamperia di Parma, era nato a Saluzzo.

Quelle poche lodi erano fine, come si fanno da persona di buona educazione.

— Or mi sia lecito — gli dissi — di chiedere a voi, signore, chi siete.

— Avete cantata una mia canzoncina.

— Quelle due belle strofette che stanno sul muro, sono vostre?

— Sì, signore.

— Voi siete dunque . . .

— L'infelice duca di Normandia.

CAPO XIX

Il custode passava sotto le nostre finestre, e ci fece tacere.

«Quale infelice duca di Normandia?» andava io ruminando. «Non è questo il titolo che davasi al figlio di Luigi XVI? Ma quel povero fanciullo è indubitatamente morto. Ebbene, il mio vicino sarà uno dei disgraziati che si sono provati a farlo rivivere.[1] Già parecchi si spacciarono per Luigi XVII, e furono riconosciuti impostori: qual maggior credenza dovrebbe questi ottenere?»

Sebbene io cercassi di stare in dubbio, un'invincibile incredulità prevaleva in me, ed ognor continuò a prevalere. Nondimeno determinai di non mortificare l'infelice, qualunque frottola fosse per raccontarmi.

Pochi istanti dappoi, ricominciò a cantare, indi ripigliammo la conversazione.

Alla mia dimanda sull'esser suo, rispose ch'egli era appunto Luigi XVII, e si diede a declamare con forza contro Luigi XVIII, suo zio, usurpatore de' suoi diritti.

— Ma questi diritti, come non li faceste valere al tempo della Ristorazione?

— Io mi trovava allora mortalmente ammalato a Bologna. Appena risanato, volai a Parigi, mi presentai alle Alte Potenze, ma quel ch'era fatto era fatto: l'iniquo mio zio non volle riconoscermi; mia sorella s'unì a lui per opprimermi. Il solo buon principe di Condé m'accolse a braccia aperte, ma la sua amicizia nulla poteva. Una sera, per le vie di Parigi, fui assalito da sicarii armati di pugnali, ed a stento mi sottrassi a' loro colpi. Dopo aver vagato qualche

1. Questo si faceva chiamare barone di Richemont e poi finì in Inghilterra.

tempo in Normandia, tornai in Italia, e mi fermai a Modena. Di lì, scrivendo incessantemente ai monarchi d'Europa, e particolarmente all'imperatore Alessandro, che mi rispondea colla massima gentilezza, io non disperava d'ottenere finalmente giustizia, o se, per politica, voleano sacrificare i miei diritti al trono di Francia, che almeno mi s'assegnasse un decente appannaggio. Venni arrestato, condotto ai confini del ducato di Modena, e consegnato al Governo austriaco. Or, da otto mesi, sono qui sepolto, e Dio sa quando uscirò!

Non prestai fede a tutte le sue parole. Ma ch'ei fosse lì sepolto era una verità, e m'ispirò una viva compassione.

Lo pregai di raccontarmi in compendio la sua vita. Mi disse con minutezza tutti i particolari ch'io già sapeva intorno Luigi XVII, quando lo misero collo scellerato Simon, calzolaio; quando lo indussero ad attestare un'infame calunnia contro i costumi della povera regina sua madre, ecc., ecc. E finalmente, che essendo in carcere, venne gente una notte a prenderlo; un fanciullo stupido per nome Mathurin fu posto in sua vece, ed ei fu trafugato. V'era nella strada una carrozza a quattro cavalli, ed uno de' cavalli era una macchina di legno, nella quale ei fu celato. Andarono felicemente al Reno, e passati i confini, il generale . . . (mi disse il nome, ma non me lo ricordo) che l'avea liberato gli fece per qualche tempo da educatore, da padre; lo mandò o condusse quindi in America. Là il giovane re senza regno ebbe molte peripezie, patì la fame ne' deserti, militò, visse onorato e felice alla corte del re del Brasile, fu calunniato, perseguitato, costretto a fuggire. Tornò in Europa in sul finire dell'impero napoleonico; fu tenuto prigione a Napoli da Giovacchino Murat, e quando si rivide libero ed in procinto di reclamare il trono di Francia, lo colpì a Bologna quella funesta malattia, durante la quale Luigi XVIII fu incoronato.

### CAPO XX

Ei raccontava questa storia con una sorprendente aria di verità. Io, non potendo crederlo, pur l'ammirava. Tutti i fatti della rivoluzione francese gli erano notissimi; ne parlava con molta spontanea eloquenza, e riferiva ad ogni proposito aneddoti curiosissimi. V'era alcun che di soldatesco nel suo dire, ma senza mancare di quella eleganza ch'è data dall'uso della fina società.

— Mi permetterete — gli dissi — ch'io vi tratti alla buona, ch'io non vi dia titoli.

— Questo è ciò che desidero — rispose. — Dalla sventura ho almeno tratto questo guadagno, che so sorridere di tutte le vanità. V'assicuro che mi pregio più d'esser uomo che d'esser re.

Mattina e sera, conversavamo lungamente insieme; e, ad onta di ciò ch'io reputava esser commedia in lui, l'anima sua mi pareva buona, candida, desiderosa d'ogni bene morale. Più volte fui per dirgli: — Perdonate, io vorrei credere che foste Luigi XVII, ma sinceramente vi confesso che la persuasione contraria domina in me, abbiate tanta franchezza da rinunciare a questa finzione. — E ruminava tra me una bella predicuccia da fargli sulla vanità d'ogni bugia, anche delle bugie che sembrano innocue.

Di giorno in giorno differiva; sempre aspettava che l'intimità nostra crescesse ancora di qualche grado, e mai non ebbi ardire d'eseguire il mio intento.

Quando rifletto a questa mancanza d'ardire, talvolta la scuso come urbanità necessaria, onesto timore d'affliggere, e che so io. Ma queste scuse non m'accontentano, e non posso dissimulare che sarei più soddisfatto di me se non mi fossi tenuta nel gozzo l'ideata predicuccia. Fingere di prestar fede ad una impostura, è pusillanimità: parmi che nol farei più.

Sì, pusillanimità! Certo, che per quanto s'involva in delicati preamboli, è aspra cosa il dire ad uno: — Non vi credo. — Ei si sdegnerà, perderemo il piacere della sua amicizia, ci colmerà forse d'ingiurie. Ma ogni perdita è più onorevole del mentire. E forse il disgraziato che ci colmerebbe d'ingiurie vedendo che una sua impostura non è creduta, ammirerebbe poscia in secreto la nostra sincerità, e gli sarebbe motivo di riflessioni che il ritrarrebbero a miglior via.

I secondini inclinavano a credere ch'ei fosse veramente Luigi XVII, ed avendo già veduto tante mutazioni di fortune, non disperavano che costui non fosse per ascendere un giorno al trono di Francia e si ricordasse della loro devotissima servitù. Tranne il favorire la sua fuga, gli usavano tutti i riguardi ch'ei desiderava.

Fui debitore a ciò, dell'onore di vedere il gran personaggio. Era di statura mediocre, dai quaranta ai quarantacinque anni, alquanto pingue, e di fisionomia propriamente borbonica. Egli è

4

verosimile che un'accidentale somiglianza coi Borboni l'abbia indotto a rappresentare quella trista parte.

## CAPO XXI

D'un altro indegno rispetto umano bisogna ch'io m'accusi. Il mio vicino non era ateo, ed anzi parlava talvolta dei sentimenti religiosi come uomo che li apprezza e non v'è straniero; ma serbava tuttavia molte prevenzioni irragionevoli contro il Cristianesimo, il quale ei guardava meno nella sua vera essenza, che nei suoi abusi. La superficiale filosofia che in Francia precedette e seguì la rivoluzione, l'aveva abbagliato. Gli pareva che si potesse adorar Dio con maggior purezza, che secondo la religione del Vangelo. Senza aver gran cognizione di Condillac e di Tracy,[1] li venerava come sommi pensatori, e s'immaginava che quest'ultimo avesse dato il compimento a tutte le possibili indagini metafisiche.

Io che aveva spinto più oltre i miei studi filosofici, che sentiva la debolezza della dottrina sperimentale, che conosceva i grossolani errori di critica con cui il secolo di Voltaire aveva preso a voler diffamare il Cristianesimo; io che avea letto Guénée[2] ed altri valenti smascheratori di quella falsa critica; io ch'era persuaso non potersi con rigore di logica ammettere Dio e ricusare il Vangelo; io che trovava tanto volgar cosa il seguire la corrente delle opinioni anticristiane e non sapersi elevare a conoscere quanto il cattolicismo, non veduto in caricatura, sia semplice e sublime; io ebbi la viltà di sacrificare al rispetto umano. Le facezie del mio vicino mi confondevano, sebbene non potesse sfuggirmi la loro leggerezza. Dissimulai la mia credenza, esitai, riflettei se fosse o no tempestivo il contraddire, mi dissi ch'era inutile, e volli persuadermi d'essere giustificato.

Viltà! viltà! Che importa il baldanzoso vigore d'opinioni accreditate, ma senza fondamento? È vero che uno zelo intempestivo è indiscrezione, e può maggiormente irritare chi non crede. Ma il confessare con franchezza, e modestia ad un tempo, ciò che fer-

1. Stefano di Condillac (1715-1780) era stato il capo del sensismo ed era vissuto a lungo a Parma. — Luigi Destutt de Tracy (1754-1836), già seguace del Condillac, al principio dell'800 era considerato come il capo degli ideologi. 2. L'abate Antonio Guénée (1717-1803) nelle sue *Lettres de quelques juifs* (1769) aveva difeso la Bibbia contro il Voltaire.

mamente si tiene per importante verità, il confessarlo anche laddove non è presumibile d'essere approvato, né d'evitare un poco
di scherno, egli è preciso dovere. E siffatta nobile confessione può
sempre adempirsi, senza prendere inopportunamente il carattere
di missionario.

Egli è dovere di confessare un'importante verità in ogni tempo,
perocché se non è sperabile che venga subito riconosciuta, può
pure dare tal preparamento all'anima altrui, il quale produca un
giorno maggiore imparzialità di giudizi ed il conseguente trionfo
della luce.

CAPO XXII

Stetti in quella stanza un mese e qualche dì. La notte dai 18 ai
19 di febbraio (1821) sono svegliato da romore di catenacci e di
chiavi; vedo entrare parecchi uomini con lanterna: la prima idea
che mi si presentò, fu che venissero a scannarmi. Ma mentre io
guardava perplesso quelle figure, ecco avanzarsi gentilmente il
conte B.,[1] il quale mi dice ch'io abbia la compiacenza di vestirmi
presto per partire.

Quest'annunzio mi sorprese, ed ebbi la follia di sperare che mi si
conducesse ai confini del Piemonte. Possibile che sì gran tempesta si dileguasse così? Io racquisterei ancora la dolce libertà?
Io rivedrei i miei carissimi genitori, i fratelli, le sorelle?

Questi lusinghevoli pensieri m'agitarono brevi istanti. Mi vestii
con grande celerità, e seguii i miei accompagnatori senza pur poter
salutare ancora il mio vicino. Mi pare d'aver udito la sua voce,
e m'increbbe di non potergli rispondere.

— Dove si va? — dissi al conte, montando in carrozza con lui e
con un uffiziale di gendarmeria.

— Non posso significarglielo finché non siamo un miglio al di là
di Milano.

Vidi che la carrozza non andava verso porta Vercellina,[2] e le
mie speranze furono svanite!

Tacqui. Era una bellissima notte con lume di luna. Io guardava
quelle care vie, nelle quali io aveva passeggiato tanti anni così

1. Era il conte Luigi Bolza, di Menaggio, funzionario della polizia austriaca. Spiegò una trista attività contro i liberali italiani. 2. Oggi Porta
Magenta.

felice; quelle case, quelle chiese. Tutto mi rinnovava mille soavi rimembranze.

Oh corsìa di porta Orientale![1] Oh pubblici giardini, ov'io avea tante volte vagato con Foscolo, con Monti, con Lodovico di Breme, con Pietro Borsieri,[2] con Porro e co' suoi figliuoli, con tanti altri diletti mortali, conversando in sì gran pienezza di vita e di speranze! Oh come nel dirmi ch'io vi vedeva per l'ultima volta, oh come al vostro rapido fuggire a' miei sguardi, io sentiva d'avervi amato e d'amarvi! Quando fummo usciti dalla porta, tirai alquanto il cappello sugli occhi, e piansi, non osservato.

Lasciai passare più d'un miglio, poi dissi al conte B.:

— Suppongo che si vada a Verona.

— Si va più in là; — rispose — andiamo a Venezia, ove debbo consegnarla ad una Commissione speciale.

Viaggiammo per posta senza fermarci, e giungemmo il 20 febbraio a Venezia.

Nel settembre dell'anno precedente, un mese prima che m'arrestassero, io era a Venezia, ed aveva fatto un pranzo in numerosa e lietissima compagnia all'albergo della Luna. Cosa strana! Sono appunto dal conte e dal gendarme condotto all'albergo della Luna.

Un cameriere strabiliò vedendomi, ed accorgendosi (sebbene il gendarme e i due satelliti, che faceano figura di servitori, fossero travestiti) ch'io era nelle mani della forza. Mi rallegrai di quest'incontro, persuaso che il cameriere parlerebbe del mio arrivo a più d'uno.

Pranzammo, indi fui condotto al palazzo del Doge, ove ora sono i tribunali. Passai sotto quei cari portici delle Procuratìe ed innanzi al caffè Florian, ov'io avea goduto sì belle sere nell'autunno trascorso: non m'imbattei in alcuno de' miei conoscenti.

Si traversa la piazzetta . . . E su quella piazzetta, nel settembre addietro, un mendico mi avea detto queste singolari parole: — Si vede ch'ella è forestiero, signore; ma io non capisco com'ella e tutti i forestieri ammirino questo luogo: per me è un luogo di disgrazia, e vi passo unicamente per necessità.

---

1. Oggi Porta Venezia. 2. Ludovico di Breme (1780-1820), torinese, e Pietro Borsieri (1788-1852), milanese, erano fra i più convinti fautori del Romanticismo e fra i fondatori del «Conciliatore». Il Borsieri fu arrestato l'anno dopo, si ebbe la stessa condanna del Pellico e la scontò anch'egli allo Spielberg. Fu graziato nel 1836.

— Vi sarà qui accaduto qualche malanno?

— Sì, signore; un malanno orribile, e non a me solo. Iddio la scampi, signore, Iddio la scampi!

E se n'andò in fretta.

Or, ripassando io colà, era impossibile che non mi sovvenissero le parole del mendico. E fu ancora su quella piazzetta, che l'anno seguente io ascesi il palco donde intesi leggermi la sentenza di morte e la commutazione di questa pena in quindici anni di carcere duro!

S'io fossi testa un po' delirante di misticismo, farei gran caso di quel mendico, predicentemi così energicamente esser quello un *luogo di disgrazia*. Io non noto questo fatto se non come uno strano accidente.

Salimmo al palazzo; il conte B. parlò co' giudici, indi mi consegnò al carceriere, e, congedandosi da me, m'abbracciò intenerito.

### CAPO XXIII

Seguii in silenzio il carceriere. Dopo aver traversato parecchi ànditi e parecchie sale, arrivammo ad una scaletta che ci condusse sotto i *Piombi*, famose prigioni di Stato fin dal tempo della Repubblica Veneta.[1]

Ivi il carceriere prese registro del mio nome, indi mi chiuse nella stanza destinatami.

I così detti *Piombi* sono la parte superiore del già palazzo del Doge, coperta tutta di piombo.

La mia stanza avea una gran finestra, con enorme inferriata, e guardava sul tetto parimente di piombo della chiesa di San Marco. Al di là della chiesa, io vedeva in lontananza il termine della piazza, e da tutte parti un'infinità di cupole e di campanili. Il gigantesco campanile di San Marco era solamente separato da me dalla lunghezza della chiesa, ed io udiva coloro che in cima di esso parlavano alquanto forte. Vedevasi anche, al lato sinistro della

---

1. Il Pellico si ingannava credendo di essere stato rinchiuso nelle storiche prigioni dei Piombi. In realtà egli si trovava in una delle stanze all'ultimo piano del palazzo, e per un facile equivoco quelle stanze, adibite a carceri politiche, erano chiamate Piombi un po' da tutti. I veri Piombi invece, quattro piccolissime segrete rivestite di panconi di larice e situate nell'interno dell'immensa soffitta immediatamente sotto il tetto di piombo del palazzo, erano stati distrutti nel 1797.

chiesa, una porzione del gran cortile del palazzo ed una delle entrate. In quella porzione di cortile sta un pozzo pubblico, ed ivi continuamente veniva gente a cavare acqua. Ma la mia prigione essendo così alta, gli uomini laggiù mi parevano fanciulli, ed io non discerneva le loro parole se non quando gridavano. Io mi trovava assai più solitario che non era nelle carceri di Milano.

Ne' primi giorni le cure del processo criminale che dalla Commissione speciale mi veniva intentato m'attristarono alquanto, e vi s'aggiungea forse quel penoso sentimento di maggior solitudine. Inoltre io era più lontano dalla mia famiglia, e non avea più di essa notizie. Le facce nuove ch'io vedeva non m'erano antipatiche, ma serbavano una serietà quasi spaventata. La fama aveva esagerato loro le trame dei Milanesi e del resto d'Italia per l'indipendenza, e dubitavano ch'io fossi uno dei più imperdonabili motori di quel delirio. La mia piccola celebrità letteraria era nota al custode, a sua moglie, alla figlia, ai due figli maschi, e persino ai due secondini: i quali tutti, chi sa che non s'immaginassero che un autore di tragedie fosse una specie di mago?

Erano serii, diffidenti, avidi ch'io loro dessi maggior contezza di me, ma pieni di garbo.

Dopo i primi giorni si mansuefecero tutti, e li trovai buoni. La moglie era quella che più manteneva il contegno ed il carattere di carceriere. Era una donna di viso asciutto asciutto, verso i quarant'anni, di parole asciutte asciutte, non dante il minimo segno d'essere capace di qualche benevolenza ad altri che ai suoi figli.

Solea portarmi il caffè, mattina e dopo pranzo, acqua, biancheria, ecc. La seguivano ordinariamente sua figlia, fanciulla di quindici anni, non bella ma di pietosi sguardi, e i due figliuoli, uno di tredici anni, l'altro di dieci. Si ritiravano quindi colla madre, ed i tre giovani sembianti si rivoltavano dolcemente a guardarmi chiudendo la porta. Il custode non veniva da me se non quando aveva da condurmi nella sala ove si adunava la Commissione per esaminarmi. I secondini venivano poco perché attendevano alle prigioni di polizia, collocate ad un piano inferiore, ov'erano sempre molti ladri. Uno di que' secondini era un vecchio di più di settant'anni, ma atto ancora a quella faticosa vita di correre sempre su e giù per le scale ai diversi carceri. L'altro era un giovinotto di ventiquattro o venticinque anni, più voglioso di raccontare i suoi amori che di badare al suo servizio.

CAPO XXIV

Ah sì! le cure d'un processo criminale sono orribili per un prevenuto d'inimicizia allo Stato! Quanto timore di nuocere altrui! quanta difficoltà di lottare contro tante accuse, contro tanti sospetti! quanta verosimiglianza che tutto non s'intrichi sempre più funestamente, se il processo non termina presto, se nuovi arresti vengono fatti, se nuove imprudenze si scoprono, anche di persone non conosciute ma della fazione medesima!

Ho fermato di non parlare di politica, e bisogna quindi ch'io sopprima ogni relazione concernente il processo. Solo dirò che spesso, dopo essere stato lunghe ore al costituto,[1] io tornava nella mia stanza così esacerbato, così fremente, che mi sarei ucciso, se la voce della religione e la memoria de' cari parenti non m'avessero contenuto.

L'abitudine di tranquillità, che già mi pareva a Milano d'avere acquistato, era disfatta. Per alcuni giorni disperai di ripigliarla, e furono giorni d'inferno. Allora cessai di pregare, dubitai della giustizia di Dio, maledissi agli uomini ed all'universo, e rivolsi nella mente tutti i possibili sofismi sulla vanità della virtù.

L'uomo infelice ed arrabbiato è tremendamente ingegnoso a calunniare i suoi simili e lo stesso Creatore. L'ira è più immorale, più scellerata che generalmente non si pensa. Siccome non si può ruggire dalla mattina alla sera, per settimane, e l'anima, la più dominata dal furore, ha di necessità i suoi intervalli di riposo, quegli intervalli sogliono risentirsi dell'immoralità che li ha preceduti. Allora sembra d'essere in pace, ma è una pace maligna, irreligiosa; un sorriso selvaggio, senza carità, senza dignità; un umore di disordine, d'ebbrezza, di scherno.

In simile stato io cantava per ore intere con una specie d'allegrezza affatto sterile di buoni sentimenti; io celiava con tutti quelli che entravano nella mia stanza; io mi sforzava di considerare tutte le cose con una sapienza volgare, la sapienza de' cinici.

Quell'infame tempo durò poco: sei o sette giorni.

La mia Bibbia era polverosa. Uno de' ragazzi del custode, accarezzandomi, disse: — Dacché ella non legge più quel libraccio, non ha più tanta melanconia, mi pare.

1. *costituto*: interrogatorio. Si diceva così, perché il reo era «costituito» davanti al giudice.

— Ti pare? — gli dissi.

E presa la Bibbia, ne tolsi col fazzoletto la polvere, e sbadatamente apertala, mi caddero sotto gli occhi queste parole: «Et ait ad discipulos suos: Impossibile est ut non veniant scandala; væ autem illi per quem veniunt! Utilius est illi, si lapis molaris imponatur circa collum eius et projiciatur in mare, quam ut scandalizet unum de pusillis istis.»[1]

Fui colpito di trovare queste parole, ed arrossii che quel ragazzo si fosse accorto, dalla polvere ch'ei sopra vedeavi, ch'io più non leggeva la Bibbia, e ch'ei presumesse ch'io fossi divenuto più amabile divenendo incurante di Dio.

— Scapestratello! — gli dissi con amorevole rimprovero e dolendomi d'averlo scandalezzato. — Questo non è un *libraccio*, e da alcuni giorni che nol leggo, sto assai peggio. Quando tua madre ti permette di stare un momento con me, m'industrio di cacciar via il mal umore; ma se tu sapessi come questo mi vince, allorché son solo, allorché tu m'odi cantare qual forsennato!


## CAPO XXV

Il ragazzo era uscito; ed io provava un certo godimento di aver ripreso in mano la Bibbia; d'aver confessato ch'io stava peggio senza di lei. Mi parea d'aver dato soddisfazione ad un amico generoso, ingiustamente offeso; d'essermi riconciliato con esso.

— E t'aveva abbandonato, mio Dio? — gridai. — E m'era pervertito? Ed avea potuto credere che l'infame riso del cinismo convenisse alla mia disperata situazione?

Pronunciai queste parole con una emozione indicibile; posi la Bibbia sopra una sedia, m'inginocchiai in terra a leggere, e quell'io che sì difficilmente piango, proruppi in lagrime.

Quelle lagrime erano mille volte più dolci di ogni allegrezza bestiale. Io sentiva di nuovo Dio! lo amava! mi pentiva d'averlo oltraggiato degradandomi! e protestava di non separarmi mai più da lui, mai più!

---

1. «E disse ai suoi discepoli: Impossibile è che non avvengano scandali; guai però a colui per colpa del quale avvengono! Sarebbe meglio per lui che gli si ponesse al collo una macina da molino e lo si gettasse in mare, piuttosto che esser di scandalo ad uno di questi fanciulli» (Luca, XVII).

Oh come un ritorno sincero alla religione consola ed eleva lo spirito!

Lessi e piansi più d'un'ora; e m'alzai pieno di fiducia che Dio fosse con me, che Dio mi avesse perdonato ogni stoltezza. Allora le mie sventure, i tormenti del processo, il verosimile patibolo mi sembrarono poca cosa. Esultai di soffrire, poiché ciò mi dava occasione d'adempiere qualche dovere; poiché, soffrendo con rassegnato animo, io obbediva al Signore.

La Bibbia, grazie al Cielo, io sapea leggerla. Non era più il tempo ch'io la giudicava colla meschina critica di Voltaire, vilipendendo espressioni, le quali non sono risibili o false se non quando, per vera ignoranza o per malizia, non si penetra nel loro senso. M'appariva chiaramente quanto foss'ella il codice della santità, e quindi della verità; quanto l'offendersi per certe sue imperfezioni di stile fosse cosa infilosofica, e simile all'orgoglio di chi disprezza tutto ciò che non ha forme eleganti; quanto fosse cosa assurda l'immaginare che una tal collezione di libri religiosamente venerati avessero un principio non autentico; quanto la superiorità di tali scritture sul Corano e sulla teologia degl'Indi fosse innegabile.

Molti ne abusarono, molti vollero farne un codice d'ingiustizia, una sanzione alle loro passioni scellerate. Ciò è vero; ma siamo sempre lì: di tutto puossi abusare: e quando mai l'abuso di cosa ottima dovrà far dire ch'ella è in se stessa malvagia?

Gesù Cristo lo dichiarò: Tutta la legge ed i Profeti, tutta questa collezione di sacri libri, si riduce al precetto d'amar Dio e gli uomini. E tali scritture non sarebbero verità adatta a tutti i secoli? non sarebbero la parola sempre viva dello Spirito Santo?

Ridestate in me queste riflessioni, rinnovai il proponimento di coordinare alla religione tutti i miei pensieri sulle cose umane, tutte le mie opinioni sui progressi dell'incivilimento, la mia filantropia, il mio amor patrio, tutti gli affetti dell'anima mia.

I pochi giorni ch'io aveva passati nel cinismo m'aveano molto contaminato. Ne sentii gli effetti per lungo tempo, e dovetti faticare per vincerli. Ogni volta che l'uomo cede alquanto alla tentazione di snobilitare il suo intelletto, di guardare le opere di Dio colla infernal lente dello scherno, di cessare dal benefico esercizio della preghiera, il guasto ch'egli opera nella propria ragione lo dispone a facilmente ricadere. Per più settimane fui assalito, quasi ogni giorno, da forti pensieri d'incredulità; volsi tutta la potenza del mio spirito a respingerli.

## CAPO XXVI

Quando questi combattimenti furono cessati, e sembrommi d'esser di nuovo fermo nell'abitudine di onorar Dio in tutte le mie volontà, gustai per qualche tempo una dolcissima pace. Gli esami, a cui sottoponeami ogni due o tre giorni la Commissione, per quanto fossero tormentosi, non mi traevano più a durevole inquietudine. Io procurava, in quell'ardua posizione, di non mancare a' miei doveri d'onestà e d'amicizia, e poi dicea: «Faccia Dio il resto.»

Tornava ad essere esatto nella pratica di prevedere giornalmente ogni sorpresa, ogni emozione, ogni sventura supponibile; e siffatto esercizio giovavami novamente assai.

La mia solitudine intanto s'accrebbe. I due figliuoli del custode, che dapprima mi faceano talvolta un po' di compagnia, furono messi a scuola, e stando quindi pochissimo in casa, non venivano più da me. La madre e la sorella, che allorché c'erano i ragazzi si fermavano anche spesso a favellar meco, or non comparivano più se non per portarmi il caffè, e mi lasciavano. Per la madre mi rincresceva poco, perché non mostrava animo compassionevole. Ma la figlia, benché bruttina, avea certa soavità di sguardi e di parole che non erano per me senza pregio. Quando questa mi portava il caffè e diceva: — L'ho fatto io —, mi pareva sempre eccellente. Quando diceva: — L'ha fatto la mamma —, era acqua calda.

Vedendo sì di rado creature umane, diedi retta ad alcune formiche che venivano sulla mia finestra, le cibai sontuosamente, quelle andarono a chiamare un esercito di compagne, e la finestra fu piena di siffatti animali. Diedi parimente retta ad un bel ragno che tappezzava una delle mie pareti. Cibai questo con moscerini e zanzare, e mi si amicò sino a venirmi sul letto e sulla mano e prendere la preda dalle mie dita.

Fossero quelli stati i soli insetti che m'avessero visitato! Eravamo ancora in primavera, e già le zanzare si moltiplicavano, posso proprio dire, spaventosamente. L'inverno era stato di una straordinaria dolcezza, e, dopo pochi venti in marzo, seguì il caldo. È cosa indicibile, come s'infocò l'aria del covile ch'io abitava. Situato a pretto mezzogiorno, sotto un tetto di piombo, e colla finestra sul tetto di S. Marco, pure di piombo, il cui riverbero era tremendo, io soffocava. Io non avea mai avuto idea d'un calore sì opprimente. A tanto supplizio s'aggiungeano le zanzare in tal moltitudine, che per quanto io m'agitassi e ne struggessi io n'era coperto; il letto, il tavolino, la sedia, il suolo, le pareti, la vôlta, tutto n'era coperto, e l'ambiente ne conteneva infinite, sempre andanti e venienti per la finestra e facienti un ronzìo infernale. Le punture di quegli animali sono dolorose, e quando se ne riceve da mattina a sera e da sera a mattina, e si dee avere la perenne molestia di pensare a diminuirne il numero, si soffre veramente assai e di corpo e di spirito.

Allorché, veduto simile flagello, ne conobbi la gravezza, e non potei conseguire che mi mutassero di carcere, qualche tentazione di suicidio mi prese, e talvolta temei d'impazzare. Ma, grazie al Cielo, erano smanie non durevoli, e la religione continuava a sostenermi. Essa mi persuadeva che l'uomo dee patire, e patire con forza; mi facea sentire una certa voluttà del dolore, la compiacenza di non soggiacere, di vincer tutto.

Io dicea: «Quanto più dolorosa mi si fa la vita, tanto meno sarò atterrito, se, giovane come sono, mi vedrò condannato al supplicio. Senza questi patimenti preliminari sarei forse morto codardamente. E poi, ho io tali virtù da meritare felicità? Dove son esse?»

Ed esaminandomi con giusto rigore, non trovava negli anni da me vissuti se non pochi tratti alquanto plausibili: tutto il resto erano passioni stolte, idolatrie, orgogliosa e falsa virtù. «Ebbene,» concludeva io «soffri, indegno! Se gli uomini e le zanzare t'uccidessero anche per furore e senza diritto, riconoscili stromenti della giustizia divina, e taci!»

### CAPO XXVII

Ha l'uomo bisogno di sforzo per umiliarsi sinceramente? per ravvisarsi peccatore? Non è egli vero, che in generale sprechiamo la gioventù in vanità, ed invece d'adoprare le forze tutte ad avanzare nella carriera del bene, ne adopriamo gran parte a degradarci? Vi saranno eccezioni, ma confesso che queste non riguardano la mia povera persona. E non ho alcun merito ad essere scontento di me: quando si vede una lucerna dar più fumo che fuoco, non vi vuol gran sincerità a dire che non arde come dovrebbe.

Sì; senza avvilimento, senza scrupoli di pinzochero, guardandomi con tutta la tranquillità possibile d'intelletto, io mi scorgeva degno dei castighi di Dio. Una voce interna mi diceva: «Simili castighi, se non per questo, ti sono dovuti per quello; valgano a ricondurti verso Colui ch'è perfetto, e che i mortali sono chiamati, secondo le finite loro forze, ad imitare.»

Con qual ragione, mentr'io era costretto a condannarmi di mille infedeltà a Dio, mi sarei lagnato se alcuni uomini mi pareano vili ed alcuni altri iniqui; se le prosperità del mondo mi erano rapite; s'io dovea consumarmi in carcere, o perire di morte violenta?

Procacciai d'imprimermi bene nel cuore tali riflessioni sì giuste e sì sentite: e ciò fatto, io vedeva che bisognava essere conseguente, e che non poteva esserlo in altra guisa se non benedicendo i retti giudizi di Dio, amandoli ed estinguendo in me ogni volontà contraria ad essi.

Per viemeglio divenir costante in questo proposito, pensai di svolgere con diligenza d'or innanzi tutti i miei sentimenti, scrivendoli. Il male si era che la Commissione, permettendo ch'io avessi calamaio e carta, mi numerava i fogli di questa, con proibizione di distruggerne alcuno, e riservandosi ad esaminare in che li avessi adoperati. Per supplire alla carta, ricorsi all'innocente artifizio di levigare con un pezzo di vetro un rozzo tavolino ch'io aveva, e su quello quindi scriveva ogni giorno lunghe meditazioni intorno ai doveri degli uomini e di me in particolare.

Non esagero dicendo che le ore così impiegate m'erano talvolta deliziose, malgrado la difficoltà di respiro ch'io pativa per l'enorme caldo e le morsicature dolorosissime delle zanzare. Per diminuire la moltiplicità di queste ultime, io era obbligato, ad onta del caldo, d'involgermi bene il capo e le gambe, e di scrivere, non solo co' guanti, ma fasciato i polsi, affinché le zanzare non entrassero nelle maniche.

Quelle mie meditazioni avevano un carattere piuttosto biografico. Io faceva la storia di tutto il bene ed il male che in me s'erano formati dall'infanzia in poi, discutendo meco stesso, ingegnandomi di sciorre ogni dubbio, ordinando quanto meglio io sapea tutte le mie cognizioni, tutte le mie idee sopra ogni cosa.

Quando tutta la superficie adoprabile del tavolino era piena di scrittura, io leggeva e rileggeva, meditava sul già meditato, ed alfine mi risolveva (sovente con rincrescimento) a raschiar via ogni cosa col vetro, per riavere atta quella superficie a ricevere nuovamente i miei pensieri.

Continuava quindi la mia storia, sempre rallentata da digressioni d'ogni specie, da analisi or di questo or di quel punto di metafisica, di morale, di politica, di religione, e quando tutto era pieno, tornava a leggere e rileggere, poi a raschiare.

Non volendo avere alcuna ragione d'impedimento nel ridire a me stesso colla più libera fedeltà i fatti ch'io ricordava e le opinioni mie, e prevedendo possibile qualche visita inquisitoria, io scriveva in gergo, cioè con trasposizioni di lettere ed abbreviazioni, alle quali io era avvezzatissimo. Non m'accadde però mai alcuna visita siffatta, e niuno s'accorgeva ch'io passassi così bene il mio tristissimo tempo. Quand'io udiva il custode o altri aprire la porta, copriva il tavolino con una tovaglia, e vi mettea sopra il calamaio ed il *legale quinternetto* di carta.

CAPO XXVIII

Quel quinternetto aveva anche alcune delle mie ore a lui consacrate, e talvolta un intero giorno od un'intera notte. Ivi scriveva io di cose letterarie. Composi allora l'*Ester d'Engaddi* e l'*Iginia d'Asti*, e le cantiche intitolate: *Tancreda, Rosilde, Eligi e Valafrido, Adello*, oltre parecchi scheletri di tragedie e di altre produzioni, e fra altri quello d'un poema sulla *Lega lombarda*, e d'un altro su *Cristoforo Colombo.*[1]

Siccome l'ottenere che mi si rinnovasse il quinternetto, quand'era finito, non era sempre cosa facile e pronta, io faceva il primo getto d'ogni componimento sul tavolino o su cartaccia in cui mi facea portare fichi secchi o altri frutti. Talvolta dando il mio pranzo ad uno dei secondini, e facendogli credere ch'io non aveva punto appetito, io l'induceva a regalarmi qualche foglio di carta. Ciò avveniva solo in certi casi, che il tavolino era già ingombro di scrittura, e non poteva ancora decidermi a raschiarla. Allora io pativa la fame, e sebbene il custode avesse in deposito denari miei, non gli chiedea in

---

1. Quando poi il Pellico partì per lo Spielberg, queste opere furono fatte recapitare a suo padre per mezzo del viceconsole sardo a Venezia. Esse furono pubblicate dopo la liberazione del Pellico (Torino, Pomba, 1830), e le due tragedie *Ester d'Engaddi* e *Iginia d'Asti* furono anche recitate in teatro.

tutto il giorno da mangiare, parte perché non sospettasse ch'io avea dato via il pranzo, parte perché il secondino non s'accorgesse ch'io aveva mentito assicurandolo della mia inappetenza. A sera mi sosteneva con un potente caffè, e supplicava che lo facesse *la siora Zanze*. Questa era la figliuola del custode, la quale, se potea farlo di nascosto della mamma, lo faceva straordinariamente carico; tale, che, stante la votezza dello stomaco, mi cagionava una specie di convulsione non dolorosa, che teneami desto tutta notte.

In questo stato di mite ebbrezza io sentiva raddoppiarmisi le forze intellettuali, e poetava e filosofava e pregava fino all'alba con meraviglioso piacere. Una repentina spossatezza m'assaliva quindi: allora io mi gettava sul letto, e malgrado le zanzare, a cui riusciva, bench'io m'inviluppassi, di venirmi a suggere il sangue, io dormiva profondamente un'ora o due.

Siffatte notti, agitate da forte caffè preso a stomaco vuoto, e passate in sì dolce esaltazione, mi pareano troppo benefiche, da non dovermele procurare sovente. Perciò, anche senza aver bisogno di carta dal secondino, prendeva non di rado il partito di non gustare un boccone a pranzo, per ottenere a sera il desiderato incanto della magica bevanda. Felice me quand'io conseguiva lo scopo! Più d'una volta mi accadde che il caffè non era fatto dalla pietosa Zanze, ed era broda inefficace. Allora la burla mi metteva un poco di mal umore. Invece di venire elettrizzato, languiva, sbadigliava, sentiva la fame, mi gettava sul letto, e non potea dormire.

Io poi me ne lagnava colla Zanze, ed ella mi compativa. Un giorno che ne la sgridai aspramente,[1] quasi che m'avesse ingannato, la poveretta pianse, e mi disse: — Signore, io non ho mai ingannato alcuno, e tutti mi dànno dell'ingannatrice.

— Tutti? Oh sta a vedere che non sono il solo che s'arrabbii per quella broda.

— Non voglio dir questo, signore. Ah s'ella sapesse!... Se potessi versare il mio misero cuore nel suo!...

1. «E come può egli dire di avermi sgridatta avendogli portato un cativo caffè?» Così protestò poi la Zanze (Angela Brollo, nata il 30 settembre 1805) quando lesse *Le mie prigioni*. Si era già sposata, aveva famiglia, e questo breve e innocente idillio, malignamente interpretato, poteva farle torto a Venezia; perciò, nel primo fuoco dell'ira scrisse una breve confutazione, negando tutto quello che il Pellico aveva narrato. Questa confutazione, conosciuta solo dallo Chateaubriand, vide la luce nel tomo VI dei suoi *Mémoires d'outre-tombe*, ed è stata poi riportata dallo Sforza a pp. 277-279 del volume da noi citato.

— Ma non piangete così. Che diamine avete? Vi domando perdono, se v'ho sgridata a torto. Credo benissimo che non sia per
vostra colpa che m'ebbi un caffè così cattivo.

— Eh! non piango per ciò, signore.

Il mio amor proprio restò alquanto mortificato, ma sorrisi.

— Piangete adunque all'occasione della mia sgridata, ma per
tutt'altro?

— Veramente sì.

— Chi v'ha dato dell'ingannatrice?

— Un amante.

E si coperse il volto dal rossore. E nella sua ingenua fiducia mi
raccontò un idillio comico-serio che mi commosse.

CAPO XXIX

Da quel giorno divenni, non so perché, il confidente della fanciulla, e tornò a trattenersi lungamente con me.

Mi diceva: — Signore, ella è tanto buona, ch'io la guardo come
potrebbe una figlia guardare suo padre.

— Voi mi fate un brutto complimento; — rispondeva io, respin-
gendo la sua mano — ho appena trentadue anni, e già mi guardate
come vostro padre.

— Via, signore, dirò: come fratello.

E mi prendeva per forza la mano, e me la toccava con affezione.
E tutto ciò era innocentissimo.

Io diceva poi tra me: «Fortuna che non è una bellezza! altrimenti quest'innocente famigliarità potrebbe sconcertarmi.»

Altre volte diceva: «Fortuna ch'è così immatura! Di ragazze
di tale età non vi sarebbe pericolo ch'io m'innamorassi.»

Altre volte mi veniva un po' d'inquietudine, parendomi ch'io
mi fossi ingannato nel giudicarla bruttina, ed era obbligato di convenire che i contorni e le forme non erano irregolari.

«Se non fosse così pallida,» diceva io «e non avesse quelle poche
lenti sul volto,[1] potrebbe passare per bella.»

Il vero è che non è possibile di non trovare qualche incanto nella
presenza, negli sguardi, nella favella d'una giovinetta vivace ed
affettuosa. Io poi non avea fatto nulla per cattivarmi la sua bene-

---

1. *quelle poche lenti*: quel po' di lentiggine.

volenza, e le era caro *come padre o come fratello*, a mia scelta. Perché? Perché ella avea letto la *Francesca da Rimini* e l'*Eufemio*,[1] e i miei versi la faceano piangere tanto! e poi perch'io era prigioniero, *senza avere*, diceva ella, *né rubato né ammazzato!*

Insomma, io che m'era affezionato a Maddalena senza vederla, come avrei potuto essere indifferente alle sorellevoli premure, alle graziose adulazioncelle, agli ottimi caffè della

*Venezianina adolescente sbirra?*[2]

Sarei un impostore se attribuissi a saviezza il non essermene innamorato. Non me ne innamorai, unicamente perché ella avea un amante, del quale era pazza. Guai a me, se fosse stato altrimenti! Ma se il sentimento ch'ella mi destò non fu quello che si chiama amore, confesso che alquanto vi s'avvicinava. Io desiderava ch'ella fosse felice, ch'ella riuscisse a farsi sposare da colui che piaceale; non avea la minima gelosia, la minima idea che potesse scegliere me per oggetto dell'amor suo. Ma quando io udiva aprir la porta, il cuore mi battea, sperando che fosse la Zanze; e se non era ella, io non era contento; e se era, il cuore mi battea più forte e si rallegrava.

I suoi genitori, che già avevano preso un buon concetto di me, e sapeano ch'ell'era pazzamente invaghita d'un altro, non si faceano verun riguardo di lasciarla venire quasi sempre a portarmi il caffè del mattino, e talor quello della sera.

Ella aveva una semplicità ed un'amorevolezza seducenti. Mi diceva: — Sono tanto innamorata d'un altro, eppure sto così volentieri con lei! Quando non vedo il mio amante, mi annoio dappertutto fuorché qui.

— Ne sai tu il perché?

— Non lo so.

— Te lo dirò io: perché ti lascio parlare del tuo amante.

— Sarà benissimo; ma parmi che sia anche perché la stimo tanto tanto!

Povera ragazza! ella avea quel benedetto vizio di prendermi sempre la mano, e stringermela, e non s'accorgeva che ciò ad un tempo mi piaceva e mi turbava.

Sia ringraziato il Cielo che posso rammemorare quella buona creatura, senza il minimo rimorso!

1. *Eufemio da Messina*, un'altra tragedia, che il Pellico aveva pubblicato nel 1819.  2. Probabilmente un verso del Pellico.

CAPO XXX

Queste carte sarebbero certamente più dilettevoli se la Zanze fosse stata innamorata di me, o s'io almeno avessi farneticato per essa. Eppure quella qualità di semplice benevolenza che ci univa m'era più cara dell'amore. E se in qualche momento io temea che potesse, nello stolto mio cuore, mutar natura, allor seriamente me n'attristava.

Una volta, nel dubbio che ciò stesse per accadere, desolato di trovarla (non sapea per quale incanto) cento volte più bella che non m'era sembrata da principio, sorpreso della melanconia ch'io talvolta provava lontano da lei, e della gioia che recavami la sua presenza, presi a fare per due giorni il burbero, immaginando ch'ella si divezzerebbe alquanto dalla famigliarità contratta meco. Il ripiego valea poco: quella ragazza era sì paziente, sì compassionevole! Appoggiava il suo gomito sulla finestra, e stava a guardarmi in silenzio. Poi mi diceva:

— Signore, ella par seccata della mia compagnia; eppure, se potessi starei qui tutto il giorno, appunto perché vedo ch'ella ha bisogno di distrazione. Quel cattiv'umore è l'effetto naturale della solitudine. Ma si provi a ciarlare alquanto, ed il cattivo umore si dissiperà. E s'ella non vuol ciarlare, ciarlerò io.

— Del vostro amante, eh?

— Eh no! non sempre di lui; so anche parlar d'altro.

E cominciava infatti a raccontarmi de' suoi interessucci di casa, dell'asprezza della madre, della bonarietà del padre, delle ragazzate dei fratelli; ed i suoi racconti erano pieni di semplicità e di grazia. Ma, senza avvedersene, ricadeva poi sempre nel tema prediletto, il suo sventurato amore.

Io non volea cessare d'esser burbero, e sperava che se ne indispettisse. Ella, fosse ciò inavvedutezza od arte, non se ne dava per intesa, e bisognava ch'io finissi per rasserenarmi, sorridere, commuovermi, ringraziarla della sua dolce pazienza con me.

Lasciai andare l'ingrato pensiero di volerla indispettire, ed a poco a poco i miei timori si calmarono. Veramente io non erane invaghito. Esaminai lungo tempo i miei scrupoli; scrissi le mie riflessioni su questo soggetto, e lo svolgimento di esse mi giovava.

L'uomo talvolta s'atterrisce di spauracchi da nulla. A fine di non temerli, bisogna considerarli con più attenzione e più da vicino.

E che colpa v'era s'io desiderava con tenera inquietudine le sue visite, s'io ne apprezzava la dolcezza, s'io godea d'essere compianto da lei, e di retribuirle pietà per pietà, dacché i nostri pensieri relativi uno all'altro erano puri come i più puri pensieri dell'infanzia, dacché le sue stesse toccate di mano ed i suoi più amorevoli sguardi, turbandomi, m'empieano di salutare riverenza?

Una sera, effondendo nel mio cuore una grande afflizione ch'ella avea provato, l'infelice mi gettò le braccia al collo, e mi coperse il volto delle sue lagrime. In quest'amplesso non v'era la minima idea profana. Una figlia non può abbracciare con più rispetto il suo padre.

Se non che, dopo il fatto, la mia immaginativa ne rimase troppo colpita. Quell'amplesso mi tornava spesso alla mente, e allora io non potea più pensare ad altro.

Un'altra volta ch'ella s'abbandonò a simile slancio di filiale confidenza, io tosto mi svincolai dalle sue care braccia, senza stringerla a me, senza baciarla, e le dissi balbettando:

— Vi prego, Zanze, non m'abbracciate mai; ciò non va bene.

M'affissò gli occhi in volto, li abbassò, arrossì; — e certo fu la prima volta che lesse nell'anima mia la possibilità di qualche debolezza a suo riguardo.

Non cessò d'esser meco famigliare d'allora in poi, ma la sua famigliarità divenne più rispettosa, più conforme al mio desiderio, e gliene fui grato.

## CAPO XXXI

Io non posso parlare del male che affligge gli altri uomini; ma quanto a quello che toccò in sorte a me dacché vivo, bisogna ch'io confessi che, esaminatolo bene, lo trovai sempre ordinato a qualche mio giovamento. Sì, perfino quell'orribile calore che m'opprimeva, e quegli eserciti di zanzare che mi facean guerra sì feroce! Mille volte vi ho riflettuto. Senza uno stato di perenne tormento com'era quello, avrei io avuta la costante vigilanza necessaria per serbarmi invulnerabile ai dardi d'un amore che mi minacciava, e che difficilmente sarebbe stato un amore abbastanza rispettoso, con un'indole sì allegra ed accarezzante qual'era quella della fanciulla? Se io talora tremava di me in tale stato, come avrei io potuto governare le vanità della mia fantasia in un aere alquanto piacevole, alquanto consentaneo alla letizia?

Stante l'imprudenza de' genitori della Zanze, che cotanto si fidavano di me; stante l'imprudenza di lei, che non prevedeva di potermi essere cagione di colpevole ebbrezza; stante la poca sicurezza della mia virtù, non v'ha dubbio che il soffocante calore di quel forno e le crudeli zanzare erano salutar cosa.

Questo pensiero mi riconciliava alquanto con que' flagelli. Ed allora io mi domandava: « Vorresti tu esserne libero, e passare in una buona stanza consolata da qualche fresco respiro, e non veder più quell'affettuosa creatura? »

Debbo dire il vero? Io non avea coraggio di rispondere al quesito.

Quando si vuole un po' di bene a qualcheduno, è indicibile il piacere che fanno le cose in apparenza più nulle. Spesso una parola della Zanze, un sorriso, una lagrima, una grazia del suo dialetto veneziano, l'agilità del suo braccio in parare col fazzoletto o col ventaglio le zanzare a sé ed a me, m'infondeano nell'animo una contentezza fanciullesca che durava tutto il giorno. Principalmente m'era dolce il vedere che le sue afflizioni scemassero parlandomi, che la mia pietà le fosse cara, che i miei consigli la persuadessero, e che il suo cuore s'infiammasse allorché ragionavamo di virtù e di Dio.

— Quando abbiamo parlato insieme di religione, — diceva ella — io prego più volentieri e con più fede.

E talvolta troncando ad un tratto un ragionamento frivolo prendeva la Bibbia, l'apriva, baciava a caso un versetto, e volea quindi ch'io gliel traducessi e commentassi. E dicea:

— Vorrei che ogni volta che rileggerà questo versetto, ella si ricordasse che v'ho impresso un bacio.

Non sempre per verità i suoi baci cadeano a proposito, massimamente se capitava aprire il Cantico de' Cantici. Allora, per non farla arrossire, io profittava della sua ignoranza del latino, e mi prevaleva di frasi in cui, salva la santità di quel volume, salvassi pur l'innocenza di lei, ambe le quali m'ispiravano altissima venerazione. In tali casi non mi permisi mai di sorridere. Era tuttavia non picciolo imbarazzo per me, quando alcune volte, non intendendo ella bene la mia pseudo-versione, mi pregava di tradurle il periodo parola per parola, e non mi lasciava passare fuggevolmente ad altro soggetto.

## CAPO XXXII

Nulla è durevole quaggiù! La Zanze ammalò. Ne' primi giorni
della sua malattia, veniva a vedermi lagnandosi di grandi dolori di
capo. Piangeva, e non mi spiegava il motivo del suo pianto. Solo
balbettò qualche lagnanza contro l'amante. — È uno scellerato, —
diceva ella — ma Dio gli perdoni!

Per quanto io la pregassi di sfogare, come soleva, il suo cuore,
non potei sapere ciò che a tal segno l'addolorasse.

— Tornerò domattina, — mi disse una sera. Ma il dì seguente
il caffè mi fu portato da sua madre, gli altri giorni da' secondini,
e la Zanze era gravemente inferma.

I secondini mi dicean cose ambigue dell'amore di quella ragazza,
le quali mi faceano drizzare i capelli. Una seduzione?

Ma forse erano calunnie. Confesso che vi prestai fede, e fui
conturbatissimo di tanta sventura. Mi giova tuttavia sperare che
mentissero.

Dopo più d'un mese di malattia, la poveretta fu condotta in
campagna, e non la vidi più.

È indicibile quant'io gemessi di questa perdita. Oh, come la mia
solitudine divenne più orrenda! Oh come cento volte più amaro
della sua lontananza erami il pensiero che quella buona creatura
fosse infelice! Ella aveami tanto colla sua dolce compassione consolato nelle mie miserie; e la mia compassione era sterile per lei!
Ma certo sarà stata persuasa ch'io la piangeva; ch'io avrei fatto non
lievi sacrifizi per recarle, se fosse stato possibile, qualche conforto;
ch'io non cesserei mai di benedirla e di far voti per la sua felicità!

A' tempi della Zanze, le sue visite, benché pur sempre troppo
brevi, rompendo amabilmente la monotonia del mio perpetuo meditare e studiare in silenzio, intessendo alle mie idee altre idee,
eccitandomi qualche affetto soave, abbellivano veramente la mia
avversità, e mi doppiavano la vita.

Dopo, tornò la prigione ad essere per me una tomba. Fui per
molti giorni oppresso di mestizia, a segno di non trovar più nemmeno alcun piacere nello scrivere. La mia mestizia era per altro
tranquilla, in paragone delle smanie ch'io aveva per l'addietro
provate. Voleva ciò dire ch'io fossi già più addimesticato coll'infortunio? più filosofo? più cristiano? ovvero solamente che quel

soffocante calore della mia stanza valesse a prostrare persino le forze del mio dolore? Ah! non le forze del dolore! Mi sovviene ch'io lo sentiva potentemente nel fondo dell'anima, — e forse più potentemente, perché io non avea voglia d'espanderlo gridando e agitandomi.

Certo il lungo tirocinio m'avea già fatto più capace di patire nuove afflizioni, rassegnandomi alla volontà di Dio. Io m'era sì spesso detto, *essere viltà il lagnarsi*, che finalmente sapea contenere le lagnanze vicine a prorompere, e vergognava che pur fossero vicine a prorompere.

L'esercizio di scrivere i miei pensieri avea contribuito a rinforzarmi l'animo, a disingannarmi delle vanità, a ridurre la più parte de' ragionamenti a queste conclusioni: «V'è un Dio: dunque infallibile giustizia: dunque tutto ciò che avviene è ordinato ad ottimo fine: dunque il patire dell'uomo sulla terra è pel bene dell'uomo.»

Anche la conoscenza della Zanze m'era stata benefica: m'avea raddolcito l'indole. Il suo soave applauso erami stato impulso a non ismentire per qualche mese il dovere ch'io sentiva incombere ad ogni uomo d'essere superiore alla fortuna, e quindi paziente. E qualche mese di costanza mi piegò alla rassegnazione.

La Zanze mi vide due sole volte andare in collera. Una fu quella che già notai, pel cattivo caffè; l'altra fu nel caso seguente.

Ogni due o tre settimane, m'era portata dal custode una lettera della mia famiglia; lettera passata prima per le mani della Commissione, e rigorosamente mutilata con cassature di nerissimo inchiostro. Un giorno accadde che, invece di cassarmi solo alcune frasi, tirarono l'orribile riga su tutta quanta la lettera, eccettuate le parole: «*Carissimo Silvio*» che stavano a principio, e il saluto ch'era in fine: «*T'abbracciamo tutti di cuore*».

Fui così arrabbiato di ciò, che alla presenza della Zanze proruppi in urla, e maledissi non so chi. La povera fanciulla mi compatì, ma nello stesso tempo mi sgridò d'incoerenza a' miei principii. Vidi ch'ella aveva ragione, e non maledissi più alcuno.

CAPO XXXIII

Un giorno, uno de' secondini entrò nel mio carcere con aria misteriosa, e mi disse:

— Quando v'era la siora Zanze ... siccome il caffè le veniva portato da essa ... e si fermava lungo tempo a discorrere ... ed io temeva che la furbaccia esplorasse tutti i suoi secreti, signore ...

— Non n'esplorò pur uno, — gli dissi in collera — ed io, se ne avessi, non sarei gonzo da lasciarmeli trar fuori. Continuate.

— Perdoni, sa; non dico già ch'ella sia un gonzo, ma io della siora Zanze non mi fidava. Ed ora, signore, ch'ella non ha più alcuno che venga a tenerle compagnia ... mi fido ... di ...

— Di che? Spiegatevi una volta.

— Ma giuri prima di non tradirmi.

— Eh, per giurare di non tradirvi, lo posso: non ho mai tradito alcuno.

— Dice dunque davvero, che giura, eh?

— Sì, giuro di non tradirvi. Ma sappiate, bestia che siete, che uno il quale fosse capace di tradire, sarebbe anche capace di violare un giuramento.

Trasse di tasca una lettera, e me la consegnò tremando, e scongiurandomi di distruggerla, quand'io l'avessi letta.

— Fermatevi; — gli dissi aprendola — appena letta, la distruggerò in vostra presenza.

— Ma, signore, bisognerebbe ch'ella rispondesse; ed io non posso aspettare. Faccia con suo comodo. Soltanto mettiamoci in questa intelligenza. Quando ella sente venire alcuno, badi che se sono io, canterellerò sempre l'aria: «*Sognai, mi gera un gato*». Allora ella non ha a temere di sorpresa, e può tenersi in tasca qualunque carta. Ma se non ode questa cantilena, sarà segno che o non sono io, o vengo accompagnato. In tal caso non si fidi mai di tenere alcuna carta nascosta, perché potrebb'esservi perquisizione, ma se ne avesse una, la stracci sollecitamente e la getti dalla finestra.

— State tranquillo: vedo che siete accorto, e lo sarò ancor io.

— Eppure ella m'ha dato della bestia.

— Fate bene a rimproverarmelo — gli dissi stringendogli la mano. — Perdonate.

Se n'andò, e lessi:

«Sono ... » e qui diceva il nome «uno dei vostri ammiratori: so tutta la vostra *Francesca da Rimini* a memoria. Mi arrestarono per ...» e qui diceva la causa della sua cattura e la data «e darei non so quante libbre del mio sangue per avere il bene d'essere con voi, o d'avere almeno un carcere contiguo al vostro, affinché potessimo parlare insieme. Dacché intesi da Tremerello[1]» così chiameremo il confidente «che voi, signore, eravate preso, e per qual motivo, arsi di desiderio di dirvi che nessuno vi compiange più di me, che nessuno vi ama più di me. Sareste voi tanto buono da accettare la seguente proposizione, cioè che alleggerissimo entrambi il peso della nostra solitudine, scrivendoci? Vi prometto da uomo d'onore, che anima al mondo da me nol saprebbe mai, persuaso che la stessa secretezza, se accettate, mi posso sperare da voi. — Intanto, perché abbiate qualche conoscenza di me, vi darò un sunto della mia storia, ecc.».

Seguiva il sunto.

### CAPO XXXIV

Ogni lettore che abbia un po' d'immaginativa capirà agevolmente quanto un foglio simile debba essere elettrico per un povero prigioniero, massimamente per un prigioniero d'indole niente affatto selvatica e di cuore amante. Il mio primo sentimento fu d'affezionarmi a quell'incognito, di commuovermi sulle sue sventure, d'esser pieno di gratitudine per la benevolenza ch'ei mi dimostrava. — Sì, — sclamai — accetto la tua proposizione, o generoso. Possano le mie lettere darti egual conforto a quel che mi daranno le tue, a quel che già traggo dalla tua prima!

E lessi e rilessi quella lettera con un giubilo da ragazzo, e benedissi cento volte chi l'avea scritta, e pareami ch'ogni sua espressione rivelasse un'anima schietta e nobile.

Il sole tramontava; era l'ora della mia preghiera. Oh come io sentiva Dio! com'io lo ringraziava di trovar sempre nuovo modo di non lasciar languire le potenze della mia mente e del mio cuore! Come mi si ravvivava la memoria di tutti i preziosi suoi doni!

Io era ritto sul finestrone, le braccia tra le sbarre, le mani incro-

1. Lo chiamavano così per la sua faccia da coniglio.

cicchiate: la chiesa di San Marco era sotto di me, una moltitudine prodigiosa di colombi indipendenti amoreggiava, svolazzava, nidificava su quel tetto di piombo: il più magnifico cielo mi stava dinanzi: io dominava tutta quella parte di Venezia ch'era visibile dal mio carcere: un romore lontano di voci umane mi feriva dolcemente l'orecchio. In quel luogo infelice ma stupendo, io conversava con Colui, gli occhi soli del quale mi vedeano, gli raccomandava mio padre, mia madre, e ad una ad una tutte le persone a me care, e sembravami ch'ei mi rispondesse: «T'affidi la mia bontà!» ed io esclamava: — Sì, la tua bontà m'affida!

E chiudea la mia orazione intenerito, confortato, e poco curante delle morsicature che frattanto m'aveano allegramente dato le zanzare.

Quella sera, dopo tanta esaltazione, la fantasia cominciando a calmarsi, le zanzare cominciando a divenirmi insoffribili, il bisogno d'avvolgermi faccia e mani tornando a farmisi sentire, un pensiero volgare e maligno m'entrò ad un tratto nel capo, mi fece ribrezzo, volli cacciarlo e non potei.

Tremerello m'aveva accennato un infame sospetto, intorno la Zanze: che fosse un'esploratrice de' miei secreti, ella! quell'anima candida! che nulla sapeva di politica! che nulla volea saperne!

Di lei m'era impossibile dubitare; ma mi chiesi: «Ho io la stessa certezza intorno Tremerello? E se quel mariuolo fosse stromento d'indagini subdole? Se la lettera fosse fabbricata da chi sa chi, per indurmi a fare importanti confidenze al novello amico? Forse il preteso prigione che mi scrive, non esiste neppure; — forse esiste, ed è un perfido che cerca d'acquistare secreti, per far la sua salute rivelandoli; — forse è un galantuomo, sì, ma il perfido è Tremerello, che vuol rovinarci tutti e due per guadagnare un'appendice al suo salario.»

Oh brutta cosa, ma troppo naturale a chi geme in carcere, il temere dappertutto inimicizia e frode!

Tai dubbi m'angustiavano, m'avvilivano. No; per la Zanze io non avea mai potuto averli un momento! Tuttavia, dacché Tremerello avea scagliata quella parola riguardo a lei, un mezzo dubbio pur mi crucciava, non sovr'essa, ma su coloro che la lasciavano venire nella mia stanza. Le avessero, per proprio zelo o per volontà superiore, dato l'incarico di esploratrice? Oh, se ciò fosse stato, come furono mal serviti!

Ma circa la lettera dell'incognito, che fare? Appigliarsi ai severi, gretti consigli della paura che s'intitola prudenza? Rendere la lettera a Tremerello, e dirgli: «Non voglio rischiare la mia pace»? E se non vi fosse alcuna frode? E se l'incognito fosse un uomo degnissimo della mia amicizia, degnissimo ch'io rischiassi alcunché per temprargli le angosce della solitudine? Vile! tu stai forse a due passi dalla morte, la feral sentenza può pronunciarsi da un giorno all'altro, e ricuseresti di fare ancora un atto d'amore? Rispondere, rispondere io debbo! Ma venendo per disgrazia a scoprirsi questo carteggio, e nessuno potesse pure in coscienza farcene delitto, non è egli vero tuttavia che un fiero castigo cadrebbe sul povero Tremerello? Questa considerazione non è ella bastante ad impormi come assoluto dovere il non imprendere carteggio clandestino?

### CAPO XXXV

Fui agitato tutta sera, non chiusi occhio la notte, e fra tante incertezze non sapea che risolvere.

Balzai dal letto prima dell'alba, salii sul finestrone, e pregai. Nei casi ardui bisogna consultarsi fiducialmente con Dio, ascoltare le sue ispirazioni, e attenervisi.

Così feci, e dopo lunga preghiera, discesi, scossi le zanzare, m'accarezzai colle mani le guance morsicate, ed il partito era preso: esporre a Tremerello il mio timore che da quel carteggio potesse a lui tornar danno; rinunciarvi, s'egli ondeggiava; accettare, se i terrori non vinceano lui.

Passeggiai, finché intesi canterellare: *Sognai, mi gera un gato, E ti me carezzevi.* Tremerello mi portava il caffè.

Gli dissi il mio scrupolo, non risparmiai parola per mettergli paura. Lo trovai saldo nella volontà *di servire,* diceva egli, *due così compiti signori.* Ciò era assai in opposizione colla faccia di coniglio ch'egli aveva e col nome di Tremerello che gli davamo. Ebbene, fui saldo anch'io.

— Io vi lascerò il mio vino; — gli dissi — fornitemi la carta necessaria a questa corrispondenza, e fidatevi che se odo sonare le chiavi senza la cantilena vostra, distruggerò sempre in un attimo qualunque oggetto clandestino.

— Eccole appunto un foglio di carta; gliene darò sempre, finché vuole, e riposo perfettamente sulla sua accortezza.

Mi bruciai il palato per ingoiar presto il caffè, Tremerello se ne andò, e mi posi a scrivere.

Faceva io bene? Era, la risoluzione ch'io prendeva, ispirata veramente da Dio? Non era piuttosto un trionfo del mio naturale ardimento, del mio anteporre ciò che mi piace a penosi sacrifizi? un misto d'orgogliosa compiacenza per la stima che l'incognito m'attestava e di timore di parere un pusillanime, s'io preferissi un prudente silenzio ad una corrispondenza alquanto rischiosa?

Come sciogliere questi dubbi? Io li esposi candidamente al concaptivo rispondendogli, e soggiunsi nondimeno essere mio avviso, che quando sembra a taluno d'operare con buone ragioni e senza manifesta ripugnanza della coscienza, ei non debba più paventare di colpa. Egli tuttavia riflettesse parimente con tutta la serietà all'assunto che imprendevamo, e mi dicesse schietto con qual grado di tranquillità o d'inquietudine vi si determinasse. Che, se per nuove riflessioni ei giudicava l'assunto troppo temerario, facessimo lo sforzo di rinunciare al conforto promessoci dal carteggio, e ci contentassimo d'esserci conosciuti collo scambio di poche parole ma indelebili e mallevadrici di alta amicizia.

Scrissi quattro pagine caldissime del più sincero affetto, accennai brevemente il soggetto della mia prigionia, parlai con effusione di cuore della mia famiglia e d'alcuni altri miei particolari, e mirai a farmi conoscere nel fondo dell'anima.

A sera la mia lettera fu portata. Non avendo dormito la notte precedente, era stanchissimo; il sonno non si fece invocare, e mi svegliai la mattina seguente ristorato, lieto, palpitante al dolce pensiero d'aver forse a momenti la risposta dell'amico.

### CAPO XXXVI

La risposta venne col caffè. Saltai al collo di Tremerello, e gli dissi con tenerezza: — Iddio ti rimuneri di tanta carità! — I miei sospetti su lui e sull'incognito s'erano dissipati, non so né anche dir perché; perché m'erano odiosi; perché avendo la cautela di non parlar mai follemente di politica, m'apparivano inutili; perché mentre sono ammiratore dell'ingegno di Tacito, ho tuttavia pochissima fede nella giustezza del taciteggiare, del veder molto le cose in nero.

Giuliano (così piacque allo scrivente di firmarsi) cominciava la lettera con un preambolo di gentilezze, e si diceva senza alcuna inquietudine sull'impreso carteggio. Indi scherzava dapprima moderatamente sul mio esitare, poi lo scherzo acquistava alcun che di pungente. Alfine, dopo un eloquente elogio sulla sincerità, mi dimandava perdono se non potea nascondermi il dispiacere che avea provato, ravvisando in me, diceva egli, *una certa scrupolosa titubanza, una certa cristiana sottigliezza di coscienza, che non può accordarsi con vera filosofia.*

« Vi stimerò sempre, » soggiungeva egli « quand'anche non possiamo accordarci su ciò; ma la sincerità che professo mi obbliga a dirvi che non ho religione, che le abborro tutte, che prendo *per modestia* il nome di Giuliano perché quel buon imperatore era nemico de' Cristiani, ma che realmente io vado molto più in là di lui. Il coronato Giuliano credeva in Dio, ed aveva certe sue *bigotterie.* Io non ne ho alcuna, non credo in Dio, pongo ogni virtù nell'amare la verità e chi la cerca, e nell'odiare chi non mi piace. »

E di questa foggia continuando, non recava ragioni di nulla, inveiva a dritto e a rovescio contro il Cristianesimo, lodava con pomposa energia l'altezza della virtù irreligiosa, e prendeva con istile parte serio e parte faceto a far l'elogio dell'imperatore Giuliano per la sua apostasia e pel *filantropico tentativo* di cancellare dalla terra tutte le tracce del Vangelo.[1]

Temendo quindi d'aver troppo urtate le mie opinioni, tornava a dimandarmi perdono e a declamare contro la tanto frequente mancanza di sincerità. Ripeteva il suo grandissimo desiderio di stare in relazione con me, e mi salutava.

Una poscritta diceva: « Non ho altri scrupoli, se non di non essere schietto abbastanza. Non posso quindi tacervi di sospettare che il linguaggio cristiano che teneste meco sia finzione. Lo bramo ardentemente. In tal caso gettate la maschera; v'ho dato l'esempio. »

Non saprei dire l'effetto strano che mi fece quella lettera. Io palpitava come un innamorato ai primi periodi: una mano di ghiaccio sembrò quindi stringermi il cuore. Quel sarcasmo sulla mia coscienziosità m'offese. Mi pentii d'avere aperta una relazione con siffatt'uomo: io che dispregio tanto il cinismo! io che lo credo

---

1. Flavio Claudio Giuliano (331-363) fu detto l'Apostata per aver rinnegato il Cristianesimo e per aver tentato la restaurazione del culto pagano.

la più infilosofica, la più villana di tutte le tendenze! io, a cui l'arroganza impone sì poco!

Letta l'ultima parola, pigliai la lettera fra il pollice e l'indice d'una mano, e il pollice e l'indice dell'altra, ed alzando la mano sinistra tirai giù rapidamente la destra, cosicché ciascuna delle due mani rimase in possesso d'una mezza lettera.

CAPO XXXVII

Guardai que' due brani, e meditai un istante sull'incostanza delle cose umane e sulla falsità delle loro apparenze. «Poc'anzi tanta brama di questa lettera, ed ora la straccio per isdegno! Poc'anzi tanto presentimento di futura amicizia con questo compagno di sventura, tanta persuasione di mutuo conforto, tanta disposizione a mostrarmi con lui affettuosissimo, ed ora lo chiamo insolente!»

Stesi i due brani un sull'altro, e collocato di nuovo come prima l'indice e il pollice di una mano, e l'indice e il pollice dell'altra, tornai ad alzare la sinistra ed a tirar giù rapidamente la destra.

Era per replicare la stessa operazione, ma uno dei quarti mi cadde di mano; mi chinai per prenderlo, e nel breve spazio di tempo del chinarmi e del rialzarmi, mutai proposito e m'invogliai di rileggere quella superba scritta.

Siedo, fo combaciare i quattro pezzi sulla Bibbia e rileggo. Li lascio in quello stato, passeggio, rileggo ancora ed intanto penso:

«S'io non gli rispondo, ei giudicherà ch'io sia annichilato di confusione, ch'io non osi ricomparire al cospetto di tanto Ercole. Rispondiamogli, facciamogli vedere che non temiamo il confronto delle dottrine. Dimostriamgli con buona maniera non esservi alcuna viltà nel maturare i consigli, nell'ondeggiare quando si tratta d'una risoluzione alquanto pericolosa, e più pericolosa per altri che per noi. Impari che il vero coraggio non istà nel ridersi della coscienza, che la vera dignità non istà nell'orgoglio. Spieghiamogli la ragionevolezza del Cristianesimo e l'insussistenza dell'incredulità. — E finalmente se codesto Giuliano si manifesta d'opinioni così opposte alle mie, se non mi risparmia pungenti sarcasmi, se degna così poco di cattivarmi, non è ciò prova almeno ch'ei non è una spia? — Se non che non potrebb'egli essere un raffinamento d'arte, quel menar ruvidamente la frusta addosso al mio amor proprio? — Eppur no; non posso crederlo. Sono un maligno che, perché mi sento offeso da quei temerarii scherzi, vorrei persuadermi che chi li scagliò non può essere che il più abbietto degli uomini. Malignità volgare, che condannai mille volte in altri, via dal mio cuore! No, Giuliano è quel che è, e non più; è un insolente, e non una spia. — Ed ho io veramente il diritto di dare l'odioso nome d'*insolenza* a ciò ch'egli reputa *sincerità*? — Ecco la tua umiltà, o ipocrita! Basta che uno, per errore di mente, sostenga opinioni false e derida la tua fede, subito t'arroghi di vilipenderlo. — Dio sa se questa umiltà rabbiosa e questo zelo malevolo, nel petto di me cristiano, non è peggiore dell'audace sincerità di quell'incredulo! — Forse non gli manca se non un raggio della grazia, perché quel suo energico amore del vero si muti in religione più solida della mia. — Non farei io meglio di pregare per lui, che d'adirarmi e di suppormi migliore? — Chi sa, che mentre io stracciava furentemente la sua lettera, ei non rileggesse con dolce amorevolezza la mia, e si fidasse tanto della mia bontà da credermi incapace d'offendermi delle sue schiette parole? — Qual sarebbe il più iniquo dei due, uno che ama e dice: "Non sono cristiano", ovvero uno che dice: "Son cristiano" e non ama? — È cosa difficile conoscere un uomo, dopo avere vissuto con lui lunghi anni; ed io vorrei giudicare costui da una lettera? Fra tante possibilità, non havvi egli quella che, senza confessarlo a sé medesimo, ei non sia punto tranquillo del suo ateismo, e che indi mi stuzzichi a combatterlo, colla secreta speranza di dover cedere? Oh fosse pure! Oh gran Dio, in mano di cui tutti gli stromenti più indegni possono essere efficaci, sceglimi, sceglimi a quest'opera! Detta a me tai potenti e sante ragioni che convincano quell'infelice! che lo traggano a benedirti e ad imparare che, lungi da te, non v'è virtù la quale non sia contraddizione!»

CAPO XXXVIII

Stracciai più minutamente, ma senza residuo di collera, i quattro
pezzi di lettera, andai alla finestra, stesi la mano, e mi fermai a
guardare la sorte dei diversi bocconcini di carta in balìa del vento.
Alcuni si posarono sui piombi della chiesa, altri girarono lungamente per aria, e discesero a terra. Vidi che andavano tanto dispersi,
da non esservi pericolo che alcuno li raccogliesse e ne capisse il
mistero.

Scrissi poscia a Giuliano, e presi tutta la cura per non essere e
per non apparire indispettito.

Scherzai sul suo timore ch'io portassi la sottigliezza di coscienza
ad un grado non accordabile colla filosofia, e dissi che sospen-
desse almeno intorno a ciò i suoi giudizi. Lodai la professione ch'ei
faceva di sincerità, l'assicurai che m'avrebbe trovato eguale a sé
in questo riguardo, e soggiunsi che per dargliene prova io m'accingeva a difendere il Cristianesimo; «ben persuaso» diceva io,
«che, come sarò sempre pronto ad udire amichevolmente tutte le
vostre opinioni, così abbiate la liberalità d'udire in pace le mie».

Quella difesa, io mi proponeva di farla a poco a poco, ed intanto
la incominciava, analizzando con fedeltà l'essenza del Cristianesimo: — culto di Dio, spoglio di superstizioni, — fratellanza fra gli
uomini, — aspirazione perpetua alla virtù, — umiltà senza bassezza,
— dignità senza orgoglio, — tipo, un uomo-Dio! Che di più filosofico e di più grande?

Intendeva poscia di dimostrare, come tanta sapienza era più o
meno debolmente trasparsa a tutti coloro che coi lumi della ragione
aveano cercato il vero, ma non s'era mai diffusa nell'universale;
e come, venuto il divin Maestro sulla terra, diede segno stupendo
di sé, operando coi mezzi umanamente più deboli quella diffusione.
Ciò che sommi filosofi mai non poterono, l'abbattimento dell'idolatria, e la predicazione generale della fratellanza, s'eseguisce con
pochi rozzi messaggeri.[1] Allora l'emancipazione degli schiavi di-
viene ognor più frequente, e finalmente appare una civiltà senza
schiavi, stato di società che agli antichi filosofi pareva impossibile.

Una rassegna della storia, da Gesù Cristo in qua, dovea per ultimo dimostrare come la religione da lui stabilita s'era sempre tro-

1. *messaggeri*: gli Apostoli.

vata adattata a tutti i possibili gradi d'incivilimento. Quindi essere falso che, l'incivilimento continuando a progredire, il Vangelo non sia più accordabile con esso.

Scrissi a minutissimo carattere ed assai lungamente, ma non potei tuttavia andar molto oltre; ché mi mancò la carta. Lessi e rilessi quella mia introduzione, e mi parve ben fatta. Non v'era pure una frase di risentimento sui sarcasmi di Giuliano, e le espressioni di benevolenza abbondavano, ed aveale dettate il cuore già pienamente ricondotto a tolleranza.

Spedii la lettera, ed il mattino seguente ne aspettava con ansietà la risposta.

Tremerello venne, e mi disse:

— Quel signore non ha potuto scrivere, ma la prega di continuare il suo scherzo.

— Scherzo? — sclamai. — Eh, che non avrà detto scherzo! avrete capito male.

Tremerello si strinse nelle spalle: — Avrò capito male.

— Ma vi par proprio che abbia detto scherzo?

— Come mi pare di sentire in questo punto i colpi di San Marco. — (Sonava appunto il campanone.) Bevvi il caffè e tacqui.

— Ma ditemi: avea quel signore già letta tutta la mia lettera?

— Mi figuro di sì; perché rideva, rideva come un matto, e facea di quella lettera una palla, e la gettava per aria, e quando gli dissi che non dimenticasse poi di distruggerla, la distrusse subito.

— Va benissimo.

E restituii a Tremerello la chicchera, dicendogli che si conosceva che il caffè era stato fatto dalla siora Bettina.

— L'ha trovato cattivo?

— Pessimo.

— Eppur l'ho fatto io, e l'assicuro che l'ho fatto carico, e non v'erano fondi.

— Non avrò forse la bocca buona.

CAPO XXXIX

Passeggiai tutta mattina fremendo. «Che razza d'uomo è questo Giuliano? Perché chiamare la mia lettera uno scherzo? Perché ridere e giocare alla palla con essa? Perché non rispondermi pure una riga? Tutti gl'increduli son così! Sentendo la debolezza delle loro opinioni, se alcuno s'accinge a confutarle non ascoltano, ridono, ostentano una superiorità d'ingegno la quale non ha più bisogno d'esaminar nulla. Sciagurati! E quando mai vi fu filosofia senza esame, senza serietà? Se è vero che Democrito[1] ridesse sempre, egli era un buffone! Ma ben mi sta: perché imprendere questa corrispondenza? Ch'io mi facessi illusione un momento, era perdonabile. Ma quando vidi che colui insolentiva, non fui io uno stolto di scrivergli ancora?»

Era risoluto di non più scrivergli. A pranzo, Tremerello prese il mio vino, se lo versò in un fiasco, e mettendoselo in saccoccia:
— Oh, mi accorgo — disse — che ho qui della carta da darle. — E me la porse.

Se n'andò; ed io guardando quella carta bianca mi sentiva venire la tentazione di scrivere un'ultima volta a Giuliano, di congedarlo con una buona lezione sulla turpitudine dell'insolenza.

«Bella tentazione!» dissi poi «rendergli disprezzo per disprezzo! fargli odiare vieppiù il Cristianesimo, mostrandogli in me cristiano impazienza ed orgoglio! — No, ciò non va. Cessiamo affatto il carteggio. — E se lo cesso così asciuttamente, non dirà colui del pari, che impazienza ed orgoglio mi vinsero? — Conviene scrivergli ancora una volta, e senza fiele. — Ma se posso scrivere senza fiele, non sarebbe meglio non darmi per inteso delle sue risate e del nome di scherzo ch'egli ha gratificato alla mia lettera? Non sarebbe meglio continuar buonamente la mia apologia del Cristianesimo?»

Ci pensai un poco, e poi m'attenni a questo partito.

La sera spedii il mio piego, ed il mattino seguente ricevetti alcune righe di ringraziamento, molto fredde, però senza espressioni mordaci, ma anche senza il minimo cenno d'approvazione né d'invito a proseguire.

Tal biglietto mi spiacque. Nondimeno fermai di non desistere sino al fine.

La mia tesi non potea trattarsi in breve, e fu soggetto di cinque o sei altre lunghe lettere, a ciascuna delle quali mi veniva risposto un laconico ringraziamento, accompagnato da qualche declamazione estranea al tema, ora imprecando i suoi nemici, ora ridendo d'averli imprecati, e dicendo esser naturale che i forti opprimano i

---

1. Democrito di Abdera, filosofo greco del V secolo a. C., sostenitore della teoria atomistica, fu soprannominato *ridens*, perché era solito ridere della follia umana.

deboli, e non rincrescergli altro che di non essere forte, ora con-
fidandomi i suoi amori, e l'impero che questi esercitavano sulla sua
tormentata immaginativa.

Nondimeno, all'ultima mia lettera sul Cristianesimo, ei diceva
che mi stava apparecchiando una lunga risposta. Aspettai più
d'una settimana, ed intanto ei mi scriveva ogni giorno di tutt'altro,
e per lo più d'oscenità.

Lo pregai di ricordarsi la risposta di cui mi era debitore, e gli
raccomandai di voler applicare il suo ingegno a pesar veramente
tutte le ragioni ch'io gli avea portate.

Mi rispose alquanto rabbiosamente, prodigandosi gli attributi
di *filosofo, d'uomo sicuro, d'uomo che non avea bisogno di pesare
tanto per capire che le lucciole non erano lanterne.* E tornò a parlare
allegramente d'avventure scandalose.

### CAPO XL

Io pazientava per non farmi dare del *bigotto* e dell'intollerante, e
perché non disperava che, dopo quella febbre di erotiche buffo-
nerie, venisse un periodo di serietà. Intanto gli andava manifestando
la mia disapprovazione alla sua irriverenza per le donne, al suo
profano modo di fare all'amore, e compiangeva quelle infelici
ch'ei mi diceva essere state sue vittime.

Ei fingeva di creder poco alla mia disapprovazione, e ripeteva:
*Checché borbottiate d'immoralità, sono certo di divertirvi co' miei
racconti; — tutti gli uomini amano il piacere come io, ma non hanno
la franchezza di parlarne senza velo; ve ne dirò tante che v'incanterò,
e vi sentirete obbligato in coscienza d'applaudirmi.*

Ma di settimana in settimana, ei non desisteva mai da queste
infamie, ed io (sperando sempre ad ogni lettera di trovare altro
tema, e lasciandomi attrarre dalla curiosità) leggeva tutto, e l'anima mia restava — non già sedotta — ma pur conturbata, allonta-
nata da pensieri nobili e santi. Il conversare cogli uomini degradati
degrada, se non si ha una virtù molto maggiore della comune,
molto maggiore della mia.

«Eccoti punito» diceva io a me stesso «della tua presunzione!
Ecco ciò che si guadagna a voler fare il missionario senza la santità da ciò!»

Un giorno mi risolsi a scrivergli queste parole:

«Mi sono sforzato finora di chiamarvi ad altri soggetti, e voi mi mandate sempre novelle che vi dissi schiettamente dispiacermi. Se v'aggrada che favelliamo di cose più degne continueremo la corrispondenza, altrimenti tocchiamoci la mano, e ciascuno se ne stia con sé. »

Fui per due giorni senza risposta, e dapprima ne gioii. — Oh benedetta solitudine! — andava sclamando — quanto meno amara tu sei d'una conversazione inarmonica e snobilitante! Invece di crucciarmi leggendo impudenze, invece di faticarmi invano ad oppor loro l'espressione di aneliti che onorino l'umanità, tornerò a conversare con Dio, colle care memorie della mia famiglia e de' miei veri amici. Tornerò a leggere maggiormente la Bibbia, a scrivere i miei pensieri sulla tavola studiando il fondo del mio cuore e procacciando di migliorarlo, a gustare le dolcezze d'una melanconia innocente, mille volte preferibili ad immagini liete ed inique.

Tutte le volte che Tremerello entrava nel mio carcere mi diceva:

— Non ho ancor risposta.

— Va bene — rispondeva io.

Il terzo giorno mi disse:

— Il signor N. N. è mezzo ammalato.

— Che ha?

— Non lo dice, ma è sempre steso sul letto, non mangia, non bee, ed è di mal umore.

Mi commossi, pensando ch'egli pativa e non aveva alcuno che lo confortasse.

Mi sfuggì dalle labbra, o piuttosto dal cuore:

— Gli scriverò due righe.

— Le porterò stassera — disse Tremerello; e se ne andò.

Io era alquanto imbarazzato, mettendomi al tavolino. «Fo io bene a ripigliare il carteggio? Non benediceva io dianzi la solitudine come un tesoro riacquistato? Che incostanza è dunque la mia! — Eppure quell'infelice non mangia, non bee; sicuramente è ammalato. È questo il momento d'abbandonarlo? L'ultimo mio vigletto era aspro: avrà contribuito ad affliggerlo. Forse, ad onta dei nostri diversi modi di sentire, ei non avrebbe mai disciolta la nostra amicizia. Il mio vigletto gli sarà sembrato più malevolo che non era: ei l'avrà preso per un assoluto sprezzante congedo. »

Scrissi così:

«Sento che non istate bene, e me ne duole vivamente. Vorrei di tutto cuore esservi vicino, e prestarvi tutti gli uffici d'amico. Spero che la vostra poco buona salute sarà stata l'unico motivo del vostro silenzio, da tre giorni in qua. Non vi sareste già offeso del mio viglietto dell'altro dì? Lo scrissi, v'assicuro, senza la minima malevolenza, e col solo scopo di trarvi a più serii soggetti di ragionamento. Se lo scrivere vi fa male, mandatemi soltanto nuove esatte della vostra salute: io vi scriverò ogni giorno qualcosetta per distrarvi, e perché vi sovvenga che vi voglio bene.»

Non mi sarei mai aspettato la lettera ch'ei mi rispose. Cominciava così:

«Ti disdico l'amicizia; se non sai che fare della mia, io non so che fare della tua. Non sono uomo che perdoni offese, non sono uomo che, rigettato una volta, ritorni. Perché mi sai infermo, ti riaccosti ipocritamente a me, sperando che la malattia indebolisca il mio spirito e mi tragga ad ascoltare le tue prediche . . .» E andava innanzi di questo modo, vituperandomi con violenza, schernendomi, ponendo in caricatura tutto ciò ch'io gli avea detto di religione e di morale, protestando di vivere e di morire sempre lo stesso, cioè col più grand'odio e col più gran disprezzo contro tutte le filosofie diverse dalla sua.

Restai sbalordito!

«Le belle conversioni ch'io fo!» dicev'io con dolore ed inorridendo. «Dio m'è testimonio se le mie intenzioni non erano pure! — No, queste ingiurie non le ho meritate! — Ebbene, pazienza; è un disinganno di più. Tal sia di colui, se s'immagina offese per aver la voluttà di non perdonarle! Più di quel che ho fatto non sono obbligato di fare.»

Tuttavia, dopo alcuni giorni il mio sdegno si mitigò, e pensai che una lettera frenetica poteva essere stato frutto d'un esaltamento non durevole. «Forse ei già se ne vergogna,» diceva io «ma è troppo altero da confessare il suo torto. Non sarebbe opera generosa, or ch'egli ha avuto tempo di calmarsi, lo scrivergli ancora?»

Mi costava assai far tanto sacrifizio d'amor proprio, ma lo feci. Chi s'umilia senza bassi fini, non si degrada, qualunque ingiusto spregio gliene torni.

Ebbi per risposta una lettera meno violenta, ma non meno insultante. L'implacato mi diceva ch'egli ammirava la mia evange-
lica moderazione.

«Or dunque ripigliamo pure» proseguiva egli «la nostra corrispondenza; ma parliamo chiaro. Noi non ci amiamo. Ci scriveremo per trastullare ciascuno se stesso, mettendo sulla carta liberamente tutto ciò che ci viene in capo: voi le vostre immaginazioni serafiche ed io le mie bestemmie; voi le vostre estasi sulla
dignità dell'uomo e della donna, io l'ingenuo racconto delle mie
profanazioni; sperando io di convertir voi, e voi di convertir me.
Rispondetemi se vi piaccia il patto.»

Risposi: «Il vostro non è un patto, ma uno scherno. Abbon-
dai in buon volere con voi. La coscienza non mi obbliga più ad
altro che ad augurarvi tutte le felicità per questa e per l'altra vita.»

Così finì la mia clandestina relazione con quell'uomo — chi sa? —
forse più inasprito dalla sventura e delirante per disperazione, che
malvagio.[1]

### CAPO XLII

Benedissi un'altra volta davvero la solitudine, ed i miei giorni
passarono di nuovo per alcun tempo senza vicende.

Finì la state; nell'ultima metà di settembre, il caldo scemava.
Ottobre venne; io mi rallegrava allora d'avere una stanza che nel
verno doveva esser buona. Ecco una mattina il custode che mi
dice avere ordine di mutarmi di carcere.

— E dove si va?

— A pochi passi, in una camera più fresca.

— E perché non pensarci quand'io moriva dal caldo, e l'aria era
tutta zanzare, ed il letto era tutto cimici?

— Il comando non è venuto prima.

— Pazienza, andiamo.

Bench'io avessi assai patito in quel carcere, mi dolse di lasciarlo;

---

1. Chi fosse questo Giuliano non è stato possibile saperlo, e non è necessario. Fra tanti episodi di queste memorie, tutti per un motivo o per l'altro
interessanti, questo è il meno felice; di vivo non c'è, si può dire, che la
figura di Tremerello. Ma questi capitoli, che non hanno valore per se
stessi, ne hanno uno notevole in correlazione con le pagine seguenti fino
alla partenza per lo Spielberg, che altrimenti non si comprenderebbero.
Essi servono a spiegare la prossima violentissima crisi del Pellico.

non soltanto perché nella fredda stagione doveva essere ottimo, ma per tanti perché. Io v'avea quelle formiche, ch'io amava e nutriva con sollecitudine, se non fosse espressione ridicola, direi quasi paterna. Da pochi giorni quel caro ragno di cui parlai, era, non so per qual motivo, emigrato; ma io diceva: «Chi sa che non si ricordi di me e non ritorni? Ed or che me ne vado, ritornerà forse, e troverà la prigione vôta, o se vi sarà qualch'altro ospite, potrebbe essere un nemico de' ragni, e raschiar giù colla pantofola quella bella tela, e schiacciare la povera bestia! Inoltre quella trista prigione non m'era stata abbellita dalla pietà della Zanze? A quella finestra s'appoggiava sì spesso, e lasciava cadere generosamente i bricioli de' *buzzolai*[1] alle mie formiche. Lì solea sedere; qui mi fece il tal racconto; qui il tal altro; là s'inchinava sul mio tavolino e le sue lagrime vi grondarono!»

Il luogo ove mi posero era pur sotto i Piombi, ma a tramontana e ponente, con due finestre, una di qua, l'altra di là; soggiorno di perpetui raffreddori, e d'orribile ghiaccio ne' mesi rigidi.

La finestra a ponente era grandissima; quella a tramontana era piccola ed alta, al disopra del mio letto.

M'affacciai prima a quella, e vidi che metteva verso il palazzo del patriarca. Altre prigioni erano presso la mia, in un'ala di poca estensione a destra, ed in uno sporgimento di fabbricato che mi stava dirimpetto. In quello sporgimento stavano due carceri, una sull'altra. La inferiore aveva un finestrone enorme, pel quale io vedea dentro passeggiare un uomo signorilmente vestito. Era il signor Caporali di Cesena.[2] Questi mi vide, mi fece qualche segno, e ci dicemmo i nostri nomi.

Volli quindi esaminare dove guardasse l'altra mia finestra. Posi il tavolino sul letto e sul tavolino una sedia, m'arrampicai sopra, e vidi essere a livello d'una parte del tetto del palazzo. Al di là del palazzo appariva un bel tratto della città e della laguna.

Mi fermai a considerare quella bella veduta, e udendo che s'apriva la porta, non mi mossi. Era il custode, il quale scorgendomi lassù arrampicato, dimenticò ch'io non poteva passare come un

1. *buzzolai*, specie di pastine dolci, anche ciambelline e biscotti. 2. Pietro Maria Caporali (1786-1831), possidente di Cesena, espulso per carbonarismo dallo Stato pontificio, era stato arrestato a Pordenone. In seguito al processo fu sfrattato dagli stati austriaci e si stabilì a Perugia. Ma il governo papalino lo arrestò di nuovo e lo condannò al carcere perpetuo. Morì quasi pazzo poco dopo essere stato graziato.

sorcio attraverso le sbarre, pensò ch'io tentassi di fuggire, e nel rapido istante del suo turbamento saltò sul letto, ad onta di una sciatica che lo tormentava, e m'afferrò per le gambe, gridando come un'aquila.

— Ma non vedete,—gli dissi—o smemorato, che non si può fuggire per causa di queste sbarre? Non capite che salii per sola curiosità?

— *Vedo, sior, vedo, capisco, ma la cali giù, le digo, la cali, queste le son tentazion de scappar.*

E mi convenne discendere, e ridere.


CAPO XLIII

Alle finestre delle prigioni laterali conobbi sei altri detenuti per cose politiche.

Ecco dunque che, mentre io mi disponeva ad una solitudine maggiore che in passato, io mi trovo in una specie di mondo. A principio m'increbbe, sia che il lungo vivere romito avesse già fatto alquanto insocievole l'indole mia, sia che il dispiacente esito della mia conoscenza con Giuliano mi rendesse diffidente.

Nondimeno quel poco di conversazione che prendemmo a fare, parte a voce e parte a segni, parvemi in breve un beneficio, se non come stimolo ad allegrezza, almeno come divagamento. Della mia relazione con Giuliano non feci motto con alcuno. C'eravamo egli ed io dato parola d'onore che il segreto resterebbe sepolto in noi. Se ne favello in queste carte, gli è perché, sotto gli occhi di chiunque andassero, gli sarebbe impossibile indovinare chi, di tanti che giacevano in quelle carceri, fosse Giuliano.

Alle nuove mentovate conoscenze di concaptivi s'aggiunse un'altra che mi fu pure dolcissima.

Dalla finestra grande io vedeva, oltre lo sporgimento di carceri che mi stava in faccia, una estensione di tetti, ornata di camini, d'altane, di campanili, di cupole, la quale andava a perdersi colla prospettiva del mare e del cielo. Nella casa più vicina a me, ch'era un'ala del patriarcato, abitava una buona famiglia, che acquistò diritti alla mia riconoscenza mostrandomi coi suoi saluti la pietà ch'io le ispirava.

Un saluto, una parola d'amore agl'infelici, è una gran carità!

Cominciò colà, da una finestra, ad alzare le sue manine verso me un ragazzetto di nove o dieci anni, e l'intesi gridare:

— Mamma, mamma, han posto qualcheduno lassù ne' Piombi. O povero prigioniero, chi sei?

— Io sono Silvio Pellico — risposi.

Un altro ragazzo più grandicello corse anch'egli alla finestra, e gridò:

— Tu sei Silvio Pellico?

— Sì, e voi cari fanciulli?

— Io mi chiamo Antonio S..., e mio fratello Giuseppe.

Poi si voltava indietro, e diceva: — Che cos'altro debbo dimandargli?

Ed una donna, che suppongo essere stata lor madre, e stava mezzo nascosta, suggeriva parole gentili a que' cari figliuoli, ed essi le diceano, ed io ne li ringraziava colla più viva tenerezza.

Quelle conversazioni erano piccola cosa, e non bisognava abusarne per non far gridare il custode, ma ogni giorno ripetevansi con mia grande consolazione, all'alba, a mezzodì e a sera. Quando accendevano il lume, quella donna chiudeva la finestra, i fanciulli gridavano: — Buona notte, Silvio! — ed ella, fatta coraggiosa dall'oscurità, ripetea con voce commossa: — Buona notte, Silvio! coraggio!

Quando que' fanciulli faceano colezione o merenda, mi diceano:

— Oh se potessimo darti del nostro caffè e latte! Oh se potessimo darti de' nostri *buzzolai*! Il giorno che andrai in libertà sovvengati di venirci a vedere. Ti daremo dei *buzzolai* belli e caldi, e tanti baci!

### CAPO XLIV

Il mese d'ottobre era la ricorrenza del più brutto de' miei anniversari. Io era stato arrestato il 13 di esso mese dell'anno antecedente. Parecchie tristi memorie mi ricorrevano inoltre in quel mese. Due anni prima, in ottobre, s'era per funesto accidente annegato nel Ticino un valentuomo ch'io molto onorava.[1] Tre anni prima, in ottobre, s'era involontariamente ucciso con uno schioppo Odoardo Briche, giovinetto ch'io amava quasi fosse stato mio figlio.[2]

1. Era questi il conte di Sartirana, fratello di Ludovico di Breme. 2. Prima che dei Porro, il Pellico era stato precettore di Odoardo, figlio del conte Briche, e gli era rimasto affezionatissimo. Il giovinetto si era poi suicidato, forse per suggestione dell'*Ortis* foscoliano.

A' tempi della mia prima gioventù, in ottobre, un'altra grave
afflizione m'avea colpito.

Bench'io non sia superstizioso, il rincontrarsi fatalmente in quel
mese ricordanze così infelici, mi rendea tristissimo.

Favellando dalla finestra con que' fanciulli e co' miei concaptivi,
io mi fingea lieto, ma appena rientrato nel mio antro, un peso ine-
narrabile di dolore mi piombava sull'anima.

Prendea la penna per comporre qualche verso o per attendere
ad altra cosa letteraria, ed una forza irresistibile parea costrin-
germi a scrivere tutt'altro. Che? lunghe lettere ch'io non poteva
mandare; lunghe lettere alla mia cara famiglia, nelle quali io versava tutto il mio cuore. Io le scriveva sul tavolino, e poi le raschiava.
Erano calde espressioni di tenerezza, e rimembranze della felicità
ch'io aveva goduto presso genitori, fratelli e sorelle così indulgenti,
così amanti. Il desiderio ch'io sentiva di loro m'ispirava un'infinità di cose appassionate. Dopo avere scritto ore ed ore, mi restavano sempre altri sentimenti a svolgere.

Questo era, sotto una nuova forma, un ripetermi la mia biografia, ed illudermi ridipingendo il passato; un forzarmi a tener gli
occhi sul tempo felice che non era più. Ma, oh Dio! quante volte,
dopo aver rappresentato con animatissimo quadro un tratto della
mia più bella vita, dopo avere inebbriata la fantasia fino a parermi
ch'io fossi colle persone a cui parlava, mi ricordava repentinamente del presente, e mi cadea la penna ed inorridiva! Momenti
veramente spaventosi eran quelli! Aveali già provati altre volte, ma
non mai con convulsioni pari a quelle che or mi assalivano.

Io attribuiva tali convulsioni e tali orribili angosce al troppo
eccitamento degli affetti, a cagione della forma epistolare ch'io dava
a quegli scritti, e del dirigerli a persone sì care.

Volli far altro, e non potea; volli abbandonare almeno la forma
epistolare, e non potea. Presa la penna, e messomi a scrivere, ciò
che ne risultava era sempre una lettera piena di tenerezza e di
dolore.

« Non son io più libero del mio volere? » andava dicendo. « Questa necessità di fare ciò che non vorrei fare, è dessa uno stravolgi-
mento del mio cervello? Ciò per l'addietro non m'accadeva. Sarebbe stata cosa spiegabile ne' primi tempi della mia detenzione;
ma ora che sono maturato alla vita carceraria, ora che la fantasia
dovrebbe essersi calmata su tutto, ora che mi son cotanto nutrito di

riflessioni filosofiche e religiose, come divento io schiavo delle cieche brame del cuore, e pargoleggio così? Applichiamoci ad altro.»

Cercava allora di pregare, o d'opprimermi collo studio della lingua tedesca. Vano sforzo! Io m'accorgeva di tornar a scrivere un'altra lettera.

### CAPO XLV

Simile stato era una vera malattia; non so se debba dire, una specie di sonnambulismo. Era senza dubbio effetto d'una grande stanchezza, operata dal pensare e dal vegliare.

Andò più oltre. Le mie notti divennero costantemente insonni e per lo più febbrili. Indarno cessai di prendere caffè la sera; l'insonnia era la stessa.

Ma pareva che in me fossero due uomini, uno che voleva sempre scriver lettere, e l'altro che voleva far altro. «Ebbene,» diceva io «transigiamo, scrivi pur lettere, ma scrivile in tedesco; così impareremo quella lingua.»

Quindi in poi scriveva tutto in un cattivo tedesco. Per tal modo almeno feci qualche progresso in quello studio.

Il mattino, dopo lunga veglia, il cervello spossato cadeva in qualche sopore. Allora sognava, o piuttosto delirava, di vedere il padre, la madre, o altro mio caro disperarsi sul mio destino. Udiva di loro i più miserandi singhiozzi, e tosto mi destava singhiozzando e spaventato.

Talvolta in que' brevissimi sogni sembravami d'udir la madre consolare gli altri, entrando con essi nel mio carcere, e volgermi le più sante parole sul dovere della rassegnazione; e quand'io più rallegrava del suo coraggio e del coraggio degli altri, ella prorompeva improvvisamente in lagrime, e tutti piangevano. Niuno può dire quali strazii fossero allora quelli all'anima mia.

Per uscire di tanta miseria, provai di non andare più affatto a letto. Teneva acceso il lume l'intera notte, e stava al tavolino a leggere e scrivere. Ma che? Veniva il momento ch'io leggeva, destissimo, ma senza capir nulla, e che assolutamente la testa più non mi reggeva a comporre pensieri. Allora io copiava qualche cosa, ma copiava ruminando tutt'altro che ciò ch'io scriveva, ruminando le mie afflizioni.

Eppure, s'io andava a letto era peggio. Niuna posizione m'era tollerabile, giacendo: m'agitava convulso, e conveniva alzarmi. Ovvero, se alquanto dormiva, que' disperanti sogni mi faceano più male del vegliare.

Le mie preci erano aride, e nondimeno io le ripeteva sovente; non con lungo orare di parole, ma invocando Dio! Dio unito all'uomo ed esperto degli umani dolori!

In quelle orrende notti, l'immaginativa mi s'esaltava talora in guisa che pareami, sebbene svegliato, or d'udir gemiti nel mio carcere, or d'udir risa soffocate. Dall'infanzia in poi non era mai stato credulo a streghe e folletti, ed or quelle risa e que' gemiti mi atterrivano, e non sapea come spiegar ciò, ed era costretto a dubitare s'io non fossi ludibrio d'incognite maligne potenze.

Più volte presi tremando il lume, e gridai se v'era alcuno sotto il letto che mi beffasse. Più volte mi venne il dubbio che m'avessero tolto dalla prima stanza e trasportato in questa perché ivi fosse qualche trabocchello, ovvero nelle pareti qualche secreta apertura, donde i miei sgherri spiassero tutto ciò ch'io faceva e si divertissero crudelmente a spaventarmi.

Stando al tavolino, or pareami che alcuno mi tirasse pel vestito, or che fosse data una spinta ad un libro, il quale cadeva a terra, or che una persona dietro a me soffiasse sul lume per ispegnerlo. Allora io balzava in piedi, guardava intorno, passeggiava con diffidenza, e chiedeva a me stesso s'io fossi impazzato od in senno. Non sapea più che cosa, di ciò ch'io vedeva e sentiva, fosse realtà od illusione, e sclamava con angoscia:

— *Deus meus, Deus meus, ut quid dereliquisti me?*

### CAPO XLVI

Una volta, andato a letto alquanto prima dell'alba, mi parve d'avere la più gran certezza d'aver messo il fazzoletto sotto il capezzale. Dopo un momento di sopore, mi destai al solito, e mi sembrava che mi strangolassero. Sento d'avere il collo strettamente avvolto. Cosa strana! Era avvolto col mio fazzoletto, legato forte a più nodi. Avrei giurato di non aver fatto que' nodi, di non aver toccato il fazzoletto, dacché l'avea messo sotto il capezzale. Convien ch'io avessi operato sognando o delirando, senza più serbarne alcuna memoria; ma non potea crederlo, e d'allora in poi stava in sospetto ogni notte d'essere strangolato.

Capisco quanto simili vaneggiamenti debbano essere ridicoli altrui, ma a me che li provai faceano tal male che ne raccapriccio ancora.

Si dileguavano ogni mattino; e finché durava la luce del dì, io mi sentiva l'animo così rinfrancato contro que' terrori, che mi sembrava impossibile di doverli mai più patire. Ma al tramonto del sole io cominciava a rabbrividire, e ciascuna notte riconduceva le brutte stravaganze della precedente.

Quanto maggiore era la mia debolezza nelle tenebre, tanto maggiori erano i miei sforzi durante il giorno per mostrarmi allegro ne' colloquii co' compagni, co' due ragazzi del patriarcato e co' miei carcerieri. Nessuno, udendomi scherzare com'io faceva, si sarebbe immaginato la misera infermità ch'io soffriva. Sperava con quegli sforzi di rinvigorirmi; ed a nulla giovavano. Quelle apparenze notturne, che il giorno io chiamava sciocchezze, la sera tornavano ad essere per me realtà spaventevoli.

Se avessi ardito, avrei supplicato la Commissione di mutarmi di stanza, ma non seppi mai indurmivi, temendo di far ridere.

Essendo vani tutti i raziocinii, tutti i proponimenti, tutti gli studii, tutte le preghiere, l'orribile idea d'essere totalmente e per sempre abbandonato da Dio s'impadronì di me.

Tutti que' maligni sofismi contro la Provvidenza, che in istato di ragione, poche settimane prima, m'apparivano sì stolti, or vennero a frullarmi nel capo bestialmente, e mi sembrarono attendibili. Lottai contro questa tentazione parecchi dì, poi mi vi abbandonai.

Sconobbi la bontà della religione; dissi, come avea udito dire da rabbiosi atei, e come testé Giuliano scriveami: «La religione non vale ad altro che ad indebolire le menti.» M'arrogai di credere che rinunciando a Dio la mente mi si rinforzerebbe. Forsennata fiducia! Io negava Dio, e non sapea negare gl'invisibili malefici enti che sembravano circondarmi e pascersi de' miei dolori.

Come qualificare quel martirio? Basta egli il dire ch'era una malattia? od era egli, nello stesso tempo, un castigo divino per abbattere il mio orgoglio e farmi conoscere che, senza un lume particolare, io potea divenire incredulo come Giuliano, e più insensato di lui?

Checché ne sia, Dio mi liberò di tanto male quando meno me l'aspettava.

Una mattina, preso il caffè, mi vennero vomiti violenti, e coliche.

Pensai che m'avessero avvelenato. Dopo la fatica de' vomiti, era tutto in sudore, e stetti a letto. Verso mezzogiorno mi addormentai, e dormii placidamente fino a sera.

Mi svegliai, sorpreso di tanta quiete; e, parendomi di non aver più sonno, m'alzai. «Stando alzato» diss'io «sarò più forte contro i soliti terrori.»

Ma i terrori non vennero. Giubilai, e nella piena della mia riconoscenza, tornando a sentire Iddio, mi gettai a terra ad adorarlo e chiedergli perdono d'averlo per più giorni negato. Quell'effusione di gioia esaurì le mie forze, e fermatomi in ginocchio alquanto, appoggiato ad una sedia, fui ripigliato dal sonno, e m'addormentai in quella posizione.

Di lì non so se ad un'ora o più ore, mi desto a mezzo, ma appena ho tempo di buttarmi vestito sul letto, e ridormo sino all'aurora. Fui sonnolento ancor tutto il giorno; la sera mi coricai presto, e dormii l'intera notte. Qual crisi erasi operata in me? Lo ignoro, ma io era guarito.

CAPO XLVII

Cessarono le nausee che pativa da lungo tempo il mio stomaco, cessarono i dolori di capo, e mi venne un appetito straordinario. Io digeriva eccellentemente, e cresceva in forze. Mirabile Provvidenza! ella m'avea tolto le forze per umiliarmi; ella me le rendea perché appressavasi l'epoca delle sentenze, e volea ch'io non soccombessi al loro annunzio.

Addì 24 novembre, uno de' nostri compagni, il dottor Foresti,[1] fu tolto dalle carceri de' Piombi e trasportato non sapevam dove. Il custode, sua moglie ed i secondini erano atterriti; niuno di loro volea darmi luce su questo mistero.

— E che cosa vuol ella sapere, — diceami Tremerello — se nulla v'è

1. Felice Foresti (1793-1858), di Ferrara, era stato arrestato insieme con altri carbonari del Polesine nel 1819. Questo, che fu il primo processo di carbonari nel Lombardo-Veneto, era stato affidato a quella stessa Commissione speciale di Venezia, che poi accrebbe la sua trista fama coi successivi processi Pellico-Maroncelli, e Confalonieri. Durante il processo la condotta del Foresti fu tutt'altro che onorevole. Fece molte rivelazioni per guadagnarsi l'impunità. E invece si ebbe la condanna a morte, commutata in vent'anni di carcere duro. Graziato nel 1835, andò in America. Poi tornò in Italia e morì a Genova.

di buono a sapere? Le ho detto già troppo, le ho detto già troppo.

— Su via, che serve il tacere? — gridai raccapricciando — non v'ho io capito? Egli è dunque condannato a morte?

— Chi?... egli?... il dottor Foresti...

Tremerello esitava; ma la voglia di chiacchierare non era l'infima delle sue virtù.

— Non dica poi che son ciarlone; io non volea proprio aprir bocca su queste cose. Si ricordi che m'ha costretto.

— Sì, sì, v'ho costretto; ma, animo! ditemi tutto. Che n'è del povero Foresti?

— Ah, signore! gli fecero passare il ponte de' Sospiri! egli è nelle carceri criminali! La sentenza di morte è stata letta a lui e a due altri.

— E si eseguirà? quando? Oh miseri! E chi sono gli altri due?

— Non so altro, non so altro. Le sentenze non sono ancora pubblicate. Si dice per Venezia che vi saranno parecchie commutazioni di pena. Dio volesse che la morte non s'eseguisse per nessuno di loro! Dio volesse che, se non son tutti salvi da morte, ella almeno lo fosse! Io ho messo a lei tale affezione... perdoni la libertà... come se fosse un mio fratello!

E se n'andò commosso. Il lettore può pensare in quale agitazione io mi trovassi tutto quel dì, e la notte seguente, e tanti altri giorni, che nulla di più potei sapere.

Durò l'incertezza un mese: finalmente le sentenze relative al primo processo furono pubblicate. Colpivano molte persone, nove delle quali erano condannate a morte,[1] e poi per grazia a carcere duro, quali per vent'anni, quali per quindici (e ne' due casi doveano scontar la pena nella fortezza di Spielberg, presso la città di Brünn in Moravia), quali per dieci anni o meno (ed allora andavano nella fortezza di Lubiana).

L'essere stata commutata la pena a tutti quelli del primo processo, era egli argomento che la morte dovesse risparmiarsi anche a quelli del secondo? Ovvero l'indulgenza sarebbesi usata ai soli primi, perché arrestati prima delle notificazioni che si pubblicarono contro le società secrete, e tutto il rigore cadrebbe sui secondi?

---

1. «La sentenza di questo primo processo fu intimata nell' "interno" della residenza della Commissione il 22 dicembre 1821; e ai 24 dello stesso mese alle ore 12 meridiane seguì la pubblicazione sul palco» (Chiattone). — Le sentenze di morte furono tredici, tutte commutate con il carcere duro.

«La soluzione del dubbio non può esser lontana:» diss'io «sia ringraziato il Cielo, che ho tempo di prevedere la morte e d'apparecchiarmivi.»

## CAPO XLVIII

Era il mio unico pensiero il morire cristianamente e col debito coraggio. Ebbi la tentazione di sottrarmi al patibolo col suicidio, ma questa sgombrò. «Qual merito evvi a non lasciarsi ammazzare da un carnefice, ma rendersi invece carnefice di sé? Per salvar l'onore? E non è una fanciullaggine il credere che siavi più onore nel fare una burla al carnefice, che nel non fargliela, quando pur sia forza morire?» Anche se non fossi stato cristiano, il suicidio, riflettendovi, mi sarebbe sembrato un piacere sciocco, una inutilità.

«Se il termine della mia vita è venuto,» m'andava io dicendo «non sono io fortunato, che sia in guisa da lasciarmi tempo per raccogliermi e purificare la coscienza con desiderii e pentimenti degni d'un uomo? Volgarmente giudicando, l'andare al patibolo è la peggiore delle morti: giudicando da savio, non è dessa migliore delle tante morti che avvengono per malattia, con grande indebolimento d'intelletto, che non lascia più luogo a rialzar l'anima da pensieri bassi?»

La giustezza di tal ragionamento mi penetrò sì forte nello spirito, che l'orror della morte, e di quella specie di morte, si dileguava interamente da me. Meditai molto sui sacramenti che doveano invigorirmi al solenne passo, e mi parea d'essere in grado di riceverli con tali disposizioni da provarne l'efficacia. Quell'altezza d'animo ch'io credea d'avere, quella pace, quell'indulgente affezione verso coloro che m'odiavano, quella gioia di poter sacrificare la mia vita alla volontà di Dio, le avrei io serbate s'io fossi stato condotto al supplizio? Ahi! che l'uomo è pieno di contraddizioni, e quando sembra essere più gagliardo e più santo può cadere fra un istante in debolezza ed in colpa! Se allora io sarei morto degnamente, Dio solo il sa. Non mi stimo abbastanza da affermarlo.

Intanto la verisimile vicinanza della morte fermava su questa idea siffattamente la mia immaginazione, che il morire pareami non solo possibile, ma significato da infallibile presentimento. Niuna speranza d'evitare questo destino penetrava più nel mio cuore, e ad ogni suono di pedate e di chiavi, ad ogni aprirsi della mia porta, io mi dicea: «Coraggio! forse vengono a prendermi per udire la sentenza. Ascoltiamola con dignitosa tranquillità, e benediciamo il Signore.»

Meditai ciò ch'io dovea scrivere per l'ultima volta alla mia famiglia, e partitamente al padre, alla madre, a ciascun dei fratelli, e a ciascuna delle sorelle; e volgendo in mente quelle espressioni d'affetti sì profondi e sì sacri, io m'inteneriva con molta dolcezza, e piangeva, e quel pianto non infiacchiva la mia rassegnata volontà.

Come non sarebbe ritornata l'insonnia? Ma quanto era diversa dalla prima! Non udiva né gemiti né risa nella stanza; non vaneggiava né di spiriti né d'uomini nascosti. La notte m'era più deliziosa del giorno, perché io mi concentrava di più nella preghiera. Verso le quattr'ore io solea mettermi a letto, e dormiva placidamente circa due ore. Svegliatomi, stava in letto tardi per riposare. M'alzava verso le undici.

Una notte, io m'era coricato alquanto prima del solito ed avea dormito appena un quarto d'ora, quando, ridesto, m'apparve un'immensa luce nella parete in faccia a me. Temetti d'esser ricaduto ne' passati delirii; ma ciò ch'io vedeva non era un'illusione. Quella luce veniva dal finestruolo a tramontana, sotto il quale io giaceva.

Balzo a terra, prendo il tavolino, lo metto sul letto, vi sovrappongo una sedia, ascendo; — e veggo uno de' più belli e terribili spettacoli di fuoco, ch'io potessi immaginarmi.

Era un grande incendio, a un tiro di schioppo dalle nostre carceri. Prese alla casa ov'erano i forni pubblici, e la consumò.

La notte era oscurissima, e tanto più spiccavano que' vasti globi di fiamme e di fumo, agitati com'erano da furioso vento. Volavano scintille da tutte le parti, e sembrava che il cielo le piovesse. La vicina laguna rifletteva l'incendio. Una moltitudine di gondole andava e veniva. Io m'immaginava lo spavento ed il pericolo di quelli che abitavano nella casa incendiata e nelle vicine, e li compiangeva. Udiva lontane voci d'uomini e donne che si chiamavano: — Tognina! Momolo! Beppo! Zanze! — Anche il nome di Zanze mi sonò all'orecchio! Ve ne sono migliaia a Venezia; eppure io temeva che potesse essere quell'una, la cui memoria m'era sì soave! «Fosse mai là quella sciagurata? e circondata forse dalle fiamme? Oh potessi scagliarmi a liberarla!»

Palpitando, raccapricciando, ammirando, stetti sino all'aurora
a quella finestra; poi discesi oppresso da tristezza mortale, figuran-
domi molto più danno che non era avvenuto. Tremerello mi disse
non essere arsi se non i forni e gli annessi magazzini, con grande
quantità di sacchi di farina.

## CAPO XLIX

La mia fantasia era ancora vivamente colpita dall'aver veduto
quell'incendio, allorché, poche notti appresso — io non era ancora
andato a letto, e stava al tavolino studiando, e tutto intirizzito dal
freddo —, ecco voci poco lontane: erano quelle del custode, di sua
moglie, de' loro figli, de' secondini: — *Il fogo! il fogo! Oh beata
Vergine! oh noi perdui!*

Il freddo mi cessò in un istante: balzai tutto sudato in piedi, e
guardai intorno se già si vedevano fiamme. Non se ne vedevano.

L'incendio per altro era nel palazzo stesso, in alcune stanze
d'ufficio vicine alle carceri.

Uno de' secondini gridava: — *Ma, sior paron, cossa faremo de
sti siori ingabbiai, se el fogo s'avanza?*

Il custode rispondeva: — *Mi no gh'ho cor de lassarli abbrustolar.
Eppur no se po averzer[1] le preson, senza el permesso de la Commis-
sion. Anemo, digo, corrè dunque a dimandar sto permesso.*

— *Vado de botto, sior, ma la risposta no sarà miga in tempo, sala.[2]*

E dov'era quella eroica rassegnazione ch'io teneami così sicuro di
possedere, pensando alla morte? Perché l'idea di bruciar vivo mi
mettea la febbre? Quasiché ci fosse maggior piacere a lasciarsi
stringer la gola che a bruciare! Pensai a ciò, e mi vergognai della
mia paura; stava per gridare al custode che per carità m'aprisse,
ma mi frenai. Nondimeno io avea paura.

«Ecco,» diss'io «qual sarà il mio coraggio, se scampato dal fuoco
verrò condotto a morte! Mi frenerò, nasconderò altrui la mia viltà,
ma tremerò. Se non che... non è egli pure coraggio l'operare come
se non si sentissero tremiti, e sentirli? Non è egli generosità lo
sforzarsi di dar volentieri ciò che rincresce di dare? Non è egli
obbedienza l'obbedire ripugnando?»

Il trambusto nella casa del custode era sì forte, che indicava un

---

1. *averzer*: aprire.  2. *sala*: sa (sa ella).

pericolo sempre crescente. Ed il secondino ito a chiedere la permissione di trarci di que' luoghi, non ritornava! Finalmente sembrommi d'intendere la sua voce. Ascoltai, e non distinsi le sue parole. Aspetto, spero; indarno! nessun viene. Possibile che non siasi conceduto di traslocarci in salvo dal fuoco? E se non ci fosse più modo di scampare? E se il custode e la sua famiglia stentassero a mettere in salvo se medesimi, e nessuno più pensasse ai poveri *ingabbiai*?

«Tant'è,» ripigliava io «questa non è filosofia, questa non è religione! Non farei io meglio d'apparecchiarmi a veder le fiamme entrare nella mia stanza e divorarmi?»

Intanto i romori scemavano. A poco a poco non udii più nulla. «È questo prova esser cessato l'incendio? Ovvero tutti quelli che poterono sarann'essi fuggiti, e non rimangono più qui se non le vittime abbandonate a sì crudel fine?»

La continuazione del silenzio mi calmò: conobbi che il fuoco doveva essere spento.

Andai a letto, e mi rimproverai come viltà l'affanno sofferto; ed or che non si trattava più di bruciare, m'increbbe di non esser bruciato, piuttosto che avere fra pochi giorni ad essere ucciso dagli uomini.

La mattina seguente intesi da Tremerello qual fosse stato l'incendio, e risi della paura ch'ei mi disse aver avuta; quasi che la mia non fosse stata eguale o maggiore della sua.

CAPO L

Addì 11 gennaio (1822), verso le 9 del mattino, Tremerello coglie un'occasione per venire da me, e tutto agitato mi dice:

— Sa ella che nell'isola di San Michele di Murano, qui poco lontano da Venezia, v'è una prigione dove sono forse più di cento carbonari?

— Me l'avete già detto altre volte. Ebbene... che volete dire?... Su, parlate. Havvene forse di condannati?

— Appunto.

— Quali?

— Non so.

— Vi sarebbe mai il mio infelice Maroncelli?

— Ah signore! non so, non so chi vi sia.

Ed andossene turbato, e guardandomi con atti di compassione. Poco appresso viene il custode, accompagnato da' secondini e da un uomo ch'io non avea mai veduto. Il custode parea confuso. L'uomo nuovo prese la parola:

— Signore, la Commissione ha ordinato ch'ella venga con me.

— Andiamo, dissi; e voi dunque chi siete?

— Sono il custode delle carceri di San Michele, dov'ella dev'essere tradotta.

Il custode de' Piombi consegnò a questo i denari miei, ch'egli avea nelle mani. Dimandai ed ottenni la permissione di far qualche regalo a' secondini. Misi in ordine la mia roba, presi la Bibbia sotto il braccio, e partii. Scendendo quelle infinite scale, Tremerello mi strinse furtivamente la mano; parea voler dirmi: — Sciagurato! tu sei perduto.

Uscimmo da una porta che mettea sulla laguna; e quivi era una gondola con due secondini del nuovo custode.

Entrai in gondola, ed opposti sentimenti mi commoveano: — un certo rincrescimento d'abbandonare il soggiorno dei Piombi, ove molto avea patito, ma ove pure io m'era affezionato ad alcuno, ed alcuno erasi affezionato a me, — il piacere di trovarmi, dopo tanti mesi di reclusione, all'aria aperta, di vedere il cielo e la città e le acque, senza l'infausta quadratura delle inferriate, — il ricordarmi la lieta gondola che in tempo tanto migliore mi portava per quella laguna medesima, e le gondole del lago di Como e quelle del lago Maggiore, e le barchette del Po, e quelle del Rodano e della Sonna!...[1] Oh ridenti anni svaniti! E chi era stato, al mondo, felice al pari di me?

Nato da' più amorevoli parenti, in quella condizione che non è povertà, e che avvicinandoti quasi egualmente al povero ed al ricco t'agevola il vero conoscimento de' due stati — condizione ch'io reputo la più vantaggiosa per coltivare gli affetti —; io, dopo un'infanzia consolata da dolcissime cure domestiche, era passato a Lione presso un vecchio cugino materno, ricchissimo e degnissimo delle sue ricchezze, ove tutto ciò che può esservi d'incanto per un cuore bisognoso d'eleganza e d'amore avea deliziato il primo fervore della mia gioventù: di lì tornato in Italia, e domi-

---

1. *Sonna,* italianizzamento di Saône, affluente del Rodano, che l'accoglie presso Lione, dove il Pellico dimorò giovinetto, ospite del cugino De Rubod.

ciliato co' genitori a Milano, avea proseguito a studiare ed amare la società ed i libri, non trovando che amici egregi, e lusinghevole plauso. Monti e Foscolo, sebbene avversarii fra loro, m'erano benevoli egualmente. M'affezionai più a quest'ultimo; e siffatto iracondo uomo, che colle sue asprezze provocava tanti a disamarlo, era per me tutto dolcezza e cordialità, ed io lo riveriva teneramente. Gli altri letterati d'onore m'amavano anch'essi, com'io li riamava. Niuna invidia, niuna calunnia m'assalì mai, od almeno erano di gente sì screditata che non potea nuocere. Alla caduta del regno d'Italia, mio padre avea riportato il suo domicilio a Torino, col resto della famiglia, ed io, procrastinando di raggiungere sì care persone, avea finito per rimanermi a Milano, ove tanta felicità mi circondava, da non sapermi indurre ad abbandonarla.

Fra altri ottimi amici, tre, in Milano, predominavano sul mio cuore, D. Pietro Borsieri, Monsign. Lodovico di Breme, ed il conte Luigi Porro Lambertenghi. Vi s'aggiunse in appresso il conte Federigo Confalonieri.[1] Fattomi educatore di due bambini di Porro, io era a quelli come un padre, ed al loro padre come un fratello. In quella casa affluiva tutto ciò non solo che avea di più colto la città, ma copia di ragguardevoli viaggiatori. Ivi conobbi la Staël, Schlegel, Davis, Byron, Hobhouse, Brougham,[2] e molti altri illustri di varie parti d'Europa. Oh quanto rallegra, e quanto stimola ad ingentilirsi, la conoscenza degli uomini di merito! Sì, io era felice! io non avrei mutata la mia sorte con quella d'un principe! —

1. Il conte Federico Confalonieri (1785-1846) fu per il suo rango e per il suo processo la figura più cospicua del liberalismo lombardo. Arrestato nel 1821 quale promotore di un'insurrezione che doveva secondare i moti piemontesi, la condanna a morte gli fu a stento commutata nel carcere duro perpetuo. Fu poi graziato nel 1836, e deportato in America. Rientrò a Milano nel 1840. 2. Madame de Staël (1766-1817) godeva di molte simpatie nella società milanese, e il Pellico poté conoscerla nel giugno 1817; egli era naturalmente un grande ammiratore della scrittrice, che amava molto l'Italia e che col suo famoso libro *De l'Allemagne* aveva dato un contributo decisivo alla diffusione e al trionfo del Romanticismo. — Il *Corso di letteratura drammatica* di Augusto Guglielmo Schlegel (1767-1845) aveva allora grande diffusione in tutta l'Europa, e si può considerare come uno dei testi fondamentali del Romanticismo. — Humphry Davy (1778-1829), e non Davis come scrisse il Pellico, era un celebre chimico inglese, inventore della lampada di sicurezza per i minatori. — Giorgio Byron (1788-1824) era allora popolarissimo in Italia e vi dimorò a lungo, specie a Venezia. — Giovanni Hobhouse (1786-1869), letterato inglese, era venuto in Italia nel 1816 insieme col Byron, di cui era amico. — Il barone Enrico Brougham (1778-1868) era un noto esponente del liberalismo inglese.

E da sorte sì gioconda balzare tra sgherri, passare di carcere in carcere, e finire per essere strozzato, o perire nei ceppi!

CAPO LI

Volgendo tai pensieri, giunsi a San Michele, e fui chiuso in una stanza che avea la vista d'un cortile, della laguna e della bella isola di Murano. Chiesi di Maroncelli al custode, alla moglie sua, a quattro secondini. Ma mi faceano visite brevi e piene di diffidenza, e non voleano dirmi niente.

Nondimeno, dove son cinque o sei persone egli è difficile che non se ne trovi una vogliosa di compatire e di parlare. Io trovai tal persona, e seppi quanto segue:

Maroncelli, dopo essere stato lungamente solo, era stato messo col conte Camillo Laderchi: quest'ultimo era uscito di carcere, da pochi giorni, come innocente, ed il primo tornava ad esser solo.[1] De' nostri compagni erano anche usciti, come innocenti, il professor Gian-Domenico Romagnosi, ed il conte Giovanni Arrivabene.[2] Il capitano Rezia ed il signor Canova erano insieme. Il professor Ressi giacea moribondo, in un carcere vicino a quello di questi due.[3]

1. In realtà il Laderchi non era del tutto innocente, e aveva avuto parte nello stesso tentativo del Pellico e del Maroncelli. Ma era stato prosciolto dalla Commissione di prima istanza e se ne era tornato in Romagna. Quivi era stato di nuovo arrestato dalla polizia pontificia e consegnato temporaneamente all'Austria, non per essere giudicato, ma solo per essere escusso quale testimonio. Questo però il Pellico non lo sapeva, e lo ignorava lo stesso Laderchi. Il quale in questo processo fece alcune rivelazioni e provocò anche l'arresto del suo maestro, il prof. Adeodato Ressi. Il Laderchi divenne poi giurista e professore assai riputato, e fu anche amico del Manzoni. Morì in età avanzata nel 1867.   2. Gian Domenico Romagnosi, insigne filosofo e giurista, nato nel 1761, era stato maestro dello stesso Salvotti, il giudice inquirente. Professava princìpi liberali e aveva scritto nel «Conciliatore»; ma non si era affiliato alla Carboneria. Fu assolto soprattutto in virtù della sua magistrale autodifesa; ma il governo austriaco gli vietò l'insegnamento e non cessò dal perseguitarlo. Morì povero e desolato nel 1836. — Il conte G. Arrivabene (1787-1877), di Mantova, fu prosciolto per insufficienza di prove. Per maggior sicurezza si trasferì in Svizzera, poi a Parigi e a Bruxelles. Nel 1824 fu condannato a morte in contumacia. Morì nel 1877, senatore del regno.   3. Alfredo Rezia (1786-1865) aveva militato come capitano di artiglieria sotto Napoleone, e alla caduta del Regno italico si era ritirato a vita privata. Accusato di omessa denunzia, fu condannato al carcere duro a vita. La pena gli venne ridotta a tre anni da scontare a Lubiana. — Angelo Canova (1781-1854), torinese, era un attore della compagnia Marchionni. S'era trovato affiliato

— Di quelli che non sono usciti, — diss'io — le condanne son dunque venute. E che s'aspetta a palesarcele? Forse che il povero Ressi muoia, o sia in grado d'udire la sentenza, non è vero?

— Credo di sì.

Tutti i giorni io dimandava dell'infelice.

— Ha perduto la parola; — l'ha riacquistata, ma vaneggia e non capisce; — dà pochi segni di vita; — sputa sovente sangue, e vaneggia ancora; — sta peggio; — sta meglio; — è in agonia.

Tali risposte mi si diedero per più settimane. Finalmente una mattina mi si disse: — È morto!

Versai una lagrima per lui, e mi consolai pensando ch'egli aveva ignorata la sua condanna!

Il dì seguente, 21 febbraio (1822), il custode viene a prendermi: erano le dieci antimeridiane. Mi conduce nella sala della Commissione, e si ritira. Stavano seduti, e si alzarono, il presidente, l'inquisitore e i due giudici assistenti.

Il presidente, con atto di nobile commiserazione, mi disse che la sentenza era venuta, e che il giudizio era stato terribile, ma già l'Imperatore l'aveva mitigato.

L'inquisitore mi lesse la sentenza: — Condannato a morte. — Poi lesse il rescritto imperiale: — La pena è commutata in quindici anni di carcere duro, da scontarsi nella fortezza di Spielberg.

Risposi: — Sia fatta la volontà di Dio!

E mia intenzione era veramente di ricevere da cristiano questo orrendo colpo, e non mostrare né nutrire risentimento contro chicchessia.

Il presidente lodò la mia tranquillità, e mi consigliò a serbarla sempre, dicendomi che da questa tranquillità potea dipendere l'essere forse, fra due o tre anni, creduto meritevole di maggior grazia. (Invece di due o tre, furono poi molti di più.)

Anche gli altri giudici mi volsero parole di gentilezza e di spe-

alla Carboneria senza rendersi perfettamente conto di che si trattasse. Era assolutamente estraneo alla politica. Fu condannato al carcere duro a vita, ridotto a cinque anni. Ne scontò solo la metà, e tornò alle scene. — Il conte Adeodato Ressi, nato a Cervia nel 1768, era stato deputato ai Comizi di Lione e membro del Corpo legislativo del Regno italico. Nel '20 era professore di economia politica e Rettore dell'Università di Pavia. Era un patriota, ma non era carbonaro. Solo per non aver denunziato il suo prediletto discepolo Camillo Laderchi, fu condannato al carcere duro a vita, con riduzione della pena a cinque anni. Morì a San Michele, come qui dice il Pellico.

ranza. Ma uno di loro che nel processo m'era ognora sembrato molto ostile, mi disse alcun che di cortese che pur pareami pungente; e quella cortesia giudicai che fosse smentita dagli sguardi, ne' quali avrei giurato essere un riso di gioia e d'insulto.[1]

Or non giurerei più che fosse così: posso benissimo essermi ingannato. Ma il sangue allora mi si rimescolò, e stentai a non prorompere in furore. Dissimulai, e mentre ancora mi lodavano della mia cristiana pazienza, io già l'aveva in segreto perduta.

— Dimani — disse l'inquisitore — ci rincresce di doverle annunciare la sentenza in pubblico; ma è formalità impreteribile.

— Sia pure — dissi.

— Da quest'istante le concediamo — soggiunse — la compagnia del suo amico.

E chiamato il custode, mi consegnarono di nuovo a lui, dicendogli che fossi messo con Maroncelli.

CAPO LII

Qual dolce istante fu per l'amico e per me il rivederci, dopo un anno e tre mesi di separazione e di tanti dolori! Le gioie dell'amicizia ci fecero quasi dimenticare per alcuni istanti la condanna.

Mi strappai nondimeno tosto dalle sue braccia, per prendere la penna e scrivere a mio padre. Io bramava ardentemente che l'annuncio della mia triste sorte giungesse alla famiglia da me, piuttosto che da altri, affinché lo strazio di quegli amati cuori venisse temperato dal mio linguaggio di pace e di religione. I giudici mi promisero di spedir subito quella lettera.

Dopo ciò Maroncelli mi parlò del suo processo, ed io del mio, ci confidammo parecchie carcerarie peripezie, andammo alla finestra, salutammo tre altri amici ch'erano alle finestre loro: due erano Canova e Rezia, che trovavansi insieme, il primo condannato a sei anni di carcere duro ed il secondo a tre; il terzo era il dottor Cesare Armari,[2] che ne' mesi precedenti era stato mio

1. Sembra certo che il Pellico volesse qui alludere al Salvotti. Anche più avanti, al cap. LIV, la «malizia infernale» e il «raffinamento di barbarie» non possono logicamente riferirsi se non all'inquisitore, e cioè al Salvotti.
2. Era stato arrestato un anno prima del Pellico. Assolto per insufficienza di prove, fu perpetuamente esiliato da tutti gli stati austriaci.

vicino ne' Piombi. Questi non aveva avuto alcuna condanna, ed uscì poi dichiarato innocente.

Il favellare cogli uni e cogli altri fu piacevole distrazione per tutto il dì e tutta la sera. Ma andati a letto, spento il lume, e fatto silenzio, non mi fu possibile dormire, la testa ardevami, ed il cuore sanguinava, pensando a casa mia. — Reggerebbero i miei vecchi genitori a tanta sventura? Basterebbero gli altri lor figli a consolarli? Tutti erano amati quanto io, e valeano più di me; ma un padre ed una madre trovano essi mai, ne' figli che lor restano, un compenso per quello che pèrdono?

Avessi solo pensato a' congiunti ed a qualche altra diletta persona! La lor ricordanza m'affliggeva e m'inteneriva. Ma pensai anche al creduto riso di gioia e d'insulto di quel giudice, al processo, al perché delle condanne, alle passioni politiche, alla sorte di tanti miei amici ... e non seppi più giudicare con indulgenza alcuno dei miei avversarii. Iddio mi metteva in una gran prova! Mio debito sarebbe stato di sostenerla con virtù. Non potei! non volli! La voluttà dell'odio mi piacque più del perdono: passai una notte d'inferno.

Il mattino, non pregai. L'universo mi pareva opera d'una potenza nemica del bene. Altre volte era già stato così calunniatore di Dio; ma non avrei creduto di ridivenirlo, e ridivenirlo in poche ore! Giuliano ne' suoi massimi furori non poteva essere più empio di me. Ruminando pensieri di odio, principalmente quand'uno è percosso da somma sventura, la quale dovrebbe renderlo vieppiù religioso, foss'egli anche stato giusto, diventa iniquo. Sì, foss'egli anche stato giusto; perocché non si può odiare senza superbia. E chi sei tu, o misero mortale, per pretendere che niuno tuo simile ti giudichi severamente? per pretendere che niuno ti possa far male di buona fede, credendo d'operare con giustizia? per lagnarti, se Dio permette che tu patisca piuttosto in un modo che in un altro?

Io mi sentiva infelice di non poter pregare; ma ove regna superbia, non rinviensi altro Dio che sé medesimo.

Avrei voluto raccomandare ad un supremo soccorritore i miei desolati parenti, e più in lui non credeva.

### CAPO LIII

Alle 9 antimeridiane, Maroncelli ed io fummo fatti entrare in gondola, e ci condussero in città. Approdammo al palazzo del Doge, e salimmo alle carceri. Ci misero nella stanza ove pochi giorni prima era il signor Caporali; ignoro ove questi fosse stato tradotto. Nove o dieci sbirri sedeano a farci guardia, e noi passeggiando aspettavamo l'istante di esser tratti in piazza. L'aspettazione fu lunga. Comparve soltanto a mezzodì l'inquisitore, ad annunciarci che bisognava andare. Il medico si presentò, suggerendoci di bere un bicchierino d'acqua di menta; accettammo, e fummo grati, non tanto di questa, quanto della profonda compassione che il buon vecchio ci dimostrava. Era il dottor Dosmo. S'avanzò quindi il capo-sbirro, e ci pose le manette. Seguimmo lui, accompagnati dagli altri sbirri.

Scendemmo la magnifica scala *de' giganti*, ci ricordammo del doge Marin Faliero, ivi decapitato,[1] entrammo nel gran portone che dal cortile del palazzo mette sulla piazzetta, e qui giunti voltammo verso la laguna. A mezzo della piazzetta era il palco, ove dovemmo salire. Dalla scala *de' giganti* fino a quel palco stavano due file di soldati tedeschi; passammo in mezzo ad esse.

Montati là sopra, guardammo intorno, e vedemmo in quell'immenso popolo il terrore. Per varie parti in lontananza schieravansi altri armati. Ci fu detto, esservi i cannoni colle micce accese dappertutto.

Ed era quella piazzetta, ove nel settembre 1820, un mese prima del mio arresto, un mendico aveami detto: — Questo è luogo di disgrazia!

Sovvènnemi di quel mendico, e pensai: «Chi sa, che in tante migliaia di spettatori non siavi anch'egli, e forse mi ravvisi?»

Il capitano tedesco gridò che ci volgessimo verso il palazzo e guardassimo in alto. Obbedimmo, e vedemmo sulla loggia un curiale con una carta in mano. Era la sentenza. La lesse con voce elevata.

Regnò profondo silenzio sino all'espressione: *condannati a morte.* Allora s'alzò un generale mormorìo di compassione. Successe nuovo

---

1. Il doge Marin Faliero, reo di aver congiurato per rovesciare la Repubblica, fu decapitato nel 1355; ma non al sommo della scala dei Giganti.

silenzio per udire il resto della lettura. Nuovo mormorìo s'alzò all'espressione: *condannati a carcere duro, Maroncelli per vent'anni, e Pellico per quindici.*

Il capitano ci fe' cenno di scendere. Gettammo un'altra volta lo sguardo intorno, e scendemmo. Rientrammo nel cortile, risalimmo lo scalone, tornammo nella stanza donde eravamo stati tratti, ci tolsero le manette, indi fummo ricondotti a San Michele.

CAPO LIV

Quelli ch'erano stati condannati avanti noi, erano già partiti per Lubiana e per lo Spielberg, accompagnati da un commissario di polizia. Ora aspettavasi il ritorno del medesimo commissario, perché conducesse noi al destino nostro. Questo intervallo durò un mese.

La mia vita era allora di molto favellare ed udir favellare, per distrarmi. Inoltre Maroncelli mi leggeva le sue composizioni letterarie, ed io gli leggeva le mie. Una sera lessi dalla finestra l'*Ester d'Engaddi* a Canova, Rezia ed Armari; e la sera seguente l'*Iginia d'Asti.*

Ma la notte io fremeva e piangeva, e dormiva poco o nulla.

Bramava, e paventava ad un tempo, di sapere come la notizia del mio infortunio fosse stata ricevuta da' miei parenti.

Finalmente venne una lettera di mio padre. Qual fu il mio dolore, vedendo che l'ultima da me direttagli non gli era stata spedita subito, come io avea tanto pregato l'inquisitore! L'infelice padre, lusingatosi sempre che sarei uscito senza condanna, presa un giorno la *Gazzetta di Milano*, vi trovò la mia sentenza! Egli stesso mi narrava questo crudele fatto, e mi lasciava immaginare quanto l'anima sua ne rimanesse straziata.

Oh come, insieme all'immensa pietà che sentii di lui, della madre, e di tutta la famiglia, arsi di sdegno, perché la lettera mia non fosse stata sollecitamente spedita! Non vi sarà stata malizia in questo ritardo, ma io la supposi infernale; io credetti di scorgervi un raffinamento di barbarie, un desiderio che il flagello avesse tutta la gravezza possibile anche per gl'innocenti miei congiunti. Avrei voluto poter versare un mare di sangue, per punire questa sognata inumanità.

Or che giudico pacatamente, non la trovo verisimile. Quel ritardo non nacque, senza dubbio, da altro che da noncuranza.

Furibondo qual io era, fremetti udendo che i miei compagni
si proponeano di far la Pasqua prima di partire, e sentii ch'io non
dovea farla, stante la niuna mia volontà di perdonare. Avessi
dato questo scandalo!

CAPO LV

Il commissario giunse alfine di Germania, e venne a dirci che fra
due giorni partiremmo.

— Ho il piacere — soggiunse — di poter dar loro una consolazione. Tornando dallo Spielberg, vidi a Vienna S. M. l'Imperatore, il
quale mi disse che i giorni di pena di lor signori vuol valutarli
non di 24 ore, ma di 12. Con questa espressione intende significare che la pena è dimezzata.

Questo dimezzamento non ci venne poi mai annunziato official-
mente, ma non v'era alcuna probabilità che il commissario men-
tisse; tanto più che non ci diede già quella nuova in segreto, ma
conscia la Commissione.

Io non seppi neppur rallegrarmene. Nella mia mente erano
poco meno orribili sett'anni e mezzo di ferri, che quindici anni.
Mi pareva impossibile di vivere sì lungamente.

La mia salute era di nuovo assai misera. Pativa dolori di petto
gravi, con tosse, e credea lesi i polmoni. Mangiava poco, e quel
poco nol digeriva.

La partenza fu nella notte tra il 25 ed il 26 marzo. Ci fu permesso d'abbracciare il dottor Cesare Armari nostro amico. Uno
sbirro c'incatenò trasversalmente la mano destra ed il piede sinistro,
affinché ci fosse impossibile fuggire. Scendemmo in gondola, e
le guardie remigarono verso Fusina.

Ivi giunti, trovammo allestiti due legni. Montarono Rezia e
Canova nell'uno; Maroncelli ed io nell'altro. In uno dei legni era
co' due prigioni il commissario, nell'altro un sottocommissario
cogli altri due. Compivano il convoglio sei o sette guardie di polizia, armate di schioppo e sciabola, distribuite parte dentro i legni,
parte sulla cassetta del vetturino.

Essere costretto da sventura ad abbandonare la patria è sempre
doloroso, ma abbandonarla incatenato, condotto in climi orrendi,
destinato a languire per anni fra sgherri, è cosa sì straziante che
non v'ha termini per accennarla!

Prima di varcare le Alpi, vieppiù mi si facea cara d'ora in ora la mia nazione, stante la pietà che dappertutto ci dimostravano quelli che incontravamo. In ogni città, in ogni villaggio, per ogni sparso casolare, la notizia della nostra condanna essendo già pubblica da qualche settimana, eravamo aspettati. In parecchi luoghi, i commissarii e le guardie stentavano a dissipare la folla che ne circondava. Era mirabile il benevolo sentimento che veniva palesato a nostro riguardo.

In Udine ci accadde una commovente sorpresa. Giunti alla locanda, il commissario fece chiudere la porta del cortile e respingere il popolo. Ci assegnò una stanza, e disse ai camerieri che ci portassero da cena e l'occorrente per dormire. Ecco un istante appresso entrare tre uomini, con materassi sulle spalle. Qual è la nostra meraviglia, accorgendoci che solo uno di loro è al servizio della locanda, e che gli altri sono due nostri conoscenti! Fingemmo d'aiutarli a por giù i materassi, e toccammo loro furtivamente la mano. Le lagrime sgorgavano dal cuore ad essi ed a noi. Oh quanto ci fu penoso di non poterle versare tra le braccia gli uni degli altri!

I commissarii non s'avvidero di quella pietosa scena, ma dubitai che una delle guardie penetrasse il mistero, nell'atto che il buon Dario[1] mi stringeva la mano. Quella guardia era un veneto. Mirò in volto Dario e me, impallidì, sembrò tentennare se dovesse alzar la voce, ma tacque, e pose gli occhi altrove, dissimulando. Se non indovinò che quelli erano amici nostri, pensò almeno che fossero camerieri di nostra conoscenza.

## CAPO LVI

Il mattino partivamo d'Udine, ed albeggiava appena: quell'affettuoso Dario era già nella strada, tutto mantellato; ci salutò ancora, e ci seguì lungo tempo. Vedemmo anche una carrozza venirci dietro per due o tre miglia. In essa qualcheduno facea sventolare un fazzoletto. Alfine retrocesse. Chi sarà stato? Lo supponemmo.[2]

---

1. Era Dario Cappelli, fiorentino, attore della compagnia Marchionni, che allora si trovava a Udine. Il suo compagno era verisimilmente un altro attore.  2. Erano la famosa attrice Carlotta Marchionni, di cui era innamorato il povero Maroncelli, e la Gegia, l'«adorata Gegina», che il Pellico avrebbe voluto sposare, Teresa Bartolozzi, cugina di Carlotta e briosissima attrice della stessa compagnia.

Oh Iddio benedica tutte le anime generose che non s'adontano d'amare gli sventurati! Ah, tanto più le apprezzo, dacché, negli anni della mia calamità, ne conobbi pur di codarde, che mi rinnegarono e credettero vantaggiarsi ripetendo improperii contro di me. Ma quest'ultime furono poche, ed il numero delle prime non fu scarso.

M'ingannava, stimando che quella compassione che trovavamo in Italia dovesse cessare laddove fossimo in terra straniera. Ah il buono è sempre compatriota degl'infelici! Quando fummo in paesi illirici e tedeschi avveniva lo stesso che ne' nostri. Questo gemito era universale: *arme Herren!* (poveri signori!).

Talvolta, entrando in qualche paese, le nostre carrozze erano obbligate di fermarsi, avanti di decidere ove s'andasse ad alloggiare. Allora la popolazione si serrava intorno a noi, ed udivamo parole di compianto che veramente prorompevano dal cuore. La bontà di quella gente mi commoveva più ancora di quella de' miei connazionali. Oh come io era riconoscente a tutti! Oh quanto è soave la pietà de' nostri simili! Quanto è soave l'amarli!

La consolazione ch'io indi traea, diminuiva persino i miei sdegni contro coloro ch'io nomava miei nemici.

«Chi sa,» pensavo io «se vedessi da vicino i loro volti, e se essi vedessero me, e se potessi leggere nelle anime loro, ed essi nella mia, chi sa ch'io non fossi costretto a confessare non esservi alcuna scelleratezza in loro; ed essi, non esservene alcuna in me! Chi sa che non fossimo costretti a compatirci a vicenda e ad amarci!»

Pur troppo sovente gli uomini s'abborrono, perché reciprocamente non si conoscono; e se scambiassero insieme qualche parola, uno darebbe fiducialmente il braccio all'altro.

Ci fermammo un giorno a Lubiana, ove Canova e Rezia furono divisi da noi e condotti nel castello; è facile immaginarsi quanto questa separazione fosse dolorosa per tutti quattro.

La sera del nostro arrivo a Lubiana ed il giorno seguente, venne a farci cortese compagnia un signore che ci dissero, se io bene intesi, essere un segretario municipale. Era molto umano, e parlava affettuosamente e dignitosamente di religione. Dubitai che fosse un prete: i preti in Germania sogliono vestire affatto come secolari. Era di quelle facce sincere che ispirano stima: m'increbbe di non poter fare più lunga conoscenza con lui, e m'increse d'avere avuto la storditezza di dimenticare il suo nome.

Quanto dolce mi sarebbe anche di sapere il tuo nome, o giovinetta, che in un villaggio della Stiria ci seguisti in mezzo alla
turba; e poi, quando la nostra carrozza dovette fermarsi alcuni
minuti, ci salutasti con ambe le mani, indi partisti col fazzoletto
agli occhi, appoggiata al braccio d'un garzone mesto, che alle
chiome biondissime parea tedesco, ma che forse era stato in Italia,
ed avea preso amore alla nostra infelice nazione!

Quanto dolce mi sarebbe di sapere il nome di ciascuno di voi, o
venerandi padri e madri di famiglia, che in diversi luoghi vi ac-
costaste a noi per dimandarci se avevamo genitori, ed intendendo che sì, impallidivate, esclamando: — Oh, restituiscavi presto
Iddio a que' miseri vecchi!

CAPO LVII

Arrivammo al luogo della nostra destinazione il 10 di aprile.

La città di Brünn è capitale della Moravia, ed ivi risiede il governatore delle due provincie di Moravia e Slesia. È situata in una
valle ridente, ed ha un certo aspetto di ricchezza. Molte manifatture
di panni prosperavano ivi allora, le quali poscia decaddero; la
popolazione era di circa 30 mila anime.

Accosto alle sue mura, a ponente, s'alza un monticello, e sovr'esso
siede l'infausta rocca di Spielberg, altre volte reggia de' signori
di Moravia, oggi il più severo ergastolo della monarchia austriaca.
Era cittadella assai forte, ma i Francesi la bombardarono e presero
a' tempi della famosa battaglia d'Austerlitz[1] (il villaggio d'Austerlitz è a poca distanza). Non fu più ristaurata da poter servire
di fortezza, ma si rifece una parte della cinta, ch'era diroccata.
Cìrca trecento condannati, per lo più ladri ed assassini, sono ivi
custoditi, quali a carcere *duro*, quali a *durissimo*.

Il carcere *duro* significa essere obbligati al lavoro,[2] portare la
catena ai piedi, dormire su nudi tavolacci, e mangiare il più povero
cibo immaginabile. Il *durissimo* significa essere incatenati più orribilmente, con una cerchia di ferro intorno a' fianchi, e la catena
infitta nel muro in guisa che appena si possa camminare rasente
il tavolaccio che serve di letto: il cibo è lo stesso, quantunque la
legge dica: *pane ed acqua*.

1. La battaglia di Austerlitz era stata vinta da Napoleone nel 1805.   2. Il
lavoro consisteva nel segar legna, nel preparare filacce e nel far calze di lana.

Noi, prigionieri di Stato, eravamo condannati al carcere duro.

Salendo per l'erta di quel monticello, volgevamo gli occhi indietro per dire addio al mondo, incerti se il baratro che vivi c'ingoiava si sarebbe più schiuso per noi. Io era pacato esteriormente, ma dentro di me ruggiva. Indarno volea ricorrere alla filosofia per acquetarmi; la filosofia non avea ragioni sufficienti per me.

Partito di Venezia in cattiva salute, il viaggio m'avea stancato miseramente. La testa e tutto il corpo mi dolevano: ardea dalla febbre. Il male fisico contribuiva a tenermi iracondo, e probabilmente l'ira aggravava il male fisico.

Fummo consegnati al soprintendente dello Spielberg, ed i nostri nomi vennero da questo inscritti fra i nomi de' ladroni. Il commissario imperiale ripartendo ci abbracciò, ed era intenerito;

— Raccomando a lor signori particolarmente la docilità: — diss'egli — la minima infrazione alla disciplina può venir punita dal signor soprintendente con pene severe.

Fatta la consegna, Maroncelli ed io fummo condotti in un corridoio sotterraneo, dove ci s'apersero due tenebrose stanze non contigue. Ciascuno di noi fu chiuso nel suo covile.

### CAPO LVIII

Acerbissima cosa, dopo aver già detto addio a tanti oggetti, quando non si è più che in due amici, egualmente sventurati, ah sì! acerbissima cosa il dividersi! Maroncelli nel lasciarmi vedeami infermo, e compiangeva in me un uomo ch'ei probabilmente non vedrebbe mai più: io compiangea in lui un fiore splendido di salute, rapito forse per sempre alla luce vitale del sole. E quel fiore infatti oh come appassì! Rivide un giorno la luce, ma oh in quale stato!

Allorché mi trovai solo in quell'orrido antro, e intesi serrarsi i catenacci, e distinsi, al barlume che discendeva da alto finestruolo, il nudo pancone datomi per letto, ed una enorme catena al muro, m'assisi fremente su quel letto, e, presa quella catena, ne misurai la lunghezza, pensando fosse destinata per me.

Mezz'ora dappoi, ecco stridere le chiavi; la porta s'apre: il capocarceriere mi portava una brocca d'acqua.

— Questo è per bere; — disse con voce burbera — e domattina porterò la pagnotta.

— Grazie, buon uomo.

— Non sono buono — riprese.

— Peggio per voi — gli dissi sdegnato. — E questa catena, — soggiunsi — è forse per me?

— Sì, signore, se mai ella non fosse quieta, se infuriasse, se dicesse insolenze. Ma se sarà ragionevole, non le porremo altro che una catena a' piedi. Il fabbro la sta apparecchiando.

Ei passeggiava lentamente su e giù, agitando quel villano mazzo di grosse chiavi, ed io con occhio irato mirava la sua gigantesca, magra, vecchia persona; e, ad onta de' lineamenti non volgari del suo volto, tutto in lui mi sembrava l'espressione odiosissima d'un brutale rigore!

Oh come gli uomini sono ingiusti, giudicando dall'apparenza e secondo le loro superbe prevenzioni! Colui ch'io m'immaginava agitasse allegramente le chiavi per farmi sentire la sua trista podestà, colui ch'io riputava impudente per lunga consuetudine d'incrudelire, volgea pensieri di compassione, e certamente non parlava a quel modo, con accento burbero, se non per nascondere questo sentimento. Avrebbe voluto nasconderlo, a fine di non parer debole e per timore ch'io ne fossi indegno; ma nello stesso tempo, supponendo che forse io era più infelice che iniquo, avrebbe desiderato di palesarmelo.

Noiato della sua presenza, e più della sua aria da padrone, stimai opportuno d'umiliarlo, dicendogli imperiosamente, quasi a servitore:

— Datemi da bere.

Ei mi guardò, e parea significare: «Arrogante! qui bisogna divezzarsi dal comandare.»

Ma tacque, chinò la sua lunga schiena, prese in terra la brocca, e me la porse. M'avvidi, pigliandola, ch'ei tremava, e attribuendo quel tremito alla sua vecchiezza, un misto di pietà e di reverenza temperò il mio orgoglio.

— Quanti anni avete? — gli dissi con voce amorevole.

— Settantaquattro, signore: ho già veduto molte sventure e mie ed altrui.

Questo cenno sulle sventure sue ed altrui fu accompagnato da nuovo tremito nell'atto ch'ei ripigliava la brocca; e dubitai fosse effetto, non della sola età, ma d'un certo nobile perturbamento. Siffatto dubbio cancellò dall'anima mia l'odio che il suo primo aspetto m'aveva impresso.

— Come vi chiamate? — gli dissi.

— La fortuna, signore, si burlò di me, dandomi il nome d'un grand'uomo. Mi chiamo Schiller.[1]

Indi in poche parole mi narrò qual fosse il suo paese, quale l'origine, quali le guerre vedute e le ferite riportate.

Era svizzero, di famiglia contadina: avea militato contro a' Turchi sotto il general Laudon[2] a' tempi di Maria Teresa e di Giuseppe II, indi in tutte le guerre dell'Austria contro alla Francia, sino alla caduta di Napoleone.

### CAPO LIX

Quando d'un uomo che giudicammo dapprima cattivo, concepiamo migliore opinione, allora, badando al suo viso, alla sua voce, a' suoi modi, ci pare di scoprire evidenti segni d'onestà. È questa scoperta una realtà? Io la sospetto illusione. Questo stesso viso, quella stessa voce, quegli stessi modi ci pareano, poc'anzi, evidenti segni di bricconeria. S'è mutato il nostro giudizio sulle qualità morali, e tosto mutano le conclusioni della nostra scienza fisionomica. Quante facce veneriamo perché sappiamo che appartennero a valentuomini, le quali non ci sembrerebbero punto atte ad ispirare venerazione se fossero appartenute ad altri mortali! E così viceversa. Ho riso una volta d'una signora che vedendo un'immagine di Catilina, e confondendolo con Collatino, sognava di scorgervi il sublime dolore di Collatino per la morte di Lucrezia.[3] Eppure siffatte illusioni sono comuni.

Non già che non vi sieno facce di buoni le quali portano benissimo impresso il carattere di bontà, e non vi sieno facce di ribaldi che portano benissimo impresso quello di ribalderia; ma sostengo che molte havvene di dubbia espressione.

Insomma, entratomi alquanto in grazia il vecchio Schiller, lo guardai più attentamente di prima, e non mi dispiacque più. A dir

1. Il nome di Federico Schiller (1759-1805), scrittore e poeta tragico tedesco, era allora assai più famoso e popolare di oggi.  2. Il maresciallo Ernesto von Laudon (1717-1790) si era particolarmente distinto impadronendosi di Belgrado (1789).  3. Collatino era il marito di Lucrezia, la quale si era uccisa per non sopravvivere all'oltraggio inflittole da Sesto Tarquinio (510 a. C.). A Catilina, l'autore della famosa congiura repressa da Cicerone nel 63 a. C., la tradizione attribuisce carattere crudele e sanguinario.

vero, nel suo favellare, in mezzo a certa rozzezza, eranvi anche tratti d'anima gentile.

— Caporale qual sono, — diceva egli — m'è toccato per luogo di riposo il tristo ufficio di carceriere: e Dio sa, se non mi costa assai più rincrescimento che il rischiare la vita in battaglia!

Mi pentii di avergli dimandato con alterigia da bere.

— Mio caro Schiller, — gli dissi, stringendogli la mano — voi lo negate indarno, io conosco che siete buono, e poiché sono caduto in quest'avversità, ringrazio il Cielo di avermi dato voi per guardiano.

Egli ascoltò le mie parole, scosse il capo, indi rispose, fregandosi la fronte, come uomo che ha un pensiero molesto:

— Io sono cattivo, o signore; mi fecero prestare un giuramento, a cui non mancherò mai. Sono obbligato a trattare tutti i prigionieri senza riguardo alla loro condizione, senza indulgenza, senza concessione d'abusi, e tanto più i prigionieri di Stato. L'Imperatore sa quello che fa; io debbo obbedirgli.

— Voi siete un brav'uomo, ed io rispetterò ciò che riputate debito di coscienza. Chi opera per sincera coscienza può errare, ma è puro innanzi a Dio.

— Povero signore! abbia pazienza, e mi compatisca. Sarò ferreo ne' miei doveri, ma il cuore ... il cuore è pieno di rammarico di non poter sollevare gl'infelici. Questa è la cosa ch'io volea dirle.

Ambi eravamo commossi. Mi supplicò d'essere quieto, di non andare in furore, come fanno spesso i condannati, di non costringerlo a trattarmi duramente.

Prese poscia un accento ruvido, quasi per celarmi una parte della sua pietà, e disse:

— Or bisogna ch'io me ne vada.

Poi tornò indietro, chiedendomi da quanto tempo io tossissi così miseramente com'io faceva, e scagliò una grossa maledizione contro il medico, perché non veniva in quella sera stessa a visitarmi.

— Ella ha una febbre da cavallo, — soggiunse — io me ne intendo. Avrebbe d'uopo almeno d'un pagliericcio, ma finché il medico non l'ha ordinato, non possiamo darglielo.

Uscì, richiuse la porta, ed io mi sdraiai sulle dure tavole, febbricitante sì, e con forte dolore di petto, ma meno fremente, meno nemico degli uomini, meno lontano da Dio.

8

CAPO LX

A sera venne il soprintendente, accompagnato da Schiller, da un altro caporale e da due soldati, per fare una perquisizione.

Tre perquisizioni quotidiane erano prescritte: una a mattina, una a sera, una a mezzanotte. Visitavano ogni angolo della prigione, ogni minuzia; indi gl'inferiori uscivano, ed il soprintendente (che mattina e sera non mancava mai) si fermava a conversare alquanto con me.

La prima volta che vidi quel drappello, uno strano pensiero mi venne. Ignaro ancora di quei molesti usi, e delirante dalla febbre, immaginai che mi movessero contro per trucidarmi, e afferrai la lunga catena che mi stava vicino per rompere la faccia al primo che mi s'appressasse.

— Che fa ella? — disse il soprintendente. — Non veniamo per farle alcun male. Questa è una visita di formalità a tutte le carceri, a fine di assicurarci che nulla siavi d'irregolare.

Io esitava; ma quando vidi Schiller avanzarsi verso me e tendermi amicamente la mano, il suo aspetto paterno mi ispirò fiducia: lasciai andare la catena, e presi quella mano fra le mie.

— Oh come arde! — diss'egli al soprintendente. — Si potesse almeno dargli un pagliericcio!

Pronunciò queste parole con espressione di sì vero, affettuoso cordoglio, che ne fui intenerito.

Il soprintendente mi tastò il polso, mi compianse: era uomo di gentili maniere, ma non osava prendersi alcun arbitrio.

— Qui tutto è rigore anche per me — diss'egli. — Se non eseguisco alla lettera ciò ch'è prescritto, rischio d'essere sbalzato dal mio impiego.

Schiller allungava le labbra, ed avrei scommesso ch'ei pensava tra sé: «S'io fossi soprintendente non porterei la paura fino a quel grado; né il prendersi un arbitrio così giustificato dal bisogno, e così innocuo alla monarchia, potrebbe mai riputarsi gran fallo.»

Quando fui solo, il mio cuore, da qualche tempo incapace di profondo sentimento religioso, s'intenerì e pregò. Era una preghiera di benedizioni sul capo di Schiller; ed io soggiungeva a Dio: «Fa ch'io discerna pure negli altri qualche dote che loro m'affezioni;

io accetto tutti i tormenti del carcere, ma deh, ch'io ami! deh, liberami dal tormento d'odiare i miei simili!»

A mezzanotte udii molti passi nel corridoio. Le chiavi stridono, la porta s'apre. È il caporale con due guardie, per la visita.

— Dov'è il mio vecchio Schiller? — diss'io con desiderio.

Ei s'era fermato nel corridoio.

— Son qua, son qua — rispose.

È venuto presso al tavolaccio, tornò a tastarmi il polso, chinandosi inquieto a guardarmi, come un padre sul letto del figliuolo infermo.

— Ed or che me ne ricordo, dimani è giovedì! — borbottava egli — purtroppo giovedì!

— E che volete dire con ciò?

— Che il medico non suol venire se non le mattine del lunedì, del mercoledì e del venerdì, e che dimani purtroppo non verrà.

— Non v'inquietate per ciò.

— Ch'io non m'inquieti, ch'io non m'inquieti! In tutta la città non si parla d'altro che dell'arrivo di lor signori: il medico non può ignorarlo. Perché diavolo non ha fatto lo sforzo straordinario di venire una volta di più?

— Chi sa che non venga dimani, sebben sia giovedì?

Il vecchio non disse altro, ma mi serrò la mano con forza bestiale, e quasi da storpiarmi. Benché mi facesse male, ne ebbi piacere. Simile al piacere che prova un innamorato se avviene che la sua diletta, ballando, gli pesti un piede: griderebbe quasi dal dolore, ma invece le sorride, e s'estima beato.

### CAPO LXI

La mattina del giovedì, dopo una pessima notte, indebolito, rotte le ossa dalle tavole, fui preso da abbondante sudore. Venne la visita. Il soprintendente non v'era: siccome quell'ora gli era incomoda, ei veniva poi alquanto più tardi.

Dissi a Schiller: — Sentite come sono inzuppato di sudore; ma già mi si raffredda sulle carni; avrei bisogno subito di mutar camicia.

— Non si può! — gridò con voce brutale.

Ma fecemi secretamente cenno cogli occhi e colla mano. Usciti il caporale e le guardie, ei tornò a farmi un cenno nell'atto che chiudeva la porta.

Poco appresso ricomparve, portandomi una delle sue camicie, lunga due volte la mia persona.

— Per lei — diss'egli — è un po' lunga, ma or qui non ne ho altre.

— Vi ringrazio, amico, ma siccome ho portato allo Spielberg un baule pieno di biancheria, spero che non mi si ricuserà l'uso delle mie camicie: abbiate la gentilezza d'andare dal soprintendente a chiedere una di quelle.

— Signore, non è permesso di lasciarle nulla della sua biancheria. Ogni sabbato le si darà una camicia della casa, come agli altri condannati.

— Onesto vecchio, — dissi — voi vedete in che stato sono; è poco verisimile ch'io esca vivo di qui: non potrò mai ricompensarvi di nulla.

— Vergogna, signore!—sclamò—vergogna! Parlare di ricompensa a chi non può render servigi! a chi appena può imprestare furtivamente ad un infermo di che asciugarsi il corpo grondante di sudore!

E gettatami sgarbatamente addosso la sua lunga camicia, se n'andò brontolando, e chiuse la porta con uno strepito da arrabbiato.

Circa due ore più tardi mi portò un tozzo di pan nero.

— Questa — disse — è la porzione per due giorni.

Poi si mise a camminare fremendo.

— Che avete? — gli dissi. — Siete in collera con me? Ho pure accettata la camicia che mi favoriste.

— Sono in collera col medico, il quale, benché oggi sia giovedì, potrebbe pur degnarsi di venire!

— Pazienza! — dissi.

Io diceva «pazienza!», ma non trovava modo di giacer così sulle tavole, senza neppure un guanciale: tutte le mie ossa doloravano.

Alle ore undici mi fu portato il pranzo da un condannato accompagnato da Schiller. Componevano il pranzo due pentolini di ferro, l'uno contenente una pessima minestra, l'altro legumi conditi con salsa tale, che il solo odore metteva schifo.

Provai d'ingoiare qualche cucchiaio di minestra: non mi fu possibile.

Schiller mi ripeteva: — Si faccia animo; procuri d'avvezzarsi a questi cibi; altrimenti le accadrà, come è già accaduto ad altri, di non mangiucchiare se non un po' di pane, e di morir quindi di languore.

Il venerdì mattina venne finalmente il dottor Bayer. Mi trovò febbre, m'ordinò un pagliericcio, ed insisté perch'io fossi tratto di quel sotterraneo e trasportato al piano superiore. Non si poteva, non v'era luogo. Ma fattone relazione al conte Mitrowsky, governatore delle due provincie, Moravia e Slesia, residente in Brünn, questi rispose che, stante la gravezza del mio male, l'intento del medico fosse eseguito.

Nella stanza che mi diedero penetrava alquanto di luce; ed arrampicandomi alle sbarre dell'angusto finestruolo io vedeva la sottoposta valle, un pezzo della città di Brünn, un sobborgo con molti orticelli, il cimitero, il laghetto della Certosa, ed i selvosi colli che ci divideano da' famosi campi d'Austerlitz.

Quella vista m'incantava. Oh quanto sarei stato lieto, se avessi potuto dividerla con Maroncelli!

### CAPO LXII

Ci si facevano intanto i vestiti da prigioniero. Di lì a cinque giorni, mi portarono il mio.

Consisteva in un paio di pantaloni di ruvido panno, a destra color grigio, e a sinistra color cappuccino; un giustacuore[1] di due colori egualmente collocati, ed un giubbettino di simili due colori, ma collocati oppostamente, cioè il cappuccino a destra ed il grigio a sinistra. Le calze erano di grossa lana; la camicia di tela di stoppa piena di pungenti stecchi, — un vero cilicio: al collo una pezzuola di tela pari a quella della camicia. Gli stivaletti erano di cuoio non tinto, allacciati. Il cappello era bianco.

Compivano questa divisa i ferri a' piedi, cioè una catena da una gamba all'altra, i ceppi della quale furono fermati con chiodi che si ribadirono sopra un'incudine. Il fabbro che mi fece questa operazione disse ad una guardia, credendo che io non capissi il tedesco:

— Malato com'egli è, si poteva risparmiargli questo giuoco; non passano due mesi, che l'angelo della morte viene a liberarlo.

---

1. *giustacuore*: un indumento aderente al corpo (dal francese *juste au corps*) come tunica molto corta da indossare sotto la giacca (*giubbettino*).

— *Möchte es sein!* (fosse pure!) — gli diss'io, battendogli colla mano sulla spalla.

Il pover'uomo strabalzò e si confuse; poi disse:

— Spero che non sarò profeta, e desidero ch'ella sia liberata da tutt'altro angelo.

— Piuttosto che vivere così, non vi pare — gli risposi — che sia benvenuto anche quello della morte?

Fece cenno di sì col capo, e se n'andò compassionandomi.

Io avrei veramente volentieri cessato di vivere, ma non era tentato di suicidio. Confidava che la mia debolezza di polmoni fosse già tanto rovinosa da sbrigarmi presto. Così non piacque a Dio. La fatica del viaggio m'avea fatto assai male: il riposo mi diede qualche giovamento.

Un istante dopoché il fabbro era uscito, intesi sonare il martello sull'incudine nel sotterraneo. Schiller era ancora nella mia stanza.

— Udite que' colpi — gli dissi. — Certo, si mettono i ferri al povero Maroncelli.

E ciò dicendo, mi si serrò talmente il cuore, che vacillai, e se il buon vecchio non m'avesse sostenuto, io cadeva. Stetti più di mezz'ora in uno stato che parea svenimento, eppur non era. Non potea parlare, i miei polsi battevano appena, un sudor freddo m'inondava da capo a piedi, e ciò non ostante intendeva tutte le parole di Schiller, ed avea vivissima la ricordanza del passato e la cognizione del presente.

Il comando del soprintendente e la vigilanza delle guardie avean tenuto fino allora tutte le vicine carceri in silenzio. Tre o quattro volte io aveva inteso intonarsi qualche cantilena italiana, ma tosto era soppressa dalle grida delle sentinelle. Ne avevamo parecchie sul terrapieno sottoposto alle nostre finestre, ed una nel medesimo nostro corridoio, la quale andava continuamente orecchiando alle porte e guardando agli sportelli per proibire i romori.

Un giorno, verso sera (ogni volta che ci penso mi si rinnovano i palpiti che allora mi si destarono), le sentinelle, per felice caso, furono meno attente, ed intesi spiegarsi e proseguirsi, con voce alquanto sommessa ma chiara, una cantilena nella prigione contigua alla mia.

Oh qual gioia, qual commozione m'invase!

M'alzai dal pagliericcio, tesi l'orecchio, e quando tacque proruppi in irresistibile pianto.

— Chi sei, sventurato? — gridai — chi sei? Dimmi il tuo nome.
Io sono Silvio Pellico.

— Oh Silvio! — gridò il vicino — io non ti conosco di persona,
ma t'amo da gran tempo. Accòstati alla finestra, e parliamoci a
dispetto degli sgherri.

M'aggrappai alla finestra, egli mi disse il suo nome, e scambiammo qualche parola di tenerezza.

Era il conte Antonio Oroboni, nativo di Fratta presso Rovigo,
giovine di ventinove anni.[1]

Ahi, fummo tosto interrotti da minacciose urla delle sentinelle!
Quella del corridoio picchiava forte col calcio dello schioppo, ora
all'uscio d'Oroboni, ora al mio. Non volevamo, non potevamo obbedire; ma pure le maledizioni di quelle guardie erano tali, che
cessammo, avvertendoci di ricominciare quando le sentinelle fossero mutate.

### CAPO LXIII

Speravamo — e così infatti accadde — che parlando più piano
ci potremmo sentire, e che talvolta capiterebbero sentinelle pietose, le quali fingerebbero di non accorgersi del nostro cicaleccio.
A forza d'esperimenti, imparammo un modo d'emettere la voce
tanto dimesso, che bastava alle nostre orecchie, ed o sfuggiva alle
altrui, o si prestava ad essere dissimulato. Bensì avveniva a quando
a quando che avessimo ascoltatori d'udito più fino, o che ci
dimenticassimo d'essere discreti nella voce. Allora tornavano a
toccarci urla, e picchiamenti agli usci, e, ciò ch'era peggio, la collera del povero Schiller e del soprintendente.

A poco a poco perfezionammo tutte le cautele, cioè di parlare
piuttosto in certi quarti d'ora che in altri, piuttosto quando v'erano
le tali guardie che quando v'erano le tali altre, e sempre con voce
moderatissima. Sia eccellenza della nostr'arte, sia in altrui un'abitudine di condiscendenza che s'andava formando, finimmo per potere
ogni giorno conversare assai, senza che alcun superiore più avesse
quasi mai a garrirci.[2]

1. Nato nel 1792, era stato arrestato nel gennaio del 1819 insieme con
gli altri carbonari del Polesine e condannato a morte con commutazione
della pena in quindici anni di carcere duro. Morì allo Spielberg, come fra
poco racconterà il Pellico. 2. *garrirci*: sgridarci.

Ci legammo di tenera amicizia. Mi narrò la sua vita, gli narrai la mia; le angosce e consolazioni dell'uno divenivano angosce e consolazioni dell'altro. Oh di quanto conforto ci eravamo a vicenda! Quante volte, dopo una notte insonne, ciascuno di noi andando il mattino alla finestra, e salutando l'amico, ed udendone le care parole, sentiva in core addolcirsi la mestizia e raddoppiarsi il coraggio! Uno era persuaso d'essere utile all'altro, e questa certezza destava una dolce gara d'amabilità ne' pensieri, e quel contento che ha l'uomo, anche nella miseria, quando può giovare al suo simile.

Ogni colloquio lasciava il bisogno di continuazione, di schiarimenti; era uno stimolo vitale, perenne, all'intelligenza, alla memoria, alla fantasia, al cuore.

A principio, ricordandomi di Giuliano, io diffidava della costanza di questo nuovo amico. Io pensava: «Finora non ci è accaduto di trovarci discordi; da un giorno all'altro posso dispiacergli in alcuna cosa, ed ecco che mi manderà alla malora».

Questo sospetto ben presto cessò. Le nostre opinioni concordavano su tutti i punti essenziali. Se non che ad un'anima nobile, ardente di generosi sensi, indomita dalla sventura, egli univa la più candida e piena fede nel Cristianesimo, mentre questa in me da qualche tempo vacillava, e talora pareami affatto estinta.

Ei combatteva i miei dubbi con giustissime riflessioni e con molto amore: io sentiva ch'egli avea ragione e gliela dava, ma i dubbi tornavano. Ciò avviene a tutti quelli che non hanno il Vangelo nel cuore, a tutti quelli che odiano altrui ed insuperbiscono di sé. La mente vede un istante il vero, ma siccome questo non le piace, lo discrede l'istante appresso, sforzandosi di guardare altrove.

Oroboni era valentissimo a volgere la mia attenzione sui motivi che l'uomo ha, d'essere indulgente verso i nemici. Io non gli parlava di persona abborrita, ch'ei non prendesse destramente a difenderla, e non già solo colle parole, ma anche coll'esempio. Parecchi gli avean nociuto.[1] Ei ne gemeva, ma perdonava a tutti, e se poteva narrarmi qualche lodevole tratto d'alcuno di loro, lo faceva volentieri.

L'irritazione che mi dominava e mi rendea irreligioso dalla mia

1. Allude evidentemente alle deposizioni fatte durante il processo da altri imputati.

condanna in poi, durò ancora alcune settimane; indi cessò affatto. La virtù d'Oroboni m'aveva invaghito. Industriandomi di raggiungerla, mi misi almeno sulle sue tracce. Allorché potei di nuovo pregare sinceramente per tutti e non più odiare nessuno, i dubbi sulla fede sgombrarono: *Ubi charitas et amor, Deus ibi est.*

CAPO LXIV

Per dir vero, se la pena era severissima ed atta ad irritare, avevamo nello stesso tempo la rara sorte che buoni fossero tutti coloro che vedevamo. Essi non potevano alleggerire la nostra condizione se non con benevole e rispettose maniere; ma queste erano usate da tutti. Se v'era qualche ruvidezza nel vecchio Schiller, quanto non era compensata dalla nobiltà del suo cuore! Persino il miserabile Kunda (quel condannato che ci portava il pranzo, e tre volte al giorno l'acqua) voleva che ci accorgessimo che ci compativa. Ei ci spazzava la stanza due volte la settimana. Una mattina, spazzando, colse il momento che Schiller s'era allontanato due passi dalla porta, e m'offerse un pezzo di pan bianco. Non l'accettai, ma gli strinsi cordialmente la mano. Quella stretta di mano lo commosse. Ei mi disse in cattivo tedesco (era polacco): — Signore, le si dà ora così poco da mangiare, che ella sicuramente patisce la fame.

Assicurai di no, ma io assicurava l'incredibile.

Il medico, vedendo che nessuno di noi potea mangiare quella qualità di cibi che ci aveano dato ne' primi giorni, ci mise tutti a quello che chiamano *quarto di porzione*, cioè al vitto dell'ospedale. Erano tre minestrine leggerissime al giorno, un pezzettino d'arrosto d'agnello da ingoiarsi in un boccone, e forse tre once[1] di pan bianco. Siccome la mia salute s'andava facendo migliore, l'appetito cresceva, e quel *quarto* era veramente troppo poco. Provai di tornare al cibo dei sani, ma non v'era guadagno a fare, giacché disgustava tanto ch'io non poteva mangiarlo. Convenne assolutamente ch'io m'attenessi al *quarto*. Per più d'un anno conobbi quanto sia il tormento della fame. E questo tormento lo patirono con veemenza anche maggiore alcuni de' miei compagni, che essendo più robusti di me erano avvezzi a nutrirsi più abbondantemente. So d'alcuni di loro che accettarono pane e da Schiller e da

1. *tre once.* Un'oncia era 28 grammi.

altre due guardie addette al nostro servizio, e perfino da quel buon uomo di Kunda.

— Per la città si dice che a lor signori si dà poco da mangiare — mi disse una volta il barbiere, un giovinotto praticante del nostro chirurgo.

— È verissimo — risposi schiettamente.

Il seguente sabato (ei veniva ogni sabato) volle darmi di soppiatto una grossa pagnotta bianca. Schiller finse di non veder l'offerta. Io, se avessi ascoltato lo stomaco, l'avrei accettata, ma stetti saldo a rifiutare, affinché quel povero giovine non fosse tentato di ripetere il dono; il che alla lunga gli sarebbe stato gravoso.

Per la stessa ragione, io ricusava le offerte di Schiller. Più volte mi portò un pezzo di carne lessa, pregandomi che la mangiassi, e protestando che non gli costava niente, che gli era avanzata, che non sapea che farne, che l'avrebbe davvero data ad altri s'io non la prendeva. Mi sarei gettato a divorarla, ma s'io la prendeva, non avrebb'egli avuto tutti i giorni il desiderio di darmi qualche cosa?

Solo due volte, ch'ei mi recò un piatto di ciriege, e una volta alcune pere, la vista di quella frutta mi affascinò irresistibilmente. Fui pentito d'averla presa, appunto perché d'allora in poi non cessava più d'offrirmene.[1]

## CAPO LXV

Ne' primi giorni fu stabilito che ciascuno di noi avesse, due volte la settimana, un'ora di passeggio. In seguito questo sollievo fu dato un giorno sì, un giorno no; e più tardi ogni giorno, tranne le feste.

Ciascuno era condotto a passeggio separatamente, fra due guardie aventi schioppo in ispalla. Io, che mi trovava alloggiato in capo del corridoio, passava, quando usciva, innanzi alle carceri di tutti i condannati di Stato italiani, eccetto Maroncelli, il quale unico languiva dabbasso.

— Buon passeggio! — mi susurravano tutti dallo sportello dei

1. Anche Maroncelli mangiò di quelle ciliegie. «Quel piccolo pasto — scrisse egli poi nelle sue *Addizioni* — fu per me una lunga Odissea. Mi pareva di essere in Italia, le cupe mura del mio sotterraneo sparivano, direi quasi sorridevano, s'illuminavano; io non aveva più ferri, io passeggiava sotto le ficaie e gli aranceti di Napoli, ov'era trascorsa la mia più bella gioventù.»

loro usci; ma non mi era permesso di fermarmi a salutare nessuno.

Si discendeva una scala, si traversava un ampio cortile, e s'andava sovra un terrapieno situato a mezzodì, donde vedeasi la città di Brünn e molto tratto di circostante paese.

Nel cortile suddetto erano sempre molti dei condannati comuni, che andavano o venivano dai lavori, o passeggiavano in frotta conversando. Fra essi erano parecchi ladri italiani, che mi salutavano con gran rispetto e diceano tra loro: — Non è un birbone come noi, eppure la sua prigionia è più dura della nostra.

Infatti essi aveano molta più libertà di me.

Io udiva queste ed altre espressioni, e li risalutava con cordialità. Uno di loro mi disse una volta: — Il suo saluto, signore, mi fa bene. Ella forse vede sulla mia fisionomia qualche cosa che non è scelleratezza. Una passione infelice mi trasse a commettere un delitto; ma, o signore, no, non sono scellerato!

E proruppe in lagrime. Gli porsi la mano, ma egli non me la poté stringere. Le mie guardie, non per malignità, ma per le istruzioni che aveano, lo respinsero. Non doveano lasciarmi avvicinare da chicchesifosse. Le parole che quei condannati mi dirigevano, fingeano per lo più di dirsele tra loro, e se i miei due soldati s'accorgeano che fossero a me rivolte, intimavano silenzio.

Passavano anche per quel cortile uomini di varie condizioni estranei al castello, i quali venivano a visitare il soprintendente, o il cappellano, o il sergente, o alcuno de' caporali. — Ecco uno degli Italiani, ecco uno degl'Italiani!—diceano sottovoce. E si fermavano a guardarmi; e più volte li intesi dire in tedesco, credendo ch'io non li capissi: — Quel povero signore non invecchierà; ha la morte sul volto.

Io infatti, dopo essere dapprima migliorato di salute, languiva per la scarsezza del nutrimento, e nuove febbri sovente m'assalivano. Stentava a strascinare la mia catena fino al luogo del passeggio, e là mi gettava sull'erba, e vi stava ordinariamente finché fosse finita la mia ora.

Stavano in piedi o sedeano vicino a me le guardie, e ciarlavamo. Una d'esse, per nome Kral, era un boemo, che, sebbene di famiglia contadina e povera, avea ricevuto una certa educazione, e se l'era perfezionata quanto più avea potuto, riflettendo con forte discernimento su le cose del mondo e leggendo tutti i libri che gli capitavano alle mani. Avea cognizione di Klopstock, di Wieland,[1] di Goethe, di Schiller e di molti altri buoni scrittori tedeschi. Ne sapea un'infinità di brani a memoria, e li dicea con intelligenza e con sentimento. L'altra guardia era un polacco, per nome Kubitzky, ignorante, ma rispettoso e cordiale. La loro compagnia mi era assai cara.

### CAPO LXVI

Ad un'estremità di quel terrapieno, erano le stanze del soprintendente; all'altra estremità alloggiava un caporale con moglie ed un figliuolino. Quand'io vedeva alcuno uscire di quelle abitazioni, io m'alzava e m'avvicinava alla persona, o alle persone, che ivi comparivano, ed era colmato di dimostrazioni di cortesia e di pietà.

La moglie del soprintendente era ammalata da lungo tempo, e deperiva lentamente. Si facea talvolta portare sopra un canapé all'aria aperta. È indicibile quanto si commovesse esprimendomi la compassione che provava per tutti noi. Il suo sguardo era dolcissimo e timido, e quantunque timido, s'attaccava di quando in quando con intensa interrogante fiducia allo sguardo di chi le parlava.

Io le dissi una volta, ridendo: — Sapete, signora, che somigliate alquanto a persona che mi fu cara?

Arrossì, e rispose con seria ed amabile semplicità: — Non vi dimenticate dunque di me, quando sarò morta; pregate per la povera anima mia, e pei figliuolini che lascio sulla terra.

Da quel giorno in poi, non poté più uscire dal letto; non la vidi più. Languì ancora alcuni mesi, poi morì.

Ella avea tre figli, belli come amorini, ed uno ancor lattante. La sventurata abbracciavali spesso in mia presenza, e diceva: — Chi sa qual donna diventerà lor madre dopo di me! Chiunque sia dessa, il Signore le dia viscere di madre, anche pe' figli non nati da lei! — E piangeva.

Mille volte mi son ricordato di quel suo prego e di quelle lagrime.

---

1. Federico Klopstock (1724-1803), uno dei maggiori poeti tedeschi del suo tempo, era autore della *Messiade*, un poema sulla redenzione dell'umanità per opera di Cristo. — Cristoforo Wieland (1733-1813), detto il Voltaire della Germania, scrisse fra tante sue opere l'*Oberon*, un'epopea romanzesca.

Quand'ella non era più, io abbracciava talvolta que' fanciulli, e m'inteneriva, e ripeteva quel prego materno. E pensava alla madre mia, ed agli ardenti voti che il suo amantissimo cuore alzava senza dubbio per me, e con singhiozzi io sclamava: — Oh più felice quella madre che, morendo, abbandona figliuoli inadulti, di quella che dopo averli allevati con infinite cure se li vede rapire!

Due buone vecchie solevano essere con quei fanciulli: una era la madre del soprintendente, l'altra la zia. Vollero sapere tutta la mia storia, ed io loro la raccontai in compendio.

— Quanto siamo infelici — diceano coll'espressione del più vero dolore — di non potervi giovare in nulla! Ma siate certo che pregheremo per voi, e che se un giorno viene la vostra grazia, sarà una festa per tutta la nostra famiglia.

La prima di esse, ch'era quella ch'io vedea più sovente, possedeva una dolce, straordinaria eloquenza nel dar consolazioni. Io le ascoltava con filiale gratitudine, e mi si fermavano nel cuore.

Dicea cose ch'io sapea già, e mi colpivano come cose nuove: – che la sventura non degrada l'uomo, s'ei non è dappoco, ma anzi lo sublima; — che, se potessimo entrare ne' giudizi di Dio, vedremmo essere, molte volte, più da compiangersi i vincitori che i vinti, gli esultanti che i mesti, i doviziosi che gli spogliati di tutto; — che l'amicizia particolare mostrata dall'uomo-Dio per gli sventurati è un gran fatto; — che dobbiamo gloriarci della croce, dopo che fu portata da òmeri divini.

Ebbene, quelle due buone vecchie, ch'io vedea tanto volentieri, dovettero in breve, per ragioni di famiglia, partire dallo Spielberg; i figliuolini cessarono anche di venire sul terrapieno. Quanto queste perdite m'afflissero!

## CAPO LXVII

L'incomodo della catena a' piedi, togliendomi di dormire, contribuiva a rovinarmi la salute. Schiller voleva ch'io reclamassi, e pretendeva che il medico fosse in dovere di farmela levare.

Per un poco non l'ascoltai, poi cedetti al consiglio, e dissi al medico che per riacquistare il beneficio del sonno io lo pregava di farmi scatenare, almeno per alcuni giorni.

Il medico disse non giungere ancora a tal grado le mie febbri, ch'ei potesse appagarmi; ed essere necessario ch'io m'avvezzassi ai ferri.

La risposta mi sdegnò, ed ebbi rabbia d'aver fatto quell'inutile dimanda.

— Ecco ciò che guadagnai a seguire il vostro insistente consiglio — dissi a Schiller.

Conviene che gli dicessi queste parole assai sgarbatamente: quel ruvido buon uomo se ne offese.

— A lei spiace — gridò — d'essersi esposta ad un rifiuto, e a me spiace ch'ella sia meco superba!

Poi continuò una lunga predica: — I superbi fanno consistere la loro grandezza in non esporsi a rifiuti, in non accettare offerte, in vergognare di mille inezie. *Alle Eseleien!* tutte asinate! vana grandezza! ignoranza della vera dignità! E la vera dignità sta, in gran parte, in vergognare soltanto delle male azioni!

Disse, uscì, e fece un fracasso infernale colle chiavi.

Rimasi sbalordito. «Eppure quella rozza schiettezza» dissi «mi piace. Sgorga dal cuore come le sue offerte, come i suoi consigli, come il suo compianto. E non mi predicò egli il vero? A quante debolezze non do io il nome di dignità, mentre non sono altro che superbia?»

All'ora di pranzo, Schiller lasciò che il condannato Kunda portasse dentro i pentolini e l'acqua, e si fermò sulla porta. Lo chiamai.

— Non ho tempo — rispose asciutto asciutto.

Discesi dal tavolaccio, venni a lui e gli dissi: — Se volete che il mangiare mi faccia buon pro, non mi fate quel brutto ceffo.

— E qual ceffo ho da fare? — dimandò rasserenandosi.

— D'uomo allegro, d'amico — risposi.

— Viva l'allegria! — sclamò. — E se, perché il mangiare le faccia buon pro, vuole anche vedermi ballare, eccola servita.

E misesi a sgambettare colle sue magre e lunghe pertiche sì piacevolmente che scoppiai dalle risa. Io ridea, ed avea il cuore commosso.

### CAPO LXVIII

Una sera, Oroboni ed io stavamo alla finestra, e ci dolevamo a vicenda d'essere affamati. Alzammo alquanto la voce, e le sentinelle gridarono. Il soprintendente, che per mala ventura passava da quella parte, si credette in dovere di far chiamare Schiller e di rampognarlo fieramente, che non vigilasse meglio a tenerci in silenzio.

Schiller venne con grand'ira a lagnarsene da me, e m'intimò di non parlar più mai dalla finestra. Voleva ch'io gliel'promettessi.

— No, — risposi — non ve lo voglio promettere.

— Oh *der Teufel! der Teufel!*[1] — gridò — a me s'ha a dire: non voglio! a me che ricevo una maledetta strapazzata per causa di lei!

— M'incresce, caro Schiller, della strapazzata che avete ricevuta, me n'incresce davvero; ma non voglio promettere ciò che sento che non manterrei.

— E perché non lo manterrebbe?

— Perché non potrei; perché la solitudine continua è tormento sì crudele per me, che non resisterò mai al bisogno di mettere qualche voce da' polmoni, d'invitare il mio vicino a rispondermi. E se il vicino tacesse, volgerei la parola alle sbarre della mia finestra, alle colline che mi stanno in faccia, agli uccelli che volano.

— *Der Teufel!* e non mi vuol promettere?

— No, no, no! — sclamai.

Gettò a terra il romoroso mazzo delle chiavi, e ripeté: — *Der Teufel! der Teufel!* — Indi proruppe abbracciandomi:

— Ebbene, ho io a cessare d'essere uomo per quella canaglia di chiavi? Ella è un signore come va, ed ho gusto che non mi voglia promettere ciò che non manterrebbe. Farei lo stesso anch'io. — Raccolsi le chiavi e gliele diedi.

— Queste chiavi — gli dissi — non sono poi tanto *canaglia*, poiché non possono, d'un onesto caporale qual siete, fare un malvagio sgherro.

— E se credessi che potessero far tanto — rispose — le porterei a' miei superiori, e direi: se non mi vogliono dare altro pane che quello del carnefice, andrò a dimandar l'elemosina.

1. «Diavolo!»

Trasse di tasca il fazzoletto, s'asciugò gli occhi, poi li tenne alzati, giungendo le mani in atto di preghiera. Io giunsi le mie, e pregai al pari di lui in silenzio. Ei capiva ch'io faceva voti per esso, com'io capiva ch'ei ne faceva per me.

Andando via, mi disse sotto voce: — Quando ella conversa col conte Oroboni, parli sommesso più che può. Farà così due beni: uno di risparmiarmi le grida del signor soprintendente, l'altro di non far forse capire qualche discorso . . . debbo dirlo? . . . qualche discorso che, riferito, irritasse sempre più chi può punire.

L'assicurai che dalle nostre labbra non usciva mai parola che, riferita a chicchessia, potesse offendere.

Non avevamo infatti d'uopo d'avvertimenti, per esser cauti. Due prigionieri che vengono a comunicazione tra loro sanno benissimo crearsi un gergo, col quale dir tutto senza esser capiti da qualsiasi ascoltatore.

### CAPO LXIX

Io tornava un mattino dal passeggio: era il 7 d'agosto. La porta del carcere d'Oroboni stava aperta, e dentro eravi Schiller, il quale non mi aveva inteso venire. Le mie guardie vogliono avanzare il passo per chiudere quella porta. Io le prevengo, mi vi slancio, ed eccomi nelle braccia d'Oroboni.

Schiller fu sbalordito; disse: — *Der Teufel! der Teufel!* — e alzò il dito per minacciarmi. Ma gli occhi gli s'empirono di lagrime, e gridò singhiozzando: — O mio Dio, fate misericordia a questi poveri giovani ed a me, ed a tutti gl'infelici, voi che foste tanto infelice sulla terra!

Le due guardie piangevano pure. La sentinella del corridoio, ivi accorsa, piangeva anch'essa. Oroboni mi diceva: — Silvio, Silvio, quest'è uno dei più cari giorni della mia vita! — Io non so che gli dicessi: era fuori di me dalla gioia e dalla tenerezza.

Quando Schiller ci scongiurò di separarci, e fu forza obbedirgli, Oroboni proruppe in pianto dirottissimo, e disse:

— Ci rivedremo noi mai più sulla terra?

E non lo rividi mai più! Alcuni mesi dopo, la sua stanza era vôta, ed Oroboni giaceva in quel cimitero ch'io aveva dinanzi alla mia finestra!

Dacché ci eravamo veduti quell'istante, pareva che ci amassimo anche più dolcemente, più fortemente di prima; pareva che ci fossimo a vicenda più necessarii.

Egli era un bel giovane, di nobile aspetto, ma pallido e di misera salute. I soli occhi erano pieni di vita. Il mio affetto per lui veniva aumentato dalla pietà che la sua magrezza ed il suo pallore m'ispiravano. La stessa cosa provava egli per me. Ambi sentivamo quanto fosse verisimile che ad uno di noi toccasse di essere presto superstite all'altro.

Fra pochi giorni egli ammalò. Io non faceva altro che gemere e pregare per lui. Dopo alcune febbri racquistò un poco di forza, e poté tornare ai colloqui amicali. Oh come l'udire di nuovo il suono della sua voce mi consolava!

— Non ingannarti, — diceami egli — sarà per poco tempo. Abbi la virtù d'apparecchiarti alla mia perdita; ispirami coraggio col tuo coraggio.

In que' giorni si volle dare il bianco alle pareti delle nostre carceri, e ci trasportarono frattanto ne' sotterranei. Disgraziatamente in quell'intervallo non fummo posti in luoghi vicini. Schiller mi diceva che Oroboni stava bene, ma io dubitava che non volesse dirmi il vero, e temeva che la salute già sì debole di questo deteriorasse in que' sotterranei.

Avessi almeno avuto la fortuna d'esser vicino in quell'occasione al mio caro Maroncelli! Udii per altro la voce di questo. Cantando ci salutammo, a dispetto dei garriti delle guardie.

Venne in quel tempo a vederci il protomedico di Brünn, mandato forse in conseguenza delle relazioni che il soprintendente faceva a Vienna sull'estrema debolezza a cui tanta scarsità di cibo ci aveva tutti ridotti, ovvero perché allora regnava nelle carceri uno scorbuto[1] molto epidemico.

Non sapendo io il perché di questa visita, m'immaginai che fosse per nuova malattia d'Oroboni. Il timore di perderlo mi dava un'inquietudine indicibile. Fui allora preso da forte melanconia e da desiderio di morire. Il pensiero del suicidio tornava a presentarmisi. Io lo combatteva; ma era come un viaggiatore spossato, che mentre dice a se stesso: «È mio dovere d'andar sino alla meta» si sente un bisogno prepotente di gettarsi a terra e riposare.

---

1. *scorbuto*: è una malattia prodotta da aria malsana e da cattiva alimentazione: si manifesta con macchie alla pelle, indebolimento generale ed emorragie.

M'era stato detto che, non avea guari, in uno di quei tenebrosi covili un vecchio boemo s'era ucciso spaccandosi la testa alle pareti. Io non potea cacciare dalla fantasia la tentazione d'imitarlo. Non so se il mio delirio non sarebbe giunto a quel segno, ove uno sbocco di sangue dal petto non m'avesse fatto credere vicina la mia morte. Ringraziai Dio di volermi esso uccidere in questo modo, risparmiandomi un atto di disperazione che il mio intelletto condannava.

Ma Dio invece volle conservarmi. Quello sbocco di sangue alleggerì i miei mali. Intanto fui riportato nel carcere superiore, e quella maggior luce e la racquistata vicinanza d'Oroboni mi riaffezionarono alla vita.

## CAPO LXX

Gli confidai la tremenda melanconia ch'io avea provato, diviso da lui; ed egli mi disse aver dovuto egualmente combattere il pensiero del suicidio.

— Profittiamo — diceva egli — del poco tempo che di nuovo c'è dato, per confortarci a vicenda colla religione. Parliamo di Dio; eccitiamoci ad amarlo; ci sovvenga ch'egli è la giustizia, la sapienza, la bontà, la bellezza, ch'egli è tutto ciò che d'ottimo vagheggiamo sempre. Io ti dico davvero che la morte non è lontana da me. Ti sarò grato eternamente, se contribuirai a rendermi in questi ultimi giorni tanto religioso quanto avrei dovuto essere tutta la vita.

Ed i nostri discorsi non volgeano più sovr'altro che sulla filosofia cristiana, e su paragoni di questa colle meschinità della sensualistica. Ambi esultavamo di scorgere tanta consonanza tra il Cristianesimo e la ragione; ambi, nel confronto delle diverse comunioni evangeliche, vedevamo essere la sola cattolica quella che può veramente resistere alla critica, e la dottrina della comunione cattolica consistere in dogmi purissimi ed in purissima morale, e non in miseri sovrappiù prodotti dall'umana ignoranza.

— E se, per accidente poco sperabile, ritornassimo nella società, — diceva Oroboni — saremo noi così pusillanimi da non confessare il Vangelo? da prenderci soggezione, se alcuno immaginerà che la prigione abbia indebolito i nostri animi, e che per imbecillità siamo divenuti più fermi nella credenza?

— Oroboni mio, — gli dissi — la tua dimanda mi svela la tua risposta, e questa è anche la mia. La somma delle viltà è d'esser schiavo de' giudizi altrui, quando hassi la persuasione che sono falsi. Non credo che tal viltà né tu né io l'avremmo mai.

In quelle effusioni di cuore commisi una colpa. Io aveva giurato a Giuliano di non confidar mai ad alcuno, palesando il suo vero nome, le relazioni ch'erano state fra noi. Le narrai ad Oroboni, dicendogli: — Nel mondo non mi sfuggirebbe mai dal labbro cosa simile, ma qui siamo nel sepolcro, e se anche tu ne uscissi, so che posso fidarmi di te.

Quell'onestissim'anima taceva.

— Perché non mi rispondi? — gli dissi.

Alfine prese a biasimarmi seriamente della violazione del secreto. Il suo rimprovero era giusto. Niuna amicizia, per quanto intima ella sia, per quanto fortificata da virtù, non può autorizzare a tal violazione.

Ma poiché questa mia colpa era avvenuta, Oroboni me ne derivò un bene. Egli avea conosciuto Giuliano, e sapea parecchi tratti onorevoli della sua vita. Me li raccontò, e dicea: — Quell'uomo ha operato sì spesso da cristiano, che non può portare il suo furore anti-religioso fino alla tomba. Speriamo, speriamo così! E tu bada, Silvio, a perdonargli di cuore i suoi mali umori, e prega per lui!

Le sue parole m'erano sacre.

## CAPO LXXI

Le conversazioni di cui parlo, quali con Oroboni, quali con Schiller o altri, occupavano tuttavia poca parte delle mie lunghe ventiquattr'ore della giornata, e non rade erano le volte che niuna conversazione riusciva possibile col primo.

Che faceva io in tanta solitudine?

Ecco tutta quanta la mia vita in que' giorni. Io m'alzava sempre all'alba, e, salito in capo del tavolaccio, m'aggrappava alle sbarre della finestra, e diceva le orazioni. Oroboni già era alla sua finestra o non tardava di venirvi. Ci salutavamo; e l'uno e l'altro continuava tacitamente i suoi pensieri a Dio. Quanto erano orribili i nostri covili, altrettanto era bello lo spettacolo esterno per noi. Quel cielo, quella campagna, quel lontano muoversi di creature nella valle, quelle voci delle villanelle, quelle risa, que' canti ci esilara-

vano, ci facevano più caramente sentire la presenza di Colui ch'è
sì magnifico nella sua bontà, e del quale avevamo tanto di bisogno.
Veniva la visita mattutina delle guardie. Queste davano un'occhiata alla stanza per vedere se tutto era in ordine, ed osservavano
la mia catena, anello per anello, a fine d'assicurarsi che qualche
accidente o qualche malizia non l'avesse spezzata; o piuttosto
(dacché spezzar la catena era impossibile) faceasi questa ispezione
per obbedire fedelmente alle prescrizioni di disciplina. S'era giorno
che venisse il medico, Schiller dimandava se si voleva parlargli,
e prendea nota.

Finito il giro delle nostre carceri, tornava Schiller ed accompagnava Kunda, il quale aveva l'ufficio di pulire ciascuna stanza.

Un breve intervallo, e ci portavano la colezione. Questa era un
mezzo pentolino di broda rossiccia, con tre sottilissime fettine di
pane; io mangiava quel pane e non beveva la broda.

Dopo ciò mi poneva a studiare. Maroncelli avea portato d'Italia
molti libri, e tutti i nostri compagni ne aveano pure portati, chi
più chi meno. Tutto insieme formava una buona bibliotechina.
Speravamo inoltre di poterla aumentare coll'uso de' nostri denari.
Non era ancor venuta alcuna risposta dall'Imperatore sul permesso
che dimandavamo di leggere i nostri libri ed acquistarne altri; ma
intanto il governatore di Brünn ci concedeva *provvisoriamente* di
tener ciascun di noi due libri presso di sé, da cangiarsi ogni volta
che volessimo. Verso le nove veniva il soprintendente, e se il
medico era stato chiesto ei l'accompagnava.

Un altro tratto di tempo restavami quindi per lo studio, fino
alle undici, ch'era l'ora del pranzo.

Fino al tramonto non avea più visite, e tornava a studiare. Allora
Schiller e Kunda venivano per mutarmi l'acqua, ed un istante appresso veniva il soprintendente con alcune guardie per l'ispezione
vespertina a tutta la stanza ed ai miei ferri.

In una delle ore della giornata, or avanti or dopo il pranzo, a
beneplacito delle guardie, eravi il passeggio.

Terminata la suddetta visita vespertina, Oroboni ed io ci mettevamo a conversare, e quelli solevano essere i colloquii più lunghi.
Gli straordinari avvenivano la mattina, od appena pranzato, ma
per lo più brevissimi.

Qualche volta le sentinelle erano così pietose che ci diceano:
— Un po' più piano, signori, altrimenti il castigo cadrà su noi.

Altre volte fingeano di non accorgersi che parlassimo, poi, vedendo spuntare il sergente, ci pregavano di tacere finché questi
fosse partito; ed appena partito esso, diceano: — Signori patroni,
adesso potere, ma piano più che star possibile.

Talora alcuni di que' soldati si fecero arditi sino a dialogare con
noi, soddisfare alle nostre dimande, e darci qualche notizia d'Italia.

A certi discorsi non rispondevamo se non pregandoli di tacere.
Era naturale che dubitassimo se fossero tutte espansioni di cuori
schietti, ovvero artifizii a fine di scrutare i nostri animi. Nondimeno
inclino molto più a credere che quella gente parlasse con sincerità.

CAPO LXXII

Una sera avevamo sentinelle benignissime, e quindi Oroboni ed io
non ci davamo la pena di comprimere la voce. Maroncelli nel suo
sotterraneo, arrampicatosi alla finestra, ci udì e distinse la voce mia.
Non poté frenarsi; mi salutò cantando. Mi chiedea com'io stava, e
m'esprimea colle più tenere parole il suo rincrescimento di non
avere ancora ottenuto che fossimo messi insieme. Questa grazia
l'aveva io pure dimandata, ma né il soprintendente di Spielberg,
né il governatore di Brünn, non avevano l'arbitrio di concederla. La
nostra vicendevole brama era stata significata all'Imperatore, e
niuna risposta erane fin'allora venuta.

Oltre quella volta che ci salutammo cantando ne' sotterranei,
io aveva inteso parecchie volte dal piano superiore le sue cantilene,
ma senza capire le parole, ed appena pochi istanti, perché nol
lasciavano proseguire.

Ora alzò molto più la voce, non fu così presto interrotto, e
capii tutto. Non v'ha termini per dire l'emozione che provai.

Gli risposi, e continuammo il dialogo circa un quarto d'ora.
Finalmente si mutarono le sentinelle sul terrapieno, e quelle che
vennero non furono compiacenti. Ben ci disponevamo a ripigliare
il canto, ma furiose grida s'alzarono a maledirci, e convenne ri-
spettarle.

Io mi rappresentava Maroncelli giacente da sì lungo tempo in
quel carcere tanto peggiore del mio; m'immaginava la tristezza
che ivi dovea sovente opprimerlo ed il danno che la sua salute ne
patirebbe, e profonda angoscia m'opprimeva.

Potei alfine piangere, ma il pianto non mi sollevò. Mi prese un grave dolore di capo con febbre violenta. Non mi reggeva in piedi, mi buttai sul pagliericcio. La convulsione crebbe; il petto doleami con orribile spasimo. Credetti quella notte morire.

Il dì seguente la febbre era cessata, e del petto stava meglio, ma pareami d'aver fuoco nel cervello, e appena potea muovere il capo senza che vi si destassero atroci dolori.

Dissi ad Oroboni il mio stato. Egli pure si sentiva più male del solito.

— Amico, — diss'egli — non è lontano il giorno che uno di noi due non potrà più venire alla finestra. Ogni volta che ci salutiamo può essere l'ultima. Teniamoci dunque pronti l'uno e l'altro sì a morire, sì a sopravvivere all'amico.

La sua voce era intenerita; io non potea rispondergli. Stemmo un istante in silenzio, indi ei riprese:

— Te beato, che sai il tedesco! Potrai almeno confessarti! Io ho domandato un prete che sappia l'italiano: mi dissero che non v'è. Ma Dio vede il mio desiderio, e dacché mi sono confessato a Venezia, in verità mi pare di non aver più nulla che m'aggravi la coscienza.

— Io invece, a Venezia, mi confessai — gli dissi — con animo pieno di rancore, e feci peggio che se avessi ricusato i sacramenti. Ma se ora mi si concede un prete, t'assicuro che mi confesserò di cuore e perdonando a tutti.

— Il cielo ti benedica! — sclamò — tu mi dài una grande consolazione. Facciamo, sì, facciamo il possibile entrambi per essere eternamente uniti nella felicità, come lo fummo in questi giorni di sventura!

Il giorno appresso l'aspettai alla finestra e non venne. Seppi da Schiller ch'egli era ammalato gravemente.

Otto o dieci giorni dopo, egli stava meglio, e tornò a salutarmi. Io doloarava, ma mi sostenea. Parecchi mesi passarono, sì per lui che per me, in queste alternative di meglio e di peggio.


CAPO LXXIII

Potei reggere sino al giorno 11 di gennaio 1823. La mattina m'alzai con mal di capo non forte, ma con disposizione al deliquio. Mi tremavano le gambe, e stentava a trarre il fiato.

Anche Oroboni, da due o tre giorni, stava male, e non s'alzava.

Mi portano la minestra, ne gusto appena un cucchiaio, poi cado privo di sensi. Qualche tempo dopo, la sentinella del corridoio guardò per accidente dallo sportello, e vedendomi giacente a terra, col pentolino rovesciato accanto a me, mi credette morto, e chiamò Schiller.

Venne anche il soprintendente, fu chiamato subito il medico, mi misero a letto. Rinvenni a stento.

Il medico disse ch'io era in pericolo, e mi fece levare i ferri. Mi ordinò non so qual cordiale, ma lo stomaco non poteva ritener nulla. Il dolor di capo cresceva terribilmente.

Fu fatta immediata relazione al governatore, il quale spedì un corriere a Vienna, per sapere come io dovessi essere trattato. Si rispose che non mi ponessero nell'infermeria, ma che mi servissero nel carcere colla stessa diligenza che se fossi nell'infermeria. Di più autorizzavasi il soprintendente a fornirmi brodi e minestre della sua cucina, finché durava la gravezza del male.

Quest'ultimo provvedimento mi fu a principio inutile: niun cibo, niuna bevanda mi passava. Peggiorai per tutta una settimana, e delirava giorno e notte.

Kral e Kubitzky mi furono dati per infermieri; ambi mi servivano con amore.

Ogni volta ch'io era alquanto in senno, Kral mi ripeteva:

— Abbia fiducia in Dio; Dio solo è buono.

— Pregate per me, — dicevagli io — non che mi risani, ma che accetti le mie sventure e la mia morte in espiazione de' miei peccati.

Mi suggerì di chiedere i sacramenti.

— Se non li chiesi, — risposi — attribuitelo alla debolezza della mia testa; ma sarà per me un gran conforto il riceverli.

Kral riferì le mie parole al soprintendente, e fu fatto venire il cappellano delle carceri.

Mi confessai, comunicai, e presi l'olio santo. Fui contento di quel sacerdote. Si chiamava Sturm. Le riflessioni che mi fece sulla giustizia di Dio, sull'ingiustizia degli uomini, sul dovere del perdono, sulla vanità di tutte le cose del mondo, non erano trivialità: aveano l'impronta d'un intelletto elevato e cólto, e d'un sentimento caldo di vero amore di Dio e del prossimo.

## CAPO LXXIV

Lo sforzo d'attenzione che feci per ricevere i sacramenti sembrò esaurire la mia vitalità, ma invece giovommi, gettandomi in un letargo di parecchie ore che mi riposò.

Mi destai alquanto sollevato, e vedendo Schiller e Kral vicini a me, presi le lor mani e li ringraziai delle loro cure.

Schiller mi disse: — L'occhio mio è esercitato a veder malati: scommetterei ch'ella non muore.

— Non parvi di farmi un cattivo pronostico? — diss'io.

— No; — rispose — le miserie della vita sono grandi, è vero; ma chi le sopporta con nobiltà d'animo e con umiltà, ci guadagna sempre vivendo.

Poi soggiunse: — S'ella vive, spero che avrà fra qualche giorno una gran consolazione. Ella ha dimandato di vedere il signor Maroncelli?

— Tante volte ho ciò dimandato, ed invano; non ardisco più sperarlo.

— Speri, speri, signore! e ripeta la dimanda.

La ripetei infatti quel giorno. Il soprintendente disse parimente ch'io dovea sperare, e soggiunse essere verisimile che non solo Maroncelli potesse vedermi, ma che mi fosse dato per infermiere, ed in appresso per indivisibile compagno.

Siccome, quanti eravamo prigionieri di Stato, avevamo più o meno tutti la salute rovinata, il governatore avea chiesto a Vienna che potessimo esser messi tutti a due a due, affinché uno servisse d'aiuto all'altro.

Io aveva anche dimandato la grazia di scrivere un ultimo addio alla mia famiglia.

Verso la fine della seconda settimana la mia malattia ebbe una crisi, ed il pericolo si dileguò.

Cominciava ad alzarmi, quando un mattino s'apre la porta, e vedo entrar festosi il soprintendente, Schiller ed il medico. Il primo corre a me, e mi dice: — Abbiamo il permesso di darle per compagno Maroncelli, e di lasciarle scrivere una lettera ai parenti.

La gioia mi tolse il respiro, ed il povero soprintendente, che per impeto di buon cuore aveva mancato di prudenza, mi credette perduto.

Quando riacquistai i sensi, e mi sovvenne dell'annuncio udito, pregai che non mi si ritardasse un tanto bene. Il medico consentì, e Maroncelli fu condotto nelle mie braccia.

Oh qual momento fu quello! — Tu vivi? — sclamavamo a vicenda. — Oh amico! oh fratello! che giorno felice c'è ancor toccato di vedere! Dio ne sia benedetto!

Ma la nostra gioia, ch'era immensa, congiungeasi ad una immensa compassione. Maroncelli doveva esser meno colpito di me, trovandomi così deperito com'io era: ei sapea qual grave malattia avessi fatto. Ma io, anche pensando che avesse patito, non me lo immaginava così diverso da quel di prima. Egli era appena riconoscibile. Quelle sembianze, già sì belle, sì floride, erano consumate dal dolore, dalla fame, dall'aria cattiva del tenebroso suo carcere!

Tuttavia il vederci, l'udirci, l'essere finalmente indivisi ci confortava. Oh quante cose avemmo a comunicarci, a ricordare, a ripeterci! Quanta soavità nel compianto! Quanta armonia in tutte le idee! Qual contentezza di trovarci d'accordo in fatto di religione, d'odiare bensì l'uno e l'altro l'ignoranza e la barbarie, ma di non odiare alcun uomo, e di commiserare gl'ignoranti ed i barbari, e pregare per loro!

### CAPO LXXV

Mi fu portato un foglio di carta ed il calamaio, affinch'io scrivessi a' parenti.

Siccome propriamente la permissione erasi data ad un moribondo che intendea di volgere alla famiglia l'ultimo addio, io temeva che la mia lettera, essendo ora d'altro tenore, più non venisse spedita. Mi limitai a pregare colla più grande tenerezza genitori, fratelli e sorelle, che si rassegnassero alla mia sorte, protestando loro d'essere rassegnato.

Quella lettera fu nondimeno spedita, come poi seppi allorché dopo tanti anni rividi il tetto paterno. L'unica fu dessa che in sì lungo tempo della mia captività i cari parenti potessero avere da me. Io da loro non n'ebbi mai alcuna: quelle che mi scrivevano furono sempre tenute a Vienna. Egualmente privati d'ogni relazione colle famiglie erano gli altri compagni di sventura.

Dimandammo infinite volte la grazia d'avere almeno carta e

calamaio per istudiare, e quella di far uso de' nostri denari per comprar libri. Non fummo esauditi mai.

Il governatore continuava frattanto a permettere che leggessimo i libri nostri.

Avemmo anche, per bontà di lui, qualche miglioramento di cibo, ma ahi! non fu durevole. Egli avea consentito che invece d'esser provveduti dalla cucina del *trattore* delle carceri, il fossimo da quella del soprintendente. Qualche fondo di più era da lui stato assegnato a tal uso. La conferma di queste disposizioni non venne; ma intanto che durò il beneficio, io ne provai molto giovamento. Anche Maroncelli racquistò un po' di vigore. Per l'infelice Oroboni era troppo tardi!

Quest'ultimo era stato accompagnato, prima coll'avvocato Solera, indi col sacerdote D. Fortini.[1]

Quando fummo appaiati in tutte le carceri, il divieto di parlare alle finestre ci fu rinnovato, con minaccia, a chi contravvenisse, d'essere riposto in solitudine. Violammo a dir vero qualche volta il divieto per salutarci, ma lunghe conversazioni più non si fecero.

L'indole di Maroncelli e la mia armonizzavano perfettamente. Il coraggio dell'uno sosteneva il coraggio dell'altro. Se un di noi era preso da mestizia o da fremiti d'ira contro i rigori della nostra condizione, l'altro l'esilarava con qualche scherzo o con opportuni raziocinii. Un dolce sorriso temperava quasi sempre i nostri affanni.

Finché avemmo libri, benché omai tanto riletti da saperli a memoria, eran dolce pascolo alla mente, perché occasione di sempre nuovi esami, confronti, giudizi, rettificazioni, ecc. Leggevamo, ovvero meditavamo gran parte della giornata in silenzio, e davamo al cicaleccio il tempo del pranzo, quello del passeggio e tutta la sera.

Maroncelli nel suo sotterraneo avea composti molti versi d'una gran bellezza. Me li andava recitando, e ne componeva altri. Io pure ne componeva e li recitava. E la nostra memoria esercitavasi a ritenere tutto ciò. Mirabile fu la capacità che acquistammo di poetare lunghe produzioni a memoria, limarle e tornarle a limare infinite volte, e ridurle a quel segno medesimo di possibile finitezza

1. Antonio Solera (1786-1848) era pretore di Lovere in provincia di Bergamo, e Don Marco Fortini era cappellano di Fratta Polesine, quando furono arrestati ai primi del 1820 e coinvolti nel processo dei carbonari del Polesine. Furono graziati nel 1826.

che avremmo ottenuto scrivendole. Maroncelli compose così, a poco a poco, e ritenne in mente parecchie migliaia di versi lirici ed epici. Io feci la tragedia di *Leoniero da Dertona*[1] e varie altre cose.

## CAPO LXXVI

Oroboni, dopo aver molto dolorato nell'inverno e nella primavera, si trovò assai peggio la state. Sputò sangue, e andò in idropisia.

Lascio pensare qual fosse la nostra afflizione, quand'ei si stava estinguendo sì presso di noi, senza che potessimo rompere quella crudele parete che c'impediva di vederlo e di prestargli i nostri amichevoli servigi!

Schiller ci portava le sue nuove. L'infelice giovane patì atrocemente, ma l'animo suo non s'avvilì mai. Ebbe i soccorsi spirituali dal cappellano (il quale, per buona sorte, sapeva il francese).

Morì nel suo dì onomastico, il 13 giugno 1823. Qualche ora prima di spirare, parlò dell'ottogenario suo padre, s'intenerì e pianse. Poi si riprese, dicendo:

— Ma perché piango il più fortunato de' miei cari, poich'egli è alla vigilia di raggiungermi all'eterna pace?

Le sue ultime parole furono: — Io perdono di cuore ai miei nemici.

Gli chiuse gli occhi D. Fortini, suo amico dall'infanzia, uomo tutto religione e carità.

Povero Oroboni! qual gelo ci corse per le vene, quando ci fu detto ch'ei non era più! Ed udimmo le voci ed i passi di chi venne a prendere il cadavere! E vedemmo dalla finestra il carro in cui veniva portato al cimitero! Traevano quel carro due condannati comuni; lo seguivano quattro guardie. Accompagnammo cogli occhi il triste convoglio fino al cimitero. Entrò nella cinta. Si fermò in un angolo: là era la fossa.

Pochi istanti dopo, il carro, i condannati e le guardie tornarono indietro. Una di queste era Kubitzky. Mi disse (gentile pensiero, sorprendente in un uomo rozzo): — Ho segnato con precisione il luogo della sepoltura, affinché, se qualche parente od amico po-

1. Questa tragedia, nella quale il Pellico metteva in scena un conte di Spilberga ucciso dagli italiani insofferenti di schiavitù, attesta che le vedute e i sentimenti politici dell'autore non erano mutati.

tesse un giorno ottenere di prendere quelle ossa e portarle al suo paese, si sappia dove giacciono.

Quante volte Oroboni m'aveva detto, guardando dalla finestra il cimitero: — Bisogna ch'io m'avvezzi all'idea d'andare a marcire là entro: eppur confesso che quest'idea mi fa ribrezzo. Mi pare che non si debba star così bene sepolto in questi paesi come nella nostra cara penisola.

Poi ridea e sclamava: — Fanciullaggini! Quando un vestito è logoro e bisogna deporlo, che importa dovunque sia gettato?

Altre volte diceva: — Mi vado preparando alla morte, ma mi sarei rassegnato più volentieri ad una condizione: rientrare appena nel tetto paterno, abbracciare le ginocchia di mio padre, intendere una parola di benedizione, e morire!

Sospirava e soggiungeva: — Se questo calice non può allontanarsi, o mio Dio, sia fatta la tua volontà!

E l'ultima mattina della sua vita disse ancora, baciando un crocefisso che Kral gli porgea:

— Tu ch'eri divino, avevi pure orrore della morte, e dicevi: *Si possibile est, transeat a me calix iste!* Perdona se lo dico anch'io. Ma ripeto anche le altre tue parole: *Verumtamen non sicut ego volo, sed sicut tu!*

### CAPO LXXVII

Dopo la morte d'Oroboni, ammalai di nuovo. Credeva di raggiungere presto l'estinto amico; e ciò bramava. Se non che, mi sarei io separato senza rincrescimento da Maroncelli?

Più volte, mentr'ei, sedendo sul pagliericcio, leggeva o poetava, o forse fingeva al pari di me di distrarsi con tali studi e meditava sulle nostre sventure, io lo guardava con affanno e pensava: «Quanto più trista non sarà la tua vita quando il soffio della morte m'avrà tocco, quando mi vedrai portar via di questa stanza, quando, mirando il cimitero, dirai: — Anche Silvio è là! — » E m'inteneriva su quel povero superstite, e faceva voti che gli dessero un altro compagno, capace d'apprezzarlo come lo apprezzava io, — ovvero che il Signore prolungasse i miei martirii, e mi lasciasse il dolce uffizio di temperare quelli di quest'infelice, dividendoli.

Io non noto quante volte le mie malattie sgombrarono e ricomparvero. L'assistenza che in esse faceami Maroncelli era quella del più tenero fratello. Ei s'accorgea quando il parlare non mi convenisse, ed allora stava in silenzio; ei s'accorgea quando i suoi detti potessero sollevarmi, ed allora trovava sempre soggetti confacentisi alla disposizione del mio animo, talora secondandola, talora mirando grado grado a mutarla. Spiriti più nobili del suo, io non ne avea mai conosciuti; pari al suo, pochi. Un grande amore per la giustizia, una grande tolleranza, una gran fiducia nella virtù umana e negli aiuti della Provvidenza, un sentimento vivissimo del bello in tutte le arti, una fantasia ricca di poesia, tutte le più amabili doti di mente e di cuore si univano per rendermelo caro.

Io non dimenticava Oroboni, ed ogni dì gemea della sua morte, ma gioivami spesso il cuore immaginando che quel diletto, libero di tutti i mali ed in seno alla Divinità, dovesse pure annoverare fra le sue contentezze quella di vedermi con un amico non meno affettuoso di lui.

Una voce pareva assicurarmi nell'anima che Oroboni non fosse più in luogo di espiazione; nondimeno io pregava sempre per lui. Molte volte sognai di vederlo che pregasse per me; e que' sogni io amava di persuadermi che non fossero accidentali, ma bensì vere manifestazioni sue, permesse da Dio per consolarmi. Sarebbe cosa ridicola s'io riferissi la vivezza di tali sogni, e la soavità che realmente in me lasciavano per intere giornate.

Ma i sentimenti religiosi e l'amicizia mia per Maroncelli alleggerivano sempre più le mie afflizioni. L'unica idea che mi spaventasse era la possibilità che questo infelice, di salute già assai rovinata, sebbene meno minacciante della mia, mi precedesse nel sepolcro. Ogni volta ch'egli ammalava io tremava; ogni volta che vedealo star meglio, era una festa per me.

Queste paure di perderlo davano al mio affetto per lui una forza sempre maggiore; ed in lui la paura di perder me operava lo stesso effetto.

Ah! v'è pur molta dolcezza in quelle alternazioni d'affanni e di speranze per una persona che è l'unica che ti rimanga! La nostra sorte era sicuramente una delle più misere che si dieno sulla terra; eppure lo stimarci e l'amarci così pienamente formava in mezzo a' nostri dolori una specie di felicità; e davvero la sentivamo.

## CAPO LXXVIII

Avrei bramato che il cappellano (del quale io era stato così contento al tempo della mia prima malattia) ci fosse stato conceduto per confessore, e che potessimo vederlo a quando a quando, anche senza trovarci gravemente infermi. Invece di dare questo incarico a lui, il governatore ci destinò un agostiniano, per nome P. Battista, intantoché venisse da Vienna o la conferma di questo, o la nomina d'un altro.

Io temea di perderci nel cambio; m'ingannava. Il P. Battista era un angiolo di carità; i suoi modi erano educatissimi ed anzi eleganti; ragionava profondamente de' doveri dell'uomo.

Lo pregammo di visitarci spesso. Veniva ogni mese, e più frequentemente se poteva. Ci portava anche, col permesso del governatore, qualche libro, e ci diceva, a nome del suo abate, che tutta la biblioteca del convento stava a nostra disposizione. Sarebbe stato un gran guadagno questo per noi, se fosse durato. Tuttavia ne profittammo per parecchi mesi.

Dopo la confessione, ei si fermava lungamente a conversare, e da tutti i suoi discorsi appariva un'anima retta, dignitosa, innamorata della grandezza e della santità dell'uomo. Avemmo la fortuna di godere circa un anno de' suoi lumi e della sua affezione, e non si smentì mai. Non mai una sillaba che potesse far sospettare intenzioni di servire, non al suo ministero, ma alla politica. Non mai una mancanza di qualsiasi delicato riguardo.

A principio, per dir vero, io diffidava di lui, io m'aspettava di vederlo volgere la finezza del suo ingegno ad indagini sconvenienti. In un prigioniero di Stato, simile diffidenza è pur troppo naturale; ma oh quanto si resta sollevato allorché svanisce, allorché si scopre nell'interprete di Dio niun altro zelo che quello della causa di Dio e dell'umanità!

Egli aveva un modo a lui particolare ed efficacissimo di dare consolazioni. Io m'accusava, per esempio, di fremiti d'ira pei rigori della nostra carceraria disciplina. Ei moralizzava alquanto sulla virtù di soffrire con serenità e perdonando; poi passava a dipingere con vivissima rappresentazione le miserie di condizioni diverse della mia. Avea molto vissuto in città ed in campagna, conosciuto grandi e piccoli, e meditato sulle umane ingiustizie; sapea descrivere bene le passioni ed i costumi delle varie classi sociali. Dappertutto ei mi mostrava forti e deboli, calpestanti e calpestati; dappertutto la necessità o d'odiare i nostri simili, o d'amarli per generosa indulgenza e per compassione. I casi ch'ei raccontava per rammemorarmi l'universalità della sventura, ed i buoni effetti che si possono trarre da questa, nulla aveano di singolare; erano anzi affatto ovvii; ma diceali con parole così giuste, così potenti, che mi faceano fortemente sentire le deduzioni da ricavarne.

Ah sì! ogni volta ch'io aveva udito quegli amorevoli rimproveri e que' nobili consigli, io ardeva d'amore della virtù, io non abborriva più alcuno, io avrei data la vita pel minimo de' miei simili, io benediceva Dio d'avermi fatto uomo.

Ah! infelice chi ignora la sublimità della confessione! infelice chi, per non parer volgare, si crede obbligato di guardarla con ischerno! Non è vero che, ognuno sapendo già che bisogna esser buono, sia inutile di sentirselo a dire; che bastino le proprie riflessioni ed opportune letture; no! la favella viva d'un uomo ha una possanza che né le letture, né le proprie riflessioni non hanno! L'anima n'è più scossa; le impressioni che vi si fanno, sono più profonde. Nel fratello che parla, v'è una vita ed un'opportunità che sovente indarno si cercherebbero ne' libri e ne' nostri proprii pensieri.

### CAPO LXXIX

Nel principio del 1824, il soprintendente, il quale aveva la sua cancelleria ad uno de' capi del nostro corridoio, trasportossi altrove, e le stanze di cancelleria con altre annesse furono ridotte a carceri. Ahi! capimmo che nuovi prigionieri di Stato doveano aspettarsi d'Italia.

Giunsero infatti in breve quelli d'un terzo processo: tutti amici e conoscenti miei! Oh, quando seppi i loro nomi qual fu la mia tristezza! Borsieri era uno de' più antichi miei amici! A Confalonieri io era affezionato da men lungo tempo, ma pur con tutto il cuore! Se avessi potuto, passando al carcere *durissimo* od a qualunque immaginabile tormento, scontare la loro pena e liberarli, Dio sa se non l'avrei fatto! Non dico solo dar la vita per essi: ah che cos'è il dar la vita? soffrire è ben più!

Avrei avuto allora tanto d'uopo delle consolazioni del P. Battista; non gli permisero più di venire.

Nuovi ordini vennero pel mantenimento della più severa disciplina. Quel terrapieno che ci serviva di passeggio fu dapprima cinto di steccato, sicché nessuno, nemmeno in lontananza con telescopii, potesse più vederci; e così noi perdemmo lo spettacolo bellissimo delle circostanti colline e della sottoposta città. Ciò non bastò. Per andare a quel terrapieno, conveniva attraversare, come dissi, il cortile, ed in questo molti aveano campo di scorgerci. A fine di occultarci a tutti gli sguardi, ci fu tolto quel luogo di passeggio e ce ne venne assegnato uno piccolissimo, situato contiguamente al nostro corridoio, ed a pretta tramontana, come le nostre stanze.

Non posso esprimere quanto questo cambiamento di passeggio ci affliggesse. Non ho notato tutti i conforti che avevamo nel luogo che ci veniva tolto. La vista de' figliuoli del soprintendente, i loro cari amplessi, dove avevamo veduta inferma ne' suoi ultimi giorni la loro madre; qualche chiacchiera col fabbro, che aveva pur ivi il suo alloggio; le liete canzoncine e le armonie d'un caporale che sonava la chitarra; e per ultimo un innocente amore — un amore non mio, né del mio compagno, ma d'una buona caporalina ungherese, venditrice di frutta. Ella erasi invaghita di Maroncelli.

Già prima che fosse posto con me, esso e la donna, vedendosi ivi quasi ogni giorno, aveano fatto un poco d'amicizia. Egli era anima sì onesta, sì dignitosa, sì semplice nelle sue viste, che ignorava affatto d'avere innamorato la pietosa creatura. Ne lo feci accorto io. Esitò di prestarmi fede, e nel dubbio solo che avessi ragione, impose a se stesso di mostrarsi più freddo con essa. La maggior riserva di lui, invece di spegnere l'amore della donna, pareva aumentarlo.

Siccome la finestra della stanza di lei era alta appena un braccio dal suolo del terrapieno, ella balzava dal nostro lato per l'apparente motivo di stendere al sole qualche pannolino o fare alcun'altra faccenduola, e stava lì a guardarci; e se poteva, attaccava discorso.

Le povere nostre guardie, sempre stanche di aver poco o niente dormito la notte, coglievano volentieri l'occasione d'essere in quell'angolo, dove, senz'essere vedute da' superiori, poteano sedere sull'erba e sonnecchiare. Maroncelli era allora in un grande imbarazzo, tanto appariva l'amore di quella sciagurata. Maggiore era l'imbarazzo mio. Nondimeno simili scene, che sarebbero state assai risibili se la donna ci avesse ispirato poco rispetto, erano per

noi serie, e potrei dire patetiche. L'infelice ungherese aveva una
di quelle fisionomie, le quali annunciano indubitabilmente l'abitudine della virtù ed il bisogno di stima. Non era bella, ma dotata
di tale espressione di gentilezza, che i contorni alquanto irregolari
del suo volto sembravano abbellirsi ad ogni sorriso, ad ogni moto
de' muscoli.

Se fosse mio proposito di scrivere d'amore, mi resterebbero
non brevi cose a dire di quella misera e virtuosa donna, — or morta.
Ma basti l'avere accennato uno de' pochi avvenimenti del nostro
carcere.

I cresciuti rigori rendevano sempre più monotona la nostra vita.
Tutto il 1824, tutto il 25, tutto il 26, tutto il 27, in che si passarono
per noi? Ci fu tolto quell'uso de' nostri libri che per *interim* ci
era stato conceduto dal governatore. Il carcere divenneci una vera
tomba, nella quale neppure la tranquillità della tomba c'era lasciata.
Ogni mese veniva, in giorno indeterminato, a farvi una diligente
perquisizione il direttore di polizia, accompagnato d'un luogotenente e di guardie. Ci spogliavano nudi, esaminavano tutte le cuci-
ture de' vestiti, nel dubbio che vi si tenesse celata qualche carta
o altro, si scucivano i pagliericci per frugarvi dentro. Benché nulla di clandestino potessero trovarci, questa visita ostile e di sorpresa, ripetuta senza fine, aveva non so che, che m'irritava, e che
ogni volta metteami la febbre.

Gli anni precedenti m'erano sembrati sì infelici, ed ora io pensava ad essi con desiderio, come ad un tempo di care dolcezze.
Dov'erano le ore ch'io m'ingolfava nello studio della Bibbia, o
d'Omero? A forza di leggere Omero nel testo, quella poca cognizione di greco ch'io aveva si era aumentata, ed erami appassionato
per quella lingua. Quanto incresceami di non poterne continuare
lo studio! Dante, Petrarca, Shakespeare, Byron, Walter Scott,
Schiller, Goethe, ecc., quanti amici m'erano involati! Fra siffatti io annoverava pure alcuni libri di cristiana sapienza, come il
Bourdaloue,[1] il Pascal, l'*Imitazione di Gesù Cristo*, la *Filotea*, ecc.,

1. Luigi Bourdaloue (1632-1704), celebre predicatore francese dell'ordine dei gesuiti, fece nei suoi *Sermons* un'analisi penetrante delle passioni
e delle varie infermità della natura umana.

libri che se si leggono con critica ristretta ed illiberale, esultando ad ogni reperibile difetto di gusto, ad ogni pensiero non valido, si gettano là e non si ripigliano; ma che, letti senza malignare e senza scandalezzarsi dei lati deboli, scoprono una filosofia alta e vigorosamente nutritiva pel cuore e per l'intelletto.

Alcuni di siffatti libri di religione ci furono poscia mandati in dono dall'Imperatore, ma con esclusione assoluta di libri d'altra specie servienti a studio letterario.

Questo dono d'opere ascetiche venneci impetrato nel 1825 da un confessore dalmata inviatoci da Vienna, il P. Stefano Paulowich, fatto, due anni appresso, vescovo di Cattaro.[1] A lui fummo pur debitori d'aver finalmente la messa, che prima ci si era sempre negata dicendoci che non poteano condurci in chiesa e tenerci separati a due a due siccome era prescritto.

Tanta separazione non potendo mantenersi, andavamo alla messa divisi in tre gruppi; un gruppo sulla tribuna dell'organo, un altro sotto la tribuna, in guisa da non esser veduto, ed il terzo in un oratorietto guardante in chiesa per mezzo d'una grata.

Maroncelli ed io avevamo allora per compagni, ma con divieto che una coppia parlasse coll'altra, sei condannati, di sentenza anteriore alla nostra. Due di essi erano stati miei vicini nei *Piombi* di Venezia. Eravamo condotti da guardie al posto assegnato, e ricondotti, dopo la messa, ciascuna coppia nel suo carcere. Veniva a dirci la messa un cappuccino. Questo buon uomo finiva sempre il suo rito con un *Oremus* implorante la nostra liberazione dai vincoli, e la sua voce si commovea. Quando veniva via dall'altare, dava una pietosa occhiata a ciascuno de' tre gruppi, ed inchinava mestamente il capo pregando.

---

1. Stefano Paulowich-Lucich (1790-1853), di Macarcsa in Dalmazia, aveva studiato nel seminario di Padova. Fu poi cappellano aulico ed ebbe missioni di fiducia da parte del governo austriaco. Dal 1824 assisté spiritualmente i condannati italiani dello Spielberg, e in questo suo ufficio esplicò uno zelo più politico che religioso.

CAPO LXXXI

Nel 1825 Schiller fu riputato omai troppo indebolito dagli ac-
ciacchi della vecchiaia, e gli diedero la custodia d'altri condannati
pei quali sembrasse non richiedersi tanta vigilanza. Oh quanto
c'increbbe ch'ei si allontanasse da noi, ed a lui pure increbbe di
lasciarci!

Per successore ebb'egli dapprima Kral, uomo non inferiore a lui
in bontà. Ma anche a questo venne data in breve un'altra destinazione, e ce ne capitò uno, non cattivo, ma burbero ed estraneo
ad ogni dimostrazione d'affetto.

Questi mutamenti m'affliggevano profondamente. Schiller, Kral
e Kubitzky, ma in particolar modo i due primi, ci avevano assistiti
nelle nostre malattie come un padre ed un fratello avrebbero potuto fare. Incapaci di mancare al loro dovere, sapeano eseguirlo
senza durezza di cuore. Se v'era un po' di durezza nelle forme,
era quasi sempre involontaria, e riscattavanla pienamente i tratti
amorevoli che ci usavano. M'adirai talvolta contr'essi, ma oh come
mi perdonavano cordialmente! come anelavano di persuaderci che
non erano senza affezione per noi, e come gioivano vedendo che
n'eravamo persuasi e li stimavamo uomini dabbene!

Dacché fu lontano da noi, più volte Schiller s'ammalò, e si
riebbe. Domandavamo contezza di lui con ansietà filiale. Quand'egli
era convalescente, veniva talvolta a passeggiare sotto le nostre finestre. Noi tossivamo per salutarlo, ed egli guardava in su con
un sorriso melanconico, e diceva alla sentinella, in guisa che udis-
simo: — *Da sind meine Söhne!* (là sono i miei figli!).

Povero vecchio! che pena mi mettea il vederti trascinare stentatamente l'egro fianco, e non poterti sostenere col mio braccio!

Talvolta ei sedeva lì sull'erba, e leggea. Erano libri ch'ei m'avea
prestati. Ed affinché io li riconoscessi, ei ne diceva il titolo alla sentinella, o ne ripeteva qualche squarcio. Per lo più tai libri erano
novelle da calendari, od altri romanzi di poco valore letterario, ma
morali.

Dopo varie ricadute d'apoplessia, si fece portare all'ospedale
de' militari. Era già in pessimo stato, e colà in breve morì. Possedeva alcune centinaia di fiorini, frutto de' suoi lunghi risparmii:
queste erano da lui state date in prestito ad alcuni suoi commili-

toni. Allorché si vide presso il suo fine, appellò a se quegli amici, e disse: — Non ho più congiunti; ciascuno di voi si tenga ciò che ha nelle mani. Vi domando solo di pregare per me.

Uno di tali amici aveva una figlia di diciotto anni, la quale era figlioccia di Schiller. Poche ore prima di morire, il buon vecchio la mandò a chiamare. Ei non potea più proferire parole distinte; si cavò di dito un anello d'argento, ultima sua ricchezza, e lo mise in dito a lei. Poi la baciò, e pianse baciandola. La fanciulla urlava, e lo inondava di lagrime. Ei gliele asciugava col fazzoletto. Prese le mani di lei e se le pose sugli occhi. — Quegli occhi erano chiusi per sempre.

### CAPO LXXXII

Le consolazioni umane ci andavano mancando una dopo l'altra; gli affanni erano sempre maggiori. Io mi rassegnava al voler di Dio, ma mi rassegnava gemendo; e l'anima mia, invece d'indurirsi al male, sembrava sentirlo sempre più dolorosamente.

Una volta mi fu clandestinamente recato un foglio della Gazzetta d'Augsburgo, nel quale spacciavasi stranissima cosa di me, a proposito della monacazione d'una delle mie sorelle.

Diceva: « La signora Maria Angiola Pellico, figlia ecc. ecc., prese addì ecc. il velo nel monastero della Visitazione in Torino ecc. È dessa sorella dell'autore della *Francesca da Rimini*, Silvio Pellico, il quale uscì recentemente dalla fortezza di Spielberg, graziato da S. M. l'Imperatore; tratto di clemenza degnissimo di sì magnanimo Sovrano, e che rallegrò tutta Italia, stanteché, ecc. ecc. »

E qui seguivano le mie lodi.

La frottola della grazia non sapeva immaginarmi perché fosse stata inventata. Un puro divertimento del giornalista non parea verisimile; era forse qualche astuzia delle polizie tedesche? Chi lo sa? Ma i nomi di Maria Angiola erano precisamente quelli di mia sorella minore. Doveano, senza dubbio, esser passati dalla gazzetta di Torino ad altre gazzette. Dunque quell'ottima fanciulla s'era veramente fatta monaca? Ah, forse ella prese quello stato perché ha perduto i genitori! Povera fanciulla! non ha voluto ch'io solo patissi le angustie del carcere: anch'ella ha voluto recludersi! Il Signore le dia, più che non dà a me, le virtù della pazienza e della abnegazione! Quante volte, nella sua cella, quell'angiolo penserà a me! quanto spesso farà dure penitenze per ottener da Dio che alleggerisca i mali del fratello!

Questi pensieri m'intenerivano, mi straziavano il cuore. Pur troppo le mie sventure potevano aver influito ad abbreviare i giorni del padre o della madre, o d'entrambi! Più ci pensava, e più mi pareva impossibile che senza siffatta perdita la mia Marietta avesse abbandonato il tetto paterno. Questa idea mi opprimeva quasi certezza, ed io caddi quindi nel più angoscioso lutto.

Maroncelli n'era commosso non meno di me. Qualche giorno appresso ei diedesi a comporre un lamento poetico sulla sorella del prigioniero. Riuscì un bellissimo poemetto spirante melanconia e compianto. Quando l'ebbe terminato, me lo recitò. Oh come gli fui grato della sua gentilezza! Fra tanti milioni di versi che fino allora s'erano fatti per monache, probabilmente quelli erano i soli che si componessero in carcere, pel fratello della monaca, da un compagno di ferri. Qual concorso d'idee patetiche e religiose!

Così l'amicizia addolciva i miei dolori. Ah, da quel tempo non volse più giorno ch'io non m'aggirassi lungamente col pensiero in un convento di vergini; che fra quelle vergini io non ne considerassi con più tenera pietà una: ch'io non pregassi ardentemente il Cielo d'abbellirle la solitudine, e di non lasciare che la fantasia le dipingesse troppo orrendamente la mia prigione!

### CAPO LXXXIII

L'essermi venuta clandestinamente quella gazzetta non faccia immaginare al lettore che frequenti fossero le notizie del mondo ch'io riuscissi a procurarmi. No: tutti erano buoni intorno a me, ma tutti legati da somma paura. Se avvenne qualche lieve clandestinità, non fu se non quando il pericolo potea veramente parer nullo. Ed era difficil cosa che potesse parer nullo in mezzo a tante perquisizioni ordinarie e straordinarie.

Non mi fu mai dato d'avere nascostamente notizie dei miei cari lontani, tranne il surriferito cenno relativo a mia sorella.

Il timore ch'io aveva, che i miei genitori non fossero più in vita, venne di lì a qualche tempo piuttosto aumentato che diminuito dal modo con cui una volta il direttore di polizia venne ad annunciarmi che a casa mia stavano bene.

— S. M. l'Imperatore comanda — diss'egli — che io le partecipi buone nuove di que' congiunti ch'ella ha a Torino.

Trabalzai dal piacere e dalla sorpresa a questa non mai prima avvenuta partecipazione, e chiesi maggiori particolarità.

— Lasciai — gli diss'io — genitori, fratelli e sorelle a Torino. Vivono tutti? Deh, s'ella ha una lettera d'alcun di loro, la supplico di mostrarmela!

— Non posso mostrar niente. Ella deve contentarsi di ciò. È sempre una prova di benignità dell'Imperatore il farle dire queste consolanti parole. Ciò non s'è ancor fatto a nessuno.

— Concedo esser prova di benignità dell'Imperatore; ma ella sentirà che m'è impossibile trarre consolazione da parole così indeterminate. Quali sono que' miei congiunti che stanno bene? Non ne ho io perduto alcuno?

— Signore, mi rincresce di non poterle dire di più di quel che m'è stato imposto.

E così se n'andò.

L'intenzione era certamente stata di recarmi un sollievo con quella notizia. Ma io mi persuasi che, nello stesso tempo che l'Imperatore aveva voluto cedere alle istanze di qualche mio congiunto, e consentire che mi fosse portato quel cenno, ei non volea che mi si mostrasse alcuna lettera, affinch'io non vedessi quali de' miei cari mi fossero mancati.

Indi a parecchi mesi, un annuncio simile al suddetto mi fu recato. Niuna lettera, niuna spiegazione di più.

Videro ch'io non mi contentava di tanto e che rimaneane vieppiù afflitto, e nulla mai più mi dissero della mia famiglia.

L'immaginarmi che i genitori fossero morti, che il fossero forse anche i fratelli, e Giuseppina altra mia amatissima sorella; che forse Marietta unica superstite s'estinguerebbe presto nell'angoscia della solitudine e negli stenti della penitenza, mi distaccava sempre più dalla vita.

Alcune volte, assalito fortemente dalle solite infermità o da infermità nuove, come coliche orrende con sintomi dolorosissimi e simili a quelli del *morbo-colera*, io sperai di morire. Sì; l'espressione è esatta: *sperai.*

E nondimeno, oh contraddizioni dell'uomo! dando un'occhiata al languente mio compagno mi si straziava il cuore al pensiero di lasciarlo solo, e desiderava di nuovo la vita!

### CAPO LXXXIV

Tre volte vennero di Vienna personaggi d'alto grado a visitare le nostre carceri, per assicurarsi che non ci fossero abusi di disciplina. La prima fu del barone von Münch, e questi, impietosito della poca luce che avevamo, disse che avrebbe implorato di poter prolungare la nostra giornata facendoci mettere per qualche ora della sera una lanterna alla parte esteriore dello sportello. La sua visita fu nel 1825. Un anno dopo fu eseguito il suo pio intento. E così a quel lume sepolcrale potevamo indi in poi vedere le pareti, e non romperci il capo passeggiando.

La seconda visita fu del barone von Vogel. Egli mi trovò in pessimo stato di salute, ed udendo che, sebbene il medico riputasse a me giovevole il caffè, non s'attentava d'ordinarmelo perché oggetto di lusso, disse una parola di consenso a mio favore; ed il caffè mi venne ordinato.

La terza visita fu di non so qual altro signore della Corte, uomo tra i cinquanta ed i sessanta, che ci dimostrò co' modi e colle parole la più nobile compassione. Non potea far nulla per noi, ma l'espressione soave della sua bontà era un beneficio, e gli fummo grati.

Oh qual brama ha il prigioniero di veder creature della sua specie! La religione cristiana, che è sì ricca d'umanità, non ha dimenticato di annoverare fra le opere di misericordia il *visitare i carcerati*. L'aspetto degli uomini cui duole della tua sventura, quand'anche non abbiano modo di sollevartene più efficacemente, te l'addolcisce.

La somma solitudine può tornar vantaggiosa all'ammendamento d'alcune anime; ma credo che in generale lo sia assai più se non ispinta all'estremo, se mescolata di qualche contatto colla società. Io almeno son così fatto. Se non vedo i miei simili, concentro il mio amore su troppo picciolo numero di essi, e disamo gli altri; se posso vederne, non dirò molti, ma un numero discreto, amo con tenerezza tutto il genere umano.

Mille volte mi son trovato col cuore sì unicamente amante di pochissimi, e pieno d'odio per gli altri, ch'io me ne spaventava. Allora andava alla finestra sospirando di vedere qualche faccia nuova, e m'estimava felice se la sentinella non passeggiava troppo rasente il muro; se si scostava sì che potessi vederla; se alzava il capo udendomi tossire; se la sua fisionomia era buona. Quando mi parea scorgervi sensi di pietà, un dolce palpito prendeami, come se quello sconosciuto soldato fosse un intimo amico. S'ei s'allontanava, io aspettava con innamorata inquietudine ch'ei ritornasse, e s'ei ritornava guardandomi, io ne gioiva come d'una grande carità. Se non passava più in guisa ch'io lo vedessi, io restava mortificato come uomo che ama, e conosce che altri nol cura.

CAPO LXXXV

Nel carcere contiguo, già d'Oroboni, stavano ora D. Marco Fortini e il signor Antonio Villa.[1] Quest'ultimo, altre volte robusto come un Ercole, patì molto la fame il primo anno, e quando ebbe più cibo si trovò senza forze per digerire. Languì lungamente, e poi, ridotto quasi all'estremità, ottenne che gli dessero un carcere più arioso. L'atmosfera mefitica d'un angusto sepolcro gli era, senza dubbio, nocivissima, siccome lo era a tutti gli altri. Ma il rimedio da lui invocato non fu sufficiente. In quella stanza grande campò qualche mese ancora, poi dopo varii sbocchi di sangue morì.

Fu assistito dal concaptivo D. Fortini e dall'abate Paulowich, venuto in fretta di Vienna quando si seppe ch'era moribondo.

Bench'io non mi fossi vincolato con lui così strettamente come con Oroboni, pur la sua morte mi afflisse molto. Io sapeva ch'egli era amato colla più viva tenerezza da' genitori e da una sposa! Per lui, era più da invidiarsi che da compiangersi; ma que' superstiti! . . .

Egli era anche stato mio vicino sotto i *Piombi*; Tremerello m'avea portato parecchi versi di lui, e gli avea portati de' miei. Talvolta regnava in que' suoi versi un profondo sentimento.

Dopo la sua morte mi parve d'essergli più affezionato che in vita, udendo dalle guardie quanto miseramente avesse patito. L'infelice

1. Antonio Villa, di Fratta Polesine, era stato arrestato il 16 dicembre 1818. Nei suoi interrogatori ebbe la debolezza di rivelare i nomi di molti altri cospiratori, i quali furono subito arrestati. Nacque così il grande processo dei carbonari del Polesine. Dalle sue rivelazioni il Villa non trasse alcun vantaggio. Condannato a morte e poi al carcere duro come gli altri, morì allo Spielberg, si può dire, di fame, perché lo scarsissimo e cattivo nutrimento che riceveva era del tutto insufficiente alle esigenze della sua eccezionale corporatura.

non poteva rassegnarsi a morire, sebbene religiosissimo. Provò al più alto grado l'orrore di quel terribile passo, benedicendo però sempre il Signore, e gridandogli con lagrime:

— Non so conformare la mia volontà alla tua, eppur voglio conformarla; opera tu in me questo miracolo!

Ei non aveva il coraggio d'Oroboni, ma lo imitò, protestando di perdonare a' nemici.

Alla fine di quell'anno (era il 1826) udimmo una sera nel corridoio il romore mal compresso di parecchi camminanti. I nostri orecchi erano divenuti sapientissimi a discernere mille generi di romori. Una porta viene aperta; conosciamo essere quella ov'era l'avvocato Solera. Se n'apre un'altra: è quella di Fortini. Fra alcune voci dimesse, distinguiamo quella del direttore di polizia. — Che sarà? Una perquisizione ad ora sì tarda? e perché?

Ma in breve escono di nuovo nel corridoio. Quand'ecco la cara voce del buon Fortini: — *Oh povereto mi! la scusi, sala; ho desmentegà un tomo del breviario.*

E lesto lesto ei correva indietro a prendersi quel tomo, poi raggiungeva il drappello. La porta della scala s'aperse, intendemmo i loro passi fino al fondo: capimmo che i due felici aveano ricevuto la grazia; e, sebbene c'increscesse di non seguirli, ne esultammo.

CAPO LXXXVI

Era la liberazione di que' due compagni senza alcuna conseguenza per noi? Come uscivano essi, i quali erano stati condannati al pari di noi, uno a vent'anni, l'altro a quindici, e su noi e su molt'altri non risplendeva grazia?

Contro i non liberati esistevano dunque prevenzioni più ostili? Ovvero sarebbevi la disposizione di graziarci tutti, ma a brevi intervalli di distanza, due alla volta? forse ogni mese? forse ogni due o tre mesi?

Così per alcun tempo dubbiammo. E più di tre mesi volsero, né altra liberazione faceasi. Verso la fine del 1827, pensammo che il dicembre potesse essere determinato per anniversario delle grazie. Ma il dicembre passò e nulla accadde.

Protraemmo l'aspettativa sino alla state del 1828, terminando allora per me i sett'anni e mezzo di pena, equivalenti, secondo il detto dell'Imperatore, ai quindici, ove pure la pena si volesse contare dall'arresto. Ché se non voleasi comprendere il tempo del processo (e questa supposizione era la più verisimile), ma bensì cominciare dalla pubblicazione della condanna, i sett'anni e mezzo non sarebbero finiti che nel 1829.

Tutti i termini calcolabili passarono, e grazia non rifulse. Intanto, già prima dell'uscita di Solera e Fortini, era venuto al mio povero Maroncelli un tumore al ginocchio sinistro. In principio il dolore era mite, e lo costringea soltanto a zoppicare. Poi stentava a trascinare i ferri, e di rado usciva a passeggio. Un mattino d'autunno gli piacque d'uscir meco per respirare un poco d'aria: v'era già neve; ed in un fatale momento ch'io nol sosteneva, inciampò e cadde. La percossa fece immantinente divenire acuto il dolore del ginocchio. Lo portammo sul suo letto; ei non era più in grado di reggersi. Quando il medico lo vide, si decise finalmente a fargli levare i ferri. Il tumore peggiorò di giorno in giorno, e divenne enorme e sempre più doloroso. Tali erano i martirii del povero infermo, che non potea aver requie né in letto né fuor di letto.

Quando gli era necessità muoversi, alzarsi, porsi a giacere, io dovea prendere colla maggior delicatezza possibile la gamba malata, e trasportarla lentissimamente nella guisa che occorreva. Talvolta, per fare il più piccolo passaggio da una posizione all'altra ci volevano quarti d'ora di spasimo.

Sanguisughe, fontanelle,[1] pietre caustiche, fomenti ora asciutti, or umidi, tutto fu tentato dal medico. Erano accrescimenti di strazio, e niente più. Dopo i bruciamenti colle pietre si formava la suppurazione. Quel tumore era tutto piaghe; ma non mai diminuiva, non mai lo sfogo delle piaghe recava alcun lenimento al dolore.

Maroncelli era mille volte più infelice di me; nondimeno, oh quanto io pativa con lui! Le cure d'infermiere mi erano dolci, perché usate a sì degno amico. Ma vederlo così deperire, fra sì lunghi atroci tormenti, e non potergli recar salute! E presagire che quel ginocchio non sarebbe mai più risanato! E scorgere che l'infermo tenea più verisimile la morte che la guarigione! E doverlo continuamente ammirare pel suo coraggio e per la sua serenità! ah, ciò m'angosciava in modo indicibile!

1. *fontanelle*: incisioni.

### CAPO LXXXVII

In quel deplorabile stato, ei poetava ancora, ei cantava, ei discorreva; ei tutto facea per illudermi, per nascondermi una parte de' suoi mali. Non potea più digerire, né dormire; dimagrava spaventosamente; andava frequentemente in deliquio; e tuttavia, in alcuni istanti raccoglieva la sua vitalità e faceva animo a me.

Ciò ch'egli patì per nove lunghi mesi non è descrivibile. Finalmente fu conceduto che si tenesse un consulto. Venne il protomedico, approvò tutto quello che il medico avea tentato, e senza pronunciare la sua opinione sull'infermità, e su ciò che restasse a fare, se n'andò.

Un momento appresso, viene il sottintendente, e dice a Maroncelli: — Il protomedico non s'è avventurato di spiegarsi qui in sua presenza; temeva ch'ella non avesse la forza d'udirsi annunziare una dura necessità. Io l'ho assicurato che a lei non manca il coraggio.

— Spero — disse Maroncelli — d'averne dato qualche prova, in soffrire senza urli questi strazi. Mi si proporrebbe mai? ...

— Sì, signore, l'amputazione. Se non che il protomedico, vedendo un corpo così emunto, èsita a consigliarla. In tanta debolezza, si sentirà ella capace di sostenere l'amputazione? Vuol ella esporsi al pericolo? ...

— Di morire? E non morrei in breve egualmente se non si mette termine a questo male?

— Dunque faremo subito relazione a Vienna d'ogni cosa, ed appena venuto il permesso di amputarla ...

— Che? ci vuole un permesso?

— Sì, signore.

Di lì a otto giorni, l'aspettato consentimento giunse.

Il malato fu portato in una stanza più grande; ei dimandò ch'io lo seguissi.

— Potrei spirare sotto l'operazione; — diss'egli — ch'io mi trovi almeno fra le braccia dell'amico.

La mia compagnia gli fu conceduta.

L'abate Wrba, nostro confessore (succeduto a Paulowich), venne ad amministrare i sacramenti all'infelice. Adempiuto questo atto di religione, aspettavamo i chirurgi, e non comparivano. Maroncelli si mise ancora a cantare un inno.

I chirurgi vennero alfine: erano due. Uno, quello ordinario della casa, cioè il nostro barbiere, ed egli, quando occorrevano operazioni, aveva il diritto di farle di sua mano e non volea cederne l'onore ad altri. L'altro era un giovane chirurgo, allievo della scuola di Vienna, e già godente fama di molta abilità. Questi, mandato dal governatore per assistere all'operazione e dirigerla, avrebbe voluto farla egli stesso, ma gli convenne contentarsi di vegliare all'esecuzione.

Il malato fu seduto sulla sponda del letto colle gambe giù: io lo tenea fra le mie braccia. Al di sopra del ginocchio, dove la coscia cominciava ad esser sana, fu stretto un legaccio, segno del giro che dovea fare il coltello. Il vecchio chirurgo tagliò tutto intorno, la profondità d'un dito; poi tirò in su la pelle tagliata, e continuò il taglio sui muscoli scorticati. Il sangue fluiva a torrenti dalle arterie, ma queste vennero tosto legate con filo di seta. Per ultimo si segò l'osso.

Maroncelli non mise un grido. Quando vide che gli portavano via la gamba tagliata, le diede un'occhiata di compassione, poi, voltosi al chirurgo operatore, gli disse:

— Ella m'ha liberato d'un nemico, e non ho modo di rimunerarnela.

V'era in un bicchiere sopra la finestra una rosa.

— Ti prego di portarmi quella rosa — mi disse.

Gliela portai. Ed ei l'offerse al vecchio chirurgo, dicendogli:

— Non ho altro a presentarle in testimonianza della mia gratitudine.

Quegli prese la rosa, e pianse.

### CAPO LXXXVIII

I chirurgi aveano creduto che l'infermeria di Spielberg provvedesse tutto l'occorrente, eccetto i ferri ch'essi portarono. Ma fatta l'amputazione, s'accorsero che mancavano diverse cose necessarie: tela incerata, ghiaccio, bende, ecc.

Il misero mutilato dovette aspettare due ore, che tutto questo fosse portato dalla città. Finalmente poté stendersi sul letto; ed il ghiaccio gli fu posto sul tronco.

Il dì seguente, liberarono il tronco dai grumi di sangue formativisi, lo lavarono, tirarono in giù la pelle, e fasciarono.

Per parecchi giorni non si diede al malato se non qualche mezza chicchera di brodo con torlo d'uovo sbattuto. E quando fu passato il pericolo della febbre vulneraria, cominciarono gradatamente a ristorarlo con cibo più nutritivo. L'Imperatore avea ordinato che, finché le forze fossero ristabilite, gli si desse buon cibo, della cucina del soprintendente.

La guarigione si operò in quaranta giorni. Dopo i quali fummo ricondotti nel nostro carcere; questo per altro ci venne ampliato, facendo cioè un'apertura al muro ed unendo la nostra antica tana a quella già abitata da Oroboni e poi da Villa.

Io trasportai il mio letto al luogo medesimo ov'era stato quello d'Oroboni, ov'egli era morto. Quest'identità di luogo m'era cara; pareami di essermi avvicinato a lui. Sognava spesso di lui, e pareami che il suo spirito veramente mi visitasse e mi rasserenasse con celesti consolazioni.

Lo spettacolo orribile di tanti tormenti sofferti da Maroncelli, e prima del taglio della gamba, e durante quell'operazione, e dappoi, mi fortificò l'animo. Iddio, che m'avea dato sufficiente salute nel tempo della malattia di quello, perché le mie cure gli erano necessarie, me la tolse allorch'egli poté reggersi sulle grucce.

Ebbi parecchi tumori glandulari dolorosissimi. Ne risanai, ed a questi successero affanni di petto, già provati altre volte ma ora più soffocanti che mai, vertigini e dissenterie spasmodiche.

«È venuta la mia volta» diceva tra me. «Sarò io meno paziente del mio compagno?»

M'applicai quindi ad imitare, quant'io sapea, la sua virtù.

Non v'è dubbio che ogni condizione umana ha i suoi doveri. Quelli d'un infermo sono la pazienza, il coraggio e tutti gli sforzi per non essere inamabile a coloro che gli sono vicini.

Maroncelli, sulle sue povere grucce, non avea più l'agilità d'altre volte, e rincresceagli, temendo di servirmi meno bene. Ei temeva inoltre che, per risparmiargli i movimenti e la fatica, io non mi prevalessi de' suoi servigi quanto mi abbisognava.

E questo veramente talora accadeva, ma io procacciava che non se n'accorgesse.

Quantunque egli avesse ripigliato forza, non era però senza incomodi. Ei pativa, come tutti gli amputati, sensazioni dolorose ne' nervi, quasiché la parte tagliata vivesse ancora. Gli doleano il piede, la gamba ed il ginocchio ch'ei più non avea. Aggiugneasi che l'osso era stato mal segato, e sporgeva nelle nuove carni, e facea frequenti piaghe. Soltanto dopo circa un anno il tronco fu abbastanza indurito e più non s'aperse.

CAPO LXXXIX

Ma nuovi mali assalirono l'infelice, e quasi senza intervallo. Dapprima una artritide, che cominciò per le giunture delle mani e poi gli martirò più mesi tutta la persona; indi lo scorbuto. Questo gli coperse in breve il corpo di macchie livide, e mettea spavento.

Io cercava di consolarmi, pensando tra me: «Poiché convien morir qua dentro, è meglio che sia venuto ad uno dei due lo scorbuto; è male attaccaticcio, e ne condurrà nella tomba, se non insieme, almeno a poca distanza di tempo.»

Ci preparavamo entrambi alla morte, ed eravamo tranquilli. Nove anni di prigione e di gravi patimenti ci aveano finalmente addimesticati coll'idea del totale disfacimento di due corpi così rovinati e bisognosi di pace. E le anime fidavano nella bontà di Dio, e credeano di riunirsi entrambe in luogo ove tutte le ire degli uomini cessano, ed ove pregavamo che a noi si riunissero anche, un giorno, placati, coloro che non ci amavano.

Lo scorbuto, negli anni precedenti, aveva fatto molta strage in quelle prigioni. Il governo, quando seppe che Maroncelli era affetto da quel terribile male, paventò nuova epidemia scorbutica e consentì all'inchiesta del medico, il quale diceva non esservi rimedio efficace per Maroncelli se non l'aria aperta, e consigliava di tenerlo il meno possibile entro la stanza.

Io, come contubernale di questo, ed anche infermo di discrasìa,[1] godetti lo stesso vantaggio.

In tutte quelle ore che il passeggio non era occupato da altri, cioè da mezz'ora avanti l'alba per un paio d'ore, poi durante il pranzo, se così ci piaceva, indi per tre ore della sera sin dopo il tramonto, stavamo fuori. Ciò pei giorni feriali. Ne' festivi, non essendovi il passeggio consueto degli altri, stavamo fuori da mattina a sera, eccettuato il pranzo.

1. *discrasia*: alterazione del sangue.

Un altro infelice, di salute danneggiatissima, e di circa settant'anni, fu aggregato a noi, reputandosi che l'ossigeno potessegli pur giovare. Era il signor Costantino Munari,[1] amabile vecchio, dilettante di studi letterari e filosofici, e la cui società ci fu assai piacevole.

Volendo computare la mia pena non dall'epoca dell'arresto, ma da quella della condanna, i setti anni e mezzo finivano nel 1829 ai primi di luglio, secondo la firma imperiale della sentenza, ovvero ai 22 d'agosto, secondo la pubblicazione.

Ma anche questo termine passò, e morì ogni speranza.

Fino allora Maroncelli, Munari ed io facevamo talvolta la supposizione di rivedere ancora il mondo, la nostra Italia, i nostri congiunti; e ciò era materia di ragionamenti pieni di desiderio, di pietà e d'amore.

Passato l'agosto e poi il settembre, e poi tutto quell'anno, ci avvezzammo a non isperare più nulla sopra la terra, tranne l'inalterabile continuazione della reciproca nostra amicizia, e l'assistenza di Dio, per consumare degnamente il resto del nostro lungo sacrifizio.

Ah l'amicizia e la religione sono due beni inestimabili! Abbelliscono anche le ore de' prigionieri, a cui più non risplende verisimiglianza di grazia! Dio è veramente cogli sventurati; — cogli sventurati che amano!

CAPO XC

Dopo la morte di Villa, all'abate Paulowich, che fu fatto vescovo, seguì per nostro confessore l'abate Wrba, moravo, professore di Testamento Nuovo a Brünn, valente allievo dell'*Istituto Sublime* di Vienna.

Quest'istituto è una congregazione fondata dal celebre Frint, allora parroco di corte. I membri di tal congregazione sono tutti sacerdoti, i quali, già laureati in teologia, proseguono ivi sotto se-

1. Costantino Munari, di Calto nel Polesine, studioso di lingue e di storia antica, avvocato e magistrato, vecchio bonapartista e deputato ai Comizi di Lione, aveva abbracciato con entusiasmo la Carboneria, e fu arrestato ormai cinquantenne nel 1818. Condannato a morte e poi al carcere duro, la commutazione della pena gli fu taciuta per qualche tempo, affinché sotto quell'incubo egli si risolvesse a fare delle rivelazioni. Ma nulla valse ad infrangere la fermezza del suo animo.

vera disciplina i loro studi, per giungere al possesso del massimo sapere conseguibile. L'intento del fondatore è stato egregio: quello cioè di produrre un perenne disseminamento di vera e forte scienza nel clero cattolico di Germania. E simile intento viene, in generale, adempiuto.

Wrba, stando a Brünn, potea darci molta più parte del suo tempo che Paulowich. Ei divenne per noi ciò ch'era il P. Battista, tranne che non gli era lecito di prestarci alcun libro. Facevamo spesso insieme lunghe conferenze; e la mia religiosità ne traeva grande profitto; o, se questo è dir troppo, a me pareva di trarnelo, e sommo era il conforto che indi sentiva.

Nell'anno 1829 ammalò; poi, dovendo assumere altri impegni, non poté più venire da noi. Ce ne spiacque altamente; ma avemmo la buona sorte che a lui seguisse altro dotto ed egregio uomo, l'abate Ziak, vicecurato.

Di que' parecchi sacerdoti *tedeschi*[1] che ci furono destinati, non capitarne uno cattivo! non uno che scoprissimo volersi fare stromento della politica (e questo è sì facile a scoprirsi!), non uno, anzi, che non avesse i riuniti meriti di molta dottrina, di dichiaratissima fede cattolica e di filosofia profonda! Oh quanto ministri della Chiesa siffatti sono rispettabili!

Que' pochi ch'io conobbi mi fecero concepire un'opinione assai vantaggiosa del clero cattolico tedesco.

Anche l'abate Ziak teneva lunghe conferenze con noi. Egli pure mi serviva d'esempio per sopportare con serenità i miei dolori. Incessanti flussioni ai denti, alla gola, agli orecchi lo tormentavano, ed era nondimeno sempre sorridente.

Intanto la molt'aria aperta fece scomparire a poco a poco le macchie scorbutiche di Maroncelli; e parimenti Munari ed io stavamo meglio.

### CAPO XCI

Spuntò il 1° d'agosto del 1830. Volgeano dieci anni ch'io avea perduta la libertà; ott'anni e mezzo ch'io scontava il carcere duro.

Era giorno di domenica. Andammo, come le altre feste, nel solito recinto. Guardammo ancora dal muricciuolo la sottoposta valle,

---

1. *tedeschi*. Pare che il Pellico abbia sottolineata questa parola per escludere tacitamente il Paulowich, che era dalmata.

ed il cimitero ove giaceano Oroboni e Villa; parlammo ancora del riposo che un dì v'avrebbero le nostre ossa. Ci assidemmo ancora sulla solita panca ad aspettare che le povere condannate venissero alla messa, che si diceva prima della nostra. Queste erano condotte nel medesimo oratorietto dove per la messa seguente andavamo noi. Esso era contiguo al passeggio.

È uso in tutta la Germania che durante la messa il popolo canti inni in lingua viva. Siccome l'impero d'Austria è paese misto di tedeschi e di slavi, e nelle prigioni di Spielberg il maggior numero de' condannati comuni appartiene all'uno o all'altro di que' popoli, gl'inni vi si cantano una festa in tedesco e l'altra in islavo. Così ogni festa si fanno due prediche, e s'alternano le due lingue. Dolcissimo piacere era per noi l'udire quei canti e l'organo che li accompagnava.

Fra le donne ve n'avea, la cui voce andava al cuore. Infelici! Alcune erano giovanissime. Un amore, una gelosia, un mal esempio le avea trascinate al delitto! — Mi suona ancora nell'anima il loro religiosissimo canto del *Sanctus*: — *heilig! heilig! heilig!* — Versai ancora una lagrima udendolo.

Alle ore dieci le donne si ritirarono, e andammo alla messa noi. Vidi ancora quelli de' miei compagni di sventura che udivano la messa sulla tribuna dell'organo, da' quali una sola grata ci separava, tutti pallidi, smunti, traenti con fatica i loro ferri!

Dopo la messa tornammo ne' nostri covili. Un quarto di ora dopo ci portarono il pranzo. Apparecchiavamo la nostra tavola, il che consisteva nel mettere un'assicella sul tavolaccio e prendere i nostri cucchiai di legno, quando il signor Wegrath, sottintendente, entrò nel carcere.

— M'incresce di disturbare il loro pranzo, — disse — ma si compiacciano di seguirmi; v'è di là il signor direttore di polizia.

Siccome questi solea venire per cose moleste, come perquisizioni od inquisizioni, seguimmo assai di mal umore il buon sottintendente fino alla camera d'udienza.

Là trovammo il direttore di polizia ed il soprintendente; ed il primo ci fece un inchino, gentile più del consueto.

Prese una carta in mano, e disse con voci tronche, forse temendo di produrci troppo forte sorpresa se si esprimeva più nettamente:

— Signori ... ho il piacere ... ho l'onore ... di significar loro ... che S. M. l'Imperatore ha fatto ancora ... una grazia ...

Ed esitava a dirci qual grazia fosse. Noi pensavamo che fosse qualche minoramento di pena, come d'essere esenti dalla noia del lavoro, d'aver qualche libro di più, d'avere alimenti men disgustosi.

— Ma non capiscono? — disse.

— No, signore. Abbia la bontà di spiegarci quale specie di grazia sia questa.

— È la libertà per loro due, e per un terzo che fra poco abbracceranno.

Parrebbe che quest'annuncio avesse dovuto farci prorompere in giubilo. Il nostro pensiero corse subito ai parenti, de' quali da tanto tempo non avevamo notizia, ed il dubbio che forse non li avremmo più trovati sulla terra ci accorò tanto, che annullò il piacere suscitabile dall'annuncio della libertà.

— Ammutoliscono? . . . — disse il direttore di polizia. — Io m'aspettava di vederli esultanti.

— La prego — risposi — di far nota all'Imperatore la nostra gratitudine; ma, se non abbiamo notizia delle nostre famiglie, non ci è possibile di non paventare che a noi sieno mancate persone carissime. Questa incertezza ci opprime, anche in un istante che dovrebbe esser quello della massima gioia.

Diede allora a Maroncelli una lettera di suo fratello, che lo consolò. A me disse che nulla c'era della mia famiglia; e ciò mi fece vieppiù temere che qualche disgrazia fosse in essa avvenuta.[1]

— Vadano — proseguì — nella loro stanza; e fra poco manderò loro quel terzo che pure è stato graziato.

Andammo ed aspettavamo con ansietà quel terzo. Avremmo voluto che fossero tutti, eppure non poteva essere che uno. — Fosse il povero vecchio Munari! fosse quello! fosse quell'altro! — Niuno era per cui non facessimo voti.

Finalmente la porta s'apre, e vediamo quel compagno essere il signor Andrea Tonelli da Brescia.[2]

---

1. Invece, come si è accertato dopo, molte lettere dei familiari del Pellico giacevano intatte negli uffici della polizia di Brünn. 2. Andrea Tonelli (1794-1859), nato a Coccaglio presso Brescia, possidente, era stato uno dei più attivi cospiratori della « Federazione italiana » con Camillo Ugoni e lo Scalvini, i quali riuscirono a salvarsi con la fuga, e col Confalonieri, insieme col quale fu arrestato. Graziato col Pellico e il Maroncelli, tornò al paese irriconoscibile per il suo deperimento; ma si rimise ben presto in salute e cooperò alla rivoluzione del '48. Morì alla vigilia della guerra del '59.

Ci abbracciammo. Non potevamo più pranzare.

Favellammo sino a sera, compiangendo gli amici che restavano.

Al tramonto ritornò il direttore di polizia per trarci di quello sciagurato soggiorno. I nostri cuori gemevano, passando innanzi alle carceri de' tanti amàti, e non potendo condurli con noi! Chi sa quanto tempo vi languirebbero ancora? chi sa quanti di essi doveano quivi esser preda lenta della morte?

Fu messo a ciascuno di noi un tabarro da soldato sulle spalle ed un berretto in capo, e così, coi medesimi vestiti da galeotto, ma scatenati, scendemmo il funesto monte, e fummo condotti in città, nelle carceri della polizia.

Era un bellissimo lume di luna. Le strade, le case, la gente che incontravamo, tutto mi pareva sì gradevole e sì strano, dopo tanti anni che non avea più veduto simile spettacolo!

### CAPO XCII

Aspettammo nelle carceri di polizia un commissario imperiale che dovea venire da Vienna per accompagnarci sino ai confini. Intanto, siccome i nostri bauli erano stati venduti, ci provvedemmo di biancheria e vestiti, e deponemmo la divisa carceraria.

Dopo cinque giorni il commissario arrivò, ed il direttore di polizia ci consegnò a lui, rimettendogli nello stesso tempo il denaro che avevamo portato sullo Spielberg e quello che si era ricavato dalla vendita dei bauli e de' libri; danaro che poi ci venne a' confini restituito.

La spesa del nostro viaggio fu fatta dall'Imperatore, e senza risparmio.

Il commissario era il signor von Noe, gentiluomo impiegato nella segreteria del ministro della polizia. Non poteva esserci destinata persona di più compita educazione. Ci trattò sempre con tutti i riguardi.

Ma io partii da Brünn con una difficoltà di respiro penosissima, ed il moto della carrozza tanto crebbe il male, che a sera ansava in guisa spaventosa, e temeasi da un istante all'altro ch'io restassi soffocato. Ebbi inoltre ardente febbre tutta notte, ed il commissario era incerto il mattino seguente s'io potessi continuare il viaggio sino a Vienna. Dissi di sì, partimmo: la violenza dell'affanno era estrema; non potea né mangiare, né bere, né parlare.

Giunsi a Vienna semivivo. Ci diedero un buon alloggio nella direzione generale di polizia. Mi posero a letto; si chiamò un medico; questi mi ordinò una cavata di sangue, e ne sentii giovamento. Perfetta dieta e molta digitale fu per otto giorni la mia cura, e risanai. Il medico era il signor Singer; m'usò attenzioni veramente amichevoli.

Io aveva la più grande ansietà di partire, tanto più ch'era a noi penetrata la notizia delle *tre giornate* di Parigi.[1]

Nello stesso giorno che scoppiava la rivoluzione, l'Imperatore avea firmato il decreto della nostra libertà! Certo non lo avrebbe ora rivocato. Ma era pur cosa non inverisimile, che i tempi tornando ad essere critici per tutta Europa si temessero movimenti popolari anche in Italia, e non si volesse dall'Austria, in quel momento, lasciarci ripatriare. Eravamo ben persuasi di non ritornare sullo Spielberg; ma paventavamo che alcuno suggerisse all'Imperatore di deportarci in qualche città dell'impero lungi dalla penisola.

Mi mostrai anche più risanato che non era, e pregai che si sollecitasse la partenza. Intanto era mio desiderio ardentissimo di presentarmi a S. E. il signor conte di Pralormo, Inviato della Corte di Torino alla Corte austriaca, alla bontà del quale io sapeva di quanto andassi debitore. Egli erasi adoperato colla più generosa e costante premura ad ottenere la mia liberazione. Ma il divieto ch'io non vedessi chi che si fosse non ammise eccezione.

Appena fui convalescente, ci si fece la gentilezza di mandarci per qualche giorno la carrozza perché girassimo un poco per Vienna. Il commissario avea l'obbligo d'accompagnarci e di non lasciarci parlare con nessuno. Vedemmo la bella chiesa di Santo Stefano, i deliziosi passeggi della città, la vicina villa Liechtenstein, e per ultimo la villa imperiale di Schönbrunn.

Mentre eravamo ne' magnifici viali di Schönbrunn, passò l'Imperatore, ed il commissario ci fece ritirare, perché la vista delle nostre sparute persone non l'attristasse.

1. La famosa rivoluzione del 27, 28 e 29 luglio 1830, la quale provocò poi i moti insurrezionali dell'Italia centrale.

CAPO XCIII

Partimmo finalmente da Vienna, e potei reggere fino a Bruck. Ivi l'asma tornava ad essere violenta. Chiamammo il medico: era un certo signor Jüdmann, uomo di molto garbo. Mi fece cavar sangue, star a letto, e continuare la digitale. Dopo due giorni feci istanza perché il viaggio fosse proseguito.

Traversammo l'Austria e la Stiria, ed entrammo in Carintia senza novità; ma, giunti ad un villaggio per nome Feldkirchen poco distante da Klagenfurt, ecco giungere un contr'ordine. Dovevamo ivi fermarci sino a nuovo avviso.

Lascio immaginare quanto spiacevole ci fosse quest'evento. Io inoltre aveva il rammarico di esser quello che portava tanto danno a' miei due compagni: s'essi non poteano ripatriare, la mia fatal malattia n'era cagione.

Stemmo cinque giorni a Feldkirchen, ed ivi pure il commissario fece il possibile per ricrearci. V'era un teatrino di commedianti, e vi ci condusse. Ci diede un giorno il divertimento d'una caccia. Il nostro oste e parecchi giovani del paese, col proprietario d'una bella foresta, erano i cacciatori; e noi collocati in posizione opportuna godevamo lo spettacolo.

Finalmente venne un corriere da Vienna, con ordine al commissario che ci conducesse pure al nostro destino. Esultai co' miei compagni di questa felice notizia, ma nello stesso tempo tremava che s'avvicinasse per me il giorno d'una scoperta fatale: ch'io non avessi più né padre, né madre, né chi sa quali altri de' miei cari!

E la mia mestizia cresceva a misura che c'inoltravamo verso Italia.

Da quella parte l'entrata in Italia non è dilettosa all'occhio, ed anzi si scende da bellissime montagne del paese tedesco a pianura itala per lungo tratto sterile ed inamena; cosicché i viaggiatori che non conoscono ancora la nostra penisola, ed ivi passano, ridono della magnifica idea che se n'erano fatta, e sospettano d'essere stati burlati da coloro onde l'intesero tanto vantare.

La bruttezza di quel suolo contribuiva a rendermi più tristo. Il rivedere il nostro cielo, l'incontrare facce umane di forma non settentrionale, l'udire da ogni labbro voci del nostro idioma, m'inteneriva; ma era un'emozione che m'invitava più al pianto che alla gioia. Quante volte in carrozza mi copriva colle mani il viso, fingendo di dormire, e piangeva! Quante volte la notte non chiudeva occhio, e ardea di febbre, or dando con tutta l'anima le più calde benedizioni alla mia dolce Italia, e ringraziando il Cielo d'essere a lei renduto; or tormentandomi di non aver notizie di casa, e fantasticando sciagure; or pensando che fra poco sarebbe stato forza separarmi, e forse per sempre, da un amico che tanto avea meco patito, e tante prove di affetto fraterno aveami dato!

Ah! sì lunghi anni di sepoltura non avevano spenta l'energia del mio sentire! ma questa energia era sì poca per la gioia, e tanta pel dolore!

Come avrei voluto rivedere Udine e quella locanda ove quei generosi aveano finto di essere camerieri, e ci aveano stretto furtivamente la mano!

Lasciammo quella città a nostra sinistra, e oltrepassammo.

### CAPO XCIV

Pordenone, Conegliano, Ospedaletto, Vicenza, Verona, Mantova mi ricordavano tante cose! Del primo luogo era nativo un valente giovane, stàtomi amico, e perito nelle stragi di Russia;[1] Conegliano era il paese ove i secondini de' *Piombi* m'aveano detto essere stata condotta la Zanze; in Ospedaletto era stata maritata, ma or non viveavi più, una creatura angelica ed infelice, ch'io aveva già tempo venerato, e ch'io venerava ancora. In tutti que' luoghi insomma mi sorgeano rimembranze più o meno care; ed in Mantova più che in niun'altra città. Mi parea ieri che io v'era venuto con Lodovico nel 1815! Mi parea ieri che io v'era venuto con Porro nel 1820![2] — Le stesse strade, le stesse piazze, gli stessi palazzi, e tante differenze sociali! Tanti miei conoscenti involati da morte! tanti esuli! una generazione d'adulti i quali io aveva veduti nell'infanzia! E non poter correre a questa o quella casa! non poter parlare del tale o del tal altro con alcuno!

E per colmo d'affanno, Mantova era il punto di separazione per

1. Durante la ritirata di Napoleone. 2. A Mantova si era recato il Pellico nel 1815 per assistervi alla prima recita della tragedia *Ida*, di Lodovico di Breme, la quale non ebbe esito felice; e vi si era fermato nel 1820 tornando da Venezia sull'*Eridano*, il battello col quale il Porro aveva tentato di stabilire la navigazione a vapore sul Po.

Maroncelli e per me. Vi pernottammo tristissimi entrambi. Io era agitato come un uomo alla vigilia d'udire la sua condanna.

La mattina mi lavai la faccia, e guardai nello specchio se si conoscesse ancora ch'io avessi pianto. Presi, quanto meglio potei, l'aria tranquilla e sorridente; dissi a Dio una picciola preghiera, ma per verità molto distratto; ed udendo che già Maroncelli movea le sue grucce e parlava col cameriere, andai ad abbracciarlo. Tutti e due sembravamo pieni di coraggio per questa separazione; ci parlavamo un po' commossi, ma con voce forte. L'uffiziale di gendarmeria che dee condurlo a' confini di Romagna, è giunto; bisogna partire; non sappiamo quasi che dirci; un amplesso, un bacio, un amplesso ancora. — Montò in carrozza, disparve; io restai come annichilato.

Tornai nella mia stanza, mi gettai in ginocchio, e pregai per quel misero mutilato, diviso dal suo amico, e proruppi in lagrime ed in singhiozzi.

Conobbi molti uomini egregi, ma nessuno più affettuosamente socievole di Maroncelli, nessuno più educato a tutti i riguardi della gentilezza, più esente da accessi di selvaticume, più costantemente memore che la virtù si compone di continui esercizi di tolleranza, di generosità e di senno. Oh mio socio di tanti anni di dolore, il Cielo ti benedica ovunque tu respiri, e ti dia amici che m'agguaglino in amore e mi superino in bontà![1]

CAPO XCV

Partimmo la stessa mattina da Mantova per Brescia. Qui fu lasciato libero l'altro concaptivo, Andrea Tonelli. Quest'infelice seppe ivi d'aver perduta la madre, e le desolate sue lagrime mi straziarono il cuore.

---

1. Il povero Maroncelli non ebbe a goder molto della riacquistata libertà. Dopo essersi fermato per breve tempo a Forlì e a Firenze, si recò a Parigi, dove nel 1833 pubblicò le *Addizioni alle Mie prigioni* e sposò una giovane cantante tedesca, Amalia Schneider, con la quale andò a cercar miglior fortuna in America. Quivi fu accolto con molta simpatia, specialmente a Filadelfia e a New York; ma soffrì anche amare delusioni. Visse miseramente dando lezioni di italiano e di musica, e perfino cantando in pubblici concerti insieme con la moglie. Negli ultimi anni sofferse malattie e strettezze di ogni genere, e morì cieco e pazzo nel 1846. Quarant'anni dopo le sue ossa furono trasportate e tumulate nella natia Forlì.

Benché angosciatissimo qual io m'era per tante cagioni, il seguente caso mi fece alquanto ridere.

Sopra una tavola della locanda v'era un annuncio teatrale. Prendo, e leggo: «*Francesca da Rimini, opera per musica, ecc.*»

— Di chi è quest'opera? — dico al cameriere.

— Chi l'abbia messa in versi e chi in musica, nol so, risponde. Ma insomma è sempre quella *Francesca da Rimini*, che tutti conoscono.

— Tutti? V'ingannate. Io che vengo di Germania, che cosa ho da sapere delle vostre Francesche?

Il cameriere (era un giovinotto di faccia sdegnosetta, veramente bresciana) mi guardò con disprezzante pietà.

— Che cosa ha da sapere? Signore, non si tratta di Francesche. Si tratta d'una *Francesca da Rimini* unica. Voglio dire la tragedia del signor Silvio Pellico. Qui l'hanno messa in opera, guastandola un pochino, ma tutt'uno è sempre quella.

— Ah! Silvio Pellico? Mi pare d'aver inteso a nominarlo. Non è quel cattivo mobile che fu condannato a morte e poi a carcere duro, otto o nove anni sono?

Non avessi mai detto questo scherzo! Si guardò intorno, poi guardò me, digrignò trentadue bellissimi denti, e se non avesse udito rumore, credo m'accoppava.

Se n'andò borbottando: — Cattivo mobile? — Ma prima ch'io partissi, scoperse chi mi fossi. Ei non sapeva più né interrogare, né rispondere, né servire, né camminare. Non sapea più altro che pormi gli occhi addosso, fregarsi le mani, e dire a tutti senza proposito: — *Sior sì, sior sì!* — che parea che sternutasse.

Due giorni dopo, addì 9 settembre, giunsi col commissario a Milano. All'avvicinarmi a questa città, al rivedere la cupola del Duomo, al ripassare in quel viale di Loreto già mia passeggiata sì frequente e sì cara, al rientrare per Porta Orientale, e ritrovarmi al Corso, e rivedere quelle case, quei templi, quelle vie, provai i più dolci ed i più tormentosi sentimenti: uno smanioso desiderio di fermarmi alcun tempo in Milano e riabbracciarvi quegli amici ch'io v'avrei rinvenuti ancora: un infinito rincrescimento pensando a quelli ch'io aveva lasciato sullo Spielberg, a quelli che ramingavano in terre straniere, a quelli ch'erano morti: una viva gratitudine rammentando l'amore che m'avevano dimostrato in generale i Milanesi: qualche fremito di sdegno contro alcuni che mi avevano calunniato, mentre erano sempre stati l'oggetto della mia benevolenza e della mia stima.

Andammo ad alloggiare alla *Bella Venezia*.

Qui io era stato tante volte a lieti amicali conviti: qui avea visitato tanti degni forestieri: qui una rispettabile attempata signora mi sollecitava, ed indarno, a seguirla in Toscana, prevedendo, s'io restava a Milano, le sventure che m'accaddero. Oh commoventi memorie! Oh passato sì cosparso di piaceri e di dolori, e sì rapidamente fuggito!

I camerieri dell'albergo scopersero subito chi foss'io. La voce si diffuse, e verso sera vidi molti fermarsi sulla piazza e guardare alle finestre. Uno (ignoro chi foss'egli) parve riconoscermi, e mi salutò alzando ambe le braccia.

Ah, dov'erano i figli di Porro, i miei figli? Perché non li vid'io?

### CAPO XCVI

Il commissario mi condusse alla polizia, per presentarmi al direttore. Qual sensazione nel rivedere quella casa, mio primo carcere! Quanti affanni mi ricorsero alla mente! Ah! mi sovvenne con tenerezza di te, o Melchiorre Gioia, e dei passi precipitati ch'io ti vedea muovere su e giù fra quelle strette pareti, e delle ore che stavi immobile al tavolino scrivendo i tuoi nobili pensieri, e dei cenni che mi facevi col fazzoletto, e della mestizia con cui mi guardavi, quando il farmi cenni ti fu vietato! Ed immaginai la tua tomba, forse ignorata dal maggior numero di coloro che t'amarono, siccom'era ignorata da me! — ed implorai pace al tuo spirito!

Mi sovvenne anche del mutolino, della patetica voce di Maddalena, de' miei palpiti di compassione per essa, de' ladri miei vicini, del preteso Luigi XVII, del povero condannato che si lasciò cogliere il viglietto e sembrommi avere urlato sotto il bastone.

Tutte queste ed altre memorie m'opprimeano come un sogno angoscioso, ma più m'opprimea quella delle due visite fattemi ivi dal mio povero padre, dieci anni addietro. Come il buon vecchio s'illudeva, sperando ch'io presto potessi raggiungerlo a Torino! Avrebb'egli sostenuto l'idea di dieci anni di prigionia ad un figlio, e di tal prigionia? Ma quando le sue illusioni svanirono, avrà egli, avrà la madre avuto forza di reggere a sì lacerante cordoglio?

Erami dato ancora di rivederli entrambi? o forse uno solo dei due?
e quale?

Oh dubbio tormentosissimo e sempre rinascente! Io era, per
così dire, alle porte di casa, e non sapeva ancora se i genitori
fossero in vita; se fosse in vita pur uno della mia famiglia.

Il direttore della polizia m'accolse gentilmente, e permise ch'io
mi fermassi alla *Bella Venezia* col commissario imperiale, invece
di farmi custodire altrove. Non mi si concesse per altro di mostrarmi ad alcuno, ed io quindi mi determinai a partire il mattino
seguente. Ottenni soltanto di vedere il Console piemontese, per
chiedergli contezza de' miei congiunti. Sarei andato da lui, ma
essendo preso da febbre e dovendo pormi in letto, lo feci pregare
di venire da me.

Ebbe la compiacenza di non farsi aspettare, ed oh quanto gliene
fui grato!

Ei mi diede buone nuove di mio padre e di mio fratello primo-
genito. Circa la madre, l'altro fratello e le due sorelle, rimasi in
crudele incertezza.

In parte confortato, ma non abbastanza, avrei voluto, per sollevare l'anima mia, prolungare molto la conversazione col signor
Console. Ei non fu scarso della sua gentilezza, ma dovette pure
lasciarmi.

Restato solo, avrei avuto bisogno di lagrime, e non ne avea.
Perché talvolta mi fa il dolore prorompere in pianto, ed altre
volte, anzi il più spesso, quando parmi che il piangere mi sarebbe
sì dolce ristoro, lo invoco inutilmente? Questa impossibilità di
sfogare la mia afflizione accresceami la febbre: il capo doleami
forte.

Chiesi da bere a Stundberger. Questo buon uomo era un sergente della polizia di Vienna, faciente funzione di cameriere del
commissario. Non era vecchio, ma diedesi il caso che mi porse da
bere con mano tremante. Quel tremito mi ricordò Schiller, il
mio amato Schiller, quando, il primo giorno del mio arrivo a
Spielberg, gli dimandai con imperioso orgoglio la brocca dell'acqua, e me la porse.

Cosa strana! Tal rimembranza, aggiunta alle altre, ruppe la selce
del mio cuore, e le lagrime scaturirono.

### CAPO XCVII

La mattina del 10 settembre abbracciai il mio eccellente commissario, e partii. Ci conoscevamo solamente da un mese, e mi pareva un amico di molti anni. L'anima sua, piena di sentimento del bello e dell'onesto, non era investigatrice, non era artifiziosa; non perché non potesse avere l'ingegno di esserlo, ma per quell'amore di nobile semplicità ch'è negli uomini retti.

Taluno, durante il viaggio, in un luogo dove c'eravamo fermati, mi disse ascosamente: — Guardatevi di quell'*angelo custode*; se non fosse di quei neri non ve l'avrebbero dato.

— Eppur v'ingannate, — gli dissi — ho la più intima persuasione che v'ingannate.

— I più astuti — riprese quegli — sono coloro che appaiono più semplici.

— Se così fosse, non bisognerebbe mai credere alla virtù d'alcuno.

— Vi son certi posti sociali ove può esservi molta elevata educazione per le maniere, ma non virtù! non virtù! non virtù!

Non potei rispondergli altro, se non che:

— Esagerazione, signor mio! esagerazione!

— Io sono conseguente — insisté colui.

Ma fummo interrotti. E mi sovvenne il *cave a consequentiariis* di Leibnizio.[1]

Pur troppo la più parte degli uomini ragiona con questa falsa e terribile logica: «Io seguo lo stendardo *A*, che son certo essere quello della giustizia; colui segue lo stendardo *B*, che son certo essere quello dell'ingiustizia: dunque egli è un malvagio.»

Ah no, o logici furibondi! di qualunque stendardo voi siate, non ragionate così disumanamente! Pensate che partendo da un lato svantaggioso qualunque (e dov'è una società od un individuo che non abbiane di tali?) e procedendo con rabbioso rigore di conseguenza in conseguenza, è facile a chicchessia il giungere a questa conclusione: «Fuori di noi quattro, tutti i mortali meritano d'essere

---

1. *cave a consequentiariis*: guardati da chi vuol cavare da una premessa le estreme conseguenze. — *Leibnizio* è italianizzamento del nome di Goffredo Guglielmo Leibnitz (1646-1716), insigne filosofo e matematico, inventore del calcolo infinitesimale, autore della *Monadologia*.

arsi vivi. » E se si fa più sagace scrutinio, ciascun de' quattro dirà:
« Tutti i mortali meritano d'essere arsi vivi, fuori di me. »

Questo volgare rigorismo è sommamente antifilosofico. Una diffidenza moderata può esser savia: una diffidenza oltrespinta, non
mai.

Dopo il cenno che m'era stato fatto su quell'*angelo custode*, io
posi più mente di prima a studiarlo, ed ogni giorno più mi con-
vinsi della innocua e generosa sua natura.

Quando v'è un ordine di società stabilito, molto o poco buono
ch'ei sia, tutti i posti sociali che non vengono per universale coscienza riconosciuti infami, tutti i posti sociali che promettono
di cooperare nobilmente al ben pubblico e le cui promesse sono
credute da gran numero di gente, tutti i posti sociali in cui è assurdo negare che vi sieno stati uomini onesti, possono sempre da
uomini onesti essere occupati.

Lessi d'un quacchero[1] che aveva orrore dei soldati. Vide una
volta un soldato gettarsi nel Tamigi e salvare un infelice che s'an-
negava; ei disse: — Sarò sempre quacchero, ma anche i soldati son
buone creature.

### CAPO XCVIII

Stundberger m'accompagnò sino alla vettura, ove montai col brigadiere di gendarmeria al quale io era stato affidato. Pioveva, e
spirava aria fredda.

— S'avvolga bene nel mantello, — diceami Stundberger — si co-
pra meglio il capo, procuri di non arrivare a casa ammalato; ci
vuol così poco per lei a raffreddarsi! Quanto m'incresce di non
poterle prestare i miei servigi fino a Torino!

E tutto ciò diceami egli sì cordialmente e con voce commossa!

— D'or innanzi, ella non avrà forse più mai alcun Tedesco vicino a sé, — soggiuns'egli — non udrà forse più mai parlare questa
lingua che gl'Italiani trovano sì dura. E poco le importerà probabilmente. Fra i Tedeschi ebbe tante sventure a patire, che non

---

1. La setta religiosa dei Quaccheri è nota per il suo rigido moralismo
aborrente da ogni violenza e perciò anche dal servizio militare, che allora
era volontario. Essa deriva il suo nome da *to quake* — tremare, per la credenza che lo Spirito Santo discenda nei fedeli rivelandosi con una specie di
tremore.

avrà troppa voglia di ricordarsi di noi. E nondimeno io, di cui ella dimenticherà presto il nome, io, signore, pregherò sempre per lei.
— Ed io per te — gli dissi, toccandogli l'ultima volta la mano.
Il pover'uomo gridò ancora: — *Guten Morgen! gute Reise! leben Sie wohl!* (buon giorno! buon viaggio! stia bene!). — Furono le ultime parole tedesche che udii pronunciare, e mi sonarono care come se fossero state della mia lingua.

Io amo appassionatamente la mia patria, ma non odio alcun'altra nazione. La civiltà, la ricchezza, la potenza, la gloria sono diverse nelle diverse nazioni; ma in tutte havvi anime obbedienti alla gran vocazione dell'uomo, di amare e compiangere e giovare.

Il brigadiere che m'accompagnava mi raccontò essere stato uno di quelli che arrestarono il mio infelicissimo Confalonieri. Mi disse come questi avea tentato di fuggire, come il colpo gli era fallito, come, strappato dalle braccia di sua sposa, Confalonieri ed essa fossero inteneriti e sostenessero con dignità quella sventura.[1]

Io ardeva di febbre udendo questa misera storia, ed una mano di ferro parea stringermi il cuore.

Il narratore, uomo alla buona, e conversante per fiduciale socievolezza, non s'accorgeva che, sebbene io non avessi nulla contro di lui, pur non poteva a meno di raccapricciare guardando quelle mani che s'erano scagliate sul mio amico.

A Buffalora ei fece colazione: io era troppo angosciato, non presi niente.

Una volta, in anni già lontani, quando villeggiava in Arluno co' figli del conte Porro, veniva talora a passeggiare a Buffalora lungo il Ticino.

Esultai di vedere terminato il bel ponte, i cui materiali io aveva veduti sparsi sulla riva lombarda, con opinione allora comune che tal lavoro non si facesse più. Esultai di ritraversare quel fiume, e di ritoccare la terra piemontese. Ah, benché io ami tutte le nazioni, Dio sa quanto io prediliga l'Italia, e bench'io sia così invaghito

---

1. Dal giorno dell'arresto del marito, Teresa Casati non visse che per impetrargli la salvezza, e spiegò un'ammirevole attività nel promuovere sottoscrizioni, nell'umiliar suppliche e nel valersi delle potenti protezioni di cui godeva a Vienna. Fu ricevuta dall'imperatrice. Gli ottenne così la commutazione della condanna a morte. Ma non poté ottenere la grazia del carcere. E infruttuosi rimasero anche i due tentativi di evasione dallo Spielberg da lei progettati. Morì sei anni prima che il Confalonieri fosse liberato, «consunta», come disse il Manzoni, «ma non vinta dal cordoglio».

dell'Italia, Dio sa quanto più dolce d'ogni altro nome d'italico
paese mi sia il nome del Piemonte, del paese de' miei padri!

### CAPO XCIX

Dirimpetto a Buffalora è San Martino. Qui il brigadiere lombardo
parlò a' carabinieri piemontesi, indi mi salutò e ripassò il ponte.

— Andiamo a Novara — dissi al vetturino.

— Abbia la bontà d'aspettare un momento — disse un carabiniere.

Vidi ch'io non era ancor libero, e me n'afflissi, temendo che
avesse ad esser ritardato il mio arrivo alla casa paterna.

Dopo più d'un quarto d'ora comparve un signore che mi chiese
il permesso di venire a Novara con me. Un'altra occasione gli era
mancata; or non v'era altro legno che il mio; egli era ben felice
ch'io gli concedessi di profittarne, ecc. ecc.

Questo carabiniere travestito era d'amabile umore, e mi tenne
buona compagnia sino a Novara. Giunti in questa città, fingendo
di voler che smontassimo ad un albergo fece andare il legno nella
caserma dei carabinieri, e qui mi fu detto esservi un letto per me
nella camera di un brigadiere, e dover aspettare gli ordini superiori.

Io pensava di poter partire il dì seguente; mi posi a letto, e dopo
aver chiacchierato alquanto coll'ospite brigadiere m'addormentai
profondamente. Da lungo tempo non avea più dormito così bene.

Mi svegliai verso il mattino, m'alzai presto, e le prime ore mi
sembrarono lunghe. Feci colezione, chiacchierai, passeggiai in
istanza e sulla loggia, diedi un'occhiata ai libri dell'ospite; finalmente mi s'annuncia una visita.

Un gentile uffiziale mi viene a dar nuove di mio padre, e a dirmi
esservi di esso in Novara una lettera la quale mi sarà in breve
portata. Gli fui sommamente tenuto di quest'amabile cortesia.

Volsero alcune ore che pur mi sembrarono eterne, e la lettera
alfin comparve.

Oh qual gioia nel rivedere quegli amati caratteri! qual gioia nel-
l'intendere che mia madre, l'ottima mia madre viveva! e vivevano
i miei due fratelli, e la sorella maggiore! Ahi! la minore, quella
Marietta fattasi monaca della Visitazione, e della quale erami clandestinamente giunto notizia nel carcere, avea cessato di vivere nove
mesi prima!

M'è dolce credere essere debitore della mia libertà a tutti coloro che m'amavano e che intercedevano incessantemente presso Dio per me, ed in particolar guisa ad una sorella che morì con indizii di somma pietà. Dio la compensi di tutte le angosce che il suo cuore sofferse a cagione delle mie sventure!

I giorni passavano, e la permissione di partire di Novara non veniva. Alla mattina del 16 settembre questa permissione finalmente mi fu data, e ogni tutela di carabinieri cessò. Oh da quanti anni non m'era più avvenuto d'andare ove mi piaceva senza accompagnamento di guardie!

Riscossi qualche danaro, ricevetti le gentilezze di persona conoscente di mio padre, e partii verso le tre pomeridiane. Avea per compagni di viaggio una signora, un negoziante, un incisore, e due giovani pittori, uno de' quali era sordo e muto. Questi pittori venivano da Roma; e mi fece piacere l'intendere che conoscessero la famiglia di Maroncelli. È sì soave cosa il poter parlare di coloro che amiamo con alcuno che non siavi indifferente!

Pernottammo a Vercelli. Il felice giorno 17 settembre spuntò. Si proseguì il viaggio. Oh come le vetture sono lente! non si giunse a Torino che a sera.

Chi mai, chi mai potrebbe descrivere la consolazione del mio cuore e de' cuori a me diletti, quando rividi e riabbracciai padre, madre, fratelli? ... Non v'era la mia cara sorella Giuseppina, che il dover suo teneva a Chieri; ma udita la mia felicità, s'affrettò a venire per alcuni giorni in famiglia. Renduto a que' cinque carissimi oggetti della mia tenerezza, io era, io sono il più invidiabile de' mortali!

Ah! delle passate sciagure e della contentezza presente, come di tutto il bene ed il male che mi sarà serbato, sia benedetta la Provvidenza, della quale gli uomini e le cose, si voglia o non si voglia, sono mirabili stromenti ch'ella sa adoprare a fini degni di sé.

# CARLO BINI

CARLO TITL

# PROFILO BIOGRAFICO

CARLO BINI nacque a Livorno nel 1806, e malgrado la sua passione per lo studio dové sempre lavorare nella modesta ditta commerciale del padre. Fu dunque un autodidatta e imparò da sé, oltre il latino e il greco, alcune lingue moderne, specialmente l'inglese. A tredici anni conobbe il Guerrazzi, che ne aveva quindici, e furono subito amici. Erano diversissimi per temperamento. Il Guerrazzi era dominato da un'immaginazione impetuosa e passionale; il Bini invece era piuttosto raziocinante e incline allo scetticismo. Ma li unirono lo spirito del Romanticismo, l'amor patrio e il culto per i loro comuni idoli letterari: Foscolo, Byron, Sterne. Entrarono in relazione col Mazzini quando questi scriveva nell'«Indicatore genovese», e allorché questo giornale fu soppresso, diedero vita, insieme, all'«Indicatore livornese», che, incominciato a uscire il 12 gennaio 1829, fu anch'esso proibito l'anno dopo per il suo evidente liberalismo. E proprio in quell'anno 1830 il Mazzini, recatosi a Livorno per diffondervi la Carboneria, si incontrò col Bini, e insieme andarono a far visita al Guerrazzi, che la polizia granducale aveva confinato per breve tempo a Montepulciano. L'impressione che il Mazzini riportò del Guerrazzi non fu tutta buona: egli vide chiaro che dietro quella immaginativa concitata e rovente, dietro quella fantasia che oggi noi chiameremmo *barocca*, non c'era la fede, almeno quale egli l'intendeva. E non gli rivelò il motivo della sua visita. Col Bini, invece, egli si aprì interamente, con un candore, con una fiducia, che fa onore ai due uomini. Il Bini non credeva che, dati i tempi, l'Italia si potesse rifare; ma questo non era per lui un sofisma addotto a coonestare l'inerzia morale. Egli invece credeva che, malgrado tutto, l'Italia si *dovesse* rifare; egli era perciò pronto all'azione e al sacrificio, e tanto più commovente riusciva questa sua disposizione, in quanto lo si sapeva convinto della scarsa utilità del sacrificio stesso. Situazione psicologica spiccatamente romantica. Mazzini era tutt'altro che scettico; ma era profondamente romantico anche lui, e sul terreno del sacrificio e del dovere, oltre che nella passione per Foscolo e per Byron, si sentirono fratelli. Fu quello il principio della loro amicizia profonda e inalterabile. Bini lavorò attivamente prima alla diffusione della Carboneria e poi della Giovine Italia; e nei primi amarissimi tempi del suo esilio londinese a lui si rivolse il Mazzini, chiedendo soccorso.

Documento di questa amicizia è rimasta una delle più commoventi e delle più penetranti pagine di Mazzini: l'elogio che egli scrisse di lui e che apparve, naturalmente anonimo, quale proemio alla prima edizione, postuma, degli *Scritti* del Bini. L'edizione stessa, anzi, che vide fra i suoi sottoscrittori tutto il fior fiore della cultura e del liberalismo d'Italia, riuscì come una sorta di plebiscito in onor suo. Allora, nel '43, si conoscevano di lui solo quei pochi e brevi scritti che erano apparsi nell'«Indicatore livornese», ed essi non potevano giustificare un'aspettativa così grande e così fiduciosa: il plebiscito dunque non andava tanto a lui come scrittore, ma certamente a lui come uomo, a quella sua operosa e inesauribile bontà, a quella dirittura e schiettezza di sentimenti, a quella umanissima e faceta tolleranza, che avevano soggiogato anche i più lontani da lui. Oggi la sua fama è affidata principalmente al *Manoscritto di un prigioniero*, che egli compose nel 1833, quando, insieme col Guerrazzi e con altri, la polizia granducale lo tenne incarcerato per quasi tre mesi nel Forte della Stella, a Portoferraio. È un'operetta pregevole, che soprattutto interessa per certi spunti di polemica religiosa e sociale, oltre che come documento del favore che incontrò fra i nostri primi romantici l'umorismo sterniano passato attraverso il filtro del Foscolo. E tuttavia giova sempre, dopo la lettura del *Manoscritto*, tornare a quella pagina del Mazzini, che rivela immediatamente il fondo vero dell'uomo e dello scrittore.

Assai più tardi sono state pubblicate le *Lettere all'Adele* (Roma 1925), documento, anche letterariamente, notevole, della passione che egli nutrì per la signora Adele Perfetti de Witt.

Il Bini morì di apoplessia a Carrara il 12 novembre 1842. Chi lo conobbe di persona ce lo ha descritto di statura alta, con larghe spalle e tarchiate, collo corto, viso lungo e largo. La fronte aveva ampia; i capelli neri e distesi. I suoi occhi di colore azzurro chiaro tramandavano una luce placida e mite, il sorriso esprimeva un'ironia senza fiele.

★

Il *Manoscritto di un prigioniero* apparve per la prima volta, ma gravemente mutilato dalla censura, nel volume degli *Scritti editi e postumi* di CARLO BINI, Livorno, Al Gabinetto Scientifico Letterario, 1843 (tipografia di Paolo Vannini), contenente anche un proemio *Ai giovani*, anonimo, ma di GIUSEPPE MAZZINI. Fu poi pubblicato integralmente negli *Scritti editi e postumi di C. B.* per cura di G. LEVANTINI-PIERONI, Firenze, Successori Le Monnier, 1869 (2ª ed. ibid. 1900). Il testo da noi seguito è questo del Levantini-Pieroni, che naturalmente è anche quello riprodotto da tutte le altre successive edizioni fino alle più recenti, fra le quali è particolarmente pregevole quella che G. BELLONCI ha curato per l'«Universale Einaudi», Torino 1944, con un ottimo saggio introduttivo.

Sul Bini cfr. F. D. GUERRAZZI, *Scritti letterari*, Milano 1862; ORESTE GALANTI, *Della vita e degli scritti di C. B.*, Firenze 1883; RINO FRECCIA, *In memoria di un dimenticato*, nella «Nuova Rassegna», Roma, 20 agosto 1893; AMELIA MAFFUCCI, *C. B. studiato nella vita e negli scritti*, Firenze 1899; A. MANGINI, *C. B.*, nella «Nuova Antologia», 16 agosto 1907; SALVATORE VALENTE, *Vita e scritti di C. B.*, Bari 1907 (contiene documenti inediti sulle cospirazioni livornesi); GIUSEPPE TOFFANIN, *Gli ultimi nostri*, Forlì 1919; C. RABIZZANI, *Sterne in Italia*, Roma 1920; PIETRO PANCRAZI, *C. B. innamorato*, nel «Corriere della sera» del 20 aprile 1926; PIETRO MICHELI, *Guerrazzi e C. B.*, in «Liburni Civitas», Livorno 1929, fasc. V; M. BONFANTINI, *L'arte di C. B.*, nell'«Italia letteraria» del 22 maggio 1932; *C. Bini. Volume miscellaneo nel centenario della morte*, a cura della sezione livornese della Deputazione di storia patria per la Toscana, Livorno 1942. Per notizie bibliografiche più ampie cfr. *Le più belle pagine di C. B.* scelte da D. PROVENZAL, Milano 1944, il cui testo del *Manoscritto* ha però una lacuna nel cap. XVIII.

# DAL «MANOSCRITTO DI UN PRIGIONIERO»

I

*[La prigione del signore e quella del povero.]*

(III) Quando va in prigione un Signore, è un avvenimento che nessuno se lo aspettava. Tutti se ne fanno le maraviglie; tutti ne parlano in mille voci, in mille maniere. Chi bisbiglia, chi grida, chi dice di sì, chi dice di no.

La città è seminata di gruppi, e per mezza giornata almeno non fanno più nulla, se non ciarlare del caso, e da un gruppo cacciarsi in un altro: precisamente come quando segue l'eclisse del Sole. Un Signore in prigione pare alla plebe impossibile. — La plebe, che, somma fatta, in capo all'anno sta sei mesi in prigione e sei mesi in una soffitta, è inutile, non se ne persuade, perché non ce ne vede mai dei signori, o così di rado, che non se ne rammenta. Crede le prigioni fabbricate unicamente per sé; e se v'entra alcuno che non sia de' suoi, è un fatto che la percuote, le sembra quasi un'usurpazione. — Tanta è la potenza dell'uso. — La plebe non crede che la colpa possa vestirsi di panno fine, e anche di porpora; — crede che la colpa vada solamente vestita di cenci, scalza, e col capo ignudo. — E sì che tutto giorno ha in bocca un proverbio pieno di verità che dice: L'abito non fa il monaco. — Non giova: — quel proverbio erra per tradizione così sulla lingua, ma la mente non l'accorda. — La plebe crede pur troppo nell'abito, e cotesta persuasione oggimai s'è ossificata con lei.

Tuttavia, volere o no, di rado, ma qualche volta un Signore va in prigione.

Egli, appena ha varcato di tre o quattro passi la soglia, si volta risoluto, — fa il viso più imperioso del solito, — squadra il carceriere dai capelli alle piante, — poi gli ficca gli occhi negli occhi. — Lasciatelo fare: il Signore legge qualche cosa in quegli occhi. È una lettura rapida, che dura un attimo, ma basta, — e il Signore se ne trova contento.

Se ne trova contento, e mette mano alla borsa; — la dondola con due dita un momento per aria, — la fa suonare, — dice qualche cosa che non vuol dir nulla, — e il soprastante che è un gran chierco in tutte le lingue, — anche in quella dei muti, — risponde subito:

comandi, comandi; — in quella stessa maniera, né più né meno, che rispondevano gli spiriti in quei secoli d'oro, quando un mago o una strega con un tocco di verga o con un ribobolo[1] erano padroni dell'aria, della terra, e dell'inferno. Mal abbia l'Inquisizione che accese un così gran fuoco che distrusse questa ed altre meraviglie: distrusse infine anche se stessa!

Voi l'avete sentito, il soprastante ha risposto: comandi, comandi. E di fatti, la metamorfosi da un punto all'altro è così improvvisa, così universale, che sei tentato a giurare rinnovellato il regno degli incantesimi. In cinque minuti il Signore è stato introdotto in un nuovo *quartiere*; e il soprastante gli ha chiesto perdono, se, così preoccupato com'era, aveva sbagliato di numero. Il valentuomo aveva preso un tredici per un quindici; e il Signore per tutta risposta gli ha battuto due volte umanamente sulla spalla, non mi ricordo se destra o sinistra. Ora le stanze sono tre, e prima erano una. Sono larghe, ariose, imbiancate di nuovo, con qualche rabesco per maggior vaghezza, e le finestre arrivano a mezza vita. Le finestre danno sur una buona strada, dove passano carrozze e pedoni, uomini e donne, — dove il Signore può fare anche all'amore, — e senza scandalo.

Viva la metamorfosi quando va dal basso all'alto! *Fervet opus.* — Le piume sottentrano al pagliericcio, — le sedie all'unica panca, — i cristalli all'unico orciuolo di terra cotta. I valletti sudano attenti e in silenzio. — «Fate piano con quello specchio, — badate al canterale, è nuovo di zecca; — ehi! quel Napoleone non è mica di piombo, è d'alabastro, — voi lo maneggiate come una brocca, — sagratissimo diavolo! — ci vuol maniera, — badate, ve lo dico, chi rompe paga; — dove sono i vasi dei fiori?» Così grida affannata la voce chioccia[2] del soprastante, e non si cheta più mai.

In questo mentre il Signore ha girato per tutti i versi la sua nuova abitazione: — ha veduto e riveduto minutamente; ha disposto dove far la tal cosa, dove far la tal altra: — dove dormire, — dove vegliare, — dove pensare, — dove non pensare. Ha fatto di quando in quando diverse dimande, e il soprastante spesso gli ha risposto un no invece d'un sì, e viceversa. È un cattivo momento per discorrer con lui; — ha l'animo troppo internato nell'assetto delle tre camere, e cotesto pensiero gli ha rubato la mano. Ella è

1. *ribobolo*, parola o frase della lingua volgare; qui sta scherzosamente per «formula magica». 2. *chioccia*: aspra.

finita, — vuol farsi onore, — nessuno lo frastorni, — tanto non dà retta a nessuno.

Laudato Iddio! l'assetto è finito, — si può respirare, — respiro anch'io. Con un'occhiata i valletti son licenziati, e se ne vanno. Alla buon'ora. Adesso il soprastante è contento; — se lo guardate bene nella statura, vi pare un dito più alto. — Si asciuga il sudore della faccia, — si raffazzona i capelli, — compone lo scompiglio delle vesti, — si scuote d'indosso la polvere, — si mette in somma in buono stato di comparire come un galantuomo. Dopo si rivolge al Signore con un mezzo sorriso tra la compiacenza e l'orgoglio, e il Signore gli corrisponde tentennando con bel garbo la testa. Ora è tempo che anch'ei se ne vada. E di fatti vedetelo là col cappello in mano, che se ne va all'indietro fino alla porta. E non crediate che se ne vada alla muta. Oh! il soprastante è un uomo di mondo. Sicuramente, ha detto: «servo devoto». Io l'ho sentito con queste orecchie, — e l'ha detto in tono di basso assoluto.

Ora manca null'altro? — Non saprei: — v'è la prigione, e il Signore v'è dentro. Oh! le belle prigioni che son quelle dove vanno i signori! La povera gente le scambierebbe volentieri con la sua libertà. Cosa manca al Signore là dentro? Il soprastante gli ha pur detto: comandi, comandi; — ed egli non ha inteso a sordo. Gli dà noia il divario, la novità del locale? Può immaginarsi finita la scritta[1] della casa abitata prima, e che gli sia convenuto tornare[2] in un'altra; — può immaginarsi il suo palazzo in mano alle maestranze per bisogno di certi restauri, e che per questo abbia condotta a pigione provvisoriamente una casa, come veniva veniva. Gli dà noia forse il non poter uscir fuori? — Bene, può mettersi in capo che non ha voglia d'uscire, — che l'acqua vien giù a rovesci, — che si è stravolto un piede montando a cavallo, — che cerca la solitudine per comporre un'opera, per farsi anche un bel nome. In somma a lui tocca a scegliere. — L'immaginazione è là come un merciaiuolo alla fiera, e gli va mostrando uno dopo l'altro i suoi mille fantasmi, e si protesta di vendere a buon mercato.

(IV) Fra bene e male una buona mezz'ora è passata. Cos'abbia fatto il Signore frattanto, io non ve lo posso dire. Io non sono Sant'Antonio, non posso trovarmi al tempo stesso in due luoghi.

---

1. *la scritta*: il contratto.  2. *tornare*: andare ad abitare, trasferirsi.

Ho lasciato il Signore, e sono uscito col soprastante andandogli dietro dietro ad una giusta lontananza. Il soprastante ha girato due strade, — poi è riuscito sur una piazza. Quivi a passi misurati s'è accostato a uno stabile di bella apparenza, che al primo piano portava una mostra dipinta nelle regole con certe parole cubitali, che dicevano *Restaurateur*. Come ha messo il piede sul primo scalino, ha cavato fuori una scatola, — ha preso tabacco, — ha fatto uno sternuto, — poi, s'è infilato su per le scale. E io dietro senza perder tempo. Io son l'ombra del soprastante; — non mica per nulla, vedete, — ma son curioso anch'io, — forse troppo; — già sono stato sempre, — curioso forse come una femmina, o come un confessore.

Il soprastante ha aperta la bussola franco franco, come se fosse stato il padrone, o come un avventore dei buoni. Arrivato in mezzo ha dato il buon giorno, e del compare, a un cert'uomo, che stava chinato sopra una tavola a mettere in sesto non so quali vivande. Il compare s'è riscosso, — s'è rigirato in un *fiat*, e veduto il soprastante, ha fatto subito bocca da ridere, e gli ha reso bene e meglio il buon giorno. Egli ha compreso istantaneamente di che si trattava. Allora si sono strette le mani come due vecchie conoscenze, — hanno parlato forte, — si sono bisbigliati non so che nelle orecchie. Dopo di che il trattore ha lasciato quel che aveva da fare, — si è messo in ordine, e son venuti via di conserva.

Eccoli insieme alle carceri; — già salgono una scala, — due scale, — tre scale; eccoli sul pianerottolo. Il soprastante avanti, il trattore dietro. Ecco, che il primo mette adagio adagio la chiave, — la gira lentamente, quasi che la serratura fosse di vetro, — e prima di sospigner l'uscio ingentilisce la voce, e la manda dentro dicendo:

— È permesso? si può passare?

— Oh bella! se non passate voi, che avete le chiavi, chi deve passare?

— Vossignoria ha sempre ragione; ma io conosco con chi ho da trattare, e i miei doveri non li so d'oggi.

— Bene, bene. Che abbiamo di nuovo?

— Son venuto a sentire quel che occorre, conducendo meco quest'uomo.

— Avete fatto bene. Galantuomo, chi siete?

— Sono un trattore bello e buono ai servigi di Vossignoria.

— Ah! siete un trattore? siete una cosa più necessaria della prigione.

— Viva la faccia di Vossignoria! in questi luoghi vuol essere borsa, e buon umore.

— Come vi chiamate?

— Marco Trappolanti,[1] ai servigi di Vossignoria.

— Avete un nome curioso.

— Eh! Signore! Che vuole? tanto il nome che il grado son cose, che bisogna portarle come Dio ce le mette addosso. Se stesse a noi scegliere, non andrebbe così; — io mi sarei messo un nome lungo e liscio come una coda di cavallo, e invece di cucinare per gli altri farei cucinare per me. Non so se dico bene, sono un ignorante.

— Bisogna contentarsi, la Provvidenza ha saputo quello che ha fatto. Ma veniamo al pranzo. Come mi tratterete?

— Vossignoria di certo non vorrà stare all'ordinario, — mi parrebbe un'offesa a proporglielo. Del resto la tratterò come merita, come vuol esser servita. Non dubiti, l'arte la so fino in fondo; — com'ella vede, ci sono invecchiato. Scelga, che io son qua tutto per lei. Vuol cucina alla Francese? alla Piemontese? la vuole all'Inglese?

— Per non confondermi le assaggerò tutte. L'ordinario non lo voglio; — mi appresterete un pranzo a parte secondo la nota che vi darò. Pietanze sane, e in abbondanza. Vino sincero; — mi contento che me lo diate come l'avete ricevuto. Voglio sperare che col fatto smentirete la cattiva impressione, che produce il suono del vostro cognome. Scommetto che siete un galantuomo. Dite di no?

— Eh! non ho detto nulla, — e come vede io non sono in prigione.

— Bravo! è una risposta che vale un paolo. Prendete (*gli dà un paolo*). Andate, — spicciatevi, — servitemi bene, — ed io penserò a voi.


(v) Voi potete rovesciare il quadro, se il carcerato appartiene alla famiglia dei poveri. Povero! — ma sentite che voce? — La combinazione stessa delle lettere che compongono un tal vocabolo è una cosa che dà addosso; — il nome stesso è così fiacco, che non si regge ritto.

No, — io non ci credo, — non ci credo neppure se me lo dicesse ella stessa. La Natura non ha fatto i poveri: — ella è buona, —

1. *Trappolanti,* da «trappolare»: imbrogliare.

ella è savia, — è madre, e non madrigna: siamo tutti suoi figliuoli, e vuol bene tanto al primo che all'ultimo. E se la Natura avesse mai stampato questa moneta, bisogna pur dire che non avesse più credito, che avesse gli sbirri in casa, e dopo le prime mandate avrebbe fatto meglio a rompere il conio — avrebbe fatto meglio a fallire. Una moneta falsa è tuttavia di metallo, — ha un valore benché minimo: — il povero è peggio, — è una moneta di fango.

I poveri, via, non ci volevano; — essi stessi ne vanno d'accordo. — Ma come mai son diluviati in questo mondo ad ingombrare le strade, i vicoli, le piazze, in guisa che il signore per poter passare disperatamente è costretto di andare in carrozza? Ma come mai? Io mi ci sono stillato il cervello, e non son venuto a capo del come. L'ho dimandato perfino agli stessi poveri, e mi hanno risposto chiedendomi qualche cosa per amore di Dio.

Così è, — la storia è come io ve la narro. Le tradizioni, gli archivi, la stampa, non serbano traccia né del come, né del quando fosse fondata la setta dei poveri; — non serbano neppure il nome del fondatore. L'antiquaria ha cercato dappertutto, — per terra, — per mare, — per aria, ma non ha trovato né pergamena, né medaglia, né altro documento, che ne desse il minimo indizio. Per avventura la setta non fu mai in grado di rizzare né anche un tronco d'albero in memoria della sua origine. Quel poco che ne sappiamo è che la setta rimonta col suo principio verso un'epoca remota remota, le mille miglia lontana dal dominio della storia, e conta un'antichità canuta tanto da dar gelosia a chi stima di attingere un merito a questa sorgente. Un gentiluomo è sempre prudente, — ma tuttavia, per le buone regole, credo bene avvertirlo di non discender mai a cimento con un povero sulla primazia delle scambievoli origini. Bisognerebbe cercar nel passato e chi sa dove lo menerebbe l'indagine. Chi l'assicura che non trovasse uno degli avi suoi in cotal luogo da fargli salire i rossori sul viso? *Quando Adamo zappava ed Eva filava, dov'era allora il gentiluomo?*

Povero! — Questo nome ha un tal prestigio per me, ch'io non me ne posso staccare. E quanti sono! Trovatemi chi li sappia contare, ed io *ipso facto* lo dichiaro matematico più valente di Galileo. I poeti, per dare un'idea delle cose che non si possono numerare, hanno tolta l'immagine dalle arene del mare, e dalle stelle del cielo; — potevano toglierla ancora dai poveri della terra, e così avrebbero avuto un paragone di più. — Non v'è che dire, — è la più vasta setta di quante apparissero mai, — rimasta sempre in seduta permanente, — e riceve gli adepti alla rinfusa, — senza chieder loro come si chiamino, — senza guardarli neppure in faccia. Non ha misteri, — non ha sotterranei, — cospira sotto la cappa del sole, non ha timore della *Police*. Ella non è una setta segreta, e qualsivoglia governo l'ammette.

O poveri! — Voi siete ricchi di pazienza più che altri non crede. Quando di sotto ai tetti delle vostre soffitte voi vedete le stelle, chi non fosse povero bestemmierebbe, — penserebbe al freddo, — alla guazza, — alla pioggia, — al malore che gliene potrebbe incogliere. — E voi pensate invece che quegli astri scintillanti un dì saranno casa vostra, — che passerete dall'uno all'altro a vostro talento, — che avrete tutti i giorni domenica, — che le anime vostre potranno svoltolarsi a bell'agio sull'azzurro molle del firmamento come sopra un tappeto. Così sognate ad occhi aperti, e non sentite la durezza del letto, e l'inclemenza dell'aria. La speranza pietosa di tanti bisogni, di tanti dolori, coll'ambrosia del suo alito v'inebbria, — vi affascina il cuore, — colle sue divine melodie vi culla i sensi in una calma profonda. — O poveri! Voi siete ricchi di pazienza, e Dio, se non sa darvi di meglio, vi mantenga perenne quel dono. Che se un giorno la perdeste, se rompeste le dighe che al presente vi contengono, qual sarebbe allora la faccia del mondo? La gerarchia sociale resisterebbe al fiotto dei vostri milioni? la piramide starebbe, quando si scommovesse la base? Cosa sarà la superficie di questo suolo, quando il vulcano l'avrà lambita colle sue mille lingue di fuoco?

(VI)  Ma ripigliamo il filo del nostro racconto. Dove siamo rimasti? Sarebbe bella che me ne fossi scordato! Lasciatemi pensare un momento: buoni, buoni, — ho ritrovato il filo. — Ma di grazia, stateci attenti ancor voi, — io sono avvezzo troppo a divagare, tanto che non mi sembra neppure. Quando vedete ch'io prendo il largo per menarvi chi sa dove, — forse in un pantano, — forse sur un prato fiorito, — allora tentatemi per un braccio, — tiratemi una falda, — rimettetemi insomma sulla vera strada. Io n'ho bisogno, — voi lo vedete da voi; — non posso camminar diritto, — serpeggio sempre, — ormai è un vizio che s'è convertito in una seconda natura. — Per questo ho stimato bene avvisarvene. — Uomo avvisato, mezzo salvato.

Sta tutto bene, ma un altro poco, s'io non me ne accorgo per tempo, il filo mi sfuggiva novamente di mano. — Su dunque, all'opera.

Ecco, il Povero viene. Vedetelo là in mezzo a quella massa di popolo, che lo preme e lo incalza nel suo tristo destino spensieratamente, come il cavallone spinge sul lido una tavola del naufragio. L'avete veduto? Non si distingue se sia sciolto o legato, se gli sbirri sien quattro o sei, tanto è fitta quella massa di plebe. Che ronzìo, che schiamazzo, che tempesta d'urli e di voci! — Cos'ha fatto? — Come si chiama? È del paese? — È forestiere? — È un ladro? — È un assassino? — Dove ha rubato? Conoscete l'ammazzato? — Quante ferite? — E via discorrendo; e tutti dimandano, e tutti rispondono a un tempo. — Ma non potrebbe darsi che fosse, più che iniquo, infelice, che fosse innocente? — Potrebbe darsi, ma nessuno l'ha pensato, nessuno l'ha detto. Ei, l'infelice, percorre le vie di fretta più che non vorrebbe; — il turbine popolare lo mena. E chi l'ha vestito in quel modo così pietosamente ridicolo? Se la Miseria non gridasse: — io l'ho vestito, — tu diresti che il Capriccio ha mandato fuori la sua maschera più grottesca, il suo capo d'opera. Porta in capo una cosa, che tre anni sono era già un cappello vecchio, — ora è uno sgomento a definirla. — E la camicia non è di canapa, non è di lino, — né di cotone, — né di stoppa; — è d'una stoffa che non è stoffa, d'un colore che non è colore; una camicia che ha una manica e mezzo. Oh davvero è meglio contentarsi della pelle che ti die' tua madre, che avere una camicia come quella! — E i calzoni! che labirinto! — Non si sa se sono a diritto o a rovescio, se il davanti è di dietro, o se il di dietro è davanti; — se in principio furono fatti di toppe, o d'una materia unica, perché ora le toppe sono più grandi della materia primitiva. E quante sono! e come affollate! e si montano addosso una sull'altra, come una turba di curiosi quando c'è da vedere uno spettacolo nuovo. E chi gli ha fatto quei calzoni? Giudicandoli al taglio, potrebbe averglieli fatti ancora un magnano. — Tutto questo non vuol dir nulla; così vestito com'è, viene avanti; — un piede ha calzato di mota, — l'altro gli sta in una scarpa, mezzo sì, mezzo no. Ei, l'infelice, è vicino a toccare la mèta del suo viaggio. È un viaggio che i poveri fanno frequentemente, — di rado sciolti, più spesso legati, e non lo stampano, perché son modesti, né li rode la smania di farsi un nome *à tout prix*. È un viaggio che non fanno

mai in vettura. È scritto che il povero vada sempre a piedi, — sia
che vada a nozze, all'ospedale, o in prigione. E per questo il Povero
va colle sue gambe in prigione; — e deve andarvi, fosse anche pa-
ralitico, stramazzato dalla febbre, fosse anche zoppo. — Il povero
non ha diritto che a una vettura sola: a quella che dal carcere
lo porta al patibolo, — dalla vita all'eternità.

Finalmente egli è giunto al portone d'ingresso, — all'arco trionfale della miseria, del delitto, dell'innocenza che la calunnia può
convertire in delitto. E pur troppo vi sono trionfi di tutte le specie,
e la plebe umana li accompagna tutti colla medesima calca, —
col medesimo spirito, colla medesima furia, colle medesime grida.
Basta che sia un alimento alla feroce curiosità della plebe! sia
pure la testa mozza di Luigi XVI, o l'incoronazione di Buonaparte!
Tra cibo e cibo non mette divario. — Il Povero ha passato il suo
arco di trionfo, — trionfo di vergogna e di dolore. — La plebe è
rimasta di fuori, e non sa neppur ella cos'altro più aspetti; ella non
è sazia ancora.

(VII)  Il Povero è avanti, e gli sbirri fanno il corteggio. Salgono
e scendono più volte; — voltano a destra, voltano a manca; — è
un intreccio che la mente alla prima non può raccogliere in ordine;
— in fine danno in un corridore lugubre lugubre, dove si può vedere l'oscurità, come disse Milton. Qui la vista non serve, conviene
andare a tentoni. Giunti in fondo si fermano. Di lì a pochi minuti
s'ode un rumor di passi che sempre più s'avvicina; — finalmente,
senza averlo veduto, comparisce un uomo con un mazzo di chiavi,
— un uomo così per dire, con un viso duro, un viso cupo, che ac-
cresce le ombre del luogo. Gli sbirri non gli dicono che due parole,
e poi se ne vanno.

Ora il Povero e il soprastante sono in presenza l'uno dell'altro.
— Ma non ci segue una parola, non ci segue uno sguardo. Il povero
non osa, il soprastante non se ne cura. Fra l'uno e l'altro giace
un silenzio ineccitabile, una indifferenza letargica, come fra il
beccamorti e il cadavere. Il soprastante tra la fretta e la rabbia
apre un uscio basso più dell'uomo che deve passarvi, — poi si
tira un passo indietro, come per dire al Povero: — entrate. — Il
pover'uomo curvandosi mette il piè sulla soglia, e il soprastante
non crede opportuno di accompagnarlo, ma gli dà una spinta, e
lo butta là come una cosa, che non è più buona a nulla. E così

come dico arriva in fondo in un attimo; la stanza non è troppo
lunga, e con una spinta s'andrebbe anche più là, se il muro non
si opponesse. Ora a qual Santo ricorrere? I Santi anch'essi vogliono
salmi e candele. Egli non è tentato di frugarsi le tasche, perché
non ha tasche; — e, quand'anche le avesse, cosa dovrebbe cercarvi
mai? Egli dispererebbe di trovarci un picciolo, posto ancora che
li scudi belli e coniati piovessero giù dal cielo come le goccie
dell'acqua. E in verità, io credo, ed egli crede, che non ci troverebbe
un picciolo; — forse un conto, che non ha potuto pagare, e che
lo manda in prigione, — forse un rosario, se pure la Miseria col suo
fiato ardente non gli ha cancellato dall'anima quel segno lieve di
fede, che l'amor di sua madre v'impresse quando egli era un
fanciullo.

Arrivato in fondo si volta, ma come una macchina; sta un istante
fra il sì e il no; poi cerca di condurre sulle labbra un sorriso, e tenta
di farlo, — ma il soprastante con un volto di pietra gli disfà quel
sorriso cominciato appena a incresparsi. Egli allora si smarrisce, —
tituba, — gli sembra che il suolo si avvalli; — era pallido pallido,
e in un lampo si colorisce d'un rosso febbrile; — cerca una parola,
e non la trova; — se avesse il cuore pacato la troverebbe di certo,
ma un nodo di affetti gli scompiglia la mente, gli chiude la gola.
Quegli affetti sono troppi, e troppo forti; — si affacciano tutti in
un gruppo, — non possono sboccare. Però, se tu guardi attento, su
quella faccia v'è un'espressione di preghiera, — un senso profondo
di supplica, — non per sé, — ma per altri. Vorrebbe dir mille cose,
— alcune poi vorrebbe dirle pregando, dirle anche piangendo;
vorrebbe che portassero a casa sua una parola di amore, una consolazione; e se invece d'un carceriere avesse un uomo d'innanzi, lo
supplicherebbe di portare almeno un pane ai suoi figliuoli. Poveri
suoi figliuoli! aspetteranno la sera, quando tornato a casa gli asciu-
gavano il sudore della fronte, lo ricingevano di carezze, di baci, di
mille dimande, — e mangiavano insieme il pane delle sue fatiche;
— aspetteranno la sera, e non lo vedranno venire. Oh! concepite
voi l'angoscia di aspettare indarno la creatura che vi ama, e che vi
nodrisce? — La sera è diventata notte, e non lo vedono venire;
poveri suoi figliuoli! Lo vanno a cercare di su e di giù, ne dimandano a chi trovano, lo chiamano ad alta voce, ma vanamente;
s'è fatto più tardi che mai, e il padre non viene. Santa Vergine!
che sarà successo di lui? — Allora il dubbio comincia le sue tor-

ture, — li fa sperare, e disperare, — piangere, e ridere, — li rende
insani col vortice della sua fantasmagoria, — vortice infernale,
illuminato d'una luce livida, dove passano rapide rapide mille
figure diverse, — dove or sì, or no, comparisce in fondo una bara.
Poveri suoi figliuoli! pensano ancora, che possa esser morto! E
quella sera non hanno mangiato, né mangeranno. — E la fame non
è sola; — la fame ha fatto alleanza col crepacuore.

(VIII) Il pover'uomo non ha potuto profferire una parola, e si è
ricacciato nel cuore tutte le sue passioni come altrettante spine.
Credeva di dir tutto col volto, ma un soprastante, fosse dotto ancora nelle lingue orientali, — fosse pure un Mezzofanti,[1] — non sa
leggere la sventura, o se la legge non le sa rispondere. Il soprastante
non ha letto l'immenso volume di affetti, che spiegava la tramutata
faccia del carcerato; — o se l'ha letto, per tutta risposta gli fa sentire il cigolìo delle chiavi, e dei catenacci.

Il soprastante è partito. Va', va', miserabile! Tu sei più abietto
dei rettili e degli insetti che albergano lo squallore delle tue case.
Dio ti perdoni, se può: — Dio perdoni, se può, chi vien prima e
dopo di te. Giudice, soprastante, carnefice! siete una trinità tenebrosa — siete un mostro a tre teste senz'occhi, che gira una falce a
destra e a sinistra. — Sapete voi dove sono gl'innocenti? Certamente sono a destra e a sinistra; — ma voi mietete spietatamente
da una parte e dall'altra. — Piuttosto che esistere come voi è meglio
essere scellerati: questi almeno trascorrono una carriera di delitto
più breve. Il peccato, il bisogno, l'innocenza tradita sono il vostro
patrimonio; se queste sciagure non fossero, voi morreste di fame.
Il letto dove dormite è un fascio d'ossa umane indistinto, — l'armonia delle vostre sale è il gemito dei tormentati, — il pane che
mangiate gronda di lagrime, — il vino che bevete, se aveste palato
d'uomo, sentireste che sa di sangue. Giudice, soprastante, carnefice, trinità spaventosa, che facesti gemere, che fai gemere, che
farai gemere, se un dì la vendetta degli uomini non t'infrange,
che dirai d'innanzi al trono di Dio, quando sulla bilancia de' tuoi
misfatti metterà il sangue innocente gridando: — il sangue della

---

1. Il cardinale Giuseppe Gaspare Mezzofanti (1774-1849), famoso glotto-
logo, parlava correntemente e correttamente moltissime lingue antiche e
moderne.

virtù era quello delle mie vene. Vi dissi io di versarlo? Ora pensate a pagarmelo. —

E Dio per punirvi non aprirà i vostri codici ingegnosamente feroci; — non v'immergerà in un oceano di fuoco; — vi lascerà come siete; — voi meritate di rimaner tali. Dio non abbasserà l'ira sua sopra cose striscianti come voi. — Ei non vuole, ei non deve contaminarsi; — non calca le vipere. — Dio peserà le vostre iniquità, — poi ve le renderà; — ma voi non le porterete più come una piuma; — le porterete come un cilizio grave del giudizio di Dio, — come un peso che potrebbe schiacciare un gigante, un mondo, tutto, fuorché una cosa che non può perire. Dio desterà la vostra coscienza all'immortalità del rimorso. — E allora vi rotolerete per lo spazio infinito; — cercherete un perdono, un conforto, una stilla di rugiada, anche una maledizione, e non troverete che silenzio e deserto. Invocherete la morte, e questa fiera che un dì vi obbediva sommessa come una schiava, al vostro aspetto atterrita, fuggirà colle mani all'orecchie. Fulminati non d'altra pena, che della vostra stessa esistenza, abbandonati come la disperazione, la vostra eternità non sarà misurata che da due sensazioni: il rimorso, e la solitudine.

E tu, pover'uomo, sei rimasto impietrito, soverchiato dalla foga delle tue passioni. Il peggio è, che non puoi piangere ancora; ma piangerai più tardi, — non può mancare. — Una lacrima fu data alla gioia, una lacrima alla sciagura; — la prima rinfresca, l'altra arde come la lava. — Piangerai più tardi, e il tuo pianto sarà bello, perché non sarà tutto per te; — piangerai pei tuoi figli, per la madre, se l'hai, forse per un amore, forse ancora per una patria.

E perché vi stringete nelle spalle, come se il cuore del povero non potesse palpitare per un nobile affetto, come se l'intelligenza del povero non potesse valicare le regioni concedute alla mente umana? Sapete voi cosa racchiuda quel cranio? Quando meno vel pensate, potreste rinvenirvi gli elementi da farne un Michelangiolo, un Byron, un Bolivar.[1] Conoscete voi la vita degli uomini grandi di tutti i tempi, e di tutte le nazioni? Plauto era schiavo, e girava il molino, — ma la sua Musa fu salutata da un popolo di eroi. E quando una povera donna alla sera cantava le sue canzoni

1. Simon Bolivar (1783-1830) fu il liberatore delle colonie spagnole dell'America centrale.

di madre a un povero bambino, e sospirava guardandolo, e pensava che un giorno forse non avrebbe un cognome, — sarebbe un mendicante, — al più un lavoratore della campagna, avrebbe creduto mai di cullare Shakespeare, Rousseau, Franklin, di cullare il Correggio, e Masaniello? avrebbe creduto mai, che da quel verme un dì sarebbe sorta la farfalla destinata a libare fiori immortali nei campi della Gloria e della Bellezza? — L'organismo umano rompe le leggi della gerarchia sociale, — e quando l'Occasione batte sul vivo un popolo, allora si scorge quale delle classi possa dar più scintille. Allora la Storia non è più confinata in un gabinetto a sommare le partite di frodi, che la Diplomazia ha segnato nei numerosi suoi protocolli; non è più stipendiata a descrivere una guerra puerilmente sanguinosa, ove non si vedono in cozzo che due bastoni di maresciallo. La Storia si slancia da quelle angustie, e la superficie del mondo è la sua pagina, ed ogni linea che v'incide è un tratto di luce; — allora la Rivoluzione francese sorge come una epopea magnifica, immensa; sorge Mina[1] e l'Indipendenza spagnuola; sorge la lotta titanica della Grecia moderna. Oh gli ultimi eroi della Grecia non erano cavalieri dello spron d'oro!

Sì, pover'uomo; il tuo cuore può *gemere per me, per la patria e per te.* Dacché non posso sollevare le tue miserie, e quelle dei tuoi tanti fratelli, io non voglio toglierti un cuore, che forse avrai più buono e più generoso del mio. Io non voglio toglierti quello che non posso darti.

Certo, se tu fossi solo nel mondo, come alcuni sono, non so se per questo più o meno miseri di noi, a quest'ora avresti già preso il tuo partito; — avresti mostrato fronte ferma alla cattiva fortuna; — avresti cantato non so quante canzoni; perché il povero in mezzo agli stenti e alla sua nudità, quando ha il cuore franco, canta del continuo, — canta allegramente come un uccello, che si alimenta di quel che trova, e muta nido ogni sera.

Ma tu non sei solo; — e sei rimasto immobile, come tocco dalla folgore. Ora perché guardi le muraglie? perché crolli mestamente la testa? — Tu hai ragione: — non hai che due mani, e non son buone a fare una breccia; — tu guardi l'inferriata, ma è doppia, e ci vuole una scala a salirvi; — tu guardi la porta, ma è grossa, foderata di ferro, e sigillata in maniera, che non dà l'adito neppure

1. Francesco Mina, capo di partigiani spagnoli, che lottò contro Napoleone, e poi anche contro il re Ferdinando VII (1784-1836).

a un sospiro. Oh! il tuo sospiro non penetra di là nel mondo; e il mondo già non l'udrebbe, o penserebbe che fosse aria traverso uno spiraglio. E poi, cosa farebbe il mondo del tuo sospiro? Il mondo vuol godere, e chiama breve la vita, breve tanto, che a mala pena dà tempo di pensare a sé. E poi, il mondo non ha inventato le carceri, le torture, i patiboli, non ha inventato mille delitti, che la Natura umana non riconosce? — *Requiem æternam.* — Ti hanno deposto in un sepolcro, e non sei anche morto; — t'hanno deposto in un sepolcro, senza lumi e senza canti, come il suicida. E il mondo spensieratamente ti si agita dintorno col suo dramma pieno di rumore e di vita.

O pover'uomo, potessi tu almeno dormire, potessi almeno posare su quella tavola le tue membra stanche, accasciate da tanti affanni! Ma il dolore non dorme mai; — veglia inesorabilmente, veglia come un marito geloso, perché il mondo è suo, perché addormentandosi teme di allentare gli artigli, teme che la preda gli fugga.


II

*[Sul suicidio.]*

(XVII) I primi giorni, che l'uomo passa in prigione, sono per l'anima sua come giorni nebbiosi: — l'anima non ha peranche fatto l'occhio a quel clima; — vede confusamente, talvolta non vede gli oggetti, talvolta li vede doppi; — il suo palato non ha sapore; — un ronzìo continuo gli alberga le orecchie; — lo spirito giace stordito, e non sa pensare; — il cuore sente di star sotto a un fascio enorme di sensazioni, ma non sa darne ragione. Se la mente non gli crolla, è una prova sodisfacente della sua buona tempra; — se il corpo non gli si ammala, è una prova sodisfacente, che il corpo fu tessuto *comme il faut.* Sia come vuolsi, però in cotesta alterazione dello stato normale dell'anima l'uomo ci guadagna qualche cosa; la noia non trova luogo di abbarbicarsi così di leggieri; — il pensiero, che agisce eccentricamente, non è quell'avvoltoio insaziabile, come quando il senno si aggira sopra il suo pernio naturale; — e il dolore vibra il suo pungiglione sopra una carne mortificata. Questo stato di esaltazione, in cui tutte le nostre potenze superando il coperchio hanno dato di fuori, ha prodotto per legge di reazione una pace stanca, un sopore, un dormiveglia nell'anima nostra, che volentieri ella afferrerebbe di nuovo quando si desta, e la pienezza del giorno le mostra a diritto e a rovescio la sua posizione. Ma la natura vive d'eccezioni a controgenio, e quanto più presto può, gradatamente rientra nel suo letto.

Una volta per altro, che il carcerato si è stropicciati gli occhi, e gli ha spalancati, ed è desto ben bene, e si accorge, e tocca con mano di essere in prigione, la prima cosa che sente è la sconvenienza di una simil dimora, e il primo pensiero che se gli affaccia è quello di andarsene. Io stesso, che sono un uomo tutto pace, che, se il vento mi porta via il cappello, aspetto che si fermi, e non gli corro dietro, io stesso, — Dio mel perdoni, e chi mi ci ha messo, — ho pensato, prima d'ogni altra cosa, di andarmene. E vi ho pensato così a lungo, e con tanta intensità, che mi maraviglio come questo pensiere nel chinarmi non mi sia caduto giù dal cervello in forma di lima. E se qualche spirito maligno non mi ruba questo mio cranio, portandoselo in un altro mondo, a farvi sopra le sue esperienze, o a giuocarvi alle bocce; ma invece verrà in potere del sistema di Gall, e di Spurzheim;[1] quei signori notino bene, e cerchino fra le tante protuberanze buone e cattive, ché troveranno uno scavo fatto dall'idea della fuga, una figura tale e quale come l'ho descritta qui sopra.

Pertanto noi siamo d'accordo: — il primo pensiere del carcerato è quello di andarsene. I mezzi poi per andarsene sono due: uno naturalissimo, e di riuscita infallibile, ed è quello di andarsene quando ti metteranno fuori; — l'altro naturale pur egli, ma non al grado del primo, ed è quello di fuggire. — Tu puoi fuggire con due metodi: — o fuggire da te col rompere la porta, o col segare i ferri della finestra; — o corrompendo a furia d'oro i custodi. Il primo metodo costa assai meno del secondo; il secondo assai più del primo. E tutto questo per tua regola e governo.

Io dopo molte considerazioni fatte colla coscienza, e non a caso, ho meco stesso deliberato effettivamente di rimanermi, finché un qualcheduno non venga a cavarmi. Già, figuratevi voi, mi hanno messo in un Forte[2] munito di soldati, e di cannoni, e sotto chiave d'un Profosso[3] munito di 12 Articoli stabiliti contro di me, e con-

1. Francesco Giuseppe Gall (1758-1828) e Gian Gaspare Spurzheim (1776-1832), scienziati tedeschi, creatori della frenologia.   2. Il Forte della Stella, a Portoferraio, nell'isola d'Elba.   3. *Profosso*: carceriere. È termine militare.

tro di lui; il Forte poi l'hanno messo in un'isola. — Ora andate a fuggire, se vi riesce! — Io mi protesto da capo, che non ho voglia né modo di andarmene; e quando anche conseguissi la fuga, sarei costretto a tornarmene indietro, perché fuori è la stessa prigione; — avrei di più a pagare il fitto d'una stanza, mentre adesso me ne godo un paio, e di pigione non se ne discorre, a meno che non facessero all'ultimo tutto un conto. — Napoleone, è vero, fuggì, — ma voi sapete chi era costui; e se nol sapete voi, altri l'hanno saputo; — e poi, egli fuggiva per delle buone ragioni; — fuggiva per rimettersi in capo un berretto da imperatore, ed io non potrei mettermi in capo, che un berretto da notte; — fuggiva per riafferrare la coda della Fortuna, che novamente gli capricciava dinnanzi, e gli faceva le smorfie da innamorata; — e poi, egli era padrone del Forte dove io son racchiuso, e il Forte non era padrone di lui. — Ma io, che sono una cosa con un nome, e con un casato, e niente di più, faccio sapere a tutti una volta per sempre, che ho meco stesso deliberato effettivamente di rimanermi, finché non mi diranno: — vattene. — Io sopporterò la mia prigione, come una escrescenza, che per un accidente mi sia venuta sulla persona, — come la paziente pizzuga[1] sopporta quella casa d'osso, che la Natura gli ha collocata sul dorso.

V'è ancora un altro mezzo d'evasione; ma io m'attento poco a proporvelo: e quando voi lo saprete, confesserete che non è da tutti. È un mezzo mirabilmente semplice; non ha d'uopo d'oro, o d'argento, o di compagni; non ha d'uopo di schiudere una porta, né di rompere un ferro; tu rompi una vena, e tutto è finito. — E allora, se il nulla non ti assorbe, tu vai a vagare pei campi dell'infinito, da dove volgendoti indietro, o la terra non ti apparisce, o tu scorgi sull'estremo orizzonte un punto bruno, impercettibile come il capo d'una formica. E allora esclami: dov'è la mia prigione? dove sono quelli che gemevano, quelli che facevano gemere? Oh la terra è una cosa falsa, gli uomini una folla di larve, il potente una larva con uno scettro di fumo, una larva più alta delle altre, perché ha trovato uno sgabello a salire. — Tu rompi una vena, e tutto è finito. Il magistrato può ripiegare la sua toga. — Chi vuol giudicare? L'infelice si è appellato dal giudizio del verme a quello di Dio. — La giustizia può ringuainare la sua spa-

---

1. *pizzuga*: tartaruga.

da. — Chi vuol percuotere una gleba? percuota, se vuole. Il vinto con un poco di sangue ha trionfato del vincitore. — Il tiranno gli aveva posto un piede sul collo; — lo serbava vivo per legarselo dietro al carro della vittoria; — e poi per attaccarlo a un patibolo a sfogo delle sue vendette; — a pasto di una plebe matta e feroce; ma l'infelice ha fatto un moto, un moto solo; e il piede del tiranno più non calca una vittima; — non calca che una massa di fango.

— L'infelice con un moto solo l'ha vinto e deriso: — allora ei lo maledice e l'ammira; — allora in un eccesso di passione impotente grida come il Filippo di Schiller:[1]

> *Rendetemi vivo quel morto; voglio che mi stimi.*

(XVIII)  Il suicidio è lecito o no? — I pareri non sono unanimi. Rousseau,[2] da quell'ingegno completo che egli era, ha circondata la quistione da tutti i lati, mettendo in rilievo con singolare eloquenza il *pro* ed il *contra* del suicidio; però il calore della convinzione, e la maggior potenza di raziocinio in lui si riscontrano in pro del suicidio. — Nell'antichità, in certe epoche e sotto l'influenza di certi sistemi, il suicidio era una massima e una pratica così generalmente consentita, che l'uomo si ammazzava a suo beneplacito, senza che la società ponesse mente a quel fatto. — Il suicidio era allora considerato come un caso di morte naturale. — Oggi una discreta filosofia non impugna, né approva assolutamente la legalità del suicidio. — Si parte dai moventi che hanno prodotta l'azione, e secondo quelli si stabilisce il valore dell'azione, la maggiore o minore legalità del suicidio. Un'altra filosofia piuttosto proterva che no, concede il suicidio soltanto alla follia, e nega che in ogni altra situazione l'uomo abbia potere di gettare la vita, né quando gli pesa oltre le sue forze, né quando oscilla tra la morte e l'infamia. A sostegno dell'assunto loro si fondano sulla forza dei vincoli sociali, e sulla premessa che la vita sia un dono di Dio, per il che nessuno possa disporre del dono senza l'acquiescenza del donatore. — Io comprendo poco la questione così come la basano. Io ho sempre pensato che un dono non sia veramente tale quando contiene delle condizioni, che vincolano la volontà di chi lo riceve. Quando io ho fatto un dono, ho inteso di abbandonare qualun-

---

1. Nel *Don Carlo*, Atto v, sc. IX.   2. Nella *Nouvelle Héloïse*, lettere 21 e 22.

que minima idea di proprietà sulla cosa donata. Così io la intendo,
e se fosse altrimenti, mi pare che il vocabolo non vada d'accordo
coll'idea. Se avessero detto piuttosto che la vita è un imprestito
fatto da Dio, allora forse la questione poserebbe sopra termini
più esatti. Se la vita pertanto è una proprietà liberissima dell'individuo, come credo che sia, perché non potrà disporne a sua voglia anche per contradizione a chi non vorrebbe? perché non potrà disfarsene specialmente quando questa proprietà ha cessato di rendergli
un frutto, e gli sta invece a perdita continua? Non fate voi lo stesso
di tutte le proprietà che vi nocciono, e non vi danno più un utile?
Non siete voi padroni di amputare il membro ammalato, che
potrebbe corrompere il resto del corpo? E l'uomo a cui è cancrenato
il cuore non è padrone, tagliando un filo ormai logoro, di finir le
sue pene? La legge primaria del nostro organismo è di fuggire il
dolore, e si può fuggire in mille modi: voi lo fuggite vivendo, altri
lo fugge morendo. Pretendete che tutti godano in un modo unico,
nel modo che godete voi? Voi potete più ragionevolmente impugnare la legalità della pena di morte, perché si tratta di agire sul-
l'altrui proprietà, perché può esservi eccedenza di giustizia, perché stante la imbecillità degli umani giudizi, può esservi anche
offesa manifesta. Ma l'individuo che aliena la cosa sua libera,
separata, indipendente, commette un'azione le più volte utile a sé
e indifferente sempre per gli altri. E se la vita fosse anche un dono
di Dio, cosa può importargli, se l'uomo crede bene d'impiegarlo
piuttosto in una maniera che in un'altra? Forse perché ucciden-
dosi, vive dieci anni meno di quello che poteva vivere? E che importano a Dio dieci anni più o meno, a lui che misura tutto col-
l'eternità, che ha destinato tutto a morire per rifar da capo? E
perché l'uomo non potrà esercitare sopra questo dono il medesimo
diritto che è stato dato alla tise, al colera, a una puntura di vipera,
al pugnale dell'omicida?

Che se voi mi parlate di vincoli sociali, vi dirò io: dove sono questi vincoli, e chi li ha stabiliti? Se sono una cosa che emerge spontanea dalla natura umana, allora vi dirò che le cose naturali vanno
da sé, non si contradicono mai, e le loro leggi non hanno da temere
infrazione. Ma se invece fossero un pregiudizio contro natura;
una convenzione ideale sancita ne' tempi trascorsi, allora vi dirò
che i posteri non son tenuti di stare alle decisioni di un errore,
perché sia antico, e che possono annullare qualunque legge incom-

patibile coll'utile e colla ragione, e perché quello che stava bene cent'anni sono, oggi sta male. La società è un contratto tacito, regolato da una scambievole convenienza di condizioni fra le parti: se così non è, la società non regge più sulle basi approssimativamente eque di un contratto; — invece sta sopra un piede di violenza; e allora somiglia più che altro il supplizio di Mezenzio, un corpo vivo legato a un cadavere.[1] Se in società io godo, e voi soffrite, dov'è fra noi la forza dei vincoli? A qual fine voi dovete star meco? forse perché io vi veda soffrire? Perché quando non ho la potestà o la volontà di mettervi al pari mio dovrò anche torvi il diritto di andarvene dove non vi sarà società, o ve ne sarà una più giusta? Come può immaginarsi società e mutua corrispondenza di doveri sociali fra l'uomo che spende un milione all'anno e l'uomo che non è sicuro di mangiare ogni giorno una scarsa misura di pane impastato di fiele e di lacrime? Donde il primo cava il diritto di dire al secondo: — vivi, te lo impone il dovere —? Dio stesso, se l'uomo, come ho detto, non fosse arbitro della sua proprietà, gli torrebbe per compassione la vita. Certo io ammiro la testa che porta fieramente la sventura, come un re la corona. Ma lo fa non per sommissione a un dovere che non esiste; lo fa perché ha sortito una tempra vigorosa d'anima, che lo rende capace a resistere. Ma l'infelice cui si son disseccate tutte le fonti del piacere, che vive dolorosamente per sé, e inutile per il prossimo, che trova a morire tutto l'interesse che gli altri trovano a vivere, perché un infelice siffatto deve rimanere al suo posto? Non vedete che la sua missione è finita? che l'equilibrio del patto sociale è stato alterato? Fareste voi meco un contratto in cui si stipulasse a me il riposo, a voi la fatica; a me le rose, a voi le spine? Perché vivete voi? perché la vita vi arride; perché considerandola anche come un male, se la mettete in bilancia colla morte, questa per voi è un male più grave, e fa traboccar la bilancia. — Spogliatevi d'ogni ipocrisia; voi non vivete per un dovere; vivete per un calcolo. — L'infelice ha pesato l'esistenza e la morte; — l'esistenza era più grave; ed egli in senso inverso ha i medesimi diritti che voi; egli muore per un calcolo. — Ma voi direte: egli non deve cedere così per poco; deve combattere; deve tentare di vivere. — Se voi sapeste quanto lungamente ha combattuto, sareste men rigidi.

1. Virgilio, *Aen.*, VIII, 485-88.

— Egli ha combattuto a lungo, e con tutta l'energia dell'istinto, perché la vita non si getta via sbadigliando; e avanti di rodere la catena dell'istinto, ci vuol tempo e dolore più che non credete. — Io ebbi un amico di ragione salda, d'ingegno capace, di cuor generoso; era amato e stimato da tutti e lo sentiva con riconoscenza: — ma non si sa come, fin dai primi anni, in cotesta pianta s'insinuasse il verme del suicidio che cominciò a minare, a minare tanto che all'ultimo la lasciò inaridita e nuda di qualunque fronda. Resisté molti anni, ma indarno; — egli doveva e voleva morire. — Vani furono i conforti delle persone a lui care; — vani i tentativi che faceva egli stesso per sottrarsi alla vocazione fatale. — Provò i piaceri dello spirito, — provò quelli dei sensi, — non avevan sapore; — per lui non avea sapore che la noia; — vedeva il mondo di dietro a un vetro affumicato. — Gli amici gli si mettevano d'intorno con ogni sorta di argomenti per levarlo da quel proposito; ed egli non ricusava la disputa, anzi l'accettava di buon grado, e l'esauriva con un ordine di ragionamento maraviglioso, e gli amici tornavano via quasi convinti a far lo stesso. Egli non era disperato; — era freddo e determinato a morire, come noi siamo a vivere. — Io ed altri giugnemmo più volte ad ottenere perfino da lui una tregua di qualche mese al suicidio; — ed egli accordava sorridendo la tregua: — ma finalmente la volle finire, e in una sera di state con un colpo di pistola si uccise. — Sul primo mi spiacque vivamente; poi ripensandoci sopra, esclamai come Lutero: *beatus quia quiescit.*

Andate a rammentare a un uomo come questo il dovere sociale, ed ei risponderà: rinverginatemi il cuore, ravvivate il raggio alla stella pallida del tramonto, ed io vivrò volentieri con voi. — Potete voi farlo? Sappiate che l'anima umana può essere affetta da una tise incurabile come il corpo. E se voi non avete farmaci da risanarmi, perché volete che io viva così dolentemente ammalato? Il meglio è finir presto.

E il miserabile che si annega per estrema miseria, che ha cercato il lavoro per ogni officina e da per tutto l'hanno respinto, che ha bussato ad ogni porta, e tutti per soccorso gli hanno dato un *Dio ve ne mandi* (moneta che non si trova chi la baratti), che doveva far altro, se non gittare un fardello, che le sue forze più non valevano a sopportare? Dio o la Filosofia possono prescrivere l'impossibile? Possono prescriverlo, purché non ne aspettino poi l'esecuzione. — Certo quell'infelice, tentati invano tutti i mezzi di sussistenza innocente, poteva farsi assassino; — rapire l'oro e la vita a quanti s'imbattevano in lui, e da ultimo incappare nel boia che avrebbe fatto giustizia. Il boia però collo stringergli la gola — *fino a che morte ne segua* — non avrebbe scemata una dramma del male già seguito. — O Filosofia, se tu fossi meno proterva e più umana, invece di gravare la fossa del suicida d'una maledizione, o del tuo disprezzo, daresti lode, o almeno compatiresti l'infelice, che posto fra il delitto e la morte, sceglieva quest'ultima. — Volete restringere la sfera del suicidio, confinandola ai pochi casi di esso, commessi per debolezza, o per noia, ai casi rarissimi di questa azione commessa per eroismo? Spendete meno massime, spendete più fatti: — allargate le vie della vita, sgombratele di tante spine, che vi seminò l'errore e l'ingiustizia. Con che titolo l'ozioso opulento verrà a filosofare aspramente sul corpo del suicida per miseria, — egli, che giornalmente in una bottiglia di *sciampagna* beve almeno cinque giorni dell'esistenza di un povero?

Certe leggi barbare, perché inique e stolte, perché inutili, pretesero di percuotere il suicida con una pena. Le pene non hanno scopo ed esercizio che di fronte alla sensibilità. — Affliggete le cose insensibili, se vi riesce; e allora avrete ragione. Allora Serse quando flagellò l'Ellesponto fece un'azione degna di Socrate. — Il suicidio, sottraendolo alla speculazione e concedendolo alle sensazioni delle masse, è argomento di mille diversi giudizî. — Date a vedere sulle tavole del camposanto il corpo del suicida; — ecco la fama percorre le piazze e le strade e bandisce che un uomo si è ammazzato di proprio pugno. — Le turbe accorrono, fanno cerchio, fanno calca, fanno popolo; compongono l'opinione completa, dal colore più saliente alla gradazione più sfumata.

Una ragazza tutta tremante d'ansia e di curiosità come l'anima vergine allo spettacolo di una cosa non veduta mai, s'interna, s'affaccia, si curva un momento sul morto e poi si volta per partire, e sulla freschezza vivida della guancia è insorto un livido leggiero, leggiero; l'occhio è lucido più dell'usato, come quando è vicino a piangere; e facendosi strada framezzo alla folla esclama: peccato! che bel giovane! — Un crocchio ben numeroso ragiona del nome e del cognome del morto; del come andava vestito; del dove stava di casa, delle sue abitudini, ecc. — Un popolano mette ruvidamente le mani sulla ferita per mostrarla al compagno e col suo grosso buon senso conchiude: a pagare e a morire c'è sempre tempo. — Uno scettico dice al vicino che gli domanda le cagioni del fatto: io non ne so nulla; era padrone di stare, è stato padrone di andare; forse volevate rattenerlo? — E il vicino, mal soddisfatto, gli volta le spalle. — Un teologo lo mette all'inferno, e sigilla la sua decisione con una presa di tabacco. Una vecchiarella gli mormora addosso un *de profundis*, pregando sua divina Maestà che lo mandi almeno al purgatorio. Un ciarlatano allunga la fisonomia e vi fa sopra una massima. Un uomo di cuore non apre bocca e vi versa una lagrima.

E come vedete l'opinione pubblica non offre dati da fondare un sistema sull'unità del principio. — Chi biasima in forza di un diritto ereditato; — chi approva per simpatia; — chi per raziocinio; — chi compatisce: — i più son curiosi, e lasciano il fatto com'è senza definirlo. Io facendo un sistema per conto mio, ripeto quanto ho avanzato in addietro, che la vita è la prima proprietà dell'uomo, proprietà assoluta, indipendente e separata con distinzione sì profonda dall'altrui proprietà, che non v'è rischio di liti sui confini; e da una proprietà di questa natura deriva inevitabilmente l'esercizio di un diritto illimitato sulla medesima. Che ponendo ancora la vita come un dono di Dio, egli non ha prescritto il modo speciale con cui deve finirsi. — Non si trova in nessun libro che abbia vietato il suicidio; e se pure una volta ha parlato, ha detto: *non uccidere*: e qui va bene, perché si tratta della cosa altrui, ma non ha mai detto: *non ti uccidere*. Egli ha donata la vita. e l'ha destinata a finire. Sul modo poi è affatto indifferente, e per lui il suicidio è un genere di morte come un altro. Se il resto degli uomini vivessero eterni, e il suicida morisse, allora il suicidio si potrebbe considerare come una contradizione al suo concetto: ma poiché tutti dobbiamo morire, egli è indifferente sulla specie d'imbarco che noleggiamo per giungere a questo porto. — Dio ha donata la vita, ma non s'è riserbati i modi particolari per metterla a fine: ha lasciato questi modi alla nostra organizzazione e a quella rete d'infiniti accidenti in cui siamo ravvolti. Credereste voi che egli occupi la sua eternità e i suoi attributi a scegliere per voi l'apoplessia, per me il mal di petto? Il pensarlo sarebbe forse una cosa empia e certamente ridicola. Lo spirito della sua legge è creazione e distruzione in perpetuo: — basta che l'uomo nasca e muoia, e la sua legge è adempita.

Affermata la legalità del suicidio, è facile fissarne i diversi gradi di stima. — Le azioni hanno un valore intrinseco che di rado può sfuggire all'aritmetica della morale. Voi potete compatire il suicida che si ammazza per debolezza; potete biasimare chi s'ammazza in conseguenza del giuoco o d'altre dissipazioni; approvate come un conto che torna il suicidio fatto per noia, o fatto dal tisico, che arrivato al terzo stadio, crede bene di risparmiarsi un qualche mese di agonia infallibile; — potrete ammirare il suicidio prodotto dall'eroismo. Potrete distinguerlo in tre calcoli, — fallace, giusto e sublime. Di tutti questi elementi potrete fare una piramide, dandole per base la debolezza e per comignolo la virtù.

Discendendo poi dalle teoriche al fatto, osserviamo che più ordinariamente questo fenomeno si verifica o nell'estrema energia, o nell'estrema spossatezza dell'umana natura. Di rado tocca il grado intermedio; — di rado un uomo dotato di facoltà temperate mette le mani nel proprio sangue. Egli è buono a sopportare molti disastri, che fiaccano il debole; — egli in forza delle sue misurate facoltà non si trova mai avviluppato in quel nodo di eventi, che sforzano l'uomo superiore a sparire dalla scena del mondo celandosi in un sepolcro. L'uomo moderato può convenientemente transigere con una lunga serie di fatti. L'uomo debole vive a caso, — e se i fatti gli passano rasente senza urtarlo di fronte, può invecchiare pacificamente, e morir nel suo letto. Ma se un fatto lo prende di fronte, egli è perduto, egli non ha vigore bastante da sviarlo, e rimetterlo sul suo cammino. Una cosa lieve, un nonnulla, anche una risata, in un cervello così fatto diventa un'idea fissa; e allora la follia compie la paralisi delle sue forze morali, ed egli è costretto a morire senza poterne dar conto a chi glielo dimandasse. Io ho conosciuto un giovane leggiadro di forme, d'indole mite, ma vuoto di testa, che si fucilò, perché i genitori, che l'amavano assai, non gli permisero di farsi dragone. — Ma l'anima atletica d'un eroe trascorre una scala lunghissima d'eventi, e nulla l'arresta; — la sua gagliardia rompe spesso la corrente, che strascinerebbe in rovina ogni altra forza fuorché la sua; — poi ad un tratto si trova di faccia una combinazione intricata, profonda, dove freme l'onnipotenza del Destino. Allora il Genio si conosce perduto, — ma non cede sul subito; si sviluppa una lotta da gigante a gigante, — e la lotta dura finché le forze da una parte resistono; — finalmente il Genio soccombe, — il Destino supera, perché il Destino è ciò che deve essere. Che deve fare allora l'eroe? — progredire è impossibile, perché una barriera di adamante gli chiude i passi; — rovinare in fondo è impossibile, perché la natura del Genio è di salire finché può. Allora l'eroe decide di morire, non già perché vuol morire, ma perché non può più vivere. Non è il delirio, che spinge; è la coscienza, che sceglie. Il Genio si scava la fossa su quel gradino, dove la Fatalità gli ha reciso l'ale; — e si scava la fossa per insegnare che il sistema del Bene va portato innanzi finché si può, e non va rinnegato colla codardia del tornare indietro. Certo, il suo concetto era di salire al sommo della scala, e piantarvi lo stendardo della vittoria. Dio non ha voluto, — egli è morto. Egli non poteva vivere sospeso fra il cielo e la terra.

Catone sta per la repubblica, — e combatte all'usurpatore a palmo a palmo il terreno; ma questi, più felice di lui, lo incalza di provincia in provincia, — lo soffoga coll'alito ardente della vittoria. Catone finalmente è in Utica, chiuso in circolo magico, donde gli sarà impossibile uscire come dalla tomba. — Già si sente fremere a tergo il delitto e la fortuna di Cesare. Ma i fati non sono per lui, — egli lo sa. Non v'è più scampo, — non v'è più spazio, — non v'è battaglia più da tentare; — la Virtù contro il Fato è un vetro contro una massa di ferro. Catone deve morire, e morrà. Poteva rendersi a Cesare, — ed ei l'avrebbe perdonato, — l'avrebbe anche onorato, — perché Cesare era un tiranno, ma un tiranno di genio. Catone era come quei metalli, che si spezzano, ma non si piegano. Doveva morire per dimostrare, che la Virtù è un fatto sensibile, e non un nome vuoto; doveva morire, perché la sua ragione gl'insegnava pacatamente la morte come un dovere, la vita come un tradimento. Se non fosse morto, né i contemporanei né i posteri avrebbero saputo in che più credere. La sua morte fu una protesta eloquente contro l'usurpazione felice, — una guarentigia del diritto, — un conforto, uno stimolo ai superstiti; e dal suo sangue usciva una voce, un insegnamento solenne a morire piuttosto che a disertare una causa santa.

E Bruto da quel sangue raccolse quella voce, e se la pose nel cuore. Quella voce gl'intimò primamente a non disperare della salute della patria, — a tentare la sorte incerta delle armi, e così fece; — poi quando a Filippi fu perduta l'ultima battaglia delle libertà latine, interrogò quella voce, e gli disse di morire. E Bruto

moriva incontaminato, come devono morire le anime sublimi. —
Comprese la santità della sua missione, — la grandezza dell'esempio, che andava a dare, — il frutto immenso di cui questo sarebbe
stato fecondo nell'avvenire. Il suicidio in lui non fu il consiglio
d'uno stretto egoismo, — fu un sacrifizio fatto alla dignità dell'u-
mana morale. Se fosse vissuto, avrebbe commesso peggio che
una viltà; — avrebbe messo in dubbio i diritti dell'uomo; — avrebbe sanzionata la scelleraggine trionfante; — ne avrebbe in certo
modo velate le vergogne: — così la lasciò nuda, — così col suo
sangue si appellò pei diritti delle nazioni alla vendetta dei posteri
rigenerati; — così piuttosto che concederla agli stupri della tirannide volle condur seco la Virtù vergine nella tomba. Bruto, anima esaltata, e inflessibile nell'amore del grande e del giusto,
era portato al suicidio dalla necessità e dal dovere. Non gli rimaneva a fare più nulla né di buono, né di grande; — non gli rimaneva
né anche di sedersi sulle rovine della patria, e scioglievi un canto
funereo; — le rovine della patria erano ormai lo scanno dei Cesari.
— Doveva fuggire? Il pensiero solo è un sacrilegio; — ma e in
qual parte di mondo fuggire? Il mondo era una provincia romana,
e qualunque nazione avrebbe portato a gara la testa di Bruto in
aggiunta ai consueti tributi. — Doveva ricorrere alla clemenza di
Augusto? Oh! l'ultimo dei Romani non poteva ricorrere al primo
dei tiranni. La Fatalità aveva incatenato lui alla Repubblica, e la
Repubblica a lui. Erano due in un destino solo; — dovevano esistere insieme, perire insieme, e perirono. E poi conoscete voi la
clemenza di Augusto? Ve lo dica Perugia.[1] — Augusto non aveva
che talento e libidine d'imperio; — del resto ineccitabile come una
pietra; un alito di passione non aveva mai increspato quel mare
morto dell'anima sua. Un giorno fece un conto, e barattò la testa
di Cicerone suo amico contro quella d'un uomo che appena
conosceva, come farebbe un fanciullo dei suoi balocchi; e sotto
manto d'amore carezzava Cleopatra per menarsela a Roma in
catene in un giorno di festa e d'orgoglio. Augusto avrebbe messo la
testa di suo padre per puntello a un piede del trono, se quel piede
non avesse posato in piano.

Il suicidio di Catone, di Bruto e di mille martiri della verità,

1. *E poi . . . Perugia.* Nel 41-40 a. C. Ottaviano assediò Perugia, dove si era
rinchiuso L. Antonio. Dopo lunga resistenza la città, costretta ad arrendersi, fu incendiata, e i principali cittadini vennero trucidati.

è un eroismo, — un fatto di natura trascendentale, che sfugge al compasso di una volgare filosofia. È il punto culminante dell'umana grandezza, è il sacrifizio. L'invidia sola può tentare d'impiccolire le proporzioni colossali d'un tanto fenomeno, ma la ragione sdegna l'analisi, e si contenta di venerare. Il suicidio è vero, che in questi casi stacca un fiore dalla corona della Virtù; ma la Gloria raccoglie tosto quel fiore, — ne fa una stella, e l'aggiunge al suo serto immortale.

### III

*[L'anima, l'ordine morale e l'ordine sociale.]*

(XXII) Io sono stato sempre tentato a credere che anima e corpo sieno una sola faccenda; che l'anima sia la risultanza sommaria delle nostre funzioni organiche; — e che scompigliato una volta l'ordine simmetrico della nostra organizzazione vada tutto in fumo, numeri e somma. — Noi vediamo che l'uomo ha anima più o meno perfetta in proporzione che possiede un organismo più o meno perfetto. — Noi vediamo che quando il minimo accidente sconvolge il nostro tessuto fisico, l'anima seconda immediatamente cotesta alterazione. Noi vediamo l'anima umana delirare nell'ebbrezza, nella febbre, nella pazzia; — osserviamo sovente l'uomo prode nel fiore della forza e codardo nella vecchiaia; — osserviamo il talento che è l'effluvio il più puro dell'anima descrivere la sua curva a passo pari cogli anni. — Nei bambini noi vediamo un'anima in abbozzo, che si spiega gradatamente collo sviluppo delle membra. — Noi vediamo che l'anima dell'uomo vinto dal sonno è un'anima diversa da quella dell'uomo che veglia. — Io sono stato assorto nel transito profondo di una morte imminente e non aveva più sentore di corpo né d'anima. — Io sono stato otto giorni di seguito immerso nel calore di una febbre maligna, e quegli otto giorni sono per me una lacuna, una parentesi in bianco nel tratto della mia esistenza, se pur l'esistenza vuolsi calcolare dal sentimento. E quantunque, stando a rigore di logica, in natura non esistano paragoni, perché due oggetti disparati non possono mai equivalere pienamente l'uno a l'altro, tuttavia io credo che l'ente complessivo di corpo e d'anima per via di approssimazione possa paragonarsi a un violino. — Il violino è il corpo, il suono è l'anima. — Spezzate il violino e non v'è più strumento né suono.

Ma dicono molti che l'anima attende appunto di liberarsi dai legami del corpo per riassumersi intera nella purezza della sua essenza e vivere in un altro mondo una vita immortale senza più essere sottoposta alle tante e diverse modificazioni della natura. Costoro però si dipartono da un'ipotesi e non hanno l'indizio di un fatto minimo sul quale basarla. Invece chi crede nel sistema contrario, si appoggia ad una serie di fatti apparentemente visibili e palpabili. — Se tu osservi com'è in realtà che con un colpo nella testa l'anima simultaneamente rimane percossa e per un tratto le sue facoltà rimangono sospese, ragion vuole che tu inferisca che quando la morte con un colpo finale distrugge le molle che tengono in giuoco la nostra macchina, l'anima pure rimanga simultaneamente distrutta. Quello che succede in parte, si può argomentare con una tal quale sicurezza che debba succedere nel tutto, — è una legge di proporzione. — D'altronde ripugna al calcolo dell'intendimento umano che l'anima, la quale in certo modo si ecclissa per un'emicrania, debba rimanersi intatta e più potente di prima, per esempio, al tocco dell'apoplessia, che spegne la vita colla rapidità del fulmine. — Oltre di che sapete voi in buona fede concepire l'anima fuori del corpo così nuda, nuda e priva di qualunque forma e sostanza? Per me questo è un accozzo di parole che la lingua può mormorare, ma non è un'idea che la mente possa afferrare e definire. — La mente nostra non ha potenza di concepire un numero, che non esprima nessuna quantità. L'uomo non può e non deve credere se non quello che entra nei limiti del suo intendimento, e deve rifiutare quello che sta al di fuori di questi limiti, perché non ha mezzi di verificarlo, perché se comincia a credere quello che non intende, non saprà più mai quando avrà dinnanzi l'errore e quando la verità. — Di là dall'orizzonte segnato all'intelligenza giace il mondo della fede, mondo di fantasmi e di tenebre, e chi procura sospingervi dentro l'umanità è un cervello malato, o è un impostore. E la fede non è il riposo dello spirito umano, ma è un'inerzia funesta che ne ferma il movimento e lo fa imputridire. — La fede è la verga magica del furbo colla quale si fa largo nel mondo, ed impone agli uomini di credere a sangue freddo sì fatte stranezze che un pazzo al punto culminante della sua frenesia mal saprebbe immaginare. — Socrate che più che filosofo era un ottimo cittadino, e ricercava il vero fin dove poteva trovarlo, consigliava agli Ateniesi che non disputassero mai né di Dio, né dell'anima.

Oltre di ciò non osserviamo noi che per legge generale e costante, tutto quello che ha principio, ha pur fine? E l'anima che senza dubbio ebbe un principio, se continuasse immortale non sarebbe una manifesta contradizione alla legge osservata? Ma e non sarebbe possibile che riguardo all'anima fosse accaduto quello che è accaduto di tante altre nozioni semplicissime e naturali, le quali coll'andare del tempo avendo deviato dalla loro prima origine, si sono tramutate sensibilmente nella forma e nella sostanza e complicate di errori e di elementi eterogenei affatto alla loro essenza? Per esempio, la voce latina — *inferno* — nella prima accezione, che era la più semplice e la più vera, significava — *di sotto,* — cioè morto, dacché i morti stanno di sotto. In seguito la furfanteria degli impostori religiosi agglomerò tante novelle e tante finzioni intorno a quest'unica voce, che i tratti originali disparvero, e la voce si convertì in un sistema lugubre, informe, studiato per atterrire la mente e la coscienza degli ignoranti. Io penso che lo studio delle lingue antiche serva mirabilmente a rintracciare l'origine di molte delle nostre nozioni. — Le lingue antiche esprimevano la sembianza delle cose con una evidenza e con una verità di gran lunga superiore alle moderne, perché gli uomini di una società poco avanzata non avendo mezzi di divagare nella metafisica che vuol dire scienza oltre la natura, necessariamente si tenevano inviscerati nella natura fisica e sensibile che li circondava. Quindi veniva loro una lingua tutta di rilievo, — quindi i monumenti delle lingue antiche di rado o mai espongono pensieri ragionati in astratto, ma ogni loro parola dipinge sempre una cosa sentita profondamente, perché le sensazioni degli uomini di una società primitiva sono più rigorose e congiunte per un anello immediato agli oggetti che le producono. — A conferma di tutto questo potete leggere la Bibbia, Ossian,[1] le poesie degli Scandinavi e i documenti che si riferiscono ai selvaggi di America e a tutti i popoli di prima natura. La lingua latina non è di certo una lingua

1. *Ossian*: leggendario bardo scozzese del III secolo, figlio di Fingal, re di Morven. Sotto il suo nome il Macpherson pubblicò nel 1760 una raccolta di poesie, che egli diceva tradotte dall'antico gaelico e che ebbero immensa fama.

moderna, perché oltre alla sua antichità non indifferente, la maggior parte dei suoi vocaboli ebbero radice nella lingua vetustissima dei popoli italiani, che preesistevano tanto tempo avanti al dominio romano, — popoli che sono dei primi a figurare nel mondo storico. — Ora tornando sull'anima osservo che in latino la voce — *spiritus* — che vuol dire *anima*, nel suo proprio significato vuol dire *soffio*. — E Plauto in una delle sue commedie usa un'espressione veramente singolare: volendo far dire ad uno dei suoi personaggi — ti puzza il fiato, — gli fa dire: — *ti puzza l'anima*; espressione senz'altro poco conveniente, ma caratteristica per i suoi tempi, significando che in allora comunemente intendevano per anima il fiato o il respiro. — E la Genesi anch'essa narra che Dio soffiò per le narici l'anima in Adamo, e di fatti il naso è l'ordigno il più usitato e il più opportuno per respirare. — La cosa dev'essere andata così: quegli uomini primitivi osservando che il corpo quand'era morto più non respirava, naturalmente stabilirono che il fiato fosse l'anima. Questa opinione però non intendo che possa recarsi in buona fede, come una prova incontrastabile, dacché gli antichi in fatto di scienza hanno dovuto errare spesso e necessariamente, perché la scienza è l'esperienza, e l'esperienza è un manto che si trama a fila di secoli; e più il manto si distende e più la scienza è completa e sicura. Nondimeno io ho osservato che anche il volgo d'oggi crede come gli uomini dei tempi remoti, e quantunque in forza d'un dogma religioso dica di avere un'anima destinata a una vita futura, interrogato poi come comprende quest'anima, non sa dove rifarsi a rispondere, e finisce col dire che l'anima è il fiato. — Del resto la scienza che confuta gli argomenti pei quali si asserisce l'anima peritura, non ha finora saputo gettare i fondamenti inconcussi della sua immortalità, ed è veramente curioso che un numero d'uomini tanto ignoranti, quanto sapienti, i quali convengono nell'ammettere l'esistenza di un fenomeno, non riescano poi a circoscriverlo in una formula unica e precisa. Ma soggiungono i sostenitori dell'anima immortale: la causa che noi difendiamo non va lasciata cadere così per poco, poiché ella è connessa ad una questione di più alta importanza; — ella è connessa all'esistenza dell'ordine morale. — Se si toglie di mezzo l'immortalità dell'anima, quest'ordine più non esiste, e tutto rimane in dominio al cieco movimento della materia, tutto rimane preda del caso. E allora quale avranno riparo le tante ingiustizie

che succedono in questo basso mondo, quale avrà premio la virtù
perseguitata, e quale avrà pena il delitto trionfante, se dopo morte
non concedete una vita futura in un mondo migliore? Però io
non vedo ragione sufficiente che affinché sussista una cosa, s'abbia ad ammettere l'esistenza di una cosa precedente, la quale ha
delle apparenze validissime di non esistere. — Confesso che l'argomento allegato non è dispregevole; per altro ha sembianza d'essere ricavato piuttosto dalle cose considerate come dovrebbero
essere che dalle cose considerate come sono; — confesso che se non
è un argomento giusto in fatto, egli è almeno giusto in diritto.
Ma sapete voi positivamente se Dio esista, o se esista nel concetto
che avete immaginato? Conoscete voi la sua natura intima, e se
ella sia buona o cattiva o indolente? Conoscete voi la legge primaria e generale ond'egli governa quest'opera incomprensibile
da noi chiamata universo? Forse egli combinando il disegno di una
immensa armonia vi ha intrecciato il dolore e la gioia come due
elementi efficaci ad un vastissimo effetto, senza darsi briga di certi
particolari che percuotono gravemente la nostra povera natura,
e per lui sono impercettibili. Chi ha fabbricato l'orologio non si
tormenta a pensare se le ruote si travaglian penosamente, e se la
lancetta percorra a bell'agio il suo giro; — purché l'orologio nel
suo tutto compia la sua destinazione, l'artefice è lieto del suo mec-
canismo. — Forse Dio considera chi gode e chi geme come due suo-
natori di due diversi strumenti, e purché vada l'orchestra, non
cerca più in là. — Certo a dipartirsi dai dati che abbiamo sott'occhio pochi davvero avranno cagione di benedirlo: — ma sappiamo
noi se egli si curi d'essere benedetto o maledetto? E se egli ha
fatto male questo mondo, come voi stessi ne convenite, quali
guarentigie avete che abbia fatto meglio quell'altro? Non potrebbe
darsi che l'avesse fatto anche peggio? Voi dite che i suoi fini sono
imperscrutabili, e tanto basta per non affermare sul conto suo
nulla di positivo sia nel presente che nell'avvenire. E nel vero egli
non ha mai parlato; non ha mai rivelato né il suo modo d'esistere,
né il suo modo di giudicare gli accidenti che risultano dall'immensa complicazione del suo lavoro. — E chi è fra noi che osi di farsi
suo interprete? La cosa finita e caduca non può essere l'organo
della cosa infinita ed eterna. D'altra parte voi me lo distinguete
per un ente giusto e benefico; — ed allora io non vedo ragionevolezza e coerenza in un ente sì fatto a tribolare l'uomo virtuoso

in un mondo per ricompensarlo in un altro. Un fare come questo mi sa piuttosto di capriccio. — Io scorgerei più visibili le orme della sua giustizia, se facesse star bene il virtuoso in questo mondo e lo facesse star meglio in un altro. Almeno così è costretta a conchiudere la logica, quando il puntiglio d'un sistema non la spinge a fuorviare.

E chi dice a voi che riposate tanto sulla giustizia di un mondo avvenire, che le azioni da noi distinte col nome di bene e di male non sieno al cospetto di Dio due fatti diversi, ma indifferenti, come due colori, come agli occhi vostri il verde e l'azzurro? E poi la bontà e la malvagità dell'animo, principî sui quali ci appoggiamo tanto, io temo che, tranne rarissime eccezioni, invece d'essere qualità positive ed inerenti continuamente al medesimo individuo, sieno piuttosto un affare di situazione, e qualità nobilissime e dipendenti affatto dalle occasioni nelle quali ci troviamo avviluppati. — Oggi io sono in prigione e senza colpa, ma se un giorno sarò potente, chi sa quanti e senza colpa farò gemere nel carcere stesso nel quale gemo stasera? La storia dell'umanità osservata severamente nel suo vasto insieme e nelle sue singole parti, vi presenta un saliscendi di offese e di vendette; vi offre lo spettacolo di due partiti che or l'uno or l'altro si tengono un piede di ferro sul collo, e fin ora ha segnato mai nei suoi annali l'epoca della equità e della pace? La storia è una Sibilla, che consultata coscienziosamente ha dato fin ora questo responso: — Se voi non foste oppressi sareste oppressori. — I cristiani perseguitati, nei primi secoli predicavano pacificamente la dottrina dell'agnello di Dio; — poi, quando il vento fresco della fortuna li levò in alto mare, conversero la croce in una spada a due tagli, gli altari in roghi e l'ostia incruenta in vittime umane. La strage dei *septembriseurs* fatta a nome di un popolo e della filosofia, non fu meno atroce ed iniqua della *S.te Barthélemy*, fatta a nome di un re e del fanatismo.[1] — La giustizia di un mondo avvenire sarebbe forse compatibile col dogma del libero arbitrio; ma potreste voi giurare che le azioni nostre dipendono effettualmente dal libero arbitrio? E che vale questo libero arbitrio, se le passioni e gli avvenimenti, come spesso accade, si scatenano più forti di lui? In un caso somigliante egli è peggio

1. I massacri del settembre 1792 furono uno dei più sanguinosi episodi della Rivoluzione francese. La notte di S. Bartolomeo, 23 agosto 1572, fu eseguito a Parigi il massacro degli Ugonotti, ordinato dal re Carlo IX.

che inutile, dacché sottopone la volontà umana a sostenere la fatica di una battaglia che deve perdere. E a che vale questo libero arbitrio, se tutti convenghiamo che il giudizio umano è spesso infermo e agguatato continuamente dall'errore? Se voi foste Dio, qual gastigo assegnereste a colui che guidato da un'idea torta ha cancellato in buona fede dal libro della vita l'esistenza di centomila uomini?

Ma invece molti asseriscono dopo lunghe ricerche esercitate nell'indole delle azioni nostre che una fatalità onnipotente regge i freni del genere umano: e allora a che la giustizia di un mondo avvenire? Io per me credo che la razza umana sarà meno calpestata e infelice, quando invece di fantasticare sull'avvenire e giacere e farsi un guanciale della Provvidenza, si terrà con più saviezza al presente, e tentando mille esperimenti, si studierà di trovare una forma di stato sociale in cui ad ogni individuo sia permesso senza danno del prossimo di muoversi liberamente e con piena sicurezza nella sfera descritta dalla sua natura. Conviene stabilire in società una media proporzionale, una condizione di cose, in virtù della quale le leggi, le opinioni, i costumi suppliscano a quello che manca al debole e contengano l'esuberanza del forte quand'ei la volge a detrimento de' suoi simili: — se no, il miglior partito è di spegnere i lumi e prendere la gragnuola o il sol di primavera quando lor piace di venire.

... Se prima di nascere in Livorno il 1º dicembre 1806, e farmi battezzare in Duomo col nome di Carlo Anzano Ranieri, io fossi stato un'anima davvero, o avessi saputo il conto mio, non avrei mai dato il voto per entrare in un corpo come quello in cui mi trovo — ove mi sembra di star peggio che in una trappola. — Primieramente io non sarei entrato in nessun corpo, all'incontro avrei voluto godere la libertà dello spazio percorrendo incessantemente le strade dell'aria senza bisogno di passaporti — di bauli — di andare alla locanda — senza tema dei ladri — senza tema che il fango mi lordasse i calzari, cose tutte che di rado, o mai si schivano in questo mondo. E perché avrei dovuto chiudermi in un corpo a menare una vita breve, trista, oscura, soffocata? — a sentirmi stringere o pestare in una calca, a patire il caldo e il gelo? il dolor dei denti, le coliche, e mille altri malori che la Provvidenza costituiva al corpo in dote inalienabile? — E perché io anima, io spirito indefinito, io soffio eterno, io intelligenza libera, trasparente, veloce, io scintilla d'una fiamma immortale, avrei dovuto chiudermi in una cassa così mal fatta? E perché in cinque poveri sentimenti, e talvolta anche in tre, poiché la creatura può nascer sorda e cieca nel medesimo tempo? a che fine avrei dovuto commettere contro di me tanto strazio? A che *quid*? dice un tale a Livorno, terribile latinista, e terribile cancelliere in un tempo. Se io anima avessi fatto di motuproprio un consimile errore, in verità dispererei trovare avvocato capace di difendermi, fosse pure l'avvocato del Diavolo che difende le cause più triste, perfino il peccato mortale.

Io dunque non sarei entrato giammai in un corpo di qualunque specie si fosse, e se la mala ventura così avesse voluto, e se una imperdonabile curiosità mi avesse sospinto a cogliere il pomo amarissimo dell'albero della vita, avrei scelto bene altramente. Avanti di tutto invece di scendere in una casetta in via delle Galere (sinistro presagio se reggesse sempre la religione degli augurî), composta non so se di due stanze o di tre, sarei piuttosto calato in un antico e magnifico palazzo. — E questo è un desiderio poco filosofico, poco giusto ancora — ed io sono amico dell'eguaglianza più che nol dimostro, e benché sia un povero, a petto dei milioni di poveri che mi ondeggiano intorno, non son tanto povero! — e se si potesse sinceramente conseguire, e compatire una discreta eguaglianza nell'universale, consentirei di tutto cuore a scendere un gradino più giù; — almeno così la penso in questo momento. Ma dacché uno stretto individuale egoismo ha rubato la mano, e signoreggia assoluto, mi risento anch'io di cotesti influssi, e dacché nei proponimenti del bene ho sentito dir sempre: — cominciate voi frattanto, io non sono ancor lesto; — anch'io mi ritrovo trascinato dal cattivo esempio, anch'io son tentato di godere senza voltarmi indietro a vedere chi soffre; e se io scorgo un povero che trema di freddo, la più grande spesa di sensibilità che io faccia, è quella di dire: — poveretto, lo compatisco —; vorrei che tutti stessero bene, senza riflettere che dal lusso inutile dei vestimenti, non dirò miei, ma di tale e tal'altra persona, n'uscirebbe il vestito bastevole a coprire la nudità di due o tre poveri che nascendo ignudi come noi, sortivano il diritto di vestirsi come noi. Ma tale è il cuore umano: e poiché lo stato sociale di oggidì presenta fra il dare e l'avere uno sbilancio, che mette paura, poiché la società non è un ordine, un equilibrio, una giustizia, ma un vortice, un parapiglia, un conflitto, — è una palla giuocata da pochi giuocatori, natura vuole che ognuno aspiri ad essere il giuocatore piuttosto che la palla; e quando non v'è forza di associazione, assenso di voti uniforme, anche l'uomo benefico è costretto a farsi crudele dal sistema sociale che lo avviluppa; o se si muove solo a rimediare un male immenso, comune, commette una stoltezza, buona se vuoi, ma pure una stoltezza; versa una stilla d'acqua sopra un incendio vastissimo e all'ultimo consumandosi nell'impotenza aggiunge una unità al numero innumerabile degl'infelici che voleva sollevare.

Io non prèdico il pessimismo, perché non l'ho nel cuore, e penso che non sia in natura. Bisogna sempre distinguere fra natura e società; la natura umana è la tela bianca di un quadro; su quella tela potete dipingere le figure angeliche di Raffaello, o i mostruosi grotteschi del Callotta.[1] La società è un edificio innalzato dagli uomini. Io dico che adesso viviamo in epoca siffatta in cui la bontà o viene aggirata dal vortice, o rimane inerte. Nondimeno l'edifizio sociale è atto a sentire importanti restauri, è atto ancora ad esser crollato dai fondamenti, e forse non è lontano il tempo nel quale la società di qualche parte del globo sarà confusa in un caos universale d'onde risorgerà un mondo ordinato a più bella armonia.

La società presente è falsa, ingiusta, putrida in ogni sua fibra; o deve perire, o deve rinascere sotto spoglie migliori. La luce non è più ferma sulle cime del monte come una volta, è penetrata nelle forre più chiuse e ha rivelato le molle più interne di questa macchina. La cieca fede è sbandita e con lei l'ignoranza; le sorgenti son passate purificandosi traverso il dubbio; e il dubbio, che da una parte è la tortura dell'intelletto, dall'altra è il padre della scienza e del diritto. La scienza è lo spirito vivificante delle moderne opinioni, e sembra che voglia assidersi regina dell'avvenire; la scienza di per sé sola non è un compenso sufficiente al disagio dei sistemi attuali; e se si rimanesse in astratto senza un'applicazione, senza produrre un frutto, sarebbe anzi una cosa funesta. Allargando la coscienza del male ne avrebbe allargata la sensibilità: ma la scienza scuopre i mali, e i rimedi, e addita le fonti d'onde attingere la forza necessaria a conseguire l'intento voluto. Oggi molto è stato discusso, — molto è stato conchiuso; — quello che un secolo innanzi era un'ipotesi, oggi è un assioma. La scienza

1. *Callotta*: Giacomo Callot, pittore, incisore ed acquafortista francese, (1592-1635). Il giudizio del Bini non regge.

dei diritti e dei doveri scambievoli è retaggio comune; per altro i mali durano tuttavia e vanno ogni dì più peggiorando. Ora con tanta uguaglianza di educazione morale, e in uno stato così violento d'ineguaglianza materiale, come volete che le cose durino in pace e lungamente? In società vi è troppo ristagno di potere e di ricchezze; un tratto immenso di terreno è rimasto in secco; — oggi ha cominciato a screpolare; domani ognuna di quelle lievi fessure sarà una voragine. Bisogna che tutto sia fluido, che tutto circoli; la circolazione è la vita dell'uomo e dell'universo. — Il combattimento seguirà non so quando, ma seguirà inevitabile e finale, — il combattimento dei diseredati contro gli usurpatori. Ognuno ormai vuol partecipare, più o meno, al patrimonio che la natura largiva a tutti, e che pochi carpivano unicamente per sé. Così vuole la scienza, scienza prodotta dall'oppressione, dalla necessità delle cose, e dal tempo, non dai sistemi di tale o tale altra scuola. — L'azione esercitata più là de' suoi limiti produce sempre la reazione. Le masse non sviluppano questa scienza con tanta sottigliezza di analisi, ma la sentono, ma l'hanno nel sangue, e l'enunciano col fremito, coll'impazienza, con un linguaggio profondo di passione. — L'uomo d'ingegno si vede d'intorno una siepe di fatti imponenti, — ne indaga lo spirito e quindi fa una storia di cause e di effetti che nessuno può impugnare, ove non abbia voglia o interesse di travedere. I potenti poi s'adirano coll'uomo d'ingegno, come se egli fosse la causa efficiente di quello stato di cose; e lo perseguitano, e lo imprigionano, l'esiliano, spesso l'impiccano; e non sanno che l'individuo, grande o piccolo che sia, è il prodotto del secolo in cui nasce, non mai il produttore. — I potenti somigliano quei preti che volevano bruciar vivo Galileo, perché in virtù del suo genio aveva scoperto nel firmamento certe leggi eterne innegabili, che stavano in contrasto con certi passi della Bibbia. Quei preti non dovevano inimicarsi con Galileo. — Galileo era innocente — leggeva la facciata del cielo come Dio l'aveva scritta. — Quei preti dovevano invece riconoscere la verità, o distruggere il firmamento perché la Bibbia avesse ragione. I potenti non possono ragionevolmente perseguitare l'uomo d'ingegno che osserva il suo secolo, e ne pone i dati e le conseguenze; — distruggano lo spirito del secolo, se hanno forza che valga, o pieghino spontaneamente all'imperio della necessità, o attendano la lotta, — *et rira bien qui rira le dernier.*

Quando arrivano i tempi grossi in una nazione, i potenti, non so per quale fatalità, smarriscono immantinente il lume dell'intelletto, e spesso agitati dalle furie, vedono da per tutto una congiura, e danno mano agli arresti, agli esigli, ai supplizi talvolta. — Il senno e le leggi tacciono; — regna il sospetto. — Io sono d'avviso che abbiano torto e la faccenda potrebbe governarsi altramente colla certezza di miglior successo. Ogni secolo ha un carattere inciso e distinto, che si rivela all'occhio di chi osserva gli eventi senza caligine di false passioni. — Ogni secolo chiude nelle sue viscere una parola d'ordine che invocata fedelmente risponde chiara e sonante. Da questi punti di partenza deve muovere la ragione di stato, scienza che non ha per fondamento una serie di fini aforismi, una serie di osservazioni già fatte, ma che ha per anima un'indagine continua, e progressiva dell'opinione sempre rinascente e volubile. La politica non è un'arte definita come l'arte del disegno, che procede da un subietto determinato: è un'arte mobilissima, perché procede da una materia mobilissima. La politica è il governo dell'opinione; può rettificare per il meglio il suo subietto, non alterarlo sensibilmente o distruggerlo. Quando arrivano i tempi grossi non esistono congiure, o se alcuna ne esiste, è un pleonasmo, — è una bolla che produce l'intensità della febbre; — non è a quel segno effimero, isolato che deve rivolgersi l'attenzione dei governanti. — Quando avranno fatta svanire dalla cute la bolla, rimane pur sempre la febbre, che ognidì più ingagliardisce. Che se poi i tempi son quieti e non accennano a novità, una congiura non dà timore, non significa nulla, anzi significa che l'opinione nel suo *maximum* è sempre intatta, e coloro che congiurano danno pegno d'impotenza assoluta; perché temendo da una parte la compressione del potere, e dall'altra l'inerzia e la resistenza dell'opinione pubblica, sono costretti a celarsi come il ladro fra le tenebre, ridotti in pochi, penetrati efficacemente di un dato principio. — Ora di che temere di un pugno di individui, che in forza della loro posizione son condannati a non far nulla, che non hanno mezzi di propagare la loro idea, che non osano manifestarsi? Costoro con fatiche inaudite e un lungo tratto di tempo potranno raggranellare cento, duecento, se volete mille individui sparsi sopra una vasta superficie, e gran mercé, se nel numero non trovano chi per imprudenza o per debolezza o per altro motivo in un attimo non mandi in fumo il lavoro di lunghi anni. — Ma ponete pure che il fatto rimanga nella sua integrità: e che può fare così celato, così ristretto, così incognito alla maggioranza del popolo? Non vi rende l'immagine di colui che con un trapano volesse perforare il San Bernardo? Se voi scoprite una congiura siffatta io non vi consiglierò di premiarla, perché sarebbe una pazza pretensione, ma il meglio che possiate fare è di renderla ridicola e di fiaccarla per sempre con una opportuna moderazione. — Non date corpo alle ombre, non date valore effettivo a tal moneta, che lasciata per terra così com'è, pochi o punti troverete che la raccolgano. Un supplizio o una pena esorbitante concilia non so quale interesse a favor del paziente, e lascia delle traccie indelebili nel cervello del popolo, traccie che lo conducono a investigare, a meditare, a sentire quello che fuori di questa circostanza non avrebbe mai meditato né sentito. Il terrore dà un certo effetto, un certo rilievo alle cose più insignificanti, quando queste hanno per fine o per pretesto un'intenzione grande e lodevole; — e con questi mezzi una baia assume a poco a poco forme venerate di religione. La ragione di stato nella dominazione dispotica è un'arte troppo difficile, perché quasi sempre muove contro natura e segue l'indole di tutte le arti. — Bisogna contenerla in certi limiti, e se li trapassa, l'arte si dissolve e perisce. — Il despota bisogna che insegni a dormire; guai a lui se insegna a morire, è una lezione che ben tosto gli tornerà contro. Bisogna persuadere al popolo che voi siete eternamente sicuri, che nulla vi può smuovere dalla base ove siete collocati; — guai se mostrate loro che avete tremato, se mostrate loro che v'è un'altra forza indipendente dalla vostra, la quale può sbalzarvi di seggio e mettervi in frantumi. — Che se poi gli elementi sociali di una data epoca vanno in dissoluzione, credetelo, allora non v'è chi congiuri, e se trovate una mano di cospiratori, guardateli bene in faccia e vi accorgerete subito di quello che si tratta; se volete impiccarli siete padroni; — la corda sta per voi; — ma tenete per fermo che è corda male spesa; — rimandateli a casa. — I vostri annali segneranno una volta un atto di senso comune. — In una aperta dissoluzione di elementi sociali nessuno cospira, — e tutti cospirano; — è una forza indipendente dall'individuo, che agisce in quel tempo; — l'uomo si sente menar via e non sa il come, e invano si sforzerebbe di dar col petto nella corrente. — È la coscienza umana che si desta da un lungo secolo di oblio e chiede i suoi diritti e li ottiene; — è l'elettricismo di una volontà unica,

che invade tutta una nazione; — è il tempo in cui l'uomo legge
con uno sguardo nell'occhio dell'altr'uomo, che non ha mai visto,
un pensiere simile al suo, — un consenso, — una promessa che sarà
mantenuta. — E allora, o potenti, se versate del sangue, voi non
toccate dalle mille miglia lo scopo voluto: — le moltitudini non
vedono più un reo nel giustiziato; — esse dicono: noi tutti siamo
rei come lui; quel sangue non fa che seminare la vendetta. — Poste
le cose in questo modo davvero io non so qual consiglio proporvi,
perché siete materia intrattabile. — Io non oso confortarvi a rientrare pacificamente nel seno dell'umana famiglia, perché sdegnate
di essere uomini, perché quantunque la forza delle cose vi chiami
a morte inevitabile, volete morire dibattendovi in un odio feroce
e impotente, perché volete che il trionfo dei comuni diritti costi
lacrime e sangue, perché volete fino agli estremi obbedire al cattivo Dio che vi istituiva flagello degli uomini. — Io non oso dirvi:
o potenti, voi siete troppo padroni della scelta; — avete sempre in
mano i dadi della guerra e della pace; — tutto sta nel trarre. —
Se volete, potete scendere i primi nell'ordine nuovo, — potete risparmiare una serie di grandi sciagure; ma bisogna scendervi di
buona fede, e mantenere rigidamente i patti giurati. — Non dubitate, gli uomini son meno cattivi di quello che si pensa e che si
scrive: se non fosse così, come avrebbero tanta pazienza? Ma bisogna osservare i patti giurati; — è l'unico modo di affermare la
pace, perché quando l'universale è tollerabilmente soddisfatto i
partiti o non si muovono, o hanno poco spazio da muoversi e
poca durata. — Ma se io vi facessi questo bel discorso mi dareste
retta? o piuttosto non mi fareste stare in prigione un anno più
del tempo che intendete di farmici stare? Altre volte le nazioni parlarono così e i potenti accettarono, ma con restrizione gesuitica,
col pensiere e coll'opera sempre diretti a tornare indietro, e allora
le dighe si ruppero: la guerra subentrò alla pace, la forza al diritto;
la vendetta scrisse le leggi e fu un dramma rapido, turbinoso di
vittorie e di sconfitte; un dramma di sangue e di tenebre dove il
boia sorse protagonista terribile, il medesimo boia che tagliò per
tutti; che tagliò la testa di Luigi, di Bailly,[1] di Robespierre.

E un ordine nuovo di cose dove ci menerà? Avanti di certo. —
Contemplata la storia nei suoi resultati complessivi, un progresso

1. Fra le vittime della Rivoluzione francese fu anche l'astronomo Gian
Silvano Bailly, ghigliottinato nel 1793.

di meglio nella vita sociale si verifica. La vita sociale d'oggi, presa ancora com'è, è ben diversa e migliore che non era quella dell'antica civiltà, quella del medio evo, quella ancora di un secolo innanzi. — Queste sono prove statistiche, e non pretensioni di sistemi. Un miglioramento materiale è penetrato anche a traverso gl'ingombri che gli oppone lo stato di società, costituito com'è di presente, — e il desiderio e i tentativi di star meglio sono anch'essi un progresso. Io non affermo che l'uomo sarà pienamente felice; — il cuore umano ha certe leggi organiche che sussisteranno immutabili, finché egli si muova, — certi dolori lo faranno gemere in qualunque età, in qualunque condizione. Ma la vita delle nazioni può e deve migliorare. Fino a qual punto è impossibile determinarlo; forse dopo un lungo trapassare di stadio a stadio, quando a forza di attrito tutti gli angoli acuti dell'umana famiglia si saranno appianati giungeremo ad uno stato di tolleranza universale. — La tolleranza non so se sia totalmente un frutto della ragione o della stanchezza, probabilmente dell'una e dell'altra. — Dopo lunghi cimenti fatti a prova di secoli, di ferro e di fuoco, per avventura un giorno faremo siffatto ragionamento: Uomini di tutte le contrade e di tutte le opinioni, perché ci diamo la caccia, perché c'insanguiniamo interminabilmente? La terra è larga abbastanza e tutti gli anni feconda, può pascerci tutti, può seppellirci tutti. — Se l'amore potesse essere il nostro Dio e avere il mondo per altare, la vita meriterebbe d'essere eterna, e l'uomo ben di rado avrebbe da piangere: ma dacché l'amore è così scarsa dote, e bisogna serbarne la più parte a noi stessi, mettiamo in comune il poco che ne avanza e per il resto tolleriamoci; — l'umana sapienza consiste nel tollerare. — Lasciamo piegare a destra chi v'è inclinato, a sinistra chi vuole andarvi, la terra è larga abbastanza: è un Pantheon capace a contenere tutti gl'idoli. — Tu puoi adorare un Priapo, io una cipolla, e pacificamente. Ognuno sarà salvo secondo i suoi meriti. — Perché consumare un breve anelito di vita a dilaniarci per una larva? Siamo noi eterni, perché almeno la vittoria abbia un premio corrispondente a tanti misfatti? La stessa mèta attende tutti, — chi calpesta e chi è calpestato; — e fra breve. Con un mezzo volger di secolo, vinti e vincitori formeranno uno strato di polvere indistinta, — un pavimento alle danze o alle battaglie dei nostri nepoti. Con un mezzo volgere di secolo la terra non serba più sia un'orma innocente, sia un'orma di sangue. Prendete le ceneri del genio e quelle della follia, le ceneri del padrone e quelle del servitore, son quattro mucchi in fila uguali di quantità, di colore, di sapore; scegliete. — Dov'è l'occhio mortale che discerna Dante da Brandano,[1] Napoleone dal suo cocchiere? Perché insanguinarci, perché darci la caccia? perché assottigliare infernalmente l'ingegno onde inscrivere nei nostri codici tanti delitti che non emergono dall'essenza delle cose, ma da un cuor depravato e feroce? — Consultiamo la natura nuda e vergine come ella si rivela alla mente del giusto, e saremo meno sventurati. — Consultiamo la natura umana senza velo di disprezzo, di cupidigia, di prepotenza; consultiamola anatomicamente nel suo stato originale e osserveremo che si può spogliare dal fango onde l'ha ricoperta un falso sistema sociale e rivestirla d'una certa luce, una luce che non dobbiamo rapire al sole, come Prometeo, perché ella ha sorgente nell'anima umana. — E l'arte sta nel trovarla e il genio la sa trovare, ma noi abbiamo finora crocifisso il genio invece di coronarlo. — Intanto tolleriamoci: v'è spazio per tutti, e permettiamo che ognuno vi si volga a suo grado. Il genio può trasfondere nei suoi quadri l'armonia e l'iride dell'universo; — la follia può ridere, e saltar per le piazze; — il forte può andare a caccia al cinghiale, — il debole può recitare il suo rosario, e tutti pacificamente. — La terra è larga abbastanza; — *L'umana sapienza sta nel tollerare.*

---

1. Allude al *Viaggio di San Brandano*, una leggenda irlandese del secolo XI, la quale per il suo argomento, che è una visita all'oltremondo, si suole porre tra i precedenti del poema dantesco.

## MIA MADRE

Indovinate chi amo più di tutti sulla terra? Io amo mia Madre; — io l'amo più della Patria, cui dono il mio sangue se lo vuole, — più della mia T.***, ch'io amo pur tanto. — Povera mia Madre! Se voi la conosceste, forse non ci capireste nulla. No, non è una donna elegante, — non sa di musica, — non sa il francese, — non ha cerimonie; — è una donna quieta come un ciel sereno, una donna alla buona, che crede in Dio, che va ogni giorno alla Messa, a pregare prima per me e poi per sé: è una donna alla buona, che crede in tutto; — crede che l'olio versato porti sciagura; — crede che il vino versato porti fortuna. È una povera donna, che ama il suo figliuolo come voi amate voi stessi. — Io mi confesso come davanti a Dio. Non amo tanto mio padre; — è un buon uomo; — ma la mia povera Madre è bene altra cosa. — Io non amo mia Madre per il latte che mi ha dato, perché del latte non me ne rammento; — ma quando mio padre talvolta mi sgridava, ella mi consolava, — mi asciugava le lacrime, — mi baciava, mi dava un trastullo, mi riconduceva alla gioia. Quand'io andava a scuola, e mi era innamorato dei libri, mia Madre mi dava il danaro, onde comprarmeli. — Mia Madre mi ama come il suo cuore, io sono il suo cuore. Mi guarda con una compiacenza, — s'inorgoglisce di me, come la giovane sposa della sua corona di rose nel dì delle nozze. Ed io l'amo ugualmente. Io ho un sembiante duro, — e quando sento dentro non sono punto espansivo; — ma gli occhi mi parlano, — e mia Madre guidata dall'istinto mi guarda sempre negli occhi, e ne riman consolata. Povera mia Madre! ora tu non puoi più guardarmi, e chi sa per quanto! — Io aveva il vizio di addormentarmi col lume acceso, e mia Madre si levava di notte a levarlo, perché temeva un pericolo. E alla mattina entrava nella mia stanza a vedermi, in punta di piedi, e rattenendo il respiro per non rompermi il sonno. — E quando parlava di me alle vecchie sue conoscenti, diceva che io era un angiolo, — ed io risapendolo rideva di cuore, pensando che il mondo mi chiamava un diavolo. — Povera mia Madre! Dio ti renda quella mercede, che merita il tuo tanto amore!

Una sera io fui ferito di tre stilettate;[1] — tutti credevano ch'io morissi; anch'io lo credeva. Fui portato a casa agonizzante; caddi in deliquio, e vi stetti più ore. Al risensarmi, chi trovai presso al letto? — Era mia Madre, e così vicina a me, che di certo intendeva col suo fiato caldo d'amore di vincere il gelo della morte. Mi parve l'Angiol custode. Mi ravvivai, — cominciai con lei un colloquio lungo, veloce, passionato, sublime; — mia Madre mi rispondeva interrottamente; — io nell'esaltazione non me ne accorsi: mia Madre era convulsa; — ella non può piangere. Se io me ne fossi avveduto, forse sarei morto. Mia Madre dacché mi hanno strappato al suo seno è stata assalita da un palpito così violento di cuore, che è andata vicino a morte. O povera mia Madre! perdonami il tuo dolore! potessi avere almeno contato i tuoi palpiti per rammentarmene![2]

1. *Una sera* ecc. La sera del 2 dicembre 1827 il Bini si trovò casualmente coinvolto in una rissa e si buscò tre coltellate, una delle quali intaccò il polmone e fu forse causa della sua immatura. 2. La prima edizione, seguìta da tutte le altre, aggiunge qui questa postilla: «Qui finisce il *Manoscritto di un prigioniero*; nella pagina interna della coperta si leggono questi due versi: *La prigione è una lima sì sottile – che aguzzando il pensier ne fa uno stile.*»

# GIOVANNI RUFFINI

# PROFILO BIOGRAFICO

La memoria dei fratelli GIOVANNI, JACOPO e AGOSTINO RUFFINI
è indissolubilmente legata al primo apostolato di Giuseppe Mazzini e alla Giovine Italia. Furono essi tra i suoi primi amici e fra
i più teneramente amati; e se il loro sodalizio durò solo quanto la
loro giovinezza, nel cuore del Mazzini non si spensero mai il culto
che egli consacrò alla memoria di Jacopo e la profonda venerazione
che egli sempre nutrì per la madre loro, la marchesa Eleonora
Curlo, che resistendo a ogni sciagura seppe condividere la loro
religione della libertà e della patria.

Nato a Genova il 22 settembre 1807, Giovanni fece i suoi primi
studi nel Collegio Reale e passò poi all'Università, laureandosi in
legge nel 1830. Appunto durante i suoi anni universitari, per la
comunanza delle idee liberali e letterarie egli si legò di particolare
e più vivo affetto col fratello Jacopo, che di due anni maggiore di
lui aveva preso nel '29 la laurea in medicina ed era già intimo del
Mazzini, suo coetaneo. Il Mazzini, che fin dal '27 era stato iniziato
alla Carboneria e vi aveva raggiunto il grado di maestro e digni-
tario, affiliò prima Jacopo e più tardi anche Giovanni. Agostino
non fu affiliato perché troppo giovane (era nato nel 1812 e si
era iscritto all'Università nel '29); ma nutriva gli stessi sentimenti
dei fratelli e del Mazzini e partecipava animosamente alle loro
lotte letterarie. Nel novembre del 1830 la polizia piemontese riuscì
a spezzare le fila della cospirazione e arrestò parecchi carbonari
senza tuttavia inferocire. Infatti, dopo l'arresto e l'esilio del Mazzini i suoi fedelissimi, fra i quali oltre il Ruffini bisogna ricordare
almeno Giuseppe Elia Benza e Federico Campanella, continuarono, benché sorvegliati, a cospirare. Ma non avevano mai nutrito
eccessiva fede nella capacità rivoluzionaria della Carboneria. E
perciò, non appena il Mazzini fece lor pervenire da Marsiglia il
piano della Giovine Italia, essi si diedero con tutta l'anima a
diffondere la nuova associazione non solo in Liguria e in Piemonte,
ma in Toscana, in Lombardia e in altre regioni, giacché il gruppo
ligure costituiva il centro d'azione cui il Mazzini faceva capo per
preparare l'insurrezione di tutta Italia. Tutta la cospirazione fu
però scoperta nella primavera del '33 e la polizia di Carlo Alberto
operò numerosissimi arresti e spiegò nei confronti degli indiziati
tutto il suo rigore spietato e terrorizzante. Jacopo, che già nel se-

condo fascicolo della «Giovine Italia» aveva pubblicato un lungo
articolo sul *Giuramento prestato al tiranno* e si era particolarmente
dedicato a far proseliti fra i militari, fu arrestato la notte del 14
maggio. Poco dopo Giovanni sfuggì casualmente all'arresto, giacché
il mandato di cattura era stato spiccato per errore non al suo nome,
ma a quello del fratello Ottavio, che, assolutamente estraneo a
ogni cosa che sapesse di politica, fu presto rilasciato. Ma intanto
Giovanni dopo una drammatica fuga poteva riuscire a varcare il
confine con la Francia e a raggiungere il Mazzini a Marsiglia.
Quivi apprese che Jacopo la notte del 19 giugno si era ucciso in
carcere. A Marsiglia giunse poco dopo anche il fratello Agostino
accompagnato dalla madre, e insieme al Mazzini si trasferirono
tutti a Ginevra per organizzarvi la sfortunata spedizione contro
la Savoia. Nel '37, sempre insieme col Mazzini, i due fratelli,
gravemente abbattuti sia per il fallimento di ogni loro speranza
sia per gli stenti di ogni genere e i dolori che amareggiavano la
loro vita, si trasferirono a Londra. Anche il Mazzini aveva attraversato la sua «tempesta del dubbio»; ma i due Ruffini non seppero superare la crisi. Si manifestò allora chiaramente la sfiducia
loro verso il programma mazziniano, e anche le loro relazioni personali si allentarono.

Col cessare del loro sodalizio col Mazzini, si chiude il periodo
eroico della loro vita. Nell'aprile del '40 Agostino si trasferì a
Edimburgo, e Giovanni nel '42 si fissò a Parigi. Quivi scrisse per il
Donizetti il libretto del *Don Pasquale*. Nel '48 i due fratelli aderirono alla monarchia piemontese e furono eletti deputati al Parlamento subalpino. Nel gennaio del '49 Giovanni fu inviato quale
ministro plenipotenziario a Parigi, ma alla caduta del ministero
Gioberti rinunziò all'incarico. Dopo Novara, Agostino rimase a
Genova e si spense nel 1855. Giovanni ritornò a Parigi, e quivi,
confortato dalla signora Cornelia Turner, che fu per lui come una
seconda madre, diede inizio alla sua carriera letteraria in lingua
inglese. Pubblicò nel '53 il *Lorenzo Benoni* e nel '55 il *Dottor Antonio*, che ebbero subito un lusinghiero successo ed ebbero anche
il merito di suscitare in Inghilterra molta simpatia per la causa
italiana. Dopo questi romanzi ne pubblicò altri due, la *Lavinia* e
il *Vincenzo*, e pubblicò anche altri racconti e articoli. Nel '74, mor-
tagli più che ottuagenaria la signora Turner, fece ritorno in Italia
e si ritirò a Taggia, ove morì il 3 novembre 1881.

L'opera più comunemente nota di Giovanni Ruffini è il *Dottor Antonio*, che ancor oggi si ristampa frequentemente in edizioni popolari, perché ancora piace a lettori inesperti quel profumo ingenuo di idillio in quella vicenda romantica e convenzionale. Il *Lorenzo Benoni*, che ancora alla vigilia della prima guerra mondiale si leggeva nelle nostre scuole, è più significativo e più solido perché tutto costruito con materiale autobiografico. Di questo romanzo si riportano qui i capitoli che trattano della vita universitaria e della cospirazione carbonara. Spira in essi quel soffio di vita romantica, che non fu solo del loro autore, ma di tutta la sua generazione, e perciò, oltre che autobiografici, essi riescono documentari del costume di un'epoca. Anche per questa considerazione non si sono qui omesse le pagine in cui appare la «figura misteriosa e romantica di Lilla», che ad Attilio Momigliano è sembrata «la più bella immagine di donna 1830 che abbia la letteratura italiana».

Per una compiuta intelligenza del testo occorre solo ricordare che sotto il nome di Fantasio l'autore ritrasse la figura di Giuseppe Mazzini e sotto quello di Cesare il fratello Jacopo. Lilla è Laura Di Negro (1806-1838), figlia del marchese Gian Carlo, illustre patrizio genovese. A 17 anni aveva sposato il marchese Agostino Spinola. Fervida sostenitrice delle idee liberali, «donna Lilla» — così la chiamavano confidenzialmente il Mazzini e i Ruffini — aiutò sempre i cospiratori genovesi, ispirando in tutti riconoscenza e rispettoso affetto. Rimasta vedova nel 1829, dopo nove anni di vedovanza morì per congestione polmonare.

★

Il romanzo *Lorenzo Benoni, or passages in the life of an Italian* fu pubblicato la prima volta a Edinburgh, Thomas Constable and Co., 1853, senza il nome dell'autore. Il nome del protagonista è quello che Rebecca spirante diede al suo secondo figliuolo: «Egrediente autem anima prae dolore, et imminente iam morte, vocavit nomen filii sui Benoni, idest filius doloris mei», *Genesi* 35, 18; e fu suggerito dal Mazzini (v. gli *Scritti ed. e ined. di G. M.* (Ed. naz.), Imola, Galeati, 1928, vol. XLIX, pp. 187-189). Il romanzo è stato tradotto varie volte in italiano. Il nostro testo è quello a cura di MARA FABIETTI, Sesto San Giovanni, edizioni «A. Barion», 1935.

Fra i primi scritti sul *Lorenzo Benoni* è particolarmente interessante quello di FEDERICO CAMPANELLA nel giornale «Italia e Popolo» del 17 e 18 giugno 1855, dove ci sono le prime identificazioni dei personaggi. Sulla

230 GIOVANNI RUFFINI

vita e sull'opera del Ruffini si consultino inoltre: C. CAGNACCI, *Giuseppe Mazzini e i fratelli Ruffini*, Porto Maurizio 1893; G. FALDELLA, *I fratelli Ruffini*, Torino-Roma, Roux e Frassati, 1895; A. LINAKER, *Giovanni Ruffini*, Firenze 1882; A. CODIGNOLA, *Il padre dei Ruffini*, nella «Rassegna storica del Risorgimento italiano» 1922; A. CODIGNOLA, *I fratelli Ruffini*, negli «Atti della Società ligure di storia patria», serie del Risorgimento, Voll. II-III; A. CODIGNOLA, *La giovinezza di Giuseppe Mazzini*, Firenze 1926; il volume miscellaneo uscito nel cinquantesimo anniversario della morte *Giov. Ruffini e i suoi tempi*, Genova 1931; A. MOMIGLIANO, *Il dottor Antonio*, nel vol. *Studi di poesia*, Bari 1938.

# DAL «LORENZO BENONI»

### CAPITOLO XVI

*L'università. Il mio mondo fantastico si sgretola
dinanzi a tristi realtà.*

Come ognun sa, nel 1821 scoppiò una rivoluzione negli Stati Sardi, e la costituzione di Spagna, proclamata unanimemente dall'esercito e dal popolo a Torino, Genova, Alessandria e così via, divenne la legge fondamentale dello Stato. Il trionfo della libera costituzione fu però breve. L'Austria, al solito, intervenne, e la sua facile vittoria di Novara rimise le cose sul piede di prima, cioè, restaurò il più severo e assoluto dispotismo.[1]

Prima cura del governo restaurato fu naturalmente di perseguitare tutti coloro che avevano preso parte all'ultima insurrezione, e cioè di processarli, condannarli e impiccarli, per la maggior parte, grazie a Dio, soltanto in effigie; poiché quasi tutti coloro che avevano rappresentato una parte importante nel breve dramma costituzionale avevano potuto fuggire all'estero. I processi e le condanne, dunque, non colpivano che accusati in contumacia, né facevano male ad altro che a fantocci di paglia. Ma ben diversa era la sorte di alcuni pochi, i quali, confidando o sulla clemenza del re, o sulla loro minima partecipazione al moto rivoluzionario, erano rimasti in patria. Perseguitati senza pietà, essi venivano condannati, quali a morte,[2] quali alla galera o a una lunga prigionia, e le sentenze erano eseguite senza remissione.

È inutile dire che la gioventù delle università era stata tra le prime a prender parte alla rivolta; e a Torino specialmente un pugno di studenti — sia detto a loro onore — secondati da una compagnia di militari, erano stati autori del moto. Quando le cose mutarono, gli studenti furono trattati come i cittadini di tutte le altre classi, vale a dire, quelli che non poterono mettersi in salvo furono perseguitati individualmente e condannati. Ma questo non

1. Nei pressi di Novara, l'8 aprile 1821, le truppe austriache comandate dal generale Bubna dispersero facilmente il piccolo esercito dei costituzionali piemontesi. Dopo l'abdicazione di Vittorio Emanuele I e la sottomissione del reggente Carlo Alberto, che aveva promulgato la costituzione, questo breve fatto d'arme assicurò il trono al re Carlo Felice. 2. Furono giustiziati il capitano Garelli e il tenente Laneri.

aveva ancora saziato la sete di vendetta del governo. Gli studenti avevano dimostrato ciò che, nel gergo di allora, era chiamato *pessimo spirito*; quindi, per colpirli tutti indistintamente, le università di Torino e di Genova furono chiuse.

Un tale stato di cose non poteva durare eternamente. Vi sono assurdità innanzi a cui un governo, assurdo quanto si voglia, è costretto a ritrarsi. Gl'interessi di troppe famiglie erano danneggiati dal prolungarsi di un divieto che ai giovani chiudeva la via ad ogni professione libera. Dopo qualche tempo, infatti, si sentì la necessità di togliere quell'interdetto. Il governo nominò una commissione per riformare gli studi nel Regno. Era il primo passo verso la riapertura delle università. È quasi inutile aggiungere che la scelta della commissione cadde su uomini devoti al governo; alla riforma e al riordinamento degli studi furono, cioè, preposti i più bigotti, i più retrivi, i più ostili ad ogni idea di moderato progresso ed i nemici più accaniti della gioventù. Questa commissione si accinse all'opera, animata dallo stesso spirito con cui era stata costituita, e seppe giustificare in tutto e per tutto la fiducia in lei riposta dal governo. In quanto alle università, i commissari si proposero un duplice compito: aver pochi studenti, e angariare questi pochi quanto più fosse possibile.

Per conseguire il primo intento, formarono due categorie di studenti: quella di coloro i cui genitori potevano dimostrare di possedere una determinata proprietà in terreni, e quella di coloro i cui genitori non potevano dare questa dimostrazione. Crearono, inoltre, due modi diversi d'esame: uno per gli studenti della prima categoria, e un altro per quelli della seconda. Gli esami di questi ultimi furono sovraccaricati di tali difficoltà, sia per la estensione della materia come per il numero di voti richiesti per il passaggio, da persuadere anche i più fiduciosi in se stessi a non affrontarli. Ciò era né più né meno un modo accortamente larvato di escludere un'intera classe di cittadini dalle professioni libere.

Per conseguire il secondo intento, cioè quello di angariare gli studenti poveri, i commissari li sottoposero a una faraggine di regolamenti minuziosi, puerili, umilianti e restrittivi, e li abbandonarono in preda ad un sistematico malvolere da parte di tutti coloro che erano in qualche modo addetti all'università. E in questo secondo punto i commissari — sia detto a loro lode — riuscirono a meraviglia. Ma non fu così rispetto al primo. Anzi, riuscì loro tutto il contrario. Non appena fu annunciata al pubblico la riapertura delle università e furono riaperti i registri per ricevere le iscrizioni, un gran numero di giovani si presentò per farsi immatricolare. Le iscrizioni non erano state mai tanto numerose per il passato. Questo fatto, del resto naturalissimo, dipendeva da due cause: prima di tutto, dalla quantità di giovani rimasti indietro negli studi negli ultimi anni; in secondo luogo, dal partito preso da molte famiglie agiate d'investire in terreni una parte de' loro capitali, fin allora impiegati nel commercio o nell'industria, affinché i proprî figli avessero il diritto di essere ammessi all'università come studenti della prima categoria. Così, tutti gli sforzi de' commissari erano riusciti vani, e i soli che ne soffrissero, in questo come negli altri casi, erano sopratutto i poveri.

Le iscrizioni si ricevevano nel magnifico palazzo dell'università in via Balbi. Alfredo[1] ed io non fummo tra gli ultimi che si presentarono per farsi immatricolare. Vi trovammo un numero considerevole di giovani venuti per lo stesso scopo, e dovemmo fare una lunga anticamera. Finalmente fummo introdotti in una sala, dove il segretario imperava, nel pieno adempimento delle sue funzioni. Era costui un uomo sui quarantacinque anni, piuttosto benportante, con la faccia butterata dal vaiolo e un fare di gran sussiego. Ci pose innanzi un registro, in cui scrivemmo i nostri nomi e cognomi e la professione, cui, in seguito, ci volevamo dedicare. Ci mostrò poi un elenco di documenti, che dovevamo presentare per essere ammessi a frequentare i corsi di studio regolari, una nota così lunga, che fummo costretti a copiarla, per timore di dimenticar qualcosa. Sono certo di ometterne qualcuno nell'elenco qui appresso, in cui noto a memoria i documenti richiesti:

1. Certificato di nascita e battesimo.

2. Id. di vaccinazione, o di vaiolo sofferto.

3. Id. di frequenza di due corsi di filosofia e di felice esito conseguito alla prova finale dei medesimi.

4. Id. di buona condotta, rilasciato dal parroco della relativa parrocchia.

5. Id. di frequenza a tutte le funzioni religiose nella chiesa della parrocchia, durante gli ultimi sei mesi.

6. Id. di essersi confessato ogni mese, nell'ultimo semestre.

---

1. *Alfredo*: condiscepolo e amico indivisibile dell'autore-protagonista fin dagli anni del Collegio Reale.

7. Id. di essersi confessato e comunicato secondo i precetti della Chiesa, in occasione dell'ultima Pasqua.

8. Id. che attesti come il padre e la madre posseggano terreni per un valore sufficiente ad assegnare a ciascuno de' figli una parte eguale alla quota determinata dal regolamento, di cui sopra.

9. E finalmente, un certificato della polizia, comprovante la non partecipazione al moto rivoluzionario del 1821.

L'idea che avessi potuto prender parte a un moto politico, quando avevo dodici anni o giù di lì, mi sembrò così ridicola, che sorrisi. Avevo appena formulato il mio pensiero, che le tre teste de' tre scrivani intenti al lavoro si alzarono a un tratto, e i loro sei occhi mi si fissarono addosso con un'espressione di meraviglia timorosa. Il segretario prese un tono di dignità offesa ed osservò che i regolamenti eran fatti per essere osservati e non per essere discussi. Rimasi spaurito dal tono dell'osservazione, che era quello di un superiore a un inferiore colto in fallo.

Eppure il segretario non era un uomo arcigno o cattivo — tutt'altro; ma era padre di famiglia e gli premeva, quindi, di mantenersi il posto alquanto lucroso. Egli era, perciò, obbligato a uniformarsi allo spirito de' tempi, cioè, ad esser aspro ed altero nel trattare gli studenti. Questa era la regola generale, com'ebbi presto a convincermi, e tutti coloro che avevano contatto con noi, dai commissari alla Direzione, e giù giù fino ai bidelli e ai portieri, dovevano conformarvisi. Ognuno avrebbe supposto che noi fossimo esseri di ordine inferiore, vedendo che tutti potevano e dovevano trattarci male. — Gli studenti vanno tenuti bassi . . . — era la frase sacramentale che giustificava ogni specie d'indegnità; e quei pochi professori (eppur ve n'erano) che ci trattavano con un certo rispetto, erano segnati a dito dai superiori e considerati come gente che dava il cattivo esempio, contravvenendo al sistema di una sana disciplina.

Dio sa quanta pena, trepidazione, perdita di tempo, quale pazienza e, ahimè! quante bugie mi costarono quei benedetti certificati, specialmente il quinto e il sesto! Naturalmente, il parroco non aveva fatto l'appello del suo gregge di fedeli, per sapere chi avesse assistito alla messa; e dovette credere alla mia parola. Lo stesso fece il mio confessore. Potevo forse dir loro: — No, non sono stato in chiesa regolarmente, non mi son confessato tutti i mesi —, e chiudermi così volontariamente le porte dell'università?

Soffocai la voce della mia coscienza ed ottenni i due certificati. Li ritirai, a dir vero, con un certo senso di vergogna e di confusione, come se li avessi rubati; possa questo rimorso perorare per me! Portai tutte le mie carte al segretario, ma i grattacapi non erano ancora finiti. Mi dissero che le autorità universitarie non riconoscevano la firma degli ecclesiastici, se non autenticata dalla Curia Arcivescovile. Ed io me ne andai alla Curia, dove un brutto signore, che pareva un rospo occhialuto, mise in regola i miei documenti, facendomi pagare novanta centesimi per ogni vidimazione, e ce ne volevano cinque! Questo piccolo tributo, imposto a centinaia di studenti almeno quattro volte all'anno, costituiva una buona sommetta introitata per la Curia Arcivescovile; e questo credo fosse l'unico scopo della richiesta vidimazione. Così autenticati, i documenti furono finalmente accettati, e il segretario mi disse di trovarmi alle otto della sera dopo in casa del signor Merlini, che fungeva da commissario in quel mese, e dal quale le mie carte sarebbero state definitivamente esaminate. Soltanto la firma del signor Merlini poteva aprirmi le porte dell'università.

Merlini era uno de' membri più influenti della così detta « Giunta provinciale della pubblica istruzione», cui era affidato il buon andamento dell'università di Genova. I signori della Giunta dovevano a vicenda soprintendere agli affari dell'Istituto per un mese, ossia sbrigare le cose correnti e apporre le firme necessarie. Ma, per una ragione o per l'altra, l'incarico di commissario mensile toccò sempre al Merlini durante gli anni in cui frequentai l'università; la qual cosa mi dette agio di studiare a fondo il suo carattere. Probabilmente, i suoi colleghi avevano riconosciuto la sua incontestabile superiorità nel torturare i giovani affidati alle sue cure, e gli cedevano perciò l'esercizio di quelle funzioni, che egli sapeva sostenere con tanta capacità.

Fui puntuale all'appuntamento e vi andai col mio fedele Alfredo, il quale aveva dovuto sottostare alle stesse formalità ed era molto contento che, contrariamente ai suoi timori, non gli fosse stata mossa alcuna obiezione circa la sua espulsione dal collegio. Battevano le otto, quando suonavo alla porta del signor Merlini. La porta imbottita di stoffa verde girò sui cardini senza fare il minimo rumore, ed un vecchio domestico, secco allampanato, ci mostrò un viso che faceva spavento.

— Il signor Merlini? ...

— Silenzio! — brontolò lo scheletro — non parlate così forte;
avete fatto abbastanza chiasso col campanello.

Credetti che il signor Merlini avesse avuto un colpo apoplet-
tico e fosse in agonia; e invece, non era ancora alzato. Il buon
uomo amava, a quanto pare, fare la siesta, e il dopo pranzo se ne
andava sempre a letto per non alzarsi che alle otto di sera. Per
una porta, pure imbottita di verde, che si apriva senza far rumore
come l'altra, fummo introdotti in un salottino dal pavimento ri-
coperto da un soffice tappeto. Data la mitezza del clima, i tappeti
si usavano di rado a Genova; provai, quindi, una sensazione affatto nuova e tutt'altro che piacevole muovendomi come un'ombra
senza fare il minimo rumore. Questa circostanza, il turbamento del
domestico, il silenzio sepolcrale che regnava là dentro —, tutto
questo produsse un effetto strano su me. Fui preso da un gran
freddo; mi pareva che i «Piombi» di Venezia si fossero aperti per ri-
cevermi. Anche Alfredo si era fatto inquieto e pallido: ci sedemmo
scambiandoci delle occhiate in silenzio, osando appena respirare.
Poco dopo entrarono altri studenti, ed io notai che tutti mostravano nel loro contegno indizî non dubbi di quella stessa impressione nervosa, che mi dominava. Dopo un'ora, udimmo voci nella
stanza attigua; una porta si aprì, udii pronunciare il mio nome ed
entrai.

Il signor Merlini era seduto ad un gran tavolo tutto ingombro
di carte, ed una ne stava leggendo con grande attenzione. Il segretario, che gli stava a sinistra, pareva seguisse con gli occhi la
lettura, per dargli di tanto in tanto qualche schiarimento. Il signor Merlini era un vecchio sulla settantina, completamente sden-
tato. Aveva il mento lungo e appuntito come il naso, e l'uno e
l'altro parevano tendere convulsivamente ad incontrarsi. Un ciuf-
fetto di due o tre dozzine di capelli era ripiegato con molta cura
dalla nuca sul vertice della testa e portato alla sommità della fronte.
S'indovinava subito che i radi capelli e le basette erano tinti. Era
vestito da capo a piedi di bambagina[1] bianca e portava il colletto
della camicia rovesciato, come lo portano i ragazzi, lasciando a
nudo il collo scarno. Aveva in testa un berretto turchino e davanti
agli occhi uno schermo verde, per difenderli dalla luce. Il suo costume arcadico, i suoi capelli e le sue basette tinte, e un certo che

1. *bambagina*: tela di bambagia.

di indefinibile nella sua persona indicavano chiaramente che ancora pretendeva a farla da giovane.

M'aspettavo un'accoglienza fredda, e invece fu tutt'altro. Quando entrai si alzò precipitosamente per salutarmi, e in quel mentre inciampò. Stesi la mano per sostenerlo.

— Non si disturbi, mio caro signore; grazie a Dio, sono ancora abbastanza in gambe.

Queste parole, accompagnate da uno sguardo indescrivibile, furono piuttosto sogghignate che articolate.

— E come sta quel degno uomo di Suo padre, uno de' miei migliori amici? — Si era levato il berretto e si prodigò in mille scuse prima di rimettterselo. — Il fatto è che sono un po' più vecchio di Lei, mio caro signore, e che i miei capelli se ne stanno andando, — se n'erano già andati — ih, ih, ih! — E di nuovo si mise a sogghignare. Conoscevo abbastanza bene il mio interlocutore per quanto ne avevo sentito dire, e non tremavo, quindi, a questa sua accoglienza cerimoniosa.

L'esame dei documenti incominciò. Sedevo di fronte al signor Merlini, e avevo osservato più volte che, quando mi rivolgeva la parola, alzava la mano allo schermo, come per fare un doppio riparo agli occhi. Mi spiegò poi la ragione di ciò, pregandomi, ancora tra mille scuse, di andare a sedermi alla sua destra.

— La mia vista è tanto debole e la sua giacca ha certi bottoni così luccicanti, che mi abbagliano davvero ... — E qui sogghignò per la terza volta. Questo era un modo come un altro per farmi capire che l'etichetta avrebbe richiesto una giacca nera per far visita al commissario, mentre io ne indossavo una blu. Il signor Merlini aveva gli occhi di lince e le orecchie di lepre, ma si compiaceva dipingersi sordo e miope. Era un capriccio come un altro. I gusti son gusti, e non c'è da discutere. Finalmente, l'esame dei miei documenti fu soddisfacente, e la firma desiderata fu apposta senza difficoltà. Lo stesso cerimoniale che mi aveva accolto, si ripeté quando me ne andai. Se fossi stato un principe di sangue, il signor Merlini non avrebbe potuto essere più cerimonioso. Mi accompagnò fino alla porta e mi raccomandò di badare alle scale. Evidentemente quel degno uomo mi prendeva in giro.

Uscii e, in istrada, aspettai Alfredo, che era stato introdotto dopo di me. Egli indugiò tanto, che incominciai a stare in pena. Quando finalmente scese, il suo aspetto era talmente agitato, povero giovane! che compresi quanto fosse giustificata la mia apprensione, prima ancora ch'egli avesse aperto bocca. Merlini aveva esperimentato sul povero Alfredo il suo squisito ingegno di tormentar la gente, in cui egli non aveva competitori. Si era dimostrato tutto gentilezza e condiscendenza. — Aveva già preso la penna per firmare, — mi disse Alfredo, riferendomi come erano andate le cose — quando a un tratto si fermò e mi chiese, con la massima semplicità, dove avessi compiuto i miei studi. « Al Collegio Reale » risposi naturalmente. « Senza dubbio » riprese lui « li avrà terminati con onore e soddisfazione de' suoi superiori. » Non sapendo cosa rispondere, feci atto di assentire modestamente. « Quando lasciò il collegio? » continuò l'inquisitore. « In giugno » ribattei. « Ossia due mesi prima della fine dell'anno scolastico » osservò il mio aguzzino. « E per quale ragione abbandonò il collegio innanzi tempo? » Io non aprii bocca. A questo punto il segretario interloquì osservando: « Se ben ricordo, il signor Alfredo fu espulso dal collegio. » « Espulso dal collegio?! » urlò il commissario, alzandosi. « Lei fu espulso dal collegio e cerca ora di trarmi in inganno chiedendomi la firma, che Lei sa benissimo io non posso darle, senza contravvenire a' miei sacrosanti doveri? » E continuò di questo tono finché non gli mancò il fiato, ed io allora approfittai del momento per inchinarmi ed uscire.

Questa inaspettata catastrofe mi toccò il cuore. Alla coscienza che il povero Alfredo soffriva per cagion mia[1] s'aggiungeva il timore, troppo presto avveratosi, che questo fatto sarebbe stato il segnale della nostra separazione. Infatti, una settimana dopo suo padre lo chiamò a Torino, dove, col mezzo di un potente appoggio, sperava di farlo ammettere in quell'università. Fu tentata ogni via, si ricorse persino al re, ma tutto fu vano; finalmente il padre, la cui massima ambizione era il titolo di dottore per il figliolo, lo mandò a Pisa, in Toscana, dove fu ammesso senza difficoltà.

1. Nei capp. XI e XII del romanzo il Ruffini racconta che, in un chiassoso ammutinamento dei convittori del Collegio Reale contro certi loro superiori zoticamente severi, col lancio di una scarpa egli aveva rotto la lampada del dormitorio, accrescendo così il baccano della camerata. Di questa mancanza si era confessato colpevole Alfredo, e perciò era stato espulso. Non avendo voluto prendere in considerazione l'immediata autoaccusa del Ruffini, il Rettore aveva rigidamente mantenuto il suo provvedimento contro Alfredo.

A testa bassa e col cuore angosciato, mi recai il giorno dopo alla segreteria dell'università, per ritirare il mio libretto di frequenza, che si chiamava *Admittatur* e costava mezzo scudo. L'*admittatur* era valevole per soli tre mesi. — Alla fine del trimestre, — mi disse il segretario — mi riporti il suo libretto, firmato da tutti i suoi professori, con un certificato del suo confessore, e un altro del parroco, i quali attestino che Lei abbia adempiuto i suoi doveri religiosi, e allora vedremo se potremo darle il secondo libretto.

Ho già detto che, al contrario di quanto si aspettavano i riformatori della pubblica istruzione, il numero degli iscritti all'università non era mai stato tanto grande come quell'anno; e questo fatto aveva ridotto que' grandi uomini a profonde riflessioni e a concludere che adunare in uno stesso ambiente parecchie centinaia d'individui significava né più né meno condurre lo Stato sull'orlo del precipizio. Per evitare un simile inconveniente, si ricorse a questo: le lezioni non si impartivano più tra le pareti dell'università, ma nelle rispettive case dei professori. Così si sarebbero evitati troppo numerosi agglomeramenti di persone; e l'università, aperta *de jure*, *de facto* era ancora chiusa.

Questo provvedimento era alquanto incomodo per noi studenti. Prima di tutto, ci obbligava a trottare da una casa all'altra dei professori, talvolta assai distanti tra loro. Inoltre, nessuno di que' signori aveva un appartamento abbastanza ampio da poter accogliere un centinaio e più di studenti in una sola volta; noi, quindi, ci stavamo stipati come tanti schiavi negri nella stiva di una nave, e molti erano costretti a stare in piedi. Questo sistema diventava intollerabile nella stagione calda. Ricordo che la casa d'un professore era così angusta, che la maggior parte de' suoi uditori era obbligata a fermarsi per le scale.

I professori erano assolutamente obbligati a far l'appello de' propri allievi all'inizio di ogni lezione, e a prender nota degli assenti. Dopo tre assenze constatate era proibito all'insegnante di apporre la propria firma al libretto di frequenza dello studente, e ne seguiva la perdita d'un trimestre. Non fu mai inventato nulla di più provocante, nulla produsse mai tanti atti di servilismo da un lato e di enorme parzialità dall'altro, come quel benedetto sistema di far l'appello. Era una specie di spada di Damocle continuamente sospesa sul nostro capo, ed eravamo sottoposti alla discrezione de' nostri professori. Quale studente era sicuro di non tardare un minuto ad entrare in lezione almeno tre volte nel corso d'un trimestre? chi non aveva bisogno di un po' d'indulgenza? Per i giovani di carattere indipendente, che non si abbassavano a suppliche e a preghiere, il fatale segno di croce non scompariva mai, mentre si cancellava subito per coloro che si umiliavano e sapevano rendersi graditi adulando.

La lettera era tutto, lo spirito nulla. Lo studente che frequentava con assiduità le lezioni, sopratutto se molto sottomesso, anche non aprendo mai un libro, anche impappinandosi alla più semplice domanda e comportandosi non si sa come in qualsiasi altra occasione, adempiva alla lettera il dovere regolamentare, e questo bastava per essere considerato irreprensibile. Al contrario, un giovane coscienzioso, tutt'altro che ipocrita, per quanto studiasse e fosse incensurabile nella sua condotta morale, era castigato senza pietà alla minima infrazione della lettera della legge. Lo scopo era di formare automi, e non uomini. L'università era come un gran torchio per spremere dalla nuova generazione ogni indipendenza dello spirito, ogni dignità, ogni rispetto di se stessi; e quando ripenso alle nobili creature, che, nonostante tutto, scamparono a quel letto di Procuste, non posso fare a meno di pensare con orgoglio ai forti temperamenti morali della nostra razza italiana tanto disprezzata, eppur capace d'uscir sana e vigorosa da un ambiente così deleterio.

Un professore che ci dimostrasse la sua simpatia — e ce n'era più d'uno — non osava fare quanto avrebbe voluto, perché sapeva di esser vigilato come noi, e un rapporto sfavorevole avrebbe potuto costargli la cattedra. Professori e studenti erano ugualmente soggetti allo spionaggio esercitato dai bidelli dell'università, dai portieri, dai custodi, eccetera, i quali erano altrettanti delatori; far la spia era la condizione *sine qua non* per avere e conservare il posto. Costoro facevano del loro meglio per ascoltare quel che dicevamo, e riferivano le nostre parole a modo loro, aggiungendovi qualche nota a carico di questo o di quello. Erano coscienti di questo loro potere, e ne usavano come persone ignoranti, ossia rozzamente e con insolenza. E lo studente che avesse osato mettere a dovere uno di quei bei tipi, si metteva in una posizione assai pericolosa, poiché tra l'asserzione di uno studente e quella di un inserviente, quest'ultima era la più creduta. Nulla fu per me più penoso de' miei primi passi in quel piccolo mondo di bassi sentimenti, di misere preoccupazioni, d'inganni e d'oppressione; nulla di più scoraggiante del mio graduale adattamento ad uno stato di cose tanto in contrasto con la mia natura. Qui davvero si dileguavano i palazzi incantati, e le principesse, e le avventure romanzesche! Il mio mondo fittizio cadeva in frantumi dinanzi alle tristi realtà che via via mi si imponevano. Questo primo periodo della mia vita universitaria fu davvero triste e penoso. Ero infelice e mi sentivo solo! Alfredo se n'era andato, e in quanto a Cesare, poveretto! assai raramente mi riusciva d'incontrarlo a tavola.

Studiava per fare il notaio e praticava da qualche tempo uno studio notarile bene avviato. Il principale era un uomo rude e interessato, che gli faceva fare una vita da cani, caricandolo di lavoro e trattandolo con modi brutali. Spesso e volentieri l'intera giornata non bastava ad eseguire il compito impostogli, e Cesare era costretto a rubare qualche ora al sonno e passar buona parte della notte a copiar documenti legali. Egli pure aveva, dunque, le sue tribolazioni, e l'unico nostro sollievo era di sfogarci, lamentandoci del nostro destino e maledicendo ai nostri oppressori. Quando ne parlava, Cesare si esaltava sino al delirio. Per paura di dormir troppo e giunger troppo tardi al suo ufficio, gli avveniva spesso di alzarsi nel cuore della notte e di non tornare più a letto.

Una delle cose che mi parevano più odiose era l'obbligo di confessarmi una volta al mese, e per giunta in un giorno stabilito. Qualche volta non mi ci sentivo disposto, e alla mia coscienza ripugnava di accostarmi indegnamente al confessionale, per il quale ero stato educato a sentire profondo rispetto. Per fortuna, trovai un degno ecclesiastico, il quale dissipò i miei scrupoli. Era un vecchio prete, che seguiva la dottrina de' Giansenisti. Veniva spesso a trovare mia madre, e la sua conversazione, scevra di ogni pregiudizio, aveva fatto buona impressione su di me. Lo scelsi a mio confessore e gli aprii l'animo mio. Il buon uomo rassicurò del tutto la mia coscienza.

— Confessati — mi disse — soltanto quando ti senti nella dovuta disposizione di spirito; quando non ti senti, vieni da me e terremo una breve conversazione, la quale avrà assai più valore di una confessione fatta indegnamente; ed io ti farò tutti i certificati necessari. — Questa transazione mi tolse un gran peso dallo stomaco.

In questo periodo mi accadde, tornando a casa una sera prima del solito, di trovare mia madre in lagrime. Ella non volle dirmi la ragione del suo dolore, ma capii a un tratto come ella fosse tutt'altro che felice. Indovinai che cosa fosse la fonte del suo tormento,[1] e questa scoperta aggravò il mio malessere. Amavo mia madre così teneramente, che non potevo saperla infelice.

In questa condizione di spirito, feci la conoscenza di un mio compagno, che avevo desiderato conoscere da molto tempo. Questa relazione si mutò presto in una stretta e cordiale amicizia reciproca, che fu di grande sollievo alle mie sofferenze e versò un balsamo dolcissimo sulle piaghe dell'animo mio.

CAPITOLO XVII

*Come feci la conoscenza di Fantasio e come ambedue*
*facemmo quella del direttore di polizia.*

Ecco come feci la conoscenza di Fantasio. Chiamerò con questo nome il mio nuovo amico.

Una torrida sera d'estate, trovandomi con una dozzina di altri studenti, andammo all'Acquasola per godere un po' di fresco. Fantasio non era nel numero. Nuovi abbellimenti erano stati fatti da poco in quel pubblico passeggio, a cui erano state aggiunte aiuole di fiori e praticelli erbosi cinti da palizzate in legno, per evitare che alcuno li calpestasse. Ci trovammo per caso vicino ad uno di que' recinti, parte seduti su una panchina, parte sdraiati a terra. Uno de' miei compagni, che aveva troppo caldo, si tolse la giacca e la appese alla palizzata. Stavamo chiacchierando allegramente, quando passò di là il sergente del corpo di guardia dell'Acquasola, e ci ordinò, in tono più che brutale, di toglier quella giacca dalla palizzata. Chi sa se quella fosse o no un'infrazione al regolamento; era, invece, più che certo che il tono di quell'intimazione, era, a dir poco, assai sconveniente. Il proprietario della giacca, ad ogni modo, obbedì, osservando però al sergente che avrebbe potuto parlare più cortesemente. Il soldato ribatté con parole provocanti e ne nacque un alterco. Dopo alcuni istanti la guardia se ne andò, e tutto finì lì, o per lo meno lo credemmo. Ma ci eravamo sbagliati. Dopo un quarto d'ora appena, il sergente tornò, vociferando e gesticolando furiosamente.

1. Era la profonda differenza del carattere suo da quello del marito; la quale fece sì che i figli fossero più legati alla madre che al padre.

— Credete forse di mettermi paura, perché siete studenti? — Evidentemente quell'uomo era avvinazzato.

— Lasciateci in pace! — esclamò il giovane cui apparteneva la giacca e dinanzi al quale il sergente si era piantato.

Aveva appena pronunciato queste parole, che la guardia, senza dir altro, trasse la daga e gliela puntò al petto. Vedendo questo, tutti ci alzammo di scatto e ci gettammo sul forsennato, non per fargli del male, ma per evitare di peggio.

Il giovane aveva parato il colpo, e la daga gli aveva appena scalfito la pelle. Naturalmente, eravamo venuti a parole, e i passanti, attratti dal chiasso, ci si erano raccolti attorno in gruppo compatto.

Il soldato rinfoderò la sciabola e s'avviò verso il corpo di guardia, gridando con voce stentorea che «volevamo provocare una rivoluzione ... e nient'altro». Il sergente capiva bene che far passare un atto di legittima difesa per un attentato politico voleva dire riversare su noi l'odiosità dell'accaduto, assicurando a se stesso l'impunità. Profondamente eccitati, lo seguimmo al corpo di guardia, con l'intenzione di far le nostre lamentele all'ufficiale di servizio; ma l'ufficiale non c'era e il sergente fungeva da capo. Ce ne andammo, ripetendogli più volte che ci saremmo fatti vivi ancora.

Il giorno dopo ci riunimmo tutti a consiglio e decidemmo di presentare il nostro reclamo al governatore della città, chiedendo che il sergente venisse punito. Poiché la legge proibiva, sotto pene severe, che i militari ricorressero alle armi, non dubitavamo punto di ricever soddisfazione. Era, però, prudente presentarsi in dieci o dodici assieme, o non sarebbe stato meglio mandare soltanto alcuni di noi, a presentare le rimostranze di tutti? Eravamo di opinioni diverse, e qualcuno propose di sentire il parere di Fantasio, che abitava lì vicino. Detto fatto. Fantasio ci ricevette con molta cordialità, partecipò alla nostra indignazione, disse che era meglio andare in pochi e si offerse di unirsi a chi andava. L'offerta fu accettata con grande soddisfazione. Io fui designato secondo, e terzo fu il giovane che era stato lì lì per esperimentare seriamente la brutalità del sergente. Andammo ben quattro volte nel corso della giornata al palazzo del governatore, senza poter ottenere udienza. Una specie di segretario, il quale finalmente ci chiese qual fosse l'oggetto della nostra visita, e a cui noi demmo ogni ragguaglio senza esitazione, osservò che la cosa non competeva a Sua Eccellenza, ma al comandante della piazza militare, dal quale dipendeva direttamente la guarnigione. Quest'ufficiale, un rozzo e brutale soldataccio, ci ricevette in piedi e ne' cinque minuti di udienza che ci accordò, non seppe dir altro che questo: «I militari vanno rispettati; e se credevamo di essere i padroni della città, ci sbagliavamo di grosso». Gli facemmo osservare che eravamo pienamente d'accordo con lui, ma che la questione era un'altra. Non volle ascoltarci, ci voltò le spalle e se ne andò.

Il giorno seguente mi fu portata, di buon mattino, una lettera del direttore di polizia, che m'ingiungeva di presentarmi al suo ufficio alle dodici. Corsi subito a darne notizia a Fantasio, e trovai che egli pure aveva ricevuto la stessa intimazione; e così il terzo membro della nostra deputazione. Fummo puntuali. Dopo una lunga anticamera, c'introdussero finalmente alla presenza del direttore, il quale cominciò col dirci che «prima di tutto potevamo ringraziare la sua moderazione, e poi il riguardo dovuto alle nostre famiglie, se ci aveva ammesso alla sua presenza, invece di mandarci direttamente in prigione». Dopo un simile esordio, continuò dicendo che «le autorità avevano ben altro da fare che ascoltare lamentele su torti immaginari, che era davvero tempo di finirla con simili stupidaggini; gli studenti farebbero meglio a star tranquilli; egli intendeva averci messo in guardia una volta per sempre, ed ora ce ne andassimo pure per i fatti nostri».

Con questo ci additò la porta.

— Ma... — fece Fantasio.

— Silenzio! — interruppe il magistrato — non una parola di più, o... — e qui diede di piglio al campanello sulla tavola — o vi mando diritti alla Torre... — la prigione di Stato.

Ecco la riparazione che ottenemmo. Ventiquattr'anni dopo, quando le cose in Piemonte avevan preso una piega migliore, uno de' miei amici, impiegato di polizia, mi fece vedere una nota segreta ne' libri d'ufficio, con la data del giorno in cui ero comparso dinanzi al direttore. La nota diceva così: «Lorenzo Benoni, giovane di testa calda, di molto talento, romantico, *riservato*,» questa parola era sottolineata «che bisogna sorvegliare.» Suppongo che i miei due colleghi avessero accanto al proprio nome una nota del genere.

Questo fatto fu la causa della prima scena burrascosa tra mio padre e me. Poche ore dopo che io ero comparso dinanzi al direttore di polizia, mentre ero ancora di cattivo umore, mio padre, il quale già sapeva come erano andate le cose (egli, non so come, sapeva sempre tutto ciò che io facevo), mi chiese a un tratto se avessi finito d'esser lo zimbello della città. Rimasi sorpreso e chiesi che cosa intendesse dire con quelle parole. Mio padre mi rispose che interesse avessi mai io a far la parte del don Chisciotte in un affare che non mi riguardava punto. Risposi che, andando a far da testimonio per un compagno offeso e maltrattato, avevo agito secondo il precetto: «Fate agli altri quello che vorreste fosse fatto a voi», e che mi meravigliavo assai d'essere rimproverato per questo. Queste eran tutte buone ragioni, ribatté il babbo, ma, in conclusione, il fatto di aver salito le scale della polizia imprimeva una macchia incancellabile nella mia vita, e poco indicata davvero a formare la buona reputazione di un giovane. Ci avevo pensato io? Replicai che, se la polizia era un'istituzione spregevole, tanto peggio per coloro che l'avevan resa tale; per conto mio, non potevo esser ritenuto responsabile di un passo fatto per forza e con mio profondo rincrescimento. E qui altre osservazioni ed altre repliche, finché il babbo m'ingiunse perentoriamente di tacere. Mi si era scaldato il sangue, e non potei fare a meno di mormorare che l'ingiunzione era comoda, ma che io l'avevo fin allora creduta riservata ai direttori di polizia. Il babbo montò sulle furie e fece un passo verso di me. Allora credetti che egli volesse percuotermi, ma non sono ancora sicuro di questo. So per certo che il suo aspetto era alquanto minaccioso in quel momento. La mamma si alzò allora di scatto, frapponendosi fra noi due e mi comandò d'uscir dalla stanza. Obbedii all'istante.

La sconfitta patita assieme, creò tra me e Fantasio una comunanza di sentimenti, che contribuì molto a cementare rapidamente la nostra amicizia. Lascio indovinare al lettore qual fosse l'animo nostro verso il comandante della città e sopratutto verso il direttore di polizia e il governo in genere. È certo, però, che in capo a un mese da questo fatto, che mi aveva avvicinato a Fantasio, noi due eravamo legati da una reciproca amicizia per la vita e per la morte, e tra le due famiglie era sorta una profonda intimità. Ogni mattina andavo immancabilmente a casa di Fantasio ed ogni sera Fantasio veniva da noi. Mia madre e i miei fratelli, Cesare in modo speciale, avevano per lui una profonda simpatia. Era certo il giovane più affascinante ch'io abbia mai conosciuto.

Fantasio era di un anno maggiore di me. Aveva la testa ben modellata, con una fronte spaziosa e prominente, e gli occhi d'un nero profondo, che in certi momenti mandavano lampi. Aveva la carnagione olivastra e i suoi lineamenti, che colpivano al primo incontro, erano, per così dire, incorniciati da una ricca capigliatura nera e ondulata, alquanto lunga. L'espressione della faccia, grave e quasi severa, si addolciva d'un sorriso soavissimo, in cui era un'ombra di umorismo. Parlava bene e con facilità, e quando si animava, un fascino irresistibile emanava da' suoi occhi, dai gesti, dalla voce, da tutta la sua persona. Faceva una vita raccolta di studio; non lo attiravano affatto i divertimenti consueti ai giovani della sua età. I suoi libri, il suo sigaro, il suo caffè, e alle volte una passeggiata in luoghi solitari, raramente il giorno, molto spesso di notte, al chiaro di luna — ecco i suoi soli passatempi. I suoi costumi morali erano irreprensibili, i suoi discorsi castigati. Se qualcuno dei suoi giovani compagni, ch'egli spesso raccoglieva attorno a sé, si fosse permesso qualche scherzo o qualche espressione di significato dubbio, Fantasio — Dio lo benedica! — lo riduceva al silenzio con una parola di effetto sicuro. Tale era l'autorità che gli conferivano la purezza della sua vita e la sua incontestabile superiorità.

Fantasio era versatissimo nella storia e nella letteratura non solo del suo paese, ma anche delle altre nazioni. Shakespeare, Byron, Goethe, Schiller gli erano familiari quanto Dante e Alfieri. Magro e gracile di corpo, aveva uno spirito infaticabilmente attivo; scriveva molto e bene tanto in versi che in prosa, e non v'era genere letterario in cui non si fosse provato: saggi storici, critiche letterarie, tragedie, eccetera. Appassionato di ogni forma di libertà, la sua anima fiera spirava un indomabile spirito di rivolta contro ogni tirannia ed oppressione. Buono, sensibile, generoso, non negava mai i propri consigli né il proprio aiuto, e la sua biblioteca ricca di libri, come la sua borsa ben fornita di danaro, erano sempre a disposizione degli amici. Forse si compiaceva un po' di far mostra della sua potenza dialettica a spese del buon senso, sostenendo talvolta qualche stravagante paradosso. Forse c'era un po' d'affettazione nel suo modo di vestire sempre di nero,[1] ed era alquanto

---

1. «Mi diedi fanciullescamente a vestir sempre di nero: mi pareva di portare il lutto della mia patria», scrisse il Mazzini nelle sue *Note autobiografiche*, ricordando quegli anni lontani.

esagerato quel suo orrore per i colletti vistosi delle camicie; ma, nell'insieme, egli era una nobile creatura.

Debbo a lui se ho letto e gustato Dante veramente. Più e più volte, prima di aver fatta la conoscenza di Fantasio, avevo preso la *Divina Commedia* con la ferma intenzione di leggerla da cima a fondo. Ma poi, scoraggiato dalle difficoltà, avevo abbandonato l'impresa, accontentandomi solo di leggere i tratti del gran poema più famosi e più popolari. In una parola, avevo cercato in Dante il solo divertimento. Fantasio mi insegnò il modo di istruirmi e di nobilitare le mie facoltà. Bevvi a larghi sorsi a quella sorgente di profondi pensieri e di generosi sentimenti; e fin da quel tempo il nome d'Italia, che così spesso ricorre nel poema, divenne sacro per me e destò i palpiti del mio cuore. Noi leggevamo insieme i passi più oscuri. I commenti di Fantasio erano piuttosto brillanti che profondi; ma io ero in un'età in cui la vivacità irresistibilmente seduce e trascina.

A quel tempo la lotta tra i classici e i romantici era più accanita che mai: l'inchiostro scorreva a torrenti. Le passioni, che non potevano sfogarsi nel campo inibito della politica, si cozzavano in quello della letteratura. I classici erano i Conservatori nel campo letterario, i campioni dell'autorità, che giuravano su Aristotele e Orazio, e fuori della cui chiesa non v'era salvezza. L'imitazione degli antichi era il loro credo. La scuola romantica, invece, era quella dei Liberali in letteratura, nemici dell'autorità. Non ne volevano sapere di Aristotele né delle sue unità. Secondo loro, il genio non conosceva altro legislatore che se medesimo; l'imitazione non era che impotenza, la natura era l'unica fonte eterna del vero e del bello. Dalla letteratura il desiderio di novità era passato nelle arti. Il Rossini nella musica, l'Hayez e il Migliara[1] nella pittura avevano aperto nuove strade. Manzoni, capo riconosciuto della scuola romantica letteraria, aveva pubblicato proprio allora i suoi *Promessi sposi*. I periodici dell'uno e dell'altro partito si erano precipitati, per dir così, sul libro, gli uni cantandone lodi sperticate, gli altri denigrandolo. A sentire i primi, Manzoni era un semidio; a sentire i secondi, non era che appena appena un uomo.

1. Francesco Hayez, nato a Venezia nel 1791 ma vissuto dal 1818 in poi sempre a Milano dove morì nel 1882, reagì al neoclassicismo dipingendo soggetti romantici. — Giovanni Migliara (1785-1837), scenografo della Scala, aveva allora molta voga come pittore e acquarellista di paesaggi.

Fantasio non poteva pendere incerto nella scelta.

Abbracciò la causa della scuola romantica con tutto l'ardore e la devozione della sua natura. Pubblicò in un periodico di Firenze,[1] sostenitore del romanticismo, una serie di articoli interessantissimi e arguti, nei quali egli esponeva le teorie più rivoluzionarie in fatto d'arte. Noi l'applaudivamo di cuore e, seguendo l'esempio del nostro giovane duce, ci facemmo partigiani di Shakespeare, Manzoni, Rossini, Migliara. Con la fervida attività che lo caratterizzava, Fantasio concepì subito il piano di un periodico letterario, di cui egli doveva essere il direttore ed io uno dei collaboratori. Ma sorsero difficoltà, che io ora non ricordo, per cui questo disegno non poté essere attuato.

### CAPITOLO XXII

*Pena di Tantalo. Caccia infruttuosa.*
*La valle di San Secondo.*

Due anni son passati. Ho già ventun anno e un folto cerchietto di barba mi è cresciuto sotto il mento. Avrei pure un bel paio di baffi — la mia ambizione quand'ero fanciullo — se non fossero proibiti senza misericordia. Ho fatto di tutto per portarli, ma sempre inutilmente. Molto tempo addietro, il signor Merlini, incontrandomi un giorno nel cortile dell'università, con un'ombra di lanuggine sul labbro, ebbe a fare mille smorfie e boccaccie, dicendomi di avermi scambiato con un guastatore.[2] Capii l'allusione e i miei baffi in *fieri*[3] caddero sotto il rasoio. Dodici mesi dopo, essendo ricomparsi più folti che mai, il direttore di polizia fu così cortese da farmi sapere, a mezzo di mio padre, che se io non me li fossi rasi spontaneamente, ci avrebbe pensato lui. La faccenda era semplice ed aveva molti precedenti. Due carabinieri vi ghermivano per le braccia, vi cacciavano a forza nella bottega d'un barbiere e assistevano all'operazione. Era stato, dunque, necessario dimettere l'idea de' baffi.

I miei studi, come quelli di mio fratello Cesare, sono ormai

---

1. L'«Antologia» del Vieusseux.    2. *guastatore*: era un milite armato di scure addetto a tutti i lavori stradali e di trinceramento che erano necessari all'esercito. Ogni compagnia ne aveva due; potevano farsi crescere la barba.
3. *in fieri*: in formazione.

prossimi alla fine. Sebbene ammesso all'università un anno dopo di me, Cesare mi ha raggiunto durante l'anno della mia sospensione.[1] Fra un anno Genova avrà un avvocato di più senza clienti, e un altro medico senza ammalati. In questi due ultimi anni Cesare si è fatto veramente uomo. È un po' meno alto di me, ma più robusto, meglio proporzionato e assai più forte. Il colore della salute gl'imporpora le gote. Ha i lineamenti non molto regolari, ma, nel complesso, piacenti. Ha una bella bocca, magnifici denti ed una folta capigliatura castana che gli ombreggia la fronte ampia e ben fatta. Io, invece, ho un colorito molto bruno e pallido, son troppo magro per la mia statura, che è assai superiore alla media. Il mio volto, allo stato di riposo, porta un'impronta di languore, doloroso a vedersi in un giovane; si anima però facilmente, e di questa animazione si avvantaggia. L'unica mia bellezza, se pure può chiamarsi bellezza una cosa assai comune in Italia, è una profusione di capelli ricciuti e neri.

Mio fratello più giovane[2] ha appena lasciato il collegio con un carico di libri e di corone d'alloro. Salvo questo, nessun altro cambiamento è avvenuto in famiglia; il babbo è — secondo il solito — rigido, freddo e chiuso; la mamma è sempre ugualmente paziente, sottomessa e gentile quanto mai. Dacché siamo fatti grandi, le scene spiacevoli avvengono più raramente; cerchiamo di evitarle con maggior cura. Siamo anche più liberi e possiamo uscire a passeggio, dopo cena, senza farlo di soppiatto ...

... Con Fantasio siamo amici come prima e più di prima, se possibile. Egli è già sfuggito ormai al giogo universitario ed è un *Doctor in utroque jure*.[3] La cerchia delle sue relazioni si è andata via via allargando e la sua influenza va estendendosi. Ha fondato un giornale letterario[4] ed ha fatto, l'anno passato, un viaggio in Toscana. Il giornale ha avuto la vita breve di una rosa, ché — al decimo numero — esso fu soppresso dalla censura senza tante ceri-

1. Il Ruffini era stato punito, insieme con altri, in seguito a disordini avvenuti durante una delle funzioni religiose obbligatorie per gli studenti. 2. Il fratello Agostino. 3. Dottore in diritto civile e canonico. 4. In realtà il Mazzini non aveva fondato un giornale letterario; ma nel maggio del 1828 aveva ottenuto per sé e per i suoi amici di potere inserire articoli di critica letteraria nell'«Indicatore genovese», «foglio commerciale, di avvisi d'industria e di varietà» edito dal tipografo Ponthenier. Alla fine dello stesso anno il foglio fu soppresso.

monie. Lo scopo del suo viaggio è un mistero per tutti, eccetto per pochi confidenti, tra i quali siamo Cesare ed io.

Fantasio aveva, da lungo tempo, vagheggiato l'idea di fondare un'associazione segreta simile alla Hetaireia[1] e ne' suoi scritti ne aveva tracciato un piano completo e particolareggiato, che aveva discusso con noi e che noi avevamo pienamente approvato. Fra le molte relazioni letterarie che la sua cooperazione ad un periodico fiorentino gli aveva procurato in Toscana, erano alcuni giovani liberali,[2] di animo ardente, cui egli desiderava comunicare il suo piano e indurli ad accettarlo, per poter così fondare ad un tempo l'associazione nelle due provincie italiane. L'ambizione di Fantasio mirava niente meno che ad unire tutte le diverse parti della Penisola in un'unica lega. Questo e non altro era stato il vero scopo del suo viaggio. Gli amici di Toscana sarebbero stati dispostissimi ad aderire al suo disegno; ma volle il caso che essi avessero ricevuto recentemente una proposta simile da una «vendita» di Carbonari esistente a Bologna. Ed a che pro — osservavano essi — formare una società nuova, quando ne avevano a portata di mano una fondata da molto tempo e provvista di potenti mezzi d'azione?

Fantasio dovette cedere a questo stringente argomento, e rinunciò al suo piano politico. Ad ogni modo, volle trar profitto dal suo viaggio in Toscana, e riuscì a far accettare e approvare l'idea d'un periodico letterario settimanale, obbligandosi a collaborarvi regolarmente, assieme ad alcuni amici genovesi. Il periodico doveva esser pubblicato a Firenze,[3] dove si aveva molta tolleranza per la stampa. Ciò fatto, egli si accomiatò dagli amici

---

1. *Hetaireia*: società segreta sorta nel 1815, che ebbe parte importantissima nella lotta per l'indipendenza della Grecia.   2. Erano il Bini e il Guerrazzi. La loro relazione non era nata in seguito alla collaborazione del Mazzini all'«Antologia» del Vieusseux, ma in seguito a un articolo che Giuseppe Elia Benza aveva pubblicato nell'«Indicatore genovese» su *I Bianchi e i Neri*, dramma del Guerrazzi.   3. Si stampò invece a Livorno e fu l'«Indicatore livornese», che si pubblicò dal 12 gennaio 1829 all'8 febbraio 1830. La notizia che di questi fatti dà il Ruffini non sembra molto precisa. L'iniziazione del Mazzini alla Carboneria era avvenuta nel 1827 per mezzo del condiscepolo Pietro Torre. E del Mazzini è accertato un solo viaggio in Toscana, quello che egli vi fece nel 1830 con l'incarico di impiantarvi la Carboneria. Tuttavia è opportuno ricordare che anche secondo il La Cecilia (*Memorie storico-politiche dal 1820 al 1876*, Roma 1876, p. 78), il Mazzini si sarebbe recato a Livorno ai primi del '29 per concretarvi col Bini e col Guerrazzi l'indirizzo del nuovo giornale.

toscani, facendosi promettere che gli avrebbero fatto sapere qualcosa nel caso che gli approcci con Bologna avessero condotto a qualche risultato positivo; e promettendo, da parte sua, che se a lui fosse riuscito mettersi in comunicazione con i Carbonari, i quali avevan certo messo radici anche a Genova, non avrebbe mancato di avvertirli. Non è necessario dire che accogliemmo Fantasio a braccia aperte al suo ritorno da Firenze. Non dimenticherò mai l'accento di trionfo con cui ci disse, smontando di carrozza: l'Hetaireia italiana è trovata!

Ma egli aveva avuto troppa fretta di gridar vittoria; poiché, nonostante tutto l'ardore col quale egli e noi cercammo questa Hetaireia italiana, non ci fu mai dato scoprirne la minima traccia. Questo particolare, però, invece di farci concludere che i Carbonari non esistevano, o per lo meno non avevan ancora messo radici a Genova, accrebbe la nostra fede e la nostra venerazione per quella formidabile società, che sapeva mantenersi segreta, e quantunque diramata ovunque, non si lasciava scoprire in nessun luogo.

Il carbonarismo nacque, come ognuno sa, nel regno di Napoli, durante gli ultimi anni della dominazione francese. Alcuni patrioti, sfuggiti alla persecuzione del governo straniero, si erano rifugiati sulle montagne degli Abruzzi, dove non avevano altro mezzo di guadagnarsi il pane che facendo carbone. Da qui il nome di Carbonari e quello di «vendite» dato alle diverse sezioni della società segreta. Re Ferdinando, che in quel tempo si era rifugiato in Sicilia, trasse profitto dai sentimenti nazionali della setta, la incoraggiò quanto più poté e giunse a tanto da farsene socio. Frattanto, il carbonarismo aveva preso piede in tutto il regno di Napoli e di là si era diffuso per tutta Italia. Le rivoluzioni del 1821 a Napoli e in Piemonte furono opera dei Carbonari, sebbene essi fossero accanitamente perseguitati da parecchio tempo, e sopratutto da quello stesso re Ferdinando che da loro era stato rimesso sul trono.[1]

Papa Pio VII aveva colpito la setta di scomunica, e il solo fatto di appartenervi era, se scoperto, punito di morte. Questo mostruoso rigore aveva accresciuto il fascino della setta, invece di

1. Queste notizie sulla Carboneria sono evidentemente inesatte e riferite a orecchio. Il Ruffini non poteva averne allora altra conoscenza; ma quel che è documentario, qui, è il fascino che la setta famosa esercitava sulle menti dei giovani liberali.

sminuirlo. Un'aureola di cupa poesia circondava quegli uomini eccezionali; l'immaginazione popolare asseriva ch'essi tenevano le proprie adunanze verso la mezzanotte, nelle selve e nelle caverne, e perseveravano nella loro azione misteriosa, per nulla intimoriti dai fulmini del Vaticano, né dalla minaccia del patibolo.

Non speravamo più che ne' nostri amici di Toscana, ed essi non ci tradirono. Tre mesi dopo il ritorno di Fantasio, due giovani, latori di un messaggio per lui, bussarono alla sua porta. Le notizie che portavano erano al tempo stesso buone e cattive. Le pratiche con la «vendita» di Bologna avevan dato ottimi risultati. Il carbonarismo andava organizzandosi per tutta la Toscana, e tutte le città principali avevan già la propria «vendita»; ma un ordine perentorio della «madre-vendita» di Bologna ne limitava l'azione alla sola Toscana, con rigoroso divieto di oltrepassarne i confini. Era necessario regolarsi così, essi dicevano, per esser sicuri della segretezza e dell'unione. Ogni provincia aveva il suo centro attivo, la cui attività era ristretta entro i propri limiti, senza alcun contatto con i centri delle altre provincie della Penisola. La sola «vendita» suprema di Parigi teneva in pugno tutte le fila de' vari centri ed aveva facoltà di metterli in comunicazione tra loro in qualunque momento. Perciò, i nostri amici di Toscana non potevano far nulla per noi, se non mandarci il nome e l'indirizzo di uno de' membri più autorevoli della «vendita» di Bologna. I due giovani delegati non avevano alcun mandato per i «buoni cugini» (un'altra denominazione dei Carbonari) di Genova, ma erano certi, dicevano, che l'opera progrediva colà come altrove, giacché la setta si era ormai diffusa ovunque.

Che cosa dovevamo fare? Non v'era che un mezzo per rompere l'incantesimo: andare a Bologna. Fantasio risolvette di andare e chiese un passaporto. Ottenere un passaporto era in quei tempi un affare di Stato. «Quali interessi particolari aveva egli a Bologna?» Fantasio rispose che, prima di tutto, voleva vedere quella famosa città, e poi esaminare e raffrontare alcuni manoscritti rari della *Divina Commedia*, che esistevano presso la biblioteca dell'Accademia di Bologna. — «Orbene, se i suoi affari non erano più urgenti di questi, poteva benissimo aspettare. Bologna e la biblioteca dell'Accademia non se ne volavano mica via da un giorno all'altro. Era stato in Toscana l'anno prima, era vero sì o no? E allora, se ne stesse ora a casa a riposare.» Così all'arbitrio si aggiungeva la derisione. Fantasio dovette restare e mordere il freno. Cesare, Sforza[1] ed io, con pochi altri, fummo presentati ai due emissari di Toscana il giorno innanzi alla loro partenza. Come mi sentii piccino in confronto a que' due giovani, che erano stati scelti a cimentare la propria vita per la causa nazionale! Mi pareva di non esser nemmeno degno di stringer loro la mano. Sarei caduto ai loro piedi e li avrei adorati. Parlammo, naturalmente, dell'associazione, su cui si concentravano tutti i nostri pensieri e tutte le nostre speranze. La profonda impressione che la vastità e la forza di essa avevan fatto su loro, era davvero avvincente. Il carbonarismo era una rete immensa che avviluppava tutta Europa. Un segnale dato dalla «vendita» suprema di Parigi poteva mettere tutto il continente a ferro e a fuoco. Il solo regno di Napoli contava quarantamila affiliati. Essi si trovavano sui gradini del trono come nella più umile capanna. Il giudice sul suo seggio e l'imputato sul banco degli accusati, con un segno impercettibile, si riconoscevano fratelli. Un tale, che era stato condannato a morte (e si citava il suo nome e il paese dove il fatto era avvenuto) e doveva esser giustiziato il giorno dopo, era stato liberato dai ceppi e fatto fuggire durante la notte. Da una parola sfuggitagli, una delle guardie che lo vigilavano s'era accorta che era un fratello carbonaro, e ne aveva favorito la fuga.

I due emissari avevano un incarico particolare per la suprema «vendita» di Parigi. Parigi! l'ignoto, l'infinito, la «vendita» suprema, coronata di nubi cariche di fulmini! Si sussurravano alcuni nomi, che io non avevo mai uditi, né incontrati nelle mie letture degli anni più giovanili, senza provare un sentimento di riverenza misto a terrore!, nomi che, a mio giudizio, rappresentavano altrettanti semidei: Lafayette, Lamarque, Foy[2] e così via. Il mio cuore si agitava, la mia testa si confondeva, un vivo desiderio di compiere

1. *Sforza*: un altro condiscepolo, nel quale pare che il Ruffini abbia ritratto il carattere di Federico Campanella, patriotta mazziniano e repubblicano. 2. Il generale Giuseppe de La Fayette (1757-1834), dopo aver combattuto per l'indipendenza degli Stati Uniti, aveva svolto una attività di primo piano agli esordi della Rivoluzione francese; popolarissimo campione del carbonarismo e del liberalismo europeo, prese parte attiva anche alla rivoluzione del luglio 1830. – Massimiliano Lamarque (1770-1832), generale e uomo politico, era fra i più eloquenti oratori d'opposizione alla Camera francese durante la Restaurazione. – Massimiliano Foy (1775-1825), generale napoleonico, ebbe anch'egli grandissima popolarità per le lotte politiche da lui sostenute come deputato dell'opposizione liberale durante il regno di Luigi XVIII.

qualcosa di grande s'impossessò di me. Oh! quant'erano fortunati quei due giovani! quanto li ammiravo e li invidiavo! Due bei giovani di nobili sentimenti e sinceri, se mai ve ne furono, fermamente convinti di quanto dicevano e pronti a testimoniare col proprio sangue la verità di quanto credevano! Uno di essi cadde, non è molto, combattendo contro gli Austriaci in un sobborgo di Bologna. Onore a te, coraggioso Marliani![1]

I fatti che ho raccontato sono i soli che meritino qualche considerazione nei due anni che ho saltato a pie' pari e dei quali bisognava informassi il lettore per fargli comprendere quanto segue. E riprendo ora il filo del mio racconto.

Siamo in campagna. Mia madre aveva avuto una tosse cattiva durante l'inverno, la quale persisteva nonostante il cambiamento di stagione, ed i medici l'avevano consigliata a provare l'aria campestre, non però quella della propria villa, che era troppo fine, ma un'altra più mite e meno asciutta. Avevamo, perciò, preso in affitto una casetta a San Secondo, una delle molte vallette in cui si dirama la magnifica valle del Bisagno. Era un angolo bello e solitario, verde come lo smeraldo e silenzioso come una foresta vergine del nuovo mondo.

La casa non era grande, ma pulita e comoda; la veduta che si godeva dalle finestre era magnifica, sebbene circoscritta. Un'estesa prateria, animata da mandrie che pascolavano tranquille, facendo sentire il tintinnio de' loro campanelli, si stendeva dinanzi alla casetta; dagli altri lati si alzava una cinta di vegetazione rigogliosa. Giù in fondo alla prateria scorreva un torrente, sormontato da un ponte di legno dall'aspetto più pittoresco. Di là da quello si alzava una lunga fila di annosi cipressi, dietro i quali sorgeva la canonica e la modesta chiesa del villaggio col suo svelto campanile sporgente sugli alberi circostanti, come per sorprendere le prime tinte rosee del sole nascente. Tutta la bellezza di quel piccolo paesaggio consisteva nel suo carattere affatto pastorale. La casa era protetta dai venti del nord dal monte Fasce, che le rimaneva alle spalle e la cui ricca vegetazione cominciava già a colorarsi delle calde tinte autunnali.

1. Marco Aurelio Marliani, nato nel 1805 a Milano, seguì prima il Mazzini, e si staccò da lui dopo il fallimento della spedizione di Savoia. Nel '48 fu ufficiale d'ordinanza del generale Durando e l'8 maggio 1848 morì combattendo contro gli Austriaci alla porta di Seragozza di Bologna.

La casa di Fantasio distava appena un miglio dalla nostra. Eccola là, dietro la chiesa, sul pendio che ci sta dinanzi, la casetta bianca dalle persiane verdi. Noi lo scorgiamo benissimo tra gli alberi dalle nostre finestre, il casino di Fantasio. Molto spesso egli veniva da noi all'alba, per salire insieme sul monte Fasce; salivamo lentamente, ché la mamma faceva parte della comitiva e noi temevamo si affaticasse. Giunti ad una certa altezza, ci fermavamo, le preparavamo un comodo sedile di muschio e di felci, e lì attendevamo il nuovo giorno. Lontano lontano, sotto i nostri piedi, si stendeva per un ampio tratto il Mediterraneo, sempre vario e sempre bello; con un gentile increspare delle sue onde pareva salutare il sole nascente in un palpito d'amore e di voluttà.

Qualche volta andavamo noi, invece, da Fantasio, di buon mattino, armati di fucile, per cacciare ne' vigneti che si stendevano lungo il pendio. Com'era deliziosa quella collina con la sua aria mite, tutta impregnata del profumo di mille fiori silvestri, e con la sua magnifica veduta del porto e della città di Genova, la Superba! Spesso dimenticavamo la caccia e passavamo ore ed ore in silenziosa contemplazione, mentre le nostre anime, rapite in vaghe, deliziose aspirazioni, s'innalzavano come le allodole, che levandosi quasi di sotto ai nostri piedi, spiccavano il volo verso l'alto e andavano a perdersi nell'azzurro. E pensavamo: perché esistono, dunque, governi tanto infami da impedirci di godere in pace le opere del Creatore e di esser felici?

E noi, ahimè! eravamo ben lontani dall'esser felici. Una piena d'entusiasmo che non trovava sfogo, un'esuberanza di vita che, non sapendo come erompere, si perdeva in vani rimpianti, ecco il male che rodeva la nostra vita, come una ruggine. L'impotenza assoluta di far qualcosa di buono o che ci sembrasse tale, ci rodeva il cuore, come un tarlo perenne. Fantasio aveva scritto due volte ai due emissari per aver notizie, ma non ne aveva avuto risposta. E se egli stesso fosse andato a Parigi? Ma come ottenere il passaporto? Peccato che nostro zio non fosse canonico della cattedrale di Bologna! E se noi avessimo potuto realizzare il sogno dell'associazione immaginata da Fantasio?

Eravamo in grande perplessità. Sforza e Alfredo venivano a trovarci qualche volta (Alfredo era tornato da Pisa, laureato in medicina); a loro non nascondevamo alcuno de' nostri più reconditi pensieri. Sforza era di parere che ci angustiassimo troppo per nulla, e gli pareva che, per rovesciare il governo, bastasse alzare una bandiera con i colori italiani e andar gridando per le vie: «Viva l'Italia! Viva la libertà!» e tutto sarebbe fatto. Alfredo spalancava tanto d'occhi e pareva sbalordito, come faceva da piccolo, quando Cesare ed io parlavamo di principesse e di tesori nascosti.

«Ma dove sono questi Carbonari? Dove mai si nascondono?» E le nostre conversazioni andavano a finire sempre così.

Questa contrarietà mi pesava sul cuore, ma non era l'unica ragione di ansia per me. Avevo provato da certo tempo un senso vago di sconforto, una certa mancanza d'interesse in ogni cosa, una specie di vuoto nella mia vita, che non avevo mai sentito prima d'allora. Specialmente da che mi trovavo in campagna, sensazioni strane mi agitavano di tanto in tanto; mi sorprendevo a tirar de' sospironi, con gli occhi pieni di lacrime. La vista di quella magnifica natura serena, invece di allietarmi, mi rattristava e mi opprimeva. In certi momenti sentivo un desiderio morboso di solitudine e spesso passavo lunghe ore seduto a pie' d'un albero, nell'angolo più remoto della nostra valle solitaria, perduto in fantasie indefinite. Oh! se avessi potuto fermare al suo passaggio una di quelle immagini confuse, una di quelle creature dell'aria che s'agitavano nella mia fantasia come gli atomi di polvere in un raggio di sole! Come erano ormai lontani i tempi delle principesse dai riccioli d'oro e dalle labbra di corallo!

Ora non ero più insensibile alla bellezza delle contadine. Un mio cugino si era ammogliato da poco, e la vista de' giovani sposi, il giorno delle nozze, aveva operato un improvviso cambiamento in me. Quei due giovani mi eran parsi così belli, così felici, così innamorati uno dell'altro, che io li invidiavo proprio. Non desideravo, no, trovarmi nelle condizioni di mio cugino Pietro, ma avrei voluto esser amato quanto lui. Doveva essere una gran cosa amare ed esser riamato! La vita intrecciata a un'altra così, doveva raddoppiare il piacere dell'esistenza.

Il parroco di San Secondo veniva spesso a passar la serata da noi, e noi talvolta andavamo da lui in canonica. A quasi sessantacinque anni, il buon vecchio era ancor sano e vegeto, di una semplicità patriarcale, mezzo prete e mezzo contadino. Invece di regalare ai suoi parrocchiani lunghi sermoni, costruiva loro delle strade, aveva restaurato il ponte, falciato l'erba e mietuto il grano per quelli che erano ammalati. Spesso trovavamo in canonica il parroco d'un villaggio vicino, amico intimo del nostro, un vecchio corpulento, un ex-frate asmatico, che pareva dovesse finire, un giorno o l'altro, soffocato dall'adipe. Si parlava spesso di politica; i due preti eran liberali e non si facevano scrupolo di dir male del governo. L'ex-frate era il più violento. Al tempo dei Francesi era stato ascritto ai Frammassoni, e se ne gloriava. La sua caratteristica speciale era un odio spietato per tutti gli Ordini di frati, ma special-mente per quello cui aveva appartenuto. La sua politica si com-pendiava in queste parole, che non finiva mai di ripetere: — Im-piccate tutti i frati! — In un canto della stanza sedeva, filando, la figlia della perpetua del nostro parroco, una strana figura di campa-gnola sui sedici anni. Si chiamava Santina; ma noi la chiamavamo la zingara, perché aveva i capelli neri e lucenti e la carnagione scura delle zingare. Aveva due occhi neri e sfavillanti, dallo sguardo penetrante come una freccia. A prima vista il suo aspetto aveva qualcosa di repulsivo; ma una volta fattovi l'occhio, vi si scopriva una speciale attrattiva, che andava via via aumentando. Santina non perdeva una parola della nostra conversazione, che seguiva con profondo interesse; vi prendeva parte assai di rado, ma quando apriva bocca diceva qualcosa di originale. Ogni cosa nell'espres-sione del suo viso e nel suo contegno rivelava una passione re-pressa.

Eccetto Alfredo e Sforza, avevamo poche visite. Il babbo, che non amava la campagna, veniva a vederci di rado, forse una volta ogni quindici giorni. Lo zio Giovanni e il maggiore de' miei fra-telli, che faceva già pratica d'avvocato, erano confinati in città dai loro affari, fuorché la domenica, quando venivano a passar la giornata a San Secondo. Noi, però, scendevamo spesso in città, che era appena a un'ora e mezzo di cammino. Cesare, Fantasio ed io andavamo e tornavamo sempre assieme, e una mattina che v'e-rano andati senza dirmelo, ne rimasi molto meravigliato. Torna-rono la sera, senza dirmi una parola di spiegazione. Qualche giorno dopo se ne andarono ugualmente alla chetichella. Io non sapevo rendermi ragione di quel silenzio, ma tacevo. Un altro giorno li sorpresi in un colloquio molto animato, ch'essi interruppero su-bito quando mi videro; e mi parvero molto impacciati. Parlavamo spesso di politica, come sempre, ma notai che non nominavano mai i Carbonari, come se questi non fossero mai esistiti. Senza dubbio, essi avevano le loro buone ragioni per farlo. L'enigma tremendo, intorno al quale ci eravamo torturati il cervello per mesi e mesi, era finalmente risolto. Ma perché non mi davano la buona notizia? Non si fidavano di me forse? Era mai possibile? A che serviva ch'io mi tormentassi l'anima per questo? Se non parlavano, significava che non osavano farlo. Non arrischiavo mai la minima domanda, perché poteva far credere ch'io volessi carpire il loro segreto. Il segreto conservato dai compagni della mia giovinezza era tanto sacro ai miei occhi da escludere qualunque curiosità. Eppure, c'era fra me e loro come una nube. Non mi sentivo bene in presenza loro; mi pareva di esser d'impaccio. E anch'essi, specialmente Cesare, erano impacciati quando si trovavano in mia compagnia.

Una mattina di buon'ora mio fratello entrò in camera mia. — Forse ho lasciato il mio schioppo qui ieri sera? — Capii subito che lo schioppo era un pretesto. Guardò attentamente in ogni angolo della stanza, poi sedette e si lamentò del caldo, che davvero non era eccessivo. Poi si mise a camminare su e giù per la stanza, parlando del più e del meno, ma era facile capire che qualcosa gli pesava sul cuore. Mentre se ne stava appunto uscendo, si volse all'improvviso, mi si avvicinò, mi prese una mano, dicendo in gran fretta queste parole: — Mi fa male al cuore avere un segreto per te, ma il segreto non è mio e . . . tu non devi avertene a male. Forse manco al mio dovere dicendoti anche soltanto questo; ma non posso resistere più a lungo.

Durante la giornata, Fantasio mi prese a quattr'occhi e mi disse: — Hai certo indovinato. Abbi un po' di pazienza. Non si tratterà che di pochi mesi. Fanno obiezione per l'età; ma vedremo di vincere quest'ostacolo. Frattanto, sta di buon animo e sopratutto cerca di metter da parte quanto più danaro puoi.

Ero, dunque, troppo giovane! Che disgrazia! Avrei dato volentieri uno, due, dieci anni della mia vita per esser maggiorenne.

Da quel momento si dissipò ogni nube tra i miei giovani compagni e me. Cercai di ridurre le mie spese; fumai meno; diventai avaro, e mi preparai in meditazione e in silenzio ad essere iniziato a quei misteri, che bramavo tanto conoscere e dinanzi ai quali avevo quasi terrore.

## CAPITOLO XXIII

*Iniziazione. Sogni ridenti. Dubbi, aspirazioni
troppo alte e delusione finale.*

Erano passati parecchi mesi; l'autunno aveva ceduto all'inverno,
le noie della vita universitaria avevano sostituito i dolci ozî della
campagna, ed io vivevo sempre in attesa. Cesare e Fantasio non
avevano più accennato in alcuna maniera al grande affare, né
m'avevan più detto una sola parola d'incoraggiamento. Fantasio,
però, aveva desiderato sapere ultimamente quanto danaro avessi
messo da parte, avvertendomi di cambiare le monete d'argento in
monete d'oro e di portarle sempre addosso, — perché — disse —
puoi esser chiamato da un momento all'altro, e farai bene a tenerti
pronto a rispondere all'appello, non appena l'ora suonerà! — Ripeté quest'ultima frase diverse volte, pronunciandola sempre con
enfasi.

Eravamo a mezzo carnevale, e la folla agitava allegramente i
suoi campanelli; ovunque c'erano danze e banchetti.

— Si va al veglione, stanotte? — mi disse Cesare la mattina del
martedì grasso. — Ho un appuntamento per questa sera, ma potrei vederti in teatro a mezzanotte circa.

Fissammo il luogo in cui dovevamo incontrarci a mezzanotte.
Il veglione era un ballo pubblico del mondo elegante, che aveva
luogo nel ridotto del teatro Carlo Felice.

Il ridotto era pieno di gente e il trattenimento animatissimo. Pioveva e fuori faceva un gran freddo; ragione di più perché tutti si
rifugiassero in teatro, a godersi un caldo assai piacevole. Tutto aveva un aspetto gaio, ogni volto pareva allegro e contento. Le maschere erano numerose e i costumi quasi tutti di buon gusto,
qualcuno persino splendido. Erano appena le undici e mezzo;
mi restava un'altra mezz'ora per fare un giro nella sala da ballo.
E mi confusi nell'ondata gaia della folla, che andava e veniva e si
pigiava per la lunga fuga di stanze. Si ballava in due o tre sale
diverse, ed io non potei fare a meno di sorridere, ripensando al
disgraziato modo in cui, un giorno ormai lontano, ero stato introdotto nella gaia arte di Tersicore.[1]

---

1. La Musa della danza.

Il fuoco incrociato di saluti, di motti e scherzi di vario genere, permessi nella circostanza, mi scoppiettava attorno e parevano petardi.

Un gruppo compatto m'impedisce il passo. Che c'è? È una servetta, vero tipo di Genovese, col suo giubbetto di velluto, il *mezzaro* nazionale, la sottanina corta, che parla con Gianduja, la caratteristica maschera piemontese. Ecco governo ed opposizione faccia a faccia.

— Due scudi al mese! — grida la servetta, che si suppone vada in cerca di un posto — due scudi al mese ad una come me! Andate al diavolo, pezzo di tanghero! — E qui una bella risata da parte degli spettatori. — Son tutti uguali questi polentai! — Questa esclamazione è rivolta al pubblico. — Morti di fame e senza un soldo, vengono a ingrassarsi alle nostre spalle. — La maggior parte degli spettatori, che appartengono al partito dell'opposizione, applaudiscono a quest'allusione delicata al cibo preferito dei Piemontesi e alla loro proverbiale povertà.[1]

Poco più oltre una balia dai baffi neri, con un bambino di legno in braccio, dà la baia ad un Adone decrepito, che ha costretto contro il muro in un angolo. A quanto mi raccontano i miei vicini, quella balia porta il terrore dovunque vada. Sa tutto di tutti. Invano il pover uomo, cui quegli scherzi garbano poco, fa sforzi sovrumani per sfuggirle. La balia lo perseguita senza pietà e misericordia, e insiste per aver l'indirizzo del negozio in cui il vecchio ha comperato la sua parrucca bionda. Il damerino monta su tutte le furie a quella domanda insistente, e il pubblico se la ride a crepapelle. Ma la mezzanotte suona, ed è ora di andare a raggiungere Cesare.

Egli non era ancor giunto nella sala dove ci eravamo dati l'appuntamento, ed io sedetti e continuai ad osservare l'ondata multicolore in continuo movimento che mi passava dinanzi. Di quando in quando una maschera urlava il mio nome o mi accennava col dito, in atto minaccioso. Due domino neri si fermarono sulla soglia e guardarono attorno, come se cercassero qualcuno, poi si mossero alla mia volta. Il più alto dei due mi chiamò per nome.

---

1. I Genovesi, dediti al commercio, eran più ricchi dei Piemontesi, prevalentemente agricoltori. Dalla recente unione col Piemonte (1815) i Genovesi credevano di essere stati danneggiati, e da questo derivava il loro spirito antipiemontese.

— Che fai qui, solo soletto?

— Guardo questa folla di citrulli, come vedete.

— Aspetti qualcuno? — fece il più basso, che era mascherato da donna, ma era evidentemente un uomo.

— Appunto, sto aspettando qualcuno.

— Una donna, scommetterei la testa — riprese il più basso.

— Ad ogni modo, una donna dai baffi neri — osservai.

— Una donna bionda bellissima; la conosco — interloquì il domino alto.

— Allora, ne sai più di me.

— Conosco il suo nome e te lo dirò all'orecchio. — Il domino alto si curvò verso di me e mi sussurrò queste parole: — *L'ora è suonata!*

Scattai in piedi, come tocco da una scintilla elettrica e dissi:

— Finalmente! Sono pronto.

— Allora seguici!

Si aprirono il varco per le sale affollate, scendemmo le scale ed uscimmo in istrada. Io li seguivo alle calcagna. Entrammo in un vicolo scuro e lì le mie guide si fermarono.

— Scusa, — osservò il più alto — ma è necessario che io ti bendi gli occhi.

Accennai di sì col capo, e quegli mi legò un fazzoletto attorno alla testa. L'aria era umida e fredda ed era buio pesto; tutti e tre eravamo avvolti ne' nostri mantelli. Mi dissero di alzarmi il bavero del mantello sulla faccia, ed io obbedii.

I miei due compagni mi si misero ai lati, prendendomi ambedue a braccetto, e così continuammo a camminare in silenzio, ora verso destra, ora verso sinistra, ed ora persino — secondo quanto mi parve — ritornando sui nostri passi. A quanto mi parve udire, due altre persone ci seguivano dappresso. Finalmente ci fermammo. Non avevo la più lontana idea del punto della città in cui mi trovavo. Udii girar una chiave in una serratura; entrammo e salimmo due scale. Una porta si aprì, entrammo in un corridoio e giungemmo alla nostra mèta.

Mi fu tolta la benda, ed io mi trovai in un'ampia sala, arredata con più ricchezza che eleganza. Un gran fuoco ardeva in un enorme camino, e una lampada pesante, con un globo di alabastro, spandeva una luce blanda e moderata. Un tappeto di color rosso cupo copriva il pavimento. Un ampio drappo di damasco arabescato del medesimo colore pendeva all'estremità della stanza e nascondeva probabilmente un'alcova. Eravamo in cinque: le mie due guide, due altri egualmente in domino nero, forse gli stessi che ci avevano seguito, ed io. Il domino nero più alto, che pareva essere il capo, e che io da ora in poi chiamerò il Presidente, prese posto in una poltrona, i due ultimi arrivati gli si sedettero uno a destra, l'altro a sinistra; il domino, che pareva una donna, gli si mise ritto dietro. Il Presidente mi accennò di farmi avanti; io obbedii e mi trovai in faccia ai quattro uomini e di fronte all'alcova. Dopo un breve silenzio, incominciò una specie d'interrogatorio. Parlava il domino alto, dandomi del tu.

— Come ti chiami? e il tuo nome di battesimo qual'è? Che età hai?

Risposi.

— Hai indovinato il perché tu ti trovi qui?

— Credo di sì.

— Hai tuttora intenzione di far parte della confraternita de' « buoni cugini»?

— Con tutto il cuore.

— Hai un'idea chiara de' terribili doveri che t'incombono? Sai tu che, appena prestato il solenne giuramento, il tuo braccio, le tue sostanze, la tua vita, tutto te stesso, insomma, non apparterranno più a te, ma all'Ordine? Sei tu pronto a morire mille volte anziché rivelare i suoi segreti? Sei pronto a obbedire ciecamente e rinunziare alla tua volontà dinanzi ai superiori dell'Ordine?

— Certamente. — Se mi avessero detto di aprir la finestra e di gettarmi giù a capofitto, non avrei esitato un solo istante.

— Quali sono i meriti che ti dànno diritto a far parte della confraternita degli uomini liberi?

Non ne avevo alcuno, fuorché il mio amore alla patria e il mio fermo proposito di contribuire alla sua liberazione, o morire nella prova.

Mentre queste parole mi sgorgavano dal cuore, calde come lava, vidi o mi parve di vedere le cortine dell'alcova muoversi insensibilmente. Era un'illusione, o qualcuno v'era nascosto dietro? Non vi feci gran caso; quale significato poteva avere un mistero di più o di meno in un mistero tanto grande?

Finito l'interrogatorio, il Presidente mi fece mettere in ginocchio e ripetere la formula del giuramento, che egli pronunciò con

voce alta e distinta, fermandosi con enfasi sulle frasi più significative. Ciò fatto, aggiunse: — Prendi una sedia e mettiti a sedere;
ora puoi farlo, perché sei de' nostri. — Obbedii. Mi fu imposto
un nome di adozione e mi furono insegnati alcuni segni e certe
parole convenzionali, con cui avrei potuto farmi riconoscere dai
miei confratelli; mi si raccomandò ad ogni modo di non farne uso
se non in caso di estrema necessità.

— Ed ora debbo darti alcune spiegazioni e qualche avvertimento
— continuò il Presidente. — Tu appartieni oggi al primo grado
dell'Ordine, che non è se non uno stadio di prova. Non hai alcun
diritto, nemmeno quello di presentazione; hai però dei doveri,
che ti sarà facile adempiere. Custodisci religiosamente il tuo segreto, attendi con pazienza, con spirito di fede e di sommessione, e
tieni pronto ad agire nel momento opportuno. A suo tempo saprai
il nome della «vendita» cui dovrai appartenere, e il nome del capo,
dal quale dovrai ricevere direttamente gli ordini. Frattanto, se
dovremo trasmetterti qualche ordine, esso ti sarà comunicato dal
«cugino» che ti presento e che tu già conosci. L'Ordine cui sei
ascritto ha occhi e orecchie ovunque, e da quest'istante esso ti vi-
gila ovunque tu sia, qualunque cosa tu faccia. Tienlo bene a mente e regolati nell'agire. La seduta è sciolta.

Il Presidente si alzò e attraverso la barba della sua maschera mi
baciò sulle gote e sulla bocca. Tutti i presenti fecero lo stesso.
Dovetti pagare una certa somma a beneficio de' poveri e degli
infermi della confraternita; fui ancora bendato ed uscimmo. La
via del ritorno fu più breve di quella dell'andata, ma altrettanto
irregolare. Quando ci fermammo, la voce del domino alto mi
disse:

— Separiamoci qui; continua il tuo cammino senza voltarti
indietro; ecco il primo atto di obbedienza che io ti chiedo. — Così
dicendo, mi tolse la benda dagli occhi. Obbediente al comando,
continuai la mia strada senza voltarmi e mi trovai in piazza del
teatro Carlo Felice. La strada da cui ero uscito, era il medesimo
vicolo scuro, in cui, due ore prima, mi ero unito ai due misteriosi
compagni ed ero stato bendato. Avrei desiderato fare una passeggiata, ma pioveva a dirotto e me ne andai a casa e a letto.

Ero troppo agitato per poter dormire. La scena, di cui poco
prima ero stato uno degli attori, mi aveva fatto un'enorme impressione, appunto per la sua grande semplicità. Mi avevan detto che i

Frammassoni e i Carbonari amavano circondare le loro iniziazioni di un certo apparato fantasmagorico, per colpire fortemente la fantasia del neofito; io mi aspettavo, perciò, un grande sfoggio di formule simboliche e di pugnali snudati. Da questo lato avevo provato una ben grata delusione. In quella cerimonia tutto era stato semplice e dignitoso. Le persone che vi avevo incontrato facevano proprio al caso mio; erano persone serie, che non si davano importanza. Il domino alto aveva colpito la mia fantasia; mi chiedevo chi potesse mai essere. Uno de' capi, certamente, a giudicare dalla deferenza che gli altri gli dimostravano; ma chi era egli? Il suo italiano era assai più puro e armonioso di quello comune ai Genovesi, e allo stesso tempo meno affettato del parlar toscano. Mi pareva un Romano. La casa in cui mi avevano condotto era forse la sua? Se era la sua, egli doveva essere molto benestante ed appartenere all'alta società; l'arredamento della stanza in cui era avvenuta la mia iniziazione, era più ricco ed elegante di quelli del ceto medio de' miei concittadini, anche facoltosi. Per esempio, il fuoco acceso nel caminetto era un'usanza esclusivamente aristocratica, adottata da ben pochi borghesi, anche se danarosi. Quanto ai due domino ultimi arrivati, avrei scommesso qualunque cosa che erano Cesare e Fantasio. La statura corrispondeva perfettamente alla loro, e un certo che d'indefinibile nel loro modo di abbracciarmi era stato per me una rivelazione che mi aveva riconfermato nella mia supposizione. La mia iniziazione, in verità, non mi aveva rivelato nulla, e non avevo fatto un passo di più; ma il resto sarebbe venuto a suo tempo. E pensavo: che cosa avrei mai potuto fare per meritare la fiducia della Società, salire di grado e trovare il modo di rendermi utile? Avrei voluto compiere qualche grande atto e non avrei saputo dire quale. Oh! se quella vaga immagine, che ultimamente mi aleggiava intorno e che mi era tanto cara nel profondo del cuore, avesse preso forma corporea e mi avesse incoraggiato, magari con un solo gesto, di che cosa non sarei stato capace!... Perduto in questi vaghi pensieri, fui sorpreso dal sonno, e le impressioni vissute nelle ultime ore assunsero forme fantastiche, ed io le rivissi ne' miei sogni.

La mattina seguente mi affrettai a farmi riconoscere da Cesare per mezzo d'un segno convenzionale. Cesare, e poi anche Fantasio, ne rimasero gradevolmente sorpresi. Io imitai la loro riservatezza e tenni per me le congetture che avevo fatto a proposito de' due domino della sera innanzi. Dissi a Fantasio che, in seguito, avrei atteso gli ordini da lui. Oh! potessero questi ordini essermi presto impartiti! Lo ringraziai d'avermi proposto e fatto accogliere, nonostante la troppo giovane età. Fantasio mi fece capire che vi era riuscito non senza difficoltà. Da quanto compresi, l'Ordine era molto rigoroso su questo punto.

Così, avevo trovato finalmente il punto d'appoggio di Archimede per muovere cielo e terra! Il desiderio che mi aveva tormentato da tanto tempo era realizzato, alla fine! Sono un uomo libero anch'io . . . ho fratelli in tutto il mondo . . . la mia vita ha ora uno scopo! Mi sento fiero di me stesso. Con quanta pietà guardo alla massa dei miei compagni *profani*! Sogno pericoli, sacrifici, vittorie raggiunte a prezzo di una morte gloriosa . . . e che altro ancora?

Ma l'uomo non può sempre sognare. E incominciai un corso di studi fisionomici, da far ingelosir lo stesso Lavater.[1] Tenendo per certo che due su dieci tra le persone che incontravo per via appartenessero alla setta, mi restava a conoscere quali fossero i due eletti, e non potevo farlo senza un accurato esame di tutti gli individui che passavano. Quel giovanotto dai capelli biondi è forse uno de' nostri? E quell'altro laggiù, un bel tipo di bruno? Senza dubbio, tutti coloro che avevano una fisionomia non comune, oppure una cert'aria forestiera, e specialmente quelli che portavano i baffi proibiti, dovevano essere Carbonari. Due o tre volte provai a fare un segno convenzionale, senza mai ottenere risposta, ma non senza tremare da capo a piedi pensando alla severa ingiunzione fattami a tale proposito, e all'occhio invisibile testimone di ogni mio atto. Dieci volte almeno tentai d'identificare il domino alto in altrettante persone diverse. In tale modo io occupavo gli ozî concessimi dall'Ordine, il quale volle prolungare più del consueto la mia luna di miele, probabilmente per farmi gustare a pieno tutte le dolcezze della nostra mistica unione.

Eran già trascorsi due mesi dal giorno della mia affiliazione, ed alla mia domanda cinquanta volte ripetuta: — Non hai ordini per me? — Fantasio aveva sempre risposto con una scrollatina di spalle. Incominciavo a infastidirmi e a brontolare: non già che vacillasse punto la mia fede nell'illimitato potere della setta; ma mi pareva umiliante esser lasciato da parte come un oggetto inutile, nono-

1. Gian Gaspare Lavater (1741-1801), di Zurigo, inventore del modo di riconoscere il carattere di un uomo ricavandolo dalla sua fisionomia.

stante tutta la mia buona volontà. Cesare, che sebbene più anziano
di me nell'Ordine di almeno quattro mesi, era — a quanto sembrava — trattato al pari di me; se non mi dava esplicitamente ragione, faceva intendere però con gesti significativi che era anche
lui del mio parere. E nemmeno Fantasio era soddisfatto; ma per
timore di offender la disciplina, si sforzava di nascondere il proprio malcontento.

— Abbi un po' di pazienza e vedrai! Uno de' «cugini» di Parigi, un viaggiatore, è arrivato, apportatore di ordini definitivi —
soggiungeva in tono misterioso. Ero contento che il «cugino» avesse fatto buon viaggio, ma — a dir la verità — avrei preferito qualcosa di più sostanziale.

Una mattina di buon'ora venne a trovarmi Fantasio, allegro e
soddisfatto. — Non te lo avevo detto io, uomo di poca fede?
Ho un ordine per te. — Alla parola: «ordine», drizzai le orecchie
come fa un cavallo da battaglia, lasciato lungo tempo a riposo,
quando ode il suono della tromba.

— Finalmente! — esclamai, tirando un gran sospiro di sollievo.
— E che notizie mi dài?

— Senti, devi aver la bontà di venire questa sera, a mezzanotte,
al ponte Carignano, dove siamo convocati tutti.

— Che Dio ti benedica! Davvero? — risposi. — E a quale scopo?

— Non posso dirtelo, — rispose Fantasio — so soltanto che dobbiamo andare armati; così dice l'ordine.

— Armati?... — Questa parola era più che sufficiente ad ani-
mare la mia fantasia. — Armati, hai detto? non ti pare, Fantasio,
che si tratti di una sommossa?

— Se non si tratta di questo, non saprei davvero di che cosa
possa trattarsi — mi rispose. — Ad ogni modo, vedremo. Vieni alle
dieci e mezzo, con Cesare, a casa mia. Arrivederci!

Era giunto finalmente il momento decisivo. Per quale ragione
presentarci armati, se non per agire? Rinasceva in me tutto il
mio entusiasmo. Quanto mi rimproveravo della mia irragionevole
sfiducia! Mi sentivo odiosamente ingiusto. Avrei dato il mio sangue fino all'ultima goccia, se necessario, pur di fare ammenda.
Non c'era un momento da perdere. Presto, dunque, all'opera!
Cesare ed io mettemmo a soqquadro la casa; tutte le vecchie armi
dimenticate furono passate in rivista; ne facemmo una scelta ed
uscimmo a comprar le munizioni.

La giornata ci parve terribilmente lunga. Finalmente, suonarono le dieci. Fu un attimo, ci armammo come due banditi; un bastone con stocco per uno, due pistole da tasca e due da sella. Così, armati fino ai denti e imbacuccati ne' nostri mantelli, uscimmo di casa col passo fermo di uomini risoluti a vincere o a morire.

Fantasio era pronto, armato anch'egli fino ai denti, ed uscimmo tenendoci a braccetto. Dall'Acquaverde, dove abitava Fantasio, al ponte Carignano c'è un bel tratto di strada, ma a noi parve molto breve, tanto era l'ardore col quale discutevamo i prossimi eventi. Ideammo il nostro piano di battaglia, e ci promettemmo solennemente di non separarci mai, nemmeno nella lotta, qualunque cosa avvenisse. La notte era proprio da cospiratori, buia come l'inferno e abbastanza fredda, per quella stagione. Giunti sul ponte Carignano, udimmo alcune note di un armonium. Quel melanconico motivo mi sorprese e mi fece, nel tempo stesso, un'impressione straordinaria. Un brivido mi corse per le ossa, da capo a piedi. Fantasio mi strinse il braccio. L'armonium era lo strumento scelto dai «buoni cugini» per trasmettere segnali a distanza. Ci avanzammo in direzione di quei suoni e trovammo un uomo imbacuccato in un mantello, col quale scambiammo alcune parole di riconoscimento. Egli ci pregò di seguirlo. Voltammo a sinistra della chiesa di Santa Maria, e passando per uno stretto vicolo giungemmo ad una spianata solitaria, aperta e quadrata, su cui una volta sorgeva il palazzo Fieschi. Ci fu detto di fermarci e di aspettare. Il luogo solitario e appartato era stato davvero ben scelto per lo scopo cui doveva servire.

— Pare che siamo i primi — sussurrai a Fantasio, non vedendo altri.

— Guarda a sinistra della piazza, — rispose egli — e vedrai che non siamo soli. — Difatti, aguzzando gli occhi, mi parve distinguere alcune forme umane nel punto da lui indicato.

— La piazza è piccola, — osservai — e se l'Assemblea è generale, non so davvero come essa possa contenerci tutti. Sai press'a poco quanti sono i «buoni cugini» a Genova?

— Migliaia e migliaia, — ripeté Fantasio — può darsi però che vi siano adunate parziali in luoghi diversi.

La nostra guida, che era intanto scomparsa, riapparve, e ci disse di seguirla. Obbedimmo. Un movimento simultaneo verso la sinistra della piazza fu fatto dalle ombre viventi sparse qua e là, finché al comando — alt! —, dato dalla nostra guida, tutti si fermarono. V'erano quattro gruppi distinti, compreso il nostro, a breve distanza uno dall'altro; in tutto quindici persone. Le contai, ma senza poterle riconoscere, avvolte com'erano ne' loro mantelli e nella oscurità della notte. Ci fu una breve pausa. Le dodici cominciarono a battere all'orologio della chiesa di Carignano, lì vicina. Al primo tocco, una figura alta, fino allora rimasta nascosta nell'oscurità, si alzò come un fantasma di sotterra e pronunziò, con voce sepolcrale, le parole seguenti: — Pregate per l'anima del «cugino»... di Cadice, condannato a morte dalla Suprema Vendita, come spergiuro e traditore dell'Ordine. Prima che scocchi il dodicesimo rintocco, egli avrà cessato di vivere. — L'orologio continuava a battere lentamente. L'eco dell'ultimo rintocco vibrava ancora, quando la voce riprese:

— Scioglietevi! — ed ogni gruppo si allontanò.[1]

Quale effetto questa scena — condotta in modo davvero sorprendente — facesse sugli altri spettatori, io non ebbi mai occasione di saperlo; ma il carattere troppo melodrammatico di essa non ne fece alcuno su noi tre. Le cose sarebbero forse andate diversamente, se la nostra fantasia avesse lavorato meno in anticipo. Capimmo subito, come per istinto, che tutto quel truce racconto era, grazie a Dio, una pura invenzione, e che se al nostro «cugino» di Cadice non avveniva nulla di peggio di quello che la voce sepolcrale aveva annunziato, egli poteva davvero morir di vecchiaia. Così, le profonde emozioni di quella giornata interminabile, quell'aria di mistero, l'ingiunzione di presentarci tutti armati, non avevano avuto altro scopo se non quello di farci fare da comparse in un colpo di scena di cattivo gusto e raccontarci una storia fantastica, nemmeno adatta a spaventar ragazzi. Il tiro che ci avevan giocato era davvero indegno.

Fantasio era costernato. Ammetteva che eravamo stati presi in giro, ma ne dava tutta la colpa ai pezzi grossi dell'Ordine, com'egli li chiamava: tutta gente di età e diffidente della gioventù, che perciò non voleva adoperarci in cose di qualche rilievo; ma che al tempo stesso cercava di tener vivo il nostro ardore e conservare in noi un'alta considerazione della setta. Nonostante tutto ciò,

1. Questa scena è narrata quasi allo stesso modo anche nelle *Note autobiografiche* del Mazzini.

non era meno vero e certo che l'Ordine fosse potente, che avesse le proprie radici ovunque e non convenisse scherzare con esso.

— Ora ne facciamo parte, — disse Fantasio — e dobbiamo restarci. Forse sarebbe stato molto meglio effettuare il mio primo piano di associazione; ma il pentimento è ora inutile e il nostro giuramento ci vieta una cosa simile. — Uno degli articoli del giuramento proibiva, infatti, ai «buoni cugini» di far parte di qualsiasi altra società segreta. — Ma nulla può impedire di crearci una sfera d'azione indipendente. Questo appunto io propongo: ognuno di noi saggi tra i proprî conoscenti quelli che crede maggiormente degni, e ne assicuri la cooperazione per il giorno dell'azione. Nessuna affiliazione, nessun giuramento, nessun segno convenzionale, nulla, infine, di tutto ciò che caratterizza le società segrete. Basti la semplice promessa verbale di presentarsi all'appello. Così, infatti, nel 1821, ogni Carbonaro si procurò un certo numero di aderenti volontari, non vincolati da alcun giuramento, e che si chiamarono *Federati*. Imitiamone l'esempio. Avremo così il doppio vantaggio di mettere a profitto la nostra energia e preparare allo stesso tempo preziosi elementi per il trionfo della causa comune. Che ne dite?

Accettammo senz'altro la proposta dell'amico, e decidemmo di associare alla nostra opera indipendente Alfredo e Sforza (quest'ultimo, fra l'altro, era il primo nell'elenco di coloro che Fantasio voleva presentare come Carbonaro), e di metterci all'opera l'indomani stesso. Avremmo anche potuto dire «oggi stesso», ché eran già le tre di mattina, quando, stanchi di parlare e di camminare, ci separammo da Fantasio. Fortunatamente, questa volta la nostra passeggiata notturna non aveva dato ombra a nessuno, nemmeno ai carabinieri, che avevamo incontrato a più riprese, e che ci avevan lasciati passare senza molestarci.

CAPITOLO XXIV

*Estasi prodotta da una lettera.*
*La dea invisibile si mostra.*
*Incontro felice.*

Quel giorno stesso, quando tornai a casa per desinare, la Santina mi consegnò una lettera. Il lettore si ricorderà di Santina, la figlia della perpetua del curato di San Secondo, la ragazza dall'aspetto strano, che noi avevamo soprannominato la zingara. Sua madre aveva pregato la mia di assumer la ragazza al nostro servizio. Era una creatura strana e testarda; talvolta si eclissava per ore intere e non rispondeva ad alcun richiamo; tal'altra guardava in cagnesco uno o l'altro della famiglia, tanto da non parlargli né guardarlo per giornate intere; d'altra parte era così pronta, intelligente, giudiziosa e affezionata, che, nonostante i suoi capricci, ognuno di noi le voleva un gran bene.

— Chi la manda? — chiesi, prendendo la lettera che Santina mi porgeva.

— Non so, — mi rispose lei in tono sgarbato — l'uomo che l'ha portata, disse che Lei doveva saperlo.

Era una letterina minuscola, elegante e profumata. Il sigillo rappresentava un piccolo Cupido che teneva un dito sulle labbra e portava il motto: «Discrezione». Mentre io lo esaminavo, Santina soggiunse: — È la lettera di una signora.

— Come lo sai?

— Ne sono sicura; guardi se non è vero.

Aprii la lettera e scorsi con l'occhio le poche righe che essa conteneva. Santina aveva ragione. Sentii come una fiamma guizzarmi dentro, da capo a piedi.

— Non glielo avevo detto io? — riprese Santina, stringendo le labbra.

— Via, Santina, non far la sciocca! — E corsi in camera mia. La lettera diceva così:

«Conosco il tuo segreto. So a quale nobile compito ti sei dedicato. Le anime come la tua non hanno bisogno d'incoraggiamento; ma, forse, non ti spiacerà sapere che un'amica s'interessa di te e ti segue con i suoi più fervidi voti. Se questa simpatia non ti è sgradita, trovati domani all'Acquasola, tra le quattro e le sei

pomeridiane, con una camelia bianca all'occhiello. Non parlar di
questo ad anima viva. Tu non sai chi io sia, ma lo saprai a suo
tempo, se sarai *discreto*. Intanto pensa qualche volta a colei che
spesso pensa a te.»

La prima impressione di questa lettera fu quasi penosa per il
suo calore. È davvero strano che gli effetti d'una gran gioia e d'un
gran dolore si somiglino molto tra loro! Il mio cuore batteva forte
forte, come se avesse voluto uscire dalla sua prigione e volare incontro alla bella sconosciuta. Mi sentivo oppresso e quasi soffocato dalla mia felicità. Ma questa sensazione passò presto e fu
sostituita da un senso d'ineffabile dolcezza. Oh, gioia infinita!
oh, estasi senza paragone! Il mio sogno d'amore si è avverato, il
mio ideale ha preso forma e corpo! Io sono amato! Quale ebbrezza
in queste parole! L'angelo delle mie visioni è sceso dal settimo
cielo a porgermi la mano! Ho qualcosa nel mio cuore che pare
un celeste concento. Tutte le fibre del mio essere vibrano in deliziosa armonia!

Stavo per coprire di baci il foglio benedetto, quando fu picchia-
to all'uscio ed io fui destato dalla mia estasi.

— Che c'è?

— È in tavola; il pranzo è pronto.

«Oh vile prosa! maledetto il desinare! Chi può pensar di mangiare quando si ha il cuore inondato di miele dell'Imetto? anzi,
meglio, saturo di nettare e d'ambrosia?»

Così dicendo tra me, nascosi la lettera preziosa sul mio cuore e
scesi a desinare. Santina stava ritta sulla soglia della stanza da
pranzo e mi guardava accigliata. Sapevo quanto la ragazza fosse
strana spesso, e non vi feci caso. Naturalmente, non avevo appetito e non potei mangiare. Non vedevo l'ora che quel benedetto
pranzo terminasse, per esser ancora solo col mio segreto. Finalmente ci alzammo da tavola, ed io fui libero.

Mi chiusi di nuovo in camera, trassi fuori l'adorata epistola,
la spiegai sul tavolino dinanzi a me e sedetti lì accanto, guardandola
fisso, come se i miei occhi potessero tirarne fuori il nome, il cognome e l'indirizzo della bella scrivente. Ma siccome le parole
restavano immobili, e le lettere non davano alcun magico segno,
mi stancai presto di quella vana contemplazione e fui assalito da
una grande inquietudine; presi il cappello ed uscii. Camminavo
diritto al mio naso, senza mèta, come un sonnambulo, ma con

passo affrettato, come se portassi un messaggio di vita o di morte. Alcune forme umane si muovevano attorno a me, come in una nebbia, e non ne distinguevo alcuna. Mi accorsi finalmente di essere uscito in aperta campagna e di trovarmi perfettamente solo. Allora rallentai il passo e voltai per un sentiero solitario.

Eravamo ai primi d'aprile. Il cielo era limpido, l'erba fresca, il sole sfavillante. Il giorno prima tutto mi pareva freddo e tetro. Quale miracoloso mutamento! Salve, o dolce natura! Non ti ho mai ammirato tanto, non ti ho mai sentito con tanta intensità come in questo momento! Sei veramente divenuta più bella, od è la gioia che ho in cuore, che ti colora di così magnifiche tinte? Un senso d'infinita dolcezza m'invase tutto; sentivo d'amare anche le giovenche che pascolavano tranquillamente sotto i raggi del sole. Una vecchia mi s'avvicinò, chiedendomi l'elemosina. Aveva il marito all'ospedale e lei era in miseria. Questa parola risuonò al mio orecchio come una stonatura, quasi come un rimprovero. Come poteva qualcuno essere infelice in un giorno come quello?

— Eccovi, buona donna!... — E le diedi tutti gli spiccioli che avevo in tasca. Se fossi stato ricco, le avrei assicurato il pane per tutto il resto della sua vita. Lo avrei fatto certamente, e glielo dissi. Ella mi guardò, con un'espressione di riconoscenza e di meraviglia insieme.

— Che bella giornata, eh, buona donna?

— Bel tempo davvero per le sementi, purché duri... — rispose la vecchia, tentennando il capo.

Purché duri? e perché no? Questi benedetti vecchi son sempre pieni di diffidenza!

Chi può essere la mia sconosciuta? A quale ceto sociale apparterrà? Di che genere sarà la sua bellezza? Che fosse bella non avevo dubbio; ma rimaneva a determinare il carattere della sua bellezza. Sarà bionda o bruna? Alta o bassa? Leggiera come una ninfa o maestosa come Giunone? Camminando, facevo a me stesso queste domande per la centesima volta, e per la centesima volta esse rimanevano senza risposta. Ma l'enigma più astruso, che non lasciava nemmeno adito ad una congettura, era questo: «Come mai è riuscita a conoscere il mio segreto?» Apparteneva forse all'Ordine? Avevo sentito dire da Fantasio più di una volta che le donne vi erano spesso ammesse. Ma se era così, come aveva ella potuto resistere alla tentazione di farmelo sapere, apponendo alla lettera un

segno semplicissimo di riconoscimento? Ma se anche la mia supposizione avesse colto nel segno, non ne restava minimamente risolto il mio problema, giacché gli affiliati non si conoscevano l'un
l'altro. Per un momento sospettai che la mia misteriosa corrispondente fosse stato il domino vestito da donna; ma poi respinsi l'idea
con orrore. Non era una profanazione attribuire gli enormi piedi
del domino più basso alla mia bella, per la quale — ne ero certo —
la pantofolina di Cenerentola sarebbe stata anche troppo grande?
Inoltre, per tutte le mie precedenti impressioni, era ormai accertato, senza più alcun dubbio, che il domino basso era un uomo.
Tra parentesi: peccato che la bella scrivente non avesse apposto
la sua firma alla lettera! Per lo meno avrei avuto qualcosa di lei da
adorare. Strano davvero il mio destino, che mi faceva passare da
un mistero all'altro. Non ne avevo ancora decifrato uno, che un
altro mi si presentava. In ogni modo, il mistero di oggi si sarebbe
svelato la sera del giorno dopo. Tutto ella avrebbe potuto fare
per passare inosservata, ma io ero sicuro che l'avrei riconosciuta.
Avrei avuto occhi di lince. Che felicità riconoscerla e dirle: —
Sì, sì, sei tu, lo sento dal battito del mio cuore! — ; veder la sua
confusione, udire per la prima volta il suono della sua voce. Così
sospirando e passando da una fantasticheria all'altra, se ne andò
il resto di quel giorno, che fu uno de' più felici della mia vita,
giacché non esiste felicità maggiore di quella dell'attesa.

Ma è destino, ahimè! che non possa esservi quaggiù felicità
completa. Leggendo ancora una volta la lettera, prima d'andare a
letto, una circostanza che avevo appena notata, o meglio che avevo
volontariamente trascurata la mattina, mi scombussolò del tutto.
Era una di quelle ferite che passano inosservate nella foga dell'a-
zione, ma che cominciano a farsi sentire quando il sangue si raffredda. Non potevo lasciar sfuggire un errore d'ortografia, abbastanza grossolano anche. La medesima parola era stata scritta
erroneamente due volte — e questa era una circostanza aggravante
abbastanza seria — con due *r* invece che con uno solo. Quelle due
lettere mi davano agli occhi in modo incredibile e mi facevano
star male. Era una goccia d'aceto nella coppa della mia felicità,
la foglia di rosa accartocciata nel mio letto di sibarita. Non potevo
togliermi dinanzi que' due disgraziati *r*; essi mi perseguitavano
persino nel sonno; prendendo ogni sorta di forme fantastiche, e
svolazzandomi attorno come folletti.

La mattina seguente, il mio primo pensiero fu, dunque, l'appuntamento del pomeriggio, e siccome non me la sentivo di passeggiar tutto solo per l'Acquasola in cerca della mia bella sconosciuta, pensai di condurre con me Alfredo; sapevo di poterlo fare senza dovergli confidare il mio segreto. Avevo deliberato di non confessarlo a nessuno. Mi dispiaceva avere in cuore un segreto per i miei amici intimi, un segreto che era il primo; ma la discrezione mi era raccomandata con tanto calore, che non potevo non sentirmi obbligato ad osservarla. Andai, quindi, da Alfredo e gli dissi semplicemente che venisse con me per una passeggiata e mi aspettasse in casa.

Si dice che, di due amici, uno è sempre la vittima. Può esser vero, in quanto che uno dei due si lascia generalmente condurre dall'altro. Da questo punto di vista Alfredo poteva esser considerato la mia vittima. Non domandava mai dove andassimo, o perché andassimo da una parte piuttosto che dall'altra, o quanto tempo ci saremmo fermati, o alcunché di simile; lasciava sempre fare a me.

Erano appena le tre quando bussai alla sua porta. Ero vestito semplicemente, ma in modo irreprensibile: il cappello, che per me era sempre un indumento di somma importanza, mi stava d'incanto, e faceva risaltare i miei riccioli neri. Una camelia bianca, abbastanza grande per esser veduta a distanza, faceva pompa di sé all'occhiello della mia giacca.

Alfredo era già pronto.

— Perbacco! — egli esclamò, vedendomi; — che bel fiore!

— È una camelia magnifica, non ti pare? — dissi io, ed uscimmo.

Alle quattro meno dieci eravamo all'Acquasola. Era domenica, e il viale a destra, il più frequentato di tutti, era già affollato. Passeggiammo su e giù parecchie volte; io fissavo, per la prima volta in vita mia, tutte le signore che passavano, senza però alcun risultato. Di mano in mano che ci inoltravamo verso sera, il numero delle persone cresceva e la mia rassegna si faceva vieppiù difficile, tra quella gran folla. Dio sia lodato! Quella biondina dalla veste azzurra mi guarda! Feci una voltata a secco, trascinandomi dietro Alfredo. Non avevamo ancora fatto cinquanta passi, quando ... guarda un po' che occhiata mi lancia quella brunetta dal passo giunonico! Un'altra voltata a secco, più tremenda della prima, e via, trascinandomi sempre dietro Alfredo, sulle tracce della bella dagli occhi neri. La seguiamo, la sorpassiamo, poi lasciamo ch'ella, a sua volta, ci sorpassi. Non è lei. Non ha nemmeno voltato il capo dalla mia parte. Andiamo un po' a dare un'occhiata nel viale meno frequentato. Ora che ci penso, la mia sconosciuta sarà ad attendermi proprio là. L'amore non ama la folla. Ci mettemmo a camminare su e giù per l'altro viale. Invano tenevo aperta la giacca, mettendo in mostra la mia camelia nel miglior modo possibile; nessuna delle signore faceva caso al mio fiore o a chi lo portava.

— Che ne dici? Torniamo nel viale di destra? C'è tanta polvere qui!

— Ti pare? — osservò Alfredo, e mi seguì con angelica rassegnazione.

Passarono le sei, e ancora non avevo indizio della mia misteriosa amica.

— Sediamoci un momento e guardiamo la gente che passa. — Eravamo appena seduti, quando la bella bruna ci ripassò innanzi, guardandomi di nuovo. Non c'era più dubbio: era lei. E ci precipitammo di nuovo dietro i suoi passi. Ma no! non può esser lei, a meno che non sia un vero Tiberio di simulazione, in gonnella. E continuammo così finché fu notte. Era finita, ormai. Non mi restava più alcuna speranza. Ero nato per patire delusioni.

Passò una settimana, ne passarono due, tre, e le cose non accennavano a mutare. Che può fare un uomo in tale condizione, se non scrivere sonetti? Così fece Petrarca e così feci anch'io. Ma il Petrarca aveva un gran vantaggio su me, che spiega in parte il perché la sua produzione letteraria fu superiore alla mia; ed il vantaggio era questo: egli conosceva benissimo il colore degli occhi e de' capelli e il numero delle sillabe che componevano il nome della bella che cantava, mentre io ignoravo affatto tutti questi particolari. Eppure scribacchiai e scribacchiai per giornate intere, e avrei scribacchiato certo sino ad oggi, se una seconda lettera non fosse venuta a consolarmi. Questa volta, come Dio volle, non vi trovai alcun errore d'ortografia. È vero, però, che la lettera era molto breve:

«La camelia bianca mi fece molto piacere, e te ne ringrazio. Se andrai domattina alla chiesa de' Cappuccini, verso le nove, troverai, all'estremità dell'ultimo banco, un ricordo della tua amica sconosciuta. Addio.»

Queste poche righe mi costarono una nottata di insonnia. La

mattina dopo andai in chiesa e trovai, al luogo indicato, un magnifico mazzo di camelie rosse e bianche, che componevano precisamente i tre colori della bandiera italiana: bianco, rosso e verde. Prendere il mazzo, correre a casa e mettermi in adorazione dinanzi ad esso, fu cosa di un attimo. Non ridirò tutte le sciocchezze di cui feci segno quel povero mazzo. I miei lettori che fossero innamorati — e mi auguro, per il loro bene, che siano molti — troverebbero la descrizione alquanto interessante; ma per quelli che non lo fossero, essa riuscirebbe assai insipida. Basti dire che il mio cuore esultò per settimane e settimane alla vista di que' fiori, e quando esso sentì il bisogno di qualcosa di nuovo, la mia misteriosa corrispondente mi preparò un'altra gradita sorpresa dello stesso genere. Questa volta fu un bellissimo borsellino, che portava ancora i tre colori italiani, su cui le mie iniziali erano ricamate in capelli, i suoi capelli, naturalmente, neri come ebano. Potevano mai essere d'un altro colore? Oh, presentimento d'amore! io l'avevo appunto sognata con quei capelli!

Forse si crederà che l'amore mi avesse fatto dimenticare la politica. Tutt'altro! Debbo rendermi questa giustizia, dicendo che, se questa avventura amorosa aveva volto la mia immaginazione con simpatia al romanzesco, essa aveva anche sublimato ciò che oserei chiamare le facoltà più generose dell'anima mia. Mi pareva fosse un dovere sacro verso colei che aveva posto gli occhi su di me, di rendermene degno il più possibile, e non avendo modo di compiere imprese maggiori, mi davo anima e corpo a quella, umile certamente, ma utile e non disgiunta da pericolo, cui mi ero votato da circa due mesi, in compagnia di Fantasio e di Cesare. E non solo ero riuscito a raccogliere attorno a me un certo numero di seguaci volonterosi, ma avevo anche trovato un ausiliario inatteso e assai pregevole nel giovane principe d'Urbino.[1]

Lo avevo completamente perduto di vista dopo aver lasciato il collegio, finché un giorno, cinque o sei settimane prima, m'imbattei per la strada nel mio focoso collega di consolato. Ci corremmo incontro da vecchi amici, e fu per me una grande consolazione davvero veder la faccia rotonda, rosea ed aperta del mio antico compagno animarsi al ricordo delle nostre imprese fanciullesche.

1. Un altro compagno di collegio, col quale il Ruffini, come egli racconta nel cap. IX del romanzo, aveva organizzato la camerata sul modello dell'antica repubblica romana.

Il suo aspetto esteriore non era quasi affatto mutato, si era fatto soltanto più robusto, ma l'intimo individuo era sempre tale e quale. Il principe d'Urbino, o meglio Giuseppe, come volle assolutamente ch'io lo chiamassi, era così modesto e alla mano come quando aveva fatto la proposta che tutti i titoli venissero aboliti, e così ardente amico della libertà e nemico della tirannide come quando aveva condannato all'ostracismo una buona metà della seconda camerata. Dopo aver lasciato il collegio, aveva vissuto a Napoli, dove — per usare una sua espressione — «le cose andavan da cani, e soldati, preti e spie facevano il comodo proprio». Ora si era, così per dire, stabilito di nuovo a Genova, dove la sua famiglia l'aveva mandato per tener dietro ad una lite, iniziata venti anni prima, e che minacciava di tirar in lungo per un altro mezzo secolo.

Lo presentai a Fantasio e a Cesare (Alfredo e Sforza erano sue vecchie conoscenze), con l'aiuto de' quali egli divenne presto un compagno attivo del nostro lavoro segreto — voglio dire, del nostro lavoro federativo, ché dell'altra cosa, ossia della nostra affiliazione alla setta de' Carbonari, lo lasciammo affatto al buio. Avevamo nel principe la massima fiducia, ma il segreto della setta non era nostro e ci tenevamo a conservarlo gelosamente. Avevamo fatto eccezione soltanto per Alfredo e Sforza, ai quali dicemmo quanto era necessario perché essi potessero comprendere il resto da sé. Ma Alfredo era il mio candidato, e lo avrei presentato non appena ne avessi avuto il diritto; Sforza era il candidato di Fantasio, come già dissi, e questo mutava aspetto alla cosa.

L'amore e la politica avevano, però, preso il sopravvento sugli studi. Per quasi tutta la seconda metà dell'anno non avevo aperto un libro di giurisprudenza, e negli ultimi due mesi la mia frequenza alle lezioni si era fatta così rara, da farmi temere seriamente la concessione della indispensabile firma da due de' miei professori, per lo meno. Grazie, però, ad un metodo di mia invenzione, che spiegherò al lettore per fargli piacere, riuscii a vincere questa difficoltà. Verso l'ultima settimana prima della fine del trimestre fui molto assiduo alle lezioni, prendendo posto in un banco bene in vista del professore. Appena terminato di prendere appunti, quando incominciava la parte orale della lezione, mi mettevo ad ascoltare con un interesse così vivo, come se la mia vita dipendesse dal perdere una sola parola, e mi lasciavo andare di tanto in tanto a gesti e movimenti del capo espressivi di una ammirazione contenuta. Tale, ahimè! è la debolezza umana, che nessun professore — proprio nessuno — resistette a questa muta adulazione. Raccomando questa infallibile ricetta a tutti gli studenti che vogliono propiziarsi i propri insegnanti.

La mattina del 5 giugno — queste date non si dimenticano facilmente — arrivò un'altra lettera dalla mia corrispondente anonima. Era piegata con la medesima cura, aveva lo stesso soavissimo profumo ed era ugualmente elegante come le due precedenti, ma portava un suggello diverso, una colomba col ramoscello nel becco e il motto: «Reco buone nuove». E le notizie eran buone davvero!

«La tua amica sconosciuta sarà questa sera all'Acquasola, nel boschetto a sud della fontana centrale. La riconoscerai da un mazzo di rose che avrà in mano. Se vuoi conoscerla, trovati là alle otto e mezzo, né un minuto prima, né uno dopo. Addio a poi.»

È facile immaginare in quale stato di agitazione e di ansia mi mettesse quel biglietto. Finalmente l'avrei conosciuta! Come dovevo comportarmi? Che cosa dirle? E se le fossi riuscito antipatico?

Non era ancora mezzogiorno; dovevo trascorrere altre nove ore su quella specie di graticola. Per passare il tempo, andai a identificare il luogo, quantunque lo conoscessi benissimo, e a pregustare le complesse emozioni di quel benedetto incontro. Vediamo un po': da qual parte sarei entrato nel boschetto? Se entravo da uno de' due viali principali, mi sarei trovato per un buon tratto a portata del suo sguardo, e l'idea di esser guardato da lei mi sconcertava solo a pensarlo. C'era, però, un altro ingresso posteriore, cui metteva un sentiero tortuoso; purché lo avessi potuto raggiungere senza esser veduto. Potevo riuscirvi, sì, girando al largo dalla parte della strada carrozzabile. Il giro era lungo, ma che importava? La strada era incassata, ad un livello inferiore a quello della passeggiata pubblica, e la siepe che la fiancheggiava mi avrebbe nascosto allo sguardo di lei. Benissimo. Le sarei apparso quasi all'improvviso. E con quali parole avrei incominciato il mio discorso? Ero sicuro che avrei fatto la figura di un'oca. Se almeno avessi conosciuto il suo nome! il nome sarebbe stato un punto d'appoggio. Quant'era mai debole il mio cuore! Ero timido al pari di una fanciulla! L'idea d'incontrare il suo sguardo mi faceva tremare. Se fosse stato buio, forse avrei avuto più coraggio. Dopo tutto, alle otto e mezzo imbrunisce, e sarebbe stato quasi buio sotto le folte piante del boschetto. Un salice piangente formava, poi, come una specie di baldacchino sulla panchina su cui ella sarebbe stata seduta. Benedetta la mano che l'aveva piantato!

Queste riflessioni mi rassicurarono alquanto; le ombre della sera avrebbero celato il mio imbarazzo.

Era una di quelle giornate di caldo insopportabile — trenta gradi Réaumur — che fanno scrivere ai turisti ne' loro taccuini: «gl'Italiani non fanno altro che starsene sdraiati oziosamente all'ombra». La prego, signor turista, entri in un forno caldo, e si metta a lavorare là dentro, se è capace! Il sole, dunque, mandava fiamme, come se col suo calore volesse distruggere il genere umano, liquefacendolo; sicché, fatta la mia ricognizione, ero come un ferro rovente. Avrei desiderato passare un'ora o due con Fantasio, ma era umanamente impossibile che facessi ancora un buon tratto di strada al sole, e me ne tornai a casa. Come passavan lente le ore! Cercai di leggere... impossibile! Tentai di dormire... ma ero così spossato dal caldo e dall'emozione, che non mi riuscì. Ho sentito raccontare di generali che dormirono tranquillamente la vigilia d'una battaglia, e posso capirlo; ma dormire poche ore avanti il primo convegno d'amore, supera ogni possibilità umana. Non mi restava che soffiare e sbuffare, e lo facevo, infatti, con quanta forza avevo ne' polmoni; ma per quanto soffiassi e sbuffassi, il tempo non affrettava certo il suo ritmo immutabile, e volere o volare, fui costretto ad aspettar la sera.

Alle otto ero all'Acquasola. Per timore di qualche fortuito incontro, mi ritirai in un punto più lontano possibile dal luogo del convegno, fissando il mio sguardo sul mare, senza vederlo. Non vedevo la bellezza della serata, né m'accorgevo delle ricche sfumature di colore di quel tramonto.

Immagini confuse si alternavano nel mio cervello, come le onde di un mare agitato. Una sola idea era distinta e precisa in quella fantasmagoria: «Tra mezz'ora!» Ero in uno stato di agitazione convulsa. L'orologio d'una chiesa vicina batté le otto e un quarto. Diedi un balzo. Come... di già?! Allora mi parve che il tempo corresse troppo presto: era impossibile che riacquistassi il mio sangue freddo in così pochi minuti. Mi alzai, facendo uno sforzo sovrumano, e mossi qualche passo. Dovevo fare un giro per giungere al sentiero che ho già nominato. Non so davvero come vi giunsi. «Un passo ancora e sarò in vista del boschetto!» Mi sentivo mancare. Sperai con tutto il cuore che non fosse venuta, per una ragione qualunque, fors'anche per malattia. Batté la mezza. Una forza segreta, qualcosa come una molla indipendente dalla mia volontà, mi sospinse innanzi. Vidi due figure vestite di bianco. Mi si annebbiavano gli occhi, ma, come dietro un velo, vidi una mano gentilmente protesa verso di me e mi affrettai a stringerla.

Non ricordo affatto chi parlò per primo, che cosa dicemmo, in che modo io mi trovassi al suo fianco. Ero in uno stato di perfetto sonnambulismo. Probabilmente, non aprii bocca; ero tanto commosso! L'abboccamento fu molto breve ed ambedue parlammo poco; e se potessi ripetere quel poco che ricordo, non avrebbe alcun significato, a meno che non fossi capace di descrivere ciò che assumeva per noi somma importanza, e cioè lo sguardo, l'accento, il nostro silenzio stesso. Ma poiché il linguaggio scritto non ha facoltà di esprimere tutto questo, non mi ci provo neppure. Chi era essa, chi erano i suoi genitori, qual era la sua condizione, come fosse informata del mio segreto, di tutto questo non seppi nulla, né pensai a domandarglielo. Questo solo seppi: che era bella oltre ogni dire, che si chiamava Lilla — un nome grazioso, non è vero? —, che tra le quattro e le cinque si recava a passeggiare, ogni giorno, con suo fratello, sui bastioni di Santa Chiara, e che puntualmente io dovevo andare a incontrarla. Oh, non sarei mancato di certo, anche se avessi dovuto trascinarmi sui ginocchi e baciare la polvere dove si fossero posati i suoi piedi! Non sapevo che questo. Era ben poco, è vero, ma non mi curai di saper di più. Ero tanto felice!

Ella se n'era già andata da parecchio tempo, ed io ero sempre là, seduto sullo stesso sedile, al medesimo posto già occupato dal suo corpo gentile, e provavo ancora la sua stretta di mano e mi risuonava sempre all'orecchio la melodia della sua voce. Ogni agitazione era cessata in me; i battiti del mio cuore erano pacati e regolari come quelli di un bambino, un senso di tranquilla beatitudine mi pervadeva tutto. Le stelle scintillavano, gli usignoli cantavano dolcemente, un'infinità di lucciole attraversavano l'aria, che pareva impregnata d'amore. Mi sembrava di vivere un sogno incantato. Rimasi là a lungo, respirando la mia felicità da ogni poro e baciando il mazzo di rose ch'ella mi aveva lasciato.

Tornato a casa, mia madre rimase colpita dall'espressione di contentezza del mio viso.

— Come sei bello questa sera, figliolo mio! — ella disse, passandomi una mano tra i capelli — non ti ho mai visto in un momento tanto felice!

— Sono proprio contento! — le risposi, e la baciai, arrossendo.

— Dio ti benedica, figliuol mio!

Andai a letto, ripetendo ad alta voce quei divini versi del Petrarca:

«*Chiare, fresche e dolci acque* ...»

sostituendo il nome di Lilla a Laura, e dormii tutta la notte, senza mai destarmi.


CAPITOLO XXV

*Nuovo enigma. Scoperte. Il 1830.*
*Due dottori aggiunti al resto.*

Il giorno seguente, riandando col pensiero ogni minima circostanza dell'abboccamento avuto la sera innanzi, sentii in me ancor più forte l'impressione ricevuta dalla voce di Lilla. Quel tono che mi risuonava ancora all'orecchio, quell'italiano ricco e melodioso che era così affascinante sulle labbra di lei, mi ricordava un'altra voce e un particolare accento italiano che avevo già udito; ma quando, dove, da chi? Questo appunto non ricordavo. Mi torturai invano il cervello, senza poterne venire a capo. La mia curiosità ne era assai eccitata, onde promisi solennemente a me stesso di cogliere la prima occasione e parlarne a Lilla, sperando che ella potesse chiarirmi quell'enigma.

Ma l'occasione non si offrì così presto. Ricevetti da lei nuove lettere, in cui ella, però, non mi parlava di altri appuntamenti. Non mi era possibile chiederne uno, giacché non conoscevo né il nome, né l'indirizzo di lei; e anche se li avessi conosciuti, non avrei certo mai osato mandarle una lettera, senza averne il permesso. È vero che la vedevo ogni giorno sui bastioni di Santa Chiara, che erano diventati la mia passeggiata giornaliera; ma ella era sempre accompagnata da un giovane alto, bruno, d'aspetto assai distinto; era certamente suo fratello; ma io non potevo che scambiare con lei un'occhiata o un sorriso alla sfuggita. Eppure, ero felice.

Vederla, ammirarla in silenzio, seguire le orme del suo piede divino, era più che sufficiente a farmi beato. Com'era bella con i suoi lunghi capelli ricciuti attorno al collo, la figuretta snella ed elegante, il passo franco, eppure gentile! Un giorno la via fu ingombrata da due vetture che si erano scontrate, ed io fui costretto a passarle così vicino, da percepire distintamente il fruscio della sua veste di seta contro il mio abito. Un'altra volta, mentre la seguivo, ella lasciò tranquillamente cadere una rosa. Quanti baci diedi a quel fiore! con quanta tenerezza lo conservai! e quand'esso fu appassito, con quanta cura pietosa ne raccolsi e custodii le foglie disseccate! Felice età, in cui uno sguardo, il fruscio di una veste, un fiore, un nonnulla, basta a inondar di gioia l'anima d'un giovane!

Una sera Lilla mi scrisse che la mattina seguente, alle otto, sarebbe andata a scegliere alcune piante in un giardino, che m'indicava vicino alla porta Romana. Se desideravo vederla, bastava che andassi io pure col pretesto di comperar de' fiori. Naturalmente, non ci fu bisogno d'altro, e la mattina dopo, alle otto, me ne stavo già chiacchierando col vecchio giardiniere e congratulandomi con lui per la bella raccolta di piante e per la gran cura ch'egli aveva del suo giardino. Lilla giunse poco dopo, accompagnata dalla cameriera; ella non usciva mai sola di casa. Per scegliere bene, era necessario esaminare ad una ad una la ricca collezione di piante, e poiché il giardino era molto ampio, avremmo, naturalmente, impiegato un po' di tempo. Pregammo, quindi, il giardiniere di non incomodarsi per noi e di continuare il suo lavoro, mentre noi facevamo un giro per il giardino; la cameriera ci seguiva ad una certa distanza. Appena fummo soli, mi affrettai a toccare il punto che aveva tanto destato la mia curiosità.

— Non so come mai, — le dissi — ma quando udii la tua voce per la prima volta, essa non mi parve nuova. Mi sai spiegare questo fenomeno?

Lilla sorrise e rispose: — Niente di più facile. Quando ti avrò detto come ti conobbi e scopersi il tuo segreto, ti sarà chiaro il mistero che ora ti turba. Facciamo le viste di esaminare questo magnifico rosaio, e ascoltami. Non ho più al mondo che uno stretto parente, quel giovane in compagnia del quale tu mi hai veduta. Mio fratello ed io ci amiamo teneramente e viviamo assieme. Un giorno, verso la fine di carnevale . . . era il martedì grasso . . . Al-

berto, che è tanto gentile con me ed è felice di farmi contenta, mi
disse di avermi preparato un divertimento per quella sera. Dovevo
andare all'opera con una mia cugina e suo marito, e dopo il teatro
dovevamo mascherarci tutti e tre e passare una parte della notte
al veglione. Alberto aveva un impegno e non poteva accompa-
gnarmi; promise però di venire a raggiungerci al veglione. Quella
sera il teatro era illuminato a giorno; la sala era piena e il calore
soffocante. Verso la fine dell'opera, fui presa da un così violento
mal di capo, che dovetti rinunziare, mio malgrado, alla seconda
parte del mio divertimento. Verso mezzanotte pregai mio cugino
di riaccompagnarmi a casa. L'appartamento di mio fratello e il
mio sono uno di fronte all'altro sul medesimo pianerottolo. Entrando in casa, mi venne in mente di vedere se anche Alberto
fosse rientrato. Trovai la sua porta aperta ed entrai. Vedendo la
lampada accesa ed un gran fuoco nel caminetto, conclusi che non
doveva star molto a tornare, e pensai di aspettarlo per dirgli la ragione del mio ritorno. Mi sedetti in una poltrona accanto al fuoco
e caddi in una specie di dormiveglia. Non so quanto tempo dopo
un rumore di passi mi destò improvvisamente. S'avvicinavano
certo molte persone. Balzai in piedi spaventata e meccanicamente
mi nascosi dietro la tenda dell'alcova. Di là assistei alla scena che
tu sai, e puoi bene immaginare con quanta commozione.

La modestia vuole che io taccia la parte del racconto di Lilla
che si riferisce all'impressione fatta su di lei dal mio aspetto e
contegno durante l'iniziazione.

— Vi fu un momento — ella continuò — in cui tu fissasti gli
occhi così intensamente sull'alcova, che io tremai di essere scoperta. Capivo bene l'importanza del segreto, che, senza volerlo,
ero venuta a conoscere, e nonostante la tenera affezione di Alberto per me, temevo del momento in cui si sarebbe accorto ch'io
sapevo cose che non avrei dovuto sapere. Fortunatamente mio
fratello uscì ed anch'io m'affrettai ad uscire da quella camera.
Quella sera parlò Alberto soltanto. La sua voce somiglia molto
alla mia e questo spiega la tua osservazione di poc'anzi.

Lilla non poteva restare a lungo e la nostra conversazione, quel
giorno, s'interruppe a questo punto. Ma il giardino era così bello e
ospitale, che ci venne voglia di ritornarci. E vi tornammo infatti,
dapprima una volta la settimana, poi due, poi ... ma questo non
v'interessa. Fatto sta che facemmo amicizia col vecchio giar-

diniere e giravamo per il suo giardino come fosse il nostro. Lilla chiacchierava volentieri e, passando da una scoperta all'altra, venni presto a sapere quanto desideravo sul conto suo.

Suo padre aveva appartenuto ad una delle più illustri famiglie dell'aristocrazia genovese. Nella sua prima gioventù egli si era innamorato di un'attrice e l'aveva sposata. Questo matrimonio, considerato affatto indegno di lui, gli aveva alienato le simpatie di quasi tutta la classe privilegiata, tra cui era abituato a vivere. Egli, però, se ne sarebbe consolato facilmente, tanta era la felicità di cui l'amorosa consorte gli allietava la vita, se non fossero stati i dispregi e le umiliazioni sistematicamente inflitti alla donna ch'egli adorava. Pieno di disgusto, egli aveva allora lasciato Genova e si era trasferito a Roma, nei cui dintorni possedeva vaste tenute. Là egli era divenuto padre di due creature, nate a distanza di sei anni una dall'altra: Alberto e Lilla. La nascita di Lilla aveva costato la vita alla madre. Il vedovo aveva concentrato sui due figli, su Lilla in modo speciale, tutto l'amore di cui era stata oggetto la madre. Erano stati allevati in mezzo al lusso e agli agi di una principesca fortuna. Lilla specialmente, di natura alquanto capricciosa e testarda, divenne una fanciulla viziata. Ogni suo desiderio, ogni suo capriccio veniva appagato; non incontrava mai la minima resistenza. Una lacrima o il cipiglio della piccola despota metteva sossopra tutta la famiglia. Cresciuta a quella scuola, a diciassette anni ella era dotata d'una straordinaria bellezza e d'un carattere imperioso e capriccioso.

In quel tempo, il giovane marchese d'Anfo la vide e concepì, oppure — secondo l'opinione di molti — simulò una violenta passione per la ricca ereditiera. Certo è che dopo averle fatto una corte assidua per alcuni mesi, ne chiese la mano. Il marchese rappresentava un magnifico partito; era di famiglia illustre e imparentato col Cardinale segretario di Stato, che avrebbe potuto, un giorno o l'altro, diventar Papa.

Ma tutti lo conoscevano per la sua prodigalità; a ventitré anni aveva già dato fondo a un bel patrimonio. Il padre di Lilla lo sapeva, e il suo primo pensiero fu di rifiutare la proposta di matrimonio del giovane, la quale poteva esser fonte d'infiniti pericoli per la figliola adorata. Ma il marchese era bello; i suoi equipaggi erano considerati i più eleganti della città; cavalcava a meraviglia, e Lilla dichiarò di volerlo per marito, minacciando, in caso contrario, di ritrarsi a finir la sua vita in un convento. A farla breve, il buon padre acconsentì e il matrimonio fu celebrato. Tre mesi dopo lo sposo si ruppe il collo per una caduta da cavallo in una gran caccia nella Campagna Romana, e Lilla rimase vedova a diciassette anni e qualche mese. Un anno dopo, suo padre, in ancor giovane età, ma consunto dal dolore e tormentato da uno scirro allo stomaco, malattia ereditaria della sua famiglia, morì improvvisamente. Da quel giorno, i due giovani non si poterono più vedere a Roma e decisero di stabilirsi a Genova, dove, per giunta, la presenza loro era richiesta da affari inerenti all'eredità paterna.

Queste rivelazioni erano assai poco incoraggianti per il mio amore e mi fecero pensare seriamente ai casi miei. Nonostante la leggerezza e la presunzione proprie della gioventù, capii subito che c'era un abisso fra la ricca marchesa d'Anfo e il figlio d'un oscuro avvocato tutt'altro che facoltoso. E supposto anche che potesse esser superata — il che era molto incerto — la probabile opposizione del fratello di Lilla e de' suoi parenti (ne aveva un numero infinito per parte del padre) a quel matrimonio, che avrebbero certo considerato indegno di lei, potevo esser sicuro che i sentimenti di Lilla a mio riguardo le avrebbero un giorno impedito di pentirsi del passo fatto? Quanto avevo potuto conoscere del suo carattere, in quei due mesi della nostra relazione, non poteva certo rassicurarmi completamente su questo punto. Riflessioni di questa specie possono sembrare troppo prudenti per un giovane di ventidue anni, innamorato cotto; ma fin da fanciullo mi ero distinto dagli altri per questa particolarità del mio carattere: l'entusiasmo non aveva mai escluso in me la riflessione. C'era in fondo al mio cuore un senso di diffidenza di me stesso e degli altri, che un'eccitazione passeggiera poteva sopire un momento, ma non annientare del tutto;[1] e questa mia disposizione di spirito tendeva a farmi esagerare le difficoltà, piuttosto che a trascurarle.

Tale era il mio stato d'animo represso, quando scoppiò in Francia la rivoluzione del 1830. La commozione che ne ebbe l'Europa, il palpito di speranza con cui il cuore di tutti gli oppressi salutò le tre giornate, sono sempre vivi nella memoria di tutti.

---

1. Confessione preziosa e certamente veridica, la quale può illuminare, sia pure entro i limiti della psicologia, i rapporti dell'autore con il Mazzini.

In nessuna parte del mondo gli animi erano più sollevati, le speranze più ardenti che in Italia, e in Piemonte in modo particolare. Su di noi — voglio dire, sui giovani che si occupavano di politica — la rivoluzione di Parigi produsse l'effetto di una bevanda inebriante, e aspettavamo, di giorno in giorno, d'esser chiamati alle armi. Fantasio ci assicurava che i Carbonari si erano svegliati dal loro torpore, e che la setta proseguiva l'opera propria con la massima attività; appunto per questo, egli era stato delegato a promuovermi al secondo grado dell'Ordine. E lo fece nel modo più semplice, comunicandomi, cioè, parecchi nuovi segni di riconoscimento. Il secondo grado cui fui ammesso non mi conferì altri diritti se non quello della presentazione, ed io ne profittai subito, proponendo la candidatura di Alfredo.

Questi grandi eventi politici e la conseguente eccitazione del mio animo mi risollevarono dall'abbattimento in cui ero caduto per quello che avevo scoperto della famiglia di Lilla e della sua condizione sociale. L'avvicinarsi del mio ultimo esame universitario, che dovevo sostenere entro il mese, operò in me un'altra salutare diversione. Era assolutamente necessario che io lavorassi molto per rimettere il tempo perduto, e lo stesso doveva far Cesare, che si trovava nelle mie stesse condizioni. Passavo tutte le mie mattinate sui banchi dell'università e una parte de' miei pomeriggi all'immancabile passeggiata sui bastioni di Santa Chiara; mi restava soltanto la notte per studiare tranquillamente, e spesso lavoravo fino alle due o alle tre del mattino. Dio solo sa quante volte l'immagine di Lilla veniva a porsi tra me e il mio libro e quali sforzi erculei io facevo per scacciarla. Ma tutto andò per il meglio, e finalmente, un giorno d'agosto, nella grande aula dell'università, dinanzi a un numeroso uditorio, dopo aver chiacchierato e aver sentito chiacchierare in cattivo latino,[1] fui insignito della toga, nelle debite forme, ed ebbi il grado di dottore *in utroque jure*. Mio padre e lo zio Giovanni erano, naturalmente, presenti alla cerimonia. Non saprei dire se il primo fosse o no soddisfatto di me; ma il giorno dopo mi installò in uno stanzino accanto al suo studio, dove, in avvenire, avrei dovuto ricevere i miei clienti, quando ne avessi avuti. Lo zio Giovanni fu più espansivo, e dopo avermi abbracciato ripetutamente, mi fece scivolare

1. Allude alla pubblica discussione delle tesi di laurea.

in mano una prova visibile della propria soddisfazione sotto forma di un piccolo rotolo di monete d'oro. Una settimana dopo, Cesare fece brillantemente il suo ultimo esame e, col titolo di dottore in medicina, gli fu conferito il diritto di vita e di morte sui suoi futuri pazienti. [...]

### CAPITOLO XXVII

*Arresto di Fantasio.*
*Impotenza e disperazione da parte nostra.*
*Facile scappatoia.*

... Una notte, verso le dodici, mentre me ne stavo andando a letto, sentii fuori una voce ripetere più volte il mio nome. Aprii la finestra e chiesi chi fosse.

— Son io, — rispose lo zio Giovanni — scendi e vieni ad aprirmi la porta, senza far rumore; ho da parlarti.

Mi domandai che cosa mai avesse potuto condurre in que' paraggi lo zio Giovanni a quell'ora, lui, che aveva l'abitudine di andar a letto alle dieci. Scesi, non senza qualche ansietà, e aprii la porta.

— Che c'è di nuovo, zio?

Lo zio non rispose, mi prese la lucerna di mano e si diresse verso il mio studio, ne chiuse l'uscio e cominciò a passeggiar su e giù per la stanza, come una bestia feroce in gabbia. Allora soltanto mi accorsi che era in uno stato di grande inquietudine e agitazione.

— Che c'è di nuovo, zio? — ripetei.

Parve che la mia domanda rompesse l'incantesimo, che lo ammutoliva.

— Che c'è di nuovo? che c'è di nuovo? — esclamò lo zio. — Lo saprai tra poco che c'è, e a tue spese anche. Non te lo avevo detto io che, scherzando col fuoco, ti saresti scottato? Non te lo avevo detto che non avresti fatto altro se non andare incontro alla forca? Nient'altro, proprio nient'altro! Maledetti i ragazzi! voglion sempre fare a modo loro; si credon tutti modelli di saggezza. Quando s'imbattono in un uomo di buon senso e d'esperienza, che dice loro: «attenti, figliuoli!»... macché! ne disprezzano i consigli e gli dànno del rimbambito. Non ho pazienza io con questi sciocchi...

Fatta questa sfuriata con un'incredibile rapidità e un grande impeto, lo zio gettò il cappello a terra, in un accesso di collera; poi, a mo' di conferma, si gettò su una sedia e cominciò a rodersi le unghie furiosamente.

— In nome del cielo, zio, non mi tener più sulle spine. Che cos'è accaduto?

— Fantasio è arrestato[1] e con lui molti altri; senza parlar di quelli che saranno arrestati tra poco. Cospirazioni, società segrete, alto tradimento, nient'altro che roba da galera ... Ecco che cos'è successo! Si dice che vi siano un centinaio di persone compromesse. Sì, sì, un centinaio di giovani, e tu sei fra loro, ci scommetto. Accidenti a tutti i ragazzi! Non son contenti se non si trovano negli impicci. Che cosa mi venne mai in mente di sconsigliare a questo qui di farsi frate cappuccino!

Di tutto questo sproloquio, fatto con calore vieppiù crescente, io avevo compreso bene una sola frase, che mi risuonava all'orecchio come il rintocco di una campana funebre, gelandomi il sangue nelle vene: «Fantasio è arrestato!» L'arresto di Fantasio significava informazioni segrete, un processo di corte marziale a porte chiuse, senza difensore ... significava la morte! Le varie fasi di questo terribile dramma mi passarono come un lampo nella mente terrorizzata.

— Dobbiamo salvarlo, zio, dobbiamo salvarlo! — urlai come pazzo.

— Non dir sciocchezze! — replicò lo zio. — Qui bisogna agire con giudizio e pensare prima di tutto a salvar quelli che ancora possono esser salvati, cominciando da te. Di' un po', c'entri anche tu in questa brutta faccenda?

— In nome di Dio, non pensare a me ora. Se anche c'entrassi, nessuno lo saprebbe: lo so appena io.

— Sei sicuro di quanto dici? — riprese lo zio alquanto rassicurato — ricordati che si tratta di vita o di morte, e ogni reticenza può esser fatale.

— Ti dico, zio, che con novantanove probabilità su cento, Cesare ed io non corriamo alcun rischio.

— Cesare! anche Cesare! — esclamò lo zio, percuotendosi la fronte con ambedue le mani. — Eh, già! anche Cesare! E io, sciocco, che non ci avevo pensato! È una pazzia, ecco, una vera paz-

1. Il Mazzini fu arrestato il 13 novembre 1830.

zia! Non saranno contenti finché non verranno tutti impiccati!

— Ma a Fantasio dobbiamo pensare, zio, a Fantasio! Lui è ora in pericolo. Dobbiamo salvarlo ad ogni costo, muover cielo e terra, fare in modo che fugga di prigione!

— Fuggir di prigione! — fece lo zio, gesticolando e scrollando le spalle. — Eh! certo... con una scala di seta, come nel *Barbiere di Siviglia*. Davvero, questo ragazzo non sa quel che dice. Credi tu che le prigioni sian fatte di carta pesta o di pasta dolce? Hai mai dato un'occhiata alla Torre, tu? Le mura hanno uno spessore di tre metri e le porte son ferrate... Che vai, dunque, sognando?

— Dicono che le porte più solide si aprano con una chiave d'oro.

— È vero! L'oro fa molto, ma non tutto. Prima di tutto, hai pronte cinquantamila lire? Nelle prigioni della Torre vi sono cinquanta custodi, tra ufficiali e secondini, che si spiano a vicenda. La vita è la vita, ragazzo mio. Se scendessi una buona volta dalle nuvole e dicessi cose sensate!

— Ma, col tuo buon senso, zio, mi porterai alla disperazione.

— Sono semplicemente ragionevole, e ti dico che in questo momento non c'è altro di meglio da fare che andare a letto. Forse il caso del tuo amico non è poi così disperato come pare. Vedremo fra poco che cosa si potrà fare per lui. Sta certo che faremo tutto quanto è umanamente possibile. Dico *possibile*, hai capito? E intanto, ci vuol prudenza, figliolo, prudenza. Di una disgrazia non facciamone due. Arrivederci!

Avrei voluto svegliar Cesare, ma ebbi scrupolo di turbargli il sonno con la ingrata notizia. «Lo verrà a sapere anche troppo presto, purtroppo!» Andai a letto, ma non potei chiudere occhio e passai la notte pensando al modo di porgere aiuto all'amico disgraziato. Ahimè! Non ne vedevo alcuno! Ogni piano, a cui pensavo, diventava impossibile in pratica.

Una evasione dal carcere era ostacolata da difficoltà insuperabili o quasi. Innanzi tutto, non era cosa facile trovar danaro. Avevo subito pensato a Lilla, che era ricca e generosa; ma con tutto ciò non era probabile ch'ella avesse sotto mano cinquantamila lire, specialmente essendo una donna e avendo un fratello maggiore di lei. E anche se il danaro si fosse trovato, a chi rivolgerci poi? Se anche io avessi avuto in tasca, in quel momento, le cinquantamila lire, qual era il primo passo da fare? Potevo io bussare alla

19

porta della Torre e chiedere del capo-custode, senza saper nulla
sul conto suo? E quando mi fossi trovato faccia a faccia con lui,
che cosa gli avrei detto? gli avrei offerto di punto in bianco il
mio danaro? E ammesso anche ch'egli fosse accessibile alla corruzione, non avrebbe temuto un qualche agguato? Che fiducia gli
avrebbe ispirato un giovane sconosciuto? A meno che non avessi
trovato qualcuno che mi avesse detto con tutta sicurezza: «Rivol-
giti a Tizio o Caio tra gli ufficiali della Torre; io lo conosco bene;
farà qualche cosa per danaro»; a meno che, appunto, non avessi
trovato un simile punto d'appoggio — e dove trovarlo? — avrei
fatto un buco nell'acqua e sarei caduto in trappola io stesso. Lo
zio Giovanni aveva ragione: la fuga dal carcere, con la connivenza di qualcuno de' custodi, era praticamente impossibile.

E se avessimo invaso la prigione e rapito Fantasio? Un centinaio
di giovani, fors'anche centocinquanta, costituivano tutta la nostra
forza, se tutti avessero risposto all'appello. E dove trovare le
armi? La Torre era ben guardata e a cento passi distante, alla porta
del Palazzo Ducale, si faceva sempre buona guardia. Avanti di
atterrare la prima porta, avremmo avuto addosso l'intera guarnigione della città. Senza dubbio, poi, avremmo avuto parecchie
altre porte da buttar giù prima di giungere alla prigione di Fantasio. Innanzi tutto avremmo dovuto saper con esattezza dov'era la
sua cella, e per questo sarebbe stato assolutamente necessario
aver in mano una pianta della Torre. Dio mio, quante difficoltà!
Pare impossibile quanto un'impresa, per semplice che sia in
apparenza, muti d'aspetto e si complichi quando si giunge al
punto di mandarla ad esecuzione.

A forza di aggirarmi in quel labirinto, trovai finalmente, o
mi parve di aver trovato, un filo per uscirne. Ragionavo così:
«I Carbonari» dicevo fra me «hanno proseliti ovunque, e certo ne avranno anche tra il personale di servizio alla Torre.
Supponiamo che ve ne sia uno solo; quell'uno è obbligato dal suo
giuramento a favorir la fuga di un fratello. Se fosse necessario, lo
si potrebbe stimolare col danaro. Il problema da risolvere sta appunto nel metter la mano su questo secondino Carbonaro. Per
riuscirvi, v'è un solo mezzo, quello di risalir la catena, anello per
anello, da un individuo all'altro, di gradino in gradino, fino a raggiungere uno degli alti funzionari dell'Ordine, uno di coloro che
conoscono tutto e tutti dell'Ordine stesso. Giunti a tal punto,

saremo sicuri di trovar l'uomo che ci bisogna. In ogni caso, c'è il fratello di Lilla, il mio segreto iniziatore, che potrà darci utili indicazioni. Forse Cesare è meglio informato di me. Questa ricerca non affida molto, ma è ancor l'unica cosa che ci resti a tentare.» E più riflettevo, più l'idea mi pareva bella. «Sì, è necessario metterci all'opera domani stesso, senza perder un minuto di tempo.»

La mattina presto svegliai Cesare e gli comunicai la brutta notizia. Nello stesso tempo lo misi a parte del piano da me ideato nella notte, ed egli lo approvò pienamente. Era troppo presto per andare a casa di Fantasio; ci mettemmo a sedere per discorrere sul da farsi. Quanto a me, non conoscevo alcuno de' nostri, eccettuato il conte Alberto, e di lui sapevo soltanto che era un affiliato; tra noi due non correva relazione alcuna. Cesare si trovava nello stesso caso mio, in quanto a conoscenze personali; ma conosceva di nome due individui, che, secondo quanto aveva detto Fantasio, appartenevano alla setta. Uno era un medico, di quattro o cinque anni meno giovane di noi, un uomo piuttosto ruvido e sostenuto, che io conoscevo di vista e si chiamava Pedretti; l'altro, un vecchio pieno d'ardore e di attività, per nome Nasi, il quale era in relazione continua con Fantasio, e secondo lui, doveva essere uno de' capi dell'Ordine. Era stato appunto Nasi a far ammetter Fantasio nella setta, circa un anno e mezzo prima. Si era presentato al nostro amico in un modo alquanto originale. Un giorno egli si era recato da lui, senza esser presentato da alcuno, né preannunciar la sua visita, e, senza tanti preamboli, gli aveva detto: — So che desidera da molto tempo di essere ammesso tra i Carbonari, ed io son pronto ad accontentarla.[1] — Molto probabilmente, egli era stato, pochi giorni dopo, anche l'iniziatore di Cesare; ma Cesare non poteva dirlo con certezza, giacché l'uomo era mascherato. Cesare non dubitava punto che Nasi potesse e volesse procurarci tutte le informazioni necessarie, e questa sua certezza era per me consolante.

1. Notizia inesatta, giacché il Mazzini era stato affiliato per mezzo del condiscepolo Pietro Torre. Probabilmente l'aneddoto, che ha tutta l'aria di esser vero, si riferisce ad altra affiliazione, non a quella del Mazzini. Nel Nasi il Ruffini ha ritratto Antonio Passano, di nobile famiglia ligure, ma suddito francese perché nato in Corsica, e antico console di Francia in Ancona. Egli era il Gran Maestro della Carboneria ligure e il Mazzini nelle sue *Note autobiografiche* così lo descrisse: «vecchio, pieno di vita, ma che si pasceva più di piccolo raggiro e d'astuzie che non d'opere tendenti virilmente e logicamente allo scopo».

Ci recammo poi a casa di Fantasio. Egli era figlio unico, teneramente amato. Trovammo, quindi, i suoi genitori in profonda costernazione. Facemmo del nostro meglio per confortarli. Ci raccontarono che, la sera precedente, Fantasio era appena rincasato, verso le undici, come di solito, quando si era presentato un commissario di polizia alla testa d'un drappello di carabinieri e lo aveva arrestato. Avevano perquisito le sue carte e ne avevano sequestrate alcune di poca importanza. Entrammo nella stanza del nostro amico col cuore stretto. Ogni cosa era ancora come egli l'aveva lasciata: sulla scrivania c'era ancora aperto un volume di lord Byron, sulla tavola un mozzicone di sigaro, e accanto ad esso un foglio di carta, su cui egli aveva scritto alcuni pensieri staccati, suggeritigli dal poema che stava leggendo. Tutto era precisamente come il giorno innanzi; eppure, quale differenza! Ogni cosa aveva un aspetto di desolazione. Chi ha dovuto separarsi da un amico caro sa quanto profondamente tocchino il cuore e lo feriscano gli oggetti inanimati a lui familiari.

Ero andato d'accordo con lo zio Giovanni che sarei passato da lui verso l'ora di pranzo, per aver notizie. Andammo, dunque, da lui. Lo zio era già al corrente di tutto. Le persone arrestate erano dieci; egli aveva preso nota de' loro nomi, de' loro indirizzi e dell'età di ciascuno. Erano otto giovani dai venti ai trent'anni, tra cui anche Sforza, la maggior parte avvocati, e due vecchi: un noto giureconsulto e ... Nasi! Proprio lui, su cui avevamo fatto assegnamento! la nostra àncora di salvezza! Quale colpo! Cesare ed io ci guardammo con muta disperazione. Che fare? Ricorrere subito al Pedretti. Siccome io lo conoscevo di vista, fu stabilito che sarei andato da lui. Trovai facilmente il suo indirizzo e corsi senz'altro a casa sua.

Il dottor Pedretti era uno di quegli individui che non furono mai giovani: gli si potevan dare venticinque anni come cinquanta. Portava una cravatta e i merletti della camicia non perfettamente puliti; aveva un naso tabaccoso e l'aspetto imponente di chi si dà molta importanza. Mi chiese che cosa gli procurasse l'onore della mia visita. Glielo dissi subito. Egli diede un balzo e balbettò che ero caduto in equivoco sul conto suo. Replicai che ero ben sicuro del fatto mio e che non gli giovava simulare. Ero un fratello e non una spia, dissi, e feci i segni di riconoscimento. Preso così alla sprovvista, non tentò più di negare i fatti, ma si fece pallido come un morto; andò alla porta, si accertò che non vi fosse nessuno in ascolto, poi mi si avvicinò ancora e mi bisbigliò all'orecchio che la parola d'ordine del partito era, per il momento, *segregazione*, che significava l'immediata e assoluta sospensione d'ogni contatto tra i «buoni cugini», e che egli non poteva prendersi l'arbitrio di contravvenire all'ordine, dandomi le informazioni richieste. Preghiere e istanze non valsero a nulla contro quella discrezione adamantina, la quale probabilmente non era altro se non un velo per coprire l'isolamento in cui era tenuto, e salvare la sua vanità. Il dottor Pedretti non mi perdonò più lo spavento che io gli cagionai quel giorno.

L'unica persona che ci rimanesse era il conte Alberto, l'ultima nostra speranza, e non esitammo un istante. Cesare e Fantasio non lo avevan mai veduto in faccia, né egli aveva mai veduto loro, quantunque essi fossero stati presenti alla mia iniziazione in casa sua, come il lettore ricorderà certamente. A quanto pare, Nasi, l'anima dell'Associazione, aveva messo in contatto momentaneo le due coppie di domino in maschera, per mezzo del conte Alberto e di Fantasio, da lui conosciuti personalmente: il conte Alberto e il suo segretario da un lato, Cesare e Fantasio dall'altro; ma con la proibizione assoluta di domandarsi qualsiasi cosa e di farsi reciprocamente conoscere.

Cesare assunse l'incarico di vedere il conte Alberto. Per maggior precauzione e per non correre il rischio di allarmarlo andandolo a trovare in casa, decidemmo che io dovessi informarmi sulle sue abitudini personali, per sapere dove lo avremmo potuto vedere fuori di casa. Ne domandai a Lilla, e lei mi parlò di un caffè, dove suo fratello andava quasi tutti i giorni, a una data ora, per leggere i giornali. Debbo renderle giustizia; in quell'occasione ella si dimostrò, come io mi aspettavo, generosa e di buon cuore. Ella non solo mi offrì tutto il danaro che aveva disponibile, ma anche una quantità di gingilli — com'essa diceva — che potevan esser venduti subito per realizzare una buona somma; e per giunta, s'impegnò di mettere assieme qualsiasi somma entro un dato tempo.

Cesare vide il conte Alberto, che gli fece una cordiale accoglienza schietta ed aperta. Egli era dispostissimo a venire in aiuto a' suoi fratelli prigionieri, ma si trovava nelle medesime condizioni nostre, ossia, dopo l'arresto di Nasi, era del tutto isolato; e il suo se-

gretario, pure Carbonaro — il piccolo domino vestito da donna
—, non conosceva altri che lui. Tutto quello che poteva dire, era
che — se si poteva fare affidamento su alcune allusioni di Nasi,
come lui personalmente credeva — due persone, che egli nominò, coprivano uffici importanti nell'Ordine. Uno di loro occupava un posto eminente nella magistratura; l'altro era uno straniero, agente ufficiale d'un piccolo principato della Germania.

Queste informazioni erano così vaghe, che esitammo a servircene.
Ma la prudenza non fu mai la virtù de' giovani, e dopo aver esitato
alquanto, decidemmo di tentar la prova. Delle due persone indicate
preferimmo rivolgerci alla seconda; e Cesare volle a tutti i costi
assumere il difficile incarico. Si presentò in casa del diplomatico e
fu ammesso alla sua presenza. Mentre si scusava di averlo impor-
tunato, continuava a ripetere i segni di riconoscimento, ma invano. Allora entrò subito in argomento. Il vecchio signore lo fermò alle prime parole, dicendo che sarebbe stato suo dovere chiamare una guardia e consegnare alla giustizia un ospite simile;
aggiunse che non lo faceva per rispetto alla onorevole famiglia cui
Cesare apparteneva. Detto questo, gli additò la porta.

Questa delusione ci tolse il coraggio di tentare qualsiasi altra
prova del genere. Capimmo che, senza poter far del bene a
Fantasio, avremmo finito per compromettere noi stessi, e desi-
stemmo.

Ma quelle due persone nominate dal conte Alberto appartenevano davvero all'associazione? Non so, né lo saprò mai, ché ambedue sono morti, e Nasi pure. Se anche vi appartenevano, si può
aver ragione di credere ch'essi non volessero esporre il proprio
segreto alla discrezione di giovani come noi, e in questo non posso
dar loro torto. La società de' Carbonari, almeno in Piemonte,
era costituita principalmente di Frammassoni e di alcuni Carbonari del 1821, risparmiati dalle bufere politiche di quel tempo.
Erano tutti vecchi o almeno maturi di anni e d'esperienza, e più
inclini a peccare di eccesso che non per mancanza di prudenza.
Il carbonarismo, composto di tali elementi, badava naturalmente
più alla qualità che alla quantità degli affiliati, e possiamo credere
che il loro numero fosse limitato. Che i Carbonari fossero assai
diffidenti della gioventù era un fatto dimostrato dalle enormi difficoltà che avevamo incontrato prima di farci accogliere, quasi a
forza, nella setta. Una volta ammessi, essi miravano a isolarci,

per modo che, anche se avessimo voluto, ci sarebbe stato impossibile commettere qualche grave imprudenza e compromettere così l'Associazione. In questo erano riusciti benissimo, anche troppo bene: eravamo chiusi in un cerchio, da cui era impossibile uscire; da qualunque lato ci fossimo voltati, urtavamo contro un muro di granito. Ma la impossibilità assoluta di porgere aiuto ai nostri amici, non era l'unica causa del nostro scoraggiamento. Da un lungo volger di anni non si era presentato un periodo ricco di speranze e di promesse quanto quello in cui vivevamo; nessun tempo era parso più favorevole alle nazioni oppresse per rialzar la testa e rivendicare i proprî diritti. Il Belgio aveva proprio allora conquistato la sua indipendenza, la eroica Polonia era in armi, Bologna e le Legazioni[1] erano insorte, e così pure Modena; avevamo la rivoluzione alle porte, e noi eravamo legati mani e piedi e non potevamo far nulla. Questo era il nostro tormento, che ci spingeva alla disperazione.

Fantasio era già prigioniero da un mese, e i suoi genitori avevano invano chiesto il permesso di visitarlo: sempre s'era opposto loro un reciso rifiuto. Ricchi e autorevoli, eran ricorsi alle loro conoscenze per muovere, a pro del figliolo, persone altolocate, che occupavano persino uffici di Corte. Frattanto l'istruzione del processo si faceva con la massima segretezza e il pubblico non era informato di nulla. Circolavano in città le voci più allarmanti; si parlava di casse di armi scoperte, di piani d'insurrezione sequestrati. Qualcuno parlava persino di condanne capitali e di esecuzioni segrete. Le voci erano certamente esagerate e assurde; ad ogni modo, tenevano l'opinione pubblica in un tale stato d'agitazione, che non potevamo non risentirne anche noi.

Per fortuna, lo zio Giovanni aveva trovato il modo, con le sue ricerche meditate e instancabili, di accertare il vero stato delle cose, e poté presto rassicurarci, almeno fino a un certo punto. Egli era in intima relazione con un vecchio magistrato, cui aveva in passato reso un importante servigio pecuniario, e che — contrariamente al solito — aveva conservato per lo zio un sentimento di gratitudine. Volle il caso che quel magistrato avesse ricevuto l'incarico d'istruire il processo di Fantasio e de' suoi complici;

---

1. *Legazioni*: le provincie di Ferrara, Forlì e Ravenna, che facevano parte dello Stato pontificio ed erano governate da un cardinale legato.

gli fu, quindi, possibile dare allo zio tutte le informazioni deside-
rate, a patto, naturalmente, della più assoluta segretezza.

Fantasio era accusato d'appartenere alla società de' Carbonari
e di aver ricevuto in un certo giorno e in un determinato luogo un
certo individuo, membro della stessa Società. Questo individuo
era, invece, un agente di polizia, che aveva deposto contro Fantasio.[1] Nasi era stato accusato dall'agente stesso di appartenere alla
setta e di averlo messo in comunicazione con Fantasio, allo scopo
sottinteso di farlo accogliere come membro nella società segreta.
Gli altri accusati erano imputati soltanto di appartenere alla setta
de' Carbonari. Non so come mai Sforza, che era stato ammesso
appena allora a far parte della Società, avesse potuto cadere subito in trappola; ma so che si parlava in quei giorni di un certo
elenco di nomi, sequestrato in qualche luogo. Comunque, Fantasio e Nasi avevano un'attenuante a loro favore, e cioè che la loro
accusa era fondata sulla testimonianza di un singolo individuo,
l'agente di polizia. Questo fatto sarebbe bastato da solo a farli assolvere da un tribunale comune, secondo la massima giuridica, la
quale sostiene che un unico testimonio non costituisce prova legale:
*unus nullus*; ma dinanzi ad una corte marziale, oppure dinanzi a
un tribunale civile nominato *ad hoc* come capitava spesso, l'unica
testimonianza sarebbe stata ammessa, e la loro condanna era una
certezza morale. La loro vita e la loro morte, erano, dunque,
appese ad un filo, dipendevano, cioè, dalla scelta del tribunale,
dinanzi a cui essi sarebbero stati tradotti.

Carlo Felice, allora sul trono, avendo sentito che si procedeva
contro i Carbonari, fu preso da una puerile curiosità e ordinò
— pare — al Ministro di Grazia e Giustizia di presentargli una
relazione del processo. Fortunatamente, il re aveva un'infarina-
tura di giurisprudenza, di cui si compiaceva far mostra, e un certo
rispetto per le forme legali. Si diceva persino che avesse studiato
legge in gioventù e si fosse laureato in quella facoltà. Esaminando,
dunque, i documenti, non gli era sfuggito il fatto dell'unico testimonio, ed era stato assalito da qualche scrupolo. Nominò allora
una commissione di tre dotti ed eminenti magistrati, la quale ebbe
l'incarico di esaminare i documenti e decidere se vi fosse luogo a
procedere e, nel caso, determinare dinanzi a quale corte il processo

[1]. Il Mazzini aveva in realtà conferito il secondo grado di Carboneria
a un sedicente maggiore Cottin, che era invece un agente provocatore.

dovesse esser discusso. A questo provvedimento Fantasio e gli altri dovettero la propria salvezza. Dopo lungo e accurato esame,
la commissione decretò che non v'era luogo a procedere contro gli
accusati. La conseguenza logica di questa decisione avrebbe dovuto essere la loro immediata liberazione; eppure non fu così.
Il governo, che pareva destinato a non far mai giustizia completa,
fece giustizia a metà. Fantasio e Nasi ricevettero il passaporto,
con l'ingiunzione di abbandonare il proprio paese per un periodo
di tempo indeterminato.[1] I loro complici furono rimessi in libertà, ma sotto diretta vigilanza della polizia. Il processo durò
quattro mesi. La voce generale sosteneva, non so per quale ragione,
che uno dei magistrati eminenti, membri della su citata commissione, fosse Carbonaro.

Questo esito felice di un processo che avrebbe potuto riuscir
fatale al nostro amico, ci colmò di gioia, la quale fu però troppo
presto turbata dai provvedimenti arbitrari che furon presi subito
dopo. Eppure, sapevamo che l'aveva scampata bella, e non ci
pareva vero. Per conformarci, com'era nostro dovere, al desiderio
della famiglia di Fantasio, Cesare ed io lo vedemmo solo per
pochi istanti prima che montasse in diligenza. Il momento del
distacco fu doloroso assai e da ambo le parti non potemmo frenar
le lagrime.

— Coraggio, mantenete acceso il fuoco sacro e continuate ad
amarmi. Avrete presto mie nuove . . . — Queste furono le sue
ultime parole.

Il postiglione fece schioccar la frusta, l'enorme veicolo si
mosse, e noi ce ne tornammo a casa col cuore gonfio e in uno
stato di grave depressione morale.

---

1. Al Passano si ingiunse di recarsi in Corsica entro un mese. Al Mazzini
si ordinò che entro una settimana, o fissasse il suo domicilio in un luogo a
sua scelta, ma fuori di Genova, Savona e altre città e luoghi del litorale,
o si recasse a tempo indeterminato all'estero. Egli scelse questo secondo
partito, e fu l'inizio del suo perpetuo esilio.

MASSIMO D'AZEGLIO

## PROFILO BIOGRAFICO

MASSIMO TAPARELLI D'AZEGLIO nacque a Torino il 24 ottobre 1798, settimo ed ultimo figlio del marchese Cesare e della marchesa Cristina Morozzo di Bianzè. In seguito alla battaglia di Marengo la famiglia si trasferì a Firenze, ove visse in frequenti contatti con la migliore società e segnatamente con l'Alfieri e la contessa d'Albany; ma dopo qualche anno fece ritorno a Torino. Più che i soliti studi della puerizia e dell'adolescenza conta nella vita di Massimo l'educazione che egli ricevette in famiglia; educazione ispirata a una rigida intransigenza nei princìpi morali, ma non intollerante, ricondotta sempre all'intimità della coscienza, e perciò sostanzialmente liberale; cosicché da una famiglia di antica e radicata fede cattolica egli poté uscire uomo di coscienza schiettamente laica. Tale educazione, dunque, in parte non ostacolò e in parte favorì la formazione del suo carattere, che risultò fatto di inflessibile rettitudine, di cavalleresca generosità e lealtà, di artistica spregiudicatezza. Qualità che unite alla bellezza della figura alta e slanciata, alla parola pronta, briosa e arguta, a certa sua simpatica ed elegante impulsività, fecero sì che una volta il Manzoni dicesse di lui: — Il est né séduisant! — Qualità, anche, che non eran tali da poter andar sempre d'accordo, e dalla cui maggiore o minore armonia derivarono i successi e gli insuccessi della sua carriera umana. Intanto si dovette certamente all'educazione ricevuta se egli, superato un periodo di giovanile dissipazione e sregolatezza — prima a Roma dove aveva accompagnato nel 1814 il padre, inviato straordinario del restaurato Vittorio Emanuele I presso Pio VII, e poi a Torino ove appena sedicenne fu fatto ufficiale di cavalleria — poté compiere l'atto più straordinario della sua vita: la rottura con i pregiudizi e le tradizioni della sua terra e della sua casta, per dedicarsi alla pittura e per vedere di ingegnarsi a vivere, anche economicamente, della sua arte.

È stato detto con verità, che con questo suo atto l'Azeglio si fece, di piemontese, italiano. Nel 1816 si stabilì a Roma insieme con la famiglia e frequentò assiduamente lo studio del pittore Martino Verstappen; sul finire del 1820 ottenne di prolungarvi da solo il suo soggiorno, e vi rimase fino a tutto il '26 studiando e lavorando con grande impegno. Il padre gli aveva concesso solo un modestissimo assegno mensile. Sia per il progresso che egli seppe realizzare nella pittura raggiungendo quella maniera sua alla quale rimase poi sempre fedele, sia per la ricca esperienza umana che egli ne ricavò grazie a estesi e cordiali contatti con uomini di ogni ceto e condizione sociale (e per la conoscenza, che gli fu poi preziosa, della struttura e dei problemi dello Stato romano), questo decennio di vita d'artista a Roma e nei Castelli romani fu decisivo per la sua formazione; ma fu altresì il più singolare e pittoresco che egli vivesse, e i capitoli dei *Ricordi* in cui egli ne fissò le figure e le vicende costituiscono forse il più sicuro vanto di lui come narratore.

La sua partenza da Roma fu determinata dalla rottura di una lunga e aspra relazione amorosa, forse la sua più profondamente sentita, benché neanche questa non lasciasse poi in lui quasi alcuna traccia. Ma fu anche provvidenziale che egli, fatta esperienza della vita romana, tanto più ricca e più varia e più istruttiva che non fosse quella feudale e patriarcale di Torino, non ne rimanesse però prigioniero. A Torino, alcuni quadri ch'egli vi aveva mandato negli anni precedenti gli avevano fatto una bella fama, la quale gli fu confermata ora dall'esposizione della sua grande tela *La morte del Montmorency*; ma la Torino di allora non era la città più adatta a un artista. Perciò, nel marzo del 1831, mortogli il padre ed ereditata la sua parte del patrimonio, egli si trasferì a Milano, anche perché accanto alla sua vocazione per la pittura gli era cresciuta la vocazione dello scrittore.

Tentativi di poemi, di commedie e d'altro aveva già fatto durante la sua dimora romana. Nel 1828 aveva poi composto e pubblicato con illustrazioni sue una *Sagra di S. Michele* (vedila negli *Scritti politici e letterari*, vol. I, Firenze, 1872); ma con uno stile narrativo ancora antiquato. Poco più tardi, dipingendo a Torino la *Disfida di Barletta*, ne aveva avuto improvvisamente lo stimolo a narrarne i fatti in un romanzo, l'*Ettore Fieramosca*. I primi capitoli erano piaciuti a Cesare Balbo; ma occorreva una più alta sanzione. A Milano, invaghitosi di Giulietta Manzoni, e sposatala, non gli riuscì difficile leggere il romanzo al Grossi e al suocero, il quale, a lettura finita, manifestò il suo compiacimento con queste lusinghiere parole: «Strano mestiere il nostro di letterato; lo fa chi lo vuole dall'oggi al domani! Ecco qui Massimo; gli salta il grillo di scrivere un romanzo, ed eccolo lì che non se la sbriga poi tanto male». Il *Fieramosca* fu pubblicato con grande successo nel 1833. Nello stesso anno Massimo si affermava solidamente anche come pittore esponendo a Brera una ventina di quadri che piacquero molto; e inoltre, invogliato dall'esito del primo romanzo, incominciò a scriverne un altro, il *Niccolò de' Lapi*, al quale però attese con maggiori scrupoli, cosicché fu pubblicato solo otto anni dopo, nel '41. Un terzo romanzo, *La lega lombarda* (cfr. gli *Scritti postumi*, Firenze 1871), dovette lasciarlo in tronco all'ottavo capitolo, perché nel settembre del '45 egli accettò di intraprendere quel viaggio di propaganda politica attraverso l'Italia centrale, che si concluse col famoso colloquio con Carlo Alberto. Questo avvenimento, con la narrazione del quale rimasero poi interrotti *I miei ricordi*, segnò l'inizio di un'altra e non meno singolare fase della sua vita, il suo deliberato volgersi all'azione politica.

A prima vista, e per la disposizione stessa degli avvenimenti, può sembrare che tra la sua vita artistica e quella politica ci sia un taglio netto. In realtà, tutta la sua vita precedente era stata con più o meno di consapevolezza una lenta ma ferma preparazione alla politica, e tutto lo aveva orientato verso quella soluzione del problema nazionale in senso moderato e verso quel metodo della «cospirazione palese», che erano i più adatti ai suoi voti e alla sua mentalità. La sua clamorosa irruzione sulla scena politica egli la fece con l'opuscolo *Degli ultimi casi di Romagna*, pubblicato dal Le Monnier con la data *Italia, gennaio 1846*. Non compromesso con alcuna setta, né con alcun moto insurrezionale, i quali anzi ebbe a giudicare con una durezza alquanto sommaria ed ingiusta, egli apparve come l'uomo nuovo che ci voleva, come il meglio qualificato per assumer la parte di guida del movimento nazionale, e cioè per tradurre in pratica i programmi teorici e dottrinali del Gioberti e del Balbo. Della vasta e instancabile attività politica, che egli sviluppò anche come oratore e pubblicista, ricorderemo qui solo i tratti più salienti. Nel febbraio del '47 accorse a Roma, dove, spesso in contatto col Papa, col suo intervento ora stimolante ora moderatore sul corso degli avvenimenti, la sua azione ebbe un valore forse decisivo nell'assicurare il successo alla politica riformatrice di Pio IX. Nel '48, dopo aver pubblicato l'altro suo famoso opuscolo politico, *I lutti di Lombardia*, una fiera requisitoria contro la politica provocatrice e sanguinaria dell'Austria, partecipò alla guerra nelle file dell'esercito pontificio col grado di colonnello e in qualità di aiutante di campo del generale Durando. Combattendo il 10 giugno all'eroica difesa di Vicenza, sul finire della giornata fu ferito al ginocchio destro. La ferita si rivelò più seria di quel che sembrasse, e non ne guarì mai bene. Andò a curarsi a Firenze, dove tentò anche, sia pure invano, di sostenere il governo moderato e di ostacolare la salita dei democratici al potere. Il 7 maggio 1849, nella difficile situazione in cui il Piemonte versava in conseguenza della sconfitta di Novara, Vittorio Emanuele II lo chiamò alla Presidenza dei Ministri. Gli atti più importanti del suo ministero furono la pace con l'Austria, il proclama di Moncalieri e le leggi Siccardi; ma esso ebbe soprattutto il valore inestimabile di aver salvato e consolidato l'ordinamento costituzionale, e di aver impostato quell'indirizzo di politica estera, che fu poi così felicemente realizzato e sviluppato dal Cavour.

Con questo, che fu il suo più decisivo e più prezioso contributo alla causa nazionale, egli si trovò ad avere ormai sostanzialmente assolto il suo compito di uomo politico. Perciò, quando il 22 ottobre 1852 dové cedere la Presidenza al Cavour, la sua stella cominciò a declinare sempre più rapidamente. Rese ancora utili servigi; appoggiò il Cavour nella sua politica di intervento in Crimea; nell'aprile del '59, all'immediata vigilia della guerra, fu inviato in missione straordinaria a Parigi e a Londra; l'anno seguente fu governatore di Milano. Ma se in qualche caso il suo intervento riuscì ancora molto utile, la sua attività rimase però sempre marginale. Ebbe una vecchiaia precoce, e il progressivo irrigidirsi dei suoi princìpi lo rese incapace non pure di attuare, ma perfino di equamente valutare e apprezzare la duttilità, le astuzie, le manovre, le transazioni che erano richieste dalla nuova fase della politica italiana. Addirittura, nel fortunato e rapido progredire del moto nazionale egli rimase fatalmente indietro. Ché se egli si trovò ancora una volta in linea quando sorse il problema delle «annessioni», giacché allora ritornava a imporsi la questione dell'Italia centrale che era la sua specialità, rimase poi vittima di un'incredibile cecità nei confronti della spedizione dei Mille e della questione romana.

Dal campo dell'attività politica egli si venne sempre più isolando in un caustico, mordace, esteriormente disinvolto e spregiudicato atteggiamento pedagogico e moralizzatore, che è quello in cui la coscienza comune degli italiani ha poi definitivamente fissato la sua figura. Frutto di questi ultimi anni furono *I miei ricordi*, il suo libro più riuscito e ancora vivo, nel quale la *morosa senectus* non riuscì a guastare sostanzialmente la faceta, scanzonata, pittoresca rievocazione degli anni giovanili; e anche il suo ingresso nel grande giuoco della politica, il viaggio per la *Trafila* e il colloquio conclusivo col Re, vi traspirano un senso sottile, un'aria frizzante di artistica scapigliatura. Del resto l'arguzia, quell'arguzia così pungente da poter apparire talvolta anche crudele, non lo abbandonò fino agli ultimi istanti. Qualche giorno prima della sua morte, avvenuta a Torino il 15 gennaio 1866, al giunger della moglie, Luisa Blondel, da lui sposata in seconde nozze nel '35 e dalla quale viveva da lunghi anni separato: — Vedi Luisa — le disse — come al solito . . . quando arrivi tu, io parto.

★

*I miei ricordi* furono pubblicati la prima volta a Firenze presso l'editore Barbèra nel 1866. La nostra scelta è condotta sul testo più sicuro, che è ora quello curato da A. M. GHISALBERTI, Torino, Einaudi, 1949. Dei *Racconti, leggende, ricordi della vita italiana*, che possono considerarsi come l'antecedente storico e artistico dei *Miei ricordi*, si veda l'edizione a cura di MARCUS DE RUBRIS, Torino, Utet, 1920.

Sull'Azeglio uomo e scrittore cfr. F. DE SANCTIS, *La letteratura italiana nel sec. XIX*, Napoli, Morano, 1896, e anche il necrologio che fu poi accolto fra i *Nuovi saggi critici*; le pagine del DE SANCTIS vedile ora anche nel vol. *La scuola cattolico-liberale e il romanticismo a Napoli*, a cura di C. MUSCETTA e G. CANDELORO, Torino, Einaudi, 1953. Cfr. inoltre M. DE RUBRIS, *Il cavaliere della prima passione nazionale*, Bologna, Cappelli, 1920; N. VACCALUZZO, *M. d'A.*, Roma 1925; P. E. SANTANGELO, *M. d'A. politico e moralista*, Torino, Einaudi, 1937.

Più particolarmente sui *Miei ricordi* e sulle vicende del testo cfr. G. BARBÈRA, *Memorie di un editore*, Firenze 1883; la prefazione di G. BALSAMO CRIVELLI alla sua ediz. dei *Miei ricordi*, Torino 1920; A. SODINI, *Postilla azegliana*, nel «Marzocco», 1922, n. 8; E. PISTELLI, *Per i «Miei ricordi» di M. d'A.*, ivi 1924, n. 42; G. BARBÈRA e E. PISTELLI, *Ancora a proposito dei «M. r.»*, ivi 1924; M. DE RUBRIS, *Genesi e formazione dei «M. r.»*, nella rivista «Pan», marzo 1935, e poi nel vol. *Passione d'Italia attraverso l'ardore del nostro risorgere*, Lanciano 1939; e particolarmente i seguenti scritti di A. M. GHISALBERTI, *Intorno al testo dei «Miei r.»*, in «Archivio della R. Deputazione romana di storia patria», 1945; *Come sono nati i «M. r.»*, nella «Rassegna storica del Risorgimento», 1947; e la prefazione ai *Miei ricordi* nell'ediz. citata.

Fra le varie edizioni ad uso delle scuole si veda particolarmente quella a cura di GUIDO BIAGI, Firenze, Sansoni, 1925. Sia per l'introduzione, come per la scelta e per molte notizie, cfr. l'antologia a cura di M. BONFANTINI, *Le più belle pagine di M. d'A.*, Milano 1936.

# DA « I MIEI RICORDI »

## [CASTEL SANT'ELIA]

(I, 18) Il cognato di Verstappen,[1] col quale m'ero trovato parecchio tempo nel suo studio a lavorare, scelse anch'esso il medesimo soggiorno per le medesime ragioni. Eravamo tutti e due candidati paesisti, tutti e due giovani, e tutti e due con pochissimi quattrini; abbondavano perciò i motivi di far insieme compagnia, e si rimase d'accordo di aspettare che Martino fosse sistemato, avesse preso casa, per arrivargli addosso all'impensata. La nostra visita non entrava certo nei suoi piani, e, senza le intelligenze che avevamo nella piazza, ci sarebbe stato difficile, una volta uscito dalle porte di Roma, scoprire ove fosse. Volevamo quindi lasciargli fare il suo stabilimento prima di entrare in scena, per timore che, prevenuto, se la svignasse senza lasciarci modo di seguitare le sue tracce.

Venne finalmente per lui il giorno della partenza, ed appena si fu ben sicuri ch'egli aveva piantata casa, venne anche per noi. Partiti da Roma la mattina presto, s'andò a dormire a Nepi. L'oste aveva per soprannome Veleno, ed è l'originale dell'oste che introdussi poi nell'*Ettore Fieramosca*. La sua osteria non era meglio tenuta di quella di Barletta; si può giudicarne da quest'incidente. S'era andati a letto, e addormentati da un pezzo in una cameraccia su in alto, quando ci sveglia a un tratto un chiasso di cavalli, sonagli, grida, e ci accorgiamo che erano nuovi forestieri. Mentre si cerca riaddormentarci, picchia all'uscio nostro la serva, gridando pel buco della chiave: — Dice lo padrone, che ci occorre le materasse per quilli forestieri. — Temo assai che nella nostra risposta non fosse tutto quel rispetto che si deve sempre al bel sesso; ma non me ne ricordo. Bene mi ricordo che vi fu trattato circa i materassi, che durò un pezzetto, e che fu rotto soltanto quando divenne evidente che ci saremmo difesi sino all'ultimo prima di cedere. Questi eran gli usi in vigore nell'osteria di Veleno.

1. Come l'Azeglio dice altrove, Martino Verstappen, nativo di Anversa, «era uno de' migliori e più interessanti artisti di quell'epoca». L'autore ne aveva frequentato a lungo lo studio; ma ne aveva tratto scarso profitto, perché il maestro era gelosissimo del suo mestiere.

In uno de' più caldi e più sereni giorni di maggio si faceva il nostro ingresso, dopo mezzogiorno, in Castel Sant'Elia.

Una delle più belle e pittoresche parti della campagna romana è quella che incomincia a Nepi e si stende fino al Tevere per larghezza; per lunghezza giunge sino ad Otricoli ed anco fino a Narni. I forestieri, i *touristi*, non ne seppero mai nulla sino ad oggi: e tanto meno la conoscevano nel maggio del 1821. Ho sempre trovate saporite infinitamente quelle parti della terra italiana sulle quali non rimasero stampate le suole degli stranieri. Buona o cattiva, è la terra nostra vergine quale la fece Iddio e non guastata da nessuno.

Questa regione, veduta in distanza, sembra una pianura leggermente ondulata. Chi invece si inoltra in essa, si trova ad un tratto sul ciglio di larghi burroni che solcano il suolo ed in fondo a' quali corre un piccolo torrente. Questi rivi nascono nelle colline di Sutri, di Vico, di Viterbo e dapprima scendono quasi a fior di terra. A poco a poco si vengono poi avvallando, e serpeggiano in mezzo a queste valli profonde, larghe talvolta più d'un miglio; né può facilmente concepirsi in qual modo così piccoli rigagnoli abbian potuto scavare letti tanto estesi e profondi. Ed al contrario quale altra forza se non l'acqua può averli formati? Le pareti di queste voragini sono per lo più grandiosi squarci di rocce a perpendicolo, talvolta scoscendimenti erbosi o vestiti di boscaglie. Il fondo è fresco e verdeggiante pei grandi alberi ed ombre opache, le correnti, i filetti d'acqua, i ristagni ove questa impadula; che ora si vedono e riflettono il verde della campagna o l'azzurro del cielo, ora rimangono confusi o celati sotto le volte d'una robusta e fitta vegetazione. Non ho mai veduto un più ricco tesoro di bellezze naturali per lo studio di paese.

A Nepi comincia a sprofondarsi uno di questi burroni, e a due miglia circa, sul ciglio a sinistra siede Castel Sant'Elia, paesello di cinquecento anime, distribuite in vecchie case o catapecchie sulle quali il tempo, la mal'aria ed il vento marino hanno stesa quella patina medesima che colorisce così robustamente le rocce che le sostengono, e che mal si distinguono da loro.

Venendovi da Nepi s'entra per una strada larga formata da due file di case di desolata apparenza. Quelle a man ritta sono proprio sull'orlo del gran burrone, e le loro finestre s'aprono su uno sprofondo d'un centinaio di metri a filo di piombo. Seguendo la strada, dopo cento passi si trovano sul terreno piano le tracce d'un fosso e d'un recinto che contornava l'antico castello, collocato su una rupe che pel subito voltare della scogliera fa gomito e s'alza isolata. Questa ròcca era il feudo della famiglia de' conti Panimolli, rappresentata allora da un ultimo e curioso originale. Egli merita pur menzione.

Questo capo d'opera, uomo di società per eccellenza, abitava Roma. Non c'era casa, non c'era signora, ch'egli non conoscesse, e per la maggior parte non frequentasse: di tutte le conversazioni, i balli, le feste; di tutti i pranzi, delle grandi case romane specialmente, ed altresì de' forestieri e della diplomazia; da tutti ben veduto e ben accolto perché nessuno ebbe mai da fargli un rimprovero; anzi ognuno aveva a lodarsi di lui. Uomo servizievole, d'aiuto, e di ripiego nelle occasioni; sapendo tutti gli affari, i segreti, le nuove, i pettegolezzi, i matrimoni, gli amori, le storielle, ecc. ecc., e non mutando mai né viso né umore, e nemmeno, pareva, vestito, sempre tutto nero, e un po' rapato, senza arrivar mai ad esser indecente. Panimolli, dopo terminate le società, i teatri, le cene, quando bisogna pur finirla colla vita in comune, veniva a Piazza Colonna sul canto del Caffè degli Specchi, ove trovava ritto il suo servitore che l'aspettava. Sentiva se c'erano lettere per lui, ambasciate, commissioni; gli dava gli ordini per l'indomani e poi addio! Panimolli spariva, e nessuno al mondo sapeva dove andasse a finire, né mai fu scoperto, ch'io sappia; neppure da questo tal servitore, che non comunicava col padrone se non una volta al giorno, cioè la notte, alle tre o alle quattro[1] al canto del Caffè degli Specchi.

Noi dunque s'entrò nel feudo di questo caro matto al dopo pranzo, come dissi, d'una bella giornata di maggio. Io a piedi e Michele, mio associato, sull'asino, che egli possedeva, che io invidiavo, e sul quale, senza fretta, era stato portato per le trentadue miglia di strada che ci separavano da Roma.

La prima visita fu, come è naturale, dedicata a Verstappen, il quale credendo ignorata da tutti in Roma la sua villeggiatura a Castel Sant'Elia s'era addormentato nella più supina e felice tranquillità.

Quando la nostra comparsa tutta modesta e ridente lo costrinse

1. Corrispondono all'incirca alle nostre ore 21 o 22. Le ventiquattro ore si calcolavano da un tramonto all'altro.

a destarsi, non ebbe la forza, che distingue le razze civilizzate, d'esser seccato e di mostrarsi felice, e que' suoi occhi tondi di madreperla s'aprirono su noi coll'espressione della sincerità, esprimendoci la noia che gli cagionava il nostro arrivo. Gli si domandò invano se sapeva come si potesse sistemarsi, trovar casa, o privata o osteria, ecc. Lui non sapeva niente di niente, e pregava certo Iddio in cuor suo che nessun tetto volesse coprirci. La sua preghiera sarebbe stata esaudita, per gente più esigente di noi; poiché non c'era in paese né osteria, né bettola, né case, né quartieri, né camere a pigione nemmen per ombra. Quel ch'è peggio, né un macello né un pizzicagnolo. Appena un fornaio, se ben mi ricordo.

Finita la nostra visita, che non durò un pezzo, ci mettemmo in cerca di case, picchiando a tutti gli usci, offrendoci per inquilini, ed essendo mandati a spasso da tre quarti di paese. — Ma non c'è un buco, una soffitta, una cantina disponibile in questo ... — spero d'aver detto — *caro* paese?

Questa domanda ottenne per risposta dai villani esserci una casaccia che ci fu insegnata proprio in bilico sul precipizio, senza porte, o imposte o vetri; disabitata e abbandonata fino dai tempi di Repubblica.[1] Era allora stata saccheggiata da que' soldati co' quali l'Italia fece, senza saperlo, trattato di commercio — non però di sua invenzione – in virtù del quale essi importarono i princìpi dell' '89 ed esportarono quanto potettero trovare nelle tasche nostre. Tanto i soldati quanto gli Italiani allora non sospettavano neppure quali dovessero essere gli effetti finali de' fatti che accadevano: ma allora, come sempre, gli uomini credevano di mutar loro il mondo, e invece lo mutava Iddio.

Siccome non c'era da scegliere, e che via non si voleva andare, s'accettò la casa saccheggiata: si cercò del padrone, e s'ebbe per pochi paoli[2] l'investitura dello stabile, che si poté ricevere senza l'importante funzione della consegna delle chiavi, per la ragione che se l'eran portate via i Francesi nel '98.

Armati dunque d'un coraggio da leoni, s'andò al possesso, e spinta una portaccia cadente, dopo un androncino pieno di ragnateli si riuscì in un cortiletto ridotto a prato, o macchia d'ortiche e di pruni, colle mura verdi pel vellutello e la muffa. Qui si lasciò

---

1. Allude alla spedizione del generale Berthier nel 1798, a cui fece seguito la proclamazione della Repubblica romana.   2. Il *paolo* valeva circa mezza lira.

il somaro nel suo elemento, e più felice di noi. Poi su a perlustrare gli appartamenti. Di tutto il mobilio era rimasto solo un inginocchiatoio, che per fortuna aveva un cassetto e la sua chiavetta da chiudersi, e un vecchio seggiolone di cuoio a braccioli. Quanto a letti ed ogni altra cosa, è detto in una parola, *niente*.

Ma a tutto c'è rimedio fuorché alla morte. Si trovarono due sacchi del rubbio,[1] in affitto; si comprò tanta paglia da empirli; un paio di lenzuola s'erano portate, e messi i sacchi in terra, coperti colle lenzuola bianche, la camera da letto ebbe subito un aspetto decente. Una tavola, tanto per non mangiare in terra, s'ebbe. Non mi ricordo come, e perciò non lo dico — non voglio dir bugie neppure in questo —, e così considerammo come bastantemente provvisto alle prime nostre necessità, per quella sera.

Rimaneva però pendente un gran problema, quello di mettere il somaro in luogo chiuso per la nottata, non essendo Castel Sant'Elia paese di soli galantuomini, ed anzi dalle facce potendosi sospettare l'estremo opposto. Ma anche a questo si trovò rimedio. Io presi l'asino per la cavezza, ed il suo padrone spingendolo e punzecchiandolo di dietro lo prese per la coda. Gli si fece salire quella ventina di scalini che conducevano al piano nobile. Qui legatolo alla meglio, in sala, gli si lasciò un fascio d'erba, colla felice notte, e ce n'andammo nella camera vicina a dormire su' nostri sacchi anche noi. La porta di sala si chiuse con una stanga a traverso raccomandata ad una corda attorcigliata, che pendeva dal buco ove un giorno era stata la toppa. S'ebbe il sonno della stanchezza e della gioventù, anche più riposato di quello dell'innocenza; se non che un balzo ci fece saltare su' nostri sacchi, ad una esplosione sonora, che tra la veglia e il sonno ci parve la tromba del dì finale. C'eravamo scordati d'avere in anticamera il somaro; ma ce lo ricordò lui verso l'alba con un raglio di tanto rimbombo, fra l'aria cheta e l'essere in camere vuote, da sembrare il vero giorno del giudizio.

L'indomani si tese alla meglio di carta quegli avanzi di telai delle finestre tanto di non dormire coll'umido della notte addosso; e poi si cercò modo di dare ordine all'importante articolo cucina.

La nostra sala d'ingresso aveva un largo camino colla cappa sporgente all'antica, perciò rimase destinata a quest'uso. Si fece una

---

1. *del rubbio*: di quelli che servivano per il rubbio, che era una misura delle biade, di circa tre ettolitri.

gita a Nepi e si tornò cogli attrezzi necessari: due o tre pentole, tegami, mestolini, e qualche provvista, ed il secondo giorno eravamo già accomodati tutti e tre, noi due in casa e l'asino in istalla (ridotta chiudibile), con tutti gli agi più sibaritici che si possono ragionevolmente desiderare.

Però la *chère*[1] parve sempre magra, persino a me, ch'è tutto dire. Una volta per uno, ognun di noi dovette andar sempre ogni due giorni a Nepi per provviste, col fido ciuco. Questa gita basta per avere pane, un po' di brodo, ed annessi. D'erbe, di legumi, frutta, salumi, latte, burro ecc., non c'era da discorrerne.

Per variare ogni tanto, si comprava un capretto vivo da que' pecorai; ma bisognava cominciare dall'ammazzarlo, poi gonfiargli la pelle, scorticarlo, vuotarlo e via via; tanto che l'essere in tavola colle testicciole fritte, o collo spezzato col brodetto davanti, veniva per l'undecima o la duodecima operazione, tutte pochissimo divertenti; soprattutto quella di vedersi supplicante quel musino bianco, col nasino color di rosa e quegli occhiolini stupidi ed innocenti, e dovergli dare una mazzolata sul capo, e tagliargli la carotide. *Malesuada fames!*[2]

Altra varietà della nostra dispensa erano le rane. Riposandoci dal lavorare, le venivamo infilzando per certi stagni portandone talvolta a casa delle ricche collane.

La cucina si faceva un poco per uno.

Questo era il piede di casa, in perfetta armonia colle nostre miserie. Il suo impianto richiese appena un giorno di cure. Perciò il secondo dopo il nostro arrivo, si poté a levata di sole avviarci al lavoro. Io non possedevo ciuco: i miei mezzi non me lo permettevano; presi invece un ragazzotto di quindici o sedici anni, il quale correndo la carriera ecclesiastica, serviva il curato, era sagrestano, ed andava vestito da prete. Cioè, intendiamoci: in quei paesi e con quei caldi tutti vanno sempre in maniche di camicia, quindi il distintivo in lui erano solo calzoni e calze nere. Questo chierichetto mi portava gli attrezzi, mi lavava i pennelli, ed era un ottimo ragazzo. Chi sa che cosa sia diventato? chi sa che non sia ora un canonico o un monsignore? cosa fra i possibili, poiché la carriera ecclesiastica è aperta agli umili come agli illustri nel sistema curiale romano.

1. *chère*: trattamento, vitto.    2. «La fame, questa cattiva consigliera» (Virgilio, *Aen.*, VI, 276).

## II

## [ROCCA DI PAPA]

(II, 1) ... Tornato a Roma da Castel Sant'Elia, non vi feci lungo soggiorno. In luglio non potevo pensare a mettermi altro che ne' monti; altrove c'è la febbre. Io scelsi quindi per mio soggiorno Rocca di Papa, ed immediatamente vi cercai casa per mezzo del mio compagno di studi, che possedeva una villetta alle falde del monte sul quale siede il paese.

Ora la campagna romana comincia ad aprirsi alle ferrovie. Al tempo di mia gioventù non c'erano di questi lussi; perciò una sera, rannicchiate le mie gambe in una delle solite carrettelle, nelle quali si occupa uno dei sei posti disponibili, arrivai all'ora solita, la calata del sole, sulla piazza fuori la porta di Frascati.

Qui presi un somaro, gli caricai il mio bagaglio, e messomelo avanti, lo seguitai a piedi su per la montagna, pe' viottoli che conducono alla Rocca.

La Rocca è una delle più belle posizioni dell'Agro romano.

Per chi non è stato a Roma, dirò che dalla Porta San Giovanni in Laterano guardando a scirocco, si scorge, dopo quattordici miglia di una pianura leggermente ondulata, ove non sorge un albergo, ma solo sepolcri ed infranti acquedotti, si scorge, dico, nel vapore de' giorni sereni, una linea di monti azzurri di grandiose forme, che, partendo dalla Sabina, si viene alzando con variati e graziosi contorni sino ad una punta più elevata di tutte, detta Monte Cavi. Da questa s'abbassa di nuovo la catena, e con un declivio moderato ed una lunghissima linea, scende alla pianura e vi si perde a non gran distanza dal mare.

Presso la vetta di Monte Cavi, ov'era il tempio di Giove Laziale, ove tenevansi le *feriae latinae*,[1] e dove oggi è un convento di Passionisti, una rupe isolata a pan di zucchero interrompe il profilo della montagna. Alessandro VI trovò il luogo acconcio per stabilirvi un nido di suoi sparvieri, per tenere aperto l'artiglio sui Colonnesi di Marino: e la rupe venne presto coronata di mura merlate.

Tutti sanno che, in que' secoli, a chi era povero e debole si

1. Le *feriae latinae* erano solenni adunanze, che le città confederate latine tenevano sotto la presidenza di Alba Longa.

lasciava la scelta fra due modi d'esser assassinato; ma uno bisognava sceglierlo, o assassinato da ladri casuali vaganti, o dai ladri
stabili fissi nei castelli. Generalmente fu data la preferenza ai
secondi; e così intorno ai castelli si formò quella timida clien-
tela di casipole e capanne di contadini, che si mutò poi più tardi
in paesi, in borghi ed in città.

Preferenza che fa l'elogio di quei poveri baroni del medio evo
tanto calunniati.

Tale era stata l'origine del luogo, nel quale avevo scelta la mia
dimora, e dove arrivai a notte chiusa, nella casa che per fortuna
avevo fissata e che teneva ancora aperta la sua porta per acco-
gliermi. Diamo ora un'idea di Rocca di Papa.

In alto, la rupe cogli avanzi dell'antica ròcca. Sulla rupe stessa
le prime e più antiche casucce appicccicate, non si sa come, a uso
vespai, alle irregolarità dello scoglio. Dove poi questo, in certo
modo, s'incresta al monte e comincia il declivio più mite, principiano le case più moderne, che formano i lati d'una lunga via
molto precipitosa, la quale scende ad un piccol ripiano fuori del
paese ov'è un convento di Riformati.[1]

Sopra un'altra piazzetta, là dove finisce la rupe e comincia il
terreno del monte, è la chiesa, la fontana, un piccol caffè, ed il
meglio del caseggiato.

La casa mia era l'ultima, giù, in fondo alla scesa a mano manca,
e v'era l'intervallo di duecento passi fra essa ed il sottoposto
convento.

Qui non si trattava più d'una casa saccheggiata come a Castel
Sant'Elia. Avevo due camere pulite al primo piano. L'una metteva sulla strada, l'altra sull'aperto, essendo, come dissi, l'estremità del paese. Me l'affittava una vedova di mezz'età, di quella
classe di contadini, o come là si dice, di villani, che è affatto
speciale a varie parti d'Italia, e più ai castelli dell'Agro romano,
mentre è sconosciuta affatto tra noi.

Se le villane di tutta Italia fossero come codeste, il loro nome,
di sostantivo ch'egli è, non si sarebbe mai mutato in aggettivo.

Ecco in che consiste la loro specialità.

Fra noi ed in più luoghi, la contadina è, né più né meno, la
moglie, anzi la femmina del contadino; come la gallina è la femmina del gallo; col quale, meno il sesso, ha vita, nutrimento, abitu-

1. *Riformati*: una varietà dei Francescani, con una regola riformata.

dini, tutto comune. Quest'uguaglianza anzi, in certi luoghi, vien rotta a danno della povera femmina. Qui, per esempio, sul Lago Maggiore dove sto,[1] se c'è da portare da uno de' paesetti a mezzo monte sin giù alla riva, puta, un fascio di legna, od un mazzo di pollastri, il lavoro in famiglia si distribuisce così: la moglie si carica del fascio di legna che peserà mezzo quintale, ed il marito prenderà i pollastri che pesano un paio di chili.[2] In montagna generalmente è così.

La qual cosa prova che la galanteria verso il bel sesso è d'istituzione interamente umana, i galli ed i piccioni eccettuati.

Invece la villana della montagna di là è generalmente moglie d'un villano, che ha del suo la casa dove abita e qualche pezzo di vigna o di campo, più o meno lontano dal paese. Il clima aggrava la fatica della coltivazione, al punto da renderne incapaci le donne. Oltre di che, non essendovi case sparse come altrove, ma tutta la popolazione riunita ne' castelli, non fa bel girare a tutte l'ore in campagna per le donne; il più delle volte, singolarmente belle.

Per conseguenza è invalso l'uso che il marito se ne parte dal paese (l'estate a mezzanotte) colla vanga e lo schioppo (inseparabili) in ispalla, e va a lavorare la campagna; la moglie non esce mai, si può dire, di casa, attende alla famiglia ed alle faccende domestiche. Quindi il marito è cotto bruciato dal sole, peloso e nero come un caprone; ha le mani callose, che paiono artigli d'aquila, i muscoli sporgenti per il continuo esercitarsi; mentre la moglie, riparata dall'intemperie, mostra la carnagione dorata e trasparente de' quadri di scuola veneta, le mani ben formate, pulite, e non isforzate ne' nodi e ne' tendini; è accurata nell'abito e nel panno bianco che le copre il capo, al quale ogni paese dà foggia diversa, cosicché facilmente si distingue dal panno la patria di quella che lo porta.

Nella parte morale non c'è altrettanta differenza fra gli individui de' due sessi. L'ignoranza, i pregiudizi, l'impressionabilità sono all'incirca uguali. Bensì, come sempre, le donne sono un po' migliori degli uomini. Intanto, non hanno i vizi del vino, delle bestemmie e delle coltellate; sono caste (o almeno erano), meno rare eccezioni; e poi è in loro una certa gentilezza tutta spontanea,

1. L'A. scriveva a Cànnero, dove si era fabbricata una villetta.   2. «È curioso udir talvolta i contadini, mentre si provano a sollevare un peso, ove lo trovino forte, dire deponendolo tosto: *È lavoro da donna!*» (Azeglio).

parlano una lingua rifiorita di graziette amorevoli, come *figlio mio! core mio! bello mio!* pronunziate con un metallo di voce che accosta ed è la più simpatica delle musiche; hanno un vestire pittoresco e che dona; un certo talento naturale; pronte nelle risposte, sveglie che con loro non ne casca una in terra ecc. ecc., tutte cose che le mettono in una categoria molto diversa dalle nostre villane di quassù, sformate dalla fatica, sudice, scapigliate, che rimangono a bocca aperta a guardarvi, se avete da dire loro appena una parola.

Con questo non intendo che quelle villane di là siano sempre angiolette di dolcezza e di pace. Le loro passioni sono veri turbini talvolta. Lo spillone d'argento col quale fermano al capo le loro trecce, che si chiama *spadino*, non per niente porta questo nome gentilmente belligero. Esso qualche volta è stato ministro di vendette femminili, ovvero arme pericolosa per definire questioni. Io non lo vidi mai splendere in nessuna bianca mano; ma mi ricordo un anno di siccità in Genzano, mancando quasi l'acqua alla fontana, venne dalle donne disputata persino a colpi di spadino.

La mia vedova, non più giovane, doveva forse averlo adoperato nelle grandi occasioni. Un giorno m'entrò in camera cogli occhi fuori della testa dicendomi tronco: — Sor Massimo, datemi l'archibuso! — E, senza molte mie istanze, mi confessò che voleva dirigerlo contro un tale che le avea fatto non so qual dispiacere. Come si può credere, io non le diedi nulla, e la mandai in pace.

Tale è il carattere e l'insieme di quelle villane, delle quali credo d'aver indicato la fisionomia abbastanza fedelmente. Se le sue labbra, signor lettore, si disegnassero in questo momento ad un sorriso, e se pensasse che io le abbia studiate abbastanza da vicino per doverle ben ritrarre, le dirò ch'ella prende errore. Sul mio onore, non ebbi mai con nessuna di loro la minima relazione. In campagna andavo per studiare e non per divertirmi. E poi se una qualche altra persona m'avesse interrogato sui miei *portamenti*, non mi garbava trovarmi nel bivio fra una confessione ed una bugia.

(II, 3) . . . La forma del mio ingresso in Rocca di Papa, solo, a piedi, cacciandomi innanzi un ciuco portatore delle mie poche robe, non aveva tradito il mio incognito. Generalmente la vista degli attrezzi di pittura, i bastoni, i cavalletti, l'ombrello bianco, la cassetta de' colori, risvegliava ne' ragazzini de' paesetti l'idea e la speranza che arrivasse il *burattinaro*: e talvolta venni accolto colle festose grida: — Li burattini, ecco li burattini! — Questa volta ero arrivato dopo l'avemmaria, e non ebbi neppure questa modesta ovazione. Cominciai la mia vita di lavoro, mi venni addomesticando con parecchi del paese, i quali mi credevano un povero artista (quanto al povero ci azzeccavano), ed un semplice discendente d'Adamo (e qui mi facevano un torto manifesto).

Sulla piazzetta, in cima alla salita, v'era un piccol caffè tenuto da un giovane chiamato Carluccio Castri, e da sua moglie Carolina, una delle più belle fra quelle Rocchigiane. Qui si riparavano tutti i migliori del paese dopo calato il sole, e fino ad un'ora di notte, come usano le passere prima di mettere il capo sotto l'ala, anche costoro vi facevano una buona sfogata di chiacchiere.

Qui capitavo anch'io, e talvolta colla chitarra cantavo tarantelle o canzoncine che mi resero presto la delizia della Rocca. La mia popolarità s'aumentò quando per la festa del paese combinai non so che arco sotto il quale passò la processione, e vi dipinsi una Madonna che non poteva davvero, sotto l'aspetto artistico, chiamarsi *sine labe*.[1] Ma il pubblico l'accettò come era.

Strinsi amicizia col Carluccio caffettiere. Esso è uno degli uomini ai quali ho voluto più bene. Povero Carluccio, la mia venuta fu la mala venuta per lui, come presto dovrò dire. Ma chi legge nel futuro?

Egli che non ci leggeva mi mostrò presto molta simpatia, a poco a poco si divenne amici; s'era sempre insieme; alle feste, alle fiere de' Castelli, della montagna, uno non andava senza l'altro; e la Carolina anch'essa, senza che nessuno di noi pensasse più in là, mi faceva carezze, e prendeva meco confidenza. Siccome ero biondo, e portavo un *collier grec*[2] biondo, come si dipinge più o meno il Redentore, mi diceva: — Sor Massimo! Tu pari el Cor di Gesù!

La Madonna del Tufo è un piccolo Santuario, una cappelletta ad un mezzo miglio dalla Rocca, colla quale comunica con una strada piana ed ombrosa che è la passeggiata del paese.

Per uno de' primi studi ch'io feci alla Rocca, mi collocai su questa strada. Il primo giorno mentre lavoravo vidi comparire la

1. «senza macchia». 2. La barba a collare.

Carolina col grazioso vestiario delle Rocchigiane, busto rosso, panno bianco in capo, e spadino d'argento in traverso, terminato dal tradizionale emblema d'una mano che chiude il pollice fra l'indice ed il medio, ultimo ricordo di Dio sa quali culti e quali età dimenticate!

Carolina aveva quel che in francese si dice *un port de Reine*; si fermò un momento a vedere quel che facevo, e poi seguitò la sua strada verso la Madonna. L'indomani ritornò all'istesso modo, e finché durò lo studio in codesto luogo, ogni giorno essa visitò la Madonna del Tufo.

Il paese, fosse o non fosse vero, non penò molto a persuadersi che essa avesse decisa simpatia per me.

Un giorno sull'ore calde me la vidi comparire in casa, e mi disse che in paese si ciarlava, che ciò le dispiaceva molto, che se, Dio ne guardi, se n'accorgeva Carluccio... ecc. ecc. Io non mi volli neppure far l'interrogazione che ogni giovane si sarebbe fatta in simil caso, e molto meno risolverla per l'affermativa, ed agire in conseguenza. Volevo studiare, lavorare, e non fare all'amore. Poi Carluccio mi si mostrava amico; io gli volevo bene: di più, nel lavorìo morale che si veniva operando in me i sentimenti di giustizia, di lealtà prendevano a poco a poco il sopravvento; non dissi dunque parola, non feci atto che non fosse irreprensibile, e Carolina uscì, com'era venuta.

Fin qui non v'era nulla che potesse generare catastrofi; come non vi fu mai nulla neppure in appresso fra quella buona Carolina e me. Ma non serve in certi casi essere impeccabili. Pur troppo, come nel mondo materiale vi sono le vipere, che nessuna previdenza basta spesso ad evitare, così vi sono nel mondo morale anime che sembrano aver l'incarico d'avvelenare e imbrattare quanto le circonda di bello, di felice e d'onesto.

Una signora romana era venuta a villeggiare alla Rocca; viveva sola con un bambino che allattava. L'avevo conosciuta in Roma, dove, in quell'epoca, la politica era lasciata a dormire, ed invece, da quindici a sessant'anni, uomini e donne non s'occupavano d'altro che di far all'amore; e la signora Erminia, donna oltre i trenta, non poteva su questo particolare meritar rimproveri per tempo perduto o mal impiegato.

Padrone del campo era in questo momento un mio amico. Buon giovane, mezzo pittore, mezzo cantante, che era altresì stato in scena, ma l'aveva abbandonata per un impiego modesto, meno esposto alle tempeste, che però lo teneva legato a Roma, e quindi lontano, ora, dalla signora Erminia.

Grazie a quel *facil vivere*, che è il distintivo della società italiana da Firenze in giù, io le ero sempre per casa, senza che mi traversasse il cervello nemmen l'ipotesi che fra lei e me vi potesse mai essere che spartire. Mi ricordo che quasi ogni giorno vi facevo un secondo pranzo, grazie ad una facilità di digestione distintiva dell'età e della carriera artistica. La mia riservatezza non aveva d'altronde verun merito. Caso mai, avrei cercato la grazia di Carolina e non i favori d'una donna che aveva dieci anni più di me, e che, in un'epoca in cui la pulizia delle signore romane non era delle più vigilanti, si presentava nel pittoresco e profumato *débraillé* della balia in attività di servizio.

Da questa signora, non è gran vanto l'aver ottenuto una benigna occhiata. Essa apparteneva a quella categoria di donne, per le quali star un mese senza o poco o molto, o da lontano o da vicino far all'amore in qualche modo, è cosa assolutamente impossibile.

Se devo dire la verità, da certe espansioni, da certe confidenze sui propri pregi, credo poter argomentare francamente che, *faute de mieux*, io fossi stato da lei destinato in petto a riempire la lacuna che codesta villeggiatura stava per lasciare nella sua operosa carriera. Ma io, sempre per le solite ragioni (coll'aggiunta della migliore di tutte, la poca simpatia), non ne volli sapere; e senza però dover giungere all'estremo di lasciarle in mano nessun pezzo del mio vestiario, ottenni il fine medesimo dell'antico mio modello:[1] ma come lui destai nella signora una dose di dispetto velenoso che ebbe pur troppo esito funesto.

Dopo alcune settimane comparve il suo amante titolare: cioè, secondo l'uso, quello che è per casa a tutte l'ore, senza il quale il marito si trova perduto, che conduce a scola i ragazzi, e li mette in castigo fino allo scappellotto inclusivamente; che, malgrado tutto questo, quando la signora va in conversazione, non l'accompagna, ma arriva un quarto prima o un quarto dopo lei per non *dar nell'occhio*, frase tecnica.

Egli aveva due o tre giorni di permesso, che però gli fecero poco buon pro.

1. Allusione all'episodio biblico di Giuseppe e la moglie di Putifar.

L'allegrezza che mostrò all'arrivo, trovandosi fuori del suo cancello d'impiegato, in un'aria pura e nel seno della *sua famiglia*, si mutò presto in muso lungo un palmo; la sua parola divenne amara e pungente, piena di allusioni, di *so ben io*, di *non son già cieco*, di esclamazioni contro le soverchierie ed i dispotismi femminili.

Io, che ero innocente come l'acqua, non volli mostrare d'applicarmi quelle nebulose giaculatorie, stante l'assioma legale *excusatio non petita*, ecc. La signora dal canto suo non sembrava punto alterata per lo sdegno represso e per le sbottonate dell'amico; notavo anzi sul suo viso, ed in un suo risolino maligno, un'espressione che pareva più che altro di piacere; ma di que' piaceri che debbono provare le streghe a rattrappire i bambini nelle culle; se pure la leggenda non le calunnia, e se dice proprio la verità.

Sa il diavolo quali calcoli covassero sotto queste apparenze! Quali cose avesse essa dette, o fatte dire, o lasciate supporre, o insinuate! Comunque sia, se il suo progetto fu di metter male e far nascere quistioni fra il suo amico e me, la trappola scoccò a vuoto. Egli pochi giorni dopo se n'andò pe' fatti suoi, ed io rimasi sempre meno disposto ad ammirare i pregi fisici e morali della signora Erminia.

Intanto io seguitavo i miei studi con calore. Da Roma ricevevo tratto tratto qualche lettera, che mi portava le nuove e le vicende del mondo allegro de' miei coetanei. Non nego che qualche aspirazione a quella vita saporita non mi venisse fuori dall'intimo del cuore: a ventitré anni alla fine non s'è un romito; ma vinse e vinse poi sempre in appresso il buon principio. Se non mi moveva l'amore astratto del bene mi reggeva e mi guidava un'intima soddisfazione, parendomi riportare una bella vittoria, e potere credere di valer meglio di molti altri.

In allora erano in piedi quelle compagnie che quattro secoli fa si sarebbero chiamate di *ventura*, e le avrebbe comandate il Conte Lando, Fra Moriale, od il Duca Guarnieri *nemico di Dio e della misericordia*; nel mio tempo invece le comandava Barbone, Spadolino, De Cesare, ecc., più tardi Gasperone: eran chiamate *i briganti*, ed avevano i birri ed il bargello alle calcagna. Come il mondo perde in poesia!

Il governo papale s'era dato da fare per liberarne il paese: ma se, verbigrazia, a bordo d'una fregata ogni corda che si tira restasse in mano, vorrei sapere come s'andrebbe avanti, e come la ciurma la potrebbe dirigere.

Il governo del Papa era, come è, e come sarà sempre, in un identico caso. Tutte le sue prove per distruggere i briganti erano riuscite vane, perché gli istrumenti che adoperava erano fradici. E quindi non riuscì mai a nulla, fin al giorno in cui conchiuse con essi un trattato, da potenza a potenza. Trattato che i briganti osservarono e che il governo violò, facendo prigione a tradimento Gasperone e tutta la sua compagnia nel castello della Riccia.

Ma queste cose accaddero parecchi anni dopo l'epoca della quale scrivo.

In questa si seguitava a provare ora un modo, ora un altro; ed il modo del momento era stato il formare bande di briganti in ritiro, o convertiti, o disgustati; dar loro le medesime armi, il medesimo vestiario, l'ordinamento medesimo de' briganti attivi. Quanto allo spirito ed alle tendenze non c'era da occuparsene. L'identità era perfetta.

Ero un giorno in mezzo alla macchia, sotto i così detti Campi di Annibale, i quali messi dal Senato all'incanto, mentre li occupava l'esercito cartaginese, trovarono compratori.

Dal non voler patteggiare con Annibale, al venir a patti con Gasperone! Distanza assai lunga che costò a Roma un viaggio di oltre duemila anni.

Mentre disegnavo certi bei tronchi giovani, mi sento alle spalle lo scoppio di quattro archibusate. Mi volto e vedo uomini che vestivano da briganti. Erano gli originali o erano le copie? Siccome il *cantabat vacuus*[1] di Giovenale figurava esattamente la mia posizione, così, non avevo motivo di prendermene troppo. M'alzai, e m'avviai alla loro volta. Erano per fortuna i briganti finti — è sempre meglio. — Domandai loro, contro chi avevano sparato. — Contro un albero, a segno — risposero; per tenersi la mano in esercizio. Ora vuol'ella sapere come lavorano, e come è fatto il loro bersaglio?

Fissano nelle rughe d'un tronco una foglia, poi si cacciano a correre colla carabina (che essi chiamano *cherubina*) armata e, dopo cento e più passi, ad un segno, girar su un piede, sparare,

___

1. «*Cantabit vacuus coram latrone viator* (Gioven., *Sat.* x, 22), il viandante con le tasche vuote canterà in faccia al ladrone. L'A. allude alla propria miseria che lo rendeva sicuro di fronte ai briganti» (Biagi).

e riprender la corsa: tutto dev'essere istantaneo. Andai a vedere dov'eran fitte le palle. Stavano nel tronco non più distanti tra loro delle quattro dita della mano. Se c'era un petto o un capo d'uomo, era servito. Ma in codesta guerra vince chi tira dritto.

La squadra composta d'uomini rozzi, di tipo volgare, era comandata da un giovane alto, smilzo, bello, di modi cortesi, che pareva una persona della società mascherata da briganti.

M'accompagnai colla squadra, e venni parlando con questo tipo eccezionale, pel quale provavo simpatia.

Mi disponevo a cercar di studiarlo, e quindi di farmelo amico, ma dieci giorni dopo fu ammazzato a tradimento da un gobbo nano in un'osteria, framezzo a' suoi, ed il gobbo riuscì a fuggire. Incontrai un'altra volta la squadra. Mi raccontarono il fatto mordendosi le dita di rabbia, e giurando di cercare il gobbo finché l'avessero trovato, ed inchiodarlo come un falco alla porta dell'osteria. Eran musi da non mancar di parola.

In que' paesi non son rare simili vicende. La vita scherana de' secoli scorsi, scomparsa altrove interamente, ancora dura colà: e le persone più tranquille e più temperate, più o meno ne rimangono tinte.

A questo proposito narrerò d'un mio conoscente, d'un tal Jacobelli, nel quale la pietà filiale e la tenerezza coniugale prendevano, come si vedrà, una tinta più in armonia con que' costumi che coi nostri.

Jacobelli era un piccol possidente, sulla cinquantina, d'aspetto modesto e mansueto, uno de' fabbriceri della parrocchia, fratello della Coroncina,[1] tutto quello insomma che vi può essere di più regolare e di più rispettabile. Aveva una moglie giovane, bellina, ma pallida e sempre malinconica. Che cosa può avere questa giovane? Il marito vecchio, dicevo fra me stesso. Ma seppi poi che, se non era falso il mio supposto, mi trovavo ancora assai lontano da tutta la verità.

Prima di questa moglie, Jacobelli n'aveva avuta un'altra che amava svisceratamente. La poverina morì, fu portata e sotterrata in chiesa, secondo l'uso del paese. L'indomani il vedovo scomparve e, mentre si cominciava a dubitare di qualche sua disperata risoluzione, dopo due giorni ritornò in casa, parve, se non consolato,

1. *Coroncina*: nome di una confraternita.

tranquillo, e nessuno più pose mente ai fatti suoi. Dov'era andato così repentinamente il sor Jacobelli? Era andato a Roma; e senza informarsi da anima viva di nulla, aveva comprato gran cartocci di quelle spezie che nella sua ignoranza stimava atte a disinfettare: pepe, cannella, canfora, sale e simili. Tornato alla Rocca con questa provvista, riuscì a corrompere il sagrestano e becchino, ch'era tutt'uno e, col suo aiuto, di notte tempo s'era andato a prendere e riportare in casa la sua dolce metà. Quivi le si mise attorno, e Dio sa in che strani modi la cucinò: fatto sta che ripiena e ravvolta in quelle spezierie, la chiuse in una madia, che tenne in casa e che visitava sovente, aspergendola del suo pianto.

Ma siccome tutto finisce a questo mondo, finì anche la fedeltà postuma all'ombra adorata. S'innamorò d'un'altra, la sposò, e la madia contenente l'antica fiamma venne inchiodata e messa in disparte. Mi affermarono che l'adoperavano le *opere*[1] come tavola da pranzo.

Ma la curiosità femminile della nuova sposa la condusse un giorno a voler vedere che cosa stesse in questa madia inchiodata. La schiodò, l'aperse, e trovò quello spettacolo che si può immaginare; come si immaginerà gli stupori, e poi le inquisizioni, e poi le scoperte, e la confessione alfine del povero marito, che per prima cosa dové fare un fascio delle care memorie e riportarle dove le aveva prese. Si raccomandò pel segreto, ma di comare in comare la cosa giunse all'orecchio del Vicegerente, ed in conclusione il Jacobelli un bel giorno si trovò in prigione accusato di violato sepolcro; e non ne uscì se non dopo un tempo che forse sarà sembrato lungo alla moglie, ma che certamente sembrò più lungo al marito, vecchio, geloso e in prigione mentr'essa era giovane, bellina e libera.

Questo fatto non era stato solo del suo genere nella vita del sor Jacobelli. Quando gli morì il padre, egli volle rimanere la notte alla veglia del corpo. Piangeva e veniva dicendo fra i singhiozzi: — Che proprio non t'aggia a veder più, Tata mio!

Non sapendosi risolvere a una separazione assoluta, trovò un luminoso espediente: schiodò la cassa e con un coltello tagliò la testa al genitore; e riposta ogni cosa in ordine, ebbe almeno questa memoria di lui, della quale non mi ricordo, e poco importa, l'esito finale.

1. Lavoratori a giornata.

Cosiffatto era il cuore del signor Jacobelli, ed il suo modo di voler bene.

(II, 4) Intanto era venuta la rinfrescata, e secondo l'uso molto ragionevole de' Romani di passare i gran caldi a Roma ne' loro quartieri spaziosi e freschi, di dove escono soltanto la notte — mentre, se fossero in villa, di giorno non uscirebbero pel caldo, e la notte dove anderebbero? —, secondo questo loro costume, dunque, i vicini Castelli s'andavano popolando di villeggianti.

Una mattina mi trovavo in casa, quando mi sentii chiamare dalla via da un coro di soprani, tenori e bassi. M'affaccio, e vedo una *somarata*, cioè una processione di ciuchi, portanti ognuno un signore od una signora, e riconosco la principessa *Trois étoiles*, colle figlie, gli amanti delle figlie, i suoi, i figli, gli amici di casa, i benaffetti, i *piqueurs d'assiettes*,[1] insomma tutto il personale d'una villeggiatura romana d'allora, che componeva una carovana d'una ventina di persone.

— Venga! venite! vieni! — mi si gridava, secondo i vari gradi d'intimità degli interlocutori. Io scorgevo il bocchino, il risolino, l'occhiolino magnetico d'una delle signorine che si diceva mi volesse, che si scoprì poi in seguito ladro a tutta prova. Sembrerà strana questa tenerezza in una principessina. Ma l'adagio dell'epoca era che il *cuore non si comanda*, e non è credibile quali facilitazioni portasse questo assioma nelle relazioni giovenili.

La seduzione era troppo forte, ed eccomi imbarcato con tutta questa brigata che doveva salire a Monte Cavi, e ridursi poi alla sera alla villa dove era radunata, e che non nomino per poter più liberamente descrivere il vivere d'allora.

Le offro, o lettore, uno studio di costumi che mostra quanto il mondo venga migliorando in fretta, se si faccia il paragone fra quell'epoca e la presente. Ecco qual era questa brigata.

La principessa, donna oltre i quaranta, stata un tempo piacevole assai se non bellissima, ma d'aspetto stanco per aver sempre scordato il *ne quid nimis*. Fu già l'adorazione d'un principe quasi sovrano. Ora bisogna adattarsi a molto meno. Il figlio d'un locandiere, giovane di vent'anni, di forme e forze d'atleta, stupido e mal educato, è il suo padrone e fa in modo che ognuno lo sappia.

1. Mangia a ufo, scrocconi.

Le signorine, di varie paternità. L'una è figlia d'un cavalcante ed essa stessa non lo ignora. I figliuoli in mano d'un prete, vero vituperio, che tien mano e partecipa alle loro sudice orge, in certe camere perdute del palazzo. Poi un vecchio maestro di musica straniero, che si dà tono d'uomo necessario ed è trattato con riguardi dalla principessa; se ne ignora il motivo, ma si suppone sia possessore di qualche brutto segreto: e finalmente parecchi di que' tali, che ora prestando un servizio, ora facendo i buffoni, e sempre accettando tutto, a tutto rassegnandosi, e adulando senza pietà né misura i signori, vengono a farsi l'equivalente d'un'entrata, e vivono vilmente ma grassi, lustri, allegri, e senza faticare. Fra questi, ci era quel tale con moglie e figliuoli, che accennai possedere una buona metà di un cuore del quale pare che toccasse a me il rimanente.

Questa era la gustosa comitiva colla quale, lasciato il mio tetto solitario, saliva l'erta che conduce a Monti Cavi.

La principessa m'invitò a passare qualche giorno alla villa che aveva presa a pigione, ed io accettai. Le finanze di questa buona signora erano rovinate dalla scioperataggine sua, de' suoi e di parecchi altri. Come andasse avanti lo sa Iddio. È vero però (e questo lo possiamo sapere anche noi) che avendo alle coste un nuvolo di creditori, ottenne dal Papa di non pagarli. Mi ricordo averle udito dire tornando dal Corso: — Sapete! fermo al Caffè Ruspoli c'era A. — un povero diavolo che le avanzava senza speranza parecchie migliaia di scudi —; figuratevi! m'ha guardato con un tono! ... un'aria! ... —, ed essa intendeva dire: «si può dare un'insolenza simile?»

Ma l'invidiabile facoltà di non pagare i debiti non bastava a metterla in condizioni agiate; pur divertirsi bisognava, quindi trattava senza cerimonie i suoi invitati. Nella villetta della quale occupava un piano, era un salotto in capo alla scala, che per i pasti s'empiva tutto con una gran tavola aiutata al bisogno da appendici d'assi posate su trespoli: sistema che teneva tutta l'area e non c'era da pensare a servitori che circolassero. Onde non si mutavano piatti, non si serviva e andava a chi piglia piglia. Da un lato del salotto dormiva in una camera la principessa colle figlie; dall'altra era il dormitorio degli amici di casa, ove primeggiava un letto per l'atleta locandiere, come voleva giustizia; e per terra una serie di materassi e sacconi, sui quali i villeggianti aveano facoltà la sera di cercar la posizione più comoda ai loro riposi. Tutte cose trovate allora naturalissime, e che non impedivano punto la brigata di passarsela allegramente.

Per compiere la pittura di questi costumi, aggiungerò alcuni aneddoti.

Fra le numerose passioni che arsero nel cuore della principessa, una fu per un certo tempo accesa dal suo cocchiere. Era certo un gran comodo poter tener in casa l'amante senza far dire. Anche a Roma non si supponeva facilmente il vero senza segni evidenti. In questo caso però vi furono e non punto equivoci.

La principessa andava al Corso. Era l'uso fermarsi in Piazza del Popolo, ove i giovani venivano intorno ai legni a discorrere colle signore. Se si fermava a quella della principessa qualche adoratore, che non desse nel genio al cocchiere, questi di sua iniziativa frustava, e via! E se il rivale era, come s'usa, appoggiato al legno e co' piedi sulla via delle ruote, peggio per lui!

Un giorno essendo la principessa in un legno scoperto a due posti, corto, e quindi a portata dell'adorato oggetto, questi per gelosia, o per altro motivo rimasto ignoto, si voltò, e in mezzo alla fila delle carrozze e della gente le dette un gran scappellotto.

A forza di depravarsi, certe nature non sentono più i sapori se non v'è scandalo, vergogna e viltà per tornagusto.

Questo genere, se non comune, era però tutt'altro che raro nella Roma anteriore alla rivoluzione. Una signora che l'aveva allora lungamente abitata mi diceva: — Era ben rara la dama, che oltre l'amante in titolo, uomo della società, non avesse un cocchiere, un soldato, un *quidam* qualunque, ecc. ecc.

Tale era lo stato sociale che le *teste guaste* son venute a turbare.

Questo cocchiere, come dissi, era il padre d'una delle principessine, svelta, allegra, carina come un amore. Si maritò, e siccome il sangue non è acqua, anche lei s'innamorò del suo cocchiere. Il marito sorprese la corrispondenza, che mostrò come *curiosità* e lasciò ad una sua bella, ch'io conoscevo. Così la potei leggere, e mi ricordo d'un biglietto che diceva: «Peppe mio, son disperata: T.» il marito «non ti ci vuol portare,» a una gita in villa «e dice che attacchi Cencio coi cavalli della tenuta, ecc. ecc. . . .» Questo era un biglietto a lapis scritto in fretta la mattina presto, mentre si stava in partenza per la scampagnata! . . .

Questa mattarella, quando gli amori non camminavano a suo

genio, si raccomandava nientemeno che al Principe delle tenebre
per mezzo d'una maga che le prestava il suo terribile ministero. E
siccome io me ne ridevo, mi diceva un giorno: — Tu ridi pure, ma
io ti racconterò questa. Quando io era innamorata di R., e che mi
piantò, ero disperata. Vo dalla mia solita e le dico come mi trovo.
«Eh signora!» dice lei «la cosa si rimedia; ma bisogna che v'avverta, io ve lo posso far tornare, ma... attenta... dopo non ve lo
levate più d'attorno.» Che vuoi, io non vedevo lume: accettai.

Qui veniva la descrizione dello scongiuro; poi seguitava: — Torno a casa, e la maga mi dice: «non pensate, non passano due giorni
che lo vedrete». Erano mesi e mesi che non era venuto. La sera
stessa stavo in finestra sull'avemmaria e guardavo per la strada.
Il chiasso delle carrozze non mi lasciava sentire dentro casa.
Quando una voce mi dice nell'orecchio «*Angelina!*»: era la voce
sua! Mi volto. Era lui! Che vuoi, ti puoi figurare, a cavarmi sangue non me n'usciva una goccia!...

Andate a non credere alla magia!

Questa disgraziata, consumato fra essa ed il marito quanto avevano, viveva poveramente. Scese ne' suoi amori tutta intera la
scala sociale, ed in ultimo era veduta talvolta la sera sul tardi in
qualche vicolo in vicinanza d'una caserma in tenerezze con un
soldato, che l'amava per pochi paoli. Credo che ad uno di questi
tenesse dietro nella campagna del '48. La vidi a Bologna, e poi
nel Veneto; e la feci comprendere nella disposizione del generale
Durando che vietava a molte anime tenere di girare il mondo al
nostro seguito. Mi faceva male vederla caduta in quel fango. L'avevo conosciuta bambina, all'ingresso nella vita, che poteva essere
onorata e tranquilla. Ma non v'era più ritorno possibile per lei.
Seppi un pezzo dopo che era morta non so dove, o di disagio,
o di malanni che s'era acquistati in quella sua turpe esistenza.

Il resto della famiglia finì meno male, ma non bene, e tutt'insieme i suoi componenti lasceranno di sé poco belle memorie.

Dalle aristocrazie operose è potuto uscire qualche bene. La francese, la nostra, la germanica ed altre nella guerra; l'inglese nel-
l'arte dello Stato, produssero uomini e cose utili e grandi; ma
dall'aristocrazia del *non far niente*, qual è la romana, figlia e serva
del Papato per la maggior parte, che cosa aspettare? Il clericato,
che la fece ricca, l'ebbe in sospetto e non la volle potente: l'escluse
da ogni ingerenza politica; spense nel lusso, ed in un ozio forzato,

ogni sua virtù: quindi ozio, avvilimento e rovina! Ma ritorneremo or ora su questo argomento.

Siffatto vizio non è però specialmente annesso alle aristocrazie. Può prodursi in ogni classe alla quale si concedano privilegi che la dispensino dall'avere in sé un valore, un merito reale, ed un virtuoso scopo alla sua esistenza. La plebe romana, che per privilegio viveva dell'elemosine regolari degl'imperatori e de' loro spettacoli, senza far nulla, diventò il più colossale ammasso di canaglia che registri la storia.

E pur troppo i *donativi* antichi, ed i denari dell'indulgenze di Roma papale, hanno tramandata la triste tradizione, viva ancora e potente nel popolo d'oggi: ed il suo Eldorado, del *far quattrini senza meritarseli.*

Quindi pei mestieri dell'anticamere si trova il Romano: pei mestieri di fatica si chiama il forestiere. È veramente curiosa la ripugnanza del Quirite a lavorare, non tanto forse per pigrizia come per superbia; ed ecco sempre il *tu regere imperio*,[1] ecc. In campagna per tutti i grossi lavori arrivano colonie di fuori. Per vangare e far fossi vengono i Burrini (Marchigiani), per mietere gli Aquilani, per l'olive i Lucchesi, ecc., ed il Quirite panneggiato nel suo mantello sta a guardare . . .

Se i Romani vorranno far di Roma una capitale salubre che dia vita forte ed energica al governo italiano, dovranno cancellare le tradizioni della plebe de' Cesari e diventare un popolo moderno, che stimi onorato il lavoro non l'ozio. Ci pensino; e pensino che vale più un fatto di cento parole.

Tornato alla Rocca dopo pochi giorni, ed avanzandosi la stagione, mi disposi alla partenza. Essa doveva lasciarmi tristi memorie.

La mia amicizia con Carluccio s'era sempre mantenuta uguale. Nessun sospetto aveva mai turbata la sua mente. Sarebbero stati ingiusti, ché neppur una parola avevo a rimproverarmi riguardo alla Carolina.

Ma ci entrò di mezzo l'Erminia; e Carluccio seppe che il paese aveva chiacchierato.

Venne il giorno della mia partenza, ed egli mi volle accompagnare sino alla pianura: si montò a cavallo, o piuttosto si presero per la briglia, per far più comodamente la ripida scesa di quasi

---

1. Virgilio, *Aen.*, VI, 851.

un miglio, che conduce, per mezzo a una folta selva, alle vigne di Marino. Quando siamo in mezzo alla macchia, mi comincia a parlare d'Erminia, e a poco a poco riscaldandosi dice di lei quel che meritava e anzi un po' meno; e finisce col piantarsi sulle due gambe guardandomi in viso, e mi fa: — E sai, persino che cosa m'ha voluto far capire? . . . che tu facevi il caro con mia moglie! . . .

In ogni paese una simile parola, in eguali circostanze, può essere foriera immediata di gravi fatti; ma in que' paesi più che altrove è quasi sempre la compagna indivisibile d'una ed anche parecchie coltellate: però, ad ogni buon riguardo, gli tenevo gli occhi alle mani. Ognuno può sentire quanto sia difficile in simil caso, non trovare una risposta, quanto trovare un viso, uno sguardo, un suono di voce che la rende naturale ed efficace.

Ma in fin de' conti, la Dio grazia, l'*usbergo del sentirsi puro*[1] è pure un buon usbergo, e la coscienza netta vale qualche cosa nel trattare cogli uomini: — Carluccio mio, — gli risposi tranquillamente — la sor' Erminia può dir quel che le pare, ma io ti giuro da galantuomo, che a tu' moglie non le ho mai né detta una parola né fatto un atto che te ne potessi lagnare.

Questo bravo giovane che voleva sfogarsi e levarsi una pietra d'in su lo stomaco, e non farmi dispiacere, conobbe ch'io dicevo il vero. Egli non aveva mai letti romanzi; non mi stese dunque la mano, non mi disse quelle frasi che s'imparano nella *Bibliothèque des chemins de fer*. Mi guardò sgrullando il capo ed alzando le spalle, e disse: — Eh! ti credo senza che ci giuri! . . . è quella linguaccia d'Erminia . . . — ecc. ecc.

È inutile ch'io *mandi alla posterità* la coroncina che sfilò ad onore e gloria di quella signora. Il lettore per poca fantasia che abbia se la potrà immaginare.

Si seguitò la nostra via passando da un discorso ad un altro, e mi parve che l'animo suo, un momento alterato, non avesse però serbate profonde impressioni di quelle prime parole. Ci lasciammo alla fine in ottima armonia, e con molte scambievoli proferte per l'avvenire. Io spronai verso Roma, e lui voltò la briglia verso la Rocca.

Non ho mai potuto saper bene che cosa accadesse quella sera tra lui, Erminia, la Carolina e forse altri. Molto tempo dopo mi fu riferito questo solo: che a notte s'imbatté nell'Erminia, la quale,

1. Dante, *Inf.*, 28, 117.

saputo ch'egli tornava dall'avermi accompagnato, diede in una gran risata, dicendogli con scherno: — Anche l'accompagno!... ah! ah! ah! Anche l'accompagno!...

Cieco dalla rabbia, il povero Carluccio andò a casa. La mattina dopo fu trovato morto.

Si giustiziano gli uomini per colpi di spada o di daga, ma i colpi di lingua il codice non li contempla.

Vari supposti furono fatti, tutti più o meno inverosimili: né giammai mi riuscì chiarire nulla su questo triste caso. Sempre m'è rimasta cara la memoria di quell'oscuro, ma onesto ed onorato villano, che mi diede indubbie e costanti prove d'essermi amico. Altrettanto m'è rimasto un vivo rammarico — rimorso non posso dirlo — d'essere stato io causa indiretta della sua morte, e della sventura di tutta la sua famiglia.

Ritornando a Roma dalla Rocca, io riportavo con me un discreto frutto delle mie fatiche dell'estate: tre o quattro studi grandi, finiti sul vero, una ventina di piccoli, e molti disegni. Mi sembrava giusto l'accordare a me stesso un mese di riposo e di divertimento e me n'andai a passare l'ottobre in Albano.


III

[LA VITA A MARINO]

(II, 6)... Villeggiavano in Marino il marchese Venuti, romano, ed il conte Roberti e sua moglie, di Bassano nel Veneto. Ambedue artisti, il primo, essendo assai ricco, lavorava poco o nulla; il secondo, invece, pittore di caseggiati molto stimato, con famiglia e di ristretta fortuna, lavorava assai. Tutti poi ottime persone e d'ottima compagnia.

La vicinanza e la solitudine c'ebbe presto messi in relazione, e non si tardò molto a lasciare i complimenti, mutare il *lei* in *voi*, e diventare intimi.

Essi abitavano l'ultima casa a diritta uscendo dal paese per andare a Frascati, detta casa Maldura, dove si poteva stare a dozzina, e con più quiete che alla locanda. Il signor Virginio Maldura era il padrone titolare della casa, ma il vero, assoluto padrone era il signor Checco Tozzi, suo suocero, ed uno de' caporioni del paese. E qui mi par bene di premettere due parole.

Anni sono, il mio amico cavalier Torelli pubblicava un opuscoletto periodico intitolato «Il Cronista», nel quale vennero stampati parecchi miei capitoli sotto il titolo di *Racconti, leggende* ecc. ecc.,[1] ne' quali dipingevo il mio soggiorno in casa del sor Checco Tozzi.

Questi capitoli, come molt'altre parti del giornaletto, vennero letti, e mi dicono non dispiacessero (tutte ipocrisie per fare il modesto, perché io so invece che fecero furore), ma, con tutto questo, mi parrebbe un po' grossa dar per cosa intesa che tutti gli avessero letti.

Non volendo né potendo andar tanto in là colla presunzione, seguito l'istoria mia fra le mura del sor Checco, come cosa non mai detta. Cercherò solo, avendo riguardo ai lettori possibili del «Cronista», di non ripetermi troppo, e cercar invece qualcosa di nuovo: ché non ho già vuotato il sacco e, se ne' *Racconti* dissi molto, non potei dir tutto. Ciò premesso, tiriamo avanti.

Il sor Checco era, secondo il detto spagnuolo, *hijo de sus obras.*[2] Come nel mondo de' panteisti, le sue origini rimanevano ignorate e inesplicabili; ma siccome egli era padrone di case, vigne e canneti; fratello influente della Coroncina; ammazzasette emerito; e co' suoi cinquantacinque anni, alto, svelto, diritto e tutto nerbo, nessuno si curava di domandarne la spiegazione al solo che avrebbe potuto darla, cioè al sor Checco in persona.

Era temuto e rispettato in paese, ma piuttosto lasciato stare. Lui che poco si curava di tenerezze, non ne faceva caso. *Oderint dum timeant,*[3] era il suo motto. Quantunque ricco, non lasciava però d'andare ogni mattina a lavorare alle cave del travertino, quando la vigna gli dava vacanza. Era sfogo di naturale attività e sete, se non dell'oro, dell'argento. Cinque paoli guadagnati colla grazia di Dio, fanno bene all'anima ed al corpo, diceva lui.

Ai tempi di Repubblica, passando Championnet per andare a Napoli[4] (qualcuno a mezza bocca lo lasciava capire), pare che egli aves-

1. Esattamente *Racconti, leggende, ricordi della vita italiana*, e apparvero nelle annate 1856-57 del «Cronista», periodico settimanale in trentaduesimo, che Giuseppe Torelli, amico e segretario dell'Azeglio, pubblicava allora a Torino sotto il nome di Ciro d'Arco. Furono poi riprodotti nel secondo volume degli *Scritti politici e letterari*. 2. «figlio delle opere». 3. «mi odiino, purché mi temano» (Cicerone, *De officiis*, 1, 28). 4. La Repubblica Romana, creata nel febbraio 1798 in seguito all'invasione francese, fu abbattuta nel novembre dai Napoletani; ma poco dopo il generale francese Giovanni Championnet (1762-1800), cacciati i Napoletani da Roma, li inseguì, e il 23 gennaio 1799 entrò vittorioso a Napoli, dove fu proclamata la Repubblica Partenopea.

se ottenuto un non so che somigliante alle *lettres de marque*,[1] colla sola differenza di poter esercitare a terra a danno degli aristocratici.

Difatti v'era stata in quei tempi una lunga e totale eclisse del sor Checco: dopo la quale, un bel giorno, i Marinesi se lo rividero tra' piedi, senza che nessuno si fosse accorto da che parte arrivasse. Essendo l'arte sua quella di scarpellino, si ripiantò alle cave, lavorando a giornata come prima; col fare, col viso, coll'umore e co' panni di prima. Soltanto nel corso di due o tre anni diventò padrone di terre e case e cantine. È vero che aveva sposata una vedova più vecchia di lui e che si diceva avesse il *morto*.[2]

Comunque sia, Checco scarpellino era diventato il sor Checco; e chi ci poteva trovar a ridire?

La sora Maria, sua moglie, buona vecchia, un po' sciancata (si bucinava a questo proposito una storiella che ricordava il momento di *vivacità* che ebbe Nerone[3] con Poppea), aveva una particolarità. In due anni non la vidi mai ridere.

Unico frutto di questo letto, non sempre morbido, era una figliuola chiamata la sora Nina: color di patate lesse, con due occhi sbiaditi come le bolle della pappa coll'olio: l'essere più apatico della creazione.

L'amore per questa lumaca sotto forma muliebre era la grande, l'unica passione del sor Checco; e l'ardente suo desiderio, poter un giorno vedere la Nina sotto il braccio d'un signore (nel senso di non villano), e sua adorata e legittima consorte.

Per questo il sor Checco, due o tre anni prima della mia comparsa sull'orizzonte marinese, aveva messo sottosopra cielo e terra, e finalmente trovato a Roma l'uomo che faceva per lui: un mezzo signorotto da dozzina.

Devo confessare che ne ho dimenticato il nome; ricordo però bene il fatto, che fu questo.

Tutto era stato ammannito e preparato per il matrimonio che doveva contrarsi in Marino. Pronta la funzione in chiesa, pronto il pranzo in cucina, pronta la casa, il talamo, pronta persino la musa del sor Fumasoni, notaio e poeta del paese; altro originale che troveremo più avanti.

---

1. «Commissione di cui deve esser provvisto un capitano di nave corsara. Pare che il Tozzi avesse ottenuto licenza di far rappresaglie ai danni degli aristocratici» (Biagi).   2. Denaro messo da parte.   3. Nerone uccise Poppea con un calcio.

Sorse il giorno del fausto evento. Le gale della sora Nina erano inesplicabili; ed i genitori anche essi rimessi a novo, non stuonavano troppo co' suoi splendori. Lo sposo dovea venire da Roma a mezza mattina, onde la funzione permettesse di andar in tavola, come il solito, a mezzogiorno.

Passa la mezza mattina, passa l'intera, passa mezzogiorno, passa l'Ave Maria; in conclusione lo sposo l'hanno ancora da vedere ora. Solo l'immaginazione, e non la penna, può dipingere l'ire del sor Checco, le tristezze della moglie, la perfetta tranquillità della sora Nina, che s'andò a spogliare: che al pranzo, dovutosi ritardare d'un par d'ore, ebbe un appetito da angelo; e che la notte dormì come il solito le sue nove ore tutte d'un fiato.

In paese si rise, e stante la nota ed innata bontà dell'umana specie, si provò generalmente una profonda soddisfazione di veder lo scudo della gran casa Tozzi spogliato dei suoi raggi da un *paino*[1] romano.

— Gli sta bene, — dicevano — si vuol mettere co' signori . . . ci ho gusto!

E qui veniva citato quel gran proverbio che parla della *superbia del villan rifatto*, con una rima ed una parola che non sbigottì Dante; ma io, che non son Dante, me ne sbigottisco e non oso pronunziarla.

Naturalmente lo sposo infido non ebbe mai più in eterno il grillo di venire a Marino, e nemmeno a sei miglia di raggio in giro; le ire, come le risa, cancellate da' giornalieri colpi d'ala del tempo, si risolsero in nulla, e le cose ripresero il loro andamento normale.

Il sor Checco poi, *tenax propositi vir*, seguitò la cerca del *signore*, ma volle prendere tutte le precauzioni necessarie onde non si rinnovasse un simile scandalo sotto il suo tetto.

S'informò, consultò, seguì la massima — cento misure e un taglio[2] — e alla fin de' fini trovò un secondo sposo, e questo fu il buono e fu davvero.

Aveva nome il signor Virginio Maldura, ometto magro, color terreo, di mezza statura, piuttosto gracile. Tipo di genere sottomesso: punto di vista importante. Era di famiglia civile d'artisti,

---

1. *paino*: giovane elegante di città. Ma nell'espressione c'è una punta di disprezzo, quasi a dire: effeminato. 2. Ponderare a lungo e bene ogni lato di una questione, prima di decidere. La massima si riferisce al lavoro del sarto.

non senza qualche coltura, buoni modi, carattere facile e pieghevole. Portava inoltre un vestito di panno *bleu barbeau*,[1] a bottoni gialli, segno indelebile dell'elevata sua qualità e condizione, come degli alti destini preparati alla signora Nina.

Questa volta il matrimonio si fece felicemente. Il sor Virginio divenne figlio di casa, col solo obbligo di mangiar e bere e andar a spasso, onde a tutti apparisse manifesto che la figlia del sor Checco non aveva sposato un villano.

Gl'Italiani d'oggi pare si vengano persuadendo che *far il signore* non è una carriera né un'occupazione, e che non dev'esserlo nemmeno per chi abbia centomila scudi l'anno. Ma il signor Virginio, niente affatto guasto dall'idee moderne, lo trovava il re de' mestieri.

Oltre i detti individui, v'era in casa Tozzi una vecchia zitella sorella della sora Maria, detta zi' Anna. Aveva dato a vitalizio al nipote una sua possessione, facendogliene donazione a patto d'essere tenuta e mantenuta in casa, vita natural durante: e quest'ingegnoso ritrovato per passar tranquilli e senza pensieri gli ultimi suoi anni, avea condotto alla conseguenza immancabile, in casi simili, di farglieli passare su un letto di spine.

Sempre per la gran bontà dell'umana specie. Il sor Checco, il quale esercitava l'assoluto dispotico potere, quando vedeva la pace e l'ordine regnare da un pezzo ne' suoi felicissimi dominî, provava, come tutti i despoti, il bisogno di gettare uno sguardo rasserenato sui suoi fedelissimi e premiare la loro cieca ubbidienza con una lepidezza od un sorriso.

La lepidezza di tavola era dar la tortura dell'acqua alla disgraziata zi' Anna.

— Bevi, zi' Anna! — , e facendo le viste di metter mano al boccale del vino, prendeva invece l'acqua, e gliene empieva il bicchiere.

La povera vecchia, che n'avrebbe tanto gradito uno di vin pretto, ripeteva: — So' beto, — ho bevuto — so' beto mo' propio!... — Era inutile. L'ho vista cogli occhi umidi che chiedevano un po' di compassione. Ma la lepidezza conduceva all'economia, e questa era la rovina di zi' Anna. Io però le venivo mezzo di nascosto empiendo il bicchiere di vino e per questo posso vantarmi d'essere stato il suo ultimo e (probabilmente) il suo più ardente amore.

1. Color fiordaliso.

D'un ultimo personaggio mi resta a parlare, del signor Mario, fratello minore del sor Virginio.

Questo ragazzaccio sui diciassett'anni, non posso dire a qual titolo o sotto qual forma si fosse introdotto in casa. Fatto sta che vi era naturalizzato, e, a giudicar dalle apparenze e dall'ozio perfetto nel quale viveva, concludo che la voglia di campar a ufa senza lavorare avesse in lui acquistata l'efficacia del genio e che, mediante questa rara qualità, avesse o ammaliato o vinto il sor Checco, che in conclusione l'aveva accettato per suddito e lo manteneva.

*Otia si tollas, periere Cupidinis artes*, disse Ovidio;[1] ma la prima parte del precetto essendo sempre riuscita ostica al sor Mario, il dio Cupido rimasto padrone del campo l'avea sottoposto al giogo d'una bella ragazzotta, che non rifiutava del tutto i suoi ardori. Ma per disgrazia li rifiutava e detestava padron Titta, barbaro padre, vignarolo comodo,[2] e, come si suol dire a Marino, *pezzo di carne cattiva*. Chiamava il povero Mario, magro e sgroppato, *mezzo C . . .*

— Digli che ci venga e che ce lo colga! . . .

Tale minaccia generica, e perciò più terribile, gli usciva tratto tratto di bocca e gelava l'amante novizio, il quale non osava neppure fissare da lontano la pentola fessa trasformata in vaso di garofolo, collocata sulla finestra dell'adorata Nanna. Senonché, un giorno di festa, il diavolo lo tentò di condurre a notte avanzata la banda, che aveva strombettato tutta la giornata pel paese, a conciliare il sonno dell'amato bene.

Non avean suonato cinque minuti, quando s'apre la finestra, e Mario, che credeva vedervi apparire (come Ruggero in casa Alcina) quelle *ridenti stelle*, vide . . . o piuttosto non vide che lucciole, allo scoppio di un'archibugiata che spallinò lui, la banda, e quanto c'era!

Scappa il sor Mario, scappa la banda, scappano gli spettatori sottosopra per vicoli oscuri; chi bestemmia, chi si duole, chi grida: — È stato Titta, è stato questo, è stato quest'altro! —; riescono in piazza. Al largo riprendon fiato, si rivedono in viso, si tastano, ohi di qua, ohi di là! In breve due o tre avevano avuto sfrizzi di poco conto e sgocciavano sangue; del resto, d'un colpo che poteva am-

1. «Se non ci fosse la vita oziosa, Cupido non avrebbe dove esercitare le sue arti.» Ovidio (*Remedia amoris*, 139) dice *arcus*. 2. *comodo*: agiato.

mazzare due o tre persone, Dio, misericordioso de' pazzi, non aveva fatto uscire altro danno.

Padron Titta, al quale i carabinieri entratigli in casa avean trovato l'archibuso caldo ed il focone che insudiciava le dita, dovette andar carcerato.

Ma in quei paesi c'è l'uso che, contentandosi la parte offesa, cade la querela ed il fisco non agisce ex ufficio. Troppo avrebbe da fare!

Quindi riasciutte le ferite, compensate probabilmente con qualche barile di vino, e messi tutti d'accordo — affare d'un paio di giorni —, Titta rivide il suo tetto, e tutto riprese il solito andamento, meno l'amore del sor Mario, rimasto morto sul campo d'onore.

Credo anzi che le sue ceneri vennero da lui rispettate al punto che non gli diede mai più un successore. Guarigione completa, e vera conversione!

Nei nostri paesi farebbe un certo effetto una schioppettata che salutasse così un gruppo di venti o trenta individui, come semplice ammonizione. A Marino invece parve logica e naturalissima.

Ma bisogna sapere che l'umore de' Marinesi non somiglia niente affatto al nostro, né a quello di molte altre popolazioni.

Su un mio *Album*, dove andavo disegnando uomini e bestie così a volo, dal vero, mi volli prendere il diletto di notare ogni volta che in paese si spargeva sangue. In due mesi contai diciotto fra morti e feriti.

E con questo non intendo conchiudere che Marino sia una trista e corrotta popolazione. Tutt'altro. La famiglia, il matrimonio, la paternità, vi sono moltissimo rispettate. Articolo regolarità di vita, riservatezza nelle donne, non ho mai visto il minimo disordine.

È anche vero — non posso negarlo — che l'argomento usato da padron Titta nella questione musicale, si applicherebbe, occorrendo, colla stessa facilità alla coniugale. Ma non per questo voglio tòrre ogni merito alla virtù marinese.

Di furti non n'intesi mai discorrere. Trovai sempre mirabil prontezza in tutti ad aiutarsi a vicenda, ed a far piacere: a chi, ben inteso, trattasse con gentilezza, e non volesse alzar arie con loro. Parecchie volte m'accadde trovarmi in qualche impaccio, e veder tutti gettarsi pronti per cavarmene.

V'era poi un giovine, povero, che campava lavorando ad opera, un tal Venanzio, il quale m'aveva preso a voler un tanto bene, che sempre mi stava attorno perché gli svelassi qualche mio nemico.

— Se c'è qualcuno che ti dà fastidio, — mi ripeteva sempre — una parola a Venanzio! . . .

Per fortuna non avevo allora nemici, come non gli ebbi mai, e neppur oggi, grazie a Dio, ne ho: quindi mi rimase inutile un tanto amico.

Fonte di quanto accade di male in que' paesi è, non tanto la perversità naturale, quanto il sangue caldo, al quale il vino ed il clima accrescono fiamma tratto tratto. Oltre a questo vi dominano tristi tradizioni, tristi esempi, e l'educazione è, si può dir, nulla.

Prima dirò alcuni fatti ed usi locali, poi le riflessioni che, a parer mio, ne emergono.

Queste mie ciarle, lo ripeto, non hanno per iscopo istruire il lettore di mille inutilità della mia vita. Non ci sprecherei né l'inchiostro, né il tempo. Ma, a misura che se ne presenta il destro, entra nel disegno di questo scritto l'esaminare e discutere le questioni dalle quali può scaturire il miglioramento della nuova generazione ed il progresso morale del popol nostro.

Lo scopo è grande, e v'è forse presunzione a proporselo. Ma a quest'edificio, chi non porta un macigno porti un granello, purché tutti lavorino, e l'edificio si compirà.

E ricordiamoci che gli statuti, gli ordini politici, le leggi son gettati al vento, finché gli uomini che gli hanno ad esercitare non sono migliori.

L'Europa, la società, le popolazioni, i governi, i capi delle nazioni, non vengono ora a fine di nulla; e sa il perché? perché individuo per individuo tutti si val poco. Se il fil di canape è fracido, non s'avrà mai corda buona.

Se l'oro è di triste saggio, non s'avrà mai moneta buona.

E se l'individuo è dappoco, ignorante e tristo, non s'avrà nazione buona, e non si riuscirà mai a nulla di solido, d'ordinato e di grande.

(II, 7) Un frate piemontese che conobbi molti anni dopo al Sacro Speco di San Benedetto sopra Subiaco, mi diceva parlando di que' villani: — Non ha idea che anime buone sono, uomini e donne, nel loro stato naturale; ma s'esaltino o per vino o in altro modo, siamo subito al coltello e alle bestemmie.

22

Lo stesso si può dire in genere di tutti i popoli di quelle regioni, compresi i Marinesi.

A sangue caldo si sflagellano di coltellate o di qualunque altro istrumento abbiano a mano. Vidi una lite, nella quale i due combattenti, l'uno con un chiavone da cantina, l'altro con una grossa lanterna, si ruppero molto bene la zucca.

Commesso il delitto, si gettano sulla soglia d'una chiesa o d'una cappella, e sono salvi. I parenti portano loro da mangiare, e costoro passano tutta la santa giornata colle mani in mano, o facendo qualche servizio entro i confini del loro rifugio.

Mi sovviene che il signor Fumasoni notaio, avendo fatto fare un bel Crocifisso di legno dipinto, grande al vero, e messolo nella cappella che sta a mezza scesa da Marino alla porta del Parco Colonna, ov'è la fonte, e non gli piacendo lasciar bianco il fondo del muro dietro al detto Crocifisso, mi propose di dipingerglielo, e mi chiese quanto gli avrei fatto spendere. Io ne parlai cogli amici, Venuti ed un altro. Si decise d'accettare la commissione, fissando il prezzo ad un pranzo sull'erba per la compagnia.

Si cominciò il lavoro la mattina presto, con animo di finirlo per mezzogiorno. Portati i colori, pentole e pentolini, si trovò per macinare[1] e per altri servizi un personale improvvisato, non molto artistico, è vero: tre banditi rifugiati nella cappella. Ci servirono a meraviglia; a mezzogiorno l'opera era finita e collaudata, e si sedeva al fresco in un prato a goder le grazie del sor Fumasoni.

Questi rifugiati, com'è credibile, passando talvolta mesi e mesi in ozio, giocano, s'azzuffano tra loro — già sono al sicuro quanto a carcere — e si guastano a vicenda sempre più.

La loro posizione di semi-banditi non ispira nessuna animavversione contro essi.

Le memorie storiche, quanto le tradizioni popolari, spiegano pienamente lo stato presente di quella società. Ho osservato che negli antichi feudi delle grandi famiglie romane gli abitanti sono più che altrove facili alle prepotenze ed alla violazione delle leggi: violazione che fra il popolo vien giudicata qual prova di superiorità. È naturale. Non è forse stato il distintivo delle classi superiori per molti secoli? V'è poi da aggiungere che in Roma questa prepotenza de' grandi è durata sino ad oggi, e sto per dire dura an-

---

1. Per macinare i colori, che allora si vendevano grezzi.

cora; o almeno potrebbe durare, se chi è in posizione d'esercitarla non fosse frenato dall'opinione e dallo spirito pubblico.

Le tradizioni popolari, pascolo di uomini rozzi, ignoranti, e di naturale ferocia, non possono vagheggiare eroi ed uomini grandi delle età passate de' quali ignorano i nomi. Vagheggiano, quindi, e scelgono ad eroi ed a modelli famosi banditi, de' quali odono continuamente esaltare le gesta dai cantastorie nelle fiere e nelle feste de' paesi.

Fra Diavolo, Spadolino, Peppe Mastrilli e simili, sono per le menti selvagge de' giovani il supremo grado al quale, sapendo fare, possono giungere in questo mondo.

Ma questo saper fare richiede un complesso di qualità non comuni. Salute di ferro; corpo di leopardo per forza e sveltezza; vista di lince, occhio e mano sicura alla carabina come al coltello: del coraggio, d'un sangue freddo, di un'audacia ad ogni prova non se ne discorre — e dopo tutto ciò, ci vuol talento. Certo. Non può già fare il brigante il primo imbecille che passa per via, per quanto ne abbia desiderio.

E per far contrappeso a quest'influenza delle tradizioni e del canzoniere popolare, che cosa s'è inventato? Niente. Si lascia correre come in tutto il resto. Certamente il Catechismo racchiuderebbe il migliore degli antidoti. Non rubare, non ammazzare, la carità, la mansuetudine, ecc. ecc., sono i suoi elementi. Ma il modo col quale s'insegna, le qualità, gli esempi di chi l'insegna, gli tolgono ogni efficacia. Peppe Mastrilli, il quale, come dice la canzone,

*con una palla di metallo*
*ammazzò quattro sbirri ed un cavallo*

offre ben altre seduzioni: non si può, è vero, affermare ch'egli fosse un santo; si concede che la sua vita fu piena di peccati, che non tutti i confessori possono assolvere: ma la tradizione, in genere, attribuisce ai suoi idoli una fine esemplare: secondo le leggende, sembra sempre che quasi per miracolo le cose si combinino in modo onde l'eroe vada poi diritto in paradiso; e sa in che consiste il segreto? Nell'esser divoto della Madonna, o di Loreto o degli Angeli, o di qualunque altro luogo, averne in petto l'abitino, portarlo sempre, far dir qualche messa o accendere qualche moccolo. Con queste precauzioni non c'è esempio che la faccenda finisca male.

Tale è il sunto delle dottrine insegnate non dal dogma cattolico, ma da un clero ignorante ed interessato, e tale n'è il frutto.

Siccome poi su questi uomini la pressione della civiltà, dell'opinione de' paesi meglio educati, è nulla, poiché non vi sono né uomini né libri che modifichino gli antichi costumi, perciò vi si vive all'incirca come nel medio evo. Chi ha a mente le cronache, le novelle, le vite di tre o quattro secoli addietro, trova qui tutto tale e quale. Quelle così dette *beffe* che s'usavano un tempo come piacevolezze, e delle quali sono piene le novelle di Boccaccio, Franco Sacchetti, il Lasca, ecc., burle da stender un pover uomo epilettico per spavento, o lasciarlo stroppiato per la vita, fioriscono nei paesetti simili a Marino, come nella Firenze di Calandrino e del Gonnella buffone.[1] Mi ricordo d'un villanzone al quale ad un pranzo di allegria attaccarono dietro al laccio de' calzoni una grossa castagnola (*pétard*), stretta a spaghi raddoppiati. Quando scoppiò, fu un miracolo che non gli si spezzasse la spina dorsale, e andò lui e la sedia a gambe all'aria!

Un altro, indotto a nascondersi in un cassone, non mi ricordo se con speranza di fortune amorose, vi fu chiuso e lasciato tanto che per poco non morì d'asfissia.

Ma la più barbara (moralmente parlando) fu quella inventata dal sor Checco in uno de' suoi momenti ameni, a carico di un garzone che governava le bestie e faceva servizi per casa.

Quest'originale avea nome Stefanino, e dormiva in cortile dentro un antico sarcofago senza coperchio, quindi al sereno; ed una volta s'ammalò e vi compì il corso della sua malattia, come se fosse stato in un buon letto ed in una camera ben custodita. E siccome il sarcofago era alto da terra più di due metri, mi ricordo che il medico gli faceva la visita su un pezzo di scala a piuoli, che serviva per salire in fienile.

Questo poveraccio campava di quel poco che guadagnava col sor Checco, mentre la sua smania (sulla quale ognuno lo burlava) sarebbe stata di campar del suo.

Un giorno viene in mente al crudel padrone di dargli ad intendere che era ad un tratto diventato ricco. Per questo comincia col regalargli certi numeri del lotto — sicuri — e Stefanino raggranella certi pochi baiocconi riposti per i casi impreveduti, e si de-

---

1. Nella Firenze del Boccaccio e del Sacchetti.

cide a fare una gran giocata. Passa un giorno, passa un altro di timore, speranze e palpiti; arriva quello dell'estrazione; ed eccoti stampati sull'imposta del botteghino per l'appunto i cinque numeri giocati da Stefanino, che quando li vide l'ebbero a far cascare tramortito.

Corre a casa pazzo affatto, salta addosso al sor Checco, alla sora Maria, e a tutti di casa, gridando, ridendo, strepitando, piangendo, abbracciando, baciando dove piglia piglia, finché quando Dio volle che riavesse il fiato, annunziò che aveva vinto, che era ricco, che voleva diventare *lo meglio paino di Marino*, ecc. ecc. Il sor Checco gli diceva: — Dunque non vuoi più star con me? — e l'altro: — Checco mio, questo non te lo prometto —, e faceva cento castelli in aria per la sua nuova esistenza.

Il lettore ha già capito che il sor Checco s'era accordato col botteghino del lotto, che il paese sapeva la burla, e vi teneva mano: e già immagina l'ultima scena della commedia. Difatti l'indomani il felice Stefanino, vestito di nuovo (ché già avea debiti in giro), montato sulla cavalla del sor Checco il quale gliela avea imprestata, non trovando conveniente che un tal milionario andasse a piedi, era corso in Albano capoluogo ove gli si doveva pagare la vincita. Ma aveva invece trovato dal direttore del lotto un'accoglienza dapprima di risate, e poi di strapazzi e spintoni per metterlo fuor dell'uscio, mentre egli, persuaso lo volessero assassinare, si dava a strepitare, e far pianti e proteste. Alla fine gli convenne persuadersi, e se trovò la via di Marino fu merito della cavalla, ché egli era certo più di là che di qua. E per bonamano, non solo non poterglieo far pagare al sor Checco, ma dover anzi servirlo come prima, e ringraziarlo che volesse dimenticare la voglia mostrata di rinunziare un tanto onorato servizio!

Queste erano le burle del paese, degne, come ognun vede, di figurare fra quelle del Lasca, del Sacchetti e simili. Passiamo ora ad altre burle anche meno divertenti, ed egualmente degne delle cronache del medio evo.

Ho parlato dianzi del sor Fumasoni notaio e poeta. Cominciamo da lui.

Egli era un omaccione grande e grosso, un vero Ercole per forza, salute, potenza digestiva e vigore di polmoni. Non senza istruzione, mezzo letterato e poeta estemporaneo.

È curioso l'osservare come in codesti paesi sia comune la fa-

coltà d'improvvisare. Robaccia! dirà lei. Verissimo; o almeno volgarità e luoghi comuni. Ma pure non so se molti uomini di alto ingegno sarebbero capaci di far quel che molte volte ho veduto eseguire dal sor Fumasoni senza scomporsi, né impuntare una volta
sola. L'ho visto a pranzi di venti o trenta persone in occasioni
di feste del paese, del passaggio di qualche monsignore, ecc., dopo
aver mangiato e bevuto come un bue, alzarsi alle frutta, e dirigere una terzina o una quartina in giro ad ogni convitato. Concedo che non saranno stati né concetti né versi sublimi, ma, alla
fine, esprimevano o un complimento o uno scherzo od anche una
frustata, secondo la persona cui eran diretti, con senso, colla rima,
e spesso con grazia.

Se la sentirebbe lei che mi legge di fare altrettanto? No? Dunque non disprezzi il sor Fumasoni.

Ma aveva in sé qualche cosa di più prezioso della facoltà di
dire all'improvviso; egli possedeva un coraggio ed una fortezza
da paragonarsi, per poco, a quella di Muzio Scevola.

Una sera, ritornando a casa, gli viene sparato addosso un'arma
da fuoco — o non seppe o non volle mai dire da chi — e la palla
entratagli per le reni gli uscì dalla parte d'avanti. In casi simili
molti hanno l'abitudine di cascare in terra, e di cacciarsi a gridare.
Il sor Fumasoni invece si tien ritto e zitto il meglio che può,
torna a casa, e per non spaventare la moglie le dice: — Tuta, va' a
chiamare il medico, io mi sento gran dolori di corpo, e intanto vado
a letto. — La ferita per fortuna non fu mortale, ed il sor Fumasoni
la poté raccontare. Ma spero che non era *une poule mouillée*.[1]

Un altro che conoscevo, ebbe una coltellata ad una fiera due
miglia distante: e nonostante tornò a casa a piedi colle budella
mezze in corpo e mezze nel cappello, — e anche questo guarì.

Ciò prova che è una razza animosa e di forte tempra, dalla
quale si potrà cavar eccellenti cittadini e soldati, quando sia uscita
dell'ugne del governo papale.

E neppure è vero ciò che generalmente si crede fuori e dentro
Italia, che sia gente capace soltanto di ferire ed uccidere a tradimento, e poi fuggire. Non dico che ciò non accada talvolta: ma
non accade forse in ogni paese?

Il più delle volte però si tratta di battaglie combinate e volute
d'accordo dalle due parti.

1. «un pulcino bagnato», un pusillanime.

Vi si usa, verbigrazia, un duello al coltello che ha un carattere singolarmente feroce.

Due s'attaccano a parole. L'uno dice all'altro: — Hai il coltello? — No. — Vallo a prendere e fra mezz'ora nel canneto tale. — Siamo intesi.

I canneti sono grandi e non folti al punto che tra canna e canna non si trovi il passo. Ma quando ognuno de' combattenti arriva al suo limite, come sapere se il nemico già vi sia, e dove sia? Bisogna cercarlo quasi alla cieca, poiché la vista non penetra pel folto delle foglie. Si può immaginare quante peripezie offra un simile incontro. In generale vi rimangono tutti e due, come è quasi inevitabile.

Accadono altresì sfide di molti: ed una ne vidi in una vigna, nella quale tre contro tre, datosi l'appuntamento s'incontrarono con coltelli e schioppi. Si sflagellarono molto bene, eppure nessuno morì. Hanno il cuoio che resiste, costoro.

Talvolta queste baruffe s'accendono casualmente in paese. Dirò ancora questa e poi basta.

Un giorno verso sera si sentì levar un rumore giù in piazza: gridi, spari, trambusto. Noi si stava a cena. Virginio ed io ci alziamo, si dà di mano alle nostre armi (in que' paesi allora non s'usciva mai colle mani in mano), e mentre ci disponiamo a correre sul campo di battaglia per vedere che succede, il sor Checco, come uomo pratico e capo di casa, ci sgridava dicendo: — Attenti! Ché chi sparte ha la meglio parte . . . non v'andate a impicciare de' fatti d'altri. — Visto poi che non s'ubbidiva, ci lanciava dietro la sua paterna benedizione: — Vorrei che *ci arlevaste* — foste picchiati — bene e meglio voi. — E con quest'augurio si corse via.

Era una lite cominciata fra un tal Natale Raparelli ed un altro — Peppe Rosso se ben mi ricordo — ed a poco a poco diventata una scaramuccia d'una ottantina di persone. Natale era uno de' *maggiorenti* del paese: Peppe di poco stato bandito, perché un giorno, dopo vespro, stando la gente a cerchielli per la piazza, gli era venuto il grillo di cavar il coltello, far una riga in terra, e poi dire: — Il primo che la passa, gli do una cortellata. — E così fece.

Questa battaglia si sciolse senza danni notabili, e noi si ritornò a cena trionfanti del pio desiderio del sor Checco.

Ma l'indomani venne il bello.

Io dovetti andare a Roma, e presi una carrettella colla quale partii sull'ore bruciate, e quando siamo giù verso il fine delle vigne, vedo sbucar fuori d'una siepe uno che salta svelto a cassetta, e siede accanto al cocchiere. Era Peppe Rosso.

— Che nova, padron Peppe?

— Eh! . . . — mi risponde con aria d'intelligenza e un po' ridendo — è bene mutar aria per qualche giorno.

— Sia pure — rispondo, e presto mi si vien velando l'occhio, e dormicchiavo.

La ritirata di Peppe era prudente, e probabilmente imposta dalla famiglia, non tanto perché Natale fosse uno de' primi bravi di Marino, quanto perché i Raparelli erano potenti ed i Rosso aveano bisogno di loro.

Si fece non so quante miglia al trottarello noiato de' cavalli in quell'ore che sembra proprio arda l'aria. A un tratto Peppe butta le gambe dentro, mi si getta addosso e mi si raggomitola dietro perch'io gli serva di scudo. — Che diavol hai? — grido io svegliandomi un tratto. Lui zitto; il cocchiere si dava delle mani sul capo esclamando: — E ora come si rimedia?

— Ma insomma si può sapere che diavolo avete?

Il vetturino con aria desolata m'indica col dito nella direzione della campagna, e vedo un uomo a cavallo che correva verso noi di carriera di traverso, e mi dicono: — È Natale.

Una bagattella! In questo caso sinonimo di è *Natale*, era per Peppe essere ammazzato senza misericordia, salvo che riuscisse ad ammazzar l'altro. Ma con che? Lui era disarmato, ed io avevo soltanto uno stocco in un bastone. Certo, Natale non veniva a questa festa senza arme da fuoco.

Passai qualche minuto poco piacevole, perché l'uso del paese in casi simili è di dire a chi sta di mezzo: — Scansati —, e se quello non può o non vuole scansarsi, si spara nel mucchio, com'era accaduto poco tempo prima a Rocca di Papa.

Intanto il cavaliere s'avvicinava; già il vetturino riconosceva il cavallo sfacciato (con fronte e muso bianco) di Natale. — Per la Madonna, è lui . . . è lui . . .

E invece, nossignore, non era lui! Della quale scoperta il più felice fu Peppe, che mi sciolse dal dolce amplesso e se ne tornò a cassetta; ma anch'io mi sentii meglio, glielo dico io, ed altrettanto o poco meno il vetturino, e così contenti ed allegri ce n'andammo pel nostro cammino.

Verso Roma, però, parve che per la strada venisse la Corte. Girava la squadra di Galante, bargello di Campagna. Altro rimescolo dell'amico Peppe ed egli mi si volgeva dicendo che in mia compagnia sperava non sarebbero arditi di toccarlo: speranza fondata sulle antiche tradizioni delle immunità baronali. Per fortuna anche qui vi fu un equivoco, e non s'ebbe a mettere la mia influenza ad una prova che forse non avrebbe potuto superare.

Da tutto quest'insieme di fatti ella può dunque conoscere di quale stoffa siano codeste popolazioni, le quali con poche varianti somigliano le altre dell'Italia meridionale.

Ad esse non manca se non un buon governo e la buona educazione: e non solo quella di saper leggere, scrivere e far conti, ma quell'altra più importante, che insegna l'ossequio della legge sia morale, che civile e politica. E non mi stanco di ripetere che le leggi suddette si rispettano e s'osservano dai popoli, quando ne dànno ad essi l'esempio i principi, i capi degli Stati, le amministrazioni e tutti gli individui e le classi poste in alto.

La libertà, l'indipendenza convien cercarle e conquistarle come condizioni essenziali della vita d'ogni nazione; ma bisogna non dimenticare però che se gl'individui non hanno un valore morale proprio, tutt'il resto non serve a nulla. O non s'ottiene, o si corrompe, o si perde.

Ed invece in Italia, dove è appunto l'individuo che, per la lunga servitù a governi esteri e cattivi, val poco, in Italia a tutto si pensa fuorché all'educazione! ...

(II, 8) ... Non voglio abbandonare Marino ed il sor Checco (questa volta dovrebbe essere per sempre) senza aggiungere un fattarello, che mi parve e mi pare ancora caratteristico di que' paesi, ai quali, si può dire, s'è fatto tardi nel viaggio verso la civiltà.

Fra i racconti favoriti del sor Checco v'era un certo suo viaggio alla Madonna di Loreto, eseguito molti anni prima, e sembra, poco dopo quella famosa sua campagna anonima a tempo di Repubblica. Non mi stupirebbe che questa gita presentasse, quanto al movente, grande analogia con quell'altre gite più lunghe e più pericolose che conducevano i nostri padri al Santo Sepolcro. Forse ne' due casi la risoluzione nacque dal desiderio di rimettere il bilancio nel libro mastro che tutti portiamo con noi. Avrei una gran curiosità, lo confesso, d'avere sotto gli occhi per cinque minuti la colonna

*Dare* del libro del sor Checco; curiosità che ormai nessuno si potrà mai cavare, onde, pazienza!

Comunque stia la cosa, ecco quello che egli raccontava:

— Da un pezzo avevo fantasia d'andare alla Santa Casa. Una sera gli dico al compare Matteo: «Jamo alla Madonna di Loreto.» E lui mi risponde che è contento. Facciamo una compagnia. Erimo cinque, e si prende una carrettella. Quattro dentro, uno in serpa. C'era un tale . . . ora è morto . . . che era matto. Lo presimo con noi per provare se la Madonna gli voleva far la grazia. Si parte, e per strada non se ne poteva far bene: urli, manate: o si buttava addosso, o voleva buttarsi dallo sportello. Non aveva paura che di me, e io gli comandavo: «Ora di' quattro volte il *Miserere*», e quando aveva finito: «Ora di' ventiquattro *Pater noster*» e così lo tenevo quieto alla meglio. Quando siamo passato Foligno, vicino agli Angeli,[1] eccoti che si butta dal legno e si mette a correre, e noi giù e dagliela a gambe per riprenderlo. Ma che volevi riprenderlo? era come voler arrivare un lepre. Poi salta nella campagna, si mette per un granturco, e buona notte, chi s'è visto s'è visto! Passava una compagnia di ciociari . . . tornavano dal perdono d'Assisi. Glie dico: «Aiuto, ragazzi, a ripigliarlo e ci sarà da bere!» Mi s'accosta un ciociaro vecchio di settant'anni, e ghignava: «Damme 'no scudo e te lo ripiglio io!», e non si moveva. «E come lo ripigli, che sei vecchio, quello corre, e nemmeno ti movi?» «Tu non ci pensare. Mi dai uno scudo e te lo ripiglio?» «Te darò lo scudo, che si' acciso! Vediamo.» Il vecchio va sul capo del solco dove era scomparso il matto, e vedo che si ferma e borbotta una certa orazione! . . . Non passa un quarto d'ora, eccoti l'amico! Come non fosse fatto suo, rimonta in legno . . . era come un agnello!

— E come aveva fatto? — domandai io.

— Eh! — rispose il sor Checco, scuotendo il capo con un risolino misterioso — Fatto! fatto! Aveva fatto! Eccola lì. Li ciociari ne sanno . . . ma di 'ste cose è meglio non ne discorrere . . . e io ci rimessi uno scudo!

Ometto il resto del pellegrinaggio come poco interessante.

Non si deve da questo inferire che vi siano molte superstizioni fra le popolazioni agricole ed anco cittadine di que' paesi. Quella

1. *Quando* ecc.: Quando siamo oltre Foligno, vicino alla chiesa di Santa Maria degli Angeli, sotto Assisi ecc.

di credere che gli abitanti delle cime dell'Appennino sono tinti
di negromanzia, è una delle poche e sembra d'antica data.

Benvenuto Cellini narra d'un tal prete mago che voleva condurlo
seco a consecrare un libro magico ne' monti di Norcia, e che gli
assicurava essere que' villani capaci d'aiutarli, perché di tali cose
intendenti.

E neanche di queste magie alpine non ne sentii mai far parola
da persona, salvo quella sola volta dal sor Checco. Quanto poi ad
apparizioni, folletti, stregonerie ecc. ecc. ed a tutta quella popolazione fantastica che abita le regioni settentrionali, non ne ho trovata traccia. Queste creazioni, figlie delle lunghe notti e delle
nebbie iperboree, non appaiono sotto gli stellati sereni de' nostri
climi. E sempre al solito, nel mondo fisico come nell'intellettuale,
le tenebre insegnano l'errore, e la luce mostra la verità.

Lasciai dunque Marino e mi separai dal sor Checco, dalle due
vecchie, dai giovani, che, salvo la sora Nina, non dovevo più rivedere. Dopo ventun anno ritornai di passaggio a Marino, e bussai alla porta della mia antica dimora. Mentre aspettavo che mi
s'aprisse, notai dall'altra parte della strada una donna mezza vecchia, che richiudeva la porta d'una cantina dalla quale usciva con
un boccione di vino.

Era la sora Nina! Me le accostai, e credetti accorgermi che non
mi riconosceva.

— Sora Nina, non mi conoscete?

— Sete el sor Massimo.

— E 'l sor Checco?

— È morto.

— E la sora Maria?

— È morta.

Nominai tutti di casa, e ad ogni nome rispose col suo sguardo
sereno *è morto* o *è morta*, a norma delle concordanze. Poi io a
guardarla lei, e lei a guardarmi me, e zitti tutti e due. M'accorsi
che la *reconnaissance* non era per presentare le emozioni che vi
sanno trovare i romanzieri.

— Sora Nina, stateve bene.

— Stateve bene, sor Massimo.

Tale fu la chiusa della nostra relazione di venticinque anni, e
me n'andai dicendo *maledetta patata!* in forma d'epifonema.

IV

[IL VIAGGIO DI PROPAGANDA POLITICA E IL
COLLOQUIO CON CARLO ALBERTO]

(II, 15) . . . Nell'inverno avevo conosciuto in casa Paris una signora Clelia Piermarini, stata camerista di Cristina di Spagna[1] per
molti anni in Madrid. Maltrattata e poi abbandonata dal marito,
ed uscita dalla casa della Regina per intrighi d'anticamera, era rimasta senz'aiuto con due figlie da marito da mantenere. Era uno di
que' tipi italianissimi, buona, espansiva, immaginosa, pronta sempre a creder tutti galantuomini ed amici; e in politica *ammazzar il
tiranno, cacciar il barbaro, emancipare il popolo* e via via, senza
curarsi di rendersi ragione per quali vie la cosa fosse possibile.

A poco a poco m'ero dimesticato con la Clelia e con le figliuole,
veramente ottime persone ed altrettanto disavventurate: e capitando talvolta a casa loro, ove tutti gli Italianissimi, matti o non
matti, birboni o non birboni, erano ricevuti a braccia aperte,
avevo conosciuti parecchi di loro. Due fra gli altri m'erano sembrati uomini di proposito: Adolfo S. di Pesaro e Filippo A. di
Cesena, e m'ero affiatato con loro.[2] Mi facevano moltissime carezze: il primo aveva il fratello in Castello per gli affari del '32, se
non erro. Come Dio volle alla fine uscì, e ripatriarono insieme.

Il secondo mi disse un giorno ch'egli avea necessità d'aver con
me un abboccamento serio e lungo, e fu fissato per la sera dipoi
in casa la Clelia. Capii che si trattava di politica, e ci andai preparato, ché allora non conoscevo ancora Filippo per quel galantuomo
che è.

Trovatici e messici a sedere, cominciai: — Signor Filippo, dovete sapere che da molti anni soffro d'un dolore fisso sotto le costole dal lato manco, accompagnato da difficoltà di respiro, e talvolta da palpitazioni, ed essendo voi medico intendo consultarvi:

1. *Cristina di Spagna*: Maria Cristina, vedova di Ferdinando VII, reggeva lo stato in nome della figlia Isabella (cfr. la nota a p. 553).   2. Adolfo Spada (1811-1869) apparteneva a una famiglia di attivissimi patriotti,
e fu energico cospiratore e propagandista. — Filippo Amadori (1819-1860),
liberale moderato, fu in relazione anche col Farini. Fece poi la campagna
del '48, e nel '49 fu deputato alla Costituente romana. Andato in esilio, fu
tra i più caldi cooperatori del La Farina e della Società nazionale.

ora sentitemi il polso, esaminatemi, palpatemi, e poi ditemi che cosa ve ne pare.

Era vero che avevo di tempo in tempo sofferto di quest'incomodo; ma non n'avevo mai fatto caso, come di cosa nervosa e di poco momento.

Filippo che a codesto discorso poco attendeva ed aveva altro in capo, mi prendeva il polso mezzo sbadato: e allora mi cacciai a ridere, e ritirando la mano soggiunsi: — Per questa volta terremo il consulto per fatto; ma siccome può accadere ancor più a voi, come suddito pontificio, che a me, l'esser preso e posto sotto costituto,[1] caso mai che questo accadesse, vi ricorderete, come ad un bisogno mi ricorderò io, che questa sera in casa la Clelia nell'abboccamento avuto insieme in una camera separata, io v'ho consultato pel mio dolore, che voi avete giudicato affar nervoso da non farne caso, e dopo il consulto ci siamo lasciati e nient'altro.

E qui osserverò come, fra i tanti tristi effetti che i governi simili a quello del Papa producono sul carattere degli uomini che gli sono soggetti, il peggiore forse di tutti è quello di spegnere negli animi la sincerità, e rendere la doppiezza e la simulazione condizione necessaria del vivere, e costringere chi non vuol a ogni momento rischiar la prigione a ridurla ad un sistema.

Filippo sorrise, e poi cominciò a parlare di ciò che più gli premeva; e non potendomi ricordar le precise parole ne dirò il senso, il quale era in sostanza: esser Papa Gregorio ormai cadente, ed impossibile campasse a lungo: essere, come benissimo conoscevo, la Romagna in puntelli; ed avere le persone savie ed oneste avuto molto che fare e dire per trattenere i popoli dal rompere in quelle solite imprese mazziniane, sempre pazze e sempre fatali; esser dal pensar sul serio al caso della morte del Papa, e cercar, per quanto fosse possibile, di prepararvi gli animi; dovere gli uomini influenti impiegare tutta la loro autorità onde persuadere che neppure alla morte del Papa non si facessero novità: che, intraprese co' soliti modi violenti e rivoluzionari, non portavano altro frutto se non la comparsa degli Austriaci, colla prigionia, l'esilio e la morte di molti, ed un peggioramento nelle condizioni di tutti.

Aggiungeva poi: — In Romagna tutte le persone di giudizio sono

---

1. *sotto costituto*: sotto processo. Il costituto era l'interrogatorio che si faceva al reo «costituito» davanti al giudice.

stanche delle sètte, delle congiure della *Carboneria*, della *Giovine Italia*, e si sono convinte che tutto ciò non serve se non a mandare poveri giovani in esilio o sul patibolo.

— O non esistono più sètte in Romagna?

— Esistono appena fra la gente ordinaria, fra la quale anche sono quasi andate in disuso; ma non c'è uomo con due dita di cervello che non ne rida. Ora dunque molti de' più influenti hanno immaginato che, essendo importantissimo d'antivenir pure i guai che senza dubbio avverranno alla morte di Papa Gregorio, ci vorrebbe un uomo nuovo e non logoro come loro, un uomo che ispirasse fiducia e cercasse di rannodare, dirigere e raffrenare al bisogno tante volontà, tanti desideri, tante idee in contrasto e prive d'ogni disciplina; e quest'uomo parrebbe loro, caro signor Azeglio, che doveste esser voi.

Io m'aspettavo così poco a questa nomina di generalissimo delle (più o meno ex) società segrete dello Stato Pontificio (tanto più strana, in quanto che, come è noto, non solo non avevo mai appartenuto a nessuna, ma nemmeno avevo mai incontrato chi mi trovasse abbastanza viso di cospiratore da propormi di farne parte), che non trovai altra risposta se non un:

— Io? — pieno di grandissima meraviglia.

— Sicuro, voi. Voi siete tenuto per galantuomo da tutti i partiti non siete in sospetto . . . — e poi seguitar con due righe di panegirico, come s'usa in simili casi, al quale anch'io, secondo l'uso, rispondevo con mezze parole, ed atti del volto equivalenti al *Domine non sum dignus*. Alla fine, dopo un minuto di riflessione, dicevo:

— Ma io non sono, né fui mai carbonaro, o calderaro, o che so io; di tutte le idee della *Giovine Italia*, salvo articolo indipendenza, non ne divido una: io non credo nelle congiure, nei moti come quelli che vi divertite a fare ogni tanto voi altri Romagnoli. Pensate, se è possibile che mi diano retta quando parli una lingua che non intende nessuno!

— Il non esser voi settario è meglio; e poi già v'ho detto che quasi tutti si sono ritirati da queste buffonate: e quanto all'aver voi idee opposte a quelle di Mazzini, su menti stanche del passato ed incerte sul futuro, produrrà anzi miglior effetto.

Così, di un discorso in un altro, mi venne sempre più manifestando questo desiderio de' caporioni liberali dello Stato, di

vedermi prendere una specie di direzione del partito, e, prima di
tutto, di conoscermi di persona ed abboccarsi con me.

Così a prima impressione la cosa non mi dispiacque. Non già
perché ci vedessi fondamento nessuno per giovare all'Italia; ma
perché provando il bisogno d'aver un'occupazione che sopraffa-
cesse nell'animo mio i pensieri che mi tormentavano, non mi parve
poterne trovare una migliore. Contuttociò, seguendo il mio lodevole costume di prender sempre tempo a pensare, dissi a Filippo:
— Io v'ho inteso, non vedo ostacoli assoluti, ma a tutto ci vuol
riflessione, e ci penserò e vi saprò dir qualche cosa. — Così rimanemmo e lo lasciai.

Ne' giorni dipoi andai molto ruminando questa faccenda, vol-
gendola da tutti i lati e vedendone tutti gli aspetti.

Ora mi pareva principio di qualche cosa d'importante, ora una
pura ragazzata, ora un mezzo soltanto di conoscer meglio l'Italia
e gl'Italiani, ora un affare da esser messo in mezzo, e finir in
prigione senza utile nessuno. Credo che infatti ci fosse un miscu-
glio di tutto questo.

Alla fine mi decisi pel sì, per più ragioni: la principale era il
desiderio, dovrei dire il senso di dovere che mi consigliava a non
tralasciar nulla di fattibile per impedire i disordini che, senza dubbio, sarebbero accaduti alla morte di Papa Gregorio, con danno
dell'Italia e degli Italiani, e con guadagno certo per la sola Austria;
poi veniva l'altra ragione, d'aver un modo di passar la malinconia, e finalmente il mio gusto per la vita di avventure e d'azione.

Ritrovato dunque dopo alcuni giorni Filippo, gli dissi che ero
disposto a tentare questa prova.

(II, 16) In quell'epoca, non mi ricordo come, avevo conosciuto un
tale dell'Umbria, mezzo letterato, mezzo politico, di quelle nature
candide, credenzone, come se ne trovan tante in Italia; e siccome
egli intendeva partire per il suo paese ne' contorni di Spoleto,
fu deciso che avremmo fatto assieme questo primo tratto di strada.

Una mattina dunque di settembre (il primo o il secondo, se
non erro), se n'uscimmo per Porta del Popolo, condotti da uno
di que' vetturini marchigiani, che mantengono soli le vere tradizioni poetiche del viaggiare; destinati pur troppo ad essere anch'essi
travolti dalla prosaica corruzione delle strade ferrate. È vero che
il governo del Papa, se non dalle altre, da questa corruzione se

n'è salvato sin qui e se n'avrebbe ancora a salvare per un pezzo, se non sbaglio: e sarà una gran seduzione per chiamarvi a viaggiare le nature poetiche di tutta Europa.

Antonio aveva due di que' tali cavalli, che, a vederli, promettono di non poter muovere le gambe, e, a provarli, mantengono coll'andar tutto il giorno come demoni. Il legno *idem*: pareva una conocchia fessa, e nel tratto di strada per arrivare a Porta del Popolo lavorava tutto per sghembo, sonando sul selciato come un carretto di ferraglia; eppure andò come una spada per tutta la via, e non si smosse un dado. Quest'*équipage* è quello che nello Stato papale porta non so perché il nome di *un Sant'Antonio*.

Uscimmo dunque tutti allegramente da Porta del Popolo: Antonio schioppando la frusta, e Pompili, il mio compagno dell'Umbria, ed io occupandoci delle disposizioni che prende ogni viaggiatore mettendosi in viaggio, per avere alla mano tutte le piccole felicità della vita di carrozza.

Il Pompili era a parte del gran segreto della mia perlustrazione dello Stato. Nel cominciare a discorrere insieme, presto m'avvidi d'aver per le mani un saggio del lavoro non facile (allora così credevo) che mi aspettava in su tutta la strada. Pensai: « Dalla mostra si conosce la balla », e dicevo: « ci sarà da sudare ».

E così cominciai ad eseguire con lui il piano che m'ero fatto, per i miei futuri abboccamenti coi liberali che m'aspettavano.

Il piano era composto di due operazioni. La prima, distruggere le idee vecchie: la seconda, proporre le nuove, sia relativamente alla questione generale italiana, che relativamente alla questione speciale dello Stato ecclesiastico.

Le ragioni contro il sistema delle sètte, delle congiure, de' moti in piazza, ecc., sono state tanto ripetute che è inutile discorrerne; perciò la prima parte, del distruggere, non era difficile, ed ognuno immagina di quali argomenti mi dovessi servire.

Ma la parte del ricostruire era più scabrosa.

A gente che soffre in tutti i modi immaginabili le infinite torture fisiche e morali del peggiore di tutti i governi conosciuti, finché le si dice: — La via che avete corsa sin qui non può condurvi a nessun bene —, si potrà più o meno far intender ragione. Ma quando s'arriva all'articolo del *da farsi*, quando vi chiede d'insegnarle la via buona, e che si è costretti a rispondere: — Il *da farsi* per ora è *niente* —, ovvero — la via da seguirsi è lo starsene fermi —, allora c'è il caso che vi mandi a far benedire; e per dir la verità, chi soffre e non ne può più, se vi ci manda, è scusabile.

È vero che non era nelle mie idee che non vi fosse proprio da fare nulla affatto; ma a chi non vede molto lungi, a chi ha bisogno di seminar la mattina e mietere prima di sera, non è facile far intendere che certi effetti, in cose politiche specialmente, non riescono se non preparati alla lunga da cause, che non hanno con essi una relazione abbastanza apparente perché possa essere afferrata da chi non ha un po' d'intelligenza, di coltura e d'abito di riflettere.

Contuttociò era chiaro che non avrei potuto esercitare qualche buona influenza, se non riuscendo a far entrare ne' cervelli queste verità. Mi ci misi dunque di proposito, cominciando dal mio compagno di viaggio, e servendomi più di tutto di paragoni a portata d'ognuno. Ho sempre osservato che non c'è niente che persuada il comune de' cervelli, più che un paragone ben scelto.

Dicevo dunque al mio candido amico: — Parliamoci chiaro: che cosa volete voi altri ... ed io con voi? Volete metter fuori d'Italia i Tedeschi, e fuor dell'uscio il governo de' preti? A pregarli che se ne vadano, è probabile che vi diranno di no. Bisognerà dunque sforzarveli; e per sforzare ci vuol forza, e voi la forza dove l'avete? Se non l'avete voi, bisogna trovare chi l'abbia. E in Italia chi l'ha, o per dir meglio, chi ne ha un poco? Il Piemonte: perché almeno ha una vita sua indipendente; ha denari in riserva, — allora li aveva — ha esercito, armata ecc.

A questa parola il Piemonte, il mio interlocutore faceva la smorfia (tutti fino all'ultimo l'hanno ripetuta, durante tutto il mio viaggio) e soggiungeva con ironia:

— Carlo Alberto! In lui volete che speriamo?

Ed io mi stringevo nelle spalle e rispondevo:

— Se non volete sperare, non sperate; ma bisognerà rassegnarvi a non sperare in nessuno, allora.

— Ma il '21? Ma il '32?

— Il '21, il '32 non piacciono a me più che a voi ... quantunque anche su questi fatti ci sarebbe da dire, ma ammetto quel peggio che voi vorrete ... ripeto, però, che o in lui v'è da sperare, o in nessuno. Del resto, consideriamo la cosa a mente fredda, e ragioniamo. Se da noi si domandasse a Carlo Alberto l'impegno di far cosa contraria ai suoi interessi, per puro eroismo, per giovare all'Italia, a voi, a noi tutti, potreste dirmi: «Come vi volete

fidare del traditore del '21? del fucilatore del '32?» e forse
avreste ragione. Ma alla fine che cosa gli si domanda? gli si domanda di far del bene a noi, ma più a sé: gli si domanda, venendo
l'occasione, di lasciarsi aiutare a diventare più grande, più potente di quello ch'egli è: e v'ha da parer dubbio ch'egli vi s'accordi? — E qui aggiungendo un paragone molto irriverente
(ma eravamo fra la Storta e Baccano, lontano cento miglia dalle
Corti, e non mi sentivo punto cortigiano) dicevo: — Se invitate
un ladro ad essere galantuomo, e che ve lo prometta, potrete du-
bitar che mantenga; ma invitar un ladro a rubare, e aver paura che
vi manchi di parola, in verità, non ne vedo il perché!

Povero Carlo Alberto! Il tempo ha mostrato ch'egli non meritava
d'esser giudicato così duramente; e quando ripenso al mio paragone, mi sento a rimordere. Ma così accade pur troppo ad un
principe che non va per la via chiara, che crede trovar una forza
nella furberia! Povero Carlo Alberto, si credeva furbo!...

A questi discorsi, molto più lunghi e particolareggiati che non
li scrivo, il buon Pompili si veniva accomodando, e si capacitava
che la cosa potesse stare come gliela dicevo. Ma qui, lui come tutti,
e come sempre, voleva che gli dicessi quando si sarebbe potuto
sperare che si venisse a qualche conclusione. Ed allora s'entrava
in un'altra difficoltà, quella di persuadere la pazienza a chi soffre, che è la maggiore e la più naturale delle difficoltà, come
già ho detto. E bisognava farlo capace, che senza un gran fatto europeo era impossibile, al modo col quale si vive in oggi nel mondo,
che l'Italia potesse muoversi e che Carlo Alberto avesse modo
d'aiutarla. — E questo fatto europeo quando avverrà?

— Domandatelo al Signore —, rispondevo io.

Chi m'avesse detto allora, nel '45, che il Signore avea deliberato che questo fatto, il maggiore commovimento di popolo di che
vi sia notizia nella storia, s'avesse a verificare non più che tre
anni dipoi!

Quanto a me, che non son profeta, confesso che non me lo credevo vedere prima di morire. Ma la curiosa coincidenza fra le mie
parole ed i fatti del '48 ebbe però gran parte nell'influenza che
ebbi per qualche tempo in Italia.

Così discorrendo, il nostro Antonio ci mise a calata di sole a
Baccano. Bella fermata per passar la notte! Nel cuore dell'aria
cattiva e nella peggio stagione! Bisognò fare di necessità virtù,

e mi disposi a non dormire: ché in settembre, in quel fondo, hanno
la febbre credo io anche le bôtte.[1]

Non capii mai così bene come quella sera il sonetto che Alfieri
vi scrisse, alloggiandovi anch'esso:

*Vasta insalubre regïon, che Stato*
*ti vai nomando, aridi campi incolti . . .*

Due o tre casali o casacce di qua e di là dalla strada maestra,
che cascano a pezzi, luride, affumicate: scalcinate le mura, i tetti,
le imposte, vero ritratto della desolazione: ecco tutto Baccano.

Non vi sta se non il mastro di posta co' suoi uomini, le loro
famiglie, e l'oste. Tutti visi gialli, funesti, d'un'espressione per-
versa. Gente guasta dal mal governo, dalla mal'aria, dal passo
de' forestieri, dalla miseria: putridume fisico e morale.

Entrai in cucina, che era insieme la sala dell'osteria, e me
n'andai vicino al fuoco, per aggiungere una pagina al libro de'
soliti miei studi sugli animali della mia specie, che costì ero
certo trovare in circostanze, per fortuna, non reperibili tutti i
giorni. L'occasione era da non lasciarsi passar senza frutto.

V'erano postiglioni, vaccari, gente di campagna; e cominciai,
secondo l'uso mio, a attaccar discorsi. Quantunque mi trovassi a
rappresentare l'aristocrazia in quella scelta società, il mio modo
di viaggiare mi collocava però in una regione che, se era alta,
non veniva però stimata inarrivabile dai miei interlocutori.

Di quella sera passata a cenare, bere e fumare con un postiglione di Baccano, che si era particolarmente dedicato a tenermi
compagnia, due cose mi rimasero impresse nella mente. L'una, la
grossezza veramente mostruosa delle zanzare di quel felice luogo;
l'altra, l'assenza di ogni idea, di ogni sospetto, per dir così, d'o-
nestà, che trovai nel mio povero compagno d'osteria. Mi raccontava con un candore tale i vari modi tenuti da lui per corbellare
i forestieri di pochi paoli, che proprio non mi fu possibile di
dargli del birbo neppure *in petto*; e invece dissi mentalmente
una coroncina al governo, al sistema, a' preti, ecc.; e sempre più
mi confermai nell'idea, che il criterio del *fas* e del *nefas* è perduto, spento, morto e sotterrato ne' felici dominî papali.

E difatti tutta l'amministrazione non è là se non una gran confraternita di ladri. Come diavolo pretendere che il mio postiglione

1. *le bôtte*: i rospi.

non rubasse anche lui, quando gliene veniva l'occasione, e più ancora, non credesse fermamente che tutto stia nel farla franca?

Tirai in lungo più che potetti la mia veglia, per non esser tentato di dormire. Alla fine, però, ora l'uno ora l'altro s'era venuto dileguando; il fuoco s'era spento, e bisognava lasciar che l'oste se n'andasse a letto. Salii in una camera a due letti, su uno dei quali già era disteso Pompili. Mi buttai sull'altro e si venne chiacchierando più che si poté, finché sopraffatti dal sonno ambidue, febbre o non febbre, ci addormentammo. Ma la passammo liscia, e la febbre non venne.

Quasi mi persuado che, avendo avuto una volta fortissime le febbri di mal'aria, la natura mia, stata sempre, se non robusta, sanissima, non fosse più capace di prenderle. Ché anche altre volte avevo dormito impunemente nell'aria cattiva.

La mattina appena giorno Antonio attaccò le sue caprette; e via di carriera per le Sette Vene, Monterosi, Nepi, Civita ed Otricoli.

Qui si rinfrescò. Io me la feci col cameriere dell'albergo e lo condussi sul discorso dei moti del '31, quando le bande di Zucchi[1] erano venute fino ad Otricoli.

— Chi sa che baron f... erano, — dicevo io al cameriere — e quante ne avrete avute a soffrire qui in paese!

— Nossignore, — mi rispose — quant'a questo, per la verità, bisogna dire ch'erano bravi giovanotti, che nessuno ebbe che dire.

Il cameriere, rispondendo così ad un incognito, mostrò più coraggio civile di me, che gli avevo tenuto un discorso molto governativo per scoprir paese.

In questo modo, e così facevo ogni volta che mi se n'offriva occasione, cercavo farmi un'idea esatta dell'opinione d'ogni paese che attraversavo. Non c'è altro modo a voler conoscere la materia sulla quale si vuol operare; invece quelli che pur decidono della sorte de' poveri viventi, vogliono proprio prenderselo l'incomodo di saper almeno che cosa desiderino o soffrano, o quali bisogni siano i loro!

La sera all'imbrunire eravamo a Terni. Qui di fatto cominciava il mio viaggio, o vogliam dire la mia *via crucis*. Ecco perché.

1. Il generale del Regno italico Carlo Zucchi (1777-1863), fatto da Napoleone barone dell'impero, nel 1831 aveva prestato la sua opera militare ai moti della Romagna. Catturato dagli Austriaci, era stato condannato al carcere a vita. Fu poi liberato dalla rivoluzione del '48.

La corrispondenza liberale dello Stato, stabilita da un pezzo ad uso delle sètte dapprima, anche dopo illanguidite e quasi spente le sètte era rimasta, come una gran rete che teneva lo Stato da un capo all'altro. In ogni paese era un uomo fidato, che formava uno degli anelli della catena, ed a questa catena era dato il nome di *Trafila*. Serviva a mandar nuove, precetti, direzioni, lettere, e talvolta anche persone, gente costretta a fuggire, o *commis voyageurs* politici ecc. ecc. Tantoché era frase usata mandar questa o quest'altra cosa o persona, per *Trafila*. Questa però, giunta a Terni, non correva oltre verso Roma, ma per gli Abruzzi entrava in Regno.

In quel tempo Roma e Comarca, Marittima e Campagna, eran provincie, che se pur contenevano individui isolati che attendessero ad imbrogli politici, non ne avevano un bastante numero da meritar gli onori ed emolumenti della *Trafila*. Si deve anche aggiungere che le provincie dello Stato avevano, allora, Roma e contorni in gran dispregio; e neppur si sarebbero fidati molto de' Romani.

E realmente, un solo anello della *Trafila* che fosse stato traditore, rovinava un mondo di gente: ed è fatto notabile che, in tanti anni che durò la disfida a morte combattuta fra il Papa ed i sudditi suoi, mai e poi mai la polizia romana ha avuto il gusto di far conoscenza con uno di codesti anelli della gran catena, e mai ne fu messo uno in prigione.

Povero sangue italiano! Quanta virtù non è ancora in lui, dopo tanto strazio che n'hanno fatto i suoi persecutori!

A Terni, dunque, trovavo il primo anello della *Trafila*.

Dopo spolverati, e fatto un po' di pranzetto, s'uscì Pompili ed io che già era notte chiusa, e non senza qualche difficoltà si rintracciò l'uomo.

Ma siccome vivíamo in tempi curiosi e che con carta e penna finché durano certi governi e certe polizie non è bene scherzare, così su questo come su ogn'altro membro della *Trafila* non darò neppur un cenno che possa servir di indizio onde scoprirlo.

Mi contento di dire che dove m'ero aspettato incontrare ostacoli quasi insuperabili, per passioni ed ire politiche, per ignoranza o cortezza di mente, trovai invece con questo primo, come con tutti gli altri in appresso, ogni immaginabile agevolezza a far accettare le mie idee e le loro deduzioni.

Trovai tutti persuasi che la Giovine Italia era pazzia; pazzia le sètte, pazzia il cospirare, pazzia le rivoluzioncine fatte sino a quel giorno, senza capo né coda. Che bisognava pensare a tenere altri modi. A quelli che proponevo, tutti, sul primo, storcevano il muso; ma persuasi poi presto che senza forza non si fa nulla e che, non avendone essi, era da cercare chi ne avesse, finivano dopo molti scontorcimenti ad accomodarsi all'idea di Carlo Alberto. E quel che li fermava era il celebre ed impertinente paragone del ladro, che a tutti pareva argomento senza replica.

In tanta unanimità di pensieri trovai due sole eccezioni. E queste — curiosa! — in Toscana: e — più curiosa! — in due uo- mini, uno dei quali è sommo per ogni verso, e tenuto per tale da tutta Europa; l'altro, se non gli è eguale, è però persona egregia per cuore, mente e coltura; mente però un po' nel mondo delle astrazioni, come si vedrà or ora.[1]

Il primo di questi (nessun de' due aveva che spartire nulla colla *Trafila*), quando nominai Carlo Alberto, mi disse:

— Come? Carlo Alberto capo de' liberali d'Italia? Eh via!... E mutò discorso.

Il secondo esclamò: — Quel traditore!...

Io gli risposi: — Prima di tutto ci sarebbe da dire sul titolo; ma lasciamo questo. Traditore o no, egli solo ha forza, danari, navi, soldati...

Qui mi tagliò la parola: — I soldati romani — disse — il tal ge- nerale, quando lo trovarono traditore — non mi ricordo chi nomi- nasse — l'ammazzarono! Che soldati possono esser questi di Carlo Alberto che lo sopportano?

Io volli scusare i poveri soldati piemontesi di non aver ancora ammazzato Carlo Alberto, adducendo che i tempi erano diversi, gli usi mutati, ecc.: fu tutto inutile. E quella maledetta legione ro- mana, col suo ritrovato d'ammazzare il suo comandante, pose in rotta anche me, e mi toccò andarmene senz'aver fatto nessun pro- fitto con questo buon galantuomo.

La mattina di poi il fido Antonio, schioppando la frusta, ci con- dusse sull'ore fresche per Strettura e Somma alla longobarda

1. Secondo alcuni erano il Capponi e il Salvagnoli; secondo altri il Fa- rini e Pietro Renzi, e cioè i due esponenti del moto di Rimini del 1845. Di certo c'è solo questo, che la definizione di «uomo sommo per ogni verso e tenuto per tale da tutta Europa» poteva adattarsi allora in To- scana al solo Capponi.

Spoleto. Ricordammo che li Spoletini uscirono contro Federico
Barbarossa e tutto il suo ottimo esercito; e furono tutti fatti a
pezzi, come doveva accadere: e riflettei che quando un popolo è
in queste disposizioni, tosto o tardi riesce. Il sangue può esser
perduto, l'esempio non mai.[1]

Pompili era d'una villa a poche miglia della città. Poteva perciò dirsi arrivato. Io mi trattenni nella città alta, visitai il castello
de' Duchi, il grande acquedotto, opera del cardinal Egidio Al-
bornoz, e ci ritrovammo a pranzo.

Egli era andato intanto a rivedere i suoi amici. Sapevo ch'egli
aveva in Spoleto un'antica fiamma; gli dissi qualche parola di
scherzo sulla visita che supponeva le avesse fatta. Egli mi rispose
serio, e quasi in tragico: — Son tempi da pensare alla patria, e
non a donne. L'ho vista sì, ma non s'è parlato d'amore, bensì
delle nostre speranze comuni.

Questa, lo so, è un'inezia; ma lo ricordo con piacere, perché —
come notai in mille occasioni dal '45 al '48 — era cosa che colpi-
va il vedere come il primo e magnifico movimento italiano, le prime speranze un po' fondate d'indipendenza e d'onor nazionale,
avevano a un tratto fatto sbocciare in tutti i cuori sentimenti belli
e generosi, de' quali io, che da tant'anni giravo in su e in giù
per l'Italia, rado trovava traccia per l'addietro.

Do ora questo cenno, ma avrò occasione di tornare più innanzi
sul medesimo argomento, che merita gran riflessione.

Qui, dunque, mi divisi dal Pompili; il quale m'accompagnò
sino al basso della lunga città di Spoleto; che, ben si vede, fu un
giorno ricca, popolata e fiorente; ed ora è quali si riducono le
città in mano d'un governo di preti.

Montai solo nel mio legnetto e, dato l'addio, Antonio e le caprette mi condussero volando per quella piana e bella strada a Fuligno.

Per strada venni facendo la rassegna de' miei pensieri, deter-
minando meglio i miei piani, e fissandomi sui modi che materialmente dovevo tenere nella mia peregrinazione, onde non compro-
metter né me né altri.

E qui dirò come feci poi dappertutto con ottima riuscita.

Mia prima precauzione, partendo da Roma, era stata di non aver
con me servitore. Ero certo così di non aver una spia.

1. Spoleto fu distrutta da Federico Barbarossa nel 1155.

Portavo un po' di bagaglio pittorico, con che potevo fermarmi dovunque volessi senza dar sospetti.

In ogni paese giungevo con un solo nome, datomi nel paese antecedente, ed era il nome del rappresentante la *Trafila* in quel paese. Arrivato e smontato all'albergo, non vi domandavo mai di nessuno. Uscivo, e secondo le circostanze e le persone che incontravo, mi regolavo nell'interrogare a norma delle fisionomie, e finivo col rintracciare l'abitazione di chi cercavo.

A Fuligno giunsi col nome datomi a Terni. Lo trovai presto. Dopo un giorno di dimora, dovendomi dirigere per la Marca, ma dovendo altresì veder Perugia, vi feci una gita. Vi trovai Cavalieri, l'esimio professore, mio vecchio amico, con Serafinetta una delle mille cugine del parentado, e mi stetti con loro la sera con grandissima festa. Con Cavalieri non feci parola di nulla di politica. Egli era impiegato del governo, né mai credo si sia impacciato d'altro che di scienze e d'arte: ed a me, cui giammai piacquero i traditori né diretti né indiretti, non poteva venir in capo d'intrometterlo in simili faccende, neppur per semplice conversazione.

L'indomani ripartii per Fuligno, e preso commiato dagli amici, nella notte mi mossi per Colfiorito e la Marca.

Ma il fido Antonio m'aveva chiesto di poter dar un posto del legno; ed io avevo acconsentito, onde non ero più solo.

Salito in legno — poteva essere il tocco dopo mezzanotte — e prese le disposizioni per star a mio modo, non potei discernere chi fosse il mio compagno. Ognun di noi, come accade, si rincantucciò nel suo angolo, e fantasticando o dormendo aspettò l'alba.

Le rosee dita tolsero alla fine il velo che copriva il compagno: e vidi la figura d'una specie di collegiale, lungo, secco, giallo, con un viso di signorino impertinente ed una voce di contralto sfogato, il quale certo faceva la sua prima uscita dal collegio o dai penati domestici. Ciò si capiva dall'esser ben in arnese e provveduto di quelle cosette che dànno le mamme o le zie vecchie al momento del distacco, come promemoria de' loro consigli e buona misura dell'ultima benedizione. Sacchetto nuovo, berrettino di gusto, non so che in tracolla, tutta roba di prima uscita, e perfino un cartoccio di confortini (specie di pasta da monache), che il ragazzo pose a mia disposizione, e che io rifiutai; perché il cuore mi diceva che doveva fra noi sorgere ostilità e non volevo avere obbligazioni al mio futuro ed ipotetico nemico.

S'attaccò discorso, ed egli senza farsi pregare mi mise al corrente di tutti i suoi affari; dicendomi che, finita la sua educazione dai Gesuiti, aveva ottenuto un posto, ed era in viaggio per andarlo ad occupare in Ancona, ove doveva raggiungere il suo corpo.

Corpo! pensai io, dunque ho per le mani un soldato del Papa in erba.

Mi disse poi che era ascritto come cadetto ne' soldati di finanza. Con che dovetti diminuire d'un grado la stima che m'aveva ispirata la mia prima supposizione.

Tuttavia, nulla di meglio avendo da fare, pensai: «Studiamo questo doganiere da latte, e vediamo che idee ha pescate nel suo collegio».

D'una cosa in un'altra lo tirai nel campo politico. Sapete con che sistema m'uscì fuori?

Nientemeno, che tutti costoro che volevano novità erano matti, birbi, ecc. ecc., e fin qui poco male, è un'opinione come un'altra; ma soggiunse poi aguzzando il suo contralto: — Eh, il governo è troppo buono! *Teste, teste*, voglion esser *teste*!

Io alla prima non capivo queste *teste*; e lui, leggendomi negli occhi la mia tarda intelligenza, aggiungeva:

— Sicuro, se il governo, invece d'andar tanto colle dolci, facesse qualche *testa*, vedrebbe come tutto sarebbe chetato!

«Una bagattella!» dissi fra me. «Chi si sarebbe immaginato mai di trovare un *Robespierre* in questo bambino?» Ma soggiunsi in petto: «Ancora non ci siamo lasciati, bambino mio; e prima che ci lasciamo, in un modo o nell'altro me l'hai da pagare queste *teste*.» Mi fece stizza vedere tutto quel veleno in questo ragazzo: e anche me ne meravigliavo; ché, avendomi lasciato capire esser egli tutta cosa dei Gesuiti, non ci trovavo punto del mellifluo in questo suo sistema delle *teste*.

Le poco buone intenzioni che germogliavano in me verso questo *coupe-tête* di collegio, venivano poi aumentate da un certo suo fare dominatore, come se il mondo fosse stato inventato per lui e per il suo comodo in tutto e per tutto.

Siccome però il mio codice penale era meno draconiano del suo, e che per i suddetti delitti non intendevo applicargli la pena capitale, ma soltanto dargli una penitenza che servisse insieme di lezione, non mi veniva fatto trovarne la via, per quanto mettessi a tortura la mia immaginativa.

«Basta,» diss'io «camminiamo, ché per istrada s'aggiusta la soma; e le occasioni non mancano mai a chi le sa conoscere ed usare.»

L'occasione, difatti, non mancò, ed anzi si presentò prestissimo. Si giunse a Camerino sul mezzogiorno, che s'era annuvolato e cominciava a moschinare un po' di acqua. Allo smontare, l'oste mi si fece incontro tutto allegro e mi dette un *ben arrivato* d'antica conoscenza. Io, che giammai l'avevo veduto, me gli volsi mostrandogli qualche meraviglia, ed egli come riprendendosi, disse:

— Oh scusi, l'avevo preso in scambio. — E non mi disse altro, se non che mi servì in camera pulitissimamente.

A idea mia egli dovea sapere del mio viaggio, e pensando ch'io fossi Dio sa qual Grande Oriente, faceva moltissimo assegnamento sull'opera mia, e quindi quell'accoglienza così piena di premura.

Dissi a Antonio: — A che ora si parte?

— Alle tre — rispose.

— Sta bene, sii puntuale, ché io non fo mai aspettare.

Il Robespierrino udì anch'esso l'ora della partenza; e temendo forse non istessi in pena non vedendolo nell'osteria, credette bene parteciparmi ch'egli avrebbe passate le ore del rinfresco al convento de' Padri Gesuiti.

«Senz'invidia», dissi fra me, ed entrai in casa.

Intanto il tempo s'era venuto serrando: per ogni parte s'era levato un vento fresco, e la pioggia veniva a ondate e a burrasca.

Pranzai benissimo; e prima delle tre, Antonio, che dovendo condurci la sera a San Severino non voleva gli si facesse notte per istrada con quel tempaccio, era già attaccato ed all'ordine; io al botto delle tre mi trovavo in carrozza; e il signorino? Il signorino non compariva.

Conobbi che il Cielo mi presentava gentilmente il manico della disciplina per dar la penitenza al bamboccio ed insegnargli a vivere; ed io con grandissimo piacere l'afferrai.

Passati appena due minuti, cominciai a impazientirmi, e dir ad Antonio: — Oh insomma, all'ora fissata sono stato pronto, e non son fatto per aspettare il comodo di quel signore.

Antonio guardava da tutte le parti, e stava in due, diceva: — Ma dove sarà? — Chiedeva se fosse stato veduto. Io che sapevo dove l'avrebbero trovato, serbavo un perfido silenzio. Dopo un poco dissi:

— Avviamoci piano piano, ché forse l'incontreremo.

Antonio ubbidì, e i sonagli delle caprette aprirono la marcia. Andati scendendo per un cento passi per quella città tutta di monte, la coscienza d'Antonio si fece sentire, e si fermò riguardando meglio da ogni lato. Nulla.

Intanto il vento ingagliardiva, ed io dissi: — Antonio mio, a lasciar i cavalli fermi a quest'umido ci faranno poco profitto, ché ancora non sono ben rasciutti del sudore della mattina. Fa' a modo mio, son presto le tre e mezzo, peggio per chi non è esatto, tira via, e se vorrà venire a San Severino stasera, non mancano cavalli a Camerino; staccherà un biroccino, e verrà volando.

Io che so il vetturino marchigiano come l'avessi fatto, avevo colto il suo cuore nel punto più sensibile; ed in fatto era vero: cavalli già un po' stanchi, fermi a quel vento traverso, fanno presto a prender doglie nelle spalle.

Antonio, persuaso, dette un'altra guardata per formalità, poi una sgrullata di spalla, borbottò non so che epifonema fra' denti, e pronunziò alla fine quell'*U*, che pe' cavalli di vettura equivale al *marche* militare; e per la mia vittima equivalse ad una buona bagnatura, e a sette o otto paoli di maggior spese nel bilancio del suo viaggio al *Corpo*.

La strada, che era quasi tutta a vantaggio, poiché dalle vette dell'Appennino scende verso l'Adriatico, la facemmo volando; e suonava l'avemmaria, che già mi trovavo a tetto nella locanda di San Severino.

Là era un parapiglia grandissimo per la piena de' forestieri, causa la fiera di Loreto che si teneva in que' giorni.

Io, non mi sentendo di cenare, tolsi all'ostessa, che già non sapeva a chi attendere, il pensiero d'occuparsi di me; e non occorrendomi neppure la camera così subito, mi trattenni nella cucina, ciarlando con tutti, e prendendo una lezione dal mio solito maestro, *l'uomo*, studiato in tutte le età, i sessi e le circostanze.

Passarono due ore almeno, era notte chiusa e sempre diluviava; quando di verso strada venne lo strepito d'un biroccino che si fermava alla porta: e un momento dipoi entrò in casa come una tempesta il signorino. Trovò per primo Antonio, e gli cominciò a sfilar la corona, non più in contralto, ma in soprano deciso, tanto era il suo giusto furore. Antonio, che poco ne aveva soggezione e sentiva d'aver in me un fedele alleato, gli faceva testa molto bene; tantoché il signorino entrò a furia in cucina, e venne diritto alla mia volta col viso d'un padroncino mal servito dal suo cameriere. Io allora con quell'occhiata che dice ai ragazzi: *È tempo di finirla*, risposi a' suoi lamenti: — Parla con me? Parli col vetturino. — Gli volsi le spalle, e me lo levai d'attorno. Visto che con me non face-va frutto, tornò addosso ad Antonio; ma dopo molto tempestare non poté far altro che togliere dal legno la sua valigia, rinunziare alla nostra compagnia, e lasciarci colla sua cordiale maledizione.

Così l'indomani, di nuovo solo con mia somma soddisfazione, partii a levata di sole per Loreto.

Trovai il paese in festa per la fiera. Visitai il Santuario, e vi passai tutta la giornata. Attaccai discorso con un vecchio caffet-tiere, e mi venni facendo idea del luogo e degli abitanti. Idea, mi duole il dirlo, poco favorevole.

Ho sempre osservato che i paesi e le città ov'è un Santuario di gran fama valgono assai poco. Cercandone le cagioni, mi son fermato alle seguenti. Perché il popolo s'avvezza di lunga mano a campare non d'un lavoro che realmente gli faccia meritare ciò che guadagna colla fatica; ma piuttosto a campare sul corbellare più o meno l'infinita quantità di persone che visitano il San-tuario. Perché in massa la popolazione crede poco alla leggenda che tien ritta e fa prosperare la sua vigna. Quindi s'avvezza a vi-vere in una continua finzione ed in uno stato più d'ozio che di lavoro, e d'incessante guerra di furberie, d'inganni o peggio, a dan-no dei forestieri. Finalmente perché i paesi piccoli, ov'è un'in-vasione perenne di quest'ultimi, sono sempre i più guasti di tutti.

Il mio caffettiere deplorava ingenuamente, non tanto la dimi-nuita divozione alla Santa Casa in generale, quanto il diminuito concorso di pellegrini che, sotto il sanrocchino, avessero le ta-sche mobiliate di buoni zecchini. Infatti non vidi nella chiesa e ne' dintorni se non contadini, burrini, ciociari di Regno; e cer-to con costoro il mio nuovo amico non potea far guadagni.

Qui mi separai da Antonio, e fermato un posto per Ancona con un altro vetturino, al salire in legno trovai che avevo per compagno di viaggio un bel Francescano.

Siccome codesti frati hanno voce d'esser un po' liberali, forse per tradizione dal loro fondatore mantenutasi sino a noi, mi di-vertii a dirgli un tanto snaturato bene del governo del Papa, che alla fine il suo liberalismo si risentì, e me ne disse in risposta tutto quel male che merita. Con questo trastullo arrivai in Ancona.

In questa città, uscendo una mattina dalla mia camera in locanda, trovai ritto accanto alla porta un giandarme; e siccome in quel tempo essi erano miei nemici politici, e non avevo ancora avuta occasione di diventare loro camerata, come l'ebbi nel '48 — e me ne tengo — quando si portarono così onoratamente a Vicenza ed altrove, dubitai d'avere la poco grata sorpresa d'una sua visita, e forse d'una passeggiata in sua compagnia. Ma il sospetto si trovò vano; egli faceva altra posta della mia, e non fu altro.

Da Ancona seguitai la mia via per le varie città di Romagna, colle solite fermate, i soliti discorsi, la solita facilità nel persuadere; ma siccome alla fine persuadere tutti è impossibile, dovetti persuadermi che qualcuna delle solite imprese si preparava. Forse riuscii a circoscriverla in un ristretto numero d'incorreggibili, che un mese dopo a Rimini ed alle Fratte o Grotte che sia, eseguirono quel moto che mandò un'altra infornata di poveri giovani a soffrire senza frutto in prigione o in esilio.

Girata la Romagna, per la Terra del Sole, Rocca San Casciano e Dicomano, traversai l'Appennino ed arrivai a Firenze. In questa città ed in Toscana mi trattenni poco; trovai l'amico accennato della *legione romana* e dell'opportunità che i soldati piemontesi imitassero il suo giudizioso esempio: e coll'impressione fresca del buon senso che sta di casa in certi cervelli italiani, per Genova mi condussi a Torino.

Qui cominciava il buono; ed era giunto il momento che il sonaglio essendo pronto, bisognava attaccarlo!

La mia parte non era facile. Non avendo avuto dal Re nessunissimo incarico di fare quel viaggio e quell'inchiesta, ed essendo invece stata tutta roba mia; l'essere ora accolto bene da lui, ovvero posto fuor dell'uscio di malagrazia, tutto dipendeva dal grado di fiducia ch'egli riponeva in me, non meno che dalla sua opinione, se fosse bene o no lo scoprirsi: e tutto questo io non lo potevo sapere.

Domandai un'udienza e l'ebbi presto, ciò che mi parve di buon augurio. L'ebbi, come usava Carlo Alberto, alle sei della mattina, che in quella stagione voleva dire prima di giorno; ed all'ora stabilita entrai in quel palazzo tutto desto e illuminato, mentre la città ancora dormiva; e ci entrai col cuore che mi batteva. Dopo un minuto d'anticamera, lo scudiere di servizio m'aprì la porta; entrai in quella sala che è dopo l'anticamera di *parata*, e mi trovai alla presenza di Carlo Alberto, che stava ritto presso la finestra e che, risposto con un cenno del capo cortese alla mia riverenza, m'accennò uno sgabello nel vano del finestrone, mi vi fece sedere, ed egli mi si pose in faccia.

Il Re, in quel tempo, era un mistero; e, per quanto la sua condotta posteriore sia stata esplicita, rimarrà forse in parte mistero anche per la storia. In allora i fatti principali della sua vita, il '21 ed il '32, non erano certo in suo favore: nessuno poteva capire qual nesso potesse esistere nella sua mente fra le grandi idee dell'indipendenza italiana ed i matrimoni austriaci; fra le tendenze ad un ingrandimento della Casa di Savoia ed il corteggiare i Gesuiti, o il tenersi intorno uomini come l'Escarena, La Margherita, ecc.;[1] fra un apparato di pietà, di penitenze da donnicciuola, e l'altezza di pensieri, la fermezza di carattere che suppongono così arditi progetti.

Perciò nessuno si fidava di Carlo Alberto.

Gran danno per un principe che sia nelle sue circostanze; perché con queste povere astuzie onde mantenersi l'aiuto di due partiti lo perde, invece, d'ambedue.

Il suo aspetto medesimo presentava un non so che d'inesplicabile. Altissimo di statura, smilzo, col viso lungo, pallido ed abitualmente severo, aveva poi nel parlarvi dolcissima la guardatura, simpatico il suon di voce, amorevole e familiare la parola. Esercitava un vero fascino sul suo interlocutore; e mi ricordo che, mentre mi parlava le prime parole, informandosi di me, che non aveva veduto da un pezzo, con una cortesia benevola tutta sua, avevo bisogno d'un continuo sforzo e di ripetermi continuamente in petto: «Massimo, non ti fidare!» per non lasciarmi vincere dalla seduzione de' suoi modi e delle sue parole.

Povero signore! Egli aveva del buono e del grande in sé; perché volle credere nella furberia?

Informandosi di me cortesemente, gli venne detto: — Ed ora di dove viene? — che era appunto il filo al quale potevo appiccare tutto il mio discorso. Non me lo lasciai sfuggire, e gli parlai

---

1. Antonio Tonduti dell'Escarena (1771-1856), ministro dell'interno dal 1831 al 1835, era stato uno dei maggiori responsabili degli spietati processi del 1833. – Clemente Solaro della Margarita (1792-1869), ministro degli esteri dal 1835, era alla corte di Torino il campione del legittimismo e dell'assolutismo. Carlo Alberto dovette licenziarlo nell'ottobre 1847. Deputato al Parlamento dal 1854 al 1860, avversò sempre la politica del Cavour.

così. Se non ripeto le precise parole, ripeto certo il loro senso.

— Maestà, sono stato a girare città per città una gran parte d'Italia, e se ho domandato d'essere ammesso alla sua presenza, è appunto perché, se la M. V. lo volesse permettere, amerei di farle conoscere lo stato presente d'Italia, quello che ho veduto e parlato con uomini d'ogni paese e d'ogni condizione, relativamente alle questioni politiche.

C. A. — Oh anzi dica, mi farà piacere.

Io. — V. M. conosce tutti i moti, le congiure e le rivoluzion-celle, accadute dal '14 in qua; conosce l'influenze che le eccitano, il malcontento che le aiuta, come il poco senno che le conduce, e le tristi conseguenze che ne derivano. L'inefficacia, anzi il danno di questi atti, che non servono se non ad impoverire il paese de' migliori caratteri, ed a rendere più dura l'influenza straniera, ha oramai colpito in Italia i più assennati, e si desidera cercare modo e via nuova. Trovandomi a Roma ne' mesi addietro, ho molto parlato e molto pensato de' rimedi possibili a questo triste stato. Papa Gregorio è vecchio e cagionevole; alla sua morte certo, se non prima, qualche gran cosa si prepara, e la Romagna anderà in fiamme, e finirà come sempre con un'altra occupazione austriaca, un'altra serie di supplizi, d'esili, un nuovo incrudimento di tutti i malanni che ci opprimono. È dunque urgente trovar rimedio.

Qui gli narrai in disteso del disgusto degli assennati e degli onesti, delle scioccherie e birberie mazziniane; della proposta che m'era stata fatta di mettermi all'opera in qualche modo, e cercar di imprimere all'azione de' popoli un miglior indirizzo; del mio viaggio; della disposizione ottima che avevo trovata negli animi, salvo poche eccezioni; e seguitai così:

Io. — Maestà, io non fui mai di nessuna società segreta, non ebbi mai mano né in combriccole, né in congiure; ma siccome ho passata infanzia e gioventù sempre or qua o là in Italia, che tutti mi conoscono, sanno che non sono una spia, e perciò nessuno dif-fida di me, così ho sempre saputo tutto come fossi stato un settario; ed anche ora mi dicono tutto, e credo poterle assicurare, senza timor d'ingannarmi, che i più riconoscono la poca assennatezza de' fatti accaduti sin qui, e desiderano mettersi per una via nuova. Tutti si son persuasi che senza forza non si fa nulla; che forza in Italia non è che in Piemonte; e che tuttavia, neppur su questa non è da far nessun assegnamento, finché dura l'Europa tranquilla ne' suoi ordini presenti. Queste sono idee savie, e che danno segno d'un vero progresso nel giudizio politico. V. M. mi dirà: «Quanto dureranno?» Confesso anch'io che su quest'articolo non v'è sicurezza. Credo che cogli uomini ora influenti in que' paesi, io possa dire d'avere molta influenza pel momento. Son riuscito a persuaderne la maggior parte; ma il moto di Rimini, scoppiato due settimane dopo che avevo lasciato la Romagna, è una prova che non tutti erano persuasi: o che se erano persuasi i capi, non lo erano gli uomini in second'ordine. In una simile gerarchia, dove la disciplina non obbliga e dipende unicamente dalla fiducia, l'ubbidienza è sempre casuale. E poi entrano di mezzo passioni, interessi di molti generi, che talvolta determinano movimenti non generalmente approvati; e finalmente bisogna tener conto delle tristi condizioni che pesano su quelle popolazioni, dove, venendo dall'alto l'arbitrio, la violenza, la corruzione, l'inganno, il sospetto ecc., è naturale che dal basso gli si opponga il sistema medesimo: dove, essendo generale il mal essere materiale e morale, senza un solo mezzo ammesso d'ottener nulla di meglio, non si può prevedere fino a qual punto, o fino a qual giorno, la prudenza e la ragione potranno servir di freno alla disperazione ed al furore. Chi soffre è il solo giudice della gran questione del non poterne più. Gli uomini son così fatti; e una politica saggia e previdente deve partire dallo stato reale delle cose, e accettarlo, se non vuol andar fuor di strada. Per questo appunto, per cercare di far nuovo argine con un'idea nuova all'irrompere di tali disperazioni, ho girato e parlato come le dico: e qualche frutto, malgrado il caso di Rimini, credo averlo cavato. Ora la M. V. mi dirà, se approva o disapprova quel che ho fatto e quello che ho detto.

Tacqui ed aspettai la risposta, che la fisonomia del Re mi prometteva non acerba; ma che, quanto all'importante, m'immaginavo dovesse essere un *ibis redibis*,[1] da saperne dopo tanto come prima. Invece, senza punto dubitare, né sfuggire il mio sguardo, ma fissando invece i suoi occhi ne' miei, disse tranquillo, ma risoluto:

— Faccia sapere a que' Signori che stiano in quiete e non si muovano, non essendovi per ora nulla da fare; ma che siano certi, che, presentandosi l'occasione, *la mia vita, la vita de' miei figli, le mie*

---

1. L'A. si aspettava una risposta ambigua, come il famoso responso della Sibilla «ibis redibis non morieris in bello», che può avere due significati opposti secondo che il *non* vada con *redibis* o con *morieris*.

*armi, i miei tesori, il mio esercito, tutto sarà speso per la causa italiana.*

Io, che tutt'altro m'aspettavo, rimasi un momento senza trovar una parola da dire, e quasi credei d'aver capito male. Mi rimisi però subito, ma forse non sfuggì al Re l'impressione di meraviglia che avevo provato.

Il progetto che così risolutamente mi aveva manifestato, e soprattutto la frase *faccia sapere a que' Signori,* m'avevano talmente messo sottosopra che ancora non mi pareva vero. E intanto tutta l'importanza era per me d'intendersi bene; ché allora, come sempre, pensavo che bisognava giocare carte in tavola; e che gli equivoci, e peggio le sorprese, non fanno altro che danni.

Ringraziandolo dunque, e mostrandomi (e lo ero davvero) commosso e incantato della sua franchezza, ebbi cura di commettere nel mio discorso la sua medesima frase, dicendo: *Farò dunque sapere a quei Signori,* ecc. M'accennò col capo di sì, per confermare che lo avevo ben inteso, e poi mi licenziò: ed, alzatici in piedi tutti e due, mi pose le mani sulle spalle ed accostò la sua guancia alla mia, prima l'una e poi l'altra.

Quest'abbraccio aveva però in sé qualche cosa di studiato, di freddo, direi di funebre, che mi gelò: e la voce interna, quel terribile *non ti fidare* mi risorse dal cuore. Tremenda condanna degli astuti di professione, esser sospetti anche dicendo il vero.

E l'aveva detto, povero signore; il fatto lo ha dimostrato.

Ora chi avesse detto a me, mentre sedevamo in quel vano di finestra su que' due sgabelli dorati e coperti di seta verde e bianca a fiorami, che a rivederli ogni volta mi danno un brivido, chi m'avesse detto che offerendo egli per mio mezzo agli Italiani armi, tesori e vita, io ero ingiusto non restandone intimamente e subito persuaso! Chi m'avesse detto che quella grande occasione così lontana d'ogni previsione nel '45, e che ambedue dovevamo disperare di vedere mai, era da Dio stabilita per tre anni dopo? E che in quella guerra, tanto impossibile secondo le apparenze d'allora, egli doveva perdervi la corona e poi la patria e poi la vita; e che a me, come Primo ministro di suo figlio, era serbato il triste ufficio di farlo seppellire, rogandone l'atto in persona, nelle tombe reali di Superga! ! !

Poveri uomini, che si credono di condurre gli eventi!

24

# GIUSEPPE GIUSTI

# PROFILO BIOGRAFICO

Giuseppe Giusti nacque a Monsummano il 12 maggio 1809 da Domenico, agiato possidente, e da Ester Chiti. Dopo i primi studi fatti in casa con un prete, dal 1821 al 1825 fu mandato in collegio, prima a Firenze, poi a Pistoia e a Lucca. Per desiderio del padre, che voleva avviarlo ai pubblici uffici e sperava che il figlio rinnovasse i fasti dell'avo, anch'egli Giuseppe, il quale era stato ministro di Pietro Leopoldo, nel novembre 1826 cominciò a frequentare i corsi della facoltà di legge all'Università di Pisa. La vita studentesca del Giusti a Pisa fu piuttosto scapigliata e dissipata, debiti e altro, cosicché nel giugno del 1829 il padre credette opportuno richiamarlo a casa, e precisamente a Pescia, dove la famiglia si era trasferita e dove erano i suoi maggiori possedimenti. Ma anche a Pescia il Giusti seguitò a darsi bel tempo; e nel novembre del 1832 il padre lo rimandò a Pisa. Intanto era avvenuta la rivoluzione parigina del luglio 1830, a cui avevan fatto seguito da noi i moti insurrezionali dell'Italia centrale. Questi fatti avevano mutato l'atmosfera della vita studentesca a Pisa: la politica era diventata il fatto più importante; e il Giusti, che aveva cominciato a stender versi fin da ragazzo, accolse questo nuovo tema e scrisse tra l'altro *La guigliottina a vapore*. Ebbe allora un'ammonizione da parte della polizia e dovette subire un provvedimento disciplinare che gli ingiungeva di ritardare l'esame di laurea fino al giugno 1834. Ottenuta la laurea, appunto in quell'anno, si trasferì a Firenze a far pratica nello studio dell'avvocato Cesare Capoquadri, nel quale si era iscritto fin dall'anno precedente. Ma il Giusti non fece mai l'avvocato e neanche abbracciò la carriera dei pubblici uffici. A Firenze egli si dedicò tutto, oltre che agli svaghi e ai piaceri della vita mondana, agli studi letterari e alla poesia. Furono questi gli anni nei quali il Giusti venne acquistando più precisa consapevolezza della sua indole poetica; e gradualmente staccandosi dai toni giocosi o lascivi o sentimentali o retorici, si diede a coltivare la sua vena più genuina, che era quella della poesia satirica e scherzosa.

Il 30 luglio 1843, passando egli per una via, un gatto gli si avventò addosso graffiandolo e cercando di morderlo. Saputo poi che il gatto era idrofobo, gliene venne un perturbamento nervoso, che aggravando certi suoi precedenti disturbi di fegato e di intestino, gli procurò forti e prolungate sofferenze, e non se ne riebbe mai del tutto.

Nel 1844 uscì per la prima volta dalla Toscana e fece un viaggio a Roma e a Napoli. L'anno seguente, 1845, apparve la prima edizione dei suoi *Scherzi*, che furono stampati anonimi a Bastia; e quell'anno stesso, insieme con G. B. Giorgini, intraprese un altro viaggio a Genova e a Milano, dove fu ospite del Manzoni ed entrò in affettuosa relazione con tutto il circolo manzoniano, specialmente con il Torti e con il Grossi. Nel 1846 egli si stabilì definitivamente a Firenze, ospite di Gino Capponi, che aveva conosciuto dieci anni prima e per il quale aveva contratto un'amicizia, che col tempo si era mutata in venerazione.

Frattanto la vita politica italiana si rianimava e si slargava con le discussioni sugli scritti principalmente del Gioberti, del Balbo e del D'Azeglio, i quali determinarono un vasto orientamento dell'opinione pubblica e in certo senso anche l'organizzazione di quella che fu detta la corrente dei «moderati». Pel *Primato* del Gioberti il Giusti, che lo considerò come una costruzione utopistica, nutrì aperta diffidenza; ma poi, all'elezione e ai primi atti di governo di Pio IX, egli che da giovane era stato intinto di sentimenti repubblicani, si schierò subito dalla parte del papa, aderendo cordialmente al programma politico dei moderati. Di questa sua nuova e ferma convinzione fanno fede le lettere, che egli ebbe a scrivere in quegli anni a vari amici, e soprattutto la *Cronaca*, che fu stesa da lui a cose finite e che in un certo senso si può considerare come il suo testamento morale e politico. Gli avvenimenti del rivolgimento toscano egli non li guardò da spettatore svagato; anche se non vi ebbe parte importante, giacché la sua salute proprio allora cominciò a peggiorare, egli vi partecipò con un impegno serio e appassionato. Fu maggiore della Guardia civica di Pescia, e poi fu deputato alla Camera per le due prime legislature. La sua vita parlamentare non ebbe notevole rilievo. Pur con qualche segno di indipendenza, cosa del resto non insolita in quel tempo in cui i partiti politici erano ben lontani dall'avere l'organizzazione e la disciplina che hanno oggi, egli appoggiò il ministeri moderati del Ridolfi e del Capponi. Poi, al salire dell'astro del Guerrazzi, sperando in lui, come gli altri moderati toscani, una difesa contro il sormontare della paurosa marea popolare, non lo avversò. Ma come tutti i moderati toscani egli non tardò a raffigurarselo quale un malefico e tenebroso mestatore, che pur di soddisfare la sua smodata ambizione di governo non si peritava di mandar tutto alla rovina. Alla terza legislatura, e cioè all'Assemblea costituente, non arrivò a partecipare. Avendo ottenuto pochi voti, egli riuscì solo in seguito alla rinunzia di chi lo precedeva nell'elenco degli eletti, ma già l'Assemblea, il 3 aprile, si era prorogata al 15; né essa tornò più a radunarsi, giacché sopravvennero le tumultuose giornate dell'11 e del 12 aprile, che provocarono la caduta del Guerrazzi e la restaurazione granducale.

Il 31 marzo 1850 il Giusti, che già dall'inverno del '49 era affetto da bronchite con sputi sanguigni, morì quasi improvvisamente in casa di Gino Capponi in seguito a uno sbocco di sangue.

Nel 1852 Gino Capponi, che era rimasto depositario dei manoscritti, curò e pubblicò presso il Le Monnier la prima edizione compiuta dei suoi versi. La *Cronaca* fu pubblicata molto più tardi. Secondo il piano dell'autore essa avrebbe dovuto contenere tutti i fatti avvenuti in Toscana, e anche quelli ad essi attinenti che erano avvenuti nel resto d'Italia e altrove, dal 1845 al 1849. Ma il Giusti non compì tutto il suo disegno, e si limitò a raccontare gli avvenimenti di cui era stato testimone o parte, con una grande lacuna dal novembre 1847 al marzo 1849. Il testo della *Cronaca* è riportato qui per intero.

★

La *Cronaca* del Giusti fu pubblicata postuma da FERDINANDO MARTINI col titolo *Memorie inedite di G. G. (1845-1849)*, Milano, Treves, 1890, il quale la riprodusse anche nella sua edizione di *Tutti gli scritti di G. G.* Firenze, Barbèra, 1924. Un'altra edizione ne curò di recente PIETRO PANCRAZI col titolo *Cronaca dei fatti di Toscana (1845-1849)*, Firenze, Le Monnier, 1948. Il testo del Pancrazi riproduce quello del Martini, e ne mantiene anche la divisione in *Parte prima* e *Parte seconda*; ma con questa novità, che la *Cronaca* è stata suddivisa in XVII capitoletti, coi titoli relativi. Nel nostro volume essa è riprodotta secondo questo accorgimento del Pancrazi, e solo si è tralasciato il *Sommario*, o meglio il piano che di tutto questo suo lavoro il Giusti aveva disegnato.

La prima edizione dell'*Epistolario*, che fu curata da GIOVANNI FRASSI (Firenze 1859), è diventata inutile ormai, dopo che è apparsa quella ricchissima in quattro volumi e ottimamente annotata e corredata di appendici illustrative a cura di FERDINANDO MARTINI (Firenze, Le Monnier, 1932). Le lettere da noi riportate appartengono tutte al terzo volume.

L'ampio proemio e l'appendice ricca di trentotto note, di cui il Martini corredò la sua prima edizione, costituiscono ancor oggi la migliore e la più compiuta illustrazione della *Cronaca*; ad essi si devono aggiungere gli studi che il medesimo Martini raccolse nel suo vol. *Simpatie*, Firenze 1900. Sicuro ed equilibrato è il profilo biografico tracciato da E. BELLORINI, *G. Giusti*, Roma, Formiggini, 1923 (con bibliografia).

S'intende che al centro di tutta la letteratura sul Giusti sta sempre il notissimo saggio di B. CROCE (nel vol. *Poesia e non poesia*). Particolarmente sulla *Cronaca* si veda il saggio *Attualità del Giusti*, che il Pancrazi premise alla sua edizione e che ristampò nel vol. *Nel giardino di Candido*, Firenze 1950. Due scritti recenti tracciano una nuova delineazione del carattere del Giusti e del suo atteggiamento politico, e sono perciò indispensabili agli studiosi della *Cronaca*: NATALINO SAPEGNO, *Slanci e mediocrità nella poesia civile del Giusti*, nel giornale «L'Unità», Roma 20 aprile 1950; SEBASTIANO AGLIANÒ, *G. G. scrittore senza miti*, nella rivista «Belfagor», fascicoli di maggio e luglio 1951.

# CRONACA DEI FATTI DI TOSCANA
## 1845-1849

### *Introduzione.*

Ho veduto i fatti nostri molto da vicino, perché da una parte mi sono trovato nel vero mezzo della folla; dall'altro, nella intimità di persone le quali, chi per un verso e chi per un altro, si può dire che sieno state alla testa delle opinioni e del movimento. Ho veduto da attore e da spettatore, vale a dire con occhio molto amorevole quanto al dramma in sé, e con occhio assai riposato quanto alla rappresentanza. Dimodoché, quando parlerò della cosa, potrà darsi benissimo che io non sia libero affatto da ogni preoccupazione; quando parlerò di chi ci ha avuto mano, una sola preoccupazione terrà l'animo mio, ed è questa: che io credo al bene piuttosto che al male; credo molti i buoni e pochi i tristi; credo più nel buon senso che nella dottrina; credo che le vittime vere sieno i persecutori. Queste credenze parranno strane e saranno; strane per uno oramai pervenuto agli ultimi anni della gioventù; strane a chi sa che io mi sono, dilettato no (ché il mordere in fondo non diletta neppure il cane), ma dato a pungere i vizi, gli errori e le storture del tempo.

Rispetto a queste punture, non credo che molti sappiano, o sapendolo che abbiano cuore di confessare, che parecchie volte il moralista, o se vogliamo il satirico, impugni il flagello in seguito d'un esame di coscienza, e non intenda né punto né poco d'escludere se stesso dal numero dei flagellati; rispetto poi alla esperienza che porta l'età, dirò liberamente che da quella prima, dolce e serena fiducia dell'adolescenza, passato anch'io attraverso di brevi dubbi, di brevi sgomenti e di brevissimi abbandoni, e tornato a scrutare me stesso in quei lucidi intervalli nei quali l'uomo si denuda al suo proprio cospetto, mi son trovato più ricco che non credevo, vale a dire senz'odio, senza invidia; pronto a compatire, a tollerare, ad amare il mio simile, perché bisognoso io stesso d'amore, di compassione e di tolleranza. Se questa è fanciullaggine di ritorno, vorrà dire che io sono invecchiato prima del tempo; se è virtù, non me ne fo bello; perché me la sono trovata addosso come il colore dei capelli: in ogni modo ne tengo di conto perché mi aiuta a vivere e a lasciar vivere. Ma ho detto di parlar di cose

importanti, e invece parlo di me stesso. Scusami: prima della parola ho voluto dirti l'uomo; e poi devi sapere che l'Io è come le
mosche: più lo scacci e più ti ronza d'intorno.

Quali fossero le condizioni della Toscana nel novembre 1845,
tu lo sai meglio di me. Un beato lasciare andare; un governo
composto di se, di ma, di forsi, come dice il Berni del papato
d'Adriano.[1] Più cupolino[2] che toscano, o se toscano, non italiano
mai neppure per sogno: un andare al passo delle lumache; un'arte
piccina e minuta di vivere a forza di scansi tanto al di dentro
che al di fuori; una cuccagna per i rescrittati[3] d'ogni genere, un
dormire a occhi aperti vedendo e non vedendo; una certa velleità
d'avere statue senza sapersene preparare il piedistallo; un dare e
un avere tra tutti e in tutto, di sarcasmi, di noncuranza, di disistima
e di pettegolezzi. Il popolo, occhiuto ma distratto, nauseava senza
sdegno, discorreva senza discutere, desiderava senza volere; pagava
e brontolava, guardava lontano e non vedeva se stesso; s'impre-
gnava dell'altrui senza curarsi di concepire del proprio. In fondo
a tutte queste cose, bonarietà al di sopra e bonarietà al di sotto;
di sopra poca levatura, certe presunzioncelle e nessuna malvagità;
di sotto molto ingegno in erba, poco in fiore, pochissimo in frutto,
e anco qui certe presunzioncelle e nessuna malvagità; nel mezzo
poi (vedi polizia) bastardume, vanume, marciume, lerciume, metti-
scandali, gabbaminchioni, annaspabrighe, armeggioni, ferracci vecchi, arnesacci, ronzoni,[4] zanzare, tignole, fastidio insomma più
importuno che velenoso, gente più boriosa che potente; ruffiana
di faccende, non intermediaria del potere. E questa pania che era
tesa a tutti e non chiappava nessuno, stava lì, spauracchio al
Principe non accivettato,[5] svegliarino al popolo accivettatissimo;
e se a caso qualcuno c'incappava un momento, presto s'accorgeva
o che non teneva, o che non voleva tenere, o che i tenditori si
contentavano di poche penne tanto per farsene un piumino, e poi

---

1. Veramente, non d'Adriano; ma di Clemente VII. Il sonetto del Berni
inteso a colpire la condotta irresoluta e tortuosa del papa, comincia così:
«Un papato composto di rispetti, — di considerazioni e di discorsi, —
di più, di poi, di ma, di se, di forsi, — di pur, di assai parole senza effetti ...» L'equivoco del Giusti è nato dalla menzione che nell'ultimo
verso del sonetto si fa di papa Adriano VI.   2. *cupolino*: fiorentino; con
allusione alla cupola del Brunellesco.   3. *rescrittati*: rescrittato è colui che
è oggetto di un rescritto del Sovrano o di un'autorità dello Stato.   4. *ron-
zone*, sorta di coleottero.   5. *non accivettato*: non scaltrito, non smaliziato.

chi l'ha a mangiare la lavi. Se gli ho battuti in versi, credi che non
è stato per coraggio civile.

Venendo ai partiti che allora covavano tra noi, e usando i nomi
ormai invalsi nell'uso, il paese, non tenendo conto di parecchie
gradazioni di colori, era diviso tra liberali e sanfedisti. I liberali,
sparpagliati, avvezzi all'ombra e al sotterfugio, non capitanati né
da un uomo solo né da una sola opinione, troppo in apprensione
del birro e del partito contrario, al quale prestavano spesso un sapere e un potere che non avevano. Molti di cuore, pochi di petto,
parecchi per sentita dire, altrettanti più per buona volontà che per
ferma convinzione, del resto galantuomini, salvo una certa tal
quale zavorra. I sanfedisti erano più d'accordo che compatti;
chiotti[1] piuttostoché astuti; con due o tre Donchisciotti alla testa
che pigliavano una cena tra amici per la congiura di Catilina, un
par di baffi per un delitto di lesa maestà e via discorrendo. Gente
più che altro d'incornati,[2] di muffiti e di stizziti, di baciapile, di
quattrinai e di paurosi del sacco;[3] di trappoloni, di spaccamondi,
di falliti di borsa e di reputazione, e d'innocenti presi agli archetti
come le quaglie. Nel guazzabuglio, due o tre carnefici; otto o
dieci birri pensionati; e qualche giacobino e qualche carbonaro
che si sbracciavano a purgarsi dei peccati veniali del novantanove
e del 1821. Le accuse, i sospetti, le paure che son corse tra le due
parti, ognuno le sa e sarebbe superfluo ristacciare questa farina
oramai imbachita. La zuffa durava dal trentuno al quarantacinque
con poca perdita di qua e di là se si guarda al numero dei morti;
se poi si guarda ai vivi la faccenda va diversamente: mi spiegherò.
I sanfedisti lieti d'aver piluccato qua e là il partito contrario, avvezzi alle minuzzaglie più che al grosso della cosa, e veduto o
creduto di vedere che i liberali battevano in ritirata e tacevano,
si dettero a cantare il Te Deum a tutto bordone, e fatta un po'
di baldoria, dissero è finita, e si sdraiarono a Capua.[4] Il male
fu che quella ritirata dei liberali, piuttosto che una fuga, riuscì
un colpo di strategia, e dico riuscì per non parere di dare al mio
partito il senno dei vecchi soldati che si confortano della perdita
presente, certi di rifarsi temporeggiando. No, questo alto sapere se
fu, fu in pochissimi, e se poi suonando di nuovo a raccolta ci siamo

1. *chiotti*, qui vale: sornioni.  2. *incornati*: ostinati.  3. *del sacco*: del
saccheggio, in caso di sommosse popolari.  4. *si sdraiarono a Capua*: si
diedero all'ozio, come fece Annibale a Capua.

trovati più di quelli che eravamo allora e più forti a vincere, lo dobbiamo al vento che ci porta e che spira negli occhi agli avversari. Ciò che posso dire perché lo so è questo: che i sanfedisti credettero di aver vinto, i liberali non credettero di aver perduto e questa che pare piccola differenza è differenza grandissima. I birri e i sanfedisti, vale a dire tutti i retrogradi e i calpestatori, hanno un gran peccato addosso, che è quello di credersi furbissimi. Io non ho veduto mai al mondo il più gran minchione di quello che crede e dice d'esser furbo, e lo provo. Chi è furbo vero si sente ma non crede, cioè non è mai tanto sicuro di sé che non pensi potersi dare uno più furbo di lui, e per questo lato la somma furberia ha le sue modestie come la sapienza, come l'arte, come la virtù che esce dal comune. Dunque chi crede d'essere furbo si falsa le armi da sé, tenendosi impenetrabile e invulnerabile. Chi dice poi d'essere furbo non solo si falsa le armi ma si taglia da sé e si può tagliare a scempio e a doppio. Si taglia a scempio perché quand'anco sia ciò che dice d'essere avvertendone gli altri fa sì che stieno all'erta; e si taglia a doppio nel caso che in qualche punto riesca un minchione, cosa che si dà a tutti. Ecco la magagna dei sanfedisti; mentre noi liberali siamo stati sempre minchioni, tanto è vero che i proscritti, i fucilati e gli impiccati e' si contano sempre tra noi. Se taluni domandassero per qual ragione credendoci seguaci del vero, n'andammo fin qui a capo rotto ...[1]

1. Il Giusti lasciò qui interrotta l'Introduzione.

PARTE PRIMA

I

*Condizioni della Toscana.*
*Giuseppe Montanelli.*

Quando morì Don Neri Corsini,[1] ministro dell'interno, degli
affari esteri e d'altre due o tre cose in Toscana, i liberi pensatori
erano i Georgofili. Non dico che qua e là, anche fuori di quell'accademia, non vi fosse gente che pensasse senza licenza dei superiori,
ma la vera falange dei novatori era là, e le nostre speranzine e le
paurine del governucolo d'allora erano senza dubbio quei signori
accademici. Di qui forse quel non so che di patriarcale o d'arcadico che s'è infiltrato e s'infiltra nelle nostre faccende; di qui le
stizze, i pettegolezzi, i ripicchi e il fare puntiglioso e cricchioso,
portato da certuni nel campo della politica. L'Accademia dei
Georgofili ha fatto del bene e ha contato uomini di molto valore,
ma un'accademia è sempre un'accademia, e la quercia non fa limoni.

Primeggiavano in essa, alla morte del ministro suddetto, Gino
Capponi, Cosimo Ridolfi, Raffaello Lambruschini, Vincenzo Salvagnoli, Bettino Ricasoli, Celso Marzucchi, Enrico Mayer[2] ed

1. Don Neri Corsini (1771-1845), principe di Sismano, dopo una lunga
carriera politica e diplomatica, alla morte di Vittorio Fossombroni (13 aprile
1844) gli era succeduto nella carica di primo ministro del Granduca, col
portafogli degli esteri. Sotto il Fossombroni era stato ministro degli affari
interni.   2. Del marchese Gino Capponi (1792-1876), che può considerarsi
come la figura più rappresentativa e più veneranda della cultura toscana nella prima metà dell'Ottocento, il Giusti disegnerà qui appresso un bellissimo
ritratto. — Il marchese Cosimo Ridolfi (1794-1865) fu studioso particolarmente di agraria, e insegnò questa disciplina all'Università di Pisa fino al
1845. Nel 1847 fu membro della Consulta di Stato e ministro dell'interno.
Il 2 giugno 1848 assunse la presidenza del Consiglio e la tenne per due mesi.
Dal Capponi, che gli succedette (19 agosto), fu fatto presidente della Camera e poi inviato in missione diplomatica in Francia e in Inghilterra.
Al suo ritorno in Toscana, saliti al potere i democratici, si ritirò a vita privata. Fu poi senatore del regno d'Italia. — Raffaello Lambruschini (1788-
1873), sacerdote ed educatore, una delle più eminenti figure del cattolice-
simo liberale italiano, fu nel '48 deputato di parte moderata nell'Assemblea toscana. Si interessò al problema dei rapporti fra la Chiesa e lo Stato.
Quella mala lingua del Guerrazzi diceva che il Lambruschini era «intento
a uccidere a colpi di stuzzicadenti il coccodrillo di Roma». — Vincenzo
Salvagnoli, di cui il Giusti parlerà diffusamente più oltre, era nato nel
1802 presso Empoli, e nel 1833, sospettato di appartenere alla Giovine
Italia, era stato rinchiuso a Portoferraio insieme col Guerrazzi e col Bini.

altri; tutta gente dabbene, ricca d'ingegno, promotrice degli studi economici, delle scuole infantili, e di tutto ciò che allora ti faceva andare per la maggiore e ti poneva in vista del presidente del Buon Governo.[1]

Di contro a questa congiura aperta, v'era la congiura segreta, cioè a dire uno strascico della Giovine Italia, capitanato allora dal Montanelli.[2] Il nido era a Pisa; gli addetti principali a Livorno, poi qualche filolino per tutta la Toscana, in tutti cento o cencinquanta, e fino d'allora si chiamavano popolo. Lavoravano sott'acqua, tenevano combriccole misteriose, ricettavano fuggiaschi ed altre cose di questo gusto, e tutto andava a finire nello stampare foglietti di sotterfugio, nello scrivere col carbone una minaccia sul muro, nel fare a caponascondi colle spie, e ciò era detto missione. A me questo modo non è mai piaciuto, perché se ne va in ninnoli e in accordature,[3] non riesce a nulla di sodo; ti raffina l'astuzia, t'avvezza a fare a meno del coraggio, t'insegna a salvare

---

Poi si accostò al Capponi, e, al tempo di cui parla qui il Giusti, era divenuto il più famoso ed eloquente avvocato di tutta la Toscana. Nel '48 fu deputato, e si fece notare per il suo piemontesismo. Poi, impaurito dal prevalere dei democratici, riparò a Torino. Morì a Pisa, senatore del regno, nel 1861. — L'attività politica del barone Bettino Ricasoli (1809-1880), che fu poi detto il «barone di ferro», si svolse tutta a cominciare dal '59, quando egli fu dittatore della Toscana e poi presidente del consiglio. Nel rivolgimento toscano del '48-'49 egli ebbe parte secondaria. Nel '47 fondò il giornale «La Patria» e fu nominato gonfaloniere del comune di Firenze. Nell'agosto del '48, in seguito alla caduta del Ridolfi, ricevette l'incarico di formare il nuovo ministero, ma non riuscì nell'impresa. Anch'egli, come il Lambruschini, sentì vivissimo il problema dei rapporti fra Chiesa e Stato e auspicò una riforma del clero. — Celso Marzucchi (1800-1877) esercitava a Firenze l'avvocatura. Nel '48 fu eletto deputato ed ebbe il portafogli dell'istruzione nel ministero Capponi. — Enrico Mayer (1802-1877) era nato a Livorno da padre tedesco e da madre francese. Educatore e patriotta, era amico del Mazzini pur senza condividerne in tutto la fede politica. Nel 1840 subì a Roma un breve periodo di prigionia per la sua propaganda rivoluzionaria. Poi aderì al neoguelfismo e partecipò come volontario alla campagna del '48.  1. presidente del Buon Governo: Capo della polizia.  2. Giuseppe Montanelli (1813-1862) fu condiscepolo del Giusti e poi professore di diritto commerciale nell'Università di Pisa. Nel '47 fondò il giornale «L'Italia». Nella giornata di Curtatone fu ferito e fatto prigioniero; ma in Toscana fu creduto morto e gli si celebrarono funerali solenni. Tornato in patria fu eletto deputato, e alla caduta del ministero Capponi fu presidente del consiglio. Fuggito il Granduca, fece parte del triumvirato insieme col Guerrazzi e con Giuseppe Mazzoni. Durante il decennio visse esule in Francia. Si vedano le sue Memorie sull'Italia e specialmente sulla Toscana dal 1814 al 1850, Torino, Società Ed. Italiana, vol. I, 1853, vol. II, 1855.  3. va . . . in accordature: non approda a nulla.

la capra e i cavoli, vale a dire la patria e la pelle. Credo che questa sia la cagione per la quale i congiurati di mestiere 99 per 100 finiscono di mostrare il viso quando appunto incomincia il pericolo.

Il Montanelli non ha né forte sentire né forte pensare. È uno di quegli animi che si caricano a furia di emozioni cercate, come l'uomo fiacco cerca la forza nel vino, e il malinconico l'esilarazione dall'oppio. Esso può avere una fissazione più o meno lunga, fermezza no; e credendo di dominare uomini e cose è dominato sempre da tutti e da tutto. Segue un'idea vaga dell'ottimo e non conosce e non si accontenta del bene; e mirando al cielo e sentendosi onesto, può dare il capo nei più grossi spropositi e nelle più basse perfidie o senza avvedersene o scusandosi a se stesso in grazia del fine. Nel '31 fu della Giovine Italia; nel '33 sansimonista; poi socialista e comunista; poi ateo; poi bacchettone; poi giobertiano, poi daccapo mazziniano: insomma è un essere che per istare in gambe ha bisogno d'appoggiarsi a qualcosa. Fa per fare: se faccia bene o se faccia male non sa o non cura sapere: fa, e tanto gli serve. Odo che talora due corpi ghiacci posti che sieno a contatto tra loro bollono o fermentano a freddo; l'olio di vetriolo versato sulla pietra leva le gallozze; così credo che facciano le cose sul cuore del Montanelli. Di fronte a ciò, un ingegno facile, un senso sfumato di poesia, nessuna avidità di danaro per accumulare; l'avidità del prodigo per disperdere in pro della setta il suo e quello degli altri; pronto a far getto della roba e del grado, pronto anche a morire, una volta che gliene sia presa la convulsione. Ho detto convulsione non per ischerno ma perché mi rende a pennello la natura di lui. Perocché la sua non è una di quelle anime che s'affinano al sagrifizio per via di un fuoco vivo lento e continuo, ma solamente divampa e sfavilla di tratto in tratto, come la lucerna annacquata, sebbene in una di quelle vampate possa far lume agli altri e risplendere per sé.

## II
### Gino Capponi. Vincenzo Salvagnoli.

Nel novembre del 1845 andai a Varramista, villa di Gino Capponi. Trovai là Vincenzo Salvagnoli e il professore Pietro Capei,[1]
e nei primi giorni non facemmo altro che parlare del nuovo ministero che avrebbe nominato il Granduca. Le voci corse da Firenze
accennavano al Baldasseroni, a Omburgo, al Bologna, e al Paver,
ma il Salvagnoli mostrava non crederle e pareva che avesse in corpo
altri nomi. Quando una mattina eccoti una lettera di Pietro Vieusseux[2] che ci dà i ministri bell'e fatti nelle persone appunto del
Bologna, dell'Omburgo, del Paver e del Baldasseroni.[3] A quella
nuova il Salvagnoli impallidì, s'azzittì, rimase come di pietra; e
fu tanto lo stupore che gli si dipinse sul viso, che tutti lo notammo,
e cominciammo, ognuno tra sé e sé, a farci su i nostri lunari. Dopo
essere stato lì per dell'ore, interdetto e confuso, dié dentro a gridare
che la Toscana era andata; che quello era il colpo di grazia; che
ora non rimaneva altro partito che mettersi un berretto da notte

1. Pietro Capei (1791-1868), storico del diritto, insegnò istituzioni civili
nell'università di Siena e poi in quella di Pisa. Fautore di temperate
riforme, fu chiamato a far parte della Consulta di Stato (1847) e della giunta
di cinque cittadini incaricati di redigere la Costituzione. Durante il governo
costituzionale fu vicepresidente del Senato. Poi non partecipò più alla vita
politica, neanche dopo il '59.    2. Giovan Pietro Vieusseux (1779-1863), ginevrino di origine, si era stabilito a Firenze nel 1819 e vi aveva fondato un
Gabinetto scientifico-letterario e la famosa rivista, l'«Antologia», alla quale,
soppressa nel 1833, fece seguire altri periodici, il più importante dei quali
fu l'«Archivio storico italiano». Intorno al Vieusseux e alle sue iniziative si
può dire che gravitasse tutta la cultura liberale toscana e italiana. Nelle
sale del suo Gabinetto si riuniva a conversazione ogni giovedì il fior fiore
dei letterati italiani e forestieri, che abitavano o soggiornavano a Firenze.
3. Il nuovo ministero non poteva corrispondere all'aspettativa, giacché
non c'era veramente nessun uomo nuovo. Il primo ministro, Francesco
Cempini, e il ministro dell'interno, Giuseppe Paver, provenivano dal
ministero uscente. Giovanni Bologna era già presidente del Buon Governo.
Alessandro Hombourg, di famiglia lorenese come il Paver, ebbe gli
Esteri e la Guerra; ma, come disse il Martini, era uomo piuttosto da sagrestia, che da ministero. Cosicché la figura di maggior rilievo si trovò
ad essere quella di Giovanni Baldasseroni (1795-1876), che non era altro
se non un apprezzato funzionario dell'amministrazione granducale, e nominato allora ministro senza portafogli fu poi in quasi tutti i ministeri
toscani fino al '59. «Del grand'uomo» dice di lui il Martini «aveva la impo-
statura: tanto che i Fiorentini invece di Sua Eccellenza Baldasseroni, lo
chiamavano motteggiando Sua Baldanza Eccellenzoni.»

e andarsene a letto. Poi voltata in burla la stizza, cominciò a far finta di predire che cosa sarebbe stata la Toscana di lì a dieci anni, che cosa il Principe con quella gente d'intorno; e di tutta questa roba tratteggiò un quadro di dormienti, di mummie e di fossili, che ci fece piangere dalle risa. In sostanza, pare che egli, Cosimo Ridolfi e altri si maneggiassero sotto sotto per vedere che il Granduca si spastoiasse una volta dalla solita gente e chiamasse a sé uomini nuovi, uomini che avessero la stima e la fiducia dell'universale, o come dice la frase santificata dall'uso, uomini che fossero all'altezza dei tempi. Tra questi, Gino Capponi e Cosimo Ridolfi sarebbero stati il non plus ultra; ma il poterli avere a ministri era né più né meno a quei tempi ciò che sarebbe adesso l'unità d'Italia, cioè un desiderio senza speranza. Quando gli ebbero, gli rimandarono, e così vanno le cose di questo mondo.

Sul finire di novembre, il Capponi e il Salvagnoli tornarono a Firenze; il Capei ed io andammo a Pisa. Prima d'andare più oltre mi sia lecito di darti in tre pennellate il Capponi e il Salvagnoli.

La natura e quel complesso di cose che si chiama fortuna gareggiarono prima a prodigare, poi a ritogliere i loro favori a Gino Capponi. Ma e l'una e l'altra, per quanto lo abbiano flagellato a sangue, non ebbero potenza di percuoterlo a terra. La dignitosa bellezza dell'aspetto e della persona fu scemata in lui dalle molte infermità che ebbe a soffrire e dalla perdita degli occhi più dura e più amara di tutte; ma questo e gli altri mali, se gli tolsero splendore di forma, gli crebbero venerabilità di sembianza, e non v'è anima nata che per esser chiamato Gino Capponi non si accomodasse a brancolare come lui. Quelle tenebre pesano sul cuore di tutti, e tanto più, quanto risplende a tutti vivissima la luce di quell'animo e di quell'intelletto. Nello spegnersi di quegli occhi, si spense alla Toscana e all'Italia il frutto migliore dei larghi studi, delle forti e severe meditazioni, della lunga e varia esperienza degli uomini e delle cose, acquistata colla scorta di un cuore aperto, amoroso, caldo, gentile, delicatissimo; d'un ingegno pronto, ampio, ordinato, arguto, dominatore. Chi lo conosce addentro ravvisa nel Capponi la schietta e affettuosa ingenuità dei diciott'anni, la maturità severa dell'uomo compiuto, la pienezza del sapere, la cordialità del conversare grave, lieto, semplice e fecondo; nessuno scoppio di burbanza, nessuna grettezza; nulla di secco, d'uggioso, di sofistico, di quelle reticenze misteriose e di quelli accenni cabalistici, dei quali si compone in gran parte il fare dei dotti, dei letterati, delle persone che stanno sul candeliere. E tutto ciò diffuso di quella malinconia profonda, e serena a un tempo, che accompagna sempre l'uomo grande e infelice, e fatto risaltare da certi tratti d'ironia socratica nei quali va a metter capo di tanto in tanto lo sdegno e il dolore di lui, quando è giunto al segno che fa traboccare le anime manchevoli in rabbiose declamazioni o in roventi sarcasmi. Egli porta il nome, la fama, la ricchezza e la stima di tutti, con quella disinvoltura colla quale porta il vestito più scelto un elegante di prima sfera: tutti lo guardano e lo ammirano, ed egli pare non s'accorga d'averlo indosso. Credo di dare l'ultima mano al ritratto, dicendo ch'egli, cieco e sofferente, quando può risparmiare il cocchiere, se n'ingegna; e quando è in casa d'altri e sa d'avere all'uscio la carrozza che lo aspetta, o abbrevia la conversazione, o sta sulle spine d'esser costretto a prolungarla. Gli ho udito dire più volte: — io non ero nato per esser marchese: questo palazzone mi stringe l'anima ogni volta che c'entro; non so come io debba star dentro e il cocchiere fuori. Il mio desiderio sarebbe stato un fratello che pensasse alla casa; a me un migliaio di zecchini, una villetta, viaggiare, studiare e non pensare più oltre.

Ma siccome ogni natura patisce del suo sé, l'animo di Gino Capponi è sottoposto a errare per soverchio di benevolenza e la mente per eccesso d'acume. Lo fanno lento ai partiti pronti e severi, la bontà invincibile e il lavoro della testa che prima di risolversi e di recarsi all'atto, volge e rivolge le cose per tutti gli aspetti che hanno. L'ho detto a lui, posso scriverlo qui. Io consulterei Gino a cose fatte; prima di farle no, segnatamente quando mi trovassi nel frangente nel quale si trovano spesso gli uomini di Stato, nel caso voglio dire di dovere far presto a costo di sbagliare. Chi vuol far bene bisogna che abbia il coraggio di porsi tal volta al risico di far male, e chi guarda a ogni penna non fa mai letto. Felice lui al quale germogliano difetti da sì buona radice. Da ciò è nato che anche coloro che per salire in alto gli son passati attraverso al corpo, non hanno osato né conculcarlo, né contaminarlo, e quando l'avessero, lo avrebbono indarno. La buona opinione che egli riscuote ha fatto come il ceppo di certe piante: mille volte ci poni la scure e mille torna a rampollare da ogni banda.

Vincenzo Salvagnoli ha l'ingegno pronto, vivace, ameno; dottrina più varia che profonda; facile e arguta e talora splendida la parola; l'animo buono ma debole, audace, non coraggioso. Mira troppo a primeggiare; è troppo sposato della sua opinione; va soggetto alle stizze, alle paure, ai capricci del fanciullo. I suoi amici gli condonano i difetti in grazia delle buone qualità; i nemici si valgono dei difetti per negargli tutto. Gli uomini di quella tempra, in tempi di burrasca civile, son condannati a disgustarsi tutti; i buoni colla vanità, i cattivi colla renitenza. Ma ciò sarà chiaro in seguito. Non voglio lasciarlo senza dire che egli, provveduto scarsamente di beni paterni, traendo gli agi della vita dalla professione d'avvocato, s'è addossata la famiglia d'uno dei suoi fratelli, di quattordici persone in tutto. A questa non è contento di somministrare un pane tanto che campi, ma provvede alla educazione dei fanciulli, fino a tenergli in collegio. Pochi dei suoi persecutori avrebbero animo di fare altrettanto.

Tutti coloro che per la salita dei nuovi ministri erano dovuti rimanere in piana terra, non rifinivano di deriderli, di sparlarne, d'attizzare contro di loro i chiacchiericci e le derisioni del paese. Chiacchiericci e derisioni, perché la libertà di quei tempi non andava più là d'uno sproloquio o d'un epigramma, e gli scritti, le dimostrazioni e i tumulti vennero in campo due anni dopo. Ma ciò che fin lì non era stato altro che un mormorio, diventò un fiotto cupo e profondo, quando i nuovi ministri ebbero la scempiaggine di consigliare al Granduca la restituzione del Renzi a Papa Gregorio decimosesto. Questo Renzi[1] in fondo non credo che fosse nulla di raro o di prelibato, e di fatto da quel tempo in poi nessuno ha saputo più se egli sia vivo o morto; ma allora era profugo, era perseguitato, e tanto bastava per acquistargli nome di martire, e per avere il diritto di essere accolto e protetto in un paese che era stato sempre l'asilo dei fuggiaschi d'ogni mandata. Noi Toscani siamo stati sempre troppo corrivi a prendere per oro di zecca tutti i vagabondi che piovono tra di noi; ma il governo

1. Pietro Renzi (1807-1882), fallita la sommossa di Rimini del settembre 1845, che egli aveva capitanata, si rifugiò in Toscana. Essendone stata richiesta da Roma l'estradizione, il governo granducale, che era presieduto dal Corsini, la negò e imbarcò il Renzi per Marsiglia, con l'ingiunzione di non rimetter piede in Toscana. Ma il Renzi vi ritornò nel novembre dello stesso anno, e nel gennaio del 1846 il nuovo governo lo consegnò alle autorità pontificie. Questo fatto suscitò viva agitazione in tutta Italia. Solo più tardi si seppe che a Roma il Renzi si guadagnò l'impunità facendo spontanee rivelazioni che compromisero gli altri suoi compagni di cospirazione.

non avrebbe dovuto mai colla restituzione del Renzi giocarsi a
un tratto la riputazione di governo mite, ospitale e benefico.

Di questa brutta restituzione, i malcontenti si fecero un'arme per
assalire più apertamente i ministri malveduti; ma non volendo
essi mostrarsi a viso aperto nelle prime file, raggranellarono bersaglieri nelle frotte del Montanelli e a questi commisero di piluccare
gli avversari e d'attaccare la battaglia. E la battaglia fu data e gli
obici, le granate e le bombe furono lettere cieche, foglietti stampati di furto, e furia di carbone sulle facciate, proiettili di quel-
l'esercito. Fu questa l'occasione che aperse la carriera diplomatica
a Tonino Mordini,[1] procaccino di chiacchiere tra Pisa e Firenze.

Mi dicono che la povera gente de' ministri sbigottirono di quella
ventata; e si persero d'animo e si ridussero a tale, che un'occhiata
torta, una spallata, uno che passasse senza salutarli era l'Orco e
la Befana per loro. La vita di Michelaccio aveva incarognito tutti.
A noi pareva di fare un gran che deridendo coloro che comandavano; a chi comandava, pareva la fine del mondo che gli scemassero d'intorno le scappellate.

III

*Le gesuitesse a Pisa.*

Così la faccenda per tutto gennaio e per tutto febbraio del 1846;
e il fuoco sarebbe andato per consunzione se là dal marzo la voce
corsa per Pisa che le gesuitesse erano lì lì per venire a farci casa,
non avesse portate legne all'incendio e fattolo divampare di buono.
Dicono che la cosa venisse dall'alto, per detto e fatto della vedova di Ferdinando terzo,[2] buona donna in sostanza ma intestata
d'impuntature alla principesca, coadiuvata in ciò da tre o quattro
famiglie patrizie, piovute in Toscana di non so dove, gente alla
quale non pareva che il sangue puro potesse serbarsi da corruzione,
se la droga del Gesuita non gli faceva ciò che fa la mirra ai cadaveri. Questa gente come si crede posta tra la canaglia e la Corte per

1. Antonio Mordini (1819-1902) aderiva allora al programma mazziniano,
e nel governo toscano del triumvirato fu ministro degli esteri. Poi andò
in esilio. Nel '59, pur rimanendo sempre devoto a Garibaldi, cominciò
ad accostarsi alla politica piemontese. Nel '60 fu proditatore della Sicilia
e fu poi deputato, ministro e senatore del regno.    2. Era Maria Ferdinanda
di Sassonia, nata nel 1796, sposata nel 1821 in seconde nozze dal granduca Ferdinando III, rimasta vedova nel 1824.

puntellare questa schiacciando quella, così si crede posta tra le
cose celesti e le terrene per appropriarsi la gloria di questo mondo
come un diritto di feudo, e la gloria del Paradiso per la degnazione
avuta quaggiù di proteggere il culto di Domine Dio.[1] A conto
di ciò mi piace riportare un casetto. Un gentiluomo conduceva
un suo ospite venuto di paese lontano a vedere le cose notabili
della città. Entrati in una chiesa e veduto ciò che era da vedersi,
il forestiere s'abbatté all'altare d'un santo, riputato per somma
dottrina, come per pietà insigne, quale sarebbe un san Gregorio
Magno o un san Carlo Borromeo. Stando lì con grande ammirazione e profondendo elogi d'ogni maniera alle qualità sovrumane
del Santo, si fu accorto che la sua guida non prendeva parte all'en-
comio, altro che per monosillabi, e stava lì tra imbrogliato e so-
disfatto, come fa l'uomo che si senta lodare in sul viso. Maraviglian-
dosi il forestiere e non sapendo a che attribuire quella specie di
freddezza, domandò con accento di dubbio: — ma che vossignoria
non crede che questo Santo sia quel gran Santo che tutti dicono?
— Le dirò, — rispose il conducitore — questo, a dire il vero, è quel
gran Santo che Ella ha la bontà di credere, ma siccome appartiene
a una famiglia illustre colla quale ho una mezza parentela, a me
non istà bene lodarlo. — Toccata la divozione patrizia, anderò oltre
nel raccontare.

Le persone che ho dette e altre che non so indicare avevano
condotta celatamente la pratica delle gesuitesse, e il canonico Fanteria era stato scelto a trovar loro l'alloggio e a introdurle in paese.
E difatti si seppe a un tratto che egli aveva a quest'ufficio comprato il palazzo Schipis, comoda e bella abitazione, situata nel
bel mezzo di Pisa, tra la Piazza San Frediano e quella dei Cavalieri.

Siccome lo svegliarsi della Toscana data da questo fatto, ed io
mi trovai *in medias res* perché ero là a svernare, racconterò per
filo e per segno come andò la bisogna e quali furono le persone
che ci presero parte. Appena saputo delle gesuitesse e del Fanteria
eccoti sulle facciate «Morte al Fanteria» e «Abbasso le gesuitesse».

---

1. «Vedi il Porta» (Giusti). Si veda particolarmente *La preghiera*, dove
donna Fabia ringrazia Dio di averla fatta nascer nobile: «tant più che
essend le gerarchie terrene — simbol di quelle che vi fan corona — godo
così d'on grad ch'è riflession — del grad di Troni e di Dominazion» (vv.
15-18).

Poi una sera sul tardi, sassate ai cristalli della casa Fanteria, mandata in bricioli l'arme arcivescovile che teneva sulla porta come Vicario Capitolare, e due o tre colpi di pistola sparati a spavento. Furono affissi cartellacci, fatti girare disegni grotteschi in derisione del canonico e delle suore, aizzato contro di loro il popolo medio e il popolo minuto: la scolaresca non ci fu gran cosa immischiata perché non ne pagasse le pene. Di tutto fu caporione il Montanelli, focolare la casa Parra.[1] Bisogna sapere che io stava a dozzina con Gianni Frassi, e per non trovarci ogni giorno a quattr'occhi, sino dai primi dell'inverno avevamo invitato a desinare ora questo ora quello dei nostri amici. Due di questi, Adriano Biscardi e Gianni Giacomelli, facevano tavola col Montanelli.[2] Per avere compagnia certa e gradevole, pensammo di riunire i pentoli e di pranzare tutti e cinque insieme, una settimana dal Frassi e una settimana dal Montanelli. Amici tutti dalla primissima adolescenza, tutti dal più al meno capi ameni e sciolti da ogni fisima, non è da dire se ci volavano i giorni contenti e se ci pareva ogni ora mille che suonasse l'ora del refettorio. Fu appunto una sera dopo desinare, che riandando noi cinque la faccenda delle gesuitesse, cominciammo a dire che il modo preso per non volerle non era efficace all'intento e che bisognava far punto coi cartelli, colle sassate eccetera, eccetera, e pensammo di venire a qualcosa di più serio e di più conducente. Fu posta in campo una petizione al governo da coprirsi di firme, ma le petizioni firmate in più le proibisce la legge. Non importa; si faccia la petizione. Chi la presenta? quello no, quest'altro no, quell'altro neppure. Dunque? C'è il Serristori[3] governatore: è un uomo di

---

1. Di questa famiglia di patriotti molti contemporanei parlarono con affettuosa venerazione. Laura, vedova, sposò poi il Montanelli. Uno dei figli, Pietro, cadde a Curtatone. 2. «Giovanni Frassi (1806-1860), filantropo e patriotta, scrittore di commedie e d'altro, fu il primo editore dell'*Epistolario* del Giusti (1859) cui premise una *Vita* del poeta che è rimasta fonte precipua di tutte le seguenti biografie. — Adriano Biscardi fu studioso e filologo e Giovanni Battista Giacomelli anche poeta, entrambi di Livorno» (Pancrazi). Il Biscardi (1809-1864) durante il rivolgimento toscano diresse a Pisa il giornale «L'Italia» al quale collaborò anche il Giusti. Le *Poesie* del Giacomelli (1814-1875) furono pubblicate postume (Firenze, Le Monnier, 1876) a cura di Marco Tabarrini, che vi premise un affettuoso profilo biografico. 3. Il conte Luigi Serristori, che da giovane aveva servito nell'esercito russo combattendo nel 1828 la guerra contro la Turchia, era, al dire del Martini, il quale attinge qui al Montanelli (*Memorie* cit., I, 106), «piuttosto partigiano di un dispotismo illuminato che di

petto, uomo che pensa bene: e non si rifiuterà di darci una mano.
Sta bene: si faccia la petizione, si senta il Serristori, si firmi e si
mandi. E preso carta e calamaio lì accanto in camera mia, fu
steso un abbozzo di petizione celiando e fumando. Il Giacomelli
scriveva, gli altri dettavano, io era là sdraiato in un canto a suc-
chiarmi certe stiracchiature di nervi da farmi ballare sulla corda.
Schizzato l'abbozzo, il Montanelli se lo portò a casa e lo stese in
buona forma. Il Serristori non disse di no, ci apposero il nome
trentasei professori e da più d'un cento di cittadini, e per mano
del governatore la brava petizione volò a Firenze. Saputa la nuova
a Firenze e altrove, parve a tutti gran maraviglia. I timidi ci dettero una presa di matto; la gente a garbo ci lodò e prese speranza
dell'atto coraggioso: il governo levato di sesta[1] dalla cosa insolita
e inaspettata, provò a fare un miramur[2] al Serristori e lo trovò fermo; provò a farne fare un altro ai professori, e non rincularono: il
fatto sta che bisognò fare di necessità virtù e le gesuitesse andarono in fumo. Ma perché tanto sospetto di queste gesuitesse o
Suore del Sacro Cuore come le chiama la regola? Perché esse sono
come le rondini dei Gesuiti. È del loro istituto, che non possono
confessarsi altro che da un Gesuita; dunque venute esse è necessario che venga anche un Gesuita, almeno ogni tanto alla raccolta
dei peccati. Ma un Gesuita non va mai scompagnato, perché la regola di sant'Ignazio o di chi per lui vuole che vadano a coppia,
un sacerdote e un converso. Massa Ducale aveva allora una Casa
di Gesuiti. Di là, per le ricorrenze dette di sopra, sarebbe venuto
il padre confessore col fedel compagno, e poi strigate le coscienze
delle suore, tornato al nido, di dove era venuto. Ma questo andare
e venire sarebbe alla lunga tornato un po' incomodo al padre reverendo e all'accompagnatura; la salute, il tempo, la spesa, potevano richiedere che al reverendo padre venisse assegnato uno
stanzino per pernottare e un bugigattolo all'accolito per la stessa
bisogna. Poi le suore potevano crescere, e due orecchi soli non
bastare al pissi pissi dei loro scrupoli. Allora un altro coscienziere
e un altro servigiale e due altri stambugi per la coppia di soccorso;

ordini liberi propriamente detti, e, secondo la tradizione leopoldina, ai
preti avverso e fermo nel voler chiuse alle ingerenze ecclesiastiche le porte
del governo». 1. *levato di sesta*: scosso in quell'ordine di idee, che esso
si era fatto a sua misura. La «sesta» era il compasso. 2. *miramur*: ri-
mostranza. La parola latina significa: ci meravigliamo.

e di questo gusto, a mano a mano, tre, quattro e sei coppie di padri, un piano di casa o due al loro servizio, e alla fin fine un convento di Gesuiti a Pisa. Tu dammi un dito e io piglierò la mano: ecco detto.[1]

Se la Toscana non ebbe Gesuiti, lo deve al Montanelli. Egli condusse la cosa, egli girò due giorni per Pisa a far gente, egli si espose in capo fila a perdere la cattedra e poteva darsi anche a peggio. Questo e la ferita di Curtatone sono i due bei fregi della sua vita. Sia detto qualcosina anche di noi che restammo nell'ombra. Avemmo parte al progetto; lo firmammo; sollecitammo parecchi ad apporvi il nome loro, e fummo lietissimi di lasciarne tutto l'onore al Montanelli. Oh se questa concordia avesse potuto durare tra noi; se la febbre civile non ci avesse divisi d'opinione, forse non sarebbero molti mali che sono, e non avremmo da so-spirare, egli di non averci avuti con sé, noi di non averlo potuto nemmeno difendere da tutti gli addebiti che gli danno. Quanto a me, credo per fermo d'avere avuta ragione, ma mi duole che egli abbia il torto. Non mi si partirà mai dall'animo una cara ami-cizia di tanti e tanti anni, ma egli stesso non può volere che i suoi amici contraffacciano in grazia di lui al proprio convincimento.

IV

*Il D'Azeglio in Toscana.*
*Sollecitazioni e promesse del Piemonte.*

Di lì a pochi giorni, sapemmo il Piemonte essersi inciprignito coll'Austria a conto di dazi sul vino; Carlo Alberto averla presa coi denti, volere scuotere da sé gli impacci di lei; accennare alle brutte una guerra con essa; a ciò incalorirlo i liberali del Piemonte, ciò anelare l'esercito voglioso di cimentarsi. Capitò poi una me-daglia misteriosa col Leone Sabaudo in atto di spennacchiare un'aquila e altri geroglifici di questo gusto, e soprattutto il *fert fert fert* scritto torno torno, parola che vuol dire due o tre cose e non si sa bene ancora che cosa voglia dire; insomma una specie di scopulismo coniato; un Mane Tecel Fares[2] che Casa Savoia

---

1. Il Giusti riferisce qui quella che era allora l'opinione corrente, infatti il Ranalli (*Istorie italiane*, I, 91) la ripete in modo sostanzialmente eguale. La petizione dei Pisani sollevò grande rumore in tutta Italia e se ne parlò anche in Francia.    2. Sono le tre parole, che, come si racconta nel libro

scriveva in barba a Casa d'Austria. Mesi prima aveva perlustrate
le Romagne Massimo d'Azeglio,[1] mandato e non mandato dal
Piemonte a dire che desistessero dalle società segrete, dal congiu-
rare sott'acqua, dall'arrischiarsi a insorgere alla spicciolata, e a
questo patto, promettere il Piemonte di farsi vivo alla prima occasione e tentare la liberazione dell'Italia dallo straniero, e ini-
ziare in Italia le libere istituzioni e le civili franchigie che reclama-
vano i tempi.

Era fresco tuttora il fatto della petizione contro le gesuitesse,
quando l'Azeglio arrivò a Pisa ove aveva la moglie e una cognata,
figliola del Manzoni, e cominciò a parlare come aveva parlato in
Romagna, ne lesse al Montanelli e a me quello scritto che poi
pubblicò di furto a Firenze[2] e per il quale il governo, preso forse
alla gola dall'Austria, fece la stivaleria d'esiliarlo, seconda a quella
del Renzi. Io non fui presente al soggiorno del d'Azeglio in
Firenze, ma so che egli in quei giorni fu l'uomo raro dei liberali
e dei dilettanti di curiosità, e il *bausette*[3] della polizia, che dopo un
tal pranzo ribelle che gli dettero i ribelli d'allora, non poté reggere alla paura di lui e dell'Austria, e lo mise ai confini assegnan-
dogli il tempo e la via. Fui presente bensì quando si fermò a
Pontedera di dove gli era stato ingiunto di recarsi a Livorno senza
toccar Pisa, tenuta per una specie di Pentapoli liberalesca e per la
petizione e per essere Università. Andammo a incontrarlo in parecchi, e il comodo della via ferrata balestrò là una frotta di scolari,
che gli s'affollarono d'intorno e ai quali egli disse parole franche
e oneste, incoraggiandoli a perseverare nel proposito di rialzarsi,
a coltivare l'ingegno, a onorare e servire la Patria. Fui parimente
al pranzo che gli fu dato in Livorno a imitazione di quello di
Firenze, al quale, tolto il Guerrazzi, intervennero tutti i notabili del paese.

A questo punto, ripigliando il filo più da alto che non comincia

di Daniele, durante un'orgia il re Baldassarre vide misteriosamente scritte
sul muro, a predirgli la fine imminente del suo regno e della sua vita.
1. Questa «perlustrazione» il D'Azeglio la raccontò diffusamente nel-
l'ultimo capitolo dei *Miei ricordi*, ed è riportata anche in questo volume.
2. Nello stesso anno 1846. Era lo scritto *Degli ultimi casi di Romagna*.
Durante quella lettura il Montanelli, col consenso del Giusti, convinse il
D'Azeglio a cancellare l'epiteto di «colpevole», che egli aveva dato alla
sollevazione di Rimini, e a chiamarla solo «intempestiva e dannosa» (cfr.
Montanelli, *Mem.* cit., I, 90). 3. *bausette*, lo stesso che «bau», spauracchio.

la narrazione presente, dirò che gli Italiani, dal '43 al '46, parte si erano ricreduti dei modi tenuti fin allora per iscuotere da sé il giogo che gli piegava a terra, parte era balenata agli occhi loro una via impensata di riaversi, più lunga certo, e da chiedere, a chi avesse saputo pigliarla, abnegazione di sé, temperanza e longanimità, ma più sicura mille volte e più lieta e più onesta di quella che ti sbatte alla meta per un turbine di discordie, di tumulti, e di lacrime e di sangue cittadino. Si erano ricreduti delle sètte, delle congiure, dei tentativi di rivolta covati qui, istigati dagli esuli e sognati sempre universali e sempre riusciti sparpagliatissimi, dietro i tentativi infelici delle Romagne e la morte infelicissima dei fratelli Bandiera; avevano porto l'orecchio alle parole prima di Vincenzo Gioberti, poi di Cesare Balbo, che in sostanza miravano a riconciliare colla civiltà la religione, colla libertà il principato, il pontificato coll'una e coll'altra, e di questa concordia facevano un'arme terribile contro la dominazione forestiera, inciampo massimo ai nostri passi. Dismettano le gare e le avversioni e gli odii inveterati tra loro; s'accordino a un fine, pontefice, popoli e principi, e colle libere istituzioni e colle armi, ricaccino al di là dei monti l'abborrito Austriaco.

Spazzata l'Italia, e fatta una volta la nazione che non è mai esistita fuorché nella mente degli ultimi pensatori, di cosa nasce cosa, e il tempo darà consiglio; riprenderanno gli Italiani la loro grandezza antica, anzi una grandezza nuova che gli farà essere nel mondo il popolo illustre, potente e civile per eccellenza. Aggiungi le sollecitazioni e le promesse del Piemonte portate dal d'Azeglio, e l'avere osato, coi fatti e cogli scritti, affrontare il gigante temuto dell'Austria e scuoprirgli il piede di creta, e per ultimo l'ardire di quella petizioncella contro le suore soprallodate, e ti daranno a un dipresso lo stato degli animi e il sentore delle novità che andavano ad accadere. Per me, la gran cosa fu di cominciare a guardare in viso e di ridere in faccia ai nostri vecchi padroni e tutori e rompere una volta quell'amaro prestigio[1] che ci dava a credere d'avere a mangiare l'Austria anche nel pane. Una volta veduto che l'Austria era l'Austria, e noi, noi, le cose nostre prendevano tosto una piega diversa. Che se un primo sforzo è dovuto andare fallito, il danno non è tutto da una parte e non siamo ancora morti.

---

1. *prestigio*: è qui usato nel suo significato originario di illusione causata da qualche magia o sortilegio.

## PARTE SECONDA

V

*Elezione di Pio IX.*

Nel giugno del '46 morì Papa Gregorio decimosesto, di brutta memoria, e di lì a pochi giorni fu assunto al pontificato il cardinale Mastai Ferretti. Le prime voci che corsero di quest'uomo furono che egli era un buon uomo, uno che aveva retto con dolcezza e con rettitudine i popoli affidati a lui come vescovo, del rimanente uomo rimesso e di poca levatura, e ciò più che altro averlo fatto Papa a scanso del Lambruschini,[1] avversato dai più dei cardinali. È regola di Conclave che il Papa nuovo debba essere tutto l'opposto del morto, ed è per questo che non gli vedi mai succedere il cardinale Segretario di stato. O sia che mirino a tenersi in bilancia dandone, per modo di dire, una fredda e una calda; o che ogni Papa traendo su di rimorchio, oltre i suoi di casa, una data frotta d'amici e di famigliari, non si voglia che il Papato passi nei rimorchiati, per non farne una specie di fidecommesso nipotesco o servitoresco.

Dopo un Papa se ne fa un altro; Papa per caso o per compenso; lascerà il tempo che trova; ecco press'a poco ciò che era detto di lui.

E quando si bucinò che avrebbe fatta amnistia agli esuli e ai carcerati del tempo di Gregorio: solita polvere negli occhi, diceva la gente, consuete larghezze di principi in su quel subito della gioia che dà la potenza. Amnistia, Amnistia! Con un'amnistia ridotta a nulla a furia d'eccezioni, credono costoro d'aver messe in bucato tutte le avanie dei loro antecessori, di chetare per un primo momento, tanto per pigliar piede per farsene strada a fare altrettanto o peggio. Anche Ferdinando di Napoli dette l'amnistia, e la dette Ferdinando d'Austria dopo morto Francesco primo, e che avanzi n'abbiamo fatto? Che è e che non è, eccotegli al sicut erat;[2] esilii, prigioni, mannaie e via di questo gusto. Son larghezze, queste, che somigliano quelle manciate di moneta spicciola che il ricco

---

1. Il cardinale Luigi Lambruschini (1776-1854), zio del già ricordato Raffaello, segretario di stato sotto Gregorio XVI fino all'elezione di Pio IX, aveva seguìto un indirizzo politico di rigida intransigenza antiliberale.   2. *sicut erat*: com'era, tornarono ai sistemi di prima.

getta dalla finestra nelle allegrie di famiglia. Un po' di fufu, quattro chioccate di mano sotto il palazzo, e se il giorno dopo gli picchia un povero all'uscio, gli s'aizza il cane per tutta elemosina.

Son preti, sentitemi, son preti! E quando s'è detto prete e' s'è detto tutto: il lupo muta il pelo ma il vizio mai.

Ma andammo tutti in visibilio, quando cantò chiaro e aperto la carta dell'amnistia. Spontaneità, schiettezza, effusione di cuore, aperta benevolenza di principe e di pontefice, risplendevano ampiamente in quell'atto. Poche eccezioni, e quelle poche tenute ragionevoli anche dai più schifiltosi, e lodato soprattutto in quel documento il linguaggio nuovo, semplice, aperto senza sentore di scappavia o di gergo cancelleriesco.

Cominciammo allora a chiedere più addentro di questo Mastai e ce ne fu detto ogni sorta di bene. Scapparono fuori a dire della fanciullezza e dell'adolescenza di lui quelli che erano stati seco in collegio a Volterra e raccontarono che egli era fiero, ardito, manesco e con tutto ciò allegro e di buonissimo cuore. Poi sapemmo della sua giovinezza da altri che l'avevano avuto a compagno nelle prime scappate di gioventù, e ce lo dipinsero bel giovine, di modi schietti e cortesi, inchinevole all'amore ma lontano da ogni sconcezza. Pare volesse farsi soldato, ma lo ritenne il patire di mal caduco. Poi abbracciò lo stato ecclesiastico, chi dice per un amore andatogli male e chi per altra cagione che non so per l'appunto. Fu in missione al Chilì, ebbe mano in Roma e altrove nella pubblica azienda; fu Vescovo, fu Cardinale, fu Legato, e per tutto la gente ebbe a lodarsi di lui, salvo un che di pinzocchero che taluni credevano di ravvisarvi e che io credo essere stata pietà vera male interpretata in quei paesi infastiditi e insospettiti dei preti. Dei tempi più vicini alla sua elezione, dissero che egli non approvava i modi tenuti da Gregorio decimosesto; che egli aveva tenuto dietro a tutti i fatti, a tutti i libri scappati fuori dal trentuno in poi, e n'aveva fatta raccolta e meditati e postillati di propria mano; che quando andò a Roma per il Conclave, se ne recò dietro una cassetta coll'animo di offerirli al pontefice nuovo acciò se ne facesse pro: che del rimanente egli se n'era andato là per mero dovere e con pochi soldi, come fa chi va per tornare, e a cui non tocca o non preme il salire. Sorto pontefice, e data l'amnistia, corse la fama delle accoglienze amorevoli fatte a chi andava a ringraziarlo, dei conforti, dei soccorsi, delle promesse che dava a tutti quegli infelici, i quali tornando qua e là alle case loro, portavano seco la gioia del ritorno e la gioia e la speranza di quelle accoglienze e di quelle promesse. Assicuravano non essere l'amnistia altro che un primo passo; accennare di già il Papa a cose più alte; volere mutare in meglio ogni cosa; volere a grado a grado riordinare da cima a fondo e lo Stato e la Chiesa, essersi prefisso questo fine e a questo muoversi fino da ora manifestissimamente. Farebbe un passo ogni tanto, un passo pensato e accorto; non lo impedirebbero i sospetti di certuni, né lo farebbero precipitare le bramosie di certi altri; i popoli degli Stati Pontifici e forse l'Italia tutta, s'aspettassero, sperassero da lui ogni bene. Il conte Giovanni Marchetti[1] di Bologna amico del Papa da anni e anni, tornando da Roma ove si era fermato tre mesi per amore di lui, me lo dipinse in questa guisa: — È un animo composto e sereno; ha pensato ciò che ha da fare, s'è tracciata una via e la percorrerà fino in fondo; quando ha tra mano una cosa d'alta importanza, interroga, ascolta, si consiglia con tutti, poi si ritira un'ora solo a pregare, e quindi delibera. — Ciò vennero a confermare altri atti del pontefice e del cardinale Gizi,[2] uomo integerrimo anch'egli, anima di Pio nono, e che era stato creduto Papa designato in luogo di lui. Tanto andò oltre questo suono delle novità di Roma, che il mondo se ne riscosse e le genti cominciarono a rivolgere lo sguardo o a tenerlo più che mai fisso alla città eterna, e all'uomo inaspettato che sedeva sulla cattedra degli Apostoli. Gli amici della libertà cominciarono a farsene appoggio; i nemici spauracchio; tantoché il nome di lui fu segnato al libro delle spie accanto a quello d'Italia, di libertà, ecc., come un nome da starne in orecchio e da notare coloro che lo preferissero. La cosa arrivò a tale che o si proibiva o faceva uggia un *Te Deum* cantato nel nome di lui; e quando per la ritratta dei Tedeschi da Milano caddero in mano del governo provvisorio le carte della polizia e d'altri che comandavano, fu trovato che il principe di Metternich aveva scritto a Radetzky: «mancava alla sua e alla mia canizie, esercitata in tante vicende, l'impaccio d'un Papa li-

1. Giovanni Marchetti (1790-1852), di Sinigaglia, aveva allora una bella fama di letterato, dantista e poeta, come uno dei capi del classicismo e del purismo. Era stato condiscepolo di Pio IX, il quale lo chiamò nel '48 a far parte del ministero costituzionale. 2. Il cardinale Pasquale Gizi fu segretario di stato di Pio IX dall'agosto 1846 al 5 luglio 1847, quando, malgrado la sua opposizione, fu istituita la Guardia civica.

beraleggiante». Ma per non precorrere all'ordine dei tempi, toc-
cherò di volo ciò che accadde qui in Toscana dal giugno del '46 al
marzo del '47.

## VI

### *Il caro. Rumori ai mercati di Monsummano,*
### *di Pistoia e di Prato.*

Fuori delle speranze ridestate dal Papa e dello stare sulle intese di
tutto ciò che si muoveva da Roma, non vi fu nulla di nuovo tra noi
fino al declinare dell'anno. Sulla fine di dicembre, per la carestia
che pativa l'Inghilterra e la Francia, si manifestò il caro anche tra
noi, ma in guisa che non l'avremmo sentito tanto se una pasciona
di ventotto o ventinove anni non ci avesse avvezzati male. Col
pane a due soldi la libbra e il vino a un soldo il fiasco, i braccianti,
buscata la loro mezz'opra sbucciavano la fatica¹ e avevano di che
satollarsi. E i braccianti e i pigionanti, che tra noi è quasi una cosa,
e vuol dire gente che non è a podere né ha mestiere fisso, ma va
a opra e a giornata qua e là, via via come le capita il guadagno,
questa gente, dico, è la più che si trovi all'asciutto e che sia pronta
a imperversare negli anni del caro. L'accattone tira via nel suo
mestiere, ed anzi il caro è per lui una specie di giubbileo, avendo
una miseria di più da farsi credere e da trarne elemosina. Così i
predicanti da un tanto per predica vanno a nozze se trovano un
passo di più da citare; il becchino sguazza al tempo della morìa;
l'ombrellaio quando piove dirotto, e il vetraio se grandina o tira
vento. Il contadino che appartiene a un padronato ricco, quando
rincara la grascia, finito che ha il colmarello che gli avanzò a
battitura, ha là il granaio di fattoria che l'aiuta a svernare. È vero
che s'indebita, ma alla fine del salmo ha da strigarsela col padrone,
il quale per lo più sconta con lui in tanto lavoro e a conti fatti
beve grosso e non gli ripiglia mai tutti. Il contadino del suo è
raro che patisca della carestia, perché è quello che sa far fruttare la
terra più che ogni altro, e non avendo da dividere con nessuno,
mangia lì e lavora lì; provvede meglio ai casi di bisogno e non si

---

1. *sbucciavano la fatica*: scansavano la fatica: bastando loro per vivere il
guadagno di mezza giornata (*mezz'opra*) non avevan bisogno di lavorare
di più.

stende mai tanto fuori del lenzuolo, da trovarsi sul più bello scoperto da piede. Quelli davvero che sono tagliati nelle barbe[1] agli anni del caro, sono i piccoli possidenti, che tra noi chiamano *padronelle*, e i contadini dei piccoli possidenti. Questi tra pagare le imposte e sbarcarla per sé, è giocoforza che dieno fondo a quel po' di granaio e che non ne avanzi neppure un granello ad aiutarne il povero contadino, il quale se non vuole o rubare o morir di fame è costretto a trascurare la terra che gli è affidata, e andare a lavorare a giornata su quello d'altri padroni.

Ho voluto distendermi un poco su questa materia, perché, avendo veduto quel fatto da vicino, ho in animo di volerlo purgare dagli errori che se ne dissero allora, e far vedere da chi mossero quei disordini e aprire se è possibile una via a rimediarli o a prevenirli, nel caso che abbiamo a trovarvisi un'altra volta.

Il primo trambusto si manifestò sul mercato di Monsummano, paesetto della Valdinievole nel quale son nato ed ove ho gran parte dei miei beni paterni. Una donna volle comprare uno staio di farina dolce da un montagnolo che la vendeva a conto suo; non s'accordarono sul prezzo e la donna andò oltre. Poi ripentita e non volendo, a posta di due o di quattro crazie,[2] tornare a casa senza aver fatta la provvista, si fece indietro a cercare la farina e trovò che un incettatore aveva fermata quella e quanta n'era sulla piazza e lì per lì l'aveva rincarata di non so quanto. La donna ne strepitò; allo strepito corse gente e lo crebbe; e la folla e le grida rinforzando a ondate, il paese se ne commosse tutto e il mercato n'andò sottosopra. Dagli urli e dalle imprecazioni, passarono a dar di piglio nelle sacca esposte alla vendita e a furia d'urti e di percosse le spolverarono; più arditi di tutti si cacciarono nel parapiglia i pigionanti dei dintorni, e gli scioperati del paese. I fattori e i contadini delle grosse fattorie di lì attorno, colti all'improvviso e sopraffatti dall'impeto, si smarrirono e ripararono sé e la roba il meglio che poterono; e le autorità del luogo non si mossero, o fecero peggio movendosi a sproposito. Siccome il popolo, anche quando delira, serba o vuol parere di serbare un certo senso di giustizia a modo suo, quella folta di facinorosi quand'ebbe visto pulire la piazza cominciò a voltarsi alle case ove poteva essere o grano o altra grascia. Furono nominate due o tre case di possidenti

1. *nelle barbe*: nelle radici, e perciò del tutto rovinati. 2. La crazia valeva sette centesimi di lira.

e tra queste la mia, ma la folla: — No, quelli lo raccolgono e ce l'hanno venduto sempre al prezzo corrente. Dunque ai magazzini di chi lo compra per rivendere; quelli sono gli infami; quelli ci affamano per arricchire. — E proposto e accettato fu tutt'una. Assaltarono e sfondarono le porte; saltarono dentro e a saccate, a sportate, a grembiate, fu sparecchiato in un attimo. Finito l'impeto e la preda e diradata la folla, i dispogliati rifecero animo e chiappato ciò che venne loro alle mani, dierono addosso a quelli che per non avere la casa lì trottavano qua e là sparpagliati e impediti dal peso. A molti ripresero il mal tolto, altri malmenarono e accopparono e non starei mallevadore che tra chi proseguettero i ladri non ve ne fosse di quelli che avevano rubato insieme poc'anzi.

Questo fu il disordine di Monsummano, nato a caso come nascono la maggior parte; quelli di Pistoia, di Prato, di Pescia e di Pisa nacquero per sentita dire, per detto e fatto di coloro che avevano avuto mano in quel primo, e per istigazione di quei quattro o sei birbaccioni che ogni paese ha in sé, e i quali o per miseria, o per invidia, o per ismania di commettere scandali, stanno a balzello[1] d'un'occasione qualunque per attizzare, per alzare la cresta, per tuffare le mani nella roba degli altri. In tutti questi paesi, le autorità costituite non seppero che si fare. Invece di farsi contro ai malvagi, e se non altro, protestare altamente in nome della legge, si posero la coda tra gambe e vennero a patti coi ladri. Cominciando da Monsummano, il Potestà, visto il caso perso, credé d'aver trovato il bandolo di quell'arruffìo domandando alla folla tumultuante a che patto volevano il grano, e facendosi con essi a tassarne il prezzo. Altrove fecero altrettanto o ci corse poco, dimodoché oltre allo scompiglio dei mercati, si venne anche a violare, quasi all'ombra della legge, il diritto delle libere contrattazioni. Avvezzi ai tempi ordinari e al passo della testuggine, lo straordinario gli stordì e gli levò di cervello, e se il guaio non andò più innanzi, lo dovemmo, come in altri casi, più alla civiltà del popolo stesso, che a sapienza di governo. Ne ho scritto distesamente perché fu detto che in quel sottosopra ci lavorò la moneta dell'Austria o quella dei novatori, che, non so come, si dividono sempre la colpa dei subbugli che nascono. In tempi di mutamenti civili o quando si temono o si aspettano, tutto è creduto rivoluzione, come tutto

1. *stanno a balzello*: aspettano al varco.

è creduto peste ai tempi del contagio, e chi ha passeggiate le vie quando più ribollivano le paure e le avventatezze, sentirà il vero del paragone e se ne gioverà per non prendere lucciole per lanterne. È vero bensì che le sètte, o siano gialle e nere, o siano tricolori, sono lestissime d'afferrare a loro pro ogni minimo che, che commuova la piazza. Di qui, a cose fatte, i vanti di chi vince, e le accuse di chi è vinto che si mandano e si rimandano in faccia le parti che si trovano o in alto o per le terre, senza saperne né il come né il perché. Io so che le cose del mondo non vanno a caso perché so che non è il caso che le governa, ma di quelle degli uomini credo e ho motivo di credere che vadano non che a caso a casaccio.

## VII

*Processi per comunismo.*
*Cosimo Ridolfi.*

In quel torno, rintostarono i foglietti clandestini, e siccome taluni si riferivano al disturbo dei mercati, immagina quanto se ne lambiccarono il cervello. Aggiungi che ricorreva il centenario della cacciata dei Tedeschi da Genova[1] e che a Genova fu festeggiato con più solennità che non era solito festeggiarlo quel popolo, e qui in Toscana se ne fecero baldorie all'insaputa dei birri e quasi per congiura. Ne furono sgridati due o tre; due o tre d'altri arrestati, e tornammo alle solite. Poi ne' primi del '47 la soldatesca imperversò a Parma e a Lucca, insultando i cittadini, sbravazzando e millantandosi di non so che cosa, che dissero volere accennare che l'Austria con quei principotti s'apparecchiava a farla finita coi liberali ringalluzziti nel nome di Pio nono. Che cosa ci fosse di vero, non so; so che vidi un gran tramenio di lettere, di stampati e di procaccini, da Lucca a Pisa, e da Pisa a Firenze, che non ci metteva erba. Parimente accaddero a Pisa in questo tempo le incarcerazioni e i processi per comunismo, del quale si diceva che il focolare fosse a Vecchiano e al Ponte a Serchio, e gli apostoli a Pisa e a Livorno. A sentire certuni la Toscana era bella e spartita, tre braccia di terreno a testa, tanto per farcisi seppellire. Qualcosa

---

1. Allude alla sommossa suscitata da Balilla durante la guerra di successione austriaca, il 5 dicembre 1746.

sotto ci fu e un rumore per tutto, segnatamente a Firenze, ma come stesse la cosa non saprei dire con certezza, perché dopo aver tenuti a frollare in carcere per tre mesi i principali imputati, schiacciarono la cosa lì e non ne racapezzammo un'acca. Chi disse il governo aver conosciuto non esservi luogo a procedere, e chi disse aver voluto che non si scuoprissero altari per paura di propagare il morbo, tanto più che i carcerati avevano chiesto processo ordinario. Quel che posso dire perché lo vidi da me, è che il ministro processante ci s'era messo coll'arco del collo e si stropicciava le mani dall'allegria che gli fosse capitata la bazza di carrucolarne una serqua in galera. Era un certo Chini birro schietto e reale

*All'andare, alla voce, al volto, ai panni*;[1]

e quando seppe che in luogo del processo economico doveva farsi processo ordinario, mascherando di premura la stizza che n'aveva avuta, si faceva sentir dire: — Hanno fatto male a non istare al processo economico! Col processo economico si poteva fare alla meglio, ma col processo ordinario quel che è è, e bisogna vederla fino in fondo. — Da questo discorso derivò la vera definizione del processo economico, vale a dire un processo nel quale si fa economia di giustizia e di misericordia.[2]

Di tutte queste bazzecole che miravano tutte all'intento di fare novità, si fecero caso gli uomini di senno, ai quali premeva che se novità dovesse accadere, accadesse senza strepito e senza violazione di legge. Pensarono prima d'unirsi in quanti più potevano e di chiedere al Principe una qualche maggiore larghezza, in fatto di censura; poi pensarono fosse meglio fare un giornale di scienze, lettere e arti per aprire uno sfogo a chi aveva il prurito di dire la sua, per vedere d'ammazzare la stampa clandestina e per predicare libertà o sotto metafora, o per circonlocuzione. Fermato questo, si volsero al governo per chiedere censura a parte.

1. Petrarca, *Rime*, 282, 14.  2. Il processo economico non spettava alla magistratura, ma alla polizia; e perciò non era pubblico. Il fatto qui narrato dal Giusti riguarda la setta dei «Progressisti italiani», che fu fondata a Pisa nell'aprile del 1846, e pare che avesse un programma di comunismo agrario. Ma al dire del Martini, dal processo economico risultò solo che gli imputati volevano l'unità d'Italia sotto Carlo Alberto. Non è escluso che tra i soci si fosse infiltrato qualche emissario del Metternich, il quale si proponeva di arrestare il moto delle riforme liberali spaventando le classi abbienti con lo spettro del comunismo.

Era a capo del progetto Cosimo Ridolfi, il quale essendo allora aio del principino, aveva agio di bazzicare su ai Pitti, d'abboccarsi con Su' Altezza e di dirgli che il Paese diceva, che il Paese voleva, e che bisognava fare e che bisognava dire; Su' Altezza udiva il Ridolfi, poi udiva i consiglieri e andava a finire che tutti tiravano innanzi

*al passo*
*che fanno le letane in questo mondo.*[1]

Trapelava fuori il battibecco tra il Ridolfi e Su' Altezza, e allo stesso Ridolfi non sapeva male che ne corresse la voce: e chi diceva che il Ridolfi aveva preso a mettere un moro in bucato, e altri che il moro lasciava cantare il Ridolfi, lo teneva a bocca dolce, e colla sua fiacca te lo corbellava fine fine. Comunque fosse, la Toscana debbe esser grata al Ridolfi di questo, che essendo egli richiamato a Corte dopo tredici o quattordici anni che se n'era bandito volontariamente, non ci riportò quel fare del cortigiano ribenedetto che per fare dimenticare un'alzata di cresta si fa uno studio di strisciarsi per terra e di tenere le orecchie più basse che può. Il Ridolfi è uomo onesto, ingegnoso, diritto alle faccende, e in quegli anni che stette lontano dalla capitale, aveva dimorato nella sua villa di Meleto, facendo esperimenti d'agricoltura, promovendone lo studio per ogni maniera, disassuefacendo sé e la famiglia dalle mollezze del signorotto e avvezzandosi ai modi schietti e semplici del ricco possidente che bada alle cose sue. Se togli nel Ridolfi un che di personaggino, egli è uno degli uomini più a garbo che conti la Toscana.

Stabilito di fare il giornale e fermatene le basi e lo scopo, andarono dal consigliere Cempini per chiederne il permesso e una censura privilegiata, e senza molta speranza di venirne a capo gli esposero il loro progetto. Il Cempini, udito di che si trattava, invece di mostrare le solite meticolosità, disse, con molta maraviglia dei richiedenti, che non v'era difficoltà di concedere il giornale e la censura a parte, ma che il governo pensava di già a una legge sulla stampa, nella quale, se avessero voluto aspettare, gli pareva che potessero entrare e star larghi; se no, avrebbe fatto subito

1. Dante, *Inferno*, xx, 8-9. Le *letane* sono le processioni sacre al canto delle litanie.

ciò che gli richiedevano. Sorpresi della novità, risposero che avrebbero aspettata la legge, tanto più che il consigliere gli accertò che la legge verrebbe data, e anzi disse loro che ne parlassero liberamente.

Divulgata la promessa per Firenze, paese incredulo, sospettoso e motteggiatore, cominciarono a dire: — La cosa non è liscia; gatta ci cova; da grasso partito, pàrtiti. Che è questa pietra cascata dal cielo? Da quando in qua i granchi cominciano a camminare di fronte? O è un boccone per chetare e per addormentare, o si tira a scuoprire terreno: ma l'hanno a dare a bere a' gonzi, e prima la vo' vedere. — Ma chi sapeva che in questo mondo tutto sta nel cominciare, diceva all'opposto: — Abbiano pure in testa di burlare il paese, un conto fa il ghiotto e un altro l'oste. Dammi un dito e io piglierò la mano; una volta che si possa buttarle fuori, faremo tanto che finiremo col dirne quante n'abbiamo in corpo. Quando la via è aperta, chi non sa prenderla, suo danno. — E con queste ciarle arrivammo al giorno che venne fuori la legge, la quale, se non fu un prodigio di larghezza, non fu a vero dire neanche il diavolo.

VIII

*Riforme e giornali.*

Prima di parlare dei giornali che vennero fuori, voglio dire che il governo aveva in animo di riformare altre cose, e quali erano le principali riforme che s'era prefisso di dare. Ciò è ignorato dai più, e di quei tanti che lo seppero allora parecchi debbono averlo dimenticato. Io seppi tutto da una di quelle trombe di dicastero, che a mala pena si bisbiglia qualcosa di nuovo su in Palazzo, corrono per tutti i buchi della città a dirlo a tutti nella massima segretezza. Non si fa cosa sotto terra che non si sappia di sopra, dice il proverbio, ma tra noi il segreto di stato ha una cappa lavorata a giorno.

Volevano prima di tutto riformare la legge municipale e rendere ai comuni le loro libertà, ridotte quasi a nulla a forza di rodere, e di tirare gli arbitrii e la vita al centro dello stato; poi volevano spuntare le unghie alla polizia e strigare alquanto quella rete birresca che c'impigliava tutti da capo a piede. È vero che in sostanza riusciva più un fastidio che un inciampo, ma essendo sfrenata, poteva imperversare da un momento a un altro, quando al governo paterno fosse venuta la voglia di serrarci le sue viscere di padre. Rialzato il municipio e abbassato il bargello, dicevano di voler pensare alla Guardia civica e stava bene, perché la Guardia civica dovendo nascere dal municipio e dall'autorità governativa a un tempo, bisognava purgarle il padre e la madre prima di metterla al mondo. All'ultimo, volevano riformare gli uffici, diminuire il numero dei pubblici funzionari e far punto colla cuccagna delle pensioni, delle gratificazioni, dei sussidi buttati là colla pala. Non era tutto, ma era assai per gente inchiodata alle cose trovate, e una volta manomesso il passato, era luogo a sperare di poter guadagnar terreno tuttavia. Ma dal detto al fatto c'è un gran tratto e i tempi volevano andare a modo loro.

Parve a taluni che il cominciare dalla legge sulla stampa fosse come mangiare il porro dalla coda e dare per primo ciò che doveva esser dato l'ultimo. Questo torna in massima, ma nel fatto speciale no. Ove il governo è più illuminato del popolo, la libertà della stampa deve tener dietro a tutte le altre, ma ove il popolo è più innanzi del governo, il governo ha bisogno d'interrogare l'opinione dell'universale, per farsene pro a reggere la cosa pubblica, e la libertà di stampa posta a capo delle riforme può tornare di grandissimo giovamento.

Dall'altro canto, in Toscana, uno che scrivesse libero niente niente, o non poteva stampare una riga, o bisognava che si lasciasse cincischiare a diritto e a traverso; ma se poi stampava fuori, o non era molestato, o la molestia si limitava a sequestrargli i libri stampati, e non era difficile eludere le dogane e la dormiveglia della polizia. Anzi è accaduto più volte che la polizia sequestrava i libri a conto del governo, e poi sapendogli male di bruciargli senza pro, o gli rivendeva a conto suo di sottomano, o se gli spartivano i capocci tra loro. In fondo il libro non andava perduto, e so di più d'uno che per farne passare le balle si è rassegnato a perderne i primi fagotti. Sui libri d'ogni genere che diluviavano di fuori si chiudeva un occhio, ed io ho veduto sui banchetti di per le strade, libri, libretti e libercoli, che a regola di commissario erano proibiti come le pistole corte. Insomma, se non avevamo libertà di stampa, avevamo libertà di lettura e libertà di chiacchiera, e se c'era vietato di porre in carta nostrale i nostri pensieri, tali e quali ce li dava la testa, ci lasciavano comprare a quattrini contanti i pensieri degli altri e imbeverci di tuttociò che di libero e di arrischiato ci veniva d'oltremonte. A ciò serviva grandemente lo stabile di Giovan Pietro Vieusseux, ove si dava lettura d'ogni libro e d'ogni giornale che uscisse in Europa, e ove s'incontravano i dotti e i notabili d'ogni maniera che da tutta l'Europa capitavano in Firenze. Oltre a ciò Firenze, salvo poche eccezioni essendo sempre stata aperta e sicura agli esuli d'ogni gente dal '21 in poi, aveva attinto a tutte le fonti delle opinioni correnti e, dopo Roma e più di Roma in un certo senso, era la città cosmopolita dell'Italia.

La prima gazzetta che scappò fuori dopo la legge sulla stampa fu quella che chiamarono «Alba». Il redattore in capo fu il La Farina[1] giovane siciliano; caldo, ardito, facile scrittore, esule volontario dal suo paese, nel quale aveva dato mano ai moti che accaddero là tra il '31 e il '40; venuto a stare a Firenze nel '41, ove s'era dato a scrivere per i tipografi. Padrone del giornale era Giuseppe Bardi, mercante di stampe, mercante di libri, mercante di congiure, mercante di tumulti, mercante di tutto. Per via di suo padre che pubblicava incisa la Galleria de' Pitti, egli da bravo teneva un piede in Palazzo e un piede nelle mene rivoltose, e la mattina incensando il servitorame dell'anticamere, e la sera tuffandosi nelle combriccole, e tenendo cricca nel negozio, serviva a due padroni, e tirava il salario di qua e di là.

L'«Alba» fino da principio piluccò tutte le questioni che le capitarono fino a quella del diritto al lavoro. Dico piluccò, perché non ne svolse mai una, parte perché la censura le stava alle costole, parte perché non aveva borra[2] da addentrarsi nel nocciolo delle cose. Ma visto che il foglio andava, e che più erano grosse e più piacevano, tirò via a dare nella campana senza badare se suonasse a giorno o a vespro, a battesimo o a morto, e picchia pur là che gli abbuonati crescono. L'impresario fu sempre il Bardi; mutò più volte maestro di cappella e l'orchestra, ma dal più al meno fu sempre la solita scampanata. Le fasi dell'«Alba» appariranno in seguito e vedremo come ella recitasse sempre in modo, da non ba-

---

1. Giuseppe La Farina (1815-1863), di Messina, storico e uomo politico, collaborò all'«Alba» fino al 1º febbraio 1848, quando ritornò in Sicilia dove era già scoppiata la rivoluzione. Repressa poi da Ferdinando II l'indipendenza siciliana, andò esule in Piemonte. Fin verso il '49 era stato di idee repubblicane e amico del Mazzini; poi aderì alla politica piemontese e fu collaboratore del Cavour. 2. *borra*: forza.

dare se la commedia era buona o cattiva in sé, ma se fruttava il casotto del bigliettinaio. Paragonerei il Bardi e compagni agli istrioni da fiera.

## IX

*La congiura di Roma. Feste popolari.*
*Dio e il Popolo.*

Di questo passo eravamo arrivati al luglio, quando sapemmo a un tratto che a Roma era stata scoperta una congiura; quella congiura famosa, della quale in due anni decorsi fin qui, non abbiamo saputo nulla di certo. Fu detto essere un accordellato tra i gregoriani[1] per levare di mezzo il Papa, o per interrorirlo in guisa che non andasse più innanzi colle riforme. Ne avvenne che furono messe le mani addosso alle persone sospette, parte delle quali si trafugarono, e che per sicurezza delle cose di dentro fu istituita la Guardia civica; di questa concessione crebbero le lodi al Papa e nacque desiderio in Toscana d'ottenere altrettanto. Poi nell'agosto successivo gli Austriaci calarono improvvisi in Ferrara, e scuoprendosi avversi al Papa, fecero temere altrettanto per la Toscana, e fu allora che cominciarono a dire che o più presto o più tardi gli avremmo avuti sopra e che era debito del governo non lasciarsi cogliere alla sprovvista. Gli Austriaci, avvezzi a vedersi dare il benvenuto negli Stati Pontifici, questa volta trovarono il terreno duro; e per le ferme proteste del Gizi cardinale legato,[2] dopo averla tentennata un pezzo, al modo loro consueto, bisognò evacuare la città e tornare a chiudersi nella fortezza colle trombe nel sacco.

Questo aver ributtati gli Austriaci, e fatto vedere che i fatti non discordavano dalle parole, crebbe tanto la fama del pontefice, e la speranza di risorgere a vita nuova e di levarsi di sul collo il giogo tedesco, che il grido n'andò alle stelle e le popolazioni se ne commossero più universalmente. Cominciarono a chiedere con più insistenza la Guardia nazionale; a Firenze per via di scritti e di petizioni firmate, a Livorno colle urla della piazza; a Lucca

---

1. *un accordellato tra i gregoriani*: un accordo tra i seguaci e sostenitori della politica reazionaria del defunto papa Gregorio XVI.   2. Il cardinale legato non era il Gizi, era il Ciacchi.

strappandola di forza a Carlo Lodovico,[1] che ne fuggì spaventato, dopo essersi tirato addosso la tempesta che lo cacciò, colle pazzie proprie e con quelle del figliuolo. I Lucchesi in quel fatto furono aiutati dai Pisani e dai Livornesi, che empierono la città a centinaia, portati dalla strada ferrata; e il Montanelli capo della baraonda, e questo s'intende.

Le prime feste popolari che si vedessero in quei giorni lieti e sereni come i giorni della speranza, furono le feste di Lucca. Chi non le ha vedute non può sapere che cosa sia il popolo quando sorge intero e spontaneo a rallegrarsi del male che cessa e del bene che incomincia. Quel senso ineffabile di contentezza che t'abbraccia il cuore, quando dopo lunghi anni d'inerzia e di tedio e di vani desideri e d'incerte speranze, puoi dire a te stesso d'aver trovato una via e di incominciare a vivere da uomo a garbo; e quel respirare che fai quando esci a cielo aperto da una stanza bassa di poca luce e d'aria rinserrata, e quella lieta vigoria che ti senti scorrere per le fibre se dopo una lunga infermità cominci a riprender salute, avevano come sorprese le popolazioni intere e spintole a riunirsi, ad accorrere l'una all'altra, a ricambiarsi un saluto amichevole e un abbraccio fraterno. Il male era sparito, ognuno credeva buoni tutti perché sentiva migliorato se stesso. Gente che non s'era mai vista si prendeva per mano come si fa tra amici di venti anni; ogni casa era casa propria, e la propria era casa di tutti. Persone che s'erano avute in dispetto si riparlavano come essersi lasciate mezz'ora innanzi; si componevano gli odii, le dissensioni di famiglia, le divisioni tra paese e paese, tra contrada e contrada; ho detto si componevano, e avrei dovuto dire sparivano a un tratto da sé. Chi non s'è rallegrato, chi non ha amato e stimato il suo simile in quei giorni, è uomo di coscienza perduta, è un infelice senza rimedio, perocché anche il malvagio si comportò onestamente e spianò le rughe della fronte.

Dalle campagne accorrevano in città uomini e donne, vecchi e fanciulli a parrocchie intere, col prete alla testa, a bandiere spiegate, recando fiori e cantando. E ogni porta era come la foce d'un gran fiume di gente, e questa gente accumulata nelle vie e nelle

---

1. Il 1º settembre 1847 una deputazione di lucchesi seguìta da molto popolo ottenne da Carlo Lodovico la Guardia civica e una promessa di ulteriori concessioni. Il duca, appena poté, se ne fuggì a Massa, con tanta furia, dice un contemporaneo, «che per istrada gli scoppiò un cavallo».

piazze pareva una marea senza vento che svolge le onde maestose e suonanti. Non vi fu a cui mancassero parole d'affetto e oneste accoglienze; un uomo che avesse sofferto nulla nulla per le sue libere opinioni, uno che avesse promosso il bene o cogli scritti o colla parola, era circondato, acclamato, festeggiato, portato in palma di mano nelle pubbliche vie; e tuttociò nel nome di Pio nono, in questo nome caro e riverito, che stava a significare un nuovo ordine di cose, un'era nuova di concordia, di libertà, di grandezza. Sparirono in un giorno i cartelli vecchi di sopra i caffè; e ove questi avevano titolo da una deità pagana, o da una città forastiera, o da altra simile cosa, s'intitolarono dal Popolo, dalla Nazione, dalla Guardia cittadina e più specialmente da quanti uomini viventi illustravano l'Italia e capitanavano la libertà. Cessava il culto alle cose false e inutili e cominciava quello del vero e del buono, e sarebbe durato e cresciuto se l'invidia di tali che stavano allora in disparte e che non ebbero incensi...[1] Livorno, Pisa, Firenze fecero altrettanto, e l'una città si confuse nell'altra e si ricambiarono ospizi, affetti e bandiere a memoria di quelle giornate. Chi ha turbata quella pace e remosso dall'altare delle popolazioni il nume che le riscosse alla vita, ha uccise le nostre speranze, ha ruinato l'Italia. Chi più chi meno, o scrivendo o adoperandosi in altra guisa al bene del nostro paese, aveva fatto gente alla buona causa a misura che ispirava fiducia o l'uomo o lo scrittore; ma le moltitudini nessuno le aveva tratte a sé, anzi le moltitudini, o sedotte o restie, guardavano in cagnesco chi diceva loro: — scuotetevi —. E quando sorge un uomo che riconcilia la religione alla libertà, che mozza il verso alle calunnie, alle persecuzioni mosse contro gli amici della libertà, che in questo desiderio di libertà ci suscita a compagne le moltitudini di venticinque milioni di popolo, voi settarii diffidate e v'ingelosite di quest'uomo, voi lo circondate per farvene bandiera a voi soli, poi indispettiti di non poterlo torcere a voi, cominciate a volergli fare da maestri e da sindaci, poi a sgomentarlo colle vostre intemperanze, poi a ritrarsi apertamente da voi, e quando se n'è ritratto, lo accusate, lo discreditate, lo cacciate infine, come se rifiutando voi avesse rinnegato il suo popolo italiano, avesse rinnegato Iddio e se stesso. E perché ciò? Per intrudervi voi nel luogo di lui, perché egli,

1. C'è una lacuna nel manoscritto.

giusto appunto avendo seco il mondo, era un ostacolo durissimo alle vostre scempiate improntitudini. Che abbiate ottenuto, tutti lo sappiamo; avete ottenuto di distruggere noi e voi stessi. Per noi siete stati quel vento infuocato del deserto che travolve seco un turbine di cavallette o di rena infeconda; quanto a voi, mi date immagine di quell'idolo di Baal, che al cospetto dell'Arca Santa ruinò a terra e si sfracellò. E quest'Arca Santa era la religione, la concordia, la fratellanza vera dei popoli che voi avete sbarattata, avvelenata, e annientata. Due nomi solenni vi siete usurpati per motto: Dio e il Popolo; i due nomi che abbracciano il mondo delle menti create e quello delle intelligenze increate; che vogliono dire luce, ordine, amore, armonia, tra il cielo e la terra. Dio e il Popolo e siete settari; Dio e il Popolo e seminate discordia; Dio e il Popolo e distruggete tutto e non riedificate nulla; Dio e il Popolo e falsate ogni legge umana e divina, insomma Dio e il Popolo e siete atei e tiranni. Mutate insegna, perdio! Prendete un panno nero e scriveteci su a lettere di fuoco: Tenebre e Distruzione. Io non so che cosa mi pensare di voi; se siate iniqui o imbecilli. Ma Francesco Domenico Guerrazzi s'impazienta di quest'apostrofe e vuole che io non indugi più a chiamarlo in iscena.

X

*Francesco Domenico Guerrazzi.*

Francesco Domenico Guerrazzi nasce da un legnaiolo; scrive[1] di discendere da gente patrizia o giù di lì; porta sul viglietto da visita l'arme colla corona; e dice, quando gli torna, che è popolo e che perciò ama il popolo. Ha avuto pessima educazione più che non dice egli stesso, e per colmo di disgrazia, una madre indiavolata che accarezzava i figliuoli cogli urli e colle percosse. Una volta a lui che l'era scappato di tra le mani, scaraventò dalla finestra un ferro da stirare, del quale serba tuttora la cicatrice. Fanciullo tuttavia, fuggì dal padre e visse fuori di casa mescolato là tra la ragazzaglia di Livorno e così formandosi il cuore. Svegliato d'ingegno, profittò nelle scuole tanto che andò a Pisa non so come, e là si distinse per una certa cupezza di vita, aliena dalle gaiezze che porta

1. Queste notizie biografiche il Giusti le ricavava in gran parte dalle *Memorie* di F. D. G., Livorno, Poligrafia italiana, 1848.

quell'età e quel tempo; cominciò a fare il capo cricca, macchinando più che altro contro i professori. Scappò fuori letterato con una tragedia intitolata *Priamo*, della quale egli non parla nelle sue memorie e fa bene, con un discorso in prosa pieno zeppo d'arcaismi e di frasi e di periodi scontorti, nel quale mi ricordo aver letto: *erpicarsi lucubrando pei dirupi del Permesso, stile macchiato di francica sozzura* e via discorrendo. Questa tragediessa gli fruttò una amara censura del Carmignani alla quale rispose con un libello infamatorio, rimproverandogli perfino un erpete che lo tormentava alla testa. Poi dette fuori un dramma intitolato *I Bianchi e i Neri* che fu fischiato a Livorno e che egli dopo anni e anni si ostinò a difendere e a ristampare, e avrebbe dovuto farne a meno. Ma fiero e tenace, e questa è una delle sue parti buone, non si perse d'animo, anzi punto nell'amor proprio tanto s'adoperò che di lì a non molto pubblicò *La Battaglia di Benevento*, nella quale se togli molte e molte stranezze, ravvisi un ingegno potente, al quale per esser grande non manca altro che la delicatezza dell'animo e la finezza del gusto.

Nel trentuno dié mano alle sètte, alle congiure, ai tramenii d'allora e n'ebbe persecuzione di birri, carcere e confino. Fino d'allora manifestando la sua opinione in fatto di rivolta, diceva doversi tener vivo il popolo, e per tenerlo vivo ogni mezzo esser buono: oggi una ragunata in piazza, domani il saccheggio d'una casa o d'una bottega, doman l'altro una strage se bisognasse; in fondo doversi far servire il popolo ad un dato fine, poi ottenuto il fine spazzarselo dinanzi col cannone. Nel trentatré a rumori finiti[1] fu preso con altri venti di tutta Toscana e carcerato nelle fortezze di Porto Ferraio. A confessione di lui e d'altri che si trovarono seco, ebbero sospetto d'essere sottoposti a un giudizio militare e fucilati, ma la paura andò a finire in tre mesi di reclusione. Tra gli altri, ebbe a compagno Carlo Bini, ingegno arguto e animo candidissimo, che ritornerà in campo tra poco. In quella prigionia il Guerrazzi cominciò a meditare e credo anco a scrivere *L'Assedio di Firenze*, libro che vince di stile quanto aveva scritto fin lì, che quanto a composizione è inferiore alla *Battaglia di Benevento*. Il sarcasmo amaro e feroce, il dolore disperato e convulso d'uno che ha perduto la fede di tutti e di tutto, hanno dettato quel libro;

---

1. Questi «rumori finiti» non possono essere altro che i feroci processi di Carlo Alberto contro gli affiliati alla Giovine Italia.

va a sbalzi come il polso d'un febbricitante e finisce per bottate rotte e scomposte. Quel libro ti dice l'uomo. Egli veduta fallire la prova di quel tempo, credé l'Italia andata per sempre e le dié quell'addio disperato. Difatto tornato in libertà, disse che non v'era altro che darsi al guadagno, e ridendo e berteggiando delle cose più alte e più sante, si buttò a corpo perso a fare il procuratore, prendendo a difendere le lite più disoneste, promuovendone egli stesso delle disonestissime, raggirando clienti e magistrati con tutti i cavilli, con tutte le marachelle, con tutte le tortuosità del rettile forense. A furia di dispetti, d'orgogli e di maldicenze, s'alienò e si disgustò a uno a uno i suoi amici più cari e le persone più schiette e più riputate del suo paese. Pietro Bastogi,[1] Luigi e Vincenzo Gera, Enrico Mayer furono tra questi, e ultimo di tutti gli si staccò anche Carlo Bini che era quello che più l'accostava, e dal quale egli aveva attinti i fatti suoi, i pensieri e le arguzie che quello spirito acuto e bizzarro versava a larghissima mano. Anzi, non contento di questo, s'avventò a tutti coloro che non potendo fare altro bene all'umanità s'erano dati a promuovere l'educazione del popolo e riaprire la strada alla libertà, alla civiltà. Tanto fece, che di tutta Livorno non gli rimasero che Domenico Orsini, la più buona pasta d'uomo ch'io abbia conosciuto, i due fratelli Paolo e Luciano Bartolomei[2] e due o tre bighelloni che gli saltellavano intorno come fa il cane, per adularlo e per raccattarne i motti maligni e roventi che gli scoppiavano dall'ulcera del cuore. Si compiacque della sua solitudine rabbiosa e superba, e lasciò che gli cadesse d'intorno l'amore e la stima dei suoi concittadini, rimanendo un nudo stecco come la pianta nel verno... E in questo cocciuto dispregio imperversò al segno che si compiacque d'esser tenuto cattivo e si dié per più cattivo che non era in sostanza.

1. Pietro Bastogi (1808-1899), banchiere livornese, sviluppò lo sfruttamento delle miniere dell'Elba. Appartenne alla Giovine Italia, finanziò la stampa dell'*Assedio di Firenze* del Guerrazzi e concorse all'acquisto dei manoscritti di Ugo Foscolo che erano a Londra. Poi aderì alla politica piemontese e fu ministro delle finanze sotto il Cavour.   2. I due fratelli Bartolomei erano di famiglia còrsa stabilitasi a Livorno e arricchitasi nel commercio dei coloniali con le Antille. Giampaolo (1810-1853) fu particolarmente vigilato dalla polizia per il suo acceso liberalismo di tinta mazziniana. Cospirò prima col Guerrazzi; poi se ne staccò e passò ai moderati. Prese parte alla guerra del '48 con un battaglione di volontari toscani, da lui armato ed equipaggiato.

Per dare a vedere a che punto s'era condotto, racconterò ciò che m'accadde per lui a Livorno nel luglio del '47. Non è senza un perché se io vado per la minuta dicendo di lui, essendo stato egli che ha sconvolta la Toscana. Una sera nell'uscire di casa, passava dinanzi a una vendita di libri; mi chiamò non so chi e mi prese la mano domandandomi quand'ero arrivato, quanto mi trattenevo eccetera eccetera, ed eccoti s'alza da sedere Francesco Domenico che io non aveva notato nel crocchio, e abbracciatomi e presomi a braccetto mi tira seco senza lasciarmi rispondere a quelle accoglienze amichevoli. L'atto mi parve strano e io sentiva la scortesia del lasciare lì in tronco quell'altro, che mi faceva festa, ma mi trovai sopraffatto e andai. Passeggiammo su e giù per la Piazza Grande, e parlando delle cose italiane il Guerrazzi mi diceva che non aveva fede nel Papa, che il Gioberti e il Balbo sognavano, che la stampa e le altre concessioni si riducevano a ninnoli, che questa non era la via da prendersi, che pigliandola così per le dolci, i malvagi ne sarebbero usciti a troppo buon prezzo, che voleva essere odio e non amore, e che non saremmo mai venuti a capo di nulla, senza vendetta e senza sangue. Io che non ho mai saputo che cosa vuol dire vendicarsi, che ho fremuto delle ingiurie e delle ingiustizie come si freme d'una febbre o d'altra malattia ma senza volere altro sfogo che di parole, che ho sempre disprezzato i briccioni, perché mi paiono la gente più vile e più disgraziata che viva sotto la cappa del cielo, risposi quasi celiando: — Che vuoi tu vendicarti d'un birrucolo che ti può aver ronzato d'intorno? Ti pare che un uomo come te abbia a rammentarsi d'un po' di carcere o d'altro fastidio che possono averti recato? Lasciamogli nel loro fango e non ci degniamo di loro. Non vedi che stanno già col pover'a me, e si rannicchiano, e vengono per le buone, come se avessero sopra uno che li legnasse? — Eh, tu non hai sofferto, — mi rispose — e però non senti il bisogno di rifarti; ma chi ha l'amaro in corpo non può sputar dolce. Hanno riso costoro di farci patire; hanno sguazzato a lungo nelle nostre lacrime, soffrano dal canto loro quanto hanno fatto soffrire. — Ma dimmi, — replicai — non è appunto per quei patimenti che s'è fatto più vivo l'amore alla libertà; non sono quei patimenti che hanno dato nome a te e a tanti altri, non è in quelli che tu hai ritemprato l'animo e l'ingegno? Oramai son cose passate; teniamo conto del bene che ce n'è avvenuto e al male non pensiamo più. — E questo io gli diceva per forte convincimento, perché gli voleva bene e perché mi doleva di vederlo inasprito tuttavia. Egli allora mutando discorso toccò della vita sgradevole che gli toccava a condurre in un paese di rozzi e d'ignoranti; mi narrava la debolezza del tale, le ridicolezze del tal altro, le sciapiture, le bricconate, le furfanterie d'una turba di gente, tutti amici suoi e miei, tutti dal più al meno tenuti in conto di brave e oneste persone. Io m'infastidiva tra me e me di quella rannata sparsa là sul capo di tutti, e mi pareva un pettegolo stizzito, uno che stando male dentro di sé, sfoga il rimorso che lo rode, addentando chi passa a destra e a sinistra. Di discorso in discorso, venendo allo scrivere, mi disse che egli s'era sempre ispirato a cose fiere e tremende. Tra le mille raccontava che una sera essendo in prigione sentiva sotto di sé una ciurmaglia affastellata in una segreta che s'erano presi a parole e venuti al coltello; e che a quella riotta[1] d'urli, di strida, di spaventose bestemmie e di sorde percosse, tendeva egli avidamente l'orecchio e se ne sentiva svegliato l'animo e accesa la fantasia. A questo punto data la parte sua alla rettorica di quel gusto, per non udirne altre, finsi un pretesto e lo lasciai, senza più cercarlo in due mesi che stetti fisso a Livorno. Tutti quei discorsi m'avevano impiccinito l'uomo e messa compassione di lui; e quella sera stessa non potei a meno di non farne uno sfogo con persona amica, deplorando che un ingegno di quella forza si fosse lasciato cadere nelle tenebre e nel fango. Il giorno di poi, taluni che m'avevano veduto passeggiare così a lungo con lui, e tra gli altri quello stesso dal quale il Guerrazzi m'aveva strappato alla peggio mi dissero: — Va compatito; quando gli capita di farsi vedere con un galantuomo, non gli par vero. — Non dico ciò a lode mia e in dispregio di lui, perché in quel tempo se egli stava volentieri con me, io stava volentierissimo con lui, ma ho voluto serbarne memoria perché si vegga qual'era la stima che egli riscuoteva a Livorno nel luglio del '47.

1. *riotta*: lite. Se ne legga la narrazione nelle cit. *Memorie* del Guerrazzi, a pp. 77-78.

## XI
### *Il nuovo governo.*
### *Cose di Lucca e di Livorno.*

Riprendo il filo del discorso. Avuta la Guardia civica e la Consulta di stato, furono chiamati al ministero Cosimo Ridolfi e Neri Corsini, governatore di Livorno.[1] I governatori d'allora erano una specie di tutori tenuti sotto il curatore, vale a dire, rappresentavano di prima mano il padre Granduca nel paese ove erano mandati, e nello stesso tempo dipendevano anche nelle inezie e dal presidente del Buon Governo, e dall'Auditore del governo che ognuno di loro aveva alle costole; i birri s'erano acciuffato tutto, e le altre autorità del paese non erano altro che un titolo senza la cosa. Il Corsini era amato a Livorno, ma da un certo tempo per certi sentori di turbolenza che si erano manifestati colà, ci stava un po' a braccia tronche vedendo da un lato spuntare il male e temendo che si facesse grande come si fece di fatto, e impedito dall'altro dal governo che non voleva dar braccio ai governatori e nello stesso tempo voleva che i governatori governassero. Poi per l'affare della Guardia civica avevano fatto un gran diavoleto, gli avevano affollato il palazzo e c'era corsa anche qualche violenza, tantoché egli fu costretto a concedere un primo abbozzo di quella, prima che fosse promulgata la legge organica. Di ciò aombrò il governo, e il Corsini n'ebbe rimproveri e mortificazioni, tantoché quando andò a Firenze per assumere il ministero, venne a calde parole col Granduca e gli disse che le cose erano al punto che ci voleva una costituzione. Gesù, Giuseppe e Maria! La costituzione in Toscana, nel settembre del '47, proposta da un ministro di stato! Dal Granduca all'ultimo spazzino (se gli spazzini sapevano di certe faccende) non ci fu anima nata che non credesse di vedersi piovere in casa i Tedeschi la mattina di poi. La gente alta se ne scandalizzò e disse che, al vedere, Livorno aveva guastato il Corsini; uno dei ministri, la mattina a giorno, corse a casa d'un amico a raccontare la cala-

---

1. Don Neri Corsini (1805-1859) marchese di Laiatico, figlio del principe già ricordato, fu governatore di Livorno dal 1839 al 1847, poi ministro degli esteri e della guerra nel ministero Ridolfi. Si allontanò dalla Toscana al prevalere dei democratici. Nel '59 fu rappresentante del Governo provvisorio toscano a Londra, dove morì.

mità, a piangere, a gridare che la Toscana era perduta; gli uomini più arrischiati lodarono il Corsini maravigliando; parecchi per certe ragioni non la volevano credere né per Cristo né per i Santi, e tra questi ero io. Ma la cosa fu vera davvero; il Granduca se n'adontò; il Corsini rinunziò al ministero e uscì di paese e in luogo suo fu chiamato Luigi Serristori.

Il Ridolfi, temendo che l'essersi rotti il Granduca e il Corsini a conto della costituzione, potesse destare a rumore e Firenze e Livorno, corse tosto al riparo facendo abolire il giorno di poi la presidenza del Buon Governo con tutto quel mondo di pulizia; il paese ne fece baldoria e la parola della costituzione fu schiacciata lì per allora. Quell'atto del Ridolfi lo fece entrare in grazia più che mai a chi desiderava d'andare avanti, e quelli della «Patria» segnatamente lo portavano e lo sollecitavano a spada tratta. Vedremo poi come voltarono carta e perché.[1]

Ma intanto il Duca di Lucca non si mandava giù d'essere stato scacciato, e dopo essersi lasciato tirare cogli argani a rimetter piede nella sua capitale per ventiquattr'ore, la paura e il dispetto lo riportarono a Massa di Carrara, ove fu detto che meditasse di ripigliare i suoi stati alla coda di due o tremila Austriaci. Se non che Ward, prima stallone e allora ministro, lo dissuase da quel progetto, e lo consigliò ad accomodarsi piuttosto col Granduca di Toscana, cedendogli Lucca per un tanto al mese e facendo vita privata finattantoché la morte della Duchessa di Parma non lo richiamasse a quella di principe.[2] Il Duca di Lucca, che in fondo aveva una paura borbonica e che era indebitato fino alla punta dei capelli, si piegò facilmente ai consigli del ministro stallone e lo mandò a trattare col Granduca, il quale dal canto suo aveva protestato contro l'intervento austriaco negli stati reversibili a lui. Il contratto fu strinto in quattro e quattr'otto, e chi ebbe che fare col

1. Il giornale «La Patria» era stato fondato, come abbiamo detto, da Bettino Ricasoli, il quale allora appoggiava il Ridolfi. Ma più tardi, quando il Ridolfi fu presidente del consiglio, il Ricasoli fu tra i suoi avversari, perché lo stimava fiacco nel preparare gli armamenti e incapace di mantenere l'ordine pubblico. 2. In base al trattato di Parigi del 1817, alla morte di Maria Luisa, vedova di Napoleone, doveva succederle nel ducato di Parma Carlo Lodovico, e questi doveva contemporaneamente cedere Lucca alla Toscana. La cessione anticipata di Lucca alla Toscana, mediante corresponsione di novemila francesconi mensili (54.000 lire di allora) fino alla morte di Maria Luisa, fu stipulata dall'inglese Tommaso Ward, che era il ministro di Carlo Lodovico, ed era stato prima suo palafreniere.

Ward lo trovò accorto negoziatore e destro a maneggiare un principe quanto un cavallo. A Lucca quando seppero d'essere affittati alla Toscana chi ne disse una e chi un'altra.

Diamo un passo addietro e torniamo a Livorno e a Francesco Domenico. L'istituzione della Guardia civica aveva scosso il Guerrazzi dalla sua incredulità nelle cose nuove, e cominciato a fargli sentire che non era più tempo di stare in disparte a far la vita dell'istrice. Vedeva sorgere il popolo e fremeva che altri gli pigliasse il di sopra nel farsene guida, e non sapeva dall'altro lato come riprendere a un tratto il freno che egli s'era lasciato cadere di mano. In ciò lo servirono i fratelli Bartolomei e lo stesso Corsini chiamandolo a prender parte nella direzione delle feste; ma Francesco Domenico non era uomo da contentarsi di fare una seconda parte, e d'essere condotto per mano dagli altri e per così dire rimesso al mondo quasi per degnazione. Andava, tanto per rimettere il naso fuori, ma gli scoppiavano da tutti i pori i lampi dell'orgoglio umiliato, e quando lo fecero riconciliare co' suoi amici di prima resse la commedia, giù giù, a uno a uno, abbracciò, baciò, e rimase lo stesso; ma quando a Pisa, sulla piazza di S. Nicola gli portarono davanti Enrico Mayer che gli andava incontro a braccia aperte, gettò la maschera e gridò inferocito: — Fermo là, io non abbraccio i vili e gli schiavi: prima s'inginocchi e chieda perdono e poi l'abbraccerò. — Nella dolce ebrietà di quei giorni, quello schizzo di fiele rappreso sconturbò tutti, e lo levarono di lì. In seguito ha avuto la scempiaggine di raccontare quell'atto e di compiacersene come d'un atto magnanimo, tanta è la villania che gl'indurisce l'animo e l'intelletto. Finite le feste, e stabilito tutti d'accordo di condurre insieme le cose di Livorno, il Guerrazzi che voleva soperchiare a ogni costo e che non aveva gente dalla sua, cercò di farne in una certa combriccola accozzata e capitanata da un tal Bardelloni,[1] bottaio di mestiere che s'era fatto un partito nel popolo minuto, al solo fine d'avere al suo comando una mano di gente pronta a tutto osare. Riuscito all'intento perché è adulatore e raggiratore sottilissimo, il Bardelloni stesso, avido d'ingrossarsi, lo pregò d'entrare di mezzo tra la sua e un'altra società segreta di Livorno condotta dallo Squarci e composta di popolo un tantino

---

1. Enrico Bartelloni (non Bardelloni, e neanche bottaio, ma salumaio) soprannominato il «Gatto», cadde poi nel '49 ucciso dagli Austriaci. Il Guerrazzi dettò per lui una eloquente epigrafe.

più grasso; e il Guerrazzi menò sì bene le sue arti, che riunì le due parti e se ne mise a capo bel bello quasi senza che se ne accorgessero. Volle che la compagnia fosse ordinata per via di statuto, e chi ha vista quella carta mi dice che, primo capitolo, ingiungeva di eleggersi a capo quello che avesse più ingegno e tutti lo favoreggiassero e lo portassero in alto, finoattantoché non fosse giunto a esser ministro.

Mentre in Livorno non si moveva foglia senza che prima ne fossero intesi e d'accordo tutti coloro che erano alla testa di quella popolazione, una mattina si legge affisso alle cantonate un invito al popolo di riunirsi nel Teatro (*manca una parola*) per consultare intorno a cose di grande importanza. La novità della cosa e il non esserne intesi quelli che più avevano le mani in pasta, destò un susurro e un diavoleto, e subodorato che potesse essere stato il Guerrazzi, Luciano Bartolomei andò a casa di lui e lo trovò che era per uscir fuori. Domandato se era egli che avesse mandato l'invito rispose di sì. Rimproverato che lo avesse fatto senza il consenso degli amici, disse: che essi procedevano troppo lentamente e che bisognava sospingere il popolo e forzar la mano al governo. Allora Luciano Bartolomei gl'impose di rientrare in casa, e se non l'avesse fatto, lo minacciò di stenderlo sulla porta con un colpo di pistola. A questa razza d'argomenti il Guerrazzi non ha mai avuto né logica né rettorica che gli basti; e sì che quanto a rettorica n'ha da fare le spese a tre De Colonia.[1] Risalì confuso e invelenito e la sera stessa, forse non volendo guastarsi l'uova sul più bello del covare, invitò a sé i due fratelli Bartolomei e altri amici comuni. Andarono e condussero seco tre o quattro del popolo e tra questi il Petracchi[2] che tornerà in ballo vestito da guerrazziano e che allora era uno dei più accaniti contro il Guerrazzi. Entrati da lui, disse che avevano preso la cosa in mala parte, che egli non aveva inteso mai di fare una cavalletta agli amici e altre cose di questo gusto; poi tentando i rimproveri e la parte del generoso: — Vedete, — disse — io sono più schietto di voi; v'ho chiamati in casa mia senza sospetto, e voi ci venite cogli sgherri. — A queste parole saltò su il

1. Al tempo del Giusti ancora si ristampavano e si studiavano i *De arte retorica libri quinque* del gesuita francese Dominique De Colonia (1660-1741). 2. Antonio Petracchi, detto Giannettino, allora avverso al Guerrazzi, fu tra coloro che andarono ad arrestarlo la notte dell'8 gennaio 1848. Divenuto poi amico del Guerrazzi, ebbe nel '49 il comando di una spedizione in Lunigiana, e gli nocque ugualmente per le sue intemperanze.

Petracchi e gli altri in giacchetta[1] a chiamarsi offesi, a inveire, a minacciare al modo loro. E Gian Paolo Bartolomei a dire che quella era un'ingiuria a lui che ce gli aveva condotti e che gliene chiedesse scusa o lo chiamerebbe a duello: se ricusasse, gli staccherebbe la testa colle sue mani e l'appenderebbe alla porta di casa. Queste ferocie, in tempi come i nostri, non paiono credibili, ma e' sono avvenute tali e quali e sono state la radice di tutti gli scandali accaduti in Toscana. Il Guerrazzi si sgomentò e balbettò una scusa e così si divisero; agli altri ne crebbe il sospetto, a lui veleno e mania di vendetta. E questo bruciore interno doventò sempre più acuto e rodente, quando, distribuiti i gradi della Guardia civica, egli si trovò lasciato in un canto, vedendo i galloni e gli spallacci d'oro luccicare addosso a tutti coloro che egli aveva fuggiti e morsicati per l'addietro e coi quali poco prima era stato tirato a quella pace che ho toccata di sopra. Da questo momento si dette a lavorare sott'acqua più coperto e più acerrimo che mai, e classe per classe frugò a sollevarsi i lavoranti, prima i sarti, poi i fornai, facendo chiedere a tumulto diminuzione di lavoro e crescita di salario. Ma siccome il primo scoppio di questa mina eruppe più tardi, dirò intanto delle cose che furono in Toscana dalla metà di settembre in poi.

## XII

*La Guardia civica. Il battaglione di Pescia.*
*Il Giusti maggiore.*

Dopo le feste, prima cagione di scontentezza fu la legge organica della Guardia civica, ove trovarono che era dato troppo braccio al potere politico, e troppo poco al municipio. Dalle lodi e dalle acclamazioni al Principe, passarono diviato alle ingiurie e agli spregi, da quel popolo leggiero, querulo, incontentabile che noi siamo. Gli assennati badavano a dire: — pigliate intanto questa, poi sarà corretta e ampliata; vedete il popolo romano che ha accettata la sua senza susurro, e sì che non è punto al di sopra di questa —. Io non difendo punto quella legge che sapeva di birresco, di pauroso, e che rendeva immagine d'uno che dasse a malincuore, ritirando il go-

---

1. *in giacchetta*, e cioè «popolani»; mentre gli altri, che erano borghesi facoltosi, indossavano la giubba e cioè la marsina.

mito, ma come ho detto parecchie carte addietro, a volere che la
Guardia civica fosse una cosa a garbo fino dal nascere, bisognava
prima riformare il municipio e il potere politico, che l'avevano a
generare. Un'altra cosa mal fatta dal lato del governo fu quella di
nominare ai primi gradi gente tolta per la maggior parte dalla classe
dei nobili, persone troppo in là cogli anni, non dirò contrarie alle
cose nuove, ma lontane dall'averci preso parte, e taluna tanto
goffa e contraffatta, che le belle uniformi gli piangevano addosso.
Non conviene porre in un canto l'animo per l'età, la figura, ma
bisogna rammentarsi che la gioventù e l'aspetto esteriore è un gran
che per le moltitudini. Quando poi s'ha da fare con un popolo
tagliato allo scherzo e pronto a trovare il lato ridicolo anche dove
non è, è necessario scansare più che uno può di dargli appiglio e
occasione di voltare in burla le cose più serie. Fu uno sbaglio
anche tutto quell'oro delle uniformi; so che l'occhio ne vuole la
parte sua; nondimeno conveniva alla milizia cittadina e alla parsi-
monia toscana una veste che ritenesse i modi del paese, cioè
schietta, pulita, elegante e senza tanto luccichio. Da questo avvenne, che, venuti alle elezioni dei gradi secondari, che toccavano
alla milizia stessa, furono portati su, quasi per ripicco, giovani di
bella presenza, di famiglia popolana o cittadinesca e tutti immi-
schiati nelle sètte di prima e nei moti d'allora. Nacque da ciò un
intendersi poco tra ufficiali e ufficiali e il dividersi della Guardia
stessa in mille partiti. Gran parte della colpa ebbero i gonfalonieri,
i quali nel proporre ai primi gradi intesero piuttosto a lisciare il
governo che la pubblica opinione. A questo proposito racconterò
un fatto accaduto a me, dal quale possono trarsi utili insegnamenti
per più e più conti.

A Pescia, più a pompa che per bisogno, vollero formare un
battaglione. Il gonfaloniere non ne voleva sapere per non mettere
la comune in una spesa; i cittadini lo volevano a ogni patto perché
a Pescia c'era il Vescovo, a Pescia c'era il Vicario, a Pescia altre due
o tre cose che non erano nel rimanente della Valdinievole, e soprattutto perché il battaglione aveva spallacci e spallini e strisce e stri-
scioni da dorare e da lumeggiare parecchi. E già i più s'erano fatti
in testa loro capitani in prima e capitani in seconda, aiutanti,
quartier mastri, portabandiera e tenenti: o almeno almeno sotto-
tenenti e sargenti maggiori; del sergentato semplice e del povero
caporalato non si degnavano neanco i gobbi. Vinto che ebbero

d'avere il battaglione, cominciarono a dire: — Chi si fa colonnello e chi si fa maggiore? — e designarono me che ero in campagna e non sapevo nulla di queste mene, al posto di maggiore. Il poeta popolare, colla fama fresca e intera di vecchio ribelle, faceva forza all'animo di quella gente e volevano vedere a ogni costo la Musa colli spallacci: ma per la stessa ragione al gonfaloniere non dava l'animo di propormi al governo, temendo che il Granduca, vedendo il mio nome, avesse a dare un salto all'indietro e fargli fare una lavata di testa; difatto, all'alzare del sipario fu chiaro a tutti che egli aveva proposto un altro invece di me. Io fui lietissimo di rimanere nelle file, perché quel grado mi dava pensiero e mi toglieva tempo a' miei studi; poi, tra l'ubbidire e il comandare, mi tengo al primo, perché è più facile, e chi pensa al contrario, s'abbia pure il comando e poi mi saprà dire di che sapore è. Ma la popolazione ne fu indispettita e cominciò a pigliarsela col gonfaloniere e col maggiore nominato in vece mia; all'amore per me e alla picca di spuntare un impegno, si aggiunsero le avversioni e i rancori privati, e di tutti questi ingredienti ne venne un pasticcio tale, che per giovarsene e per farsene pro, e' ci sarebbe voluto lo stomaco d'un demagogo. Allora vidi quanto è falso o malaccorto quegli che prende per moneta corrente tutto il bene che è detto di lui da una folla concitata contro a un altro; tolti i pochi che ti stimano e ti vogliono bene davvero, il resto si serve di te come d'un sasso da scagliarsi nella testa di chi hanno a noia. Quando il sasso ha servito, chi è che lo raccatti di sulla strada? Vidi parimente che quando uno non cova dentro né invidia né ambizione, può padroneggiare il popolo che tumultua per lui, e consigliarlo a bene invece di viepiù scatenarlo. Certi capipopolo non daranno mai ad intendere a me d'essere doventati il matto della festa a loro malgrado e d'aver dovuto, a loro malgrado e senza poterla frenare, lasciarsi sollevare in alto sulle braccia infuriate della moltitudine. Chi ha l'amore della moltitudine può volgere a sua posta questo amore momentaneo, e chi lo piega al male o a sé solo è un perfido ipocrita che si fa sgabello di tutto e di tutti. In quella occasione, io ho l'alta compiacenza d'avere dimenticato me stesso, e pensato unicamente al debito sacro di non lasciare che il paese andasse sottosopra per causa mia; insomma io mi tengo di ciò come d'una buona azione, e posso dirlo a fronte scoperta, perché ho a testimone un'intiera provincia. È vero che la poltronaggine aiutò la modestia, ma oltreché potrei farla passare per virtù tutta d'un pezzo, quando impediscono il male anche i poltroni si può dire che facciano molto; mi detti a girare bottega per bottega e a pregare quanti incontrava per la via, a non volermi porre in urto col gonfaloniere e col maggiore che erano amici miei da un pezzo; a non fare in modo che si dicesse, o in paese o fuori, che per via di me si facessero ingiurie alle persone, e si sconturbasse la popolazione. Gli ringraziavo dell'affetto che mi dimostravano, ma gli pregavo a darmene una prova maggiore facendo l'orecchio a modo mio, tanto più che io e per salute malferma e per essere avvezzo a tutt'altra vita, non avrei levato le gambe da un ufficio come quello che voleva tutto l'uomo. Se non chetai le mormorazioni, fermai il trambusto, e siccome il vedermi nelle file a fare gli esercizi era cagione di tener viva la scontentezza, m'intesi cogli altri e quasi di furto me n'andai a stare a Firenze. Tre mesi dopo, il maggiore renunziò, e il governo, interrogati i Pesciatini, nominò me a quel posto; non riuscii buono a nulla e così fu pagato chi mi ci volle a ogni patto; quanto a me, mi basta di non aver venduta gatta in sacco e d'essermi dato per quello che ero fino da principio. Non sanno capacitarsi taluni come uno che riesce in una data cosa non abbia a riescire in tutte a un modo; a me, per aver dato fuori quelle quattro strofe, è toccato fare il maggiore di battaglione, l'accademico della Crusca e il deputato all'Assemblea toscana, tutte faccende che mi distolgono da quella che è proprio la mia, e che mi fanno passare per un buono a nulla o almeno per uno svogliato.

Chi esce fuor del suo mestiere, fa la zuppa nel paniere, dice il proverbio; ma io non ho cercato mai nulla, e non ho altra colpa che d'avere accettato. E allora perché non dire di no? Perché uno dei miei peccati è di lasciarmi tirare per il naso come un bufalo; perché a ricusare un onore che mi venga offerto, temo di disgustare, di parere ingrato, disprezzante e pusillanime. Così mi lascio piantare addosso un peso che mi molesta, e quando me l'hanno caricato sulle spalle o mi ci piego sotto o lo porto a malincuore; se fossi stato furbo, sarei rimasto sempre in platea e chi sa con che fama di brav'uomo mi sarei condotto al sepolcro. La poca accortezza e il non sapere levare le gambe né da un sì né da un no, mi son lasciato portare sul palco, e se i fischi non sono stati universali, posso dire d'esserne uscito di grazia. Un poeta è un oggetto di lusso o al più d'ornamento, da tenersi, direi, nel salotto della Nazione, come le signore eleganti tengono sul tavolino quei ninnoli che costano tanto e che non servono a nulla. Che se il paragone paresse a taluni che buttasse troppo giù la poesia, assomiglierò il poeta a un oriolo colla sveglia, buono a rompere il sonno e nient'altro. Lasciamo queste che possono parere le smorfie o le civetterie della modestia e torniamo al sodo.

Dopo l'affitto di Lucca, fu data in Toscana quella caccia ai birri e alle spie che accelerò la caduta di questi tristi strumenti di governo. Cominciò a Livorno, poi a Firenze, e nell'una e nell'altra città, furono assaliti i guardioli, bruciate le carte, rotti gli arnesi e condotti in carcere a furia di popolo quanti trovarono di quei tristi. Poi andarono a scavizzolare qua e là per le case quanti erano diffamati per delatori o per manutengoli della polizia e te gli ingabbiarono come gli altri, con mille scherni, ma senza manometterli. Non fu così d'un certo Paolini, capobirro famoso, il quale se uscì vivo di mano al popolo di Firenze, e' può attaccarne il voto; anzi la canea cominciò da lui, per avere, dicono, maltrattato un cieco che mendicava. Tra gli imprigionati, vi furono persone che non meritavano o almeno non era certo se meritassero quello smacco; la cosa fu mossa da gente occulta che mirava fino da quei tempi a sommovere il popolo minuto, ma gli attori visibili furono gente della plebe e tra questa molti precettati che si rifacevano coi birri a conto proprio sotto il copertino della pubblica esecrazione. Le autorità lasciarono correre quel chiasso, anzi so che uno seduto molto alto ci ebbe gusto, quasiché il popolo gli avesse risparmiata la fatica, o dato occasione di sbrigarsene più presto; ma non bisognava lasciar distruggere la vecchia pulizia senza rifarne subito un'altra di sana pianta, e il male del non aver fatto ciò si fece sentire in seguito come vedremo chiaramente. La pulizia è cosa odiosa, ma un governo non può farne a meno. Il guaio di quella che ci regalò Don Giuseppe Rospigliosi[1] nel 1814 consisteva in questo, che aveva troppo braccio ed era pagata poco; grandi morsi non ne aveva mai dati, ma il fastidio era continuo e aperta e sfacciata non solo la trascuraggine ma la connivenza coi ladri. Mentre le bande intere dei grassatori scorrazzavano alla bella libera, un giovanastro

---

1. Il principe Giuseppe Rospigliosi nel 1814, quando la Toscana era tornata ai Lorena, la aveva riformata in senso reazionario, curando particolarmente la polizia.

che desse dietro alle donne, o una donna che si lasciasse andare a più d'uno erano pedinati, presi e tenuti in quarantina severissimamente. Facevano il santo nelle cose da poco, sugli omicidi o sui furti o chiudevano un occhio o facevano a mezzo. A un contadino erano stati rubati due agnelli che erano a sorte di mantello facilmente riconoscitivo; fattane ricerca nel vicinato, pensò d'andare al bargello del capoluogo a farne il referto; trova l'uscio aperto, sale su e entrando nella prima stanza che gli si parò davanti, inciampa in un non so che che penzolava dal palco. Alza gli occhi e ti vede uno dei suoi agnelli, sgozzato di fresco, e appeso lì. Tornò indietro per non avere il male, il malanno e l'uscio addosso.[1]

## XIII

### *Il doppio gioco del Guerrazzi.*
### *Trattative per il ritorno del Granduca. Il dittatore.*

La sera del dì . . . marzo, Gino Capponi ed io, tornati a casa verso la mezzanotte, ci trovammo dinanzi il Guidi Rontani[2] prefetto di Firenze tutto rimbacuccato, e che aspettava da più d'un'ora giù nell'ingresso. Quella visita, a quell'ora, quasi di sotterfugio, ci fece subito pensare che per aria dovesse esservi qualcosa di nuovo. Salimmo le scale, barattandoci quei tali monosillabi che corrono tra gente che ha roba in corpo e gente curiosa di sapere che razza di roba è, e arrivati su, io volli andarmene in camera mia e lasciarli soli a discorrere. Ma il prefetto mi pregò di essere presente al discorso e passammo tutti e tre nel salotto di Gino. Quando ci fummo posti a sedere, il prefetto, con un preambolo largo e un po' intralciato, venne a dire in sostanza che era sorta nell'Assemblea una fazione contraria al Guerrazzi; che questa fazione voleva spingersi agli estremi; che il Guerrazzi per ora aveva dalla sua i più, ma che oggi o domani la parte contraria poteva in-

1. A questo punto il Giusti lasciò interrotta la sua narrazione, e la riprese coi fatti del marzo 1849. 2. Lorenzo Guidi Rontani, avvocato e scrittore di stile guerrazziano, era deputato di sinistra, e nell'ottobre 1848 era stato nominato dal Guerrazzi prefetto di Firenze. Imprigionato nel '49 e processato come il Guerrazzi per delitto di lesa maestà, fu prosciolto l'anno appresso e morì poco dopo.

grossare, buttar giù il Guerrazzi, afferrare essa le redini della cosa pubblica e sommergere il paese in un mare di guai. A lui non reggere il cuore di trovarsi a questa rovina; essere disposto a ogni sacrifizio piuttostoché lasciarsela venire addosso; vedere che dopo la battaglia di Novara le sorti italiane declinavano; i moti di Genova[1] non dargli speranza nessuna; essere pietà verso la Toscana salvarla dall'anarchia; credere insomma che bisognasse tentare là a Gaeta e vedere se fosse possibile venire a patti col Granduca e accomodarsi onorevolmente. In ciò essere d'accordo col Marmocchi[2] ministro dell'interno e potersi fidare di lui. Il Guerrazzi non saperlo, ma egli prefetto, per la conoscenza che aveva di lui, potere quasi essere mallevadore che non dissentirebbe, una volta che vedesse incamminata la pratica con qualche speranza di riescita. «Ho capito,» dissi dentro di me «vedete la mala parata e volete serbare tutti d'accordo il posto.» Guardai fisso nel volto di Gino e mi parve di leggerci lo stesso pensiero. Gino, quando gli toccò a rispondere, disse che il pensiero non gli dispiaceva e che non era lontano dal credere che il Granduca si lasciasse piegare. Allora il Guidi, quasi rianimato, domandò se egli sapesse suggerirgli il modo di mettersi in comunicazione col Granduca e dopo altri mille andirivieni gli propose di prendersi esso quell'incarico. Gino dapprima se ne scusò, ma poi risolutamente con quel tafano alle costole e udendosi intuonare la solita antifona: — potete fare un gran bene al paese —, si lasciò andare a scrivere al Bargagli.[3] Il Guidi, che non voleva altro, s'alzò e se n'andò dicendo che avrebbe pensato egli a spedire la lettera e pregando me di portargliela alla prefettura la mattina di poi. Rimasto solo con Gino,

---

1. In seguito al disastro di Novara era scoppiata a Genova un'insurrezione, la quale fu ben presto domata dal generale Lamarmora.  2. Fuggito di Firenze il Granduca, il potere esecutivo era stato assunto (8 febbraio 1849) da un governo provvisorio formato dal Guerrazzi, dal Montanelli e da Giuseppe Mazzoni. Poi, alla notizia della sconfitta di Novara, nella seduta notturna dal 27 al 28 marzo l'Assemblea aveva conferito al Guerrazzi poteri dittatoriali. Perciò questo colloquio poté avvenire solo tra il 28 e il 31 marzo. — Francesco Costantino Marmocchi, studioso di geografia, imprigionato nel 1831 e nel 1848, era stato segretario particolare del Guerrazzi, quando questi era ministro dell'interno nel gabinetto Montanelli; e gli era succeduto nel portafogli, quando il Guerrazzi era entrato a far parte del triumvirato.   3. Il marchese Scipione Bargagli, ministro di Leopoldo II a Roma, si trovava allora presso il Granduca, che si era rifugiato a Gaeta.

cominciai a canterellare l'a solo di Michelotto nella *Chiara di Rosemberg*:[1]

> *Carrozze di ritorno*
> *l'eroe de' postiglioni,*
> *il gran cocchier del giorno,*
> *che torna ai suoi padroni*
> *e larga più del solito*
> *la mancia, etc.*

E facemmo le più matte risate del prefetto e del Marmocchi che richiamavano il Granduca per non veder rovinato il povero paese, e di quell'innocente del dittatore, che non sapeva nulla di questi pasticci. Diceva Gino: — E ora come si scrive? — Scrivi — gli risposi — come ti detta l'animo, ma siccome Fidati era un buon uomo e Nontifidare era meglio, poni sulla lettera che ti sei indotto a far ciò a istigazione del prefetto di Firenze. Così se la lettera andasse perduta, o volessero servirsene ai loro giochi, non oserebbero metterla in campo, essendoci nominati. — Da quella sera in poi, il Guidi tornò più volte a casa Capponi, ed io controvoglia portai e riportai ambasciate dall'uno all'altro. Controvoglia, perché ho piacere di starmene a me, e perché mi faceva dispetto di tener di mano agli intrighi di gente che s'accomodava a dire addio alla repubblica purché rimanesse la paga; ma c'era Gino di mezzo, e per Gino ero pronto a far tutto.

Intanto i tumulti di Genova imbruschivano un giorno più dell'altro, e qui la fazione dei demagoghi, avversa perfino al Guerrazzi, faceva correre di là le nuove più strampalate. Cominciammo a udire di cinquemila Lombardi calati a Chiavari, e chi diceva che sarebbero andati al soccorso di Genova e chi che avrebbero transitato in Toscana.[2] Il Montanelli, partito in missione per Parigi, era andato alla volta di Genova con forti somme per tener vivi i moti di là, per assoldare i Lombardi, per far gente in Francia. Il Guerrazzi teneva un occhio a Gaeta e un occhio a Genova, pronto a voltargli tutti e due o di qua o di là, secondo da che parte gli venisse la certezza di rimanere su in alto. A questo dop-

---

1. *Chiara di Rosemberg*, è il titolo di un'opera allora popolare di Luigi Ricci (1805-1859), che fu uno dei più fecondi compositori della prima metà dell'Ottocento. Il suo maggiore successo lo conseguì con *Crispino e la comare*, che egli compose in collaborazione col fratello Federico.    2. Ridotti invece ai soli bersaglieri di Luciano Manara, andarono a combattere alla difesa di Roma.

pio fine lasciava da un lato lavorare il Guidi, il Marmocchi e altri, dall'altro spediva fuori il Montanelli, anche per togliersi di tra i piedi un ostacolo. Nel tempo stesso per abbattere la fazione che gli era sorta contro nell'Assemblea, fazione capitanata dal Pigli, dal Cipriani,[1] etc.: oltre all'avere tirato dalla sua il più dei deputati, lasciava che si traccheggiassero in Firenze tre o quattro compagnie di volontari livornesi, che erano il rifiuto non solamente della Toscana ma della stessa Livorno. Salito su sulle braccia della plebaglia, continuava a puntellarsi della plebaglia che poi gli fu cagione di rovina. Acciò apparisca più chiaro il doppio gioco che egli si era andato a fare, dirò una sua mossa furbesca fatta appunto in questi giorni e dalla quale apparirà che i troppo furbi sono i primi asini di questa terra. Ho detto che il Guidi, facendo finta di non essere d'accordo col Guerrazzi ma essendolo visibilmente, aveva indotto il Capponi a scrivere per accordi a Gaeta. Ora bisogna sapere che il governo pochi giorni prima aveva ritenute alla posta otto o dieci lettere indirizzate a vari dei principali cittadini di Firenze, nelle quali si diceva che si facessero vivi, che buttassero giù la fazione che governava, che prendessero essi il governo, che avrebbero il popolo dalla loro. Tra queste ve n'era una per il Capponi, una per il Serristori, una per il Corsini, ecc. ecc. Il Guerrazzi ritenne queste lettere e non ne fece conto per più giorni, poi, incamminate le trattative a Gaeta e infierita la rivolta di Genova, eccoti una mattina arrivare al Capponi quella di quelle lettere che era per lui, con una del Guerrazzi molto severa,[2] nella quale lo ammoniva di non accrescere le difficoltà a chi governava, che se no guai a lui. Altrettanto fece al Serristori, altrettanto agli altri. Gino ne fu sorpreso, io indignato, e corsi dal Guidi per avvertirlo di ciò e per ritirare la lettera di Gino al Bargagli se fossimo

---

1. Carlo Pigli (1802-1860), di Arezzo, professore di fisiologia all'università di Pisa, perseguitato dalla polizia per il suo acceso liberalismo, fu collocato a riposo nel 1846. Deputato di opposizione ai moderati nel giugno 1848, nel novembre fu dal Guerrazzi, ministro dell'interno, mandato governatore a Livorno, e dal Guerrazzi stesso fu costretto a dimettersi il 14 marzo 1849 per le sue intemperanze. Da allora gli fu acerbissimo nemico. Dopo la restaurazione granducale riparò in Provenza e poi in Corsica. Nel processo di lesa maestà fu condannato in contumacia a 15 anni di ergastolo. Tornò in Toscana nel '59 e vi morì poco dopo. — Emilio Cipriani (1813-1883), medico, di fede repubblicana, si battè a Curtatone. Al ritorno del Granduca esulò a Costantinopoli e tornò in patria nel '59. Fu deputato e senatore del regno. 2. Queste due lettere si leggono nell'epistolario guerrazziano edito dal Martini, pp. 311-12.

stati in tempo. Il Guidi o ne fosse inteso o altro, mi disse che non dubitassi di nulla per Gino, che anzi lo assicurassi, dicendogli che il Guerrazzi faceva ciò per non parere e che tutto sarebbe andato nettamente. Lo stesso giorno al Serristori, che era stato chiamato segretamente a Gaeta e al quale il Guerrazzi aveva mandata la lettera anonima e scritto come a Gino, il prefetto, dopo essersi mostrato inteso del suo viaggio misterioso, invece di fare un rimprovero o una ammonizione agevolò il modo di condursi là al più presto. Queste pantomime facevano; con questo gioco di tira allenta, miravano a cascare in piede.

Intanto ad onta delle schede stampate che avevano mirato a escluderci, resultammo eletti deputati da diciotto o venti delle prime mandate. Fermammo di rinunziare per non trovarci insultati senza pro per la terza volta;[1] ma i guerrazziani appena subodorato della rinunzia ci circondarono, ci fecero scrupolo del rinunziare, ci pregarono d'unirsi a loro per fare argine agli anarchici che minacciavano d'irrompere; trovandoci inflessibili, si contentarono che almeno non si mandasse la rinunzia, dicendo che rinunziando noi, sarebbe venuta all'Assemblea una fitta di gente da far paura. O come mai i codini erano saliti in prezzo nell'animo dei democratici? Ecco il bandolo della matassa. Il Guerrazzi con tutti coloro che erano in paga e coi più dell'Assemblea abbindolati da lui e dai suoi vedevano sorgersi contro una cricca d'energumeni, appoggiata a quel rimasuglio di circoli che infestava ora il Guerrazzi, come per l'avanti aveva infestato il Ridolfi e il Capponi, e che infesterà sempre tutti, sorgessero pure dal sepolcro Robespierre e Saint-Just, o avessero la presidenza Proudhon e Raspail.[2] Sotto pretesto che il Guerrazzi tradiva la causa repubblicana, il che era

---

1. *per la terza volta*: queste terze elezioni si fecero il 22 marzo 1849. Le due precedenti erano avvenute la prima nel giugno e la seconda nel novembre 1848. Nella lettera di rinunzia, che poi non spedì, il Giusti diceva: «Ho veduto tante volte e per tante guise insultare alla maestà di codesto recinto, che io non voglio pormi nel caso di trovarmi nuovamente a uno spettacolo tanto amaro e tanto deplorabile» (*Epistolario*, III, p. 289).
2. Pierre-Joseph Proudhon (1809-1865), il famoso socialista autore tra l'altro del saggio *Qu'est-ce que la propriété?*, eletto deputato nel 1848 sedette all'estrema sinistra, distinguendosi perfino dalla Montagna. — François-Vincent Raspail (1794-1878), studioso di chimica e naturalista, popolarissimo per il suo metodo curativo basato sulla canfora, fu soprattutto uomo politico di indomita energia e fautore di riforme sociali. Nel '48 fu tra i primi a marciare sull'Hôtel de Ville e a proclamarvi la repubblica.

vero in sostanza, tendevano ad atterrarlo per sorgere essi sulle rovine di lui; il Pigli, rabbioso per essere stato dimesso dal governatorato di Livorno, il Cipriani preso per i capelli dall'ambizione non mai dissetata; il Modena[1] e il Di Lieto e non so chi altri di fuori, perché la Toscana non essendo il paese loro, facevano a confidenza; gli altri tribolati per pescare in Depositeria. Per allora erano i meno, ma da un'ora all'altra potevano accaparrarsi altri e fare la barba di stoppa a Francesco Domenico, il quale era sull'undici once o di doventar dittatore[2] o di tornare al pane di ghianda. Ciò, oltre al non essere per il suo fegato, non era nemmeno per il fegato degli altri, che tenevano la cima dell'antenna; e già si parlava del ministero in erba, designato a scambiarli dalla ditta Pigli, Cipriani e Compagni, e già sull'osso dello stato si ringhiavano contro i cani dell'una e dell'altra parte. Interrogati così alto alto taluni di noi come la pensassimo sul conto del Guerrazzi, dicemmo liberamente che oramai ai ferri ai quali eravamo giunti, il Guerrazzi ci pareva più al caso degli altri. Tra il male acuto e la febbre terzana, meglio la febbre terzana che il male acuto. Allora sì, che ci stettero addosso per averci all'Assemblea e per allettarci; credendoci teneri del principato perché non avevamo intinto nell'anarchia, cominciarono a parlare più scopertamente del Principe, a dire che oramai non v'era altra via per mantenere, se non altro, le franchigie ottenute e che la repubblica era un sogno da matti. A udirli, pareva che fossero stati sempre gli uomini più onesti e più moderati che facesse la Toscana. A stringer le cose in breve ci volevano all'Assemblea per far gente al Guerrazzi, e non osando dire essi la parola Granduca, volevano che la dicessimo noi e così levare la ciccia dalla pentola collo zampino del gatto e rimanere intatti al cospetto del partito repubblicano, e darne la colpa a noi, una volta che ne capitasse il destro. Dal canto mio, accorto della ragia,[3] dissi che, loro essendo i più, era inutile cercassero appoggio; che il nostro voto avrebbe annacquato il partito per il Guerrazzi;

1. Gustavo Modena (1803-1861), il grande attore tragico, nel '48, disgustato dalla piega monarchica che prendeva la rivoluzione lombarda, si recò in Toscana; alleato dapprima col Guerrazzi contro i moderati, lo avversò poi fieramente nell'Assemblea per la sua resistenza a proclamare la repubblica e l'unione con Roma. Deluso anche qui, andò a combattere alla difesa di Roma.   2. Dittatore non pure di nome, ma di fatto, il Guerrazzi fu solo a partire dal 3 aprile, nel quale giorno fu decretata la proroga dell'Assemblea.   3. *della ragia*: dell'inganno.

che alla parte avversa, vedendolo salire dittatore anche per fatto nostro, non sarebbe parso vero di poter dire che egli, pure d'arrivare alla cima, s'era fatto forte persino dei codini; lo mandassero su da per loro, che bastavano a ciò, e non dessero appiglio ai loro avversari; quanto a richiamare il Granduca io, non avendolo rimandato, non mi sentivo di richiamarlo,[1] e che, o andare o no all'Assemblea, non avrei toccato mai questo tasto. Gli altri dissero presso a poco lo stesso e così andammo là là, fin a tanto che il Guerrazzi fu fatto dittatore, senza bisogno che noi gli dessimo una mano.

Riepilogando, qui avevamo il dittatore che si barcamenava; gli Austriaci si affacciavano a Pontremoli e a Fivizzano; il D'Apice[2] si ripiegava coi nostri; i tumulti di Genova erano sedati dal generale La Marmora.


XIV

*Firenze non si muove, se tutta non si duole.*


Frattanto nella settimana santa era piovuta a Firenze l'ultima mandata di volontari livornesi che erano proprio il fondaccio della più bassa plebaglia di là. Vagavano strasciconi per le vie di Firenze, orridi, sciatti, cenciosi; con pistole e stiletti alla cintola, con un piglio e con certi ceffi da fare spavento e ribrezzo; guardavano a traverso, urtavano, provocavano, minacciavano quanti s'imbattevano a passare, e Fiorentini qua e Fiorentini là e ingiurie e bestemmie da fermare il sole. Il popolo fiorentino che in sei o otto mesi di subbuglio non s'era dispogliato interamente della sua gentilezza nativa, un po' stordiva, un po' tentennava il capo, e gonfiava. Di questo popolo hanno falso concetto coloro che non lo conoscono a fondo; perché non è rissoso, perché ha modi urbani e cortesi, perché sopporta quanto può, credono taluni che sia un popolo fiacco da non risentirsi neanche se lo scorticano; ma ciò che in esso pare mollezza e paura, non è altro che longanimità, e n'ha dato le

1. In verità, nessuno lo aveva cacciato; se ne era andato da sé. 2. Domenico D'Apice, già combattente nelle guerre spagnuole e per l'indipendenza belga, nel '48 era accorso in Toscana, ove ebbe un comando, e fu fedele al Guerrazzi quando il generale De Laugier minacciò la restaurazione granducale.

prove ab antico. Direi del popolo fiorentino ciò che dicono del cammello; fino a un certo peso, sta giù acchinato e si lascia caricare; da quelle tante libbre in su, si rialza, e chi lo volesse aggravare più oltre, si scuote da dosso tutta quanta la soma. Firenze non si muove, se tutta non si duole, dice l'antico proverbio,[1] e più d'uno ha dovuto pentirsi d'averle aggravata di soverchio la mano sul collo. Ma quegli scempiati di Livorno vedendo la gente girar largo credevano di far paura e facevano schifo, e avvezzi a vivere come animalacci sbucati di sottoterra, prendevano per dappocaggine o per viltà il fare garbato e la tolleranza fiorentina. Cresceva insolenza a costoro il sapere che un loro paesano era il Potta di Toscana,[2] e nel nome suo e a un punto preso ricalcitrando anche contro di lui, tenevano Firenze come un paese preso d'assalto, e il governo come roba da mangiarci e da beverci su. La guerra contro il Tedesco era una scusa per loro come per quelli che gli avevano salariati: la vera guerra era ai beni dello stato.

Non contenti di scorrazzare la città come bestie scatenate, entravano nelle osterie e non pagavano, si facevano scarrozzare per la città e pei dintorni e non pagavano; e per tutto beghe, sussurri e picchiamenti, nei quali non sapevi dire se fosse maggiore in loro la paura o l'oltracotanza. Ma è raro che l'una si scompagni dall'altra, anzi nelle anime basse si tengono a braccetto come sorelle. La città ne mormorava, ma credendo di vederli partire da un giorno all'altro, si limitava a fare alto là e pazientava; cominciò a colmare la misura il fatto di via Gora che rimane tra l'Arno e la seconda metà di Borgo Ognissanti. Il lunedì di Pasqua, la sera sul tardi una parte di loro che era accovacciata nei chiostri del convento di Borgognissanti, irruppe in via Gora e là pigliando di forza le persone e le cose, voleva mangiare, rubare e stuprare di violenza; quei poveri popolani trovandosi quella peste addosso, prima si spaventarono non sapendo che si fosse né con quanti l'avessero a fare, né chi gli avesse mandati; ma poi la sorpresa dando luogo allo sdegno, afferrarono donne e uomini ciò che venne

1. Il proverbio è tanto antico, che si trova riferito da Giovanni Villani a proposito della cacciata del duca d'Atene (*Cronica*, XII, 16): «E' si dice tra noi Fiorentini uno antico proverbio e materiale, cioè: *Firenze non si muove, se tutta non si dole.*» 2. Giacché i Modenesi chiamavano brevemente Pottà il loro Podestà, i Bolognesi, per scherno, lo avevano cognominato «il Potta», che è parola oscena. Questo racconta Alessandro Tassoni nella *Secchia rapita*, I, 12.

loro alle mani, e con una tempesta di strida e di percosse gli rincorsero spauriti fino al loro covaccio, ove si rinserrarono con tanto di chiavistello. Il popolo concitato volendoli nelle mani a ogni patto, messe le fascine alla porta, l'avrebbe mandata a fuoco e a fiamma se non fosse sopravvenuto chi poté impedire quella vendetta; saputo quell'insulto e la codardia di coloro, fu un grido per tutta Firenze, e dileguato il timore non v'era fanciullo che avesse sopportato un sopruso.

Di questa gente invasata e briccona, piovevano ricorsi da ogni banda a Francesco Domenico. Il ministro dell'interno, il prefetto e quanti salariati e quanti partigiani gli stavano d'intorno lo consigliavano a porvi rimedio prima che il guaio andasse più oltre e a sbarazzare la città di quel sudiciume; ma Francesco Domenico, ascoltando più le viscere di livornese che la testa d'uomo di Stato, parte chiamava ragazzate le turpitudini dei suoi cagnotti, parte prendeva in burla lo sdegno fiorentino tenendolo per un fuoco di paglia; forse aveva la catena al piede, e stava egli stesso in sospetto di quei barbari pronti a voltarglisi in mano come un coltello smanicato. Essi dal canto loro, vedendosi in odio all'universale, cominciavan già a porsi la coda tra gambe e a tentare di piantar lì il fucile e a tornarsene ai vicoli di Livorno; e già la mattina dopo il fatto di via Gora, disertavano a branchi, quando alla Porta al Prato che mette al vapore[1] per Livorno, giunse un ordine severo del governo di non permettere l'uscita a nessuno che avesse segno di soldato, se non mostrasse un permesso in iscritto. Là tra la Guardia nazionale e costoro che volevano trafugarsi, nacque un altro trambusto, e il popolo corse in aiuto coi bastoni e accaddero alterchi e percosse; accorse Francesco Domenico, e entrato nel corpo di guardia ove erano in arresto parecchi Livornesi fermati sull'evadersi, gli trattò di tutti i vituperi, dicendo che erano la vergogna della Toscana e la sua. Poi arringando il popolo e ribollendogli nel fegato l'amore per Livorno si lasciò scappare di bocca che infine i Livornesi erano là per andare a battersi contro il nemico di tutti; che i Fiorentini dovevano rispettarli, e che alle brutte avrebbe tenuto in cervello il popolo col cannone. Lascio immaginare il senso che fece quel discorsaccio; so anch'io che per sedare una lite, bisogna dare il torto di qua e di là, ma chi entra di mezzo

1. *al vapore*: alla ferrovia.

dee sempre avere il capo alla cosa di che si tratta e misurare le parole; anche la Guardia nazionale ne fu indignata e il generale Zannetti[1] protestò contro i provocatori e disse che a un caso avrebbe fatto dare nei tamburi. Il giorno di poi 11 aprile attaccarono baruffa nei Camaldoli di San Lorenzo, per avere avuto che dire con un oste e per avere stuzzicata una donna. Allora la gente non ne poté più e a furia di stangate e di forconate gli rincorse da per tutto che pareva dessero la caccia a tanti cani guasti; ed essi, gli eroi della rivoluzione, il popolo modello della Toscana, fuggivano di qua e di là, di sotto e di sopra come smemorati, e non pratichi delle vie, s'intralciavano per mille andirivieni, e andavano di nuovo a battere il capo in mano di chi gli perseguitava; gli vidi io stesso fuggire a branchi con quanta n'avevano nelle gambe, e rifugiarsi a caso nel prim'uscio che capitava loro davanti. La cosa sarebbe finita lì, se non le avessero volute a ogni costo. Pare che il Guerrazzi avvisato di quel nuovo tumulto gli sollecitasse a partire subito per Prato colla via ferrata; il grosso di loro era alloggiato all'Uccello di là d'Arno; di là si mossero con armi e bagaglio, e quando furono sulla piazza del Carmine fecero sosta e caricarono. Il popolo, veduto ciò, cominciò a gridare e a mettersi sottosopra, ma fu calmato tanto che la frotta prese la via per andarsene senz'altro scompiglio: giunta là da S. Maria Novella, o che volesse riattaccarla, o che entrasse nuovamente in sospetto d'essere assalita e accerchiata dal popolo, a un tratto fece un fuoco di riga senza prima ordinarsi e rompendosi e sparpagliandosi appena sparato, come fa chi non sa un ette dello stare sull'armi. Al rumore delle fucilate, la gente dei dintorni e quanti udirono la romba di lontano, accorsero là; e ci accorse la Guardia nazionale, e la municipale, e una sessantina di veliti che per gli strazii patiti a Livorno fremevano di rifarsi. I Livornesi frattanto parte rifuggiti nella stazione della strada ferrata e parte nella chiesa di S. Maria No-

1. Ferdinando Zannetti (1801-1881), chirurgo di grande rinomanza, nella campagna del 1848 diresse il servizio sanitario del corpo dei volontari toscani, meritandosi la medaglia d'onore. Poi fu deputato, vicepresidente della Camera elettiva e comandante generale della Guardia civica. Quando Leopoldo II, ritornato in Firenze con gli Austriaci, soppresse lo Statuto, egli gli restituì le insegne dell'ordine di San Giuseppe. Per questo suo atto gli fu tolta la cattedra universitaria, che riacquistò poi nel '59, nel quale anno ritornò alle armi come nel '48. Nominato senatore del regno, non prestò il giuramento. Nel '62 fu lui ad estrarre il proiettile che aveva ferito Garibaldi ad Aspromonte.

vella, di tanto in tanto s'affacciarono a far fuoco di sulle porte e senza sapere né come né dove tirassero, a mala pena tirato si rintanavano. La milizia accorsa sostenne due di queste scariche senza rispondere, poi vedendosi cadere accanto e feriti e morti, ci diè dentro anche lei e per due ore buone si mantenne questo ricambio di colpi, e là da S. Maria Novella e altrove alla spicciolata. I particolari non istò a scriverli perché l'animo rifugge dalla vista del sangue cittadino; dirò solo che i morti furono da venti; i feriti, intorno a una trentina. Ciò che fu detto dei veliti che s'erano scagliati là a far carne, non fu vero; anzi so dicerto che difesero la vita a parecchi caduti nelle mani del popolo che voleva finirli a ogni costo. A sera inoltrata, la Guardia nazionale gli trasse disarmati e tremanti dalla chiesa di Santa Maria Novella e da altre case ove s'erano riparati a frotte, e com'è stile del Fiorentino di scherzare anche in mezzo alle cose più serie e più tremende, si divertivano a impaurirli più che mai, dicendo che camminassero zitti e chiotti, che se no il popolo gli avrebbe fatti a pezzi. Anche quel giorno il Guerrazzi s'era presentato a cavallo sul luogo della strage, e per le solite viscere di livornese, invece di abbonire il popolo giustamente esasperato, aveva preso la parte dei suoi paesani, e minacciato di far tirare a scaglia[1] sopra coloro che gli offendessero; se non lo cuopre la cavalleria che era lì ferma, l'avrebbero accoppato coi sassi, e pare che gli sparassero contro una pistola. Era scritto che egli, portato su dai tumulti di Livorno, un tumulto di Livornesi dovesse farlo precipitare. Perocché l'essere egli livornese e quelle parole imprudenti che disse al popolo per due giorni consecutivi rilegarono più davvicino il suo nome alle brutture di quell'orda barbarica, e fecero dire di lui le cose più orribili che si potessero immaginare; sparsero, tra le altre, che gli aveva trattenuti in Firenze per servirsene a satelliti e che aveva loro promesso il saccheggio della città.

La zuffa era finita dalle ventitre[2] e tolto quel discorrìo e quel moto che dopo siffatte cose si vede sempre in una città popolosa, tolto di più lo stupore e lo sdegno d'una città non assuefatta al sangue, fino alle nove o alle dieci di sera non fu udito altro rumore. Ma su quell'ora si raccozzò molta gente e gridando morte al Guerrazzi e viva Leopoldo II, cominciò a volere abbattere gli

---

1. *a scaglia*: a mitraglia.  2. *dalle ventitre*: verso le ore cinque del pomeriggio.

alberi della libertà; non riuscì a buttar giù altro che quello della piazzetta delle Belle Arti, agli altri e segnatamente a quello di Piazza trovarono chi s'oppose.

Vista la mala parata, Francesco Domenico, da un lato avvisò per telegrafo che la Guardia municipale venisse da Lucca e da Pisa quanto più poteva sollecita e numerosa; nello stesso tempo spedì staffette al Petracchi, al Guarducci e al Piola, perché lasciassero la guardia del confine e si precipitassero a Firenze. Tanto premeva l'Italia al dittatore, che per tenersi in piede sguarniva il passo dell'Abetone. La municipale fu in Firenze nella notte portata dalla via di ferro: agli altri furono intercette le lettere, e quando l'avessero avute non sarebbe stato in tempo e sarebbero giunti a tavola sparecchiata. Ricorso all'armi volle ricorrere anche all'astuzia; aveva udito nella sera che il popolo l'aveva cogli alberi e volendo vedere se, con un tiro furbesco e senza porvi le mani, egli riusciva a togliere di mezzo quei segni di discordia, disse al prefetto di chiamare a sé persona del municipio, e vedere d'indurre a levar via gli alberi il municipio medesimo. Andò Guglielmo Digny,[1] e dettogli dal prefetto che la tranquillità pubblica richiedeva che il municipio facesse atterrare gli alberi prima che si facesse giorno, il Digny fu pronto a rispondere che il municipio non avendogli fatti alzare non gli averebbe fatti por giù. Insisté, tempestò per tre ore il prefetto ma l'altro ste duro e finalmente disse: — Vuole il governo che il municipio lo faccia? Dia un ordine in iscritto ostensibile. — L'ordine non vollero scriverlo, e gli alberi rimasero in piede.

Il ripiego era trovato benissimo, perché quand'anche fossero stati pochi coloro che l'avevano presa cogli alberi, la sola faccenda dell'atterrarli, chiamava gente, non fosse altro, per curiosità, e in certe cose tutto sta nell'adunare la folla perché cresca subito l'incendio, e i fabbricatori di subbugli ne sapevano quanto basta per

---

1. Il conte Guglielmo De Cambray Digny (1820-1906), di famiglia originaria della Normandia, era molto amico del Giusti, che in una lettera del 1841 lo dice «giovinetto carissimo al mio cuore» (*Ep.*, I, p. 416). Nel 1849 era uno dei «priori» del Municipio e prese parte alle trattative tra il Municipio e il Guerrazzi. Fu pertanto uno dei principali testimoni nel processo di lesa maestà, e il Guerrazzi non ebbe a lodarsene. Poi, avvenuta la restaurazione granducale con l'intervento dell'Austria, si tenne lontano dalla Corte e dagli uffici politici. Nel 1860 fu fatto senatore del regno. Nel 1867-1869 fu ministro delle finanze col Menabrea. Per la sua partecipazione ai fatti del '49 si vedano i suoi *Ricordi sulla commissione governativa toscana del 1849*, Firenze, tip. Galileiana, 1853.

non volere che folla si facesse. Il popolo, la mattina, trovando gli alberi belli e messi giù, e mancatagli l'occasione del chiasso e del convergere a un dato punto, se ne sarebbe stato senz'altro rumore; poi, fermate le palle, c'era sempre tempo di rifarsi col municipio, incolpandolo d'aver tolto di mezzo quei segni di suo pieno arbitrio, e di salvar sé al cospetto dei repubblicanti. Francesco Domenico che non ha mai saputo un ette di furberie in grande, è dottore perfetto in queste furbacchiolate da procuratore: ma chi troppo s'assottiglia si scavezza, e la vera asinaggine del furbo di mestiere è quella di credere gli altri minchioni.

Il dì 12, la mattina di buon'ora cominciò a farsi gente gridando viva a Leopoldo II, e scagliando imprecazioni al Guerrazzi: quanti alberi trovò tanti ne pose a giacere. I gruppi che si formavano qua e là correvano poi a metter foce nella piazza della Signoria, e la folla, le grida e il trambusto ingrossarono spaventosamente di momento in momento; ed era lì veramente il buono del gioco. Apparve un 400 uomini di Guardia municipale, i quali come dissi erano stati chiamati in Firenze a precipizio, e quella vista improvvisa e lo schierarsi sulla piazza con piglio minaccevole invece di sopire il fuoco lo fe' divampare in incendio. La moltitudine, dopo avere titubato un istante dirimpetto agli schioppi, si fece innanzi più grossa e più fitta, gridando ferma e severa: — Che intendete di fare? Di tirare sul popolo? — Ebbero a rispondere:... — Al piede l'arme —, gridò il popolo inanimito, e bisognò obbedire e star lì confusa in quella umiliante attitudine. Vide venirsi sopra la gente e ste ferma: indi rispose: — Noi siamo cittadini come voi; e se ci vedete qui, è perché ce lo hanno comandato. — Il Guerrazzi e altri di su dalle finestre accennavano ai capi, mandavano viglietti e ambasciate, ma i capi, quand'anche avessero avuto animo di far sangue, non erano sicuri di tutta la gente loro e temevano che la moltitudine gli divorasse. Videro segare l'albero al piede, videro trarre di Palazzo e rimettere sul portone le armi granducali, udirono le più orribili contumelie al Guerrazzi, ai ministri, al prefetto e a quanti avevano le mani in quella pasta e stettero lì fermi senza dare altro segno che di vergogna e di smarrimento. Alla fine intimarono loro di sgombrare e convenne andarsene a orecchi bassi, accompagnati da una salva di fischi.

In quel frangente, il municipio alzò il capo e spedì due dei priori a sentire l'animo del dittatore il quale si mostrò ostinato e minaccioso. Dicono che nella notte avesse ondeggiato in tre pensieri come colui che non aveva partito preso, o di antivenire gli eventi e proclamare risolutamente egli stesso la costituzione del '48, o di sottrarsi colla fuga al pericolo, o di resistere al turbine, di concerto coll'Assemblea, e con quelle forze che potrebbe accozzare. A quest'ultimo si tenne, ma l'Assemblea discordava in sé, la municipale fece mala prova, le frotte livornesi erano troppo lontane per giungere in tempo; l'artiglieria, chiamata in piazza, non volle obbedire. Il Pigli, il Cipriani, il Ciampi e gli altri arcimatti rinfacciavano al Guerrazzi la doppiezza e la dappocaggine e anche lì, su quel filo di rasoio, volevano precipitarsi alle cose estreme; il presidente Taddei puttaneggiava: un po' voleva fare alto là e imprigionare il municipio; un po' voleva che l'Assemblea s'unisse al municipio per assumere la cosa pubblica; il deputato Venturucci e altri più savi e più onesti non volendo essere ringraziati gridavano che bisognava cedere al torrente e ritrarsi.

Il popolo avvertito che i deputati macchinavano di resistere, staccatosi a furia di piazza, fece impeto alle porte dell'Assemblea e urlò che si disciogliesse subito. A quella nuova tempesta, coloro che progettavano d'accomodarsi scesero giù tra la gente a dispetto del Taddei che lo vietava; i più ostinati, passarono in Palazzo vecchio e là deliberavano a porte chiuse.

Il municipio mandando e rimandando e non venendo a capo di nulla né col Guerrazzi né coi deputati, spinto dal popolo che infuriava e da taluni che lo sospingevano a troncare quella lungaggine con un atto risoluto, lasciate le pratiche con Palazzo vecchio, mandò fuori il manifesto seguente.[1] Poi, per acquistar forza e autorità, aggregò a sé dei cittadini più riputati, Gino Capponi, Bettino Ricasoli, Cesare Capoquadri,[2] Carlo Torrigiani, e Serristori e gli invitò per lettera di portarsi subito alla Comune.

---

1. Manca nel manoscritto. 2. Cesare Capoquadri (1790-1871), ministro di grazia e giustizia prima del rivolgimento, era stato uno dei più famosi avvocati di Firenze. Nel 1833 il Giusti si era iscritto nel suo studio per farvi la pratica consueta.

XV

*Gino Capponi in Palazzo vecchio.*

Io, alloggiato dal Capponi là dietro l'Annunziata in via S. Sebastiano, me ne stava in casa a leggere tranquillamente senza sapere il vero nulla delle cose che accadevano già nel cuore di Firenze; quando sento a un tratto dare a festa nelle campane del Duomo e rispondere di subito tutti i campanili e tutte le torri della città. Che è che non è, viene un servitore affannato e mi dice il fatto in confuso. Corro da Gino e non ne sapeva di più. Mi risolvo a uscir fuori per vedere da me, e dopo venti passi inciampo il prefetto che mi dice di recarsi a casa Capponi e mi prega d'accompagnarlo. — Che è stato? — gli domandai. Ed egli interrottamente, e come se toccasse un ferro arroventito: — È stato — mi disse — che hanno abbattuti gli alberi e rimesso su le armi del Granduca; la Guardia municipale s'è mostrata un po' viva e ha fatto peggio; il Guerrazzi ha commesso uno sbaglio: il popolo in questo momento non andava preso di punta. Ogni malattia vuol fare il suo corso; quando è in via di peggioramento, non c'è né medicina né precauzione che valga a fermarla, anzi il più delle volte la cura la irrita, e peggio che peggio, se per fretta di guarire passi da una cura a un'altra. Già da quattro o sei giorni ha persa la tramontana, non è più lui. — Parliamoci schietti, — ripresi — ma che c'è stato qualcosa di serio? — No, ma sai, il popolo è popolo, e da un'ora all'altra . . . — Giungemmo su e passammo da Gino, e lì il prefetto disse presso a poco lo stesso, e in un caso consigliò il Capponi a farsi avanti, mettersi a capo dello stato e vedere di venire a una conciliazione. La conciliazione voleva dire serbare i posti a chi gli aveva e tutti insieme richiamare il Granduca; sapeva di certo che il Capponi era chiamato al governo, voleva in lui un appoggio, e farsi onore del sole di luglio. Il Capponi, che non sapeva a che punto si stava in piazza, rispondeva come si risponde a una proposizione fatta per dir qualcosa, ed io altrettanto. Entra in fretta un servitore e dà al Capponi una lettera di premura. Era l'invito del municipio. Il Capponi a sgomentarsi e a dire: — E ora che si fa? — Noi a dirgli: — Bisogna andare —, e il pover'uomo s'infila una giubba e va. Colla lettera, essendoci giunte notizie più brusche del popolo, il prefetto chiese di rimanersi celato lì in casa, e il Capponi gliela lasciò a disposizione dicendogli che facesse come se fosse in casa sua. Rimasto solo col Guidi, mi disse d'andare dalle sue sorelle a dire dov'era e che non temessero. Andai e rassicurai le sorelle sul conto suo; tornato a lui trovai che aveva scritta una lettera al Guerrazzi, nella quale lo consigliava a fare di necessità virtù, e risparmiare al paese peggiori calamità; me la lesse, poi mi pregò a fargliela recapitare. La lettera era onesta e non ricusai, a patto però di non recargliela io stesso; tentai due persone di mia fiducia e non vollero saperne; andai allora sulla piazza di S. Firenze e fatta la caccia ai municipali che si sbrancavano, proponeva loro di recare quel foglio al Guerrazzi e non ci fu verso che volessero acconsentire. Dissi che era della somma importanza, che veniva da persona autorevole che poteva giovare sommamente al Guerrazzi e fu come dire al muro. L'ebbi a riportare al Guidi, deplorando la sorte d'un uomo, che sul punto di cadere non trovava sostegno neppure in coloro che egli aveva tratto dal fango. Chi guasta il popolo agli altri non lo accomoda per sé. Quando hai avvezzato uno a rubare in casa del vicino, fai male i conti se credi di prenderlo per servitore e che non sia ladro domestico; l'adultero che ti seduce la moglie s'aspetti di vedersi punito da lei medesima con altrettanta infedeltà. Il prefetto stupì un poco di queste repulse, ma un'anima di zanzara non poteva riscuotersene profondamente; ed io che non lo vidi piegare il capo sul collo e restare interdetto come fa l'uomo colpito da un vero inaspettato e tremendo, lo ribattezzai a ciuco per la millesima volta. S'erano trovati a galla senza saper come, e galleggiando per quattro mesi come cose vuote, e pensando di galleggiare in perpetuo, non avevano badato se l'acqua, sulla quale nuotavano, era una gora, un padule o una pozzanghera. Venne il fiume e gli portò via. La potenza di certuni è come il denaro vinto al giuoco; ti dà il modo di sfarzare per un dato tempo e poi ti lascia più povero e più disgraziato di prima; chi s'è fatto uno stato col suo sudore, come sa le vie dell'acquistare sa le vie del perdere e si tiene lontano dal voler troppo come dall'abusare dell'ottenuto. Il salire non è tutto; bisogna sapersi tenere in alto. Quand'erano in piana terra, misurarono coll'occhio bramoso quanto v'era di piazza al secondo piano di Palazzo vecchio, ma quando furono andati su, non si rammentarono mai di misurare quanto c'era dalle finestre in piazza.

Intanto i ministri, chi per un verso e chi per un altro, se l'erano svignata di Palazzo vecchio, e altrettanto avevano fatto i deputati dopo un lungo oscillare tra l'inviare al municipio ora minacce, ora proposte d'accomodamento. Il Guerrazzi era rimasto solo lassù, o che aspettasse soccorsi come taluni pensavano, o che sperasse di veder piegare il municipio a unirlo seco e sfuriare la folla di piazza. Ma il municipio ste fermo a non volere altri in compagnia, e il popolo nelle ore pomeridiane invece di scemare ingrossava. Sollecitavano taluni il municipio di lasciare le stanze della Comune e andare a prender possesso di Palazzo vecchio; il municipio titubava e per vero dire il passo era arrischiato oltremodo; ne corse o ne fu fatta correre voce tra la folla, e la folla a bandiere spiegate andò a prenderlo e lo portò in trionfo a Palazzo. Non era quella una mano di gente pagata, che a furia d'urli e di strepiti raguna intorno a sé un contorno di curiosi e compensando il numero collo schiamazzio giunge a farsi credere moltitudine agli occhi degli attoniti e degli inesperti; quello era il popolo vero il quale non lasciava la presa finattantoché non aveva ottenuto di mettersi nelle mani di chi s'era eletto a reggerlo. Quell'atto, in quella Piazza, rammentava ciò che si legge del popolo fiorentino ai tempi della sua grandezza, e quel cieco venerabile portato su tra i vortici di una moltitudine plaudente cresceva la solennità e la commozione in quanti avevano cuore e intelletto. Quei monumenti alzati dall'animo dei nostri antichi, si rifacevano a un tratto delle mille brutture che aveano dovute vedere per mesi e mesi, e dopo trecento e più anni, tornava Firenze a mostrarsi degna d'averli.

## XVI

### Il popolo contro il Guerrazzi.

Entrato il municipio in Palazzo vecchio, il Guerrazzi ci rimaneva chiuso per ostinazione o per non aver saputo vedere quanto fosse grave la cosa. Il popolo sempre affastellato sotto le finestre chiamava sulla terrazza i nuovi governanti, udiva la lettura d'un proclama e applaudiva. Dagli applausi passava alle ingiurie contro il Guerrazzi che di dentro alle persiane dei mezzanini vedeva e udiva tutto. Vi fu un momento che lo credettero fuggito e lo chiesero ad alte grida e lo volevano nelle mani a ogni patto; il Capponi si fece alla terrazza e gli racchetò alla meglio colla sua autorità, coll'assicurarli che era sempre lì, col promettere che l'avrebbero fatto custodire diligentemente; nonostante vollero vederlo per meglio assicurarsi e andò su una deputazione accozzata in piazza lì per lì, e il Capponi non potendo disdire, dopo aver tentato più modi pregò il Zannetti di condurli su che si capacitassero. Il Zannetti, salito alle stanze del Guerrazzi, lo chiamò sull'uscio ed egli venne franco più che poté, e cominciava a dire: — Non so d'aver fatto nulla al popolo fiorentino perché m'abbia . . . — ma non poté proseguire, che fu coperto dalle grida e dagli insulti; tentò più volte di riprendere la parola e fu sempre coperto dalle imprecazioni. Il Zannetti che s'era fatto promettere che non l'avrebbero né toccato né ingiuriato rammentò loro i patti, ed essi risposero: — Stia zitto lui, staremo zitti anche noi: siamo venuti per vederlo e non per sentirlo. — Allora il Zannetti lo fece tornar dentro. Uno che gli fu dato a custode mi raccontò che egli in tutte quelle ore d'agonia e d'obbrobrio, ora passeggiava, ora si faceva alle stecche delle persiane, ora accarezzava una nipote rimasta chiusa con lui e diceva ogni tanto: — Vedete che cosa è il popolo! ma sono in buone mani; m'hanno dato la loro parola, e non posso temere. — Chi mi diceva questo, conchiuse così: — A vederlo si sarebbe detto che la portava bene, ma chi avesse durato un giorno a dire paura, non ne avrebbe detta tanta, quanta n'aveva in corpo lui. — E lo credo, perché il coraggio non è il suo forte; che se paresse a taluni che egli n'abbia fatto mostra più e più volte, credano a chi era presente, che egli mostrava i denti quando sapeva di non risicare nulla.

Ora per valutare degnamente il coraggio della Commissione e perché veda ciascuno quanto la Toscana deve saperle grado d'essersi fatta avanti in un momento di tanta difficoltà è d'uopo sapere che in Firenze, tolto il favore del popolo che può voltarsi dalla mattina alla sera, e tolti sessanta veliti, non v'era forza sulla quale potesse farsi assegnamento sicuro. Di più aveva si può dire lì appiè dell'uscio cinque in seicento guardie municipali tutte creature del Guerrazzi, che intendevano male di vederlo andar giù non tanto per lui, quanto per il grasso stipendio che temevano di perdere; stavano in cagnesco e facevano temere d'un colpo di mano sopra Palazzo vecchio. Sulla Guardia nazionale potevano contare sino a un certo segno: quanto a fare atto di presenza e impedire che in una sommossa non fosse usata violenza o nella roba o nella persona, ma quanto a fare argine alla sommossa medesima non v'era da farci su assegnamento. La Guardia nazionale di Firenze è stata sempre ammirabile per prestare il servizio ordinario, ma non direi altrettanto rispetto ai disordini che hanno avuto luogo in quella città; è accorsa sempre più o meno numerosa, ma in sostanza è stata muta e immobile spettatrice di tutti i rovesci accaduti dalla caduta del Ridolfi alla caduta del Guerrazzi. E se il dì 13 aprile i guerrazziani avessero assalito Palazzo vecchio, ella avrebbe lasciato riporre in seggio Francesco Domenico, come lo aveva lasciato deporre il giorno innanzi. Non ho mai veduta un'immagine più parlante della neutralità armata. Il generale Zannetti poi, purché non si scemasse d'un'oncia il favore popolare, aveva preso il vezzo di dare un ditino a tutti, e credendo di stare a cavallo dei due partiti, era cavalcato da tutti e due. Egli nel giorno 12 passò per guerrazziano presso i costituzionali; passò per aguzzino del Guerrazzi al cospetto dei guerrazziani e così pillottato dalle due parti si trovò perso; quando poi vide scritto sui muri — abbasso il Zannetti — e gli fu indirizzata una lettera cieca, la sua pelle di delicatissimo capopopolo non resisté e si dimise come una vera donnicciola. La gloriola di stare sull'altarino, incensato da tutti, l'aveva tanto inebriato, che per un turibolo che cessò di fumargli davanti si scorrucciò colla chiesa e lasciò in tronco ortodossi e eterodossi; il Zannetti, in quell'atto, mi parve l'ipocondriaco che per uno stranuto chiama il prete e fa testamento. Di questi uomini che non sanno reggere a un colpo di vento contrario, non se ne fa mai nulla. L'uomo vero deve tracciarsi una via onesta e percorrerla fino in fondo, senza badarsi né di qua né di là; se gli fa ombra qualcosa che sventoli a destra o a sinistra si metta i paraocchi come i cavalli. Il Zannetti tra i due partiti, mi rammentava l'uomo di mezza età che aveva due amanti, una fanciulla, l'altra vecchiotta: la fanciulla gli strappava i capelli bianchi, la vecchiotta i neri, e così rimase pelato. Se è vero che la Guardia nazionale rappresenti il paese dirò liberamente che la Toscana non ha opinione ferma: o la guardia teneva dal principato costituzionale e doveva far fronte al Guerrazzi fino dall'ottobre; o era repubblicana, e non doveva lasciare che fosse restaurato lo statuto del '48. Che guardia è una guardia che non sai come pensi? Quando poi a questa guardia è dato un capo che non si vuol disgustare nessuno, che dà un colpo al cerchio e uno alla botte, sfido chicchessia a cavarne un costrutto.

Dirò cosa che parrà incredibile a chi sente tanto o quanto la propria dignità. La mattina del dì 13 il Guerrazzi sempre chiuso in Palazzo vecchio mandò a dire alla Commissione che egli sebbene accusato per ladro non aveva da mandare in piazza a fare la spesa, e che gli facessero sborsare mille lire che doveva avere dallo stato per un mese di provvisione; visto che i libri dicevano lo stesso, gliele mandarono. O fu astuzia o fu derisione, o fu pirchieria; se fu astuzia per parere di non essersi appropriato nulla, fu astuzia da bimbi; se fu derisione come dire: «disgrazia per disgrazia, è meglio che mi becchi queste mille lire», lo scherno ricade sullo schernitore; se fu pirchieria, vedasi in che mani porche era caduta la Toscana. Egli, a confessione sua, aveva 45 mila monete in tante cambiali quando salì ministro; e quand'anche non avesse avuto un soldo, doveva piuttosto cascar morto di fame, che infangarsi a chiedere in quei momenti; quand'era tempo di sollevarsi coll'altezza dell'animo dall'ignominia della sua caduta, volle avvoltolarcisi dentro più che mai. Ma chi nasce granchio, non può camminare di fronte.

Dal dì 12 a tutto il dì 15, seguitai a andare due o tre volte al giorno in casa del Guidi, ove s'era nascosto il Marmocchi, e ove capitavano fuggiaschi e alla spicciolata altri funzionari del governo caduto; portava loro le nuove di piazza e gli assicurava da parte di Gino che non avrebbero patita molestia, ma che stessero a sé, perché i loro nomi si udivano in piazza gridati ostilmente. Diceva gridati ostilmente e avrei dovuto dire gridati a vitupero e a morte, ma coi caduti si vuole usare discretezza e addolcire la sventura. M'accorsi però che io lavava la testa all'asino e che essi credevano più a chi diceva falsamente che quello era un fuoco di paglia, che a me che per il loro bene diceva che non si lusingassero. Videro tosto chi era che s'ingannava. M'accorsi inoltre che non si contentavano dei piccoli servigi che io prestava loro e che avrebbero voluto imbarcarmi più oltre che non mi permettevano i miei principii e la mia situazione: come per esempio a volermi fare indagare gli intendimenti del governo per poi riferirli a loro, perché se ne facessero pro. Veduto l'onor mio a repentaglio mi congedai da loro con queste quattro parole: — Io sono amico e ospite del Capponi, col quale mi fo uno scrupolo di non entrare nelle faccende di stato se non quanto piace a lui di parlarmene; ma siccome si fida di me, è cosa d'ogni giorno che mi dica ciò che si fa in Palazzo vecchio, ed io debbo corrispondere a questa fiducia con altrettanta segretezza; venendo qui potrebbe fuggirmi di bocca cosa che non dobbiate sapere né voi né altri, e vedete bene che mancanza sarebbe la mia quand'anche ci cadessi senza volere. Dall'altro canto chi è disgraziato è sospettoso, e non vorrei che vi potesse mai cadere nell'animo che io versassi altrove ciò che avessi potuto attingere qui in questa casa. — A queste parole mi dettero sulla voce, protestarono che mi conoscevano per galantuomo, mi dissero le più belle cose del mondo, ma io conoscendomi incapace di schermirmi da chi sa tirarmi su le calze, fui fermo a uscire del ginepraio e con mille esibizioni d'essere sempre disposto a soccorrerli per quanto stava in me solo, mi licenziai contento. Vidi che la ingollarono a stento, o non intesero o non vollero intendere: intesi io e tanto basta. L'uomo onesto davvero, sia nella prospera o sia nell'avversa fortuna, non abusa mai dell'amico; ma costoro ci volevano per puntello quand'erano in alto e quando furono caduti volevano che gli facessimo spalla per risalire. Questo è un fare troppo a confidenza, e io che per salvare uno metterei la testa nel fuoco, quando mi vedo preso così a pigione, me ne sdegno fortemente e sento il bisogno di tirarmene fuori, anche per non prorompere. Ciò m'accadde spesso, perché sono troppo facile a prestarmi . . .

### XVII

### *Gli Austriaci entrano in Toscana.*

Il dì 4 arrivò il Commissario[1] e il dì 5 sapemmo che gli Austriaci erano entrati in Toscana. Questo addolorò e indignò tutti: dico gli uomini veri e non fo conto di pochi insensati che facevano festa degli Austriaci credendo d'uscire di pena o di rientrare in ufficio. Tolte le parti, le quali non mirano ad altro che a soffiare nel fuoco, e quasiché non bastasse la comune sventura, trovano sempre una parola d'accusa da ributtarsi in faccia scambievolmente, l'universale non ruppe la mestizia e il silenzio se non per biasimare altamente il Principe e il Commissario. Il Granduca, o avesse o non avesse impegni colla diplomazia, era in obbligo di rispondere più onestamente a un paese che aveva ripristinato la costituzione del '48, sorgendo intero e spontaneo a rovesciare una fazione che s'era intrusa nel governo colla frode e colla violenza; e oltre a ciò gli

1. Il Commissario straordinario inviato dal Granduca era il Serristori.

correva debito avere un riguardo agli uomini della Commissione i quali con tanto animo e con tanto pericolo impugnarono in nome suo le redini della cosa pubblica, in un giorno nel quale i più sicuri dubitavano e tremavano. Quanto al Commissario o sapeva dei Tedeschi e doveva dirlo apertamente fino da principio; o i Tedeschi entravano all'insaputa di lui, e allora perché non protestare e rimuovere da sé ogni sospetto di connivenza? Livorno tumultuava ancora, Arezzo e Pistoia non erano quiete del tutto; qua e là per la Toscana ripullulavano tuttavia i germi della fazione, ma a chi ci aveva l'occhio e la mente erano cose da nulla e in ogni modo non dovévano essere chetate con una occupazione d'Austriaci.

Il Granduca, amato e stimato fino allora come uomo dabbene, è tagliato oggimai alla misura del Duca di Modena e del Duca di Parma, e quando facesse miracoli non laverà di questa macchia né il nome suo né quello della famiglia. Se l'aveva raggirato ingannato e tradito una mano di pazzi ambiziosi, la Toscana intera provò alla faccia del sole che non gli aveva lasciati fare se non per quel senso di stupore che impiglia l'animo alla vista d'una cosa inaspettata; e v'erano tali che in fondo non tengono dai principi e che s'erano lasciati calunniare e malmenare per tenergli in piede il trono costituzionale. — I due o tre che lo costrinsero a fuggire non v'è animo onesto che possa scusargli, ma sono stati male ricompensati i Toscani che lo sostennero. I principi, più fanno il loro mestiere e meno se n'intendono. La moltitudine ostinata a volere un capo colla corona circonda i principi di reverenza e d'amore, si fa scannare per loro, gli ricerca quando se ne sono andati, ed essi con un tratto insensato si volgono contro in odio l'amore, la reverenza in dispregio. Iddio m'ha tenuto le mani in capo consigliandomi a non servirli mai.[1]

Il moto di Firenze per il quale è caduto il Governo provvisorio non è nato da conflitto d'opinioni, come credono taluni non bene al fatto della cosa, o come disseminano altri che vorrebbero travolgerlo; il moto di Firenze è nato dall'oltraggio recato alla morale pubblica, negli insulti fatti alle donne, nella violazione delle pareti domestiche, nel rifiuto di pagare chi doveva avere. Covava lo scon-

1. La *Cronaca* finisce qui. Quello che segue è un frammento, che il Giusti scrisse su un foglio staccato, e che il Martini stimò piuttosto un tentativo di rifacimento, che una continuazione. Vi appare l'intenzione del Giusti di emendare il troppo aspro giudizio che egli aveva dato del governo del Guerrazzi.

tento da mesi e mesi, e come in tutti i rivolgimenti civili, non aspettava altro che l'occasione del prorompere: questa occasione è raro che sia offerta alle moltitudini da un sentimento, da una opinione contrariata, combattuta o depressa; l'opinione, il sentimento preparano la materia, un fatto poi, anche lontanissimo dall'opinione o dal sentimento che agita sordamente un popolo intero, è la scintilla che suscita l'incendio. L'odio alla tirannide dei Tarquini, scoppiò per il fatto di Lucrezia; quello contro i Decenviri per il fatto di Virginia; quello di Sicilia contro i Francesi, per avere un Francese oltraggiata una donna nella pubblica via; quello dei Genovesi contro i Tedeschi per le percosse date da questi a un ragazzo: e questo di Firenze contro i volontari di Livorno, per i furti e li stupri consumati in via Gora, per le provocazioni fatte qua e là ai cittadini nelle pubbliche vie, insomma per essersi dato il piglio di gente venuta e tenuta in Firenze per diritto di conquista. Sappiamo di certo che il Marmocchi ministro dell'interno, il Guidi Rontani prefetto di Firenze e altri cittadini che avevano mano alla cosa pubblica, avvertivano da più giorni il Guerrazzi di rimuovere quella gente da Firenze, di troncare sul nascere la radice dello scandalo; sapere che il paese si lagnava e mormorava forte; che le lagnanze e il mormorio doventavano già accuse contro il governo, tenuto complice o trascurato; che il bollore cresceva di giorno in giorno, d'ora in ora, e minacciava di traboccare da ogni banda. Ma il capo del governo, o che credesse la cosa lieve e passeggera, o che in lui potesse troppo la predilezione ai suoi paesani, o che il travedere sia fatale conseguenza di chi sale in alto, non solamente non volle sanare la piaga, ma la toccò in modo che s'inasprì e divenne incurabile. A queste parole conviene fermarsi, perché egli ha scontato l'errore acerbissimamente,[1] e all'uomo caduto non è onesto calpestare la persona o la fama; anzi è debito dell'uomo dabbene che non si lasci acciecare da avversione di parte, pessima delle pesti, è debito dico onorare in lui l'ingegno; onorare il volere tenace in tanta fluttuazione degli animi e dei cervelli; lodarlo d'avere impedito in questi ultimi tempi i precipitosi . . .

---

1. Quando il Giusti scriveva queste parole, al Guerrazzi, che era stato imprigionato, si intentava il famoso processo di lesa maestà. Dei fatti narrati nei capp. XIII-XVII si veda anche, in questo nostro volume, la versione che il Guerrazzi ne diede nella sua *Apologia*.

# DALL'«EPISTOLARIO»

## I[1]

### A GIACINTO COLLEGNO[2]

*Montecatini, 10 dicembre 1847.*

Mio caro Collegno,

Io era nella beata persuasione che Firenze a quest'ora rigurgitasse di fucili,[3] e anzi fui sul punto di commettertene dieci in luogo di quattro. Poiché mi dici che sono tuttavia di là da venire, aspettiamoli e continuiamo a diromperci con questi a pietra. Non ti prendere altri sopraccapi per me; ma solamente a mala pena saranno arrivati, provvedimeli a qualunque costo, purché sieno di modello e perfetti in ogni parte. Voglio poter dire d'avere avuto un fucile passato per le tue mani. La volontà è buona e ti son grato del coraggio che mi dai colle tue parole amichevoli, ma non mi prendere per un eroe venuto su a occhiate in quindici giorni. Se questo alito di vita fosse venuto a scuotere la mia prima giovinezza, invece di consolarmi adesso negli anni maturi, sento e ho sempre sentito in me stesso un certo che, che mi avrebbe portato a morire fortemente, o a fortemente operare in pro del mio caro paese. Ora, chi sa? In ogni caso, spero che Iddio non vorrà abbandonarmi. Mi gravita addosso tutta quanta l'inerzia di trent'anni consumati quasi inutilmente, parte nelle mani di certuni che ci stroppiano sotto colore di educarci, e parte in altre dugentomila stroppiature che ho portato io stesso a me medesimo, per tutto il tempo che ho vissuto a conto mio. Che se non fossero stati certi colpi, dei quali non oso parlare, che percossero me spensierato e abbandonato

---

1. [III, 54.]    2. Giacinto Collegno (1794-1856), di Torino, fu ufficiale di artiglieria nell'esercito napoleonico, poi prese parte attiva alla sollevazione piemontese del 1821, fallita la quale andò esule in Grecia e in Spagna. Si diede quindi allo studio della geologia e della botanica, e insegnò queste discipline nell'Istituto superiore di Bordeaux. Nel 1845 si domiciliò in Toscana e nel '47 vi ebbe l'incarico di organizzare le milizie del Granducato. Dopo le Cinque giornate di Milano fu ministro della guerra nel Governo provvisorio lombardo, e poi di Carlo Alberto in Piemonte.    3. In una lettera precedente il Giusti aveva pregato il Collegno di comprargli «quattro fucili a percussione di vero modello e a tutta prova per tutti i lati», i quali dovevano servire per l'addestramento della Guardia civica di Pescia.

là in una cieca fiducia di me e del mondo, e mi costrinsero a pensare a me stesso, e a farmi appoggio delle poche forze che m'erano rimaste, credi, amico mio, che non avrei potuto scrivere neppure quei pochi versacci, nei quali, a chi ben guarda apparirà sempre il peccato originale. E io lo sento, e lo sentiva anco quando la foga giovanile mi spingeva a scriverli; e sanno i miei amici più intimi a quanti battesimi avrei piegata la testa, se avessi trovato o saputo trovare i veri Precursori. Ma dal più al meno tutti eravamo nel deserto, tutti desiderosi di guida, o guide sconsiderate tutti. Ci sappiano grado però, lo dico arditamente, ci sappiano grado coloro che crescono adesso di quel pochino che abbiamo tentato di fare. Si ricordino che noi eravamo nati, nutriti, allevati, precipitati e tenuti a catena nel nulla; e se non ci avessero aiutato questo cielo, questa natura, questi aspetti di gloriose memorie che ci investono e ci martellano da ogni lato, di questo misero composto che ci fa chiamare uomini, non avremmo potuto trarre neppure un abbozzo di galantuomo. Io fremo dal fondo dell'animo quando mi porto indietro col pensiero, e mi pare d'essermi trascinato per un gran pantano d'immondizie e di non essere per anco all'asciutto. Anzi fuggo da questi duri pensieri, come da cosa che mi mozza il respiro e mi perturba di mille sgomenti anco il sentiero più largo che ci s'è aperto davanti. Perciò non invitarmi a scrivere pei fogli pubblici, almeno per ora, e lascia che abbia rimosse da me tutte le sue caligini

*La notte che passai con tanta pieta.*[1]

Anco Gino[2] m'ha spronato mille volte, e se io resisto ai vostri amorosi incitamenti, dite pure che ho grandissima cagione in me del non muovermi. È un pezzo che m'è grave, e Gino lo sa, anco questa penna troppo appuntata negli errori del mio simile, e ho quasi rossore di me dubitando che taluno, dalle frustate che ho menate d'intorno, possa argomentare in me presunzione d'essere immune dai difetti, dai vizi e dalle colpe comuni. Quante volte nell'amaro sorriso della derisione, è stata la mia stessa figura la prima che m'è balzata davanti! Ma questi fieri duelli tra noi e noi pochi li sanno, pochissimi li credono, e non debbono dirsi altro che a unò o due. Parliamo d'altro per carità.

1. Dante, *Inferno*, I, 21.  2. Gino Capponi.

Se a Torino fanno mostra d'aver preso per motto dell'impresa quel proverbio da solitari «*il primo prossimo è se stesso*» io non me ne fo meraviglia. Là si lavora sul velluto; là armi, là erario, là vigore di popoli freschi, là essere a cavaliere al nemico invece d'averlo imminente. Spero però che ci daremo una mano e che in luogo del proverbio di sopra, scriveremo tutti sulle nostre bandiere: «*una mano lava l'altra e tutte e due lavano il viso*». Ed è tempo di farlo; e che questa nostra madre comune possa mostrarsi al convito delle altre sorelle d'Europa, nella schietta, serena e maestosa bellezza che le ha concessa il supremo Dispensatore. Avrà da piangere tuttora, ma quando il pianto non è avvelenato dalla vergogna, il dolore fa bello e fortifica.

Diciamo che un vento spazzi la nostra generazione; ebbene, spazzerà un ingombro e sarà uno di quei venti fecondi, che rasciugano il soverchio umidore del terreno. Sto per dire che non vedo l'ora di dar luogo a chi verrà dopo di noi, perché ho viva certezza che faranno le cose meglio.

Tra una ventina di giorni ci rivedremo; intanto continuerò a domarmi allegramente queste dita di ragnolo, alla dura tela degli esercizi soldateschi. Mille saluti a tutti, tanto in casa che fuori.

*P. S.* Che dici del nostro signor L ... ?[1] Anco qui l'Italia, ripigliando il suo latino dirimpetto a un italiano infrancesato, ha motivo di gridare:

*Heu! patior telis vulnera facta meis!*[2]

Sappi tra le altre, che costui da bambino, di Guglielmo che era, fu chiamato Bruto da quell'armeggione di suo padre, per quel non so che di arcadico che annacquava la repubblicaneria di certuni in quei tempi, come annacqua in parte il liberalismo dei nostri. Ora vedi quanto corre dai Bruti pagani, ai Bruti ribattezzati paganamente. Quelli furono scacciatori o sterminatori di despoti, e uno si finse pazzo a ciò; questi la fanno da demente, per puntellare una

---

1. *L* ...: Guglielmo Libri, il quale in sostegno di Luigi Filippo e del Guizot «scrisse intorno a' casi italiani di quell'anno articoli nei *Débats*, zeppi di giudizi errati, di consigli inopportuni, di censure immeritate» (Martini). 2. «Patisco le ferite che mi son fatte con le mie stesse armi» (Ovidio, *Heroides*, II, 48).

dinastia e un ministero. Luigi Filippo e Guizot hanno fatto alla
Francia ciò che certe mamme intriganti fanno delle figliole, me-
nandole strasciconi qua e là e disperdendone l'onestà a minuto, con-
tente di poter vantare d'averle serbate vergini di fibra. In Svizzera
oramai arrivano a cose fatte. Signori, non v'incomodate: è finita
la festa e corso il palio. Coraggio, amico! Il dito d'Iddio è dalla
nostra.

II[1]

A . . .

[1847]

Caro Amico,

«Al buon tempo ognun sa ire», dice un proverbio, e anch'io credo
che oggi si potrebbe giungere a mutare uno Stato con poco strepito
e forse senza sangue; ma intendiamoci, uno Stato sul quale fosse
corsa la granata del despota e quella della licenza popolare, non
già uno Stato che escisse allora caldo caldo di sotto il potere assoluto. Vedo l'Inghilterra: in quel paese ogni poco accadono grandissimi mutamenti, che non portano seco se non un rumore di
tribune più o meno lungo. Cromwell polì il terreno per tutti e
adesso ci si può arare coll'asino e col bue. Ma vedi la Spagna. I
suoi moti non sono stati senza tumulto; e forse le vittime non sono
ancora immolate tutte, perché in essa le male piante seminate da
Ferdinando e da Isabella, coltivate da Filippo secondo e dai Re-
verendi Padri dell'Inquisizione tolgono tuttavia il campo ai fiori
della libertà. E nota bene: che il popolo spagnolo è a mille miglia
al di sopra del nostro per questo solo fatto d'aver resistito a Napoleone, riprendendo in quella guerra il sentimento nazionale. E non
voglio badare a chi le dette allora la spinta, perché io ho questo
nell'anima: che una nazione spezzata nelle sue membra, purché
si riunisca una volta in un sol corpo, sia la parola di Gracco o la
predica d'un frate che operi questo prodigio, io ne ringrazio
Iddio; perché dall'unione è noto ai muricciòli che nasce la forza,
dalla forza la fiducia di sé, e dalla fiducia di sé la voglia di fare a
modo proprio. Ora io non dispero tanto dell'uomo, che lasciato
libero di regolare le cose sue, non tenda a regolarle bene. E quando

1. [III, 81].

dico regolarle bene, non intendo che tutto debba andare *de plano* come sognano questi filosofacci, quasi che ordinare un popolo sia come assestare i mobili d'una stanza o i fogliacci di un tavolino. Costoro, fino a che si tratta di sbraitare, oh! sono il *non plus ultra* del bravo: se venisse il tempo di fare, non leverebbero un ragnolo da un buco. Buoni appena a metter su un casotto di burattini abbaiono contro i giganti, che combattendo la suprema necessità delle cose rimasero schiacciati sotto i monti che le alzarono contro; ma di quelle che voi ora chiamate rovine, la terra è risorta, mutata; e se in meglio o in peggio ve lo dicano i beni divisi in più mani, le popolazioni cresciute ecc. Se non fosse stata la rivoluzione di Francia, noi a quest'ora invece di scriverci lettere di questo conio, affaticheremmo la posta con un carteggio accademico tenuto per fondare una nuova colonia dell'Arcadia. E al nome di Robespierre vi fate il segno della croce, e piangete il servitorame di Luigi XVI come se divelto dal mondo si fosse lasciato dietro il deserto e il vacuo! Insensati, voi mordete le mammelle alla balia. Contate le morti mandate in nome del popolo e dimenticate quelle mandate in nome di Dio, o per dir meglio in nome di quell'*Io* e di quel *Mio*, che nei Motupropri scappa fuori sotto maschera del *Noi* e del *Nostro*. Voi nelle vostre leggi perdonate all'uomo d'uccidere il nemico quando si tratti di salvarsi la vita; vedete che i re non hanno mai fatto a miccino[1] delle vostre teste quando s'è trattato di tenere le chiappe sul trono, e poi vorreste che il popolo, quando s'è sfidato all'ultimo sangue coi suoi oppressori, ripiegasse la spada e perdonasse.

---

1. *non ... a miccino*: non sono mai stati avari.

III[1]

AI DIRETTORI DELLA «RIVISTA»

*Montecatini, novembre 1848.*

Amici miei,

Voi m'avete voluto a ogni costo collaboratore alla «Rivista», e ora vi lamentate perché io non trovo la via di scrivervi un rigo. Io già vi dissi così alto alto, che avea poco tempo, poca salute, poca voglia e pochissima attitudine a fare il giornalista; e siccome voi mostrate di non credermi niente, io passando sopra al tempo, alla salute e alla voglia, vi dirò per filo e per segno come va che sono incapacissimo a codesto lavoro. Io ne sono incapacissimo come scrittore e come uomo politico. Come scrittore, avendo oramai fatto l'osso a pensare e ripensare le cose prima di scriverle, e dopo scritte a ritornarci su dieci mila volte prima di darle fuori, come volete che ora mi ponga a un tratto a impastare, infornare e mettere in tavola? Oltre a questo, la testa m'è andata sempre a dirizzoni e a sfuriate: oggi il dirizzone di leggere senza potere scrivere un ette; dimani, quello di scrivere, e addio la lettura; domani l'altro né libri, né versi, e ciò, a volte, per la bellezza di tre o quattro mesi. Con questo sistema nella testa, impegnatevi se avete cuore a buttar giù una tirata giorno per giorno, o anco settimana per settimana!

Ma come uomo politico, la cosa va anche peggio. Se voleste darvi il pensiero di rileggere quel mio libro di versi, voi, arrivati in fondo, non sapreste dire di che colore io mi sia veramente, ma direste: «costui è nato per dare un colpo al cerchio e uno alla botte». Ed è così per l'appunto; e difatto non mi dà l'animo di poter vivere a lungo con coloro che martellano solamente il cerchio né con coloro che martellano solamente la botte. I Palleschi mi credono Arrabbiato; gli Arrabbiati, Pallesco;[2] ed io che vedo, o credo di vedere magagne di qua e magagne di là, e ho la poca ambizione di dirlo, mi fo avere in tasca da tutte e due le parti. E adesso per esser tenuti uomini, bisogna, o torto o ragione, dar sempre ragione a uno e torto a un altro; bisogna, come dicono i camaleonti, avere

1. [III, 219].  2. Al tempo del Savonarola si chiamarono Palleschi i partigiani dei Medici e Arrabbiati i fautori dell'oligarchia repubblicana del Popolo grasso.

un colore solo, e quand'anco questo colore il tempo ce lo scrostasse d'addosso, tenercelo con una mano di vernice. Di più: io vado soggetto a montare in collera, a gridare, a pungere fieramente; e poi, voltati in là, non è altro. E sì, che per esser tenuti uomini fermi, veggo che bisogna petrificarsi nelle passioni, specialmente nell'odio che è la passione più feconda di tutte. Che volete che mi petrifichi, io, che non ho mai odiato nessuno, nemmeno quelli che non pensavano come me? ne volete di peggio per un giornalista? Io sono un liberale curiosissimo: un liberale, figuratevi, che lascia a tutti libertà di parola, un liberale che non vuol essere né ministro, né capo-popolo; un liberale che non può patire le millanterie, i ciarlatani, i vagabondi; un liberale che non solamente non campa di sospetti, ma che sarebbe l'uomo il più disperato se avesse a sospettare di tutto e di tutti, come si compiacciono di fare parecchi de' suoi fratelli. Poi, vedete stranezza! Io gridava quando gli altri tacevano; ora che tutti gridano, sto zitto, e notate bene che non ho avuti impieghi. Ma giacché ci siamo, vo' dirvene anco un'altra. Assuefatto a dirle chiare sempre al più forte, io credo che ora per poter dire di continuare a esser liberi davvero, bisogna dirle più ai popoli che ai governi. Bel coraggio, adesso, dirle ai governi! Ora i governi sono come tanti Re Travicelli: ogni ranocchio ci canta su. Per me adulare i galloni o adulare i cenci, è la stessa minestra, e la mangi chi vuole. Chi dice *canaglia di poveri*, e chi dice *canaglia di ricchi*, credo che bestemmi egualmente davanti a Dio e davanti agli uomini.

Le parole che sono per dire non le dico coll'animo di pormi al di sopra di tutti i partiti, quasiché io solo, nel gran pettegolezzo che fanno tra loro, volessi acquistarmi merito d'uomo che non si lascia toccare da queste miserie. Pur troppo partecipo anch'io ai vizi del mio tempo, e so io solo quante volte ho riso di me stesso, nell'atto di porre in ridicolo le debolezze e gli errori che mi si paravano davanti. Dico il mio parere come attore e come spettatore: come attore non cerco gli applausi e non m'impermalisco delle fischiate; come spettatore ho diritto anch'io come gli altri e di fischiare e d'applaudire. Fermato questo, intendo che ognuno rimanga libero nella sua opinione, e non sono della risma di certi miei conoscenti i quali amano tanto la libertà che la vogliono tutta per sé.

Per me è bestemmia tanto il dire *canaglia di poveri*, quanto il dire *canaglia di ricchi*. Quando c'è di mezzo il galantuomo, pecca d'intolleranza il costituzionale che chiama ladro il repubblicano, e il repubblicano che chiama ladro il costituzionale. La calunnia è sempre calunnia, o inalberi il giallo e il nero, o inalberi il rosso, o inalberi il tricolore. Le ingiurie sono ingiurie a Pietroburgo come agli Stati Uniti, e le maschere sono maschere di carnevale come di quaresima.

Il prete o il frate che predica dal pulpito San Radetzky, è un briccone; il capo-popolo che predica in piazza San Cabet, è un altro briccone.

Chi combatte la guerra d'Italia per il pro d'una dinastia, è un gabbamondo; chi la combatte per doventar presidente della repubblica una e indivisibile, è un gabbamondo anche lui.

Chi inganna il popolo, abbia in capo la corona o ci abbia il berretto frigio, è un furfante; chi lo spinge al macello standosene in casa, sia re o demagogo, è un codardo crudele.

Lo Stato che ruba al popolo, è ladro; il popolo che ruba allo Stato, è ladro; e chi ruba a un tempo stesso allo Stato e al popolo, anderebbe ghigliottinato per la testa e per i piedi.

Uno che tornasse a bruciare gli eretici, o a dare i tratti di corda, o a fondare il trono sopra una base di birri sarebbe un tristo e un retrogrado; e sarebbe altrettanto tristo e retrogrado uno che tornasse all'*Enciclopedia*, o a farsi portare in trionfo da un'orda di sanculotti. Un principe che citasse Cesare o Alessandro sarebbe un pedante; e farebbe ridere un succhiasigari, chi citasse Muzio Scevola mettendosi i guanti canarini.

IV[1]

A LORENZO MARINI · PESCIA

*Firenze, 8 aprile 1849.*

Mio caro Lorenzo,

Le cose nostre son precipitate daccapo, e molto più in basso che nel luglio del 1848.[2] La nazione non è morta, e non è morto il pensiero che l'agitò e la mosse a tentare il suo riscatto; anzi questo pensiero ricacciato addentro nell'animo e tenuto lì fisso e vivo dalle sventure si purificherà, si affinerà, scoppierà fuori quando che sia, più forte, più universale, più irresistibile. Tu sai che io non sono

1. [III, 292]. 2. Nel luglio 1848 fu combattuta e persa la battaglia di Custoza; questa lettera fu scritta poco dopo il rovescio di Novara (23 marzo).

corso mai a sperare ciecamente, ma sai altresì che io non ho disperato mai, neppure negli anni di sonno apparente corsi dal '31 al '47. I popoli come gl'individui nel passare da un'età ad un'altra sono presi talora da una specie d'atonìa e di stupefazione, la quale gli fa credere più fiacchi che mai, nel tempo appunto che sono lì lì per risorgere a nuova vita e a nuova salute. È immagine di ciò la gravidanza della donna piena di languori e di nausee, e se guardi uno che sia compreso da un alto pensiero, ti renderà figura di statua, anziché di uomo che parli e si muova. Viceversa, un popolo percosso da una sciagura, dopo i primi dolori, i primi sgomenti, torna a guardarsi d'intorno, rientra in se stesso, riconosce gli errori e le colpe che ve lo strascinarono, e fatto senno e ripreso animo, si apparecchia più accorto e più sicuro a rifarsi del danno, e riprendere il grado che gli spetta. Pensa quanto giovino le malattie a guarirti dalle spensieratezze e dalle intemperanze della prima gioventù, e pensa come l'aver fatto male le proprie faccende, e l'essere stati ingannati, spogliati e derubati c'insegni a tener più conto della roba, e a guardarla e a difenderla dall'unghie degli altri.

Due cose ci hanno nociuto principalmente: la poca e la soverchia fede in noi stessi. L'una ci fece lenti e l'altra avventati. La prima alimentò e mantenne tra noi il gregge infinito degli increduli, dei titubanti, degli uomini che a forza di rinculare cascarono all'indietro; la seconda scatenò la furia matta e scomposta dei presuntuosi, degli armeggioni, dei guastamestieri, i quali senza prima accertare il corso s'ingolfano in un mare burrascoso e incognito, senza scandaglio e senza astrolabio.[1] — Fate troppo — gridavano gli uni standosene colle mani in mano. — Fate poco — urlavano gli altri, e raspavano per raspare. E noi tra il fate poco e il fate troppo non abbiamo saputo far nulla, e siamo riusciti a far peggio. Un'altra volta, se vorremo farci pro degli spropositi fatti, ci contenteremo di fare il possibile, e terremo a mente che il mondo è dei solleciti, e che il meglio è nemico del bene.

L'esercito piemontese è stato guastato da due opposte fazioni. Dalla fazione che voleva tornare indietro, e che dava di pazzo a Carlo Alberto perché perseverava nel proposito di riattaccare la guerra; dalla fazione dei demagoghi che diceva ai soldati di non battersi per un re e con un re; che sognava e faceva sognare l'in-

---

1. *astrolabio*: strumento astronomico per misurare l'altezza delle stelle.

surrezione universale, la guerra dei popoli, e altre fantasie di questa fatta. Che ci è accaduto ? Ci è accaduto che la guerra è stata ripresa a malincuore, che sul campo di battaglia, di sessantamila uomini non se ne sono battuti che ventimila, e che le armi italiane sono state annullate in tre giorni. Poni che le due repubbliche, romana e toscana, non si sono fatte vive a eterna nostra vergogna; poni i tradimenti veri e i tradimenti inventati a comodo; poni Genova sottosopra e il Piemonte confuso e disordinato; poni lo stato incerto e vacillante dell'Italia centrale e la minaccia imminente di un'invasione austriaca, e lo sfacelo di tutti e di tutto, e formati un concetto per il poi, se ti riesce, e vedi a che siamo ridotti per ora. Dico per ora, perché non credo finita la cosa, e perché sono sempre lì fermo a non volermi buttare per le terre.

Qui si pencola tra la repubblica e il tornare dove eravamo. Da un lato duole rinunziare alle proprie opinioni e al fatto proprio, dall'altro mettono in pensiero i Tedeschi che muovono alla volta dei nostri Appennini.[1] Il Guerrazzi col ministero e coi più dell'Assemblea e coi più del paese, o si tengono in corda, o accennano di venire a patti e fare di necessità virtù; la cricca dei circoli, gli avidi, i turbolenti, i disperati, i pochi galantuomini che s'illudono tuttavia, arrotano gli ultimi ferri per irrompere alle cose estreme e scalzano i fondamenti al Guerrazzi, come gli scalzarono al Ridolfi e al Capponi. Sul cadere di un rivolgimento civile, chi più ha paura per sé e più si getta alla disperata. I partiti più audaci sono messi in campo sempre da coloro che sanno di aver dato mano più che altri a mutare lo Stato, e che stanno in sospetto di portarne le pene i primi. Appoggiati al proverbio, che dove tutti peccano nessuno è punito, cercano di fare affogar tutti piuttosto che perir soli, scoprendosi in questa guisa amici di sé e non della patria. Ma chi ha senno e cuore, visto di non poter salvare la patria per quella via che s'era tracciata nella mente, la salva il meglio che può, col rinunziare se bisogna alle sue stesse opinioni; come fa il pilota colto dal turbine, che, per condurre la nave a salvamento, getta al mare le sue merci e le sue masserizie.

M'accorgo d'averti scritto un gran letterone, e ormai piglialo com'è. Io mi sfogo ogni tanto cogli amici che sono più indulgenti

---

1. Allora molti si illudevano che il Granduca, qualora fosse stato richiamato dal popolo, sarebbe tornato senza gli Austriaci e avrebbe mantenuto in vigore il regime costituzionale.

della folla che legge, chiacchiera e non intende o non vuole intendere. All'Assemblea non ho voglia d'andare. Mi sono stati e mi stanno addosso perché ci vada, e ho là un numero di amici ai quali mi duole di dover dare una repulsa, ma le cose contro coscienza io non le so fare. Dall'altro canto io sono nato per stare in platea, e chi mi caccia sul palco mi vuole annientato. Ho una fibra che di nulla si scuote e si scompiglia, e il tumulto dell'animo m'impiglia la mente e la parola per modo, che io, sentendo di avere da dire molto, finisco col non dir nulla. Andar là a balbettare o a fare il piolo, non mi va né punto né poco; e sebbene non abbia rancore con anima nata, ho provato il morso del lupo, e mi basta. I tempi ci hanno dato ragione; ma io, sempre fermo nella moderazione che ci è stata tanto rimproverata, mi guardo a più potere di farmene un'arme per ribattere chi ha voluto ferirci. Facciamo a mezzo del torto e della ragione, poniamo una pietra sul passato, e amici più di prima.

Salutami Lello, e fate di tutto perché il paese non sia disturbato da nessuno. O capitanata dalle corone, o capitanata dal berretto,[1] la discordia civile è il pessimo di quanti flagelli possano percuotere il popolo. Addio.

v[2]

A LORENZO MARINI · PESCIA

*Firenze, 10 aprile 1849.*

Mio caro Lorenzo,

Alla lunga lettera che ti scrissi ier l'altro, voglio aggiungerne un'altra, perché tu vegga le fila più lontane e più nascoste delle quali si tesse la trama degli ultimi casi europei.

Due mene opposte, ma egualmente attive e feroci, si agitavano in Europa da parecchi anni, quando comparve tra noi Pio nono, e quando scoppiò a Parigi la rivoluzione del febbraio; voglio dire le mene dei Carlisti,[3] o legittimisti, o retrogradi, e le mene dei repubblicani, o socialisti, o comunisti. Il focolare di queste due grandi macchinazioni era ed è tuttavia la Francia, che è destinata, se m'è lecito dirlo, a fare le veci di fegato all'Europa, di quel viscere, cioè, dal quale dipende la digestione e per conseguenza l'u-

1. *dal berretto*: dal berretto frigio della repubblica. 2. [III, 297]. 3. *Carlisti*: fautori della monarchia borbonica, di cui era stato ultimo re Carlo X.

more buono o cattivo. All'una e all'altra setta era durissimo intoppo il governo di Luigi-Filippo il quale, facendosi forte della classe commerciale e industriale, tagliava del pari le gambe ai gallonati della vecchia Corte, come quelli che seguivano un principio prudente e caduto in discredito per il lasso di cinquant'anni continui; cioè a dire un principio che mirava in sostanza a farti rinculare la società progrediente. Costoro, dico, contenti di armeggiare in segreto a guisa di congiurati, non ardivano mostrarsi alla faccia del sole, e aspettavano che aprissero loro il varco le fazioni opposte, alle quali, pure avversandole, davano ansa e favore. Rammentati circa quante volte fu detto che legittimisti e repubblicani s'intendevano tra loro; ed era vero, e ciò avverrà sempre tra due fazioni egualmente oppresse e frementi, le quali si accozzano un momento, tanto per riunire le forze ed abbattere l'ostacolo comune, riserbandosi poi a darsi sulla testa tra loro a mala pena l'abbiano tolto di mezzo. Toccò dunque ai comunisti a dare a Luigi-Filippo la battaglia mortale alla quale, se non presero parte, assisterono giubbilando i Carlisti. Sapevano questi che il comunismo, come quello che distrugge perfino la famiglia, non avendo base, anzi trovando repugnanze irresistibili nelle viscere dell'uomo civile, avrebbe tutto al più galleggiato un momento, e poi sarebbe caduto aborrito e deriso lasciando il campo sterile e sconvolto, e facendo risorgere più vivo che mai il desiderio dell'ordine e della prosperità. Ora, siccome nella natura umana vi è sempre un che di eccessivo, non è cosa rara che la paura e il danno recato dal troppo nuovo, ritorca la gente a indietreggiare nel troppo vecchio. E di fatto i Carlisti, vista la mala prova degli ordini comunistici, e veduto mieterne i propugnatori dal cannone del giugno,[1] rizzarono la cresta e si buttarono a tutt'uomo nella faccenda del riprendere il di sopra. Videro la repubblica non avere i più dalla sua; videro i partiti sospendere e rimettere la guerra sanguinosa e apparecchiarsi a quella dei voti; videro Cavaignac repubblicano vero e schiacciatore del comunismo, essere del pari avversato dai rossi e dai costituzionali; videro che saltar fuori a un tratto con Enrico V[2] non sarebbe stato né prudente né agevole; e tanto per dare un

---

1. Nelle giornate dal 23 al 26 giugno 1848 il generale Cavaignac represse sanguinosamente l'insurrezione proletaria di Parigi. Il Cavaignac si portò poi candidato alla presidenza della Repubblica. 2. *Enrico V*: era il nipote di Carlo X.

primo colpo agli ordini nuovi, s'unirono cogli avversari di Cavaignac a eleggere Luigi Napoleone, e dissero: la Francia è monarchica per natura; la repubblica non è altro che un veicolo per passare da una monarchia a un'altra; la monarchia borghese di Luigi-Filippo è andata; la monarchia delle battaglie incarnata nei Napoleonidi male può riannestarsi in un tempo nel quale si vuole la pace a ogni costo; dunque ecco tornata la vicenda del primo ramo dei Borboni, o se non altro l'occasione di venire a un accomodamento sulla testa del Conte di Parigi.[1] Ciò quanto alla Francia; quanto al rimanente dell'Europa, o per dir meglio di quella parte dell'Europa che ha patito agitazione da un anno in qua, è accaduto lo stesso né più né meno. La data intesa dei repubblicani rossi sollevò Vienna, Berlino e buona parte della Germania; sollevò di rimbalzo Milano, s'ingerì per tutta l'Italia nel moto grande, spontaneo, schietto, universale, impresso nel nostro paese dalla parola di Pio nono, acconsentito dai principi della Penisola; e tanto fece, che questo moto del quale tutti ci ripromettemmo salute, si ruppe, si scompose, deviò dal sentiero, e ci trasse nel precipizio. Ed ecco a mala pena crollate le cose nostre, a mala pena noto lo sconforto e il dubbio tra noi, ecco, dico, il partito monarchico a far gente per tutto, e ove la fazione opposta raggranellava i troppo matti, egli raggranellare i troppo savi, e sulle rovine procacciate da quella tentare i fondamenti delle sue sognate restaurazioni. Come il partito degli uomini ardenti servì senza addarsene (dico per la massima parte) alle mire dei comunisti, così il partito dei tepidi serve ora quasi alla cieca ai fini dei Carlisti, che adesso hanno le mani per tutto. Ne vuoi le prove? Tra il febbraio e il marzo del 1848, tempo di progresso, girava gente tra noi (gente intesa coi rivoluzionari di Parigi) a screditare il governo rappresentativo; a dire che esso non è altro che un fermo dato all'entusiasmo dei popoli; che libertà e principato non possono accordarsi tra loro; che i principi avrebbero ritolto con frode ciò che avevano dato per necessità, e così via discorrendo; tantoché fino dal nascere, ci avvelenarono il germe delle libertà riottenute, e suscitando la bramosia del meglio, ci fecero noncuranti del bene. Dall'altro canto, accaduti i rovesci dell'esercito piemontese nel luglio del 1848, scatenati più che mai qui e per tutta l'Italia i mazziniani, buttati giù i ministri, le as-

1. Il Conte di Parigi era il nipote del re Luigi Filippo, il quale aveva abdicato in favore di lui.

semblee, i nomi tutti che davano ombra o recavano impedimento, il grosso delle popolazioni, che non prende parte ai subbugli e non gli vuole, ed i principi che erano stati pronti a dare, cominciarono a entrare in sospetto e a temere di peggio. A questo punto scappa fuori il partito carlista, o legittimista, o retrogrado che è tutta una minestra, e per la breccia aperta dalla fazione opposta s'insinua a fomentare le paure dei principi e dei popoli; induce Pio nono a dare un passo indietro; induce il Granduca a fuggire, e là a Gaeta circonviene l'uno e l'altro chi sa come e con qual risultato. Quanto al Papa ne so poco, ma quanto al Granduca posso dirti, che fino dal decembre o dal gennaio passato, si introdusse in Corte un certo San Marco[1] uomo stato del seguito della Duchessa di Berry, destro, astuto, inframmittente, legato di stretta amicizia con altri di quel partito, e che anni addietro avendo tentato di farsi strada ai Pitti,[2] non c'era riuscito. Costui seguitò la Corte a Siena, costui sta colla Corte a Gaeta. Insomma, tornando a stringere in breve ciò che ho detto distesamente, i Carlisti lasciarono che i comunisti stancassero la società coi tumulti, colle minacce, col sangue, e ora che la vedono stanca la tirano a desiderare i riposi dello *statu quo*. Secondo me, hanno fatto male i conti e gli uni e gli altri. Nelle viscere dell'umanità s'agita un bisogno sentito da tutti, inteso da nessuno; un bisogno imperioso del quale tutti, per diversa via, cerchiamo la parola che lo manifesti, parola che non è stata trovata fin qui, e che un giorno o l'altro scapperà fuori da per sé. Intanto guardiamoci dal prendere questa parola da altre nazioni costituite tanto diversamente dalla nostra, e guardiamoci soprattutto, colle nostre pazzie, di non servire alle mire occulte di gente che lavora sott'acqua e si ride di noi.

1. «Non San Marco, Prevôt de Saint Marc; andato con lettere della Duchessa di Berry a Gaeta. Il Granduca se ne servì per domandare al Radetzky l'aiuto delle milizie austriache e per altre segrete missioni» (Martini). La Duchessa di Berry era la madre di Enrico V.   2. Il palazzo Pitti era la residenza del Granduca.

## VI[1]

### AL MARCHESE GINO CAPPONI

*Pescia, 19 giugno 1849.*

Mio caro Gino,

Delle cose nostre non si può parlare senza vergogna e senza dolore,[2] e io rinfresco di continuo l'una e l'altro, scarabocchiando quel dato scartafaccio.[3] A momenti ci fo la testa e mi sento forzato a sospendere; a momenti vorrei potere scrivere a caratteri di fuoco. Ti posso dire che ogni tanto m'assale un senso di mestizia amaro e profondo, che non aveva provato da anni e anni. Somiglia a quello che sorprende l'anima nella prima gioventù, quando la forbice crudele del dubbio e del disinganno ti recide a un tratto il filo della fede e della speranza. Allora, ti rincresce quasi d'essere obbligato a vivere dell'altro, e il bene stesso non ti sa più di quella piena dolcezza che ti sapeva sul primo affacciarti alla vita. E poi che avvenire è questo che si prepara a tutti noi? Io dal vedere in bene ogni cosa, sento di non potermi precipitare a disperare di tutto; ma sarebbe stoltezza e peggio il non istare sospeso e confuso. Intanto non puoi credere in che falsa opinione sono stati accalappiati tutti coloro che non hanno veduto da sé l'andamento delle cose nostre. La stampa, le chiacchiere, le mene di tutti i partiti hanno arruffata la testa all'universale: uno, dopo essersi rotta la testa correndo per l'innanzi a capo fitto, torna a rompersela daccapo cascando all'indietro; un altro si picca nel proprio errore per non sapere intendere l'alto conforto di darsi dell'asino; i più si giulebbano nel pensiero storto d'essersi saputi salvare, e pagano tutti gridando: — l'avevo detto —. Sarebbe il tempo di rimpiattarsi, ma io non posso fare a meno degli uomini, e non la credo una disgrazia neppure in questi momenti.

---

1. [III, 328].   2. «Ho per fermo che potremo mantenere le nostre franchigie costituzionali; che i Tedeschi non varcheranno gli antichi confini della Toscana; che potremo allargare il cerchio delle nostre libere istituzioni»; così scriveva il Giusti ad Aleardo Aleardi il 21 aprile 1849! Ora questa bella convinzione era miseramente crollata.   3. *scartafaccio*: quello della *Cronaca*, che fu scritta infatti coi sentimenti che il Giusti esprime in questa lettera.

FRANCESCO DOMENICO GUERRAZZI

# PROFILO BIOGRAFICO

Francesco Domenico Guerrazzi nacque a Livorno il 12 agosto 1804. Studiò prima con un prete e poi nella locale scuola dei Barnabiti. Ma il suo primo vero maestro fu il padre, di cui egli ricordò poi la figura e i detti come quelli di un antico saggio. Era solo un modesto intagliatore in legno; ma aveva orgoglio d'artista, e lo comunicò al figlio insieme con la sua cultura disparata, in cui, com'era d'obbligo in quella generazione, campeggiava Plutarco.

A Pisa, dove egli si recò nel 1819 per studiarvi il diritto, si chiarì la sua vocazione: letteratura e politica. Nel '21, siccome nel Caffè dell'Ussero leggeva ad alta voce ai suoi compagni i resoconti parlamentari di una gazzetta napoletana, la polizia gli inflisse la perdita di un anno accademico. Nello stesso anno vide a Pisa il Byron, ne lesse avidamente le opere, e ne rimase fulminato. «Cotesta» egli scrisse poi nelle *Memorie* «era la poesia che aveva presentito ma non saputo definire, cotesto lo esercito sterminato di tutte le facoltà del cuore e della mente; lo universo intero stemperato sopra la sua tavolozza, l'antica e la moderna sapienza, Dio accanto a Satana e quegli a paragone di questo comparisce più pallido; dolori, angoscie senza nome, misteri non sospettati, abissi del cuore intentati, e lacrime e riso a pienissime mani gittati sopra coteste sue pagine immortali. Cotesta era la poesia che io aveva sognato e che adesso vedeva ridotta a realtà.» Cotesta era la poesia, aggiungeremo noi, che rimase sempre il suo invidiato modello, e che intanto egli si studiò di riversare nel suo primo romanzo, uscito nel 1828, *La battaglia di Benevento*, dove, insieme col romanticismo byroniano, egli impastò alla meglio il romanzesco di Walter Scott, l'umorismo di Sterne, il patriottismo profetico e giustiziere di Dante e di Foscolo; e ne nacque un'opera, quanto al materiale impiegatovi, forse la più tipica del nostro romanticismo. Oggi essa è illeggibile. Ma allora, quella era la scrollata che ci voleva.

L'anno innanzi egli aveva pubblicato una tragedia, *I Bianchi e i Neri*, la quale, recitata a Livorno, era stata fischiata; ma in volume ebbe altra sorte. Capitò a Genova nel gruppo del Mazzini, e malgrado le bizzarrie e i difetti d'arte vi scorsero un ingegno addolorato, potente e fremente di orgoglio italiano. Elia Benza le dedicò due articoli nell'«Indicatore genovese» (19 e 26 luglio 1828). Così entrarono in corrispondenza e in amicizia. E insieme fondarono, dopo la soppressione del giornale di Genova, l'«Indicatore livornese», che cominciò a uscire il 12 gennaio 1829. «Era» scrisse il Mazzini trent'anni dopo «la prima lotta che imprendevamo coi governucci che smembravano la povera Patria, e il senso di quella lotta ci crebbe l'ardire. Le tendenze politiche si rivelarono in quel secondo giornale nel quale scrittori più assidui eravamo Guerrazzi, Carlo Bini ed io, più esplicite e quasi senza velo ... Osammo tanto, che l'intormentito governo toscano, compìto l'anno, c'intimò di cessare.» L'ultimo numero uscì l'8 febbraio 1830. Ma intanto il Guerrazzi, che tuttavia non aderì mai al programma politico del Mazzini, aveva fatto con lui una di quelle esperienze, che lasciano il segno. Il 19 marzo di quello stesso 1830, commemorando per incarico dell'Accademia Labronica un eroe livornese, il generale napoleonico Cosimo del Fante, le sue parole parvero così infiammate, che la polizia lo confinò per sei mesi a Montepulciano. Quivi ebbe la visita del Mazzini, il quale, recatosi in Toscana per impiantarvi la Carboneria, andò a trovarlo in compagnia di Carlo Bini. «Ei» raccontò poi il Mazzini «scriveva l'*Assedio di Firenze*, e ci lesse il capitolo d'introduzione. Il sangue gli saliva alla testa mentr'ei leggeva, ed ei bagnava la fronte per ridursi in calma. Sentiva altamente di sé, e quella persecuzioncella, che avrebbe dovuto farlo sorridere, gli gonfiava l'anima d'ira.»

A Montepulciano buttò giù la *Serpicina*, che poi, rifatta, pubblicò nel 1847. Scontata la relegazione, ritornò a Livorno e naturalmente fu in contatto con gli affiliati alla Giovine Italia. Sospettato sempre dalla polizia, fu incarcerato per un mese nel 1832, e dopo i famosi processi di Torino, insieme col Bini, con Vincenzo Salvagnoli e altri fu rinchiuso nel Forte della Stella a Portoferraio (sett.-dic. 1833). Quivi scrisse le *Note autobiografiche*, che furono poi pubblicate postume (Firenze 1899), e condusse a termine l'*Assedio di Firenze*, che fu stampato a Parigi nel 1836. Quest'opera, che egli disse di avere «pensata come una sfida, scritta come si combatte una battaglia», e che perciò si presentava come l'antidoto di quei sensi di moderazione e di rassegnazione che eran propri della scuola lombarda, ebbe un successo immenso, tale da emulare quello dei *Promessi sposi*, e rimane ancor oggi il suo romanzo più sincero e più caratteristico.

Dal 1834 al 1847 il Guerrazzi visse tranquillo a Livorno, tutto dedito ai suoi lavori letterari (pubblicò allora vari racconti, il più interessante dei quali fu quello intitolato *I nuovi Tartufi*, in cui infieriva contro l'«empia setta dei moderati»), e soprattutto dedito alla professione forense, che egli esercitò con grande bravura e con molto profitto. Ma col 1847 la Toscana entrò in un periodo di agitazioni, il cui centro nevralgico pareva che fosse a Livorno, e perciò i moderati ci vedevano la mano del Guerrazzi; il quale in quell'anno stesso pubblicò un *Discorso al Principe e al popolo*, in cui chiedeva un regime costituzionale, e l'8 gennaio 1848, in seguito a un subbuglio livornese, fu di nuovo arrestato. Fu liberato il 22 marzo perché i fatti che gli erano imputati erano stati ormai sorpassati dagli avvenimenti. La costituzione era stata promulgata.

Erano al potere i moderati, i quali diffidarono di lui e lo lasciarono in disparte. Ma egli sentiva che la sua ora si avvicinava. «I moderati» scriveva egli a un amico il 10 luglio «mi fanno guerra tenendomi lontano dai negozi: a ciò li persuadono invidia, coscienza e paura. Ma io vi andrò; sento che vi andrò; e certo vi lascerò traccia non ingenerosa.» Entrato alla Camera nell'agosto, fu naturalmente il capo dell'opposizione, e il 27 ottobre, nel primo ministero democratico presieduto dal Montanelli, egli ebbe il portafogli dell'interno; ma vi fu, certo, la figura di maggior rilievo. Intanto gli avvenimenti precipitavano. L'8 febbraio '49, in seguito alla fuga del Granduca, si costituì il governo provvisorio, e cioè il triumvirato, nelle persone del Guerrazzi, del Montanelli e del Mazzoni. Il 14 fu a Firenze il Mazzini, il quale certamente faceva il Guerrazzi più rivoluzionario e più repubblicano che egli non fosse in realtà; si rividero così dopo quasi vent'anni, e il colloquio fu tempestoso, e per entrambi doloroso; ma chiarificatore. Anche dopo la partenza del Mazzini, il popolo, in continuo fermento, tumultuava senza posa, esigeva a gran voce la proclamazione della repubblica e la fusione con Roma. Il Guerrazzi si trovò allora nel momento più favorevole della sua carriera politica. La parte avanzata lo sosteneva per la sua energia democratica; i moderati non lo avversavano apertamente perché speravano in lui l'unica e l'ultima difesa contro l'ondata popolare. Il 27 marzo egli fu creato Capo del potere esecutivo, e il 3 aprile, alla notizia del rovescio di Novara, in una situazione così tesa e così difficile da parer disperata, essendosi prorogata la Camera, egli rimase Dittatore di nome e di fatto.

Ma la sua caduta fu repentina. La sera dell'11 aprile, provocata dall'insolenza di molti militi livornesi di stanza a Firenze, scoppiò una sanguinosa sommossa popolare, la quale il giorno seguente si trasformò in moto politico favorevole al ritorno del Granduca. Per questo ritorno ci fu un principio di trattative tra il Guerrazzi e la municipalità; ma questa decise improvvisamente di agire da sola e creò una Commissione di cinque membri, che col favore del popolo entrò in Palazzo Vecchio e assunse «a nome del Principe» il governo del paese. Non si sa bene perché la Commissione, che certo poteva farlo, non desse modo al Guerrazzi di uscire dalla Toscana prima dell'arrivo del Commissario granducale e degli Austriaci. Ma egli si trovò imprigionato, prima nella fortezza di Belvedere, poi a Volterra e infine a Firenze nel carcere delle Murate, e gli si intentò il famoso processo di lesa maestà.

Durante la prigionia egli non abbandonò le sue occupazioni letterarie, e si diede a scrivere un nuovo romanzo al quale pensava già da vari anni, la *Beatrice Cenci* (Pisa 1854). Del processo, che era in atto, egli poteva aver solo poche e imprecise notizie. Tuttavia, avendone l'accusa pubblicato gli atti in un grosso volume a stampa, il Guerrazzi stimò necessario contrapporgli un lavoro, che valesse a infirmare e a distruggere le imputazioni che gli movevano. Nacque così l'*Apologia*, nella quale, oltre le generali doti dello scrittore, che si palesano anche qui, gli esperti ammirano anche un documento di grandissima abilità procedurale.

L'interminabile processo si chiuse finalmente con la sentenza del 1° luglio 1853. Il Guerrazzi era condannato a quindici anni di ergastolo. La pena gli fu però commutata qualche giorno dopo in quella dell'esilio, ed ottenne di ritirarsi in Corsica. Nell'ottobre del 1856, avendogli il governo francese impedito di recarsi negli Stati Sardi, egli fuggì alla Capraia, e di là a Genova, dove dimorò fino al 1862, nel quale anno ritornò a Livorno. Le principali opere sue di questo periodo furono l'*Asino* (Torino 1857), la *Storia di un moscone* (Torino 1858), *Pasquale Paoli* (Milano 1860) e *Il buco nel muro* (Milano-Torino 1862).

Come gli era avvenuto nel '48, anche nel '59 i moderati diffidarono di lui e lo tennero in disparte. Eletto deputato nel 1860, rimase alla Camera per quattro legislature. Egli aveva lealmente aderito al programma unitario e costituzionale del Piemonte; ma avrebbe voluto che la monarchia favorisse una politica più corag-

giosa, più risoluta, più gloriosa. E fu pertanto avversario del Cavour, soprattutto per la cessione di Nizza alla Francia: questo fu
uno dei suoi più memorabili discorsi. Con quale animo egli seguisse e giudicasse la vita politica del giovane regno, si può vederlo nel romanzo Lo assedio di Roma (Livorno 1863-65) e più
esplicitamente in quell'altro romanzo, che fu pubblicato postumo,
Il secolo che muore (Roma 1885).

Negli ultimi quattro anni della sua vita abbandonò le faccende
pubbliche e visse quasi del tutto ritirato alla «Cinquantina», una
fattoria che aveva da poco acquistata, interessandosi ai lavori agri-
coli e dedicandosi più assiduamente all'educazione dei suoi nipoti.
E quivi morì, colpito da apoplessia, la sera del 23 settembre 1873.

Il Guerrazzi ebbe questo di singolare, che, affascinato dal romanticismo, col quale aveva sincere affinità, e volendo dar voce a
quanto era in esso di aspro, di grandioso, di conflagrante, esagitò e
sommosse il casalingo quietismo della cultura toscana. Ma la preparazione culturale e la sua esperienza della vita, rimaste, in fondo,
spicciole e provinciali, eran troppo al di sotto di quel gigantesco e
di quel cosmico che egli voleva esprimere. Né valse a salvarlo quel
suo, non già umorismo, ma piuttosto spirito satirico e caustico, che
lo precipitava all'altro estremo, persuadendolo, com'egli ebbe a
dire una volta, di stare a recitare una tragedia di Alfieri con il
teatro dei burattini. Tuttavia, come fu certamente sproporzionata
l'immensa fama di cui egli godette nel secolo scorso, sproporzionata
non al significato politico, ma al valore letterario delle sue opere,
altrettanto è immeritato e ingiusto l'oblio quasi totale in cui egli
è oggi caduto.

★

La prima ed unica edizione dell'Apologia della vita Politica di F. D. GUER-
RAZZI è quella pubblicata a cura di Tommaso Corsi, suo avvocato difensore,
Firenze, Felice Le Monnier, 1851. L'epistolario fu raccolto la prima volta
nei due volumi di Lettere di F. D. G. a cura di G. CARDUCCI, prima serie
1827-1853, Livorno, F. Vigo, 1880; seconda serie 1820-1859, ibid., 1882.
Seguirono le Lettere per cura di FERDINANDO MARTINI, volume primo
(1827-1853), Torino-Roma, L. Roux e C., 1891. E infine le Lettere famigliari raccolte dal nipote GIAN FRANCESCO GUERRAZZI, Milano-Roma-
Napoli, Soc. ed. Dante Alighieri, 1924, in cui, oltre a gran parte delle lettere delle precedenti raccolte, si trova anche un ricco manipolo di lettere
nuove fino al 1872.

I giudizi correnti oggi sul Guerrazzi scrittore, benché siano incerti se
preferire gli scritti umoristici, o l'Apologia, o le lettere, derivano sostanzial-

mente tutti dal «saggio critico» del DE SANCTIS sulla *Beatrice Cenci*, e dal saggio di BENEDETTO CROCE, *Gli ultimi romanzi di F. D. G.*, nel primo volume della *Letteratura della nuova Italia*, Bari 1929. Una buona antologia è quella curata da SABATINO LOPEZ, *Le più belle pagine di F. D. G.*, Milano 1927.

A illustrazione dei fatti a cui si riferisce l'*Apologia* si veda in questo volume la *Cronaca* del GIUSTI e nella bibliografia relativa gli scritti di F. MARTINI, ai quali bisogna qui aggiungere i seguenti due volumi: *Il Quarantotto in Toscana*, Firenze, Bemporad, s. a. ma 1918, e *Due dell'estrema*: *il Guerrazzi e il Brofferio*, Carteggi inediti (1851-1866), Firenze, Le Monnier, 1920. Cfr. anche l'autobiografia del MAZZINI e relativa bibliografia nel vol. 70 di questa Collezione. E inoltre: R. GUASTALLA, *La vita e le opere di F. D. G.*, Rocca S. Casciano, Cappelli, 1903; E. MICHEL, *F. D. G. e le cospirazioni politiche in Toscana*, Roma 1904; A. D'ANCONA, *La dittatura del G.*, nel «Giornale d'Italia», 4, 5 ottobre e 3 novembre 1909, e poi nel vol. *Ricordi storici del risorgimento italiano*, Firenze, Sansoni, s. a. ma 1914 (si vedano anche nel medesimo volume le pagine *Dall'archivio Montanelli*). Piuttosto enfatico e approssimativo è il vol. di F. LOPEZ CELLY, *F. D. G. nell'arte e nella vita*, Milano-Roma-Napoli 1918, il quale si raccomanda piuttosto per il capitolo che vi è dedicato al Bresciani. E comunque, anche per le più minute informazioni bibliografiche si consulti PIETRO MINIATI, *F. D. G.*, nelle Guide bibliografiche della Fondazione Leonardo, Roma 1927.

# DALLA «APOLOGIA»

## I

### [RESPONSABILITÀ DEI TUMULTI]

La mancanza delle carte necessarie non mi concede di tessere racconto più esatto dei tumulti[1] che agitarono la Toscana dal 1846 in poi; ma basterà tanto, per dire apertamente ch'è falso si manifestasse l'agitazione fra noi sul declinare del 1848 soltanto: da più lontana origine essa muove; più antichi di quello che i giudici dissimulano, sono gli attentati per rovesciare la forma governativa dello Stato; più vecchio che i giudici non fingono, il disfacimento di ogni mezzo governativo per prevenire, e per reprimere; prima assai del febbraio del 1849 il popolo aveva imparato a turbare le sedute del Consiglio generale.[2] Chi per vaghezza o per obbligo si accinge a raccontare fatti, o dopo lungo studio giunse a conoscerli, oppure non vi giunse: nel primo caso gli esponga ingenuo; nell'altro taccia verecondo. Qualunque poi o per fatuo, o per servile, o per altro più pravo consiglio opera diversamente, non compone storie, ma commette infamie: e quale seminò, tale raccoglie.

Le quali cose condurranno a confessare, che non inutile fu la mia chiamata al ministero. Me posero a lottare, non a governare; *io fui la barriera ultima intorno allo abisso*; e se i miei concittadini andranno persuasi di questo, che se io non era, deplorabili giorni avrebbe veduto la Toscana, terrò siffatta persuasione per conforto del mio indegno patire. Perché poi ne vadano meglio convinti, esporrò in quali stremi fosse ridotto il paese.

Ho riportato qui sopra le parole gravissime del ministro Ridolfi.[3] Se esaminiamo gli atti dell'autorità, i discorsi pronunziati nelle Camere legislative, e le confessioni degli stessi ministri, troveremo sempre il medesimo lamento. Nella seduta del Consiglio

---

1. L'Accusa faceva responsabile dei tumulti il Guerrazzi, il quale li avrebbe provocati per aprirsi la via al potere. Queste qui riferite sono le pagine 31-39 del capitolo VII.   2. La Toscana si era data un sistema bicamerale, con un Senato e un Consiglio Generale o Camera dei deputati.   3. Cosimo Ridolfi aveva presieduto il primo ministero costituzionale della Toscana. Per notizie su di lui cfr. in questo volume la *Cronaca* del Giusti, cap. VII, nota 2 a p. 381, e *passim*.

generale del 16 ottobre del 1848 il deputato Mazzoni[1] domanda
«se sia o no vero, che dal *settembre del decorso anno* la Toscana sia
stata senza polizia, e, a confessione dello stesso governo, senza
forza?» Odaldi deputato, risponde distinguendo l'azione della Polizia sul senso morale e sul senso politico, ma di leggieri concede,
la Toscana essere rimasta da lungo tempo priva di forze governative.

Replicando io al collegio onorandissimo dei negozianti livornesi,
che mi compartiva lode (dolce al mio cuore) «di avere ricomposto
l'ordine, e data tranquillità al paese, indispensabili per la prosperità del commercio e della industria», diceva: «il governo della
Toscana è ben lontano da possedere i mezzi governativi, che assicurando e confermando ogni maniera di onesto vivere civile com-
primano i conati delittuosi di gente che ardisce profanare il nome
di libertà per procedere poi impunemente da infame ... Ma se la
Toscana non possiede ancora mezzi permanenti e duraturi necessari a governare gagliardamente, supplisce adesso il ministero con
*operosità straordinaria, con l'autorità personale, con le aderenze d'in-
dividuo, con lo entusiasta consenso di voi, e di quanti appartengono al
popolo buono*».[2] E con parole supreme ammoniva per via telegrafica
il governatore di Livorno il 16 novembre 1848: «*energia, Governatore, energia, o fra un mese Toscana diventa un mucchio di cenere*».

Il prefetto di Firenze volgendosi al corpo dei veliti, pompieri, e
portieri, così favellava: «È vero, che i tempi e gli eventi produssero
un pregiudicevole indebolimento della forza che assicura la esecuzione della legge; ma se voi volete, potrete con la opera vostra e col
vostro zelo rilevare le forze indebolite, ed ottenere plauso dal
governo.»[3]

Ne porge eziandio splendida testimonianza il mio rapporto al
Principe per la instituzione della Guardia municipale; io confido
che i buoni, a cui mi volgo, vorranno ritornare col pensiero sopra
quel documento uscito da me, e che ebbe lode nei tempi.

Il senatore Corsini, per cagione della violenza usata contro l'ar-

---

1. Giuseppe Mazzoni (1808-1880), di Prato, era uno dei maggiori esponenti del partito repubblicano. Ministro di grazia e giustizia nel gabinetto
Montanelli, fu poi triumviro. Alla caduta del triumvirato riuscì a fuggire in
Francia. Tornò nel '59 e fu deputato di sinistra. Con gli anni la sua fede
repubblicana si affievolì, e nel 1879 fu fatto senatore.  2. «*Monitore* del 6
dicembre 1848» (Guerrazzi).  3. «*Monitore*, 8 gennaio 1849» (Guerrazzi).

civescovo di Firenze[1] interpellando il ministero intorno ai mezzi di cui il governo intendeva servirsi per impedire che i disordini si rinnovassero, tale si ebbe risposta dal ministro Mazzoni: «Il governo si propone usare la maggiore vigilanza che gli è dato adoperare; porrà in opera tutti i mezzi possibili per prevenire disordini, *ma avendo ricevuto dagli antecedenti ministri la somma del governo toscano nello stato più deplorabile, non è da aspettarsi da lui più di quello che umanamente sia abilitato a fare secondo* LE FORZE, *che vengono accumulandosegli intorno.*»

E nella stessa tornata, non dissentendo nessuno, egli aggiungeva: «*Pur troppo al governo si è fatto carico delle circostanze in cui si trova; ma, oso dirlo senza superbia, se noi non fossimo stati, più gravi - gravissimi inconvenienti avrebbero funestato la patria nostra.*»

Le parole del Mazzoni, quantunque sieno testimonianza di cose conosciute universalmente, e pronunziate davanti a Collegio dove molti dei ministri precedenti sedevano, oggi, come di uomo esule ed incolpato, non si vorrebbero attendere. Ma si oda in grazia quale ricevessero immediatamente conferma dalla bocca del senatore Capponi, poco anzi Presidente del consiglio dei ministri: «Intorno alle parole dell'onorevole ministro di grazia e giustizia, che concernono il passato ministero cui ebbi l'onore di partecipare, intorno a queste io sono fortunato di non potere altro che usare lo stesso linguaggio, che intorno alle interpellazioni ha usato l'onorevole ministro. *Le condizioni dei tempi, il pubblico stato delle cose, il movimento degli animi* produssero tali cose, che quella medesima insufficienza, che ha trovato nel reprimere ogni atto in sé biasimevole, quella stessa insufficienza fu da noi sperimentata.»

Nel programma ministeriale del 19 agosto 1848, il ministero Capponi aveva dichiarato espressamente: «correre tempi difficili abbastanza da *sgomentare i più esperti*».

Il senatore Baldasseroni in cotesta seduta dava al ministero molti solenni insegnamenti:[2] voleva che le cause del disordine investigassimo, voleva che il governo combattendo per l'ordine perisse. Se la infermità non mi avesse impedito di assistere a cotesta

---

1. *Il senatore ... Firenze.* Il 21 gennaio 1849, siccome l'arcivescovo, monsignor Ferdinando Minucci, non aveva permesso che si cantasse il *Te Deum* per la Costituente italiana che si era promulgata a Roma, la folla invase il palazzo arcivescovile e ne perquisì diverse stanze. 2. *molto solenni insegnamenti.* Per penetrare l'arguzia di questa frase paludata cfr. in questo vol. la *Cronaca* del Giusti (nota 3 a p. 384).

seduta, io gli avrei risposto: — assolutismo improvidamente antico, e libertà impetuosamente nuova, sono cagioni del male; in quanto a perire per la salvezza comune, non lo togliete di grazia per rinfacciamento, ma io mi vi sono esposto, quando mi gittai fra l'onda infuriata del popolo per salvarvi il figliuolo . . .

E, se non è grave, odasi un poco come in proposito favellassi io all'adunanza del 29 gennaio 1849: «Le parole del vostro Indirizzo in risposta al discorso della Corona accennano ai disastri e ai *tumulti passati*, e indicano speranza di repressione pei futuri. In questa maniera voi non dite del presente, e non favellando del presente venite implicitamente a dichiarare, come nulla sia stato operato adesso per riparare a questi tumulti che voi deplorate, e che *avete ben ragione di deplorare*. Ciò può sembrare al ministero un rimprovero: egli non crede averlo meritato; imperciocché, o Signori, voi rammenterete come abbiamo noi ricevuto lo Stato. Noi lo abbiamo ricevuto, perdonatemi la immagine, *come si consegna una casa incendiata in mano ai pompieri*. Voi lo avete veduto, la finanza era esanime: *in quali lacrimevoli condizioni fosse l'esercito*, voi lo sapete. Vi parlerò di quello che spetta più specialmente al mio ministero. *Qui niuno ordinamento; i vecchi istrumenti non si potevano adoperare, i nuovi sono tuttavia un desiderio. Gli ufficiali mancavano affatto di vigore; non restava che un simulacro di forza, il quale non corrispondeva alla chiamata.* O Signori, quando ebbi l'onore di essere assunto al governo dello Stato, io cercai se o poche o molte vi fossero le forze per potere governare. I passati ministri si sono allontanati dal governo, com'essi dicevano, di faccia alla pubblica disapprovazione: essi così affermarono, ed io non ho verun motivo per dubitare di questa loro asserzione: ma devo dirvi eziandio che a me parve non solo il governo abbandonasse il ministero per virtù della opinione, ma assai più perché era impossibile il governare. Io dissi a me stesso: qui lo Stato fu consegnato a noi, *come un cadavere in mano ai preti per seppellirlo e cantargli l'esequie.* Ma no, io non ho creduto mai né credo che uno Stato possa perire. Credo che, per malignità dei tempi, e per pessima amministrazione di uomini, forse uno Stato possa cadere in morte apparente, in asfissia; ma la vita resulterà, quando un uomo voglia veramente trovarla, e liberare lo Stato dalla misera condizione in cui egli è stato condotto. Privo di forze, privo di ordini governativi, privo perfino del mezzo di sapere in che cosa le piaghe dello Stato consistessero, io non trovai nessuno dei miei antecessori che m'indicasse in quali condizioni era lo Stato, e in che cosa le sue forze consistessero. Ordinai a tutti i prefetti, sotto-prefetti e gonfalonieri delle diverse comunità, che immediatamente, o nel più breve spazio di tempo possibile, mandassero rapporti intorno allo stato politico, economico e morale delle provincie e delle città che reggevano. Vennero questi rapporti, quali più presto, quali più tardi, e furono elementi già ordinati, ma non sufficienti ancora per formarmi uno esatto concetto dello stato in cui attualmente si trova il nostro paese. Tuttavolta ho ordinato e in parte effettuato questo lavoro. Egli è bene lontano dall'essere peranche perfetto, né lo sarà mai, perché tutti i giorni devono succedere casi che valgano a modificarlo, e speriamo in meglio, ma io lo lascerò sul banco del ministero dello interno come un breviario, affinché quelli che mi succederanno, con senno migliore, e con migliore fortuna forse, ma non con maggiore fede di certo, al governo dello Stato, lo abbiano sempre dinanzi agli occhi, e per regolarsi con cognizione di causa. Mentre pertanto il ministero vostro, per rendersi degno del popolo e di Voi, suoi rappresentanti, si accingeva a conseguire precisa cognizione dello stato del paese; mentr'egli si accingeva a conoscere la sua malattia per applicargli quei rimedii che reputava migliori; mentre il governo sta preparandovi le leggi, che nel senno vostro esaminerete e delibererete, per portare rimedii alle malattie che accennava; pensate, o Signori, come cadesse fra mezzo uno stato di transizione per noi deplorabile. Questo stato, che come una via di fuoco sarebbe bene che noi potessimo percorrere correndo, *non è passato* ancora, quantunque a me tardi che cessi, e il paese rimanga guarito di questa ferita di dolore. Ma, frattanto, il governo non si è trovato e non si trova *in mezzo all'enormezze di due partiti?* Io non voglio definire quale dei due sia o no progressivo. In tutti gli Stati, e specialmente in quelli ove, come nel nostro, la vita politica si è iniziata, due partiti devono agitarsi, e non è male, come ho sentito deplorare in questa Assemblea, ma invece è un bene che si agitino; perché dal cozzo dei partiti nasce quella cognizione esatta delle cose che unica giova a ben condurre lo Stato. Però, a tutti i partiti onorevoli e plausibili, purché nascano da convinzione, non mancano coloro che suscitano mille voglie, mille cupidigie tutto altro che plausibili; e i capi dei diversi partiti si trovano sovente a vergognare di quelli che fanno bandiera dei loro nomi onorati a queste intemperanze ed a queste enormezze. A cosiffatti disordini accennavano le parole della commissione nel compilare lo Indirizzo al Principe. Ora, che cosa ha fatto il ministero vostro nell'assenza di mezzi, e nella mancanza delle persone? I ministri hanno sentito, come altro non potessero fare che dare allo Stato una cura indefessa, sottrarre le ore al sonno, dimenticare, non dirò ogni diletto, ma perfino ogni sollievo della vita...» Così io orava al cospetto di quattro ministri che mi avevano preceduto; né alcuno sorgeva a confutarmi. Dopo alquante parole, io conchiudeva domandando una dichiarazione di fiducia.

E il Consiglio — *non obliando la miserabile condizione nella quale, per effetto dei mutamenti politici, era caduta la Toscana* — deliberava unanime questa dichiarazione di fiducia, formulandola così: «*Siamo grati agli espedienti che il governo si affrettò di adottare.*» — Non era anche venuta l'ora della ingratitudine!

Né meglio potrei dimostrare qual fosse Toscana quanto allegando una parte del mio dispaccio telegrafico del 16 novembre 1848 mandato al governatore di Livorno, più che ad altro somiglievole ad un grido di allarme: «Energia, Governatore, energia, o fra un mese Toscana diventa un *mucchio di cenere!*»

In questo modo si confessava da ogni maniera di gente, così negli atti pubblici come nei privati, ed era vero, lo Stato ridotto agli estremi. Io lo trovai incapace a resistere a qualunque tenuissimo urto, pure lo sostenni in guisa, che i tumulti decrebbero, la fiducia pubblica incominciò a ridestarsi, e se il fatalissimo 8 febbraio[1] non era, da quanti mali, da quanto lutto non mi sarebbe stato concesso preservare il paese!

Forze governative pertanto affatto disperse, polizia investigatrice distrutta, m'ingegnai fra gli antichi ufficiali scegliere alquanti che aveva sperimentato onesti e capaci; ma per quante istanze e raccomandazioni facessi loro, non vollero saperne: mi si mostravano invincibilmente repugnanti, *perché nell'ora del pericolo il governo gli avesse lasciati in balia dell'ira popolare.* I veliti, come si ricava dal mio rapporto della *Guardia municipale* al Granduca, ormai chiamati ad altro destino, odiavano, e a ragione, il servizio di polizia. La milizia, da quei medesimi che la capitanavano, era

1. Il giorno 8 febbraio 1849, in seguito alla fuga del Granduca si creò il Governo provvisorio del triumvirato (cfr. il cap. seguente).

chiamata infamia, non tutela del paese. La Guardia municipale non ancora composta. Il senatore Capponi, lo abbiamo non ha guari veduto, dichiarava in Senato la condizione del suo ministero essere identica a quella del mio. Confesso di leggieri, che né anch'egli sedeva sopra letto di rose; ma con sua pace, il divario appariva grandissimo fra il suo ministero ed il nostro, però ch'egli possedesse la forza dei carabinieri intera, e a me la consegnasse odiatrice ed odiata, percuotente e percossa. Sventura lacrimevole, che poteva essere risparmiata! No, le condizioni non apparivano uguali; tra il mio ministero e il suo correva la guerra civile rotta, una sconfitta toccata dall'autorità, un popolo reso audacissimo per miserabile vittoria.[1]

Noi a mani giunte imploravamo lo aiuto di tutti, anche degli emuli nostri, per isvellere fino dalle radici la mala pianta del disordine; — gli supplicavamo a uscire dalle case loro, a scendere con noi fra la moltitudine per ammaestrarla, e ammonirla. — Le preghiere nostre secondarono? Il soccorso supplicato compartirono? — Ah! no; secondo l'usanza pessima ed antica, a parole protestavano volerci aiutare, ma in fatto né brogli, né conventicole, né qualunque argomento preterivano nello intento di rovesciare il nostro ministero. Taluno, ponendosi la mano sul petto, sentirà che io dico il vero. In quanto a me, sappiate che conosco assai più cose di quelle che dico: *potrei citare nomi, e disegni a me noti, e da me per longanimità lasciati inavvertiti*; — ma la prudenza, che mai deve scompagnarsi da chi tenne officio supremo, desidera che alle provocazioni dell'Accusa io mi taccia.

Tanto può la cieca ira di parte, che gl'incauti si affaccendavano, ad abbattere il dicco[2] estremo, che sosteneva la piena minacciante di sommergerli tutti. Queste cose sa il Principe, che deplorandone gl'imprudenti conati interpose l'autorità sua, perché cessassero, e forse glielo promisero; io però ebbi a provare che non lo attennero troppo.

In questa parte concludendo, è lecito dire, che i giudici, e l'Accusa non affermarono il vero, anzi esposero il falso, quando narrarono l'agitazione essersi manifestata sul declinare del 1848 soltanto. Né ciò si creda che entrambi facessero senza consiglio, im-

---

1. Gino Capponi era stato presidente del consiglio dal 19 agosto al 27 ottobre 1848. Gli successe il ministero Montanelli-Guerrazzi, che fu imposto al Granduca dalle agitazioni popolari. 2. *dicco*: argine, riparo.

perciocché lo studio loro intenda, come ho avvertito, a mostrare che una forza rivoluzionaria fosse eccitata da me, crescesse, crescesse irresistibile fino all'8 febbraio 1849; nell'8 febbraio poi cessasse ad un tratto per ripigliare più tardi: così i fatti altrui fino all'8 febbraio s'imputano a me, perché da me *costretti*; i fatti posteriori all'8 febbraio s'imputano parimente a me, perché in me *spontanei*. A senso dell'Accusa, le forze rivoluzionarie stavano in potestà mia, come le cannelle dell'acqua fredda e dell'acqua calda quando entro nel bagno. Io però fui *complice, o impotente per vizio di origine*; nato in peccato mortale, non basta a salvarmi agli occhi dei miei accusatori il *battesimo* della scelta sovrana; però importa osservare come i ministeri precedenti, usciti al mondo immacolati, o immersi del bel Giordano nelle chiare acque, non riuscissero meglio a vincere la forza rivoluzionaria fino dai primordii.

II

[NASCITA DEL GOVERNO PROVVISORIO]

Rifinito dalla fatica, agitato da commozione profonda e da presentimenti tristissimi, dopo avere vegliato tutta la notte, io mi conduco alla Camera deliberato a rassegnare la carica appena il signor Montanelli avesse letto il suo rapporto.[1] Questa intenzione aveva manifestato ai miei familiari e a parecchie persone che mi circondavano; sicché prima di uscire dalle stanze di ufficio fatto fascio di corrispondenze e di altre carte private, gittandole sul fuoco, esclamai: «poiché non tornerò più qui, non vo' che alcuno legga i miei negozi!» Mi sentiva preso da sazievolezza, e di salute infievolito non poco; rivolgendomi nell'Assemblea al popolo sorvegnente,[2] diceva loro: «Rammentatevi, cittadini,

1. Erano giunte due lettere con le quali il Granduca, che si era rifugiato a Siena, annunziava che egli abbandonava anche questa città, senza comunicare dove intendeva fissare la sua dimora (in realtà fuggì a Gaeta), e rompendo perciò praticamente ogni relazione col suo governo. Pertanto, tutta la notte era trascorsa in discussioni e in consultazioni intese a prendere disposizioni atte ad assicurare l'ordine pubblico e a far fronte alla situazione, per impedire che ne approfittassero i repubblicani. Il testo delle due lettere è in F. Martini, *Il Quarantotto in Toscana*, Firenze, Bemporad, 1918, pp. 229-32. — Sul Montanelli cfr. qui la *Cronaca* del Giusti, cap. I e nota 2 a p. 382. — Queste sono le pagine 203-10 del cap. XVI. 2. *sorvegnente*, nelle tribune. L'Assemblea aveva sede agli Uffizi. Il governo aveva stanza a Palazzo Vecchio.

che abbiamo vegliato tutta notte: — per conseguenza state tranquilli. »[1]

Il signor Montanelli, appena letti i documenti di S. A., viene interrotto da turba di popolo guidata dal Nicolini,[2] il quale si annunzia latore di *ordini* popolari; e poi aggiunge: *che il popolo abbandonato dal Sovrano, il quale è fuggito vilmente, mancando alla sua fede e al suo onore, è rientrato nei suoi diritti.*

Sorge fiero tumulto. *Il presidente si è coperto il capo, ha dichiarata sciolta la seduta, e si è ritirato seguito da molti deputati.*

Di faccia alla rivoluzione che irrompeva, deh! senza ingiuria di alcuno, mi sia concesso dichiarare, che non mi parve quello contegno di bene avvisati deputati. Chi lascia il campo, si dichiara vinto. Padroni della sala e del governo già già diventavano il Nicolini e la plebe; — sì, *lo avvertano bene tutti coloro che fanno le viste di obbliarlo adesso,* — plebe, e quella dessa, che dopo avere innalzato gli alberi della libertà, in onta mia, per estorcere danari, gli abbatteva più tardi per estorcere danari; plebe, che minacciosamente proterva domandava elemosina alla foggia del povero del *Gilblas,*[3] e ruppe strade, e incendiò case, e manomise le persone e gli averi; plebe, che anelava gli ultimi orrori; plebe, che, implorando lo aiuto dello stesso Circolo[4] *armato,* fu forza contenere perché non isbranasse gli arrestati nella notte del 22 febbraio; Ciompi senza Michele Lando.

Bene altra cura stringeva adesso, che di forme politiche: *si trat-*

1. «*Monitore,* Seduta dell'8 febbraio 1849» (*nota del G.*). Anche le citazioni che seguono nel testo sono tolte da questa medesima relazione.
2. Giovanni Battista Nicolini, patriotta repubblicano di Serra de' Conti (Ancona), già esule a Parigi in seguito ai fatti del '31, nel 1848-49 ebbe gran parte nei moti popolari toscani e fu, subito dopo, segretario dei triumviri della Repubblica romana. A pag. 164 dell'*Apologia* il Guerrazzi racconta che, conosciutasi la fuga del Granduca, «Niccolini con accese parole instava dicendo: doversi ormai proclamare la repubblica e la decadenza del Principe; me avrebbe fatto eleggere Dittatore e Capo; di qui non potersi uscire. E siccome, recandomi coteste proposte incomportabile gravezza, io proruppi in acerbi rimproveri contro di lui; egli diventato a un tratto, di carezzevole, minaccioso e protervo, gridò: *noi ti costringeremo!*»
3. *domandava . . . Gilblas:* minacciando con lo schioppo spianato, come si legge nel *Gil Blas* di Lesage, libro I, cap. II. 4. Allude al «Circolo del popolo», che era stato fondato dal Guerrazzi nell'agosto 1848 ed era il circolo che teneva deste le agitazioni democratiche. Vi erano inoltre in Firenze il Circolo politico, che era di parte moderata, e i circoli parrocchiali, che secondo dice il G. (*Ap.*, p. 327), agivano di concerto col Circolo del popolo. Sull'esempio di Firenze si erano costituiti circoli anche nelle altre città della Toscana.

*tava salvare la società, . . . la vita di quelli che ora il beneficio rice-*
*vuto disprezzano, — anzi pure vituperano, e rampognano, o accusano!*
Si legge il terrore sopra i volti dei circostanti, e i prudenti comprendono a prova il fallo commesso dal presidente, per avere disertato il seggio. Non così Boissy-D'Anglas e Thibaudeau presiedevano all'Assemblea di Francia in giorni bene altramente terribili![1]
Tacevano tutti. Fra gli schiamazzi del Nicolini, che dall'audacia
fortunata reso audacissimo bandisce *decaduto il Principe, sciolte le*
*Camere*, e il *Governo provvisorio*, ed ostenta il mio nome scritto di
*rosso*, che cosa faccio io? Gli ammicco forse degli occhi, gli sorrido facile? Con la voce e co' cenni gli applaudo? Lo abbraccio,
lo bacio? Mando al popolo i baciamani? — Queste cose si costu-
mano fare fra gente indettata nella esultanza dei conseguiti disegni.
Ah! io sentii pur troppo in cotesto punto la insidia della fazione
repubblicana per tenermi stretto nelle sue tanaglie. Io solo salgo
alla tribuna, rilevo la dignità avvilita dei deputati, ed esclamo:
«non potere vedere, che essi sieno stati cacciati così a vergogna. —
Qualunque sia la opinione che ci divide fra noi in questa sala, noi
siamo tutti fermi e uniti a tutelare con l'ultima stilla del nostro
sangue la patria minacciata *dai nemici interni* ed esterni. Io pertanto mentre rimprovero al popolo le sue esorbitanze, non posso
astenermi di rimproverare anche i deputati che hanno disertato i
loro scanni . . . Figli di una stessa famiglia, pensiamo a prendere
provvedimenti valevoli e salutari nel supremo pericolo dell'amatissima patria.»

Tutto questo, assai più che con le parole, col gesto concitato e
col guardo torvo, era diretto contro il Nicolini, che si smarriva,
rimettendo alquanto della consueta petulanza, e, mal per rabbia sapendo quello che si facesse, si mise a sedere su la pedana del banco
ministeriale. Ora, Dio eterno, si può egli supporre, che un uomo il
quale avesse eccitato queste enormezze in segreto, ardisse rinfac-
ciarle così aspramente in palese? E si può egli credere, che o Nicolini, o tale altro della congiura si fosse tolto in pace vituperio siffatto? La mia sfrontatezza avrebbe toccato il termine della insania;
la pazienza altrui quello della stupidità.

1. Francesco Boissy d'Anglas (1756-1826) e Antonio Thibaudeau (1765-
1854) presiedettero la Convenzione; si ricorda particolarmente la fermezza
di cui il primo diede prova durante la sommossa del 1° pratile (20 maggio)
1795.

Intanto Nicolini, ripreso animo, a cagione degl'imperiosi messaggi che il popolo mandava per invitarmi (e voleva dire ordinarmi) a scendere in piazza, per le apprensioni del vice-presidente, pei clamori delle tribune, ed anche per certa imprudente proposta mossa da un deputato rivolto a me, che tenevo sempre la tribuna, grida: «chiedere la parola in nome del popolo; avere il popolo riassunto i suoi diritti, dopo che si era radunato in piazza, ed aveva dichiarato decaduto il Potere; avere di più nominato tre persone per reggere la Toscana, e con decreto sciolti gli altri poteri». Quindi cruccioso conclude: — «O voi accettate, e non esiste altro Potere che il vostro conferitovi dal popolo; o non accettate, e il popolo penserà a quello che deve fare . . .»

La turba applaudiva frenetica: difficilmente può significarsi per parole l'amarezza con la quale il Nicolini urlava: «Il popolo penserà a quello che deve fare.» Per coteste minaccie gli animi degli astanti sbigottivano.

Ed a ragione sbigottivano; perché, sapete voi che cosa voleva dire «*Il popolo farà da sé*»? Voleva dire: il Principe decaduto, le sue case saccheggiate, i servitori manomessi. Voleva dire: chiese espilate, cittadini multati, pubbliche casse vuotate. Voleva dire: leggi dei sospetti, tribunali rivoluzionari, sentenze scritte col fiele della vendetta e col sangue del furore. Voleva dire: antichi impiegati condotti alla miseria (forse a peggiori destini), e famiglie disperse. Voleva dire tutto quello che una plebe arrabbiata sa fare quando la sferzano le furie della necessità, della cupidigia e della paura, ed uomini perversi la inebbriano di odio. — Se questa poi sia esagerazione o verità, vedremo tra poco.

Io avevo impegnato un duello col Nicolini, che pure l'Accusa designa audacissimo, ed è vero; pur troppo mi accorsi che mi poteva tornare fatale; nonostante, sperando che di valido aiuto i miei colleghi mi sovvenissero, me gli rivolgo incontra da capo, ingegnandomi blandire il popolo, e separarlo per questa via dal suo condottiere; e così lo interpello: «Perché pretende egli esclusa dallo aderire alle deliberazioni la parte del popolo elettissima, che siede in questa sala? Le provincie non devono essere rappresentate? Non importare ch'elle stieno unite? Se mai le persone indicate accettassero, perché vorrebbe togliere loro il voto, e l'adozione dei colleghi, per conforto a procedere in una via da ora in poi piena di supremi pericoli, e forse di morte sicura?»

31

Questo era impedire la dissoluzione del paese, e dirò quasi un porgere una cima di canapo alla Camera affinché l'afferrasse, e, diventata padrona della occasione, ardire pari agli eventi mostrasse. Alcuni più ragionevoli del popolo si lasciano persuadere, e favellano miti parole. Allo improvviso si ascolta nuovo popolo accorrente con immenso fragore: la sala intronata, pareva che sobbissasse: per questa volta mi sentii cadere il coraggio: temei della mia, ma più assai della vita altrui. In quel momento mi appiglio (ogni altra difesa mancando) alla parte del popolo, che, prima venuta, si era mostrata proclive alla persuasione, e dirò quasi mansuefatta; la invoco a supremo riparo, e supplicando grido: «*Il popolo guardi il popolo: non venga introdotta persona.*»

Ma il popolo prorompe furibondo, ed intima con altissimi urli che scendiamo in piazza. Allora fu, che sempre combattendo, e riparando alle parole promettitrici del vice-presidente, in atto oratorio dissi: «Prego ad ascoltare la lettura del rapporto, e lasciare che l'Assemblea sul medesimo deliberi.»

Nicolini inquieto, avvertendo che il popolo alla lettura di cotesto rapporto si calmava, teme la seconda disfatta, onde mi taglia le parole in bocca, e proclama lo scioglimento delle Camere.

Ora qui, da chiunque goda del bene dello intelletto, o per istudio infelice di parte non chiuda gli orecchi alla coscienza, o per turpe consiglio, o per altra qualunque più malnata passione non rinneghi il vero, sarà agevolmente concesso, che se Nicolini ed io andavamo d'accordo non ci potevamo intendere di peggio, conciossiaché Nicolini pretendesse la Camera sciolta; io mi sforzassi a tenerla unita: Nicolini il Principe decaduto proclamasse; io cotesto plebiscito deludessi: Nicolini sovrani i decreti del popolo in piazza a sostenere si ostinasse; io a dire che nessuno, tranne la Camera, avesse diritto di proclamare leggi persistessi: per lui decadenza del Principe e reggimento mutato fossero fatti compìti, e non vi fosse più luogo a deliberare; per me tutto da farsi, e l'Assemblea a risolvere liberissima: il popolo di scendere in piazza m'imponesse; io dichiarassi non mi volere muovere dall'Assemblea.

Credo che non mi rifiuteranno fede gli onesti, quando dico che, ordinariamente di salute mal fermo, adesso, per la veglia durata e le angoscie dell'animo, io mi sentissi prossimo a mancare; pure non volli rimanermi da profferire parole le quali indicassero come per me veruna cosa fosse ancora decisa, e tutto rimanesse a deliberare, vituperassero i tristi, minacciassero gli audaci.

«Da questo momento i ministri cessano essere ministri di Leopoldo II, e divengono semplici cittadini. L'Assemblea e il popolo deliberino il resto. Frattanto abbiamo spedito in tutte le parti della Toscana; abbiamo preso provvedimenti necessarii affinché un governo immediato, pronto e vigoroso, possa erigersi per reprimere i disordini che potessero insorgere così per le fazioni infami dei retrogradi, come per le fazioni *non meno infami* degli anarchici.»

Queste ultime parole erano per quattro quinti dirette alle persone che mi stavano davanti. Errano le carte dell'Accusa (e vorrei credere per inavvertenza) quando affermano che Nicolini intimasse alla Camera di aderire alla nomina del popolo, però che egli mai disse questo. Il suo concetto era troppo bene disegnato diversamente: egli pretendeva decaduto il Principe a cagione della sua partenza, il popolo padrone di disporre di sé, ed in fatti disporre sciogliendo tutti i poteri costituiti, e nominando un Governo provvisorio. Nicolini, latore degli ordini popolari, non poteva fare contro al mandato contenuto nel decreto del popolo, che l'Accusa male finge ignorare.

Quando per le mie parole Nicolini tacque, incominciò veramente la discussione. La stessa Accusa dichiara, ed io mi maraviglio come questa confessione le sia caduta dalla bocca, *che io solo riuscii a far tacere il Nicolini.*

Io ho sostenuto che i deputati potevano uscire e usciti non tornare, perché invero molti uscirono e parecchi non tornarono, e perché Nicolini latore degli ordini popolari intimava sciolte le Camere. Dicono che vi furono alcune minacce di morte, e vi saranno state, ma scarse, e rade così che io non le udii; comunque sia ciò, non toglie efficacia alla mia osservazione, confermata dal fatto dei molti deputati usciti incolumi dalla sala, e dallo essere andati immuni da offesa tutti coloro cui non piacque tornare. Il decreto del 10 giugno[1] parlava sempre dell'assenza del presidente, taceva quella dei molti deputati. Se il presidente tornava, lo faceva coartato dalla minaccia della guerra civile, ed anche qui dei deputati persistenti a rimanere lontani non si profferiva parola, e ciò a bella posta, perché non si voleva credere che la minaccia della guerra civile non fu *coartazione*, ma *presagio* al quale rimasero in-

1. Si riferisce al decreto dell'Accusa, in data 10 giugno 1850.

differenti tutti coloro che vollero, e che i pertinaci a stare fuora non corsero danno o pericolo di sorta alcuna.

Invano si nega; se violenza avvenne, e' fu per cacciar via i deputati, non già per ritenerli.

Dopo che, ridotto al silenzio il Nicolini, s'incominciò la discussione, Cosimo Vanni presidente con molto grave sentenza impegnava il nazionale orgoglio, affinché la turba raccolta tacesse, e lasciasse «tranquilli in cotesto luogo i rappresentanti del popolo a deliberare quello che deva farsi in così grave e solenne circostanza».

Il *Monitore*, il processo verbale della seduta, non notano che d'ora in poi il popolo interrompesse. La storia della seduta raccolta dagli stenografi, e compilata dai segretarii presenti, deve preferirsi a reminiscenze talora inesatte, qualche volta sleali.

Questi documenti diranno come il popolo due sole volte disapprovasse il signor Viviani, deputato di molto seguito, e tutti gli oratori, compreso il signor Corsini, applaudisse. Io non apersi più bocca; assai e troppo l'avevo aperta per mettere in compromesso la mia sicurezza; e quando avessi voluto, non lo avrei potuto, tanto mi sentiva rifinito di forze.

Il deputato Socci fa la *proposta* che venga eletto un Governo provvisorio, nel modo che domanda il popolo di Firenze. Il deputato Trinci censura il popolo per avere preoccupato il voto della Camera venendo a proclamare il Governo provvisorio, ma conforta a rispettarlo: ambedue questi deputati dichiarano il Paese *senza governo, la necessità di crearlo, l'ordine pubblico gravemente minacciato.* Il deputato Corsini conviene *della gravissima condizione del Paese, e della necessità di supplire al suo governo con un Governo provvisorio; aderisce con intero e libero suffragio* alla elezione degli uomini distinti che *si vorrebbero nominare,* solo desidera aggiungervi il gonfaloniere di Firenze, e Ferdinando Zannetti. Trinci replica che gli eletti potranno aggiungersi coloro che meglio penseranno, non volendo imbarazzare con nomi la libertà che intendeva *lasciare pienissima, come pienissima era la sua fiducia,* ai tre membri del Governo provvisorio. Il deputato Cioni rigidamente pone la quistione che si voleva lasciare velata: *Ai termini delle leggi costituzionali, mancato un Potere, gli altri cessano. Noi non siamo rappresentanti, ma potremo votare come semplici cittadini. Un governo di 3 o di 5 è cosa indifferente, purché questo Governo assuma sopra di sé il governo di tutto il paese, e* PENSI A CONVOCARE I COMIZI, *affinché un'Assemblea Nazionale provvegga a' destini del Paese.* Viviani combatte il Cioni, e sostiene la mia opinione, che i deputati rappresentano tutta Toscana, non il solo popolo di Firenze, il quale non può presumere di rappresentare Toscana intera; però conviene che, *mancato un Potere, cessino gli altri;* solo *restringe la rappresentanza dei deputati alla facoltà d'istituire un Governo provvisorio. Insiste su la necessità* che i deputati concorrano col voto a confermare il Governo provvisorio, affinché le provincie lo accettino, *e non rimproverino i loro deputati, reduci a casa senza avervi cooperato.* «Non dire questo (egli professava) per amore alla deputazione perpetua, ma perché ognuno deve, con *freddo coraggio*, eseguire il mandato del Paese, e non disertarne la causa, *anche* sotto *lo impero della forza.* Quando il governo sarà *consolidato col voto indipendente di tutti noi, io sono il primo a dire* CHE LA CAMERA È SCIOLTA, E CHE OGNUNO DEVE TORNARE ALLA VITA PRIVATA.»

Chi pone fine alla discussione? forse il popolo? No: il *Monitore* non lo dice; dice, all'opposto, che la proposizione di troncarla venne dal Trinci, il quale, *per amore del popolo e per la imponenza dei casi*, vuole si scenda a deliberare. «Il Governo provvisorio scioglierà la Camera, se lo reputerà convenevole, e allora *lo scioglimento sarà legale*; non s'imbarazzino le sue *attribuzioni*; la Camera ha dato ai tre individui, che *vogliamo* al Governo provvisorio, segni non dubbii di fiducia: *riposiamoci nelle loro braccia.*»

Zannetti aderisce a Trinci, e invoca solleciti provvedimenti. «*Urge*» egli dice «una circostanza che non bisogna nasconderci. *Il popolo, in piazza, attende vedere i membri del Governo provvisorio.* Il popolo *non si frena*; però *questi tre componenti* il Governo provvisorio, *approvati dalla Camera, discendano* a mostrarsi al popolo, e gli dicano: *Popolo, unione, rispetto alla proprietà, rispetto agli uomini.*»

Tre deputati insistono per la immediata votazione. Il Corsini aderisce anch'egli. Allora soltanto, il popolo, plaudente, grida: *ai voti, ai voti. — Però quattro deputati energicamente insistono a dichiarare che ogni potere è sciolto, che non sono più rappresentanti, e tali diventeranno quando eletti dal suffragio universale; — tre votano come cittadini, uno ricusò votare.* Segue la votazione; nessun voto è contrario. Io taccio sempre, e, prima di accorgermene, vengo preso, aggirato, passato di braccia in braccia, fino in piazza, ro-

vesciato a terra, e in pericolo di essere calpestato dalla folla delirante, se molti, con furia di spinte e di gomiti, non mi salvavano.
Il «Monitore» dell'8 febbraio, narrando il fatto, dice che fummo
*portati*, e dichiara la verità.

### III

### I GIORNI 11, 12 E 13 APRILE 1849[1]

Io mi era tratto dal cuore lo stile del quale lo hanno trafitto, per
iscrivere una storia di tradimento con ferro grondante di sangue ...
Ma un fiotto di voci scellerate mi percosse fino nel profondo del
mio carcere, e mi avvertì come — nella guisa stessa che i selvaggi
della isola di Giava, incisa la scorza dell'albero *Upas*, lo circondano
cupidi, pure aspettando che ne coli il visco velenoso per intingere
in quello le freccie mortalissime — una torma di lupi dalla faccia
umana stesse con le orecchie incollate a queste mura, per attrap-
pare al varco un grido di dolore, uno accento d'ira, per mescolarlo
nel fiele di cui contristano quotidianamente con effemeridi infami
la veneranda Patria: allora ruppi le carte e le gittai ludibrio dei
venti. Io parlerò sommesso, — io narrerò pacato; — e voi che
leggete, pensate e dite se mai vedeste affanno pari allo affanno
mio.

... Erano in Firenze nel giorno 11 febbraio tre colonne di Livornesi. La prima condotta dal Guarducci. Questa stanziò un tempo
a Pistoia, amorevolmente accolta dal popolo. Ottime informazioni
ci venivano di lei. Nel ministero della guerra potranno trovarsi.
Fu chiamata di là per inviarla nel contado aretino: andò, ma credo
non passasse Montevarchi. Il signor Romanelli[2] avvisò irregolare il
procedere dei militi, gli revocassimo; poco dopo mandava diverso
rapporto: essere stato male istruito, i militi non dare luogo a richiamo; ma siccome la gente gli era di troppo, ed egli si augurava
venire a capo della sua commissione per vie conciliatorie, così
insisteva perché fossero rivocati. Guarducci ebbe ordine tornarsi

1. Queste pagine sono tratte dal cap. XXX.     2. Di questi tumulti nell'aretino il G. parla a pp. 511-16 dell'*Apologia*. — Leonardo Romanelli, nato a
Quarata (Arezzo) nei primi anni del secolo, era allora ministro di grazia
e giustizia; ma non era un demagogo, era anzi uomo di opinioni assai temperate. Nel processo di lesa maestà, dopo quattro anni di carcere, fu assolto. Fu poi deputato e senatore del regno, e morì nel 1886.

alle stanze di Pistoia; giunto a Firenze per trasportarvisi con i cariaggi della strada Maria Antonia,[1] prese quartiere al convento di
Santo Spirito, onde ristorarsi del cammino. Il maggiore Guarducci espose lo stato miserabilissimo delle sue genti: mancare di
cappotti, di vesti, di scarpe, di tutto. Il ministro Manganaro[2] propose passarle in rassegna, ed io l'accompagnai. Veramente noi le
trovammo in pessimo arnese. Il ministro osservò non essere cotesta forma, assisa, né armamento da soldato; restassero per essere
vestite e armate convenientemente. Esse rimasero, *e questo serva
a raddrizzare ciò che fu detto erroneamente di loro, che repugnassero
a partire, e perfidamente dato ad intendere al popolo, che io le avessi
chiamate a Firenze a pravo scopo.*

La seconda colonna composta di poca gente, guidata da Cercignani e Toccafondi, albergava da qualche tempo in Borgo Ognissanti; la più parte Civici.

La terza era di volontarii disarmati, e furono messi in fortezza
di San Giovanni Battista.

Intorno a questa è da dirsi. Alla chiamata della difesa della
patria erano accorsi circa mille giovani dalla provincia. Per cura
principalmente del capitano Montemerli in poco più di quindici
giorni, secondandolo altri egregi ufficiali, si resero idonei ai più
complicati movimenti militari. Instruiti a dovere, erano incamminati al campo. Si offersero allora mille altri circa giovani livornesi;
il ministro della guerra pensò surrogarli nella fortezza di San
Giovanni Battista ai partiti, affinché presto s'instruissero, e pronti,
secondo i bisogni della patria, si avviassero ai confini: disegnò
gl'instruttori e gli ufficiali; non gli armò, perché non ebbero tempo
ad ammaestrarsi neppure nei movimenti che si fanno senz'armi;
e non furono mai armati.

*E questo ancora risponda alla calunnia, che fossero stati raccolti
armati per soverchiare il popolo di Firenze.* Bene altre volte erano
venuti militi da Livorno quaggiù, e gli accoglievano festosi; anzi,
come si è visto certa volta, giunti di notte, comecché fosse tardi,
erano ricevuti al chiarore di torcie, e al suono di bande.

1. *Maria Antonia.* Così era chiamata, dal nome della Granduchessa, la
linea ferroviaria Firenze-Prato-Pistoia. L'altra linea Firenze-Livorno, dal
nome del Granduca, si chiamava la Leopolda.     2. L'avvocato Giorgio
Manganaro, elbano, era ministro della guerra, e legato al Guerrazzi da
fraterna amicizia. Fu poi deputato nella settima legislatura del parlamento italiano.

Ora secondo i rapporti che ci venivano, niente era da dirsi della colonna Guarducci, e meno degli altri raccolti in Castello. Quelli di Borgo Ognissanti commisero parecchi trascorsi di cui fanno fede i rapporti delle delegazioni. Mi riferisco a cotesti; io credo potermi rammentare si trattasse di qualche baruffa in via Gora a cagione di femmine. Non conosco la strada, né le persone che vi abitano; però mi assicurarono, che colà si riducono donne le quali non godono fama di castissime in Firenze. Che se poi la informazione si trovasse essere falsa, io protesto solennemente che non intendo oltraggiare la fama delle donne di via Gora, e mi unisco alla stima in che le tiene l'Accusa. Ma caste o no, le donne, quando tirano pei fatti loro, convengo di leggieri che si abbiano a rispettare. Però devo aggiungere, riportandomi sempre ai rapporti delle delegazioni, che della medesima specie baruffe erano state commesse, in tempo assai remoto, dai militi albergati all'Uccello, senza che avessero seguito alcuno, tranne il castigo che in simili casi sogliono applicare ai trasgressori. Io vorrei un po' sapere, se tutti i soldati appartenenti a milizie ordinatissime e sottoposte a disciplina piuttosto acerba che dura, si sieno astenuti sempre da procedere brutali con le femmine di partito, e se abbiano puntualmente pagato tutto il vino che si hanno bevuto; e, avendo commesso queste ed altre taccherelle che si tacciono per lo migliore, siasi detto di coteste milizie che la città deturpassero con la bruttezza dei modi e dei costumi! La sera del 10 aprile 1849 mi avvisarono essere sorto tumulto a Porta a Prato: andai, e trovai che *un sergente* e *un soldato* della compagnia Cercignani avevano voluto forzare la consegna di non uscire dalla città in cotesta ora; erano stati arrestati: mantenni l'arresto, e ripresi severamente il sergente, che, invece di dare esempio della disciplina, pel primo la manometteva. Di lì recatomi alla Porticciuola, osservai per buon tratto di via della Scala rovesciarsi in città una frotta di gente armata di grossi bastoni, e udii ancora uno di quella imprecare al mio nome.

Donde muoveva? Chi la inviava? Chi le labbra e l'anime comprava per dirmi: *morte*? Come, e perché la gente di contado mostravasi tanto tenera delle offese di cui i cittadini si risentivano sì poco? Io so chi la spingeva e chi la comprava, e non merita memoria. Per questo e per altri indizii sospettando fosservi uomini indettati ad attaccare briga, e con intento scelleratissimo aizzare la gente a guerra fraterna, come pur troppo vi erano, fu reputato il meglio sgombrare la città dei militi livornesi. A questo scopo fino dal giorno 9 aprile, con lettera confidenziale al ministro della guerra, commisi ordinasse al Guarducci partisse incontanente per Pistoia; colà avrebbe trovato le cose necessarie: agli altri sarebbesi provveduto subito dopo. Il Guarducci verso sera nel giorno 11 aprile con la sua colonna s'incamminava alla strada ferrata Maria Antonia. Percorsa quasi tutta la città, sboccando per via degli Avelli, ormai era arrivata alla stazione.

Essa partiva, obbedendo agli ordini ricevuti, sicché bisogna convenire che perduta opera era quella di disperderla; bastava lasciarla andare. O che l'Accusa, per via di figure rettoriche tolte in prestito dalla *Italia rossa*,[1] vuole dare ad intendere che lo sfondo di un uscio aperto equivalga alla presa di Belgrado?[2] Qui accadde il conflitto detestabile. Se fossero i Livornesi provocati o provocatori non so di certo; solo rammento che i rapporti pervenutimi nella notte chiarivano, come una mano di ragazzi, seguitati da parecchi uomini, gli avessero insultati a parole ed inseguiti co' fatti. Chi primo fu ad usare l'arme nella infame battaglia? Questo, come cosa di obbrobrio eterno alla patria, ogni uomo onesto deve aborrire di raccontarlo, ed io non lo dico; però non lo ignoro. Intanto mi pervenne avviso del fatto; e quantunque io non lo credessi grave, pure asceso in carrozza condussi meco il Colonnello Vincenzo Manteri per vigilare da me stesso. Quando udii lo scoppio dei moschetti mi prese ribrezzo. Arrivato a certa strada, di cui ignoro il nome, mi occorse uno squadrone di cavalleria, condotto dal maggiore Diana, che stava a ridosso dietro un casamento: solo l'ufficiale Capanna tentava imboccare nella via dell'*Amore*, comunemente nota col nome di via dei *Cartelloni*, ma il cavallo aombrato non glielo concedeva. A me pareva che in quel momento, né il luogo, né gli atti fossero convenevoli a soldati, e non rimasi da muoverne qualche risentita parola al maggiore; poi fatto scendere un dragone da cavallo vi salii sopra, intimando ai soldati di seguitarmi. Così mi persuase il dovere, e così senza badare ad altro io feci. A mezzo di questa via certo uomo da una porta mi trasse un colpo di fuoco addosso, e certo non mi parve cotesta cosa

1. Allude all'*Italie rouge, ou histoire des révolutions de Rome, Naples, Palerme* ecc., libello denigratorio che Charles Victor Prévot visconte d'Arlincourt aveva pubblicato a Parigi nel 1850. 2. Belgrado fu strappata ai Turchi da Eugenio di Savoia nel 1717.

da farsi in via dello *Amore*; ma (come a Dio piacque) rimasto illeso, attesi ad affrettarmi. Arrivato nella Piazza Vecchia vidi alcuni Livornesi inferociti, sciolti a modo di bersaglieri, sparare nella direzione della Piazza Nuova lungo la chiesa di Santa Maria Novella; tre o quattro giacevano feriti; un altro, mi pare, soldato, e un vecchio, lo furono accanto a me. Le fucilate dalla parte dei cittadini venivano dalle finestre, rade ma aggiustate; una ne fu tratta da certa casa allora non finita, prossima allo ingresso della stazione; però che levando gli occhi vedessi la fumata spandersi fuori della finestra. Scesi da cavallo per ordinare che cessassero l'orribile guerra, e siccome non volevano obbedire presi a strappare loro le armi di mano: uno poi, così si mostrava imbestialito, fu mestieri prendere in quattro per trasportarlo alla stazione. Resi altrove meritata lode, e qui la ripeto, al signor Janin e a tale altro signore che mi si disse americano, i quali per amore di umanità standomi al fianco secondarono i miei sforzi; né, in omaggio del vero, devo commendare meno il maggiore Guarducci, che vedendo i soldati inobbedienti a cessare dal fuoco gittò via lo squadrone,[1] protestando con accese parole non volerli più comandare. — In questo momento vennero a dirmi alcuni cittadini, avere arrestato l'uomo che aveva tratto contro di me nella via dei Cartelloni; e mi presentarono uno stocco che gli avevano tolto di mano: povero arnese, fatto di un fioretto appuntato dentro a un finocchio delle Indie;[2] ordinai lasciassero l'uomo in libertà e gli rendessero lo stocco; solo gli domandassero in che cosa l'avessi offeso. Dentro la stazione trovai altri feriti, aiutai a riporli dentro ai carri, mi sottrassi fuggendo alle istanze di andare seco loro, né quinci mi mossi, finché io non gli vidi partiti. Il dottor Morosi, il Chiarini, ed altri moltissimi, possono attestarne.

*E questo ancora valga a chiarire come sia erroneo affermare, che il popolo disperdesse i gruppi armati e soverchianti. La quasi totalità della colonna Guarducci era assettata nei cariaggi, imprecava ai rimasti, voleva partire senza loro; i combattenti, se non erano venti, a trenta non arrivavano, i quali dagli egregi uomini rammentati sopra, e dai compagni stessi furono strappati a forza dalla piazza, e a forza rimessi dentro alla stazione.* Però fra tutti i militi, e segnatamente presso coloro che piangevano detestando lo scontro scellerato,

---

1. *squadrone*: sciabola.    2. *finocchio delle Indie*: canna di bambù.

e se n'erano astenuti, trovai comune la opinione, che una gente iniqua avesse tramata la insidia per ispingere al sangue fratelli contro
fratelli; e così su l'anima mia ho creduto, e credo che fosse.

Allora mi riferirono che il generale Zannetti[1] avviluppato in
altra strada prossima si trovava a mal partito. Rimontai a cavallo,
e seguitato dai dragoni mi diressi in Piazza nuova di Santa Maria
Novella; la Civica si aperse per lasciarmi passare, ma presto conobbi
non essere possibile entrare a cavallo nella via de' Banchi dove
stava il generale Zannetti, perché, riselciandola allora, copia di pietre nuove e vecchie ne ingombrava lo sbocco. Qui incontrai uno
stuolo di popolo armato di grossi bastoni fermo su per le pietre
ammonticchiate; e mentre io mi approssimava mi furono tratti
due sassi da un medesimo uomo giallo e pessimamente in arnese;
però un sasso solo mi colse fra il petto e la spalla destra. Io mi accostai sempre più, esclamando: *A me?* E il plebeo: — Sì a te —; ed io
di nuovo avanzando: *A me?* Il plebeo scappò mutolo appiattandosi
dietro ai compagni. Chi sa quanti alberi della libertà aveva piantato costui! Intanto seppi che il generale Zannetti non correva
più rischio. La Guardia nazionale che mi stava attorno mi si
dimostrava amorevole oltremodo, e sentivo ad ogni passo dirmi
proprio così: «A lei vogliamo bene; ella è un galantuomo davvero,
ma mandi via i Livornesi.» Ed io rispondevo: «Sì, avete ragione, e
subito.» Con senso di gratitudine parimente rammento, come non
mancasse taluno dei Nazionali che precorrendo e a lato mi sgom-
brasse il cammino, e fidata scorta fino alla via degli Avelli mi
facesse.

E premuroso che i Livornesi tutti, anche quelli che venuti per
istruirsi ed armarsi avevano stanza nel castello di San Giovanbat-
tista, più presto che si potesse se ne andassero, mi vi condussi io
stesso, e persuasi la gente di ridursi immediatamente a casa. Certo,
parve duro a costoro, dopo averla abbandonata per militare alla
frontiera, ritornarvi così subito a guisa di scomunicati; ma alle
mie esortazioni si arresero, se non che domandavano gli schioppi;
però anche questi con molte ragioni ricusaronsi; e se io non erro,
il colonnello Tommi mi fu assai efficace aiutatore nella bisogna
del rimandare i volontarii disarmati a Livorno. Per questo modo
dopo avere ordinato i carri della strada ferrata, ed accertata la

1. Era il comandante della Guardia civica. Cfr. la *Cronaca* del Giusti,
cap. XVI, e nota a p. 433.

partenza, lasciai il Castello insieme col capitano Montemerli e il signor Chiarini segretario.

Prima però che per me la Fortezza si abbandonasse, ecco comparirmi davanti i signori conte Digny e avvocato Brocchi, i quali, dopo avermi con oneste parole commendato sì per quello che avevo fatto, sì per quello avevo disposto si facesse, mi significavano come la città non potesse posare tranquilla, finché non avesse sicurezza che da Livorno non fosse per muoversi popolo armato contro Firenze: questa voce sparsa nella città, e creduta, tenere agitati gli animi dei cittadini a stupenda irritazione; studiassi anche qui di trovare modo a sedare. Negando che simile motivo potesse accadere senza mio ordine, o almeno a mia insaputa, essi fervorosamente instarono onde io per via telegrafica, ad ogni buon fine, ordinassi che nessuno da Livorno si muovesse; e questo feci con volenteroso animo, aggiungendo: che dove per sorte volontarii si trovassero per via, subito indietro si richiamassero; — scritto il dispaccio alla presenza di moltissima gente, lo consegnai al signor conte Digny, il quale disse correre col fido Brocchi alla stazione di Livorno per ispedirlo.

*E questo risponda all'accusa stupida, che io mi accingessi alle difese estreme.* Veramente chi così intende non provoca la partenza di milleseicento giovani, non li toglie da un castello provveduto in copia di armi e di cannoni; ma qui dentro gli aduna, gli arma, e poi minaccia. Ma ormai a queste perfidie non crede più neanche la plebe di Firenze, e deh! non mi togliete il conforto della fiducia, che il popolo fiorentino generosamente si penta di averle creduto un momento!

Pensai condurmi allo spedale di Santa Maria Nuova per visitare i feriti, e ci giungemmo davanti; ma cambiai consiglio, perché veramente, fra le angoscie dell'animo e del corpo, io era come immemore di me. Avevo appena riposato il capo, che vennero a significarmi (e penso che fossero Guardie nazionali di presidio al Palazzo) come un capannello di popolo accennasse atterrare l'albero della libertà in Piazza, e a domandarmi che cosa dovessero fare; ebbero in risposta: «*Il popolo lo ha alzato, il popolo lo atterri.*»

. . . Lo allontanamento delle milizie livornesi, le cittadine preposte alle Porte e ai luoghi più importanti, dimostrano a chiara prova come un solo pensiero mi dominasse, quello di mantenere l'ordine nella città. Bastevoli gli apparecchi delle poche milizie stanziali e dei 400 Municipali a contenere o reprimere un moto di reazione o di anarchia, insufficienti a contrastare la restaurazione desiderata dal voto universale, e però evidentemente non destinati contro di quella.

Quanti mi hanno in pratica sanno come per lunga infermità io patisca d'infiammazione intestinale, e sanno altresì in quale stato le commozioni e le fatiche del governo procelloso mi avessero ridotto; però non sarà difficile credere che dopo i successi dell'11 aprile io passassi le ultime ore della notte oltremodo agitato. La mattina più volte tentai levarmi, e proprio non potei; finalmente, non vedendo più venire persona a ragguagliarmi di quanto accadesse, mi sforzai reggermi in piedi, e passando dalle stanze alte del Palazzo, secondo il consueto, entrai nell'ufficio del ministro della guerra signore Gio. Manganaro. Domandai quali provvedimenti avesse preso, e me li disse.[1] In questa sopraggiunge il colonnello Tommi, che veniva a referire non potere trarre i cannoni in Piazza, perché mancante di *arnesi* e di *cavalli*; parendo a me coteste scuse frivole, osservava che gli arnesi per trasportarne due vi avevano ad essere; e in quanto a cavalli, potersi servire di quelli della posta. Egli tolse commiato, e non fece trasportare i cannoni; avendolo riveduto verso le tre pomeridiane nell'ufficio del ministro della guerra, gli domandai a mo' di scherzo: «Perché non avete fatto trainare i cannoni in Piazza?» Egli rispose: «Perché mi parve che non si trattasse di tumulti, ma di moto universale appoggiato dalla Guardia nazionale, e però non ne vidi il bisogno.» Al che soggiunsi: «Avete fatto bene.» Però si voglia notare di grazia che i cannoni non erano stati punto ordinati da me; e che se io insistei, ciò fu meno per avere i cannoni, che per confutare gli ostacoli che proponeva il signor Tommi, i quali, a vero dire, non persuadevano troppo.

Dopo il colonnello Tommi entra il signor Diana, maggiore di cavalleria, domandando ordini precisi su quello che doveva operarsi da lui. Devo confessare che io mi sentiva alquanto indisposto

---

1. «Il Ministro si avvisò apprestare i provvedimenti per cagione del suo ufficio, non già per istanza che gliene muovessi io» (Guerrazzi). Aveva ordinato che si recassero sulla piazza forze di cavalleria e di artiglieria con quattro cannoni.

contro questo ufficiale, parendo a me che nella sera precedente non avesse adempito al suo dovere standosene in luogo appartato, mentre i cittadini si laceravano con iscambievole strage; nella quale opinione mi confermava eziandio l'atteggiamento in cui mi era comparso il Capanna, imperciocché, se questo animoso giovane bene faceva slanciandosi, perché il suo maggiore non lo seguiva, o, piuttosto, perché non lo precedeva? E se il Capanna faceva male, perché il suo superiore non lo richiamava? Però io non nego avergli detto un po' turbato: «Quando vede tumulto si cacci tramezzo e divida.» Il maggiore Diana non rammenta un'altra cosa che gli richiamerò io alla memoria, e non creda già in suo disdoro, ma sì in onore, ed è la sua risposta alle mie parole, la quale fu questa: — lo farebbe, ma desiderare conoscere se la Guardia nazionale stava per l'Assemblea. — Questa domanda rivela, per mio giudizio, ottimo discernimento nel maggiore, conciossiaché, dove la Nazionale si fosse mostrata avversa al moto, era a temersi che si presentasse o prendesse indole di reazionario e di anarchico; laddove all'opposto la Nazionale lo avesse secondato e diretto, siffatti timori cessavano, né doveva contrastarsi. Fermo nella mia opinione, avvegnadio veruna conoscenza di fatti mi fosse giunta per farmela mutare, risposi: «Di ciò stia sicuro; come vuole ella che la Nazionale non difenda l'Assemblea, se lo ha promesso?» Il maggiore Diana afferma avergli io ordinato di *caricare*; io nego apertamente essermi valso di cotesto termine; ma supposto che io lo avessi adoperato, ignaro del *tecnicismo* — da me, poche ore prima, il maggiore aveva conosciuto col fatto quello che io mi intendessi per *caricare*, — dare di sprone ai cavalli, gittarsi inermi colà dove il popolo si mesce in empia battaglia, strappare ai forsennati le armi di mano, mettere risolutamente in avventura la propria vita per salvare l'altrui.

... Mentre io stava tuttavia nelle prime ore della mattina nelle stanze del ministro della guerra, mi ragguagliavano come al presentarsi della Guardia municipale la turba che era stipata in Piazza, e minacciosa, rovesciatasi sopra di sé aveva fatto sembiante di andarsene più che di passo, se non che la Guardia invece di attelarsi s'incamminava ai quartieri per essere stata presa dall'acqua nel cammino. Allora fu che scrissi i due biglietti intorno ai quali furono mosse sì strane calunnie:

*Firenze, 12 aprile 1849.*

Basetti,

In Piazza vi sono veliti, Guardia nazionale, entra la cavalleria
e l'artiglieria. — Esca la Municipale, o si cuopre di vergogna.

GUERRAZZI

MINISTERO E SEGRETERIA DI STATO
DELLA GUERRA E MARINA
I° RIPARTIMENTO

Basetti,

Prendi il comando della Municipale: fuori in Piazza a difendere l'Assemblea, e la patria, e la libertà, e il tuo amico

GUERRAZZI

Col primo lo ammonisco, che stando in Piazza (come credeva)
Guardie civiche e le milizie stanziali, la Guardia municipale con
la sua viltà sarebbesi tirato addosso un carico grande. Questo
biglietto chiaro si comprende essere scritto prima che al ministro
della guerra si presentassero il colonnello Tommi e il maggiore
Diana, perché appaia fondato sul supposto, che la cavalleria e
l'artiglieria già si trovassero in Piazza. Dopo il colloquio col signor
Tommi non avrebbe potuto scriversi con verità; — che se l'Accusa appuntando il dito sotto l'occhio notasse: «Tu lo facesti apposta per eccitare il Basetti con lo esempio», io le risponderei: «Tu
se' maliziata indarno; imperciocché l'arte sarebbe tornata vana,
essendo egli passato per la Piazza, ed avendo potuto co' proprii
occhi vedere se le mie parole erano vere; — posto ancora che per
altra via si fosse condotto ai quartieri, agevole cosa era mandare
da San Firenze in piazza del Granduca qualcheduno che speculasse
gli eventi.» Col secondo lo conforto di difendere l'Assemblea, la
patria, la libertà ed il suo amico; ed anche questo fu scritto nelle
stanze del ministro della guerra, come ne fa fede la stampiglia
impressa sul margine del foglio. Queste avvertenze dimostrano
come ambedue i biglietti fossero scritti e mandati innanzi che io
scendessi nella Sala delle conferenze,[1] e così prima che per me si
conoscessero le trattative *incoate*[2] fra il Municipio e l'Assemblea,

1. *Sala delle conferenze*: aula dove si tenevano le adunanze dell'Assemblea.  2. *incoate*: iniziate.

di operare concordi alla restaurazione del Principato costituzionale.

. . . Ora, che cosa l'Accusa trova da appuntare in cotesti biglietti?
il modo, o il fine? Se il modo; lo so, — quando la stampa di questa
mia patria mi si rovesciava addosso come calcina viva sopra corpo
morto, prevalendosi del mio silenzio costretto, e nella speranza di
consumarmi *moderatamente*[1] fino le ossa, vi fu chi scrisse avere io
ordinato a Bernardo Basetti di trarre sul popolo: onde coscienza
punse cotesto uomo, e non patì che si facesse tanto disonesto
strazio di tale che gli fu amico, lo aveva beneficato, e adesso non si
poteva difendere; e pubblicò con le stampe, calunnie essere quelle
voci. Di vero poteva io mai dare questo empio ordine? La sera
precedente mettevo a cimento la vita perché cessasse la strage
fraterna, e poche ore dopo la comando? L'11 aprile strappo le
armi ai cittadini, per riporle in mano loro il 12, e aizzarli a fare
sangue? Preoccupato da tremenda ansietà, nel giorno 11, non mi
do pace finché la città non è sgombra di Livornesi onde i lugubri
scontri non si rinnuovino, nel 12 li certo e li provoco? . . . Mi si
dieno gli archivii, odansi (non come chi ha paura del vero, quasi
fosse una di quelle visioni notturne, che mettono il tremito nelle
ossa, bensì come chi lo ama al pari di una benedizione) i miei
segretarii, eziandio quelli rimasti in carica, e conoscerete qual
cuore, quali ordini fossero i miei. Dunque l'Assemblea, la patria,
la libertà, e l'amico, non si difendono con altro che con le morti?
Quando difesi la vita dei cittadini, allagai di sangue la piazza?
L'amico sa difendere l'amico anche esponendo il proprio petto
per lui, ma ahimè! queste cose non sapeva Bernardo Basetti. Il
vanto (e gli parve tale!) del Basetti di non essere uscito in piazza per
timore di accendere la guerra civile ha dato fondamento all'Accusa;
cotesto vanto è insensato: ma che importa ciò all'Accusa, che di
ogni campo fa strada nella sua persecuzione? Dunque, e in quel
giorno e poi, la Guardia civica doveva astenersi dalla difesa del-
l'ordine pubblico e della privata sicurezza, per sospetto di guerra
civile? Il colonnello Nespoli, che pure non mi era amico, quando
mi offerse scortarmi e tutelarmi con una compagnia di Guardia
nazionale, commetteva atto di guerra civile? Per timore che possa
correre sangue, lascinsi esposti a morte certa rispettabili cittadi-

---

1. *moderatamente*: oltre che «a poco a poco», il G. vuol dire piuttosto:
alla maniera raffinata dei «moderati».

ni ... alla belva plebea si dieno non contrastato pasto! — Ma voi
non avevate mestiero difesa, ammonisce l'Accusa, poiché ogni cosa
avvenne con modi soavi. — Eh! via, apprenda verecondia l'Accusa;
queste cose non possono dirsi, né devono, da chi fa professione di
verità. Lascio di rammentare gli atroci avvenimenti del giorno innanzi; non torno ad avvertire che in quel punto quale carattere
potesse assumere la sommossa ignorava, e dagli esordii io doveva
presagirla nefandissima ed empia. Si esamini pure il moto quando
gli dettero forma e direzione; coloro che se ne posero a capo
giunsero forse a contenerlo sempre nei confini desiderati? Non
rimasero talora atterriti degli elementi che si confusero con essi?
I nuovi amici piacquero loro tutti? Le opere di quei giorni appro-
varono tutte? Per me so, e ne depongono i testimoni, che la plebe,
dopo avere spiantato gli alberi che aveva piantato, venne per irrompere nell'Assemblea e manomettere i deputati; per me so
che fece forza al Palazzo Vecchio, prima e dopo che vi avesse
tolto stanza la Commissione governativa; io so, che da gente prava
fu spinta, per buona parte della notte, plebe avvinata ad aggirarsi
intorno alla mia dimora, come lupo nei giorni di neve, a urlare:
*morte! morte!* — io so, che il giorno 13 aprile una torma di villani
con falci, e vanghe, e zappe, invasero i cortili del Palazzo Vecchio
gridando la parte, a modo di musicanti venuti a farti la serenata
sotto ai balconi: *Morte al Guerrazzi! Morte al ladro! Morte al-
l'assassino!* con altre più cose che io non ho ritenuto a mente,
come sembrava pur troppo, che bene avessero appreso a ritenere
costoro. Queste dimostrazioni di esultanza non furono già del tutto
buccoliche, come va idilieggiando l'Accusa ...

   ... Dunque pel modo non furono esorbitanti i miei ordini, né
capaci a fare nascere guerra civile, come opina Bernardo Basetti, il
quale da un lato s'ingegna onestare la disobbedienza e lo abbandono; dall'altro, farsi merito presso il nuovo governo: senonché la
toppa appare più trista dello sdrucio, e per cuoprire una cosa brutta ne dice quattro assurde; e l'Accusa, poiché le giovano, piglia
anche le assurde, e con obliquo scopo palesate, e me le appunta
al petto come lanzo alabarda.
   E se non ponno biasimarsi gli ordini miei pel modo, molto meno
si vorranno riprendere pel fine, dacché io non lo chiamavo alla difesa di una forma determinata di governo, bensì dell'Assemblea, la
quale doveva in breve pronunziare in modo civile, e con voto del

pari che con universale contentezza (e lo abbiamo veduto), la restaurazione del Principato costituzionale; — però l'Accusa pare
che trovi eziandio essere delitto difendere la patria; e ritiene ogni
atto mosso a questo scopo santissimo, ostile alla restaurazione:
sul quale proposito io devo avvertire, che se l'Accusa non sentì vergogna a incriminare, io provo quanto farei ingiuria al pudore spen-
dendo pure una parola a difendermi in questa parte; e lo stesso
dicasi della libertà, — e fermamente credo che a non pochi magistrati palpiteranno più frequenti i polsi udendo come nei tribunali toscani la difesa della libertà suoni misfatto; e se libertà
sapessi in che e come differisca dalla licenza, per qual modo si
custodisca e con quali argomenti si difenda, voi tutti conoscete
a prova; — finalmente dopo avere pensato alla rappresentanza
del paese, alla patria e alla libertà, parmi possa essere concesso di
pensare un poco anche a sé. Comprendo benissimo come l'Accusa
aggravandosi sopra il mio capo mi ha tenuto in conto di un
*ghiabaldano*, di cui i nostri antichi per proverbio dicevano: *che ne
davano trentasei per un pelo di asino*;[1] ed io quantunque presuma
di me poco, pure anche in questo non mi accordo con l'Accusa,
essendo la propria conservazione di natura; e intorno a me educai
creature, che amo e che mi amano, che piangerebbero e soffrireb-
bero per la morte mia . . . — Ami tu qualcheduno, Accusa? Supposto che tu l'ami, troverai doverti conservare meno per ragione
del diritto, che per l'obbligo di non partirti o lasciarti strappare
dalla vita, finché le tue creature non sappiano aiutarsi da per se
stesse nel mondo. — Vero è però, — e in questa parte sarei tentato
di dar ragione all'Accusa, — vero è però che, o lasciassi libero il
freno alla plebe indracata[2] e avvinata e pagata, o mi commettessi
alla fede di gentiluomini cristiani, poco divario è corso, perché la
prigionia assomiglia alla morte, in ispecie per la educazione dei
figli, o delle creature insomma che si amano . . . ma allora io credevo che differenza ci fosse!

. . . Non mi comparendo davanti il ministro dello interno, né il
prefetto, ignaro dello stato delle cose m'incammino alla Sala delle
conferenze, dove seppi adunata l'Assemblea. Ora sentiamo rac-

---

1. «Varchi. Firenze 1570, p. 101» (Guerrazzi); *ghiabaldano*: significa
evidentemente: cosa di nessun valore.   2. *indracata*: inferocita, come un
drago.

contare dal professore Taddei, presidente,[1] quello che, a mia insaputa, era successo nella prima parte della mattinata. Il Municipio desidera unirsi all'Assemblea per proclamare la restaurazione, come senno e amore vero di patria persuadevano; però ... ma parli il labbro del vecchio illustre: «Mi rammento che il signor Giuseppe Martelli venne a cercarmi nella Camera stessa, ed a pregarmi di volere secolui recarmi al municipio: io aderii immediatamente, e trovati poi in una carrozza i signori Ricasoli[2] e Cantagalli, vi montai; c'incamminammo uniti al palazzo Riccardi per condurre insieme con noi al municipio il professore Zannetti. Radunati tutti al municipio, e trovatici unanimi ad operare ognuno dal suo canto per restaurare la Monarchia costituzionale, non rimase altro da fare, che mettere d'accordo l'Assemblea e il Municipio, nello stabilire il modo col quale legalmente e *dignitosamente* si potesse soddisfare al desiderio di tutti. Due del Municipio, e *segnatamente* i signori Digny[3] e Brocchi, si recarono nella Sala delle conferenze, in qualità di *commissionati* dello stesso Municipio *per comprovare quello che già aveva io referito*, e devenimmo alla stesura di concisa Notificazione, la quale *fu letta e ratificata dai commissionati suddetti, ed immediatamente spedita ai torchi.*»[4]

1. Giovacchino Taddei (1792-1860), di cui il Giusti nella *Cronaca* (cap. xvi) dice che *puttaneggiava*, godeva meritata fama come professore di chimica organica nella facoltà medica di Firenze. Per aver presieduto l'Assemblea costituente, il restaurato governo granducale gli tolse la cattedra, che riebbe poi nel 1859. L'anno seguente, poco prima della sua morte, fu fatto senatore del regno.   2. *Ricasoli*: da non confondere con Bettino, era Orazio Cesare Ricasoli, ottima persona, esperto collezionista di manoscritti e di libri preziosi, del tutto negato alla vita politica. Lo vedremo poco più oltre firmatario del proclama del Municipio per la carica, che allora ricopriva, di primo Priore, o assessore anziano.   3. *Digny*. Su Guglielmo De Cambray Digny cfr. la *Cronaca* del Giusti (nota a p. 435).   4. «Processo, a c. 2222. — Il conte Digny, a cui viene contestato lo esame Taddei, gira di largo dalla cantonata, e risponde: *"non ho la minima memoria* che la Notificazione mi fosse comunicata prima di mandarla alle stampe: rammento peraltro *perfettamente*, che mi fu presentata stampata. I miei colleghi ed io, vedendo che cotesto atto partiva unicamente dall'Assemblea, non credemmo doverci opporre alla sua pubblicazione ... !" Il conte Digny non dice la verità; e più oltre vedremo il deposto Taddei confermato pienamente: intanto nota, lettore onesto, che l'Assemblea annunziando che prenderebbe col Municipio e col generale della Guardia civica i provvedimenti necessari per salvare il Paese; se egli, conte Digny, credeva che ciò non potesse farsi, nemmeno, come ei falsamente dichiara, avrebbe proceduto da onesto. Il silenzio del presente, che lascia in suo nome consumare un fatto, importa consenso. Il cavaliere Martelli, uomo probo, che evidentemente dice la verità, ma forse per intem-

Il proclama fu questo:

Toscani! L'Assemblea costituente toscana si dichiara in permanenza. Essa prenderà, d'accordo con la Guardia civica e col Municipio, i provvedimenti necessari per salvare il Paese.
Firenze, 12 aprile 1849.

TADDEI Presidente.

Mentre l'Assemblea da una parte adempiva la promessa, come tra gente onesta si conviene, dall'altra prevalevano nel Municipio consigli pessimi; e fatto nuovo partito, i suoi membri statuiscono mancare di parola all'Assemblea, e disprezzato il Collegio nella sua rappresentanza, come nelle singole persone dei deputati, senza neppure avvisarlo di volere procedere soli, e, se bisognasse, aversi nel disegno fermato, — quasi per ardere le carra, e non dare luogo ad ammenda, stampano un proclama, ed in fretta lo appiccano su pei cantoni. In questa sentenza quel proclama bandiva:

Cittadini,

Nella gravità della circostanza, il vostro Municipio sente tutta la importanza della sua missione. Egli a nome del Principe assume la direzione degli affari, e si ripromette di liberarvi dal dolore di una invasione.

Il Municipio in questo solenne momento si aggrega cinque cittadini che godono la vostra fiducia, e sono:

Gino Capponi, Bettino Ricasoli, Luigi Serristori,<br>Carlo Torrigiani, Cesare Capoquadri.

Dal Municipio di Firenze,
Li 12 aprile 1849.          Per il Gonfaloniere impedito
ORAZIO CESARE RICASOLI Primo Priore.

pestivi riguardi non la dice *intera*, confessa questa chiamata e questo invito del professore Taddei, presidente dell'Assemblea, con tanto studio dissimulati dai signori Digny e Brocchi, e che dimostrano l'impegno assunto di operare congiuntamente: "In cotesta mattina fui incaricato di recarmi alla Camera dei deputati e di pregare il signor Giovacchino Taddei di recarsi al municipio..." Anzi lo stesso conte Digny approva i fatti contestati, perché di tutto lo esposto Taddei non ha memoria che della lettura della Notificazione scritta; dunque il rimanente non impugna; e rispetto alla *memoria*, vedremo che quella del conte Digny, per confessione sua propria, è *infelicissima*» (Guerrazzi).

Di questo proclama del Municipio, di cui taluno aveva portato frettolosamente novella all'Assemblea, si facevano accesi ed amari discorsi, quando i signori Digny, Brocchi e Martelli tornarono nella Sala delle conferenze. Questa è la scena che il visconte D'Arlincourt, togliendola di peso dal *Duca di Ossuna* del nostro Federici,[1] ha inserito nella sua *Italia rossa*, nella quale il conte Digny, *nobile e fedele realista*, spalanca la porta ed intima la *sedicente* Assemblea a ritirarsi. Però hassi a notare, per rendere *unicuique suum*, che l'attributo di *sedicente* non appartiene proprio al visconte D'Arlincourt, ma al Brocchi, il quale se ne compiace così, che per bene due volte nel corso del suo esame lo viene ripetendo. Ed è poi strana a considerarsi quest'altra cosa, che il conte Digny ha protestato contro la qualificazione di nobile e fedele realista, che a parere mio non fa torto, allorché nasca da convincimento coscienzioso o da personale affetto, mentre contro il pubblico grido, che lui accusa di fede tradita, è stato cheto come olio. E di vero, l'apparizione del conte era tutto altro che nobile, conciossiaché versasse in questo: il Municipio volere rompere i patti, anzi averli rotti; l'accordo *invocato prima* con l'Assemblea *adesso respingere*; aborrirla compagna, dichiararla nemica; si disperdesse, lasciasse operare da se solo il Municipio. A tanta slealtà, non è da dire se si levassero, e a ragione, amari richiami. E prima di ogni altro il presidente Taddei, a cui pareva, com'era vero, che di lui e della sua onoratezza si fosse fatto bindolissimo giuoco. — Accesi, e meritamente, sopra gli altri si mostravano i deputati signori Ciampi e Cipriani, i quali (sempre si abbia presente questa avvertenza) non offesi già dalla proposta di restaurazione da operarsi d'accordo col Municipio, che annunziata testé dal professore Taddei era stata da loro accettata, bensì dalla brutta mancanza di fede, esclamarono, che bisognava arrestare il Municipio fedifrago. E poiché il conte rispondeva con petulanza molta e senno poco, io mi posi in mezzo alla disputa favellando in questo concetto: «Voi fate una rivoluzione; onde non partorisca le conseguenze che le sono ordinarie, procurate unire a voi quanti maggiori consensi potete; non rigettate quelli che vi si offrono.» E siccome il conte rispondeva con

1. Camillo Federici (1749-1802) si chiamava veramente Giovanni Battista Viassolo; fu rimaneggiatore di produzioni teatrali, cooperando a indirizzare il gusto del pubblico verso il romanticismo. Ebbe a collaboratore il figlio Carlo.

petulanza molta e senno poco, aggiunsi: «Voi meritereste essere arrestato!»

L'Accusa, come vedemmo, sostiene che io mi opposi alla incoata restaurazione, minacciando prima e intimando poi l'arresto dei signori Digny, Brocchi e Martelli, che venivano ad ammonirmi di non volere opporre ostacoli alla iniziata opera loro. Il più lieve rimprovero che possa farsi all'Accusa, è ch'*ella non sa quello che si dice*. E la ragione apparisce evidente: supponga si vero tutto quanto afferma l'Accusa; concedasi per un momento la minaccia e la intimazione dell'arresto; sembra che, per accusare l'uno atto e l'altro come avversi alla restaurazione, dovesse ricercarsi la causa che gli motivarono. Ora è provato per dichiarazione di coloro che di queste minaccie depongono, come non muovessero già da opposizione; al contrario, dal volere l'Assemblea esclusa da cooperare al ristabilimento della Monarchia costituzionale, e più poi dalla tradita fede, dopo essere stata a questo fine ricercata dal Municipio, e dopo essersi posto secolei pienamente d'accordo.

In qual guisa i commissionati del Municipio potevano condursi a intimare l'Assemblea di non opporsi alla incoata restaurazione, se, ricercata poco anzi, aveva consentito? Se a questo fine aveva stampato un proclama? Se anche sul tenore del proclama avevano convenuto?

Onde il tribunale della coscienza pubblica giudichi fra me e i miei giudici, è di mestieri esporre le prove che l'Accusa ha raccolto, e certo non in benefizio di me. Il professore Taddei così depone: «Gli stessi deputati (che come commissionati del Municipio avevano letta e approvata la notificazione dell'Assemblea, Digny, Brocchi e Martelli) ritornarono a dire che *la fusione dell'Assemblea col Municipio non era compatibile* (dopo averla ricercata!). Questa risposta non poteva a meno di dispiacere, — oltre a *mancare di lealtà verso di me, e verso gli altri*.»[1] L'avvocato Panattoni dichiara, che udì *lamenti . . . sopra un malinteso*, che *pareva nato a motivo di non avere il Municipio secondati certi accordi che dicevansi passati col signor presidente Taddei, e che resultavano ancora da un manifesto stampato.* — Il signor Venturucci (avvertasi, che sopra questo testimone l'Accusa fonda la incolpazione dello intimato

---

1. «Infatti ricordo, come se fosse adesso, che l'onorando vecchio rimproverando questa ignobilissima mancanza di fede al nobil Conte, gli diceva: *Questa è una baronata!* E diceva santamente» (Guerrazzi).

arresto ai municipali) depone come i signori conte Digny, Brocchi e Martelli, *si scusavano di avere pubblicato il manifesto del Municipio* (ed era ragione che si scusassero), *e promettevano di andare d'accordo con l'Assemblea, e combinare.* E Guglielmo conte Digny, che tanto poco e tanto male le più volte rammenta, nondimeno su questo proposito dichiara: «È un fatto, che tanto *lui* (*sic*) che tutti quelli, che volevano indurre il Municipio a concertarsi coll'Assemblea, *si appoggiavano* specialmente sulla osservazione, che il Municipio di Firenze aveva bisogno di *appoggio* dei rappresentanti di tutte le popolazioni toscane per essere riconosciuto da esse. E fu dietro questa idea che furono *redatti* (*sic*) i progetti di proclama di cui ho parlato. Anzi uno di questi progetti era *redatto* fino dalla mattina da *uno* dell'Assemblea.»

Non è pertanto vero, anzi è turpemente falso, che alla restaurazione del Principato costituzionale mi opponessi, quando facevo sentire la necessità di riunire il consenso universale, e per atto immediato al partito preso dal Municipio fiorentino; è vero, all'opposto, che la breve disputa nacque dal rifiuto dell'adesione dell'Assemblea, che il Municipio faceva, dopo averla richiesta, e accettata. Ed ho creduto allora, e fermamente credo adesso, che in cotesto modo operando bene meritassi della patria. Con l'adesione dell'Assemblea si sarebbe tolto al partito la indole di municipale che mostrò negli esordii, indirizzandosi perfino col primo proclama il Municipio fiorentino ai soli Fiorentini. Con l'adesione dell'Assemblea, i fattori del 12 aprile non avrebbero avuto a deplorare nel giorno 16 aprile la esitanza di alcuni municipii, né nel giorno 24 la resistenza di taluni alla manifestazione dello spirito pubblico, e si sarebbe per essi ottenuto veramente quel voto universale che avrebbe blandito gli animi e consolate le memorie. Con l'adesione dell'Assemblea, Livorno si sarebbe sottomessa, e quindi tolto via il pretesto come la necessità di chiamare armi straniere. Con l'adesione dell'Assemblea, non era mestieri appoggiarsi su le forze che somministrava la reazione, le quali trassero il Municipio e la Commissione aggiunta, repugnanti certo, ma obbedienti allo impulso della necessità, oltre ai confini stabiliti. Con l'adesione dell'Assemblea, non veniva nel Municipio e nella Commissione aggiunta la paura, e con essa la infelice compagnia di esilii, di carcerazioni, di famiglie disfatte, e di sventure che ormai mano di uomo non può riparare, e quella di Dio può

504 FRANCESCO DOMENICO GUERRAZZI

consolare soltanto. Con l'adesione dell'Assemblea, il Municipio e la Commissione molte morti che ci hanno contristato potevano evitare. Con l'adesione dell'Assemblea, voi non avreste avuto bisogno di giostrare meco con la lancia di Giuda.

Voi, usurpando il mio disegno, voi, ritorcendo contro me ingratamente gli apparecchi con tanta fatica e tanto pericolo condotti a termine, quasi finale, avete guasto il presente e l'avvenire; poiché avvertite ch'è qui considerato e qui fu scritto, come le commozioni popolari fossero di augumento a Roma avvegnadio colà con una legge si concludessero, mentre partorirono la perdizione di Firenze terminando quaggiù con offesa nelle persone e negli averi.[1] Quando, falliti i vostri disegni, gittaste un grido, voi nol voleste confondere col gemito universale; anche in quello voleste lasciare una memoria di superbia e di odio: «Se gli avvenimenti del 12 aprile dovevano avere questa conchiusione, meglio era che non fossero accaduti, *e che coloro, che condussero la Toscana a questa dura necessità, fossero gli attori di questa ultima parte del dramma ignominioso.*»[2] I Parti ferivano fuggendo; voi mordete spirando: e pure, invece di mordere me, offendete voi stessi: infatti qui sta appunto la condanna vostra; se voi non eravate certi di fare meglio di me, se l'opera di parte non vi ha procurato meno triste sorti di quelle che andavate predicando sarebbero uscite dalle mie mani, dovevate lasciarmi fare. Però io non dimentico, né tampoco voi stessi dovete obliare, che me giudicaste degno di salvare *quel più si potesse dell'onore e della indipendenza nazionale*; me animaste ad usare *per la salute della Patria i mezzi che la esperienza mi avrebbe saputo consigliare più opportuni ed efficaci*; me confortaste a perdurare nella impresa, offrendo il soccorso e il *concorso dei poteri municipali.* Sono questi essi i concorsi vostri? È questo il sapore dei vostri soccorsi? Perché dopo avermi tradito mi avete oltraggiato? E perché dopo avermi onorato mi avete detto obbrobrio? — Ma poco importa essere rigettato da voi: a me basta, che non mi repudii il Paese, e mi conservi la benevolenza che io spero non essermi demeritata.

1. «Macchiavello, *Storie fiorentine*, lib. III, I» (Guerrazzi). 2. «Atto del Municipio fiorentino del 6 maggio 1849, nel "Conciliatore" di quel giorno» (Guerrazzi).

... Adesso cresce intorno al Palazzo un tumulto di plebe ed uno schiamazzo di gridi: *Morte! morte al Guerrazzi!* Chi poi cotesti urli incitasse, io non dirò; dirò soltanto la contesa infame che dalla ringhiera che guarda via della Ninna udimmo più tardi, nella notte, agitarsi lì sotto al lampione. I gridatori non trovavano modo di spartirsi la moneta ricevuta per la egregia opera di maledire e imprecare morte a cui non conoscevano, e non gli aveva offesi mai, e nelle vecchie frenesie loro trattenuti. Gli adulti, per assottigliare il *prezzo* ai garzoncelli, adducevano la ragione che, avendo meno voce, *men forte* avessero gridato *Morte al Guerrazzi*; e i garzoncelli non si arrendendo allo argomento, comunque affiochiti, strepitavano, che era stato promesso a tutti (*come agli operai della vigna*) mercede uguale; che quanto e più di loro avevano strillato: *Morte al Guerrazzi!* e che non volevano soffrire bindolerie. E qui da una parte e dall'altra un bisticciarsi da fare piangere gli Angioli, e ridere i Demonii. Ahi sciagurati! Il fanciullo che avvezzaste a vendere l'anima sua a prezzo di poca moneta per gridare morte a un uomo, gliela darà più tardi per rubargliela. Voi renderete conto a Dio di quel delitto e di quel sangue. Tali erano le opere civili e cristiane che nella notte del 12 aprile si commettevano a Firenze!

Di lì a breve fu inteso romore come di gente che prorompe; e poi spalancata la porta del mio quartiere, tra una mano di Guardie nazionali, comparvero alcuni del popolo; e il generale Zannetti venuto per me mi pregava a mostrarmi, ed io andai; e con accento commosso volgendomi ai popolani, dissi: «Che cosa volete da me? In che vi ho offeso? Qual peccato voi mi rimproverate?» Essi tacquero; non una parola, non un grido profferirono: io sarei stato curioso davvero di sapere quale colpa il popolo fiorentino mi apponesse. Però non cessavano in Piazza il tumulto e lo schiamazzo, onde quei dieci o dodici che stavano quivi dentro rinchiusi meco, fra servi, custodi, segretarii, e la mia nipote giovinetta pure ora uscita di convento, e la sua governante, si mostravano sgomenti, e lo dirò con compiacenza, assai più per me che per loro. Temendo che la plebe rompesse le porte, alcuni tentarono a questo estremo caso un riparo. — Io auguro a tutti quelli che mi hanno offeso di non trovarsi mai in simili strette, perché all'uomo può forse bastare il coraggio per sé fino in fondo; ma quel trovarsi intorno gente atterrita, e di tutti avere a confortare gli spiriti smarriti, è tale uno sfinimento a cui mal regge l'anima umana. Non pertanto l'Accusa acuta e sottile si studia mettermi la mano sul cuore, e sentire com'egli mi battesse. — Egli batteva come deve battere il cuore dell'uomo, che sa quali mali possono fare gli uomini, e sente non meritarli.

E poiché — lasciamo da parte il volere — sembrava che i nuovi governanti non avessero il potere di opporsi alla plebe, che ad ogni ora ci dicevano in procinto di sbarattare la Guardia nazionale, e fracassate le imposte irrompere dentro a far carne, parecchi, dei racchiusi meco, procuravano spiare luogo di salute, là dove questo estremo accadesse; e qui pure il mio pensiero si consola, rammentando che quantunque mi fossero per la più parte sconosciuti, nondimeno queste apprensioni per me sentissero, queste diligenze per me facessero. In che queste ricerche consistessero, a qual fine fossero dirette e qual parte io vi prendessi, sarà bene lasciare referire ai testimoni, perché nel ricordare quel tempo parmi che il mio strazio si rinnovelli. Però mi maraviglio, e non posso astenermi di rimproverare a nome della legge l'Accusa, che omise interrogare testimoni su punti capitali, e con tanta compiacenza si allargò su questi particolari, forse per argomentare dal mio spavento e dai miei conati di fuga la coscienza colpevole, e poi non ne trasse costrutto essendole tornati contrarii; come se potesse apprendersi quale indizio di colpa, lo studio di sottrarsi ai bestiali furori di plebe avvinata e indracata.

Dopo parecchie ore di tediosa aspettazione, standoci, la mia famiglia ed io, in procinto di partire,[1] ecco una Guardia nazionale, dopo l'ora fissata alla partenza, portarmi un biglietto del generale Zannetti, il quale diceva: «*Alcuni* non volere lasciare libero il passo; opinare la Commissione di trasferirmi pel corridore dei Pitti in Belvedere, donde remossi i veliti avrebbe messo la Nazionale: però questo accadrebbe nella prossima mattina; non dubitassi di niente, stessi tranquillo; andassi a prendere per qualche ora riposo, ché giudicava doverne avere di mestieri.» Questo biglietto *unii* alla lettera, che nel tumulto di angosciose passioni io scrissi sotto gli occhi del signor Galeotti, castellano di San Giorgio

---

1. *Dopo . . . partire.* Secondo la versione del G. (*Ap.*, pp. 733-47) gli era stato promesso di farlo partire per Livorno la sera del 12 con treno speciale; e quella stessa sera del 12 gli si era invece proposto di farlo partire nella notte, sempre per Livorno, tuttavia non per fermarvisi, ma munito di passaporto per recarsi all'estero.

(poiché tale era l'ordine; e le cose necessarie a scrivere di lasciare in potestà mia si negava!), e mandai a Gino Capponi e agli altri componenti la Commissione governativa il 25 aprile 1849. Questo biglietto è stato *soppresso*! Così tentavasi abolire ogni prova del patto violato a mio danno, e me seppellire sotto la lapide del tradimento, senza neppure lasciarmi la consolazione di potere dire al mondo: «Popoli civili e anche barbari, vedete come si tiene fede a Firenze!» Ma ciò, come a Dio piacque, non valse al fiero disegno. Mi stava su l'anima una amarezza infinita, come un Zannetti, che pure mi parve angelica natura, avesse potuto avvilirsi tanto da sostenere meco le parti di brutto Giuda Scariotte,[1] e tuttavia mi pesa per Gino Capponi... e mentre scrivo queste righe infelici... la mano mi trema, e gli occhi mi si offuscano di lacrime, — ma non per me.

... Come io dormissi, lascio che altri pensi; — sul fare del giorno[2] scrissi una lettera alla Commissione, e questa pure è stata soppressa; non ricordo il dettato, ma lo effetto fu che fece muovere il conte Digny per assicurarmi stessi tranquillo, non volersi già attentare alla mia sicurezza; solo alla Commissione non piacere che io toccassi Livorno; mi adattassi a partirmi da un altro lato. Allora, e con ragione, tornai a ricordargli mancarmi il danaro per questo viaggio; però pregarlo a dire al marchese Capponi, che le cose mie conosceva, m'imprestasse *trecento scudi*, i quali gli verrebbero rimborsati a vista dal mio procuratore a Livorno; anzi questa domanda scrissi col lapis, e *non mandai*, ma consegnai allo stesso Digny. Costui confessa possedere questo biglietto; lo mostri. Indi a breve sopraggiunse il signor Martelli, al quale narrando il successo, e sollecitandolo a fare in guisa che il conte la commissione assunta non obliasse, come persona turbata da cosa che le dia fastidio prese ad esclamare: «no davvero! mancherebbe anche questa! — ella devia dal suo cammino per compiacere il Municipio e la Commissione aggiunta; è giusto ch'essi pensino alle spese del viaggio». E poiché io avvertivo ciò non montare a nulla, perché ricco io non era, ma neppure tanto povero da non sopportare la spesa del viaggio; il signor Martelli, sempre più infervorandosi nel discorso, aggiungeva: «Il Municipio e la Commissione non lo possono patire assolutamente: adesso andrò, e procurerò quanto bisogna.» — Al-

---

1. *Mi stava ... Scariotte*. Il Guerrazzi ebbe poi la prova dell'innocenza del Zannetti. Cfr. *Ap.*, pp. 752-53. 2. *del giorno*: 13 aprile.

lora, per una ragione che non sarà difficile comprendere, favellai:
«In questo caso, signor Martelli, basteranno mille lire, di cui il
Municipio potrà rivalersi sopra la Depositeria, perché dimani l'altro, 15 del mese, scade la rata mensile del mio stipendio, ed il cas-
siere della Comune potrà riscuoterla per me.»

Per questo modo disposte le cose, passa un'ora, passano due,
senza più vedere uomo in faccia; nuove adunate di plebe accadono
in Piazza, e me inique voci, ma più languide assai della sera, male-
dicono e chiamano fuori . . . ed io sarei andato fuori a domandare
ragione dei vituperii, e se avessi potuto parlare avrei condotto di
quella gente, almeno la onesta, a vergognarsi; invece Gino Capponi
parlò per me! — Come favellò Capponi? — Parole triste non disse,
— di queste non può dire Capponi . . . ma io per Gino Capponi
avevo, e avrei discorso in bene altra maniera! — Verso le undici
fu vista una frotta di villani armati di falci, vanghe, ed altri arnesi
rurali, precedere le Guardie nazionali, che piegavano verso il Palazzo; i villani allagano i cortili e levano su urli d'inferno, che per
le angustie del luogo forte commuovendo l'aria ebbero virtù di
scuotere i vetri così, che pareva volessero spezzarsi; io non com-
prendevo nulla, o piuttosto un'ombra truce di sospetto passò su
l'anima mia, e mandai pel Digny chiedendogli quali arti infami
fossero coteste; rispondeva scrivendo un biglietto, ov'è da notarsi
questa frase: «stessi tranquillo, darsi moto per provvedere alla
mia personale sicurezza». Fors'egli per mia sicurezza personale
intendeva trarmi in Castello per consegnarmi poi all'Accusatore?
Questa opera emulerebbe la immanità di Maometto II, quando,
dopo avere promesso a Paolo Erizzo salva la testa, lo fece segare
nel mezzo per non tradire la fede della capitolazione! Se non che
il fatto del Turco è dubbio, mentre quello del conte so bene io se
sia vero. Verso le ore 12, venti e poche più Guardie nazionali in
compagnia del generale Zannetti e del signor Martelli vengono a
prendermi; non si mostrò Digny: — l'Accusa in vece sua si mostra,
e indaga se impallidii, se repugnai; e raccolte risposte contrarie al
desiderio, sta cheta. *Pellegrini*, fra i primi testimoni ricercati dal-
l'Accusa, a siffatte inquisizioni risponde: «La mattina successiva rividi il signor Guerrazzi fino alle ore 11 e ½, alla quale ora vennero a
prenderlo il generale Zannetti e l'ingegnere Martelli; — avendo io
sentito che il signor Zannetti gli disse: che andasse con lui (e mi
pare anzi, che glielo dicesse come domandargli se voleva andare

con lui, e soggiungendogli che poteva, volendo, condurre seco la famiglia); ed il signor Guerrazzi sentii che gli rispose: "Eccomi" e andò via unitamente con quei Signori.» — E più oltre: «Non mi accorsi che si turbasse, e vidi e sentii che si mostrò subito disposto di andare, come di fatto andò con quei Signori.»

E perché doveva impallidire io? Con me stavo bene; degli altri un sospetto mi aveva traversato la mente, ma lo avevo respinto come tentazione del Demonio. Doveva dubitare di Gino Capponi amico ventenne, mio confortatore nei primi passi che mutai nel sentiero delle lettere umane? Poteva sospettare io avrebbe sofferto a tenere di mano ad una prigionia, la quale me ha disertato e la mia casa, quel Capponi che nel 25 gennaio 1848, al carcere elbano, così mi scriveva: «Per me, che io ti abbia a scrivere in cotesto luogo, è cosa tale che io pongo tra le afflizioni della mia vita: dispiace a tutti, credilo pure, e a me più che ad altri, per quella antica familiarità ed affezione che ora mi preme più che in altro tempo di attestarti; credimi» ecc.? Poteva dubitare che me volesse prigione e calpestato e distrutto Orazio Ricasoli, uomo che mi era parso di cuore dolcissimo, e che tante grazie, pochi giorni innanzi, mi aveva profferto per non crederlo capace di turbare le acque già torbide? O Digny e Brocchi, che, lasciato da parte quanto fu discorso fin qui, la sera stessa del ricevimento dei Legati romani, avevano tenuto meco discorso lunghissimo, nella sala del guardaroba in Palazzo Vecchio, intorno alla necessità della restaurazione costituzionale? O il marchese Torrigiani,[1] col quale intervennero onestissimi officii, di cui le inchieste sollecito compiacqui, e a cui la sospetta lettera senza sospetti rimisi? O il senatore Capoquadri[2] che, ministro di giustizia e grazia, volle, per eccezione amplissima ed onorevolissima, che senza esame la curia fiorentina nell'albo degli avvocati potesse ascrivermi? Quel senatore Capoquadri, il quale, da me visitato ministro, mi palesò breve sarebbe la sua durata al ministero, dacché l'animo suo non gli consentisse patire certe emergenze che non gli parevano regolari del tutto; onde io da lui dipartendomi nello scendere le scale ripeteva col Dante:

1. Di Carlo Torrigiani si sa che aveva fondato e diretto in Firenze istituti di previdenza e asili infantili, e pare che abbia goduto i favori di Fanny Targioni Tozzetti, l'*Aspasia* del Leopardi. 2. *Cesare Capoquadri*. Cfr. la *Cronaca* del Giusti (nota a p. 437).

*O dignitosa cosc**ï**enza, e netta,*
*come t'è picciol fallo amaro morso!*[1]

quel senatore Capoquadri, che la sospetta lettera[2] ebbe da me senza sospetto, e me ne profferse grazie? Forse doveva dubitare del barone Bettino Ricasoli?[3] Se mai avesse potuto rimanermi dubbio per qualcheduno, di lui doveva sospettare meno che degli altri, perché emulo pubblico. Io così sento, e così con esso adoperai; ma pur troppo, e tardi, mi accorgo che di siffatta magnanimità, che pure si ammirava virtù tra uomini barbari e semibarbari, presso i civili è spento il seme. Temistocle, sé confidando prima ad Admeto re dei Molossi, poi a Serse barbaro, fu reputato sacro da loro; Santa Elena grida che cosa giovasse a Napoleone avere imitato Temistocle; e se ai grandi esempii è lecito mescolare l'umilissimo mio, il Castello di San Giorgio e l'infame carcere delle Murate testimonieranno ai presenti ed agli avvenire a che meni commettersi in balia della fede degli uomini civili!

---

1. Dante, *Purg.*, III, 8-9.    2. Di certe lettere sospette, ritenute alla posta e dal Guerrazzi fatte recapitare ai loro destinatari, parla il Giusti nella sua *Cronaca*; ma si veda la nota del Martini a pag. 299 della sua edizione. Il testo di queste lettere è riportato nell'epistolario guerrazziano edito dal Martini, pp. 311-12.    3. *Bettino Ricasoli.* Cfr. la *Cronaca* del Giusti (nota a p. 382).

# DALLE «LETTERE»

## I

### A GINO CAPPONI · BAGNI DI MONTECATINI

*Livorno, 8 settembre 1844.*

Amico onorandissimo. Io ti ringrazio davvero della tua lettera bellissima, che conserverò come la scatola del frate di Sterne,[1] tra le parti strumentali della mia religione. Tu mi dici qua e là cose da fare palpitare di superbia, ma va' pur sicuro che ormai ho fatto il letto e non mi muovo; bensì la dimostrazione di questa benigna e sincera mente mi circonda di un'aria che non sono assuefatto a respirare. Lascio di parlare dello stile: con molta volontà, e un senso mediocremente arguto, noi giungiamo a conseguirlo a bastanza sopportabile; ma questa è opera della testa, è un lavoro, una scelta pacata; può esser cominciata, interrotta, ripresa, saldata a freddo; ma per la idea, la bisogna cammina altramente, come direbbe la buona anima del Botta.[2] La idea nasce dal cuore, come il fabbro leva il suo ferro ardente dalla fucina. Ora il cuore rimane bene commosso dalle cose degli altri mortali, ma i primi germi riguardano te, e unicamente te. Quando il buon sangue è fatto, dove sopraggiungano affanni, egli s'inacerbisce ma non si guasta così, che diventi irrimediabilmente atro. Quali sono le dolcezze dello infante? Quelle che derivano dalla madre... Ah! io non le ho avute; — io porto nella coscia sinistra una profonda margine di ferita fattami da ... mi trema la mano a scriverlo. — Dello adolescente? — Gli amici: io li ho sepolti tutti, e qualcheduno prima di morire ferì questo mio cuore superbo, geloso, amante, ma irritabilissimo: poi fui povero, anzi poverissimo; perché abbandonata la casa paterna, non volli tornarvi più a costo di morire, e dormii sul pavimento nudo, e vissi correggendo stampe di librai ... dura fatica! Insomma, fa' conto di vedere in me un fiore annacquato con l'acqua forte. Poi le ingratitudini dei beneficati, e le disoneste persecuzioni degl'invidiosi, le delusioni politiche, la guerra del Go-

---

1. Allusione al *Viaggio sentimentale di Yorick*, XII. 2. Carlo Botta (1766-1837), storiografo, di cui durò a lungo la fama, era stato avversato dal Mazzini e dai suoi amici per il suo accanito antiromanticismo. Scriveva con uno stile tra cinquecentesco e tacitiano.

verno, gli astii del Foro, e lo spettacolo infelicissimo che ci presenta lo esercizio della nostra professione, d'interessi che diventerebbero ladri, omicidi, e parricidi, se bastasse loro il coraggio. — Amor? — « Non lo conosco », come dice Loredano:[1] e quando descrivo qualche gentile fanciulla, la piglio a prestanza, come un vestito da maschera dal rigattiere. Tutte queste cose hanno bollite, e bollono; e i sudori di Mitridate non potevano essere uguali a quelli di coloro che si nutriscono di ambrosia.[2] E ciò per me. Fuori, popoli traditi, poi addormentati, poi oltraggiati, poi fatti saltare su per via di galvanismo, e vederli iattanti con le piume in capo, — spacciarla da Achille, o da Esculapio, intenti a curare la infame cangrena con una foglia di dittamo; — e insieme uniti creare, non estinta la prima di Sagrestia, una nuova beghineria umanitaria, et reliqua. E questi mali durano, e non vanno blanditi, no: Io m'ingannerò, ma pei mostri vuolsi adoperare la clava di Ercole, e le stalle di Augias[3] non si poliscono con cucchiarini da caffè. Nonostante io credo alla virtù, credo che un popolo non muoia mai, e non sono tristo così da non portare calcina al tempio di cui non vedrò costruire il tetto: gli anni, i casi e qualche dolcezza come, a modo di esempio, gli affetti di due cari nepoti orfanelli, e una onesta agiatezza, mitigarono alquanto quella parte di me che vorrei chiamare individuale. Rimane l'uffizio degli affari esteri: qui la riforma sarà tarda, forse impossibile durando il motivo, a mio credere, di perseverare; ma per ora tacerò di cose pubbliche. E forse ti piacerò meglio nella *Beatrice Cenci*, che sto meditando; io la so innocente; colpevole, non saprei difenderla, comunque avvocato. Addio, giovino a te le acque come nocquero a me; e pregandoti pace, ti sono affezionatissimo amico.

1. Questa battuta è nell'Atto II, sc. III, dell'*Antonio Foscarini* di G. B. Niccolini.    2. *i sudori . . . ambrosia*. Si diceva che Mitridate, re del Ponto nel I sec. a. C., per evitare che lo avvelenassero si fosse dato a studiare le piante venefiche, e, ingerendole a piccole dosi, si fosse assuefatto ai veleni più micidiali.    3. *stalle di Augias*. Ercole le ripulì dell'immenso letame che vi si era accumulato, facendovi passare le acque dei fiumi Alfeo e Peneo dopo averne deviato il corso.

## II

### A NICCOLÒ PUCCINI · PISTOIA

*Livorno, 26 febbraio 1847.*

Io ho scritto, scrivo e scriverò, come la cicala canta e canterà finché non iscoppi; ma a che pro? a nulla. Basta: *ardendo mi consumo* e questo è il meglio. Io, come Dio vuole, sento avere poco più tempo di vita, perché intemperante e ingordo mi sono mangiato a un pasto il viatico d'intelligenza e di cuore che la natura dà all'uomo perché gli basti per tutta la vita. — Meglio così. — Voi vi esercitate in atti di pietà; fate bene.[1] Io prego ... chi prego? — prego insomma che soddisfino i vostri desiderii e le vostre speranze queste opere pie. La memoria che conservate di me mi consola, e vi ringrazio. In breve vedrete uscire uno stufato di mio pei torchi Lemonnier con due racconti nuovi-drammatico-chiaccheroni e sopra tutto satirici;[2] e va bene. La posatura sta in fondo al calamaio, e la mia anima si è versata come un'onda d'inchiostro; e poteva prorompere come un raggio di sole! Ma i tempi e gli uomini no 'l consentirono. Io sarò stato in questa vita dottore e mercante per bisogno, scrittore per rabbia, mentre natura mi pose in corpo l'argento vivo dell'uomo di azione. Ora con occhiali finti etc., faccio ridere me stesso. Addio; state sano, e amatemi: io ho bisogno di amore.

## III

### ALLA SIG. GAETANA COTENNA DEL ROSSO · LUCCA

*Livorno, 16 dicembre 1847.*

Pregiatissima signora,

Rispondo col mezzo della mano altrui, perché giaccio infermo di febbre e di dolor di capo. Ogni sua lettera mi porta prova novella della grandissima benevolenza ch'Ella ha per me, e della quale oggimai dispero sia con parole o con fatti dimostrarle convenientemente la mia gratitudine. Siccome l'uso che Ella avrà fatto

1. Niccolò Puccini (1799-1852), di Pistoia, che il Martini disse «uomo di alto animo, di vivo e coltissimo ingegno», era un generoso mecenate e si prodigava anche in opere di beneficenza. La sua amicizia col Guerrazzi rimase sempre inalterata. Cfr. F. Martini, *Nei parentali di N. P.*, nella «Nuova Antologia», 1º ottobre 1889. 2. *La serpicina* e *I nuovi Tartufi*.

della passata mia lettera sarà stato con quell'ottimo giudizio che la distingue, così non trovo che non si abbia a lodare, e quindi lodo. Venendo adesso (poiché la bontà sua me ne persuade) a favellare più da vicino di me, mi è forza precisare la questione, onde scansare equivoci, e non essere estimato a traverso la lanterna magica dell'altrui immaginazione.

Come scrittore ho fatto sempre il debito mio, e così, il Signore aiutando, continuerò a fare. Sono i miei scritti di pubblica ragione: ognuno gli può svolgere a suo talento, e vorrei che chiunque, ancorché malevolo lettore, mi appuntasse apertamente di pensiero vile. Ho promosso sempre la libertà della patria; e fu mio concetto severo torturare, galvanizzare la Italia, onde speculare nei tempi più miseri se in qualche parte del suo corpo si fosse raccolto una scintilla di vita. Poeta della rettitudine, strinsi animoso senza guardare il fine i flagelli di Nemesi e quelli di Geroboamo,[1] e dichiarai guerra implacabile alla ingiustizia ed alla ipocrisia. Questo pure dovea portare la sua messe, e l'ha portata; se non che io non la raccolsi improvvido come il povero Yorik, ma preparato so macinarla e la macino.

Come uomo, a me riesce più onesto tacere che parlare, pochi amo, ma forse odio meno, e per lo più disprezzo. Pronto, operoso e solerte, ho raccolto intorno a me una famiglia non mia; l'ho educata, e la educo, non miseramente: giovane ancora, ho provveduto a tutto: morendo anche stasera, i miei nepoti bene, le persone che mi stanno da molto tempo d'intorno, che io non soffrirei fossero chiamati servitori, discretamente si troverebbero provvedute. Siccome, replicando a Giuseppe Mazzini inclito amico mio in occasione di certa sua lettera posta avanti allo *Assedio di Firenze*, mi è forza fare un po' di autobiografia,[2] così, quando sarà pubblicata, potrà conoscermi meglio leggendola, se pure ne varrà la pena.

Come uomo politico comincio la mia carriera di quattordici anni! Esiliato dalla Università di Pisa per mostrarmi troppo innamorato della rivoluzione di Napoli. Conobbi tutte le sètte politiche d'allora, e ricusai farne parte come aggregato, ostinatamente affer-

1. *Nemesi . . . Geroboamo.* Nemesi era nella mitologia greca la dea della vendetta, punitrice di ogni umana scelleratezza. — Geroboamo II fu un re guerriero di Israele (VIII sec. a. C.).    2. *autobiografia.* Allude alle *Memorie,* che in quei giorni stava scrivendo e che furono stampate da lì a poco; ma la prima edizione fu distrutta dalla polizia, e se ne fece una seconda quando il Guerrazzi era al potere (Livorno, Poligrafia italiana, 1848).

mando non aver mestieri di giuramento per essere buon cittadino: consultato spesso, dava norme e consigli di organizzazione. Ricorrevano a me in ogni caso estremo, perché di coraggio vidi sempre penuria; sacrifici di vita io qui tra noi non vidi mai, e di moneta scarsissimi. Lo erario della libertà toscana non superò mai le lire ottomila, e furono mandate per la impresa di Savoia,[1] ove si persero con altre molte raccolte da tutta la Italia, con qualche offesa di nostro onore e danno inestimabile di sangue. Coprendo tutte le ritirate degli imprudenti compagni, parvi capo di setta, e non lo fui; ma, capo o no, il governo prese a torturarmi sopra ogni altro, forse perché privo di parentela in Livorno. Durò l'oscena persecuzione bene dodici anni; e quando nel 1834 uscii di prigione — le dirò, signora Gaetana, cosa incredibile ma vera — i codardissimi amici politici mi scansavano come appestato, nulla pensando il fiore della giovinezza intristito nelle prigioni, nulla i più gentili affetti strozzati nel germe, nulla la protezione troppo male spesa in tutela di loro, nulla la rovinata economia: per lo che, se il padre mio non mi provvedeva di pecunia, avrei dovuto darmi col capo nei muri, perché io non avrei mai piegato lo indomabile carattere a limosinare un soccorso.

Dopo il 1834, volte in rovina le cose della Francia, perseguitati i liberali, in apparenza rinvigorito il governo, i codardissimi amici politici, di cui lo scopo fu come in appresso partecipare al potere o infregiarsi di miserabili distinzioni della tirannide, concertarono una setta, e morsero all'esca del governo. Pochi rimasero fermi, ed io tra quelli. Come io cotesti sciagurati descrivessi e come i virtuosi, Ella può vederlo nella *Duchessa di Bracciano*, colà dove, parlando degli umori che si manifestarono in Firenze al tempo di Cosimo primo, adombro i nostri. In seguito questi inverecondi disertori politici presero tutte le provvisioni dei governi liberali dirette ad assodare il potere per la comune felicità[2] costituita, e con manifesta simonia venderono al governo i doni dello spirito santo. Io mi ritrassi da parte fremendo di tanta viltà, e stetti solo, studiando, meditando, e scrivendo cose certo non grandi, ma né codarde, né ingenerose, né inutili affatto alla causa italiana. Nel settembre il popolo si mosse magnificamente; i disertori liberali tremavano; pure, sempre fastidiosi intriganti, si

1. *impresa di Savoia*: quella tentata dal Mazzini nel 1834.  2. «Così nell'apografo» (Carducci).

posero a cavallo al fosso, instituendosi mediatori, per libero consenso della loro esclusiva volontà, tra il popolo e il governo; me cercarono, e a forza, dicendo: «Tu sarai con noi a dominare, e noi ci faremo capi del popolo.» Risi di pietà; ché servo non sarò mai né padrone. Di qui una scissura profonda, la quale per la parte mia non riempirò mai. Essi proseguirono nella infelicissima via, di modo che non sappiamo distinguere se il governo trovisi meglio sussidiato da loro che dalla antica polizia. Pochi tra essi non codardi, certo, ma violenti e ignoranti, per fare fascio, si legarono ai vili; ed ora si trovano sopraffatti e affogati dalla mal'erba di passione, sicché ne hanno sgomento. Ora senta bene: io non insidio que' loro seggi, perché li terrei ad ingiuria; io sto in casa mia, e ci sto egregiamente; delle cose pubbliche farò quello che m'imporrà il popolo benevolmente; se no, no. Lega con essi non può darsi: acqua con foco, si spegne il foco, e si consuma l'acqua. Ella domanda cosa che rinnoverebbe il supplizio di Mezenzio.[1] Stieno pure securi gli emuli miei, di me non parlino, me non curino: io null'altro amo che la pace; pieno di speranza però che il giorno della nostra libertà siasi levato, e questa speranza basta a confortare il mio spirito travagliato. Tutto tra la febbre e il dolor di capo, le ho voluto dire perché non sono fazioso; e a me non tornano gli esempi di Coriolano, di Aristide e Temistocle dissidenti tra loro: e questo basti una volta per sempre. E con questo ho l'onore di confermarmi, ecc.

IV

A NICCOLÒ PUCCINI · PISTOIA

*Firenze, 29 novembre 1848.*

Comincio quasi a credere di far bene, poiché il nostro Timone[2] non biasima; e poi i tuoi fatti non consuonano alle tue parole, quindi anche tu speri. Certo il teatro è piccolo: mi sembra recitare una tragedia dello Alfieri co' buratini. — Udrai, udrai parole da svegliare morti e vivi; e poi alle parole tengono dietro i fatti.

1. *supplizio di Mezenzio*: Mezenzio legava insieme cadaveri e uomini viventi, congiungendoli mano con mano e volto con volto (*Eneide*, VIII, 485-88). 2. *Timone*, burbero e misantropo filosofo greco del V sec. a. C.; Aristofane se ne burlò negli *Uccelli*.

Lampi e tuoni. — Il nostro ministero è accordato come una lira; Dio voglia che del pari riesca armonioso. Addio.

*P. S.* Se il tuo raccomandato ha tutte le qualità che annunzi, gli accenderò le candele non che farlo ecc.

V

AL CITTADINO GIUSEPPE MAZZINI · FIRENZE<br>ALBERGO PORTA ROSSA

Giuseppe,

T'ho detto parole dure, troppo dure:[1] forse me ne hai risposte altrettante; ma io non me ne rammento, né devo rammentarmene; *ricordo soltanto il torto mio, e te ne domando scusa.*

La passione di vedere la idea per cui ambedue spendemmo la vita sinistrare per troppo precipizio, la diserzione dei miei, dei soli atti a governare, le provincie discordi, il popolo inerte e *bisognoso d'altre scosse* per levarlo dalla vita dove da secoli poltrisce, la concitazione, la insonnia, lo impedimento di camminare a once mentre bisogna correre a precipizio, mi valgano presso te a tôrre dallo animo tuo ogni amarezza.

Desidero vederti prima che il sole tramonti.

Firenze, 19-49.

VI

A FRANCESCO MICHELE GUERRAZZI · MASSA DI CARRARA

*Firenze, 1 aprile 1849.*

Sangue mio,

Le prove sono dure, anzi durissime: maggiori di quelle che ho mai sofferto nel mondo. — La notte non veglio più ma piango, e anche adesso ho gli occhi ingombri di lacrime. Non piango la sconfitta,[2] ma piango la natura italiana avvilita, indegna perfino di essere calpestata. Tu presto incominci la scuola della dolorosa esperienza: io la incominciai prima di te: pure non mi venne mai meno la speranza, ed ora eziandio io non la rigetto: ricorda sempre questo detto e ripontelo in cuore:

1. Questo biglietto fu scritto dopo il tempestoso colloquio col Mazzini.
2. La sconfitta di Novara.

*Un disegno generoso santificato col sangue dei martiri, nudrito dalle lacrime dell'umanità, benedetto dalla religione, voluto dalla ragione, quantunque andasse mille volte a vuoto non deve essere abbandonato giammai.*

Voi giovani predicate ai soldati, spietrate cotesti cuori e infiammateli di amore di patria.

A Lucca andrai dal dr. Giuseppe Pagliaini; ti farai dare il danaro che ti occorre, e te lo darà mostrandogli questa mia e si rivalga su la nostra casa di Livorno. Addio. *Sis fortis ac costans et dabo tibi coronam vitae.* Studia, studia. I tedeschi vincono perché studiano più di noi.

Guerrazzi.

VII

A FRANCESCO MICHELE GUERRAZZI · GENOVA

*Firenze, [17] agosto 1852.*

Carissimo nipote,

Tua sorella ebbe il pietoso pensiero di farmi ieri recapitare una lettera piena di conforti.

Poche notti sono, non so che diavolo fosse, ma sentii percuotermi come un gran picchio nel cervello, rimasi privo di sensi, con la lingua stretta fra i denti e la bocca piena di sangue. Mi trassi sangue, e ieri volli presentarmi al dibattimento;[1] oggi poi non ho potuto proseguire a cagione della lingua orribilmente lacerata. — Solenne fu lo apparato di forza: io non so perché, ma le cose che percuotono gli altri me fanno ridere. Con una guardia sola dentro un fiacre io mi sarei condotto alla posta senza tanto *teatro diurno.* Dunque *force gendarmes, force vélites*; ed ogni cosa è pronta, il Dio, i sacrificatori, la vittima; mancano i credenti, ma questi poco curano, o troppo; di qui agitazioni perpetue. Non ho motivo di essere scontento; non io pareva l'accusato, bensì i giudici; e non ostante i gendarmi, cittadini e amici venivano a baciarmi e ad abbracciarmi. — Tu capisci che un governo non si pone in questi cimenti per uscirne in tutto a capo rotto. In mezzo alle mie preoccupazioni mi è necessario interrogarti se nulla hai di nuovo circa il tuo impiego, e in caso di sventura pregarti a disporti di andare altrove a cercare impiego e fortuna. Addio.

1. *dibattimento*: una delle sedute del processo di lesa maestà.

VIII

A GIUSEPPE MONTANELLI · PARIGI

*Bastia, 20 ottobre 1853.*

A. c. Attendeva tue lettere, non le vedendo ti scriverò io. — Il processo nostro ha avuto questo fine, di mostrare al mondo che noi cospiravamo alla rovina del Granduca: quindi in lui ragione di sottrarsi con la fuga, in lui ragione la chiamata del soccorso austriaco, con tutte le conseguenze che ne sono derivate. Io conobbi il fine, e tante accumulai prove della probità nostra, che costrinsi questa nostra gente ad abbandonare l'accusa. Per te feci, comunque prigione e presago del fato che mi aspettava, il mio dovere. Permetti che dei molti tratti io te ne riporti uno. Una spia di Siena indotto per testimone affermava avere udito dal popolo, che tu eri andato a Siena per assassinare il Granduca. Interrogato da quel furfante del Nervini[1] se intendeva volgere al testimone domande quantunque non mi riguardasse, risposi: — Mi riguarda benissimo, perché Montanelli è amico mio, e la reputazione degli amici fra persone dabbene, signor presidente, preme quanto la propria: mi sarà facile convincere il testimone di mendacio. — Dov'era il teste quando udì le proposizioni di cui depone? — Era in bottega. — Come? dalla bottega udì tutto il popolo? — Stava su la porta. — O quando sta in bottega, tutti i giorni si trattiene su la porta? — No, qualchevolta. — Dunque, come dichiara di tutto il popolo? — Dalle gente che passavano. — Ma che tutte si trattenessero di una cosa sola, che tutte parlassero alto da farsi sentire, non è possibile. — No da talune. — Quante? — Una, o due . . .! — Signor presidente, mandatelo via. — La rimanente amministrazione nostra dopo la fuga del Granduca non formava titolo di maestà:[2] io ho dimostrato che in prima ebbi cura del paese, e poi non avversai così la razza lorenese, che seco lei non tenessi aperte le porte alla riconciliazione: il che è vero, con l'ammenda che Leopoldo secondo non pensavano più, perché ormai avversi tutti, e più degli altri quei dessi che poi ordirono il 12 aprile. La inec-

---

1. Niccolò Nervini (1788-1861) era il presidente della Corte Regia, e aveva diretto il dibattimento concedendo sufficiente libertà di parola agli accusati, ai testimoni e agli avvocati. L'epiteto che gli dà il G. sembra immeritato. 2. Non poteva cadere sotto l'accusa di lesa maestà.

citabile, stupida e ghiacciata crudeltà usata contro di me fa rabbrividire: ho vissuto quattro anni dentro una chiostra, orribile per
gl'incomodi di che avrai letto: presagirono guai medici fiscali e
non fiscali; parve volessero mutarmi: sopraggiunse il 2 decembre,[1]
e si chiusero come ostriche. Ho avuto tre colpi di epilessia, e non
si sono mossi a pietà; mi hanno esposto al bersaglio morale di sentirmi chiamare in galera a vita e condannare a quindici anni di
galera, e ad umiliazioni di ogni maniera, anzi squisito studio posero in umiliarmi, pensando ferirmi profondamente e farmi morire di crepacuore. Stupida gente, che non sa come l'alterezza mia,
o se vuoi orgoglio da tenere per fermo, che dalle ribalderie loro
non può essere offeso [sic]. Io non avrei mai accettato grazia, non
la volli accettare, stetti otto giorni in forse; ma che vuoi? Aveva
contro tutti, e il favore popolare mi abbandonava. I più, specialmente a Firenze, non comprendono quanto sia dignità dire: —
mi avete fatto condannare da' vostri vili e ciuchi satelliti, cassate
prima la sentenza, poi uscirò. — Mi riprendevano come cocciuto,
testaccia dura, ecc., ecc. — Oh che vuol'egli? — sfringuellava il
popolo — che i' Granduca vada a chiedergli scusa? tanto la ragione l'ha, e nessuno gliela può levare; ma i' Granduca non gliela
può dare. — Gli avvocati erano stanchi, e sarebbe stato indiscreto
provarli di più. I santi bisogna sieno grandi quanto la nicchia, né
tempo né popolo sono questi da eroismi: egli è mestieri metterci
in ginocchioni, perché dall'alto dei campanili possano vederti il
naso, ed anche adoperandovi dei cannocchiali, e dei buoni. Promise Landucci[2] modi cortesi ed umani per la mia partenza, non
consentendo mi accompagnasse persona: i modi furono: consegnarmi agli austriaci nella fortezza vecchia di Livorno, che mi
cacciarono dentro orrida prigione, dove privo delle cose di prima
necessità, perfino senz'acqua, mi tennero nove ore in dubbio di
orribile tradimento. A Bastia mi hanno fatto guerra, mi hanno chiamato in Ajaccio e tenuto in sospeso di sfratto. Il Granduca diceva non volermi a sei ore da Livorno. Pure, mosso dalle racco-

---

1. *il 2 decembre* 1851 avvenne il colpo di stato di Luigi Napoleone, che
fu poi Napoleone III.    2. Leonida Landucci, senese, caldo partigiano di
novità nel '31, fu nel '47 membro della Consulta di stato, fece parte della
Commissione chiamata a compilare lo Statuto, quindi fu nominato senatore ed ebbe il portafogli delle finanze nel ministero Capponi. Ma ben
presto si mutò in reazionario, e avvenuta la restaurazione granducale fu
ministro dell'interno dal '49 al '59.

mandazioni, il governo di Luigi Bonaparte mi ha autorizzato liberamente a starmi in Bastia. Di qui vedo Italia, e mi basta; non istò in agonia, e settimanalmente vedo gente che va di su e giù da Livorno in Francia, e mi serve di consolazione. Piemonte accoglievami, ma come bandito, senza por firma di passaporto: mi sono rimasto studioso risparmiare a cotesto governo ed a me tanta vergogna. Povera, povera, povera patria, se il governo unico liberale rimasto in te è costretto a praticare tali infamie! — E tu che fai, che dici, che pensi? Perché non vieni qua? Che stai a Parigi? Qui mare ampio, e quiete, e dolci boschi di olivi, e recessi quali si addicono alla dignitosa sventura, e accento italiano, ed aria salubre, e vivere facile e sufficiente, libri e gente ospitale, e sopratutto la patria davanti a me. Scrivo racconti e satire morali; storie no: mi mancano materiali, e poi, in mezzo alle passioni scompigliate, giudicare severo pare odio; mite piaggeria; se riservato, ti biasimano per vile; se esplicito, indiscreto, garrulo e calandra, e via, e via. Poco distante dalla mia, su di un colletto, in riva al mare, havvi una villetta di otto stanze, con egregi accessorii di boschi, vasche, fiori, agrumi e di ogni maniera piante: che cosa ti talenta mai in Lutezia? Alle vicende, che io prevedo più o meno future, noi non dovremo prendere parte. O lungo o corto, ci sta sopra un periodo di vendette atrocissime e di sangue; impedirlo non vorremo, e volendo non potremo; eccitarlo nemmeno. Vendette, che noi non dobbiamo desiderare, ma che bisogna pur dire giustificate dalla stolida e feroce malvagità dei reazionarii. Tal sia di loro. Forse un giorno in tempi più tranquilli la patria si ricorderà di noi, e noi le consacreremo le ultime nostre forze; e se non si rammenterà di noi perché fornita di figli troppo migliori di noi, meglio così. — Ho letto il tuo primo fascicolo:[1] piacemi tu abbia punto la tumida inanità di questi uomini-princìpi, di questi uomini-nazione, e, se vuoi anche, di questi uomini-rivoluzione: le fortune dei popoli si sviluppano per virtù di eventi, ai quali, volenti, nolenti, con intenzione o senza, contribuiscono tutti gli uomini; ma non le crea un uomo, si chiamasse ancora Napoleone primo. — Sento di guerra, forse sarà; che ne attendi tu? Io penso che Francia e Inghilterra, non potendo impedire la guerra, col mandare le flotte a Costantinopoli ed anche 30 o 40 mila uomini vogliano farsi pa-

---

1. *primo fascicolo*: il primo volume delle *Memorie sull'Italia e sulla Toscana*, che si era pubblicato in quell'anno; il secondo uscì nel 1853.

droni della pace. I Turchi ne toccheranno, allora gli Anglo-Franchi diranno ai Russi: — sta bene, adesso accomodiamoci fra noi. — Vero è che l'uomo propone e Dio dispone, e sorgono procelle contro cui virtù di pilota non vale; ma dalla causa dei popoli si rifugge più che dal sangue di vipera. — Vale.

## IX

### AL DOTTOR ANTONIO MANGINI · LIVORNO

*Capraia, ottobre 1856.*

Carissimo amico,

Ottenuto il passaporto dal ministro piemontese, io m'era, come sa, disposto a partire per Piemonte; non immaginava né temeva contrasto; quando un commissario di polizia venne a domandarmi se vera la mia partenza. Risposi, sì; e mostrai il passaporto: egli allora pregavami concederglielo per istanti, e promise con parole di onore e proteste amplissime riportarmelo. Contra a ciò mi si carpisce il passaporto indegnamente, mi s'intima il domicilio coatto a Bastia: circoscritto il luogo del passeggio: non posso più tornarmi nemmeno in campagna alla villetta mia: guardie dietro. Me e tutti così amici come indifferenti percuote l'atto disonesto: profferte mille di aiuti per vendicarlo: dissimulo, e fingo reluttante a piegarmi. In qual guisa mi liberassi per vie aeree[1] Le narrerà Maria.[2] Io Le dirò, che, arrivato ad una posta dove aveva a trovare uno amico che per tragetti mi menasse, negligenza o colpa, mancò: allora, fatto buon viso alla fortuna, tirai di lungo passando traverso il luogo che credeva guardato, e non lo era; poi mi erpicai per greppi a me noti; arduo cammino, pure senza danno percorso in meno di due ore. Gli altri amici trovai alla posta; incustodito il passo: nel salire in barca, ambo i piedi immersi nel mare; infausto augurio e non curato. Era bagnato di sudore così che se fossi caduto nell'acqua non poteva essere più molle, e poi sudicio di carbone, di mattone, e che so io; fastidio insopportabile. Entrai in barca, e dalla barca salii su una paranzella felicemente. La con-

---

1. *per vie aeree*: per la via dei monti, inerpicandosi, come dice più giù, per greppi a lui noti. «Aerei» si dicevano i monti, in quanto si slanciano e campeggiano nell'aria. 2. *Maria* Papadopulo, sulla quale si veda più oltre la lettera XII.

ducevano tre figliuoli e il padre, umana gente assai. Mi prese il freddo, che il sudore gelato e la mancanza assoluta di vesti mi resero insopportabile: scesi sotto coperta, e quivi mi sdraiai sopra sozzi materassi, dove ad un punto mi assalsero eserciti di cimici, pulci (e credo ancora con qualche accompagnatura di pidocchi, ma non lo so di certo), la febbre e un nugolo di pensieri acerbissimi, acerbi così che io penso capaci a crepare un mortaio di bronzo non che un cuore umano. Tuttavolta nel profondo dell'anima ringrazio Dio, perché, se nel suo consiglio non credé risparmiarmi atroci prove, anche nella età avanzata mi ha donato una forza, una serenità nelle sventure, che non so nemmeno io donde mi vengano, e io stesso me ne maraviglio, e penso quasi che uno spirito soprannaturale allora entri in me e mi sostenga. La notte si fece buia: la bussola era guasta: si levò tempo fresco: e andammo tutta notte alla ventura. Su l'alba ci trovammo all'Elba; avevamo deviato da N. E. all'E. e percorso più cammino che non bisognava. Tornammo in dietro, e senz'altro incidente giungemmo alla Capraia. Qui però assale la paura i miei conduttori. L'isola ha dintorno coste a picco, tranne in un luogo dove è il porto; ma qui sanità e soldati; e per nessun verso ci vollero andare. Tempo non mi parea da minacce, e poi sarebbero riuscite vane; onde m'industriai cavarne il meglio che potessi: pertanto gittarommi come una botte sopra la punta di uno scoglio a piè di una frana. Qui sì che mi giovò avere le membra non impoltrite, ed esercitate ai colli còrsi. Andando su con le mani e i piedi, giovandomi di ogni punta, di ogni arbusto e perfino dell'erbe, spesso sdrucciolando, talora in pericolo di capitombolare da un'altezza a un presso di cento braccia, con nessuna o lieve avaria, sbuco di un tratto fuori del comignuolo di un picco sopra il paese. Alla fine trovo sembiante umano, che vistomi così sudicio, lacero e sinistro, mi piglia addirittura per un bandito còrso, e mi tratta conforme all'opinione. Domandai le autorità, le quali vennero. Per somma sventura aveva dimenticato i dispacci del conte Cavour, e tutto: parte narrai di mie sventure, ma non trovai pietosi pastori perché increduli. Sopraggiunse il giudice, egregio giovane genovese, il quale, poiché mi fui lavato il viso, come l'archeologo fa su le monete antiche, riconobbe a poco a poco la mia fisonomia; e pochi momenti di colloquio chiarirono meglio. Allora cambiò la scena: comandante, tenente, capitano del porto, sindaco e giudice mi prodigano cure, che mi commuovono per altra parte. Su questo scoglio nudo sono albergato e nutrito, non dirò meglio, ma quanto in casa mia: cosa incredibile, considerata la miseria orribile che qui sta come in casa sua: chi dando biancherie, chi pezzi di porcellana, chi argenti, mi trovo in mezzo al lusso favoloso. Non mi hanno potuto dare vesti, perché nessuno ha il mio personale, e, come può credere, qui non vi ha mercanti né sarti: sto in giacchetta rotta, ma *Non cuopre abito vil* ecc. Le altre vesti furono lavate, il corpo deterso così che tornò nel consueto stato. In breve passerà il vapore sardo a prendermi, cioè tra quattro giorni, e non è poca grazia. Però scriva subito a Genova al sig. Dominici pregandolo ad avvisare il sig. Isola a non venire altrimenti col *cutter*: ritiri da lui valigia e quanto altro, lo porti in casa sua, mi aspetti sul porto per menarmi a casa a vestirmi, o meglio mi porti un paletò sul porto; mi aspetti col vapore che torna di Sardegna giovedì prossimo, però[1] venerdì sera.

Siccome giungo ospite in Piemonte, così mi bisognerà dissimulare circa il governo di S. M. l'imperatore; mi consulterò prima; ma i giornali diranno, e sta bene. Riderà Napoli, che di questa razza di governi presumano insegnare a lui civiltà: fin lì si arriva da sé senza lezione; anzi, a dir vero, fin lì non ci era anco arrivato: gli ospiti molesti cacciò via, ma gli ospiti amici non ritenne tiranno.

Di ciò chi e che incolparne? Toscana forse? Non credo, perché la Francia, birbate per sé, magari! ma per conto altrui è superba; né immagino insistente tanto la persecuzione toscana contro cui non l'offende, e offeso potrebbe voltarsi a mordere: e poi la Toscana, mi annunzia il conte Cavour, ha fatto pratiche onde non istanzi nella riviera di levante e a Genova, quindi implicitamente ha consentito altrove; e poi sa che, se guai le cascano addosso, da luogo troppo più alto cascheranno. Però credo che il governo francese, smanioso di pace per mille cause che non ho tempo di esporre, aombri che uomini politici si adunino in Piemonte portandogli credito e voto delle altre parti d'Italia, spirito e coraggio e aiuto, onde sempre più persistere nella via politica che ha da menare la guerra; guerra che la Francia imperiale non vuole e non può fare; guerra nella quale scoprendosi per Austria, rovinerebbe per ira interna,

1. *però*: perciò.

e movendosi contro l'Austria sarebbe disfatta dal flutto crescente della libertà. — Saluti, e abbracci Maria che lo merita, e Cherubino, e Maria.

x

A GIOVANNI ANTONIO SANNA · SASSARI[1]

Livorno, 1º novembre 1863.

Caro Amico,

S'io fossi donna e voi vedovo, ci sarebbe il caso che noi ci sposassimo; però essendomi restato addosso il maledetto vizio dell' . . io sono stato a un pelo di dirlo — del galantuomo via (con rispetto parlando) avrei a dirvi che delle cose che vi piace dire di me prima di tutto leviamone 50 %; sul rimanente tara di uso, cordino, senseria, e sconto, e sconto del 6 % con pagherò a 4 mesi. — E veramente io sono come diceva dell'acqua il cane quando la leccava: «tal'è qual'è, tal'è qual'è . . .»

Rispetto alle vanità umane, amico mio, *fumo di gloria non vale fumo di pipa*. — E per me quando ho accomodato l'uova nel paniere, per chi viene dopo, posso addormentarmi, caso mai io sia stato mai sveglio, perché il Piacentini e il Dina di Torino pare che lo dubitino; e guà! poveri signori può darsi che abbiano ragione da vendere.

Però io mi arrabbierei con mezzo mondo e con voi quando alle azioni umane compartite il titolo di generose, di atti che si partono dal cuore: niente affatto, tutto si parte dall'Io: dall'interesse: sapete che sia delitto? Un conto fatto male. Sapete che è la tanto laudata virtù? Un conto fatto bene. — E ve lo provo in proposito di mio nipote. — Io voleva un figlio, sollievo degli anni cadenti e rappresentante della mia famiglia, perché il dì in cui si farà appello degl'Italiani alla vera libertà qualcheduno risponda al mio nome. — Che ciò avvenga ai giorni miei dispero affatto, che avvenga a quelli del nipote spero poco, in ogni caso ci darà un figliuolo maschio. — Diavolo! o che non abbia a spuntare il sole di libertà né manco pei nepoti? — Ora perciò mi bisognava pigliare

1. Frequentando a Torino la casa di G. A. Sanna, deputato di sinistra nel primo parlamento italiano, il Guerrazzi aveva accarezzato il disegno di un matrimonio fra una delle figliuole di lui, Amelia, e il proprio nipote Cecchino. Questo è il «negozio» di cui si parla nella presente lettera, ed era stato concertato col concorso dei comuni amici Sineo e G. Asproni.

moglie ed io non mi ci sentiva tagliato; e invece di uno ne poteva venire quattro, otto, dodici, quanti a Giacobbe; e allora Domine aiutateci. — Dunque feci tutto per me; e se desidero lasciarlo agiato onoratamente, e incamminato bene nel commercio che ha scelto (intendiamoci bene veh! commercio che per crescere dieci non metta a repentaglio i mille), lo faccio per me. — Dunque in tutto questo il cuore ci ha che fare come il cavolo a merenda. — Il cuore è il più stupido muscolo del corpo: cammina a modo suo, palpita senza chiederne il permesso, insomma un vero garibaldino.

Veniamo a bomba. — Io sarò a Livorno nell'epoca da voi fissata. — Se questi trattati non corressero fra noi, io, usando di qualche avanzo di lievito dittatoriale, direi: — venite a casa mia, pochi passi fuor della barriera maremmana, luogo detto Ambrogiana, Villa Torretta; ci sono venuti tanti altri, potete venirci anco voi. — In questo stato di cose rimetto in voi venire o astenervi: solo vi dico che mi terrei lieto e onorato della venuta, non lieto dell'astensione.

Pel rimanente non occorre altro; e tra noi non ci vedo caso di screzio per la ragione semplicissima che io me ne rimetto in voi.

Ringraziate il caro amico Sineo, il quale se il cielo vorrà che questo negozio avvenga ha da assistere al contratto, dovesse passare il mare in *bussola*.

Addio dunque e col desiderio di vedervi mi confermo.


## XI

### AD AMELIA SANNA · SASSARI

*Livorno, 23 dicembre 1863.*

Sento che voi avete consentito ad essermi figliuola, e dico così perché Cecchino, quantunque nipote per parte di mio fratello G. Gualberto, ebbi sempre in conto di figliuolo;[1] — io vi ringrazio di cuore e vi bacio in fronte.

Venite a consolare la mia casa: — io sono vecchio ed ho bisogno di riscaldarmi negli affetti. — Padre e madre non posso darvi io; —

1. Cecchino (Francesco Michele), rimasto orfano nel 1835, appena slattato, era stato raccolto e tirato su dal Guerrazzi, che poi lo adottò anche legalmente.

io vissuto sempre celibe; — vi darò tutto quello che ho; — e se per manco di pratica, io non vi contentassi, me lo direte.

Addio dunque, vogliate bene al mio nipote ed un po' anche a me. Aff.mo vostro: non so come dire.

## XII

### AD AMELIA SANNA · SASSARI

*Livorno, 19 febbraio 1864.*

Cara mia nipote,

Ho letto le tue lettere; ti ringrazio delle buone ed affettuose cose che mi scrivi; credi che il desiderio di averti in casa non è minore al tuo di venirci: però i termini sono abbreviati. Nello intervallo la casa non sarà accomodata come meriti; la terminerai di tuo gusto. Abbraccia la mamma e le sorelle per me; e se breve scrivo condonatelo alla salute non ferma. Angiolina, vera Angiolina,[1] fu baciata e ribaciata da me secondo la tua intenzione; stamane l'ho condotta a S. Jacopo, dove nel camposanto l'ho insegnato a dire averci trovato tre bestie; un gatto, un cane e un prete: e tutto il giorno dice così. Portale il Bebé. La Maria[2] desidera abbracciarti, e credi che ti vuol bene, è la Betta del *Buco nel muro*; però cresce di circonferenza ogni dì, e ormai non si sa se appartenga al genere femminino, o *caratellino*; ma buona, discreta, e degna proprio della tua affezione; e poi vedrai. Addio.

1. Angiolina era figlia di Cecchino e della sua prima moglie Anna Hancy, che era morta da poco.   2. Maria Papadopulo, nata a Zante nel 1814, aveva fatto da madre a Cecchino. Alla sua morte avvenuta nel gennaio del 1868 il Guerrazzi dettò per lei la seguente epigrafe: «Maria Papadopulo — figlia di Giorgio — spento in battaglia per la libertà della Patria — le fu compare il generale Kolokotroni il vecchio — tenne luogo di madre — a F. M. Guerrazzi orfano — in ogni fortuna di vita — compagna a F. D. Guerrazzi — amò fu amata — e pianta col pianto che per tempo non queta — nacque a Zante morì a Livorno — decilustre — a rivederci Maria.»

## XIII

### AD AMELIA GUERRAZZI SANNA · LIVORNO

*Signa, 4 aprile 1865.*

Cara Amelia,

Grazie: voleva farmi onore col vino con certe signore, che vennero a visitarci, ma giunse tardi. Sì signora; due dame mossero proprio a visitarci; o che crede, che tutte sieno come Lei, a cui piacciono i *granchi teneri*? per buona fortuna rimangono ancora donne argute che sanno fare della roba *stagionata* il conto che merita. Sicuro; i fichi freschi sono meglio, ma i fichi secchi non si buttano via. Insomma, erano due belle signore; una poi, un occhio di sole; bionda con pupille nere; dallo sguardo lungo e pietoso, con anni 20 . . . ahimè! e per di più mi ha detto, proprio lei, che sono amabile; capisce? Impari dunque a stimare la gente! Mi piaceva sapere se Cecchino era venuto a nulla: quello che avete, non basta alla vita onorata di una famiglia, e ciò mi tiene occupato: ricorda che tu, conservando, hai in mano mezza la fortuna della tua famiglia. Promuovi la fabbrica, perché a starmi lontano mi piglia la malinconia. Ch'io vi ami non importa dica. — Angiola bella, Angiola cara, due e tre e 50 baci. — Lascia mangiare Maria; e quando non ti piace, ricorda che, per lei, vive Cecchino che ti è sì caro. Appena credo alla venuta della tua mamma; la faremo stare allegra e le sorelle ancora. Conservati; e addio.

## XIV

### A FRANCESCO MICHELE GUERRAZZI · LIVORNO

*Signa, 6 maggio 1865.*

Caro Nipote,

Impiccati! Guarda questa giovane dama, e poi sappi, per tua disperazione, ch'è buona, contessa, ricca, e che mi ama alla follia . . .

Vale a dire . . . cioè . . . che mi ha detto, che mi apparterrebbe, se avessi *qualche anno di meno*.

Come vedi, se si trattasse di molti anni non ci sarebbe rimedio, ma trattandosi di pochi, vo' provare se mettendomi in mano ad un qualche ebreo me ne tosa una dozzina.

Domani, dunque vi aspetto, e fa di portarmi qualche ritratto da scambiare con la Signorina; bada — sai — per quanto ti è cara la vita di sceglierne uno che abbia la parrucca accomodata, e che mi faccia giovane; consultati con Maria — la quale si è ecclissata e solo mi ha mandato il vento. Sta sano.

Parto ora per Firenze.

XV

ALLA CONTESSINA ELOISA FUSCONI

*Signa, 8 maggio 1865.*<br>*Villa Bruti.*

Mia Gentile Signorina,

Nel pregarla di accettare questo mio ritratto in ricambio del suo, potrei dirle come Omero quando narra il baratto che fece Glauco della sua armatura di oro con quella di Diomede, ch'era di rame: Giove in quel giorno rubò il senno a Glauco:[1] ma questo, con altri tali, sarieno complimenti più o meno arguti che mostrerebbero lo scritto cascato giù dalla penna e non dal cuore.

Però scrivendole a mo' paterno le dichiaro che Ella è bella; se la sua bellezza regga a martello con le regole dell'arte greca, io non le so dire; per altro vado sicuro d'affermare il vero sostenendo che la bontà dell'animo, l'indole mite, la modestia le fanno leggiadro il sembiante, come un lume posto dentro una lampada di alabastro ne fa risaltare le sculture che l'artefice vi ha condotto nel corpo.

Io non le raccomanderò di custodire gelosamente queste virtù che la fanno venusta; le sono in buone mani, e non ci è bisogno di altro. Solo conceda che le auguri, proprio coll'anima, ch'essa valga a procurarle un compagno degno di Lei col quale scorrere il tramite di questa vita, contenta e lieta.

E se la preghiera non le parrà indiscreta, quando Ella fia giocondata dei figli si compiaccia dire loro che io non mangiava insalata di stiletti, né teneva sulla mensa teste mozze ammonticchiate come pere; e quando mi lavava le mani e il viso, adoperava acqua schietta, non già sangue umano adesso uscito da cuore spaccato;

---

1. *il baratto . . . Glauco.* L'episodio è nel VI dell'*Iliade* (vv. 287-295 della trad. del Monti).

e attenti come se la mano di tutti si è levata talora sopra di me, la mano mia non si è levata mai sopra veruno. Gradisca i miei affettuosi saluti e mi abbia per Suo aff.mo.

XVI

ALL'ONOREVOLE SIGNOR CESARE CANTÙ · MILANO

Illustre signore e confratello,

Concedete che io stringa la mia risposta all'oggetto della vostra domanda. Io non ho avuto mai ufficio, di qualunque specie o natura si sia, dai governi di S. M. Vittorio Emanuele secondo; però devo aggiungere, per la verità, come, nel 1859, il Re, avendomi fatto conoscere il desiderio di vedermi, io mi affrettai a soddisfarlo. Parlammo di molte cose, che non importa qui referire, e credo avergli dato (richiesto) consigli né ingenerosi, né inutili. Avendomi egli poi domandato se poteva far nulla per me, risposi: — Sì, farmi tornare in Patria in maniera onorata. — Dacché voi sapete che il Governo provvisorio mi largì l'*amnistia*!

Se male non mi appongo, egli mi parve imbarazzato; se lo era, non me ne maraviglio, dacché il Boncompagni[1] scriveva giudicare il mio ritorno in patria *pubblica sciagura*. Egli, il Re, invitavami rimanere a Torino: mi avrebbe provveduto di quale ufficio avessi potuto desiderare; anzi, spinse la generosità sua fino a promettere che, dove avessi voluto, ne avrebbe creato uno per me.

Ma io altro non voleva che tornare con onore a casa mia; non lo potendo ottenere, rimasi in esilio fino al 1862, con quanto danno delle mie modeste sostanze lascio considerarlo a voi.

Tornato in patria, fui, e sono, segno di una persecuzione fitta fitta, moderato-governativa; di mille vi basti questa una: nel 1854 fu accesa sopra i miei beni ipoteca *per le spese* del processo di lesa maestà per L. 6000. Questa iscrizione, nonostante le leggi, *rimase tuttavia accesa*; e io ce la lascio: *meminisse juvabit*!

La elezione a deputato di Livorno fu la porta onorata per cui tornai a casa. Ma questa deputazione mi venne tolta nelle ultime

---

1. Dopo la definitiva cacciata del Granduca nel '59, il Boncompagni era stato fatto da Vittorio Emanuele II Commissario regio per la Toscana. Questo colloquio del Guerrazzi con Vitt. Em. II è largamente illustrato in F. Martini, *Due dell'estrema*, Firenze, Le Monnier, 1920, pp. 15-48.

elezioni, mercé la opera smaniosa del ministero Ricasoli; e mi tornò amaro, perché amo la Italia tutta, ma sento più vivamente affetto per questa terra, dove ho sofferto tanto e goduto sì poco.

Voi mi domandate donde possa nascere questa avversione per voi e per me: io vorrei dire, perché voi siete rimasto troppo addietro e me giudicano trascorso troppo avanti; ma non mi sembra del tutto giusto. Io credo che in ciò concorrano molte cause fuori di noi e molte dentro di noi; ma noi siamo naturalmente molto amici nostri, e però queste cause, corrispondenti ad altrettanti difetti nostri, noi o non vediamo o non andiamo a cercare. Quanto a me, confesso che l'orgoglio soverchio mi ha pregiudicato; mi nocque la salvatica sincerità, la inclinazione al sarcasmo, la manìa di fare il censore acerbo ed aspro in tempi corrottissimi. Confesso queste pecche perché ritengono della natura leonina, ma chi sa quante altre ce ne saranno che io non so trovare. Delle vostre non so; ma voi dovrete sapere fare meglio di me lo esame di coscienza, perché cattolico zelante e sviscerato.

Sviscerato tanto, che giungete perfino a nascondere *verenda*[1] della Chiesa, perché appaia meno abominabile.

Quanto alla durata delle mie opere, io penso che le opere durino per bellezza estetica; ma le mie, troppo hanno in sé del politico, e però dureranno come opera un rimedio, fin che dura la malattia; quando sorgerà il giorno della vera, della grande libertà, cesseranno, come il lume della lucerna sviene allo apparire del sole; ma pure dureranno più delle vostre, perché le vostre accennano un regresso, le mie un progresso.

Amore e libertà precedono il pellegrinaggio degli uomini in questo mondo: voi, unendovi ai preti di Roma, senza che ve ne siate addato, vi rendeste mancipio di odio e di servaggio. Vi pare, vi pare, che miriate Cristo, appuntando gli occhi vostri a Roma?

Il nostro amico Ondes Reggio, quando mi trova, mi dice sempre che spera vedermi un giorno convertito cattolico. Concedete, signore, che con migliore auspicio mi auguri, in breve, veder voi, e il prelodato amico, divenuti *cristiani*.

Gradite i miei cordiali saluti, coi quali mi confermo vostro aff.mo confratello.

F. D. Guerrazzi.

Livorno, 15 dicembre 1868.

1. *verenda*: le parti vergognose.

LUIGI CARLO FARINI

# PROFILO BIOGRAFICO

Luigi Carlo Farini nacque il 22 ottobre 1812 a Russi, piccola terra sulla strada tra Faenza e Ravenna, dove il padre, Stefano, eserciva l'unica farmacia del comune. Era una famiglia di modesta agiatezza con buone tradizioni di cultura e di liberalismo; e il principale educatore del giovane Luigi Carlo fu lo zio paterno Domenico Antonio, liberale a tutta prova, sorvegliato e perseguitato dalla polizia pontificia, e infine assassinato dai sanfedisti nel 1834. Compiuti i suoi primi studi in Russi, Luigi Carlo si iscrisse nel 1828 alla facoltà di medicina dell'Università di Bologna; e frequentava il terzo anno, quando scoppiò il moto del 4 febbraio 1831, al quale egli prese parte attiva militando nella legione studentesca. Fra i volontari bolognesi c'erano anche i fratelli Bonaparte, Carlo Luigi Napoleone e Napoleone Luigi, e forse da allora data l'amicizia del Farini col futuro imperatore dei Francesi; pare anzi che a Forlì, dove lo zio Domenico Antonio si trovava come direttore della polizia, egli abbia affettuosamente assistito il principe Napoleone Luigi, che vi si era ammalato di polmonite e che vi morì il 17 marzo. Fallito quel moto, il Farini si ritirò intanto a Russi; poi riprese gli studi e nel 1832 conseguì la laurea a Bologna. Si dedicò allora all'esercizio della sua professione, nel quale ebbe a sperimentare l'ostilità della polizia; sicché, dopo vari incarichi provvisori in qua e là, solo nel 1839 poté ottenere una condotta stabile a Russi, dove rimase fino al 1843. Intanto egli era salito in fama, sia per i suoi successi professionali, sia per la sua attività scientifica. Aveva infatti pubblicato vari lavori, tra i quali sono principalmente da ricordare uno studio *Sulle febbri intermittenti* (Forlì 1835) e le osservazioni *Sulla pellagra* (Bologna 1839). Ma nell'agosto del 1843 la sua vita di medico, di studioso e di padre di famiglia subì un mutamento improvviso. Si preparava allora un moto insurrezionale di ispirazione mazziniana, che incontrò favore anche tra l'aristocrazia e la borghesia intellettuale della Romagna. La polizia non tardò ad esserne informata, e il Farini, che era uno degli organizzatori di quel movimento, avvisato in tempo, dové porsi in salvo riparando prima in Toscana e poscia in Francia. Questo suo esilio durò circa un anno, e durante la sua dimora a Parigi egli poté prendere diretta conoscenza dello stato della scienza medica francese. Nel luglio del 1844 ritornò a Firenze, dove fu in rapporti amichevoli con Montanelli, Capponi, Ridolfi, Salvagnoli, e con gli altri frequentatori del Gabinetto Vieusseux. E quivi, per commissione della Soprintendenza toscana di sanità, attese anche a scrivere il trattato *Sulle questioni sanitarie ed economiche agitate in Italia intorno alle risaie* (Firenze 1845), che a giudizio dei competenti si deve considerare come la sua migliore pubblicazione scientifica. Ma non aveva ancora condotto a termine questo lavoro, quando, obbedendo alle pressioni della Curia romana, il governo granducale gli diede nel marzo del '45 lo sfratto dalla Toscana. Riparò allora a Lucca, dove il governo di Carlo Lodovico e del suo primo ministro Niccolao Giorgini (il nonno di Giovanni Battista) era molto tollerante, e d'onde egli poteva recarsi frequentemente a Firenze eludendo la non rigorosissima sorveglianza della polizia toscana. Appunto a Lucca egli stese il *Manifesto delle Popolazioni dello Stato Romano ai Principi ed ai Popoli d'Europa*, che fu poi il programma politico della sommossa di Rimini del settembre 1845.

Quali fossero le idee politiche del Farini fino al '43, non si può dirlo con esattezza. È molto probabile che in lui fosse soprattutto vivo un senso di aspra e radicale avversione al malgoverno papalino, e che tale suo sentimento, piuttosto confuso ed istintivo, assumesse facilmente quelle forme di estremismo, almeno verbale, che non erano insolite tra i patrioti romagnoli, e per cui egli poté passare anche per mazziniano. Perciò, quando più tardi il Mazzini, scrivendo le sue *Note autobiografiche*, ebbe a ricordare che il Farini era nei convegni dei liberali «vociferatore di stragi», «e uso ad alzare la manica dell'abito sino al gomito e dire: *ragazzi bisognerà tuffare il braccio nel sangue*», egli doveva raccogliere una voce sostanzialmente veridica. Ma dopo il '43, per l'esperienza, prima, del parlamentarismo francese, e per il suo accostarsi, poi, ai liberali toscani del circolo del Capponi e soprattutto in seguito ai suoi colloqui con Massimo d'Azeglio, il suo orientamento politico assunse forme più definite e più consapevoli, fissandosi entro i limiti di quel moderatismo fin troppo cauto e circospetto, col quale egli ebbe ben presto ad affrontare l'esperienza della rivoluzione romana.

Intanto, nel novembre del 1845 egli ricevette una sistemazione assai conveniente, essendo stato assunto come medico personale del principe Federico Girolamo Bonaparte, figlio di Girolamo ex re di Vestfalia, che dimorava a Viareggio; e l'anno seguente, viaggiando al suo seguito, ebbe modo di prendere parte attiva all'8° congresso degli scienziati, che si era riunito a Genova. Morto poi il principe nel maggio del 1847, e nuova aria spirando nello stato pontificio in seguito ai primi atti di governo di Pio IX, il Farini fu chiamato come medico primario a Osimo, dove egli si recò nell'ottobre dello stesso anno.

Col 1848 prevale sempre più nella vita del Farini l'attività politica. Nel rivolgimento romano egli non ebbe una parte di primo piano; ma gli furono affidati incarichi importanti. Alla fine del marzo fu chiamato ad assumere il sottosegretariato degli interni nel primo ministero costituzionale; nel maggio fu inviato come incaricato straordinario di Sua Santità al campo di Carlo Alberto, e nel frattempo fu eletto deputato; nel settembre fu inviato come commissario del governo per ristabilire l'ordine pubblico a Bologna; nel novembre Pellegrino Rossi lo chiamò alla direzione generale della sanità. Il ministero Rossi fu quello che più e meglio di ogni altro riscosse la fiducia del Farini. I voti del quale, all'inizio del '48, non si spingevano neanche fino alla costituzione; giacchè egli pensava allora che il Papa dovesse assumere la presidenza della confederazione italiana, giusta il programma del Gioberti, e che all'interno dello stato pontificio ci si dovesse accontentare di caute e graduali riforme, intese soprattutto a laicizzarne l'amministrazione. S'intende perciò come egli fosse destinato a una cocentissima delusione. La quale non tardò a presentarsi con l'uccisione del Rossi, la fuga del Papa e l'istaurazione della repubblica romana. Della repubblica egli fu costante e dichiarato avversario, ed essendosi rifiutato di sottoscrivere l'atto di adesione, il 2 aprile '49 fu dimesso dal suo ufficio. Credette opportuno allora di ritirarsi a Firenze, dove intanto era riuscito ai moderati di abbattere la dittatura del Guerrazzi; e vi rimase fino al luglio, quando, caduta la repubblica, egli fece ritorno a Roma e vi riassunse la direzione della sanità. Si illudevano allora i moderati romani, che con la caduta della repubblica non tutti i benefici del governo liberale dovessero andare perduti, e che anzi essi venissero in certo qual modo assicurati. Invece fu il trionfo del sanfedismo. La reazione pontificia fu inesorabile, e il Farini, per la seconda volta destituito dal suo ufficio, capì che doveva abbandonare Roma e lo stato, e il 1° gennaio 1850 giunse a Torino.

A Torino era presidente del consiglio Massimo d'Azeglio, col quale egli era già in dimestichezza e in piena concordanza di vedute politiche. L'Azeglio gli ottenne subito la naturalizzazione, lo chiamò a sedere nel Consiglio superiore di sanità e l'anno seguente lo volle ministro dell'istruzione nel suo Gabinetto, in cui il Cavour aveva i portafogli dell'agricoltura e delle finanze. Intanto veniva anche eletto deputato; collaborava al «Risorgimento», il giornale del Cavour, dal quale passava alla direzione del «Piemonte»; e scriveva la sua opera maggiore, *Lo stato romano*, di cui pubblicava subito i primi tre volumi. Ma nell'ambiente torinese il Farini subì anche un'ulteriore evoluzione politica: risorsero in lui gli impulsi generosi del vecchio cospiratore antipapalino. Dalle vicende del moto romano, e soprattutto dalla reazione sanfedista che l'aveva concluso, egli aveva tratto chiara la convinzione che il principato ecclesiastico era assolutamente incompatibile con un regime di libertà; pertanto egli non doveva tardare a persuadersi che la soluzione del problema romano non poteva esser data da un assetto confederativo, ma solo dall'unità politica della nazione, la quale avrebbe determinato anche la caduta del potere temporale della Chiesa. Questa sua evoluzione dal confederalismo all'unità, a una unità, s'intende, da realizzare con le garanzie assicurate dalla monarchia sabauda, portò seco necessariamente il suo passaggio dal moderatismo azegliano, troppo cauteloso e troppo angusto e miope, a quella più energica politica di iniziativa nazionale, che era nei voti del Cavour. Cominciò così, col famoso «connubio», al quale anche il Farini diede una mano, quella collaborazione sua col Cavour, alla quale si mantenne poi sempre fedele.

Tutti i suoi biografi assicurano che i caratteri dei due uomini parevan proprio fatti per completarsi a vicenda, e che alle doti ben conosciute del grande statista piemontese il Farini portasse il contributo prezioso delle doti sue, che erano la rapidità nel concepire e l'energia nell'eseguire. Si racconta anzi, a questo proposito, che tutta del Farini fu la prima idea dell'alleanza del Piemonte con la Francia e l'Inghilterra e del suo intervento nella guerra di Crimea; e che recatosi subito a Torino, da Saluggia dov'era, per comunicare questo suo disegno al Cavour, questi gli diede del matto, ma pochi giorni dopo si ricredette e si diede a realizzare il progetto fariniano. Comunque, la collaborazione del Farini alla politica del Cavour, sia nella stampa, sia nel parlamento, fu sempre volta a sostenere o a sospingere il Cavour nella via dell'unificazione nazionale. Tuttavia essa non offre particolari di notevole rilievo fino al giugno 1859, quando egli fu mandato commissario del Re a Modena, dove, in seguito alla battaglia di Magenta, il duca Francesco V era stato costretto alla fuga. Questo suo ufficio sarebbe stato di brevissima durata e assolutamente insignificante, se nel luglio successivo il Farini avesse ubbidito all'ordine di rientrare in Piemonte, che a lui come agli altri commissari regi era stato impartito in ottemperanza ai sopravvenuti patti di Villafranca. Ma con rapida e lungimirante risoluzione egli preferì dimettersi dalla sua carica e agire da semplice cittadino. I modenesi lo acclamarono dittatore, e in tal qualità, vincendo ogni ostacolo e scongiurando il ritorno dei passati governi, egli poté procedere all'unificazione degli ex-ducati di Modena e Parma con Bologna e le Romagne, fondando il governo dell'Emilia e con mano ferma reggendolo fino ai plebisciti e all'annessione al Piemonte, che ebbe luogo nel marzo 1860. Fu questo il fatto più saliente di tutta la sua vita politica: allora egli agì come uno dei più risoluti protagonisti dell'unità nazionale.

Tornato a Torino, il Cavour gli affidò il ministero dell'interno, e in tale ufficio aiutò la spedizione dei Mille e coadiuvò alla liberazione delle Marche e dell'Umbria. Cessata poi la dittatura di Garibaldi, il Farini fu nominato Luogotenente generale del Re a Napoli. Ma la situazione napoletana era assai diversa dalla emiliana, e i problemi meridionali rimanevano piuttosto fuori della sua particolare competenza; inoltre cominciavano già a notarsi in lui i primi segni di quella malattia (si trattava di un rammollimento del tessuto cerebrale) che poi lo condusse a morte. Perciò egli lasciò ben presto questa carica; ma poté ancora partecipare ai lavori parlamentari sempre ispirandosi al compimento dell'unità nazionale e giovando dei suoi consigli, dopo la morte del Cavour, i suoi amici al potere. Infine, nel dicembre del 1862, caduto, dopo Aspromonte, il Rattazzi, essendo la situazione interna particolarmente difficile e delicata, egli fu chiamato alla presidenza del consiglio. Ma nel marzo successivo dovette lasciare questo ufficio al Minghetti. La malattia gli si era rapidamente aggravata, e assunse ben presto le forme di una lunga demenza. Si spense il 1° agosto 1866.

Chi lo conobbe da vicino ce lo ha dipinto: «vigoroso della persona, spaziosa la fronte, dignitoso l'aspetto: concitato l'andare, la

parola, il gesto; nulla fece, nulla scrisse senza impeto di affetti»
(Finali). E alle linee essenziali di questo ritratto corrispose anche
lo spirito dell'opera sua maggiore, *Lo stato romano*, dove l'indagine e l'esposizione dei fatti non sono davvero guidate dalla serenità
del giudizio storico; ma si incorporano in una professione di fede
politica, appoggiata, sì, ai documenti, ma al tempo stesso accesa tutta
da una violenta requisitoria contro quelli che furono i costanti
idoli polemici del Farini: la repubblica mazziniana e il sanfedismo.

★

L'opera maggiore del Farini, *Lo stato romano dall'anno 1814 sino a' nostri
giorni*, fu pubblicata la prima volta a Torino, Ferrero e Franco, 1850-1853,
in quattro volumetti; e nello stesso 1853 fu ristampata a Firenze da Felice
Le Monnier.

Per la conoscenza del Farini sono fondamentali i tre volumi dell'*Epistolario*, a cura di L. Rava, Bologna, Zanichelli, 1911-1914. Occorre tuttavia avvertire che la pubblicazione delle lettere vi è condotta solo fino
all'anno 1851.

Notizie esaurienti sul Farini come scienziato e come medico si trovano
in L. Messedaglia, *La giovinezza di un dittatore*, con introduzione di
L. Rava, Milano-Roma-Napoli 1914.

Sul Farini in generale, ma particolarmente come uomo politico, cfr.:
*I contemporanei italiani*, Galleria nazionale del secolo XIX, *Luigi Carlo
Farini*, per Vittorio Bersezio, Torino 1860; C. Ghinozzi, *Il comm. L.
Farini*, necrologia, estr. da «La sperimentale», Firenze luglio-agosto 1866;
Achille Mauri, *L. C. F.*, nella «Nuova Antologia», 1866, voll. II e III;
Alfonso Marescalchi Matteuzzi, *L. C. F.*, Roma, eredi Botta, 1877;
Giuseppe Badiali, *L. C. F.*, Ravenna, Fratelli Maldini, 1877; Ettore
Parri, *L. C. F.*, Roma, Tip. Elzevir, 1878; Gaspare Finali, *Ricordi
della vita di L. C. F.*, nella «Nuova Antologia», 1878, pp. 397-452, e poi
nel vol. *La vita politica dei contemporanei illustri*, Torino 1895; Tommaso
Casini, *La giovinezza di L. C. F.*, nell'«Archivio storico italiano», Fi-
renze 1911, pp. 331-377, e poi nel vol. *Ritratti e studi moderni*, Milano-
Roma-Napoli 1914; A. D'Ancona, *L. C. F. nel suo carteggio*, nella «Nuova
Antologia», 16 maggio 1911, e poi nel vol. *Ricordi storici del risorgimento
italiano*, Firenze, Sansoni, s. a. ma 1914.

Con particolare riguardo al Farini come scrittore è condotto il bel saggio
di A. Borgognoni, *L. C. F.*, accolto nel vol. *Disciplina e spontaneità nell'arte*, a cura di B. Croce, Bari 1913.

# DALLO «STATO ROMANO»

## I

## [IL PAPATO DI LEONE XII] [1]

Il novello papa rivolse l'animo ardito ed il pensiero ad ogni parte del temporale reggimento, e la vita concitata ed operosa rinfrancò sue forze [2] di guisa che ebbe lena per uscir di palazzo, visitare ospizi, carceri e monasteri, e quasi moltiplicarsi per bastare a tutto. Avendo fermo nell'animo di mutare lo Stato, ritirandolo, come più potesse, agli ordini ed usi antichi, [3] che reputava eccellenti, venne recando ad atto siffatta deliberazione con perseverante sollecitudine. Sua mercé, fu ristaurata l'autorità delle Congregazioni cardinalizie e furono ripristinate molte vecchie pratiche e discipline della Curia romana. Incoraggiò e protesse tutte le congregazioni religiose e confraternite devote; colla bolla *Quod divina sapientia* ordinò che gli studi fossero interamente ridotti sotto la gerarchia ecclesiastica; volle amministrati e governati dal clero tutti gli istituti di carità e beneficenza; confermò ed ampliò le immunità, i privilegi, le giurisdizioni del medesimo. Tolse agli Ebrei ogni diritto di proprietà, obbligandoli a vendere in tempo determinato quelle che possedevano; richiamò in vigore a carico dei medesimi molte insolenti discipline ed incivili usanze del medio evo; li fece rinchiudere nei ghetti con muraglie e con portoni, e li diede in balìa al Santo Ufficio; onde avvenne che molti fra ricchi ed onesti commercianti emigrassero in Lombardia, a Venezia, a Trieste ed in Toscana. Disciolse il magistrato che sovrintendeva alla vaccinazione, e ne cassò i regolamenti; diede facoltà illimitata di istituire maggioraschi e fidecommessi; distrusse i tribunali collegiali che amministravano la giustizia, ed invece di quelli istituì le preture, giudizi d'un solo giudice; ridusse i municipii in soggezione del governo: mutò nomi di magistrature; fece severe leggi di caccia e di pesca; comandò l'uso, od a meglio dire,

---

1. [Vol. I, pp. 17-25.] 2. Quando Annibale Della Genga fu eletto papa, il 28 settembre 1823, «egli era nei sessantaquattro anni di sua vita, ed infermo così, che agli amici, i quali lasciavano intendere volerlo innalzare al pontificato: — Non pensate a me, diceva, ché eleggereste un cadavere —; e mostrava le gambe enfiate ed il magro e squallido volto» (Farini). 3. *agli . . . antichi*: e cioè a quelli anteriori al periodo napoleonico.

lo strazio della lingua latina tanto nel parlare quanto nello scrivere del Foro, e delle università degli studi.

La provincia di Marittima e Campagna era infestata da numerose e feroci bande di scherani e saccomanni, e Leone volle con ogni mezzo ridurla a termini di quiete e sicurtà: e vi mandò con poteri di legato a latere, i quali importano sovrana autorità, un cardinale Pallotta; e posciaché questo ebbe commesse disorbitanze strane, e dato singolare esempio di governo furibondo, lo richiamò a Roma, e deputò all'impresa monsignore Benvenuti, il quale poi riuscì nello intento più per via d'accordi e di pensioni vitalizie concesse ai malandrini, di quello che colla forza. Gli esigli e le condanne del precedente regno non avevano doma e distrutta la Carboneria: frequenti assassinii politici funestavano le Romagne, dove la segreta associazione era potente più del governo. Il sanfedismo era mantice allo sdegno del disdegnoso pontefice, il quale fece deliberazione di tentare modi violenti per sanare quella piaga, e mandò a Ravenna in qualità di legato a latere quel cardinale Rivarola di cui ho fatta menzione nel capitolo precedente.[1] Il quale si circondò di gendarmi e di spie, favoreggiò la delazione, intraprese inquisizioni segrete, pubblicò un bando che proibiva di girar di notte senza una lanterna in mano, colla sanzione di pene ad arbitrio, ed imprigionò gente d'ogni età, d'ogni ceto, d'ogni condizione; poi ai 31 di agosto dell'anno 1825 condannò 508 individui, de' quali sette all'ultimo supplizio, tredici ai lavori forzati a vita, sedici per vent'anni, quattro per quindici anni, sedici per anni dieci, tre per anni sette, uno per cinque, uno per tre anni, sei alla prigionia perpetua in una fortezza, tredici per vent'anni, dodici per anni quindici, ventuno per dieci, uno per sette, quattro per cinque anni, due per un anno, due all'esiglio perpetuo. Duecentoventinove erano puniti colla sorveglianza ed il *precetto politico* di primo ordine, e centocinquantasette con quello di secondo ordine. Il primo obbligava a non dar passo fuori della città e provincia nativa; a ritirarsi in casa ad un'ora di notte, e non escirne prima del levar del sole; a condursi innanzi all'ispettore di polizia ogni quindici

---

1. Nel cap. precedente è detto infatti che tra i più avventati e fanatici, che alla caduta di Napoleone predominavano nella Curia romana malgrado il papa, il Rivarola: «focoso corridore al palio del medio evo, ito commissario in provincia, sommoveva tutto, vituperava e guastava tutto, chiamava infame perfino l'uffizio del registro». Agostino Rivarola (1758-1842), di Genova, era stato creato cardinale nel 1817.

giorni; a confessarsi una volta al mese, e provarlo alla polizia con testimonianza di un confessore approvato; infine, a fare ogni anno *gli esercizi spirituali*, per tre giorni almeno, in un convento da scegliersi dal vescovo. Punita la disobbedienza con tre anni di lavori pubblici. Il precetto di secondo ordine era poco meno grave, la pena sancita più mite. La pena di morte venne commutata in quella della prigionia perpetua. Dei cinquecento e otto condannati dal Rivarola, trenta erano nobili, centocinquantasei possidenti o commercianti, due preti, settantaquattro impiegati, trentotto militari, sessantadue fra medici, avvocati, ingegneri e uomini di lettere; il resto artigiani. La sentenza faceva fondamento in semplici indizi di aggregazione a sètte liberali, ed era pronunciata dal cardinale a latere senza veruna maniera di guarentigia, sia di difesa, sia di pubblicità, e senza altra guida che l'arbitrio del porporato giudice. Seguiva un bando, col quale, perdonati tutti i settari non compresi nella sentenza, si dichiarava, che se nuovamente si accostassero alle sètte, sarebbero puniti anche della colpa di cui allora erano assolti; e da ultimo era sancito, che quindi innanzi i capi e propagatori di sètte sarebbero puniti di morte in seguito alla semplice cognizione *per inquisitionem*; i detentori d'armi, emblemi o danaro, con vent'anni d'opera pubblica; gli aggregati, con dieci; infine, con sette anni di galera coloro che scienti o sospettanti l'esistenza d'una setta o la pertinenza d'un individuo ad una setta non se ne facessero delatori.

Passato quell'impeto, il Rivarola parve mansuefarsi: richiamò qualche esule, fece qualche altra grazia, disse stargli a cuore di riconciliare i partiti politici; ed a segno di simigliante intendimento volle con istrano consiglio che in Faenza, città travagliata sovra tutte dalle ire di parte, fossero celebrati a pubblico esempio vari matrimoni, dei quali pagò la dote e le spese. Quivi il volgo appellava cani i carbonari o liberali che nella città erano numerosi, e gatti i sanfedisti o papalini che nel borgo erano potenti. In questo bestiale battesimo di partito pomposamente si impalmarono destre nemiche, auspice e pronubo il legato a latere; infatti riescirono bestiali e fuggevoli accoppiamenti, non matrimoni. E siccome l'Anno santo approssimava ed i liberali erano dai sanfedisti messi in voce di eretici e miscredenti, andavano intorno compagnie di frati a missione di predicare penitenza e ravvedimento; e queste salivano in bigoncia sui trivii e sulle pubbliche piazze ed intrattene-

vano la folla sermonando di politica più che di religione. Universale
era una crociata contro le opinioni liberali; la costituzione era
già stata distrutta in Ispagna per sentenza del congresso di Verona
ed intervento della Francia costituzionale; tutte le polizie si travagliavano in opere di vigilanza e repressione dei novatori. La romana temeva che quelli traessero all'eterna città in abito di pellegrini in occasione del giubileo a fine di cospirazione e sedizione;
ma nonostante, il coraggioso Leone volle che fosse aperto a' 24
dicembre del 1824. Mandò il berrettone e lo stocco benedetti al
duca d'Angoulême, restitutore della regia podestà assoluta nelle
Spagne, ed il mantello d'argento del giubileo alla duchessa sua
moglie. Ma le sètte liberali non avvilite, ingrossate erano nell'ira
per le recenti battiture; le prediche, il giubileo, la tardiva mitezza
e le stravaganze conciliative del Rivarola non avevano ammolliti
gli animi grandemente esasperati contro di lui: la vendetta armò
in Ravenna il braccio di alcuni audacissimi sicari, i quali attenta-
rono alla sua vita. Ito o richiamato alla capitale, venne mandata in
Romagna una Commissione straordinaria costituita di legulei e di
militari e presieduta da un monsignore Invernizzi.

La quale non soltanto fece diligenza di scuoprire gli autori
dell'attentato alla vita del cardinale Rivarola e degli assassinii politici commessi negli ultimi tempi, ma ripigliò le inquisizioni sulle
sètte. Dapprima non fece frutto; ma poi, promessa impunità ai
delatori e fatte opere di suggestione e corruttela, ebbe di che conoscere capi ed accoliti, e ne riempì le carceri. E perché là dove
l'inquisizione fa fondamento sulla delazione e sul secreto ivi l'innocenza non ha guarentigia, avvenne che non pochi innocenti
fossero confusi coi rei da cotesta Commissione dell'Invernizzi,
della quale dura tuttavia la memoria odiosa e spaventevole nelle
Romagne. Pareva che le città fossero in istato d'assedio; i gendarmi
baldanzosi e minacciosi passeggiavano a tutte le ore per le pubbliche vie, dì e notte frugavano i cittadini, perquisivano le abitazioni,
arrestavano, stringevano in ceppi, insolentivano; le carceri non erano capaci di tanta gente; antichi conventi ed altri spaziosi edifici
venivano accomodati ad uso di prigione; gli imprigionati segregati
da qualsivoglia consorzio, costantemente invigilati da gendarmi e
con ogni maniera di morale tortura e corporale afflizione tribolati.
Alla fine furono pronunciate molte e gravi condanne, ed in Ravenna venne preso l'estremo supplizio colle forche, insolito modo,

di sette individui imputati di Carboneria e di complicità negli
assassinii politici; ed i cadaveri impiccati furono per un giorno
intero lasciati in piazza a spettacolo di terrore. Erano rei, ma altri
più rei avevano compra la vita e la libertà ad infame prezzo di delazione; erano rei, ma le sevizie della Commissione, gli iniqui modi
di inquisizione, di giudizio e di supplizio avevano sollevati gli animi
dei cittadini contro i giudici; e le improntitudini del sanfedismo
e del governo avevano così pervertito il senso morale, che omai
non veniva reputato reo chi cospirava contro quelli, non era chiamato assassino chi uccideva a tradimento un sanfedista; anzi erano
compianti coloro che lasciavano la vita sul patibolo per simiglianti
cagioni. Infatti nel dì in cui le forche furono piantate, i cittadini,
per fuggire lo spettacolo atroce, si sparsero per le campagne vicine,
e la città fu melanconica e cupa. Anche in Roma fu in quegli anni
mozzo il capo ad un Targhini, carbonaro omicida, e ad un chirurgo
Montanari suo complice;[1] né l'effetto e l'esempio furono quali sogliono partorirsi dalle giuste pene nei governi rispettati. Però le
lunghe e diuturne inquisizioni, gli arresti, le condanne, gli esigli,
i supplizi, le delazioni e le impunità sciolsero in Romagna i vincoli
delle sètte. Monsignor Invernizzi, il quale affermava di conoscere
tutto e tutti, lasciò intendere come impetrerebbe e darebbe perdono ai settari i quali spontaneamente dichiarassero le proprie
colpe e facessero scritta ritrattazione. Corsero prima a centinaia, poi
a migliaia; fu uno scandalo pubblico; fu di moda il fare, come dicevano, la spontanea; fu un fatto il quale tolse credito e riputazione
alle sètte, e fornì abbondante materia alle polizie ed al sanfedismo
di susseguenti vigilanze e persecuzioni.

   Nel tempo che queste cose avvenivano, Leone non preteriva di
rivolgere l'animo e la mente ad altre sollicitudini. Era un fuscello
negli occhi del partito clericale il vasto possedimento di terreni,
detto l'appannaggio, che il Beauharnais viceré d'Italia aveva avuto
nelle Marche a titolo di dotazione e che gli eredi suoi avevano conservato. Il papa mandò a Monaco un conte Troni perché studiasse
modo di recupera o di composizione in guisa che cessassero le
tracce delle napoleoniche fortune; ma fu indarno. Saliva sul trono
degli Czar il novello imperatore Nicolò, ed il pontefice inviava a
Pietroburgo per ufficio di congratulazione monsignor Tommaso

---

1. *Anche ... complice.* Su questa esecuzione si sofferma anche Massimo
d'Azeglio (*I miei ricordi*, parte II, cap. 8).

Bernetti, governatore di Roma, al quale poi dava la porpora nell'ottobre del 1826. Perspicace uomo era il Bernetti, studiosissimo dell'indipendenza di Roma e della potenza del clero, e sperto del governare romanamente. Leone lo nominò segretario di stato nel gennaio del 1827 e ne fu bene aiutato di consiglio e d'opera nella sua maniera di politica e di amministrazione. Invigilava e guerreggiava i nemici del trono e dell'altare, come appellavano i liberali; ma non sì da commettersi pienamente alla fede di quei pericolosi amici che gli austriaci erano, e non sì da aiutare l'incremento della fortuna dell'imperio a spese dello Stato della Chiesa. Leone XII ed il cardinale Bernetti serbavano abbastanza incorrotti i primitivi spiriti antiimperiali del sanfedismo, e sebbene il papa benedicesse pubblicamente alle truppe austriache che ritornavano da Napoli, pure è indubitato come non amasse lo scorrazzare delle medesime nella dizione pontificia.[1]

La verità vuole che si narri, che regnante Leone duodecimo, e governante Bernetti, alcune buone ed utili cose furono operate. Vennero tolti abusi e puniti abusatori, si cercò di dare acconcio agli ospitali ed istituti pii di Roma, strade ponti ed altri pubblici lavori furono incominciati o condotti a fine, la pubblica sicurezza fu ristabilita in quelle contrade che prima erano saccheggiate dagli scherani, venne posto modo alle spese e scemata la tassa fondiaria di un terzo, fu creata con sufficiente dote una cassa di ammortizzazione del debito pubblico. Benefìci questi, de' quali, se i popoli fossero stati accomodati, gratificandoli insieme di quegli istituti e di quelle leggi civili che gli altri pure soggetti alle monarchie assolute godevano, e se non fossero andati di conserva colle soverchie severità e con ingiustizie politiche, avrebbero potuto avvalorare l'autorità pontificia di gratitudine e di amore. Ma il timoneggiare lo stato contro le correnti del secolo in vantaggio d'una casta e tal fiata d'una setta, lo astiare gli incrementi più nobili e preziosi dell'incivilimento, l'onorare l'infame mestiere della delazione ed il sospettare e vilipendere la dottrina, non davano ai popoli la coscienza del bene che per altri rispetti il governo ope-

---

1. *nella dizione pontificia*: nel territorio soggetto alla giurisdizione pontificia. Indignata per la politica antiimperiale del Bernetti (1779-1852), l'Austria ottenne nel 1836 che il pontefice lo esonerasse da quell'ufficio. Il Bernetti fu poi pro-segretario di stato sotto Gregorio XVI, e nel novembre '48 seguì Pio nono a Gaeta.

rava, e facevano sentire il martello del male più fortemente per la comparazione che si faceva cogli altri stati e specialmente colla vicina Toscana, dove il nuovo granduca Leopoldo II seguiva la via battuta dal padre e dall'avo. E quegli impeti sregolati contro i liberali, quel vestire di toga lo inquisitore ed il giudice di cocolla, quel mescolare la religione alla politica, gli ecclesiastici coi birri, e quel collocare il trono sopra l'altare, rendevano odioso il governo ed il partito clericale alle genti culte, alla gioventù fidente nell'avvenire, al laicato civile che in cuore si ribellava alla prepotente chieresia. E perché l'opinione pubblica, onde i governi si assodano o scadono, si informa appunto dalle opinioni, dagli amori e dagli odi di quella maniera di genti, e non già dagli affetti e dai pensieri della moltitudine grulla ed indifferente; così avveniva che si dicesse e credesse ogni vituperio di Roma, dei cardinali, del governo de' preti. La qual cosa manteneva vivi gli spiriti di congiura e dava apparecchio allo infellonire delle fazioni amiche e nemiche. Leone XII morì al cominciare del 1829, e legò al suo successore molto maggiore scontento de' laici e corruccio dei liberali, che egli non avesse ereditato dall'antecessore.

II

[LA RESTAURAZIONE PONTIFICIA NELLE ROMAGNE
DOPO IL MOTO DEL 1831][1]

Il cardinale Albani incominciò il suo governo con atti di molta severità: pubblicò un editto contro le società segrete, il quale era un'esagerazione ed ampliazione del famoso bando rivaroliano, di cui fu detto sopra; impose un prestito forzoso; disciolse magistrature e consigli municipali, tolse le armi a tutti i cittadini, a molti gli uffici e le cariche. Le parole erano anche più severe dei fatti: errore che non di rado commettono i governanti, il quale dà loro ed al governo fama più grave ed odiosa di quella che in realtà meriterebbero. Molti liberali, o perseguitati realmente o intimiditi, emigrarono.

Nel marzo i francesi occuparono la città ed il forte d'Ancona con improvvisa violenza. I capitani di mare e di terra Combes e Galloy gridarono libertà e fecero mostre ostili al governo pontificio, di maniera che gli anconitani prima, poi i liberali di Romagna

1. [Vol. I, pp. 61-70.]

aprirono il cuore a novelle speranze; quasi che libertà alcun popolo acquistasse mai da alcuno straniero, ed acquistare potesse
senza spendere un grande e tutto proprio tesoro di virtù e di sacrifici. La corte romana si corrucciò grandemente, o ne fece sembiante, per la violenta occupazione francese; si querelò e protestò;
e corrucciossi più coi sudditi pervicaci nello spirito di ribellione,
contro ai quali il papa lanciò i fulmini della Chiesa. Le calde e lusinghiere parole dei capitani di Francia, la vista di quelle insegne e
di quei soldati che avevano fatto il giro del mondo schiantando
troni, la memoria ancor fresca dell'ultima rivoluzione parigina, i
discorsi della ringhiera[1] e dei giornali francesi, la ritirata dei governanti e soldati pontifici in Osimo, i corrucci della corte e del
pontefice fecero velo alle menti di illusione funesta, e sventurata-
mente concitarono di nuovo gli spiriti. Molti fuggenti di Romagna
emigravano ad Ancona, quasi a terra promessa: i francesi li arma-
vano e ne costituivano una legione mista con anconitani, la quale fu
detta colonna mobile e doveva essere guardiana della sicurezza e
dell'ordine pubblico: ogni giorno s'annunciava che i soldati di
Francia muovevano ad occupare altre città del pontefice: nei piccoli porti del littorale adriatico si aspettava dall'uno all'altro dì
il naviglio che li sbarcasse: tanta era la brama, tanta nei liberali la
speranza di un mutamento. Ma a breve andare il governo francese,
Périer ministro, mandò i predicatori di libertà Combes e Galloy
a guerreggiare i beduini in Affrica,[2] e ad Ancona, in luogo loro,
un generale Cubières notato con onore negli annali napoleonici
prima, con infamia dopo in quelli della Corte d'Assise; ed a Roma
quel signor di Sainte-Aulaire[3] che poi udimmo nel 1848, pochi giorni prima della rivoluzione parigina, magnificare le concessioni che
Gregorio XVI aveva fatte, e parlare a sproposito sulle condizioni
dello Stato romano nella Camera dei Pari. Ei fu sollecito a studiare

1. *della ringhiera*: della tribuna, nel Parlamento. La rivoluzione parigina
è quella del luglio 1830.  2. *Ma a breve ... in Affrica.* Le truppe francesi
che avevano occupato Ancona erano in ritardo sull'evoluzione politica del
loro governo. Infatti il 18 marzo 1831 Casimiro Périer (1777-1832), ricco
banchiere e capo del governo di Luigi Filippo, aveva sconfessato quel
principio di non intervento, che era uscito dalla rivoluzione di luglio e
confidando nel quale erano insorte le Romagne.  3. *Sainte-Aulaire.* Il conte Luigi di Sainte-Aulaire (1778-1854), storico e diplomatico francese, era
stato nominato l'8 marzo 1831 ambasciatore a Roma. Egli aveva ricevuto
le istruzioni che qui riferisce il Farini; inoltre doveva adoperarsi affinché
il papa facesse delle concessioni ai suoi sudditi in materia amministrativa.

modi di ammollire gli animi del pontefice e del segretario di stato, e pose studio a gratificarseli facendo malleveria dell'amicizia del governo di Luigi Filippo e della risoluta volontà sua di conservare alla Chiesa lo stato integro, agli ecclesiastici il dominio, all'Europa la pace, e di restaurare l'ordine perturbato.

Il sanfedismo vedeva gli eventi andargli a seconda per quella molto ordinaria vicenda della poco ragionevole umanità palleggiata sempre fra gli estremi: vedeva il governo pontificio tirato dagli eventi e dalla sua natura e da' suoi fati a gettarsi nelle braccia del satellizio sacro-politico, che era o si diceva conservativo dell'assoluta autorità temporale dei pontefici. I liberali la minacciavano, i francesi erano per lo manco amici dubbi, gli austriaci dubbi e pericolosi, le potenze eterodosse sospette; il sanfedismo ortodosso in politica come in religione credeva avere podestà di sostenere e difendere l'edificio romano ampliando e disciplinando a milizia le forze della setta e quelle che erano affini per sacro e per politico rispetto.

Da ciò l'idea dei militi centurioni, antichissima istituzione degli Stati della Chiesa, della quale favellano i cronachisti condannandone le opere e notando fra le laudate di Sisto V lo averla distrutta. In Curia romana è sempre qualche geloso custode delle anticaglie, il quale a tempo e luogo le disotterra e le pone in atto tal quali; come se il presente e l'avvenire non fossero e non potessero essere che una mera copia del passato. Anche questa volta furono disotterrati i centurioni a difesa del governo, essendo segretario di stato il cardinale Bernetti. Il quale non già, mi penso io, che scopo fazioso avesse e che si proponesse usarne oltre le ragioni di legittima difesa; ma bene so ed affermo che vennero usati ed abusati principalmente ad offesa dei liberali, essendoché lo spirito di parte acciechi in guisa che si reputi, difendersi i governi solo coll'offenderne i nemici. Il cardinale Brignole, che era venuto a Bologna commissario straordinario in luogo dell'Albani, mostrò grande fervore nello istituire codesta milizia segreta, la quale rimase in condizione di occulta associazione nelle Marche, nell'Umbria e nelle altre province inferiori, ma nelle quattro Legazioni prese poi nome e veste di volontari pontifici. I centurioni e volontari vennero reclutati fra la più abbietta e facinorosa gente, privilegiati di portar armi, di non pagare certe tasse municipali, riscaldati dal fanatismo non solo politico ma anche religioso, perché alcuni ve-

scovi e sacerdoti li descrivevano e addottrinavano. In alcune
città e castella dominarono con brutale ferocia; a Faenza, più che
altrove, dove il sanfedismo aveva vecchie e profonde radici, scorrazzavano armati sino a' denti, come orda di selvaggi in terra con-
quistata; le polizie erano in mano loro, perciò insolentivano e
misfacevano impunemente; i contadini, i famigliari si ribellavano
all'autorità dei padroni; né v'era verso di disfarsene, ché i governanti o erano di quella stessa risma o temevano la prepotenza del
satellizio dominante. Il quale vendicava le onte del governo,
quelle della religione, quelle della setta e quelle d'ogni individuo
consorte; ed accendeva nelle Romagne un inferno di rabbiose
passioni. Che più? i centurioni furono assassini di partito. Io
narrai già, ed il ripeto dolorando, come le sètte liberali di Romagna avessero di buon'ora incominciato a mettere le mani nel
sangue dei nemici politici. L'esempio fu funesto, il sangue diede
frutti di sangue. I carbonari lo avevano sparso a tradimento
(abominevole a dirsi!) sotto l'immagine della libertà e dell'Italia;
i centurioni sangue sitivano sotto l'immagine di Maria e del vicario
di Cristo: doppia, tripla abominazione! Deh! voglia Iddio misericordioso, che tutti i partiti si persuadano una volta: nessuna ingiustizia, nessuna scelleranza essere necessaria e far prode alla causa
delle nazioni, dei popoli o dei governi. Tarda a me il mettere da
canto siffatte memorie, a cui ho dovuto accennare con penna disde-
gnosa.

Vinti e sopravinti nelle quattro Legazioni non solo i ribelli,
ma anche gli amici di riforme, restava che Ancona fosse ridotta a
termini di quiete e che l'autorità del governo pontificio vi fosse
intieramente restaurata. Lo che avvenne posciaché il signor di
Sainte-Aulaire, o persuaso in realtà del buon governo di Roma e
della mala volontà dei popoli, o simulando questa persuasione per
tôrre il proprio governo dagli imbarazzi di una contesa colla romana corte, cessò dallo insistere sulla domanda delle riforme, accordò che monsignor Grassellini delegato ristabilisse la sede del
governo provinciale in Ancona e vi riconducesse milizia pontificia, rimanendo i francesi in qualità di presidio dei forti e di ausi-
lio a quella. La colonna mobile, che non solo aveva turbato l'ordine, ma perpetrati delitti, venne disciolta; i refugiati dovettero
migrare in Francia; molti arresti furono operati, e fu preso l'e-
stremo supplizio di due anconitani reputati autori dell'omicidio

del gonfaloniere della città. Così finì l'occupazione francese; e dico che finì così, perché sebbene durasse tuttavia vari anni, pure io non avrò di che favellarne altrimenti, se non per accennare alla partenza dei battaglioni che restarono in Ancona; posciaché non resta memoria di alcun atto per cui nello Stato della Chiesa si differenziasse la presenza dei francesi da quella degli austriaci. E questo fu il portato della rivoluzione del 1831 e delle susseguenti agitazioni: che parve felicemente guarita per un istante la gallomania, e moderato l'antico ghiribizzo di fare assegnamento sulle liberalità di Francia. Ma più severo si fece il governo nostro, peggiori si fecero le condizioni dei popoli.

Come i novatori avevano fatto opere inconsulte o tristi, dannose al proprio partito, e quindi favoreggiata per indiretto la restaurazione completa dell'antico governo; così i restauratori alla lor volta insanirono, apparecchiando indirettamente nuove perturbazioni. Pur troppo a' tempi nostri l'amore di patria non è che orpello e fracasso in molti; ma pure fra l'abbondante scoria è dell'oro, che i governi savi debbono sapere sceverare. E quando avvenga che i buoni, i giovani che d'ordinario son buoni, si lascino andare a consigli avventati, perché a chi ama la patria daddovero e non tiene sperienza delle vicende umane, pare piana ogni cosa; allora i governi che vogliono provvedere alla fama e sicurezza propria non debbono confondere le passioni malvage con quella inesplicabile ebbrezza che le rivoluzioni procacciano; né debbono misurare gli inesperti, gli onesti, i generosi alla squadra di coloro che rosi dal rovello di ambizione ignobile e da cupidità sospinti abusano in vantaggio proprio e danno pubblico le occasioni dei politici sconvolgimenti. Il governo pontificio invece parve fare un fascio d'ogni buona e cattiva erba; disse, secondo la parola biblica, volere sceverare il loglio dal grano, ma tribolò senza senno e carità, operando con quel cieco impeto con cui operano i deboli, ai quali sembra prendere lena quando li piglia la febbre dello spavento. Ogni pena, la quale o per qualità o per estensione passi i limiti della necessaria difesa del governo e della società e quelli della espiazione che la morale comanda, non solo riesce odiosa, ma partorisce effetto contrario a quello che i legislatori hanno per iscopo. E le pene per ragioni politiche debbono per regola generale essere miti per i più, non molto estese, non molto lunghe; altrimenti rendono immagine di vendetta, di soperchieria, di crudeltà, e mantengono e vivificano quegli spiriti di ribellione che vorrebbero indeboliti e spenti. Leggendo le istorie, io non trovo che le proscrizioni e le oppressioni abbiano preservati gli stati dalle parti civili, i governi dalla perdizione; questo vidi sì: le ire di parte covare ed attizzarsi per irrompere poi, la persecuzione dare esca alla cospirazione, i tormentati riscuotere facile palma di martirio dall'opinione degli uomini. Ciò sempre; a' tempi nostri più, e più in questa occidentale Europa, in cui la civiltà non consente vere opere di sterminio, perloché anche i terroristi di governo non fanno che fracasso, irritano e non distruggono i partiti. Molti già erano gli esuli dello Stato del papa, non pochi i prigioni per le antiche e recenti congiure, rivolte od agitazioni. Non bastavano forse? Il governo aveva in sua difesa francesi, austriaci, truppe indigene, due reggimenti svizzeri, i volontari, i centurioni; e più, era fatto securo e dall'indirizzo pacifico della politica francese, e perché l'animo dei nemici suoi giaceva per le battiture recenti e le delusioni solenni. Non aveva adunque di che temere; ma volle punire di soverchio, e punire forse più le giovanili speranze che le vere opere sediziose. Volle chiuse le università degli studi, e fatta abilità di insegnare le scienze a' maestri privati ne' paesi e nelle città di provincia; impedì compiessero gli studi ed ottenessero gradi i giovani anche minorenni, i quali nel '31 avevano pigliate le armi; molti ne respinse dal Foro; attraversò a molti più ogni carriera onorata; e così gittò nelle sètte e nelle cospirazioni tutta una nuova generazione. Disciolti i consigli municipali nominati in sul finire del 1831, carcerò e condannò coloro che avevano fatto prova di resistere alla dissoluzione, e mutò le rappresentanze municipali in congreghe servili di povera, inalfabeta o faziosa gente. Chiunque fosse in odore di liberale (e bastava ben poco, a giudizio dei sanfedisti) non conservava né ufficio governativo né municipale, non l'otteneva se il dimandasse, e non poteva rappresentare né municipio né provincia; tragrande così il numero di quelli che chiamavano esclusi, e che bene si direbbero *ammoniti*, con vocabolo politico della repubblica fiorentina. Non si pensava altrimenti a quelle riforme ed istituzioni che erano notate nel *Memorandum* del 1831.[1]

1. Austria, Russia, Prussia, Francia e Inghilterra avevano presentato al papa, il 21 maggio 1831, un *memorandum* col quale proponevano varie riforme nel sistema giudiziario ed amministrativo dello stato pontificio e consigliavano l'accesso dei laici alle cariche pubbliche.

Le stesse insufficienti sgradite leggi municipale e provinciale venivano torte a favola da circolari pubbliche e segrete e dalla invasione de' sanfedisti e centurioni in tutte le cariche e gli uffici. L'ordine giudiziario non riceveva l'assetto che era stato promesso, non si pubblicavano codici, era sancito un regolamento penale raffazzonato malamente, nel quale erano spietate le pene pei delitti che si dicevano di lesa maestà o si interpretavano in quel titolo. Esiste una circolare secreta del cardinale Bernetti, nella quale ordina ai giudici di applicare sempre ai liberali, imputati di colpe o crimini comuni, il maggior grado di pena. I giudici servivano, o per amore se tinti alla pece della setta, o per timore, o per animo vendereccio. Le polizie erano faziose; un agente di polizia in alcuni paesi faceva paura ai cittadini più che uno scherano; quegli sgherri consociati ai centurioni strappavano ai cittadini i peli dal mento o dal labbro superiore, non permettevano ai liberali lo andare a caccia o a diporto, niegavano passaporti, sorvegliavano le famiglie, violavano domicilio e persona con perquisizioni continue. E l'amministrazione dell'erario pubblico restava, come anticamente, senza regola e sindacato; facevansi prestiti rovinosi e rovinosi appalti di pubbliche rendite; commercio, istruzione, industria non solo negletti, ma disfavoriti e peggiorati.

Più innanzi io darò scienza degli ordini amministrativi e giudiziari dello Stato pontificio, e delle condizioni in cui questo si trovò alla morte di Gregorio decimosesto. Qui bastino i brevi cenni che ho fatti a fine di capacitare i lettori della natura di quel governo che si chiamava di restaurazione, alla quale sudavano tutti i capi e maestri di sanfedismo, aiutanti le potenze che si dicevano benevole. Egli era manifesto come la romana corte, lungi dal porsi sulla via dei progressivi miglioramenti e riguardare all'avvenire, riguardasse al passato con desiderio cocente, ed osteggiasse le opinioni liberali e gli spiriti di nazionalità non solo in Italia, ma fuori. Imperocché ai polacchi, se non ostile, certo non fosse amica; a don Michele di Portogallo, a don Carlo di Spagna, amicissima e larga di consiglio e di danaro; avversa dovunque alle istituzioni temperanti la monarchia.[1] Tristissimi furono quei primi anni del regno di Gregorio,

1. *Imperocché... la monarchia.* Confidando nel proclamato principio di non intervento, nel 1830 anche la Polonia era insorta contro l'oppressione czarista. In quel tempo era scoppiata nella Spagna una guerra dinastica tra don Carlos, fratello del morto re Ferdinando VII, e la vedova Maria Cristina che difendeva i diritti della figlia Isabella; e mentre a favore di don

e non solo funestati da rivolture, da intestine discordie e da fazioni acerbe, ma eziandio da fisici accidenti. Violenti turbini, e grandine quale a memoria d'uomini non si era vista mai, schiantarono gli alberi, distrussero le messi, disertarono i campi nella state del 1832 in alcune contrade di Romagna. La terra tremò, in quello e nei seguenti, in vari luoghi; a Foligno rovinarono molte case; molte più scassinate; le genti prese da spavento. Dio castigava, dicevan tutti; ma ogni partito ne dava la colpa alle peccata dell'altro, e gli animi non si ricomponevano a concordia. Il governo malversava e comprimeva; il sanfedismo prepoteva; il liberalismo mordeva il freno e si travagliava di nuovo nelle cospirazioni.

## III

### [PIO IX
### DIFFICOLTÀ DEL MINISTERO LAICO][1]

Male conoscevano Roma coloro i quali pensavano che, dimesse le sue lente e caute abitudini, volesse capitanare questo secolo avventuriero. Male conoscevano Pio IX quelli che credevano consentisse alle dottrine onde i popoli, inebriati del titolo di sovrani, scapestravano sovranamente. Prima di andar oltre nella descrizione dei fatti romorosi avvenuti nel regno di Pio IX, giova fare ritratto, come meglio si possa, della natura, degli spiriti, degli intendimenti di questo pontefice troppo adulato, troppo censurato, mal compreso, mal giudicato da tutti i partiti.

Pio IX erasi posto a riformare lo Stato non tanto perché coscienza di onest'uomo e di religiosissimo principe glielo comandasse, quanto perché l'alto sentire della dignità di pontefice gli consigliava di usare la potestà temporale a vantaggio della autorità spirituale. Uomo mansueto e benigno principe, Pio IX era pontefice severamente altero. Anima non solo pia ma mistica, ei riferiva tutto a Dio, e rispettava e venerava la propria persona come vicaria di Dio; egli credeva dovere gelosamente custodire la sovranità tem-

Carlos si erano schierate le forze del cattolicismo conservatore, Maria Cristina aveva l'appoggio dei liberali. Altrettanto succedeva nel Portogallo, dove don Michele aveva usurpato il trono alla nipote Maria da Gloria. Queste lotte nella penisola iberica ebbero termine con la vittoria delle forze liberali, e don Carlos e don Michele dovettero andare in esilio. 1. [Vol. II, pp. 58-65.]

porale della Chiesa, perché la reputava indispensabile alla custodia, all'apostolato della fede. Conscio de' molti vizi del governo temporale de' papi, nimico d'ogni vizio e d'ogni vizioso, salendo al trono egli aveva voluto fare quelle riforme che la giustizia, la pubblica opinione, i tempi addimandavano. Sperava con esse dare lustro al papato, onde la fede si ampliasse e rassodasse; sperava dare al chiericato quel credito, che è gran parte del decoro della religione e causa efficace della reverenza e devozione de' popoli. Le prime prove gli andarono a seconda tanto che nessun pontefice fu più lodato mai, ed ei ne prese grande conforto ed incoraggiamento, e forse si lasciò lusingare dai plausi e dalle tentazioni della popolarità più che non s'addica ad uomo forte ed a prudente principe. Ma a breve andare, commossa Europa per universale rivoluzione, fu, in suo concetto, guasta l'opera che egli aveva incominciata; stette sopra sé e trepidò. In suo cuore il pontefice era sempre al di sopra del principe, il sacerdote al di sopra del cittadino; ne' contrasti secreti dell'animo la coscienza del pontefice e del sacerdote dominava sempre la coscienza del principe e del cittadino. E perché sua coscienza era molto timorata, così avveniva che gli intimi contrasti fossero frequenti, che le incertezze fossero naturali, e che spesso pigliasse le risoluzioni intorno agli stessi negozi temporali più per intuizione od ispirazione religiosa, che per umano giudizio.[1] Aggiungi, che non aveva ferma la sanità e pativa di nervosa passione la quale era reliquia del suo male antico, e più sofferiva quanto più aveva l'animo mosso ed inquieto; ragione pur questa di oscitanze e di mobilità. Allorquando la furia della rivoluzione di Parigi nelle giornate di febbraio piega il ginocchio devoto innanzi alla sacra immagine d'un Cristo, e trionfante rispetta gli altari ed i ministri di quelli, Pio IX augura propizio alla Chiesa quel nuovo ordine politico più dell'indevota monarchia orleanese. Ei si compiace poi del religioso favellare e del devoto ossequio a sua persona dell'inviato della nascente repubblica signore di Forbin

1. *e che spesso ... giudizio.* Sul repentino abbandonarsi del papa ai suoi impulsi mistici, che talvolta rasentavano la superstizione, è molto caratteristico, fra le tante testimonianze, l'aneddoto che fu narrato dal Minghetti: «Spesso cadeva in misticismo, e fu allora, se la memoria non mi tradisce, che rosseggiando una cometa in cielo, egli che presiedeva il Consiglio dei Ministri una sera aperse la finestra ad un tratto, e inginocchiandosi e facendo inginocchiare gli astanti orò a Dio che allontanasse i flagelli di cui quella cometa era infausto presagio» (Marco Minghetti, *Miei ricordi*, Torino, L. Roux, 1888, terza ed., I, 347-348).

Janson, ed ama sapere e dire altrui come quello fosse nipote d'un pio vescovo francese. Si conturba alla notizia delle violenze patite dai gesuiti a Napoli e minacciate nel suo Stato, ed in cuore si corruccia co' novatori; s'allieta poi sapendo che uno de' rettori della nuova repubblica di Venezia è il Tommaseo, che ei tiene in pregio di fervente cattolico. È tenero della dinastia di Savoia, illustre per santi uomini, e di Carlo Alberto piissimo; esulta allorché impara che Venezia e Milano hanno emanceppati i vescovi dalla censura e soggezione del governo nella corrispondenza con Roma. Pareva che Dio si servisse della rivoluzione per liberare la Chiesa dalle molestie delle leggi Giuseppine, che Pio IX ricordava sempre con orrore, e le teneva una maledizione pesante sull'imperio. Dove Pio IX non presentiva o sospettava offesa alla religione, ivi era concorde co' novatori; ma ogni cosa che attentasse o accennasse attentare a quella, od importasse dispregio a discipline o persone religiose, gli turbava l'anima e la mente. E se per le incertezze di sua natura e la natia mitezza non s'appigliava a risoluti partiti, i quali facessero testimonianza degli inquieti affetti e pensieri, pure questi lo travagliavano segretamente e non aveva pace se in coscienza non trovasse modo di tranquillità. Egli aveva vagheggiata l'idea di contentare i popoli di temperata libertà, amicarli coi prìncipi, popoli e prìncipi amicare al papato, un papato moderatore della lega degli stati italiani, pace interna, concordia, prosperità civile, splendor di religione. Gli eventi andavano rompendo questo disegno ogni giorno più. Allorché in nome della libertà e dell'Italia per fatto di novatori si insultassero sacerdoti, si commettessero eccessi, si scrivessero empietà, si assalisse il papato o la gerarchia ecclesiastica, Pio IX diffidava dei novatori; allora si rammaricava e pentiva di ciò che aveva operato, allora dubitava di avere colla sua mansuetudine e liberalità favoreggiati gli spiriti indevoti alla Chiesa, ribelli al papato; lamentavasi allora dell'ingratitudine degli uomini, allor vacillava nei proponimenti politici e profetava sciagure.

Le cose sin qui discorse addimostrano come i ministri laici, nuovi al governo, nuovissimi alla corte, versassero in gravi e singolari difficoltà. A meglio capacitarsene giova considerare come i comunali criteri di ragione, di sperienza e di pubblica opinione ed utilità sieno senza valore ogni qualvolta il prìncipe, che è pur papa, giudichi che un temporale negozio del suo Stato abbia attinenza col potere spirituale. Quando il principe, custode della fede e guida delle coscienze, porti simigliante giudizio, allora il negozio è per lui tirato nel dominio di quell'arbitrio infallibile, che non consente opera né consiglio di contraria persuasione. Nelle quistioni di siffatta natura i laici sono sempre e per tutto debili a riscontro degli ecclesiastici, perché questi sono sempre inchinati a sprezzare l'umana sapienza, e di leggieri trovano di che vincerla e condannarla colle metafisiche della teologia, colle dottrine dei canoni e delle bolle. Ed il ceto ieratico ha pur sempre una tale diffidenza del laicato, onde si vizia la sua dialettica, e le discussioni prendono qualità, se non forma, di acerbo contrasto.

Non pareva che, mutati gli ordini dello Stato, il sacro Collegio avesse serbata ingerenza nell'amministrazione del medesimo. Il papa si intratteneva frequentemente con que' soli cardinali che erano costituiti in suprema dignità ecclesiastica, quali erano il Vizzardelli prefetto della Sacra congregazione degli studi, l'Orioli prefetto della Congregazione de' vescovi e regolari, il Patrizi vicario di Roma, il Ferretti segretario de' memoriali; e questi non avevano nome di inframmettenti in politica. Quelli che, regnante Gregorio, avevano avuto imperio, si tenevano od erano tenuti lontani dalla reggia; alcuni, come, per non dire d'altri, il Della Genga, vi erano malevisi. Ma il sacro Collegio era pur tuttavia, in forza dello statuto, il senato politico del principe, e quindi non è a credersi che avesse dismessa ogni cura, ogni voglia, ogni pratica di governo; anzi può con ragione dubitarsi che non fosse amico de' laici governanti, perché in verità il partito liberale faceva parole ed opere male acconce ad amicare i cardinali ai nuovi ordini politici. Nessuna cosa era stolta ed imprudente più, quanto il gridare tuttodì la croce addosso al Collegio de' cardinali, che pure era un istituto costituzionale, e più era perpetua e sola assemblea elettorale del principe, e per consuetudine era il solo albo di eleggibili al principato, e credere poi di rassodare in Roma pontificia gli ordini nuovi. I prelati, da pochi in fuori, i quali veramente erano i migliori, come Corboli, Morochini, Pentini, non avevano credito in città, né molto in corte; ma generalmente la prelatura, invida della nuova fortuna dei laici, guerreggiava con quelle astuzie in cui l'abate cortigiano emula e vince la donna. E v'erano pur sempre le reliquie del sanfedismo e le congreghe devote al gregoriano[1]

1. *gregoriano*: del papa Gregorio XVI, predecessore di Pio IX.

sistema, le quali avevano profonde radici in corte e propaggini copiose, che per vie coperte, co' viluppi, cogli infingimenti e colle insinuazioni, minavano il nuovo Stato. Gli ufficiali laici e special-mente quelli dell'antica segreteria di stato, che tutti restavano in ufficio, male si accomodavano ad un sistema di sindacato, di respon-sabilità e di pubblicità, ed a quei modi di governo pronti, nervosi, risoluti, che i tempi addimandavano. Gente allevata, nudrita, ammaestrata nell'ecclesiastica corte, essi erano maestri di ghermi-nelle, dottissimi nel torcere gli occhi, le labbra e le frasi, e sovrat-tutto nel consumare il tempo, o meglio nel fare consumare altrui dal tempo; torri d'inerzia, contro le quali si rompeva ogni sforzo di volontà. L'indugiare è abilità singolare de' buoni allievi della corte romana, dove il sapere aspettare è gran parte del saper fare. Certi politicanti romorosi pretendono rifare col *verbo* in cinque giorni il mondo; Roma insegna a meraviglia come, collo star cheti e prender tempo, si rifaccia, se non il mondo, la fortuna dei partiti.

Un'altra pena singolarissima avevano i ministri romani, voglio dire l'assedio de' postulanti e de' sollecitatori. La colluvie di co-testoro è una vera oppressione, se ne affolla di continuo una mi-riade nelle anticamere per domandare uffici, pensioni, grazie e favori; e v'ha un lucroso mestiero, che dicono degli agenti, il quale consiste nell'importunare per ottenerne. Ributtati per cento volte e cento da una in un'altra anticamera, imperturbati ritornano cotestoro all'assalto del potente; muovono da lungi, indagano gli amori, gli odi e le debolezze del governante per farne lor regolo e profitto; e tengono per caparra di favore ogni sorriso, ogni cortese parola. E ciò interviene perché in Roma è copia di gente usata da tempo immemorabile a vivere e sollazzarsi di favori e di danaro dello Stato e della Chiesa, servidorame del ricco e del potente qualunque esso sia, plebe oziosa e cupida la quale si recluta in tutte le classi, in tutti gli ordini della città. Questo sciame di servi-dori per abito, per tradizione e per consuetudine, s'era svegliato tutto in causa dei mutamenti d'uomini e di cose, ed in mezzo alle più alte iattanze di libertà non rifiniva mai dal chiedere e dall'im-petrare grazie facendosi forte su promesse anteriori. Chi s'atteg-giava a vittima dei ministri precedenti, molti affacciavano il di-ritto di amnistiati o il diritto di perseguitati, poi via via il diritto di liberali, e se non v'era altro diritto recavano innanzi quello del bi-sogno. A udirli, erano tutti liberali perseguitati dal governo gregoriano, tutti pretessevano ragioni di politica a loro sventure vere o finte; alcuni vantavansi di avere abusato della confidenza del governo gregoriano per accattare favori dal governo di Pio IX. Perfino qualche famoso sanfedista raccomandava se medesimo ai ministri, dichiarando come avesse sempre desiderato quel nuovo ordine di cose. Un Bisoni faentino, anima de' sanfedisti e di sanfediste fazioni, direttore delle più malvage opere delle malvage polizie gregoriane, scriveva al Recchi ministro in sentenza di liberale uomo. Buono è segnar d'infamia queste turpitudini molto comuni in un'età che indarno vuole vanto di libera; utile l'analisi di questa materia, colla quale taluni pretendono architettare la repubblica di Platone.

## IV

### [MAZZINI E GIOBERTI][1]

Il Gioberti, venuto in Italia di corto, aveva efficacemente perorato in Milano in favore dell'unione, o come allora dicevasi, *fusione* delle provincie lombardo-venete col Piemonte. Mazzini e i suoi, i quali dichiaravano non volere che si pensasse alla costituzione d'Italia se prima non fosse finita la guerra, non portavano in pace il pensiero di quella. Giuseppe Mazzini, il quale venerava nella persona propria il creatore della nuova Italia, Giuseppe Mazzini, principe d'una setta, voleva essere pareggiato almanco al re capitano di un esercito, né tollerava che Italia si costituisse senza il proprio beneplacito. Egli non aveva tesori, e se togli qualche compagnia di ventura non aveva esercito in campo; ma signoreggiava sua gente che militava colle astuzie settarie e colla mistica idea, forza potente fra gli ozi della città, siccome quella che disgrega gli animi i quali dovrebbero uniti ad un solo fine intendere. Esser potente ad impedire il bene che deriva dall'unione degli animi, importa quanto essere potente ad operare il male; e questa potenza aveva Mazzini, e questa prepotenza egli ebbe. Perché, quando la forte Brescia e Bergamo e Crema ed altre città lombarde ebbero spinti i governanti di Milano a provvedere che i comizi popolari sciogliessero la lite, e più quando i comizi per libero universale suffragio ebbero vinto il partito dell'unione col Piemonte, Mazzini e suoi non serbarono misura nell'odio e nei vituperi a Car-

1. [Vol. II, pp. 179-185.]

lo Alberto, al Piemonte e perfino a quell'esercito in cui ogni speranza d'Italia faceva fondamento. Altri dirà le insane ire, i tumulti frequenti di cui la generosa Milano fu teatro infelice; a me basta il dire, che gli illiberali consigli dei mazziniani furono grandemente infesti alla concordia italiana. Pretessero questa ragione agli sdegni, avere Carlo Alberto ed i fautori del Regno dell'Alta Italia promesso di non dare opera alla ricostituzione d'Italia se prima non fosse vinta la guerra, e posciaché non avevano tenuta parola, avere sciolto altrui dall'obbligo morale di non far parte contro a quelli. A che si risponde, che se Carlo Alberto aveva commesso il gravissimo fallo di non recarsi in mano il governo appena posto il piede in Lombardia, ed aveva lasciato alla moltitudine quella autorità non temperata da alcun freno che non fece mai bene in pace e che fece sempre male in guerra, non poteva senza insigne stoltezza starsi ozioso ed indifferente riguardatore delle pratiche che tenevano i mazziniani per preparare la fortuna della repubblica, quando il re avesse vinto lo straniero. Sicché a tassare di slealtà i fautori dell'unione, bisogna che i repubblicani del Mazzini provino che essi erano stati i più tranquilli ed assegnati figliuoli che Italia avesse, e che non avevano fatta opera né pubblica né segreta in favor proprio e contro al re. E più si risponde, che se pur vero fosse che i regi non si fossero governati con dilicata prudenza, ciò non dispensava altrui dal dovere di astenersi per carità della patria da qualsivoglia pratica di discordia. Quando poi per suffragio popolare fu stanziata l'unione, ogni pratica contraria significava ribellione alla stessa volontà di quel sovrano popolo a cui bruciavano incenso, ed importava aiuto strenuo al nimico straniero.

Vano il mendicare scuse. La ragione vera di tanti clamori, di tante ire, di tante vergogne, era e fu questa: che Giuseppe Mazzini aveva se medesimo in istima d'uomo predestinato a liberare l'Italia, e non poteva sopportare che si stipulasse patto italiano se non vi ponesse suo suggello e se i popoli, gli eserciti, i prìncipi ed i pontefici non facessero inchino a sua nuova Maestà e Santità. Giuseppe Mazzini è uomo di non comune ingegno, di grande pertinacia ne' proposti, fortezza ne' patimenti, e di private virtù; ma nelle nuovissime congiunture della nazione italiana egli ha scambiato l'amor della patria coll'amor proprio, anzi col proprio orgoglio, ed ha voluto rischiare di veder bruciato il tempio dell'Italia perché non si voleva sacrarvi l'altar maggiore a lui. Le sètte hanno sistemi e giuramenti preconcepiti, ne' quali la mente rimane costretta e l'animo s'indura così che a quella non rimane spazio a larga comprensione, e questo non rimane adito a largo affetto. I capi, usi a sognare l'imperio nei ritrovi segreti di poche centinaia di fidati sognatori e di bizzochi discepoli, non s'accomodano nel regno della libertà a rinunziare la tiara e lo scettro, e gli acoliti, usi a sentire e pensare co' nervi dei maestri, giurano pur sempre nel verbo di quelli, si vantano liberissimi fra liberi, ed hanno schiavo perfino il pensiero; gli uni e gli altri chiamano fortezza l'ostinazione e chiamano martirio le lezioni dell'esperienza, martoriano la patria e vogliono la palma di martiri per sé.

Ora ripigliando il filo del discorso su Gioberti, io narro come egli, tentati dapprima in Milano gli animi del Mazzini e de' suoi per cercar modo di concordia, vista infruttuosa ogni pratica, si ponesse a fare opera assidua ed efficace per guastare i disegni a quelli, difendere il re e l'esercito da falsi vituperi, e celebrare l'unione della Lombardia e della Venezia col Piemonte. Ito al campo e ricevuto dal re con ogni maniera di cortesia e da' soldati con plauso, vi si intrattenne pochi dì, e preso da vaghezza di viaggiare nel centro d'Italia e desideroso di far ossequio a quel pontefice liberale che egli primo aveva augurato all'Italia, andò a Genova dove ebbe festevoli accoglienze, e passò a Roma. Quivi ebbe le stesse anzi maggiori dimostrazioni di affetto ed onoranza, perché Roma è più che ogni altra città dedita alle mostre pompose, a cui l'immensa gloria del nome antico invita le moderne genti se le guaste costumanze non consentono le grandi opere. Il Gioberti fu scritto cittadino romano in Campidoglio, fu scritto maestro nello Studio che ha l'orgoglioso nome di Sapienza, fu scritto nell'albo de' Circoli;[1] Via Borgognona, nella quale era l'albergo in cui prese stanza, fu per decreto del senato municipale denominata da lui; ebbe a sua abitazione guardia d'onore della milizia cittadina; fu ed in casa e per le pubbliche vie salutato e corteggiato tanto, quanto nessuno grande uomo o potente principe lo fosse mai. Ed egli con quella sua singolare vena intellettiva e copia del dire, orò per tutto, celebrò le virtù di Pio IX, il valore del-

---

1. C'erano allora in Roma due circoli politici, il Circolo romano che era di parte moderata, e il Circolo popolare, che la polizia aveva autorizzato sperando di poterlo manovrare contro il Circolo romano, ma che rimase poi padrone della situazione.

36

l'esercito sardo, i beni della concordia fra prìncipi e popoli, l'Italia risorgente in essere di libera nazione. Squisitamente cortese, fu tutto a tutti; lo visitarono grandi, prelati, chierici, frati, liberali ed illiberali uomini; egli ebbe almeno tanto fastidio di salutazioni curiose o procaccianti patrocinio, quanto conforto di sinceri ed aggradevoli uffici. Delle quali cose gli avversari suoi, che molti e potenti aveva, presero dispetto ed invidia, chiamandolo in colpa di vanità e di abiti ed affetti non dicevoli a sacerdote. La parte di chieresia devota alla Compagnia di Gesù o tinta alla pece del sanfedismo sentì il rovello della gelosia e di ogni altra melanconica ed avara passione, e cominciò a dar voce che il Gioberti fosse congiurato a' danni dello Stato della Chiesa, poi via via della religione stessa, perché quella gente è usa a confondere lo Stato colla Chiesa, la Chiesa coi Gesuiti, Stato, Chiesa e Gesuiti col sanfedismo, ed il sanfedismo con Domeneddio. Susurrarono che il Gioberti era mandato intorno per l'Italia da Carlo Alberto a soldare nemici e cospiratori contro la dominazione temporale dei papi e contro tutti i prìncipi italiani, susurrarono che a tal fine ei fosse dal re subalpino e dalle sètte sovvenuto di danaro, ed inventarono quante altre abominazioni l'età corrotta sa inventare specialmente a carico di quelli che sono netti dell'universale corruttela. Pio IX stesso, che innanzi aveva mostrato stimare il filosofo cattolico, il restauratore del papato nella opinione dei moderni, Pio IX stesso, che in sulle prime aveva gradita l'ossequiosa visita di quello, accolse nell'animo qualche sospetto, ebbe afflizione degli onori superlativi che gli venivano resi, interpretò sinistramente certe frasi de' suoi pubblici sermoni. La diplomazia nimica dell'Italia e le sètte illiberali giovaronsi grandemente del viaggio del Gioberti per coltivare i semi della diffidenza che già erano germinati nelle corti italiane, e per dare ad intendere ai prìncipi che Carlo Alberto ed il Piemonte cospiravano a danno loro. Questi sospetti, queste diffidenze, che erano nudriti eziandio dalle imprudenti parole di pochi unitari monarchici e dagli adulatori del re subalpino, e che poi furono validati dalla deliberazione che Sicilia prese di eleggere suo re l'illustre duca di Genova, questi sospetti, io diceva, non si dileguarono mai più dagli animi nelle corti di Roma, Napoli e Toscana; ed io so che in mezzo alle molte e pur giuste lamentanze, che s'udirono poi sullo scoglio di Gaeta,[1] primeggiava

1. A Gaeta si rifugiò Pio IX dopo l'uccisione di Pellegrino Rossi.

l'ingiusta credenza che Carlo Alberto mirasse ad usurpare per sé e pe' suoi tutti i troni italiani; e ne davano per prova irrefragabile il viaggio del Gioberti.

Ma la storia deve attestare che il Gioberti non fece in Roma veruna pratica che fosse indegna del suo onorato nome e della sua robusta religione, che anzi egli studiò ogni modo per ravvivare la confidenza dei liberali in Pio IX, e colla viva voce raccomandò la concordia dei popoli coi prìncipi, così come nelle sue pagine eloquenti l'aveva raccomandata. Ed io posso attestare con sicura coscienza, che dimorando egli in Roma ne' giorni in cui davano materia di disunione le controversie fra Mamiani e Sua Santità sul proposito del discorso che il Delegato pontificio doveva leggere all'apertura del parlamento, Gioberti fece ogni ufficio che fosse in poter suo per dare soddisfazione a Pio IX, a cui portava schietta affezione e reverente ossequio. E so che partito poi di Roma per trasferirsi nell'Alta Italia, e soffermatosi nelle principali città dello Stato pontificio, fece molte diligenze di conciliazione e di concordia; di che i cervelli balzani ed i discorritori senza cervello gli sapevano male in quelle città, come già in Roma lo Sterbini, parlando al Circolo romano in risposta ad un discorso del Gioberti, aveva lasciato intendere che egli non si gratificava i popoli magnificando i prìncipi. Io so bene che i nimici del Gioberti, ricercando poi ne' suoi discorsi pubblicati in quel suo viaggio le frasi che potevano significare le intenzioni che supponevano in lui ed in Carlo Alberto, videro coll'occhio dell'animo sospettoso i sinistri intendimenti, misurandoli con quel regolo con cui sogliono speculare nel campo delle intenzioni e delle coscienze. Ma con buona pace di codesti calunniatori delle intenzioni del Gioberti, io affermo che essi non lo capivano pochi anni prima quando lo lodavano a cielo per le sue opere filosofiche e pel *Primato*, né lo capirono quando parlò all'Italia commossa; lo calunniavano colle lodi prima, lo calunniarono co' vituperi poi. Dicasi pure, se vuolsi, che forse in quel suo viaggio lasciò levarsi in alto dal vento del favore popolare più che a sua severa natura e qualità non si convenisse. Ma questa rimproverata commozione dell'animo fu pur comune ai prìncipi ed ai sacerdoti; e forse i capogiri onde questi sdrucciolarono alla china delle popolari sollevazioni furono ben altrimenti funesti all'ordine civile ed all'Italia, che non gli effimeri trionfi del Gioberti. E chi appunta di soverchio calore i

discorsi, e di imprudenza i portamenti suoi, quei guardi per poco
discorsi e portamenti dei re, dei prìncipi, de' cortigiani e dei sacerdoti, e vegga se non abbia d'onde far gli stessi e maggiori appunti. Omai il Gioberti ha provato al mondo che gli onori mondani non sanno tentarlo, più che a cristiano e virtuoso uomo non
si convenga! Sarebbe tempo che si cessasse dall'incolpare l'uno o
l'altro uomo delle rivoluzioni che travagliarono l'Italia; tempo sarebbe, che colla scorta infallibile della ragione pacata e della giustizia eterna ogni partito riconoscesse gli errori e le colpe proprie,
e fosse capace, che questo gran male d'Italia è per se solo la solenne prova della poca virtù di tutti i suoi figli. La storia giudicherà
chi nel cómpito degli errori e delle colpe sia ito innanzi agli altri,
e questo cómpito io andrò proseguendo secondo mia coscienza.

V

[UCCISIONE DI PELLEGRINO ROSSI] [1]

Le declamazioni dei giornali irritavano gli animi inquieti e torbidi,
ma non esagitavano la moltitudine. Nella mattina del giorno 15
di novembre la città non aveva aspetto di turbata; e sebbene qua
e là fossero capannelli di gente lingueggiante sul parlamento, sul
ministero, sull'opposizione, e per via si incontrasse qualche faccia
di spiritato, pure non vedevansi indicii onde dubitare si potesse
di tumulto o di furia popolare. Il governo aveva fatte quelle provvigioni che reputava acconce a sicurare l'ordine: la truppa a' quartieri, i carabinieri vigilanti e parati a repressione. Né altra o maggior
diligenza poteva farsi, perché in verità null'altro sapevasi se non che
i sollevatori erano in faccenda e macchinavano per veder modo di
forzare il Principe a battere la via calcata dal ministero toscano. [2]

Poca e poco ferma per disciplina era la truppa di linea che
stanziava in Roma sotto gli ordini del vecchio generale Zamboni
comandante la divisione. Un nuovo reggimento di dragoni, che si
andava lentamente formando ed ordinando per cura del colonnello
Wagner, era così mal fermo che i sollevatori se ne ripromettevano
aiuto. Anzi pare che lo tenessero a soldo, ed il colonnello ne aveva
sentore; del che a me che scrivo ha fatta testimonianza. V'erano

1. [Vol. II, pp. 365-375.] 2. In Toscana era salito al potere il ministero
democratico del Montanelli e del Guerrazzi.

circa quaranta dragoni scelti, i quali erano usi a servire di scorta a Sua Santità, sulla fede e disciplina de' quali dicevasi potersi fare assegnamento. La prima legione romana che era venuta in Roma, come dissi, dopo la capitolazione di Vicenza, ne era ripartita a' 4 di settembre. Il colonnello Galletti ed il tenente colonnello Morelli l'avevano riordinata e migliorata licenziando tutti coloro i quali erano notati d'indisciplina od avevano cattiva fama, e l'avevano condotta per ordine del governo nella provincia di Forlì, ove tenne presidio alcun tempo con soddisfazione de' cittadini. Dopo la partenza di quella, centoquaranta circa di coloro che ne erano stati licenziati vollero formar corpo, e si intitolarono battaglione de' Reduci, scegliendo per capo un Grandoni, uomo di non buona fama. Quest'accozzaglia armata era stupenda materia di sollevazione.

La polizia del Consiglio de' deputati spettava, così come negli stati costituzionali suole, al presidente; né il Rossi,[1] che scrupoloso osservatore era delle discipline e consuetudini costituzionali, aveva pensiero di mettervi mano e voce, ed a chi timoroso di violenze gliene dava consiglio, rispondeva che dimanderebbe sussidio d'armati se ne fosse richiesto dal presidente, ma non altrimenti. Il Rossi aveva più volte ricevuto lettere anonime nelle quali era minacciato della vita, e le aveva tenute a vile come ogni forte e savio uomo deve. Anche la mattina del giorno 15 n'ebbe una, la quale si differenziava dalle altre in questo, che recava avviso, anzi che minaccia di morte. Ed una egregia gentildonna gli scriveva come ella stesse coll'animo sospeso per timore di sinistri accidenti; ed un vecchio generale polacco, condottosi a lui innanzi, lasciava intendere dubitarsi che le minacce si recassero ad atto; ed un pio sacerdote lo ammoniva dei pericoli che gli sovrastavano. A che il Rossi rispondeva avere egli prese le deliberazioni che stimava buone a tenere in rispetto i sollevatori; non potere, per pericolo che corresse, astenersi dall'ire in Consiglio, com'era debito suo;

---

1. Pellegrino Rossi, nato a Carrara nel 1787, eminente giurista e uomo politico, era vissuto in esilio a Parigi, dove aveva insegnato diritto costituzionale alla Sorbona. Nel 1838 Luigi Filippo lo aveva creato Pari di Francia e in seguito lo aveva inviato suo ambasciatore a Roma. Quivi, in conseguenza della rivoluzione parigina del 1848, rimase privo di tutte le sue cariche. Per il suo costituzionalismo moderato aveva riscosso la fiducia di Pio IX, il quale, per averne aiuto nel suo tentativo di risalire la corrente, nel settembre del '48 lo aveva nominato suo Primo ministro.

inani minacce sarebbero forse; che se pur taluno sitisse di suo sangue, quei l'avrebbe potuto spargere un altro dì ed altrove, se quel giorno non ne avesse comodità; andrebbe dunque, ripeteva; e ripeteva che il governo era pronto a reprimere qualsivoglia fazione volesse levare il capo. Confortavasi della grande fiducia che in lui poneva il Principe, ripromettevasi fiducia ed aiuto dal parlamento, al quale in breve era per dichiarare quali fossero i concetti e gli intendimenti suoi. Aveva compilato colla piena approvazione del Principe un discorso nel quale dimostrava l'importanza e la bellezza degli ordini liberi ed il proposito di fermarli e securarli, dando assetto alle finanze, ordinando ed ampliando l'esercito, accrescendo la pubblica ricchezza, diffondendo l'istruzione. E come dichiarava liberi e civili sensi ed intendimenti, così in quel discorso palesava sensi italiani, e celebrava i beni dell'unione e dell'indipendenza nazionale.

Giunta l'ora solita delle tornate parlamentari, che era circa al mezzogiorno, il popolo incominciò a radunarsi nella piazza della Cancelleria, e via via nell'atrio, poi nelle pubbliche logge dell'aula, ed in breve tutto fu pieno. Un battaglione di guardia civica era schierato in piazza; nell'atrio e nella sala non vi era presidio maggiore dell'usato. Sì v'erano non pochi individui di quel battaglione che si intitolava de' Reduci; e costoro armati di daghe e vestiti delle vecchie tuniche uniformi di volontari, ed insigniti della medaglia di cui il municipio romano li aveva decorati, stavano stretti insieme e facevano ala dalla porta fino alla scala del palazzo. Acerbi visi vedevansi, udivansi feroci imprecazioni. Nel tempo in cui i deputati venivano lentamente radunandosi, né potevasi aprire parlamento perché non ve n'era numero sufficiente a legale tornata, si udì all'improvviso un grido di aiuto nel fondo della loggia del popolo, ed a quel grido ognuno volse gli occhi curiosi; ma null'altro si udì e nulla si vide, e chi andò a ricercarne ragione, quei ritornò senz'averla chiarita. In quel mentre la carrozza del Rossi entrava nell'atrio del palazzo; egli a destra, sedeva a sinistra il Righetti sostituto al ministero delle finanze. S'alza nell'atrio e nella corte un urlo che echeggia fino all'aula del Consiglio. Il Rossi scende primo, e s'avvia speditamente, così come camminare soleva, per attraversare il corto cammino che dal centro dell'atrio, volgendo a sinistra, conduce alla scala. Il Righetti, sceso ultimo, rimaneva indietro, perché gli facevano barriera i gridatori, i quali, brandite le

daghe, avevano circondato il Rossi, facendogli villania. Quand'ecco
fra la calca vedesi luccicare un pugnale, ed il Rossi venir meno e
lasciarsi andare a terra: ahi! che dava sangue da larga ferita al
collo! Rialzato dal Righetti, si reggeva a stento, non articolava
sillaba; gli occhi si appannavano e il sangue spicciava con gettito
abbondante. Erano su per le scale alcuni di coloro che dissi vestiti di assise militari, e questi erano scesi per far cerchio all'infelice, e posciaché il videro grondante sangue e semivivo, dier volta
tutti e si ricongiunsero ai compagni. L'agonizzante fu portato
nelle stanze del cardinale Gazzoli, che sono a capo le scale a sinistra, e quivi dopo pochi istanti esalò lo spirito.

Nella sala del Consiglio notavasi una certa conturbazione dacché s'era udito quel grido d'aiuto e poi quel rombo che dal basso
era salito; quando si videro entrare col volto atteggiato a spavento alcuni deputati ed altri uscirne in fretta medici o chirurghi,
il Fabbri, il Fusconi, il Pantaleoni, e d'un tratto si sparse voce
per le logge che il Rossi era stato ferito. Ognuno allora si fa ad
interrogare il vicino e tende l'orecchio e ricerca notizia coll'occhio e col gesto, e chi esce rapido, chi rapido entra, chi dalle logge
scende nella sala, chi dalla sala ascende alle logge; e l'incertezza
pur dura, e l'ansia è lunga; e v'ha chi smentisce la funestante
voce, v'ha per lo contrario chi afferma non solo ferito, morto il
ministro. Taluno de' spettatori sorge domandando contezza dell'accaduto e ragione della commozione; a che un deputato risponde
che non si sapeva; ed a poco andare il presidente Sturbinetti sale
al suo seggio, e quantunque appena venticinque deputati fossero
presenti, ordina si legga il processo verbale dell'ultima tornata.
S'ode un sordo bisbiglio; il segretario incomincia sua lettura, i deputati stansi disattenti e pensierosi, escono; le logge si vanno vuo-
tando, e ben presto la sala è vuota e muta. Non si alzò una voce che
a Dio ed agli uomini si richiamasse di tanta scelleranza! Fu terrore?
Taluni vollero chiamarla prudenza; gli stranieri, vergogna! Non più
deputato io in quei giorni, ma testimonio dei fatti posso oggi dire il
vero con animo libero da qualsivoglia preoccupazione. Terrore forse
coonestato di prudenza, imbellettato d'imperturbabilità, in chi volle
letto l'epilogo della precedente tornata! Quella non era tornata
legale: proposte non potevansi fare; i pochi deputati sorpresi,
sdegnati esciorno quasi tutti nell'istante, mossi da pietà del Rossi,
che credevano ferito ma non estinto; una sola indegna voce s'udì

sclamare: *A che tanto affanno? . . . è forse il Re di Roma? . . .* Sì, un'altra voce avrebbe potuto e dovuto gridare all'infamia, e fu vergogna che non si udisse!

Uscendo dal palazzo della Cancelleria tu incontravi volti contratti per gioia infernale, altri pallidi di paura, e cittadini molti vedevi starsi impietriti, vedevi scorrazzare sollevatori, e scorrazzare carabinieri; udivi taluno sommessamente maledire all'assassino; i più mendicar parole tronche e dubbie; alcuni, orribile a dirsi, maledire all'assassinato. Oh! io ho ancora dinanzi agli occhi la faccia livida di tale che in vedermi gridò: *Così finiscono i traditori del popolo.* Ma la città era cupa e tetra come quando la calamità preme e Dio flagella; e se incontravi onesta e pur liberale ed italiana gente, quella era compresa di orrore e domandava risolute opere di repressione.

Al Quirinale dapprima vaga voce di tumulto, poi notizia della ferita, poi della morte del Rossi; incertezza, angoscia, terrore. Il papa stette, come colpito dal fulmine! Oh! in quel giorno non accorsero alla reggia i cortigiani della buona fortuna. La reggia era fatta albergo di dolore, la tempesta le ruggiva d'intorno; pochi v'erano, meno v'accorrevano. Il Principe ordinò al Montanari, ministro del commercio, governasse temporaneamente; e senza più volle cercati il Minghetti ed il Pasolini affinché vedessero modo di costituire prontamente un nuovo ministero.

Il duca di Rignano, che da molti anni era intimo e famigliare del Rossi, aveva stretto il cuore da tanto dolore, che ei non si sentiva acconcio a comandare la guardia civica con quella pacata virtù e sagacia che si conviene ai gravi casi; e perciò ebbe proposto a far le sue veci il colonnello Gallieno, onorato e valoroso giovane. I ministri stavano raccolti a consiglio presso il Montanari, ed avvisavano ai modi di dare securtà allo Stato, finché i successori fossero nominati. Né ponevano tempo in mezzo a chiamare il colonnello Calderari, comandante de' carabinieri, per avere ragguagli e dar ordini. Il Calderari raccontava non aversi notizia del nome e della qualità dell'assassino e de' complici; gli agenti di polizia che erano nell'atrio del palazzo non aver potuto veder chiaro, tant'era la calca, tanto era stato improvviso il colpo; aver egli dato incarico di fare indagini accurate; la città essere tranquilla, la polizia vigile, la sua gente pronta. Ammonito dell'urgenza di sostenere[1]

1. *sostenere*: arrestare.

alcuni noti sollevatori e malfattori cui la voce pubblica additava consiglieri, autori o complici dell'assassinio, e che al portamento, ai detti eransi dati a divedere minacciosi prima, baldanzosi dopo, si parve sospeso dell'animo, balbettò parole da magistrato costituzionale anziché da gendarme; poi eseguirebbe gli ordini, conchiuse, quando li ricevesse in iscritto. E se ne andò promettendo indagare, preparare e ritornare da sera, la quale non era lontana in quelle corte giornate del novembre. Le persone che il papa aveva chiamate a consiglio ed invitate a timoneggiar lo Stato non dissimulavano la gravità delle circostanze e la difficoltà di costituire un governo e determinarne il sistema in brev'ora. Ma vuolsi pur confessare, che dopo la enciclica del 29 aprile[1] e i casi susseguiti e la guerra infelice e gli sconvolgimenti toscani, e frammezzo al fremito di guerra che pur tuttavia durava in Italia ed agli apparecchi che se ne facevano in Piemonte, quegli uomini non si sentivano in coscienza capaci a governare uno stato italiano che il Principe voleva neutro nella guerra d'indipendenza nazionale! Perciò versavano in grandi dubbietà e prendevano tempo a consigliarsi e deliberare, non ricusando però di aiutare intanto il governo di consiglio e di opera. Veniva mandato per le poste a Bologna il conte Zampieri messaggero dell'infausta novella al generale Zucchi,[2] a cui il papa ordinava di ricondursi immantinente alla capitale. E perché il duca di Rignano, che assente lo Zucchi ministrava le armi, era insidiato della vita e divideva le angosce della misera famiglia dell'amico trucidato, fu per via di provvigione preposto a quel ministero lo svizzero colonnello Lentulus che n'era sostituto. Annottava già, e le tenebre erano propizie a preparare sovversioni ed assicurare la impunità de' malvagi. I soliti artefici di perturbazione ivano correndo dall'uno all'altro capo della città, dall'uno all'altro quartiere della guardia civica, e leggevano ad alta voce uno scritto intitolato ai carabinieri; consiglio ed invito a stare in

1. Con quella famosa enciclica Pio IX si era ritirato dalla guerra contro l'Austria. 2. Il generale del Regno italico Carlo Zucchi (1777-1863), fatto da Napoleone barone dell'Impero, imprigionato la prima volta nel 1823 per il suo liberalismo, era stato poi catturato dagli Austriaci nel 1831 e condannato al carcere a vita per aver prestato la sua opera militare ai moti della Romagna. Liberato dalla rivoluzione del '48, era stato chiamato a Roma da Pellegrino Rossi come ministro della guerra, e si trovava allora in missione a Bologna. Poi lo Zucchi seguì il pontefice nella sua fuga da Roma.

fede, come dicevano, del popolo, e fare fratellanza co' sollevatori. I quali si recavano poi al quartiere di piazza del Popolo dove era il numero maggiore di carabinieri, e li acclamavano, li carezzavano e facevano opera di seduzione. A che non si sarebbero per avventura lasciati impaniare, se chi doveva difendere ad ogni costo l'onore del corpo e della bandiera non l'avesse con vituperosa viltà maculato. Conciossiaché il colonnello Calderari, venuto in mezzo a' sovvertitori, sacramentasse che ei non avrebbe mai né eseguiti gli ordini severi che il Rossi gli aveva dati, né quelli che altri si avvisasse dare; stare col popolo, né contro il popolo tirerebbe la spada. Consigliò suoi soldati all'inerzia, rammorbidì quelli che fremevano, raccomandò esso pure la fratellanza, la concordia, l'unione colle guardie civiche e co' popolani. Il colonnello Calderari non era né un soldato di ventura, né un liberale, né un ufficiale levato in alto da' liberali; egli era un gendarme pontificio tirato, già tempo, dal favore gregoriano a guardia del pontificio palazzo, poi pel favore di palazzo salito in grado, e nei gradi progredito pel favore del gregoriano partito. Questi allievi dà il favoritismo! Corrompete, corrompete, o potenti; contrariate i liberi e generosi sensi; perseguitate gli onesti e leali uomini; circondatevi di prezzolati sgherri; gittate gli onori alla feccia; e poi cercate i difensori fidati, aspettatevi i nobili sacrifici nei dì del pericolo ! ! !

L'esempio del capo, le suggestioni de' sovvertitori, pervertirono alcuni carabinieri, i quali si mescolarono a' sollevati, che recatisi in mano una bandiera tricolore si avviarono lungo il Corso mandando frenetiche grida. Era una turba di cento uomini al più, la quale di poco s'ingrossava per via, ed iva cantando ed inneggiando come nei giorni di festa popolare e, fremo in dirlo, bestemmiava il nome dell'assassinato, glorificava l'assassino, ne benediceva il pugnale. E fra quell'orda briaca di sangue levavasi la bandiera italiana, e nell'oscurità della notte vedevansi brillare le assise militari del pontefice! A questo spettacolo eravamo serbati, dopo tante festose commozioni, nella capitale del mondo cattolico, in sul finire dell'anno che avevamo auspicato primo del risorgimento italiano! E ad altro orribile più: ché quelle furie procedevano colle faci in mano fra le tenebre, e passavano dinnanzi alla casa dove la famiglia dell'illustre vittima si disciogliva in lacrime ...

E non si trovò un drappello di soldati, non si trovò una eletta brigata di cittadini che ponesse fine all'orgia infernale, onde su

Roma, sull'Italia, sulla civiltà si riversava cotanta infamia? No, ché l'indisciplina scioglieva i vincoli della milizia, il terrore troncava i nervi ai cittadini, la corruttela era regina; e pervertita la ragione, pervertita la coscienza, invilita l'anima umana, Roma era punita de' suoi orgogliosi antichi trionfi e condannata a vedere il carro trionfale dell'assassinio baccante. Breve e picciola giunge questa riparazione della storia giusta; ma lunga e grave è, e giustizia di Dio vuole che sia, l'espiazione di somiglianti infamie. Tutti i fatti, che a questa tengono dietro e che io mestamente verrò narrando, sono storia di calamità e di dolori e di espiazione non compiuta!

Avanzandosi la tetra notte cessò il lurido tripudio. La città fu silenziosa; la reggia per ribrezzo squallida; i consiglieri incerti; paurosi i cortigiani; rassegnato il pontefice. Non si costituiva nuovo ministero ed il vecchio disciogglievasi compiutamente, ché il solo Montanari, imperturbato, era tenuto fermo al suo posto dalla coscienza del dovere. Se il Principe invece di abbandonarsi onninamente alla provvidenza, se i consiglieri invece di speculare politica, avessero in quelle notturne ore poste da banda tutte le intempestive discussioni, committendosi l'uno alla fede dell'altro e pigliando il timone dello Stato col solo fermo proposito di sicurarlo intanto dalla rivoluzione, forse v'era tempo ancora a buon consiglio. Ragunare alcune fidate compagnie di carabinieri nel palazzo pontificio; dar loro capo riverito quale era il fratello del papa, Giuseppe, che un dì aveva militato con quelli; tirare artiglierie a presidio; chiamare quei comandanti delle guardie civiche, sulla fede de' quali poteva farsi assegnamento; se il Quirinale non fosse reputato ostello sicuro traslocarsi al Vaticano, di dove per via coperta si ripara al Castello. E se allo spuntare del nuovo giorno fosse venuto in luce un proclama del papa ai faziosi acerbo, agli onesti cittadini confortevole, pegno nuovo di fede alle istituzioni libere, e di amore all'Italia; e se nel tempo stesso Roma avesse udite franche e risolute parole di nuovi ministri, e visti gli apparecchi di resistenza; forse si sarebbe rotto il corso a quegli avvenimenti che poi imperversarono funesti a Roma, al papato, all'Italia. Iddio non dava né al Principe, né a' pochi devoti che aveva dintorno, lume e coraggio da tanto; e se oggi la storia conscia di quelle ansie terribili e diuturne, che avrebbero rotta ogni più forte natura d'uomo, non rimprovera, pure non sa lodare. Le deliberazioni furono rimesse alla domane.

VI

[FISIOLOGIA DEL MAL GOVERNO] [1]

Quantunque siasi detto, dove è caduto in acconcio, per quali modi e ragioni le province fossero venute partecipando ai moti della capitale, e come di spiriti e di condizioni da quella, e l'una pur dall'altra si differenziassero; giova nondimeno riassumere nel pensiero notizie ed avvertenze peculiari prima di smarrirne la memoria fra i romori della rivoluzione. La quale in ogni tempo ed in ogni luogo è uniforme, e maschera la fisionomia speciale de' vari popoli, essendo tutti gli animi od a furia di passioni od a terrore abbandonati, e signoreggiando la sola violenza che né per secoli né per zone cambia natura e sembianza.

Assai poco culte ed incivilite le province vicine a Roma eransi lietamente commosse alle feste di pace che il nome e i benefìci di Pio IX ispiravano. Era sentimento religioso, era natio istinto di libertà, orgoglio di razza latina, era amor di spettacolo, era poesia di popolo meridionale, era una espansione di naturali affetti in genti più dall'affetto che dalla ragione governate. La storia deve sceverare accuratamente quelle spontanee caldezze degli animi dagli studiati artifizi, la festosa commozione primitiva dalle feste apparecchiate poi a fine di sollevazione, e l'inconsapevole sollevazione di popolo semplice dalla ribellione preparata. Que' postumi profeti e censori i quali a malizioso artificio riferiscono tanto i primi tempi pïani quanto le susseguite rivolture, coloro che non sanno fermarsi sui diversi momenti della vita di un popolo posta in rigoglio da tante e così gravi insolite cagioni, coloro non se ne intendono. E quegli scrittori i quali senza conoscere né geografia né storia né costumi italiani pensano addimostrare fino accorgimento imputando tutti i romorosi accidenti a pochi settari, mostrano sagacia di donnicciuola, che imputa ogni male ai fattucchieri.

Nelle province di cui ora discorro o non erano settari od erano pochi ed oscuri, e le popolazioni così devote, grulle ed ignoranti, che senza l'efficacia di tante straordinarie cagioni nessuna setta avrebbe potuto aver nerbo e fortuna, né tentar novità. Ma posciaché gli animi vergini e le menti balorde si furono attemperati ad ebbrezza, posciaché le genti letargiche si furono risvegliate al

1. [Vol. III, pp. 39-46.]

romore de' popoli furiosi, dei troni fracassati, dell'orgia europea, e furon visti i tribuni padroneggiare i re, ed i re diventar tribuni, fu facil cosa usare gli istinti, gli affetti, le ignoranze e le caldezze a fine di sovversione da pochi meditata.

Né molta arte né singolare astuzia erano necessarie a stuzzicare le curiosità, ad usufruttuare le credulità, a tirare a novità, fortissimi stimoli popolari, quelle moltitudini che in breve volgere di mesi avevano visti il papa ed i re in atto di cortigiani del popolo, gratificarselo con favori tanto più larghi quanto più indugiati, ed avevano pur visto non di rado le minacce di resistenza cedere alle mostre di violenza, e la temuta o sperata rivoltura finire in baldoria. E siccome quanto più i popoli sono educati ad ubbidire e servire, tanto più di leggieri s'accomodano a mutar padroni, e quanto meno sanno, tanto più son creduli e fanatici; così era avvenuto che trasferito il potere dalle regge nelle piazze, vi fosse ricevuto col solito ossequio de' servi. Male si giudica dei popoli dello Stato romano, e specialmente di quelli che abitano dappresso alla capitale, facendone comparazione coi popoli delle grandi capitali europee o delle più incivilite province nostre. Quegli scrittori francesi che foggiano il mondo sul tipo di Parigi, e plasmano il villano d'Italia su quello dell'inquieto operaio francese, favoleggiano credendo scrivere la storia. Nei borghi e nei miseri castelli di Comarca, di Marittima e Campagna, e della Sabina, è culto pomposo ai santi più che a Cristo signore; molte le devote pratiche, non sapiente timor di Dio, non forte carità; poco quel senso morale che a soda religione ed a civiltà s'informa; coraggio fazioso qual è nelle razze generose, non già quel coraggio che appelliamo civile, che acquistato per uso di libertà, ingentilisce e direi cristianeggia la natia fierezza dell'uomo forte; ignoranza crassa nei più, e quindi nessuna civile prudenza; i saccenti di campanile e di municipio non meno ignoranti e più incivili degli inalfabeti, grazie a quella vernice di dottrina pagana che è frutto di una monca istruzione, cui appellano classica: le istorie dei due Bruti e dei Gracchi, Licurgo incomparabile legislatore, qualche favola degli iddii omerici, qualche aspra sentenza del tragico d'Asti! Nella moltitudine nessuna nozione di vita civile, nessun sentimento di vita politica; il concetto dello stato e del governo ristretti nel percettore dei balzelli e nel birro, e la religione quasi compendiata in un Dio giudice e nel Diavolo carnefice. Questa la morale immagine di non pochi sudditi del pontefice quando li involse il turbine del 1848! E i novatori avventati volevano all'improvviso farne tanti eroi, ed i chierici che li avevano allevati a quella abiezione ne avrebbero voluto fare tanti crociati e martiri, e noi speravamo che fossero capaci di quella forte moderazione che è perfetta virtù d'uomini liberi, e gli stranieri ingiuriano perché non hanno trovati né gli eroi, né i martiri, né i moderati!

Dilungandosi dalla capitale trovavi nelle Marche e nell'Umbria diversa costituzione di popolo per diversità di condizioni economiche e per diverso momento di civiltà. Colà né i tenimenti vasti che i fideicommessi e le manimorte infeudano nelle famiglie e nelle congregazioni romane; quindi più divisa la proprietà e meno abietta la condizione delle moltitudini, la borghesia più numerosa, la nobiltà più borghese. Ma più comuni gli spiriti indevoti, più sparse le superbie della filosofia sensista e della borghese rettorica, più note le folli ferocie della rivoluzione francese, alle sètte maggiore alimento, maggiore il dispregio del chierico governante e l'intolleranza degli abusi e dei fastidi del clericale governo. E via via nelle Romagne, non numerose le sètte, ma fra popolani rannodate di corto, e gli antichi spiriti settari rinfocolati nell'incendio europeo. Manifesti nelle medie e nelle superiori terre pontificie il naturale processo ed il risultamento delle congiure scoperte e delle ribellioni fallite; le quali, ingenerando timori e sospetti nel governo, lo avevano incaponito nelle resistenze pervicaci, trascinato ad offese e ad ingiustizie faziose, onde la sfiducia, gli odi, le vendette perseveranti. Infelici gli Stati infermi di codesta labe, infelici sempre i governanti ed i governati perché le sètte discoperte e le ribellioni represse arrecano sì danno subito e palese a chi le ha capitanate e mosse, ma col tempo offendono in ogni modo il governo contro cui son mosse, e gli stessi rimedi che quello è costretto usare peggiorano i mali. Gli animi eransi del sicuro temperati negli inizi del pontificato di Pio IX, e se l'austriaca perfidia, e la pertinacia di alcune corti insensate, e l'improvvida politica delle maggiori potenze europee, e le pratiche dei settari non avessero fuorviato il moto riformativo, forse le antiche passioni non avrebbero ripreso lena, né sarebbero ripullulati gli odi ed i sospetti. Ma l'Europa, non che l'Italia, era ita a fuoco, tutti gli umori avevano ribollito, tanto più funesti quanto più a corpo malato e debole come lo Stato romano s'erano appresi; e quando la guerra precipitata e consentita prima, disdetta poi dal pontefice, volse a danno ed umiliazione d'Italia, Roma parve più che mai ostacolo a nazionale risorgimento. Dopo l'Allocuzione del 29 aprile, il dissi già, era nato sdegno universale de' sudditi accesi dell'amore d'Italia, ed era nato nei governanti il forte timore di quello sdegno; e la stampa sciolta e scorretta, ed i circoli pettegoli, avevano poi conferito ad accrescere i sospetti ai chierici e le ingiurie a se medesimi. Già sin dal maggio settari e non settari erano venuti a ragionamento, come egli fosse necessario mutare lo Stato per aver soda libertà, e tentare l'impresa nazionale; insomma nerbo di fiducia e di concordia non esisteva più. E posciaché a questo termine era divenuta la pubblica opinione, le sètte potevano a lor posta travagliarla; e coloro i quali erano caduti nel pensiero di sconvolgere i vecchi ordini per creare una nuova Italia donna di sé, vincitrice dell'impero e del papato, avevano occasione di tirare nella loro volontà i giovani inesperti, i vecchi congiurati, gli scontenti, i febbricitanti d'odio e di vendetta. Nulladimeno nelle province superiori, se togli uno scarso numero, le genti culte e civili, comecché fossero mal soddisfatte del governo romano, non inchinavano a sovversioni; anzi le temevano e ne auguravano estrema rovina. Ma pure in quelle province in cui era meno difettiva la temperanza che dalla educazione politica deriva, prevalevano le antipatie al governo dei chierici, per forma che i nemici di sovvertimento, i quali in altro Stato avrebbero difesa l'autorità, quivi stavansi oziosi spettatori del male che irrompeva. Non solamente gli uomini di opinioni liberali, ma quelli stessi che parteggiavano per gli stretti ed assoluti ordini di governo, da lungo tempo male sopportavano la clericale tutela, e se non l'odiavano la spregiavano; la qual cosa era di gravissimo momento, perché ai governi più dell'odio nuoce il disprezzo, che non si punisce, non impaura, non si molce: è un invulnerabile ribelle. Non già che il governo clericale sia stato più crudele d'altri dispotici governi; ma perché spesso ha lasciato farneticare e sgovernare in nome proprio una setta malvagia ed ignorante, e perché è sempre stato fastidiosissimo. Il fastidio, più dei tormenti, è esoso agli uomini di forte tempra. Il chierico, ministro divino di carità, di consolazione, di spirituale sanità, diventa per le temporali inframmettenze il ministro di tutti i fastidi; la polizia e la censura, genii della noia, aleggiano sempre dintorno a lui. Né importa dire, come a fronte dei mondani e indecorosi uffici scadano d'autorità e di rispetto gli uffici spirituali e la religione stessa, ché troppo facile è a comprendersi ed è troppo noto; e se l'Europa nol comprende, nol sa, o fa sembiante, peggio per lei.

Un altro fatto vuolsi ridurre a mente. Nello Stato romano era grande più che in ogni altro d'Italia il numero degli infastiditi, se non puniti, per causa politica, e grande il numero dei fuorusciti del trentennio rimessi in patria, e dei liberati dalle carceri di stato. Ora quel proverbio che corre sui princìpi e sui cortigiani, che nell'esiglio nulla dimenticano e nulla imparano, può per generale sentenza dirsi di tutti i fuorusciti. Pochi son quelli che usino l'esiglio a fine di nobilitare l'animo e l'intelletto a beneficio ed onore proprio e della patria. La malattia morale dell'esule è una nostalgia politica, che spesso tormenta più gli ospiti e la patria, che l'infermo. Le proscrizioni generano mali insanabili; coloro che ne fanno uno spediente di governo puniscono più se medesimi e l'innocente società, che i colpevoli; il tardo perdono, come l'appellano, non fa pro. Né pro fece la tarda amnistia del 1846. Degli amnistiati pochi furono quelli che dimenticassero il passato, o se il dimenticarono fu per poco; pochi che imparassero nell'esiglio a ben governarsi per essere bene governati, pochi che perdonati perdonassero, e non si gittassero nelle agitazioni prima, alle sollevazioni poi. Io non li scuso, anzi li condanno, ma attesto un fatto il quale prova l'assoluto danno delle proscrizioni politiche. E' bisogna studiare la fisiologia del mal governo (si condoni la frase) per conoscere la genesi delle rivoluzioni. Guardar gli effetti e non veder le cause è cecità; raccontar i fatti e non sindacarli è un perditempo: nelle rivoluzioni non solo i popoli, ma anche i governi hanno pena e correzione; e quasi sempre questi ne hanno colpa maggiore di quelli!

## VII
### [MAZZINI A ROMA][1]

A Roma era temperie pel Mazzini; a Roma il tiravano il suo misticismo rivoluzionario, il suo fato settario, una moltitudine commossa
abbandonata agli orgogli della razza e della tradizione, al caso,
alle audacie degli sperimentatori. Stato romano non esiste storica-
mente; esiste uno stato, predio della Chiesa, che appellano pontificio, aggregazione di municipii feudali o repubblicani, ognuno dei
quali serba le sue tradizioni e le sue vanità, se non glorie, contrarie a quelle dello Stato, che non ne ha. Indarno certi chierici tentano confondere la tradizione della propria signoria con quella maravigliosa e santa della Chiesa eterna. Indarno pensano a fermare
uno stato dacché rinnegano la nazione, madre e sostanza di ogni
stato. Tengono coll'armi un feudo, e quasi fosse nell'aria sospeso
e non in terra italiana, stimano felloni alla Chiesa coloro che si
sentono nati d'Italia. È un feudo singolare; monarchia non è, non
è repubblica; pretta teocrazia non è più; è una tradizione d'archivio, non di monarca, non di classe, né pur di casta, ché la casta
non ha tradizione ferma, e per signoreggiare ha mutato e muta
sempre tenore. Là non hai gloria militare, non hai gloria civile, non
hai codici; quello che dicono lo Stato è negazione d'ogni gloria
mondana, gli è un castello di carta che una Bolla pontificia può ad
ogni ora cambiare. Roma-stato è nel deserto; deserto di quegli affetti patrii, i quali dopo l'amor di Dio sono i più santi; deserto
di quella stessa civiltà che nel cristianesimo ha fondamento, spirito e stimolo; Roma è universale, perciò non è una patria. V'è il
territorio di San Pietro cogli avanzi della repubblica antica e del-
l'antico e del moderno impero; una Marca, più Marche; questo
o quel ducato conquistato da papi guerrieri o da nepoti carnefici,
memorie di feudi, di repubbliche, di delitti, di privilegi, nessuna
memoria della civiltà nuova e rinnovantesi. Perciò quella provincia che è detta Stato romano è del primo che vi scenda in armi.
Chi la difende? Non la tradizione dello Stato, non i soldati, a cui
suona ignominia proverbiale il nome di papalini. La difendono
la Chiesa colle censure, i chierici collettori e guide di soldati
stranieri. E sta l'imperio clericale; ma non è uno stato, e non è

1. [Vol. III, pp. 270-276.]

imperio romano, non è regno italiano; in certe congiunture non si chiama pontificio, lo dicono della Chiesa. Così senza storia, senza governo civile, senz'armi, sta la signoria dei chierici. Pio IX l'aveva (e l'ha) distrutta il dì che generoso e benigno volle creare uno stato modernamente civile, il dì che parlò di patria, d'Italia, di nazione, di indipendenza, di leghe italiane, e benedisse a quelle. Fu poi da scelleranze e stoltezze libertine, da invidie e cupidità clericali, da perfidie ed ambagi straniere costretto a riprendere negli archivi la tradizione della casta che aveva esautorata; ma intanto la mutazione era da lui compiuta nelle idee, negli affetti, nelle opinioni. I tre milioni di neutri si sentirono italiani e vollero e vogliono esserlo in italiano civile Stato. I chierici in fuga, monarca non v'era; giungeva Mazzini, ed alle genti accese di italiana caldezza, aspiranti ad una patria, ad una gloria, ad un civile bene, diceva: — Io ho trovato nelle rovine della grandezza romana e nella stessa tradizione pontificale l'idea taumaturga: Romani, foste grandi, io vi consacro romanamente italiani; conquistaste il mondo coll'aquila, le anime col labaro, ecco l'aquila e il labaro: Dio e Popolo; Roma centro e capo d'Italia; la città creata eterna, predestinata principe di unità mondiana, risorge, e l'Italia e l'Europa con essa. — Correvano i giorni in cui da Gaeta giungevano a Roma proteste, censure, notizie di minacce europee; governanti pontifici in fuga tutti, chierici inviliti e mogi, sanfedisti cheti in aspettativa di riscossa, i costituzionali senza bandiera. I romani volevano un'insegna. Mazzini la portava. Non tanto i suoi commissari avevano lastricata per lui la via sacra che mena al Campidoglio, quanto le pertinacie della corte di Gaeta.

Roma che gli avea data cittadinanza gli diede seggio nell'Assemblea costituente insieme ad alcuni altri d'altre italiane province, il Cernuschi da Milano, il Saliceti, il Dall'Ongaro.[1] L'As-

1. Enrico Cernuschi (1821-1896), reduce dalle Cinque giornate fu a Roma membro della Costituente e della commissione delle barricate. — Aurelio Saliceti (1804-1862), eminente magistrato e professore di diritto civile nell'università di Napoli, aderì alla Giovine Italia e partecipò intensamente alla rivoluzione napoletana del '48. Dopo il 15 maggio accorse a Roma, dove fu deputato alla Costituente e membro del primo triumvirato con l'Armellini e il Montecchi. Visse poi in esilio. Ritornò in Italia nel 1859 e aderì alla politica sabauda. — Francesco Dall'Ongaro (1808-1873), poeta e drammaturgo, ex prete, combatté nel '48 e fu a Roma deputato alla Costituente e direttore del «Monitore ufficiale». Poi andò in esilio, e accostatosi alla politica del Cavour tornò in Italia nel 1859. In se-

semblea, continuando sue discussioni, aveva decretato che la moneta della repubblica romana avrebbe scolpita dall'una parte la figura dell'Italia in piedi col motto intorno *Dio vuole Italia unita*; nel rovescio la corona civica, il segno o cifra del valore in mezzo, il medesimo in basso, ed intorno l'iscrizione *Repubblica Romana.* L'aquila era posta in cima alle bandiere. Del generoso pensiero di soccorrere a Venezia, la perseverante, vuol essere lodata l'Assemblea, che fece deliberazione di mandarle in dono centomila scudi di boni del tesoro. E vuolsi pure fare testimonianza di lode a coloro che in adunanza segreta, tenuta a' 2 di marzo, fecero richiamo contro gli assassinii politici che imperversavano nelle province, ordinando ai ministri di porre efficace modo a reprimerli e punirli. Fu poi tenuta un'altra segreta adunanza, nella quale il Comitato esecutivo domandò centomila scudi per uso di polizia, diplomazia o cospirazione che si fosse, e credo fosse per tutto questo, ma non si saprebbe dire del sicuro in che andassero spesi, perché non palesarono il segreto che a tre soli deputati a ciò eletti. Corse voce fossero usati a tentare novità nel regno di Napoli; taluno pensò che anche a Genova andasse di quel danaro.

Il giorno 6 di marzo il Mazzini entrò per la prima volta nella sala del parlamento in mezzo a generale applauso dei congregati e degli ascoltatori. Invitato dal presidente, a segno di singolare onore, a sedere al suo fianco, pronunziò le parole seguenti:

«Se le parti dovessero farsi qui tra noi, i segni di applauso, i segni di affetto che voi mi date, dovrebbero farsi, o Colleghi, da me a voi, e non da voi a me; perché tutto il poco bene che io ho, non fatto, ma tentato di fare, mi è venuto da Roma. Roma fu sempre una specie di talismano per me. Giovanetto io studiava la storia d'Italia, e trovai che mentre in tutte le altre storie le nazioni nascevano, crescevano, recitavano una parte nel mondo, cadevano per non ricomparire più nella prima potenza, una sola città era privilegiata da Dio del potere di morire e di risorgere più grande di prima ad adempiere una missione nel mondo più grande della prima adempiuta. Io vedeva sorgere prima la Roma degli imperatori, e colla conquista stendersi dai confini dell'Africa ai

guito fu professore di letteratura drammatica a Firenze e a Napoli, dove morì. Delle sue opere ebbe grande fama il *Fornaretto di Venezia*, che fu recitato da Gustavo Modena; ma specialmente ebbero larghissima popolarità i suoi stornelli patriottici.

confini dell'Asia; io vedeva Roma perir cancellata dai barbari, da quelli che anche oggi il mondo chiama barbari; io la vedeva risorgere, dopo aver cacciato gli stessi barbari, ravvivando dal suo sepolcro il germe dell'incivilimento; e la vedea risorgere più grande a muovere colla conquista non delle armi, ma della parola, risorgere nel nome dei Papi a ripetere le sue grandi missioni. Io diceva in mio cuore: è impossibile che una città, la quale ha avuto, sola nel mondo, due grandi vite, una più grande dell'altra, non ne abbia una terza. Dopo la Roma che operò colla conquista delle armi, dopo la Roma che operò colla conquista della parola, verrà, io diceva a me stesso, verrà la Roma che opererà colla virtù dell'esempio; dopo la Roma degli imperatori, dopo la Roma dei papi, verrà la Roma del popolo. La Roma del popolo è sorta: io parlo a voi qui dalla Roma del popolo: non mi salutate di applausi: felicitiamoci assieme. Io non posso promettervi nulla da me, se non il concorso mio in tutto ciò che voi farete pel bene della Italia, di Roma, e pel bene della umanità d'Italia. Noi forse avremo da traversare grandi crisi, forse avremo da combattere una santa battaglia contro l'unico nemico che ci minacci, l'Austria.[1] Noi la combatteremo, e noi la vinceremo. Io spero, piacendo a Dio, che gli stranieri non potranno più dire quello che molti tra loro ripetono anche oggi, parlando delle cose nostre, che questo che viene da Roma è un fuoco fatuo, una luce che gira fra i cimiteri; il mondo vedrà che questa è una luce di stella, eterna, splendida e pura come quelle che risplendono nel nostro cielo. Non interrompo di più i lavori dell'assemblea.»

Le solite frasi, la solita formola: Roma del popolo che succede alla Roma dei pontefici ed alla Roma dei Cesari, per unire e liberare l'Italia e rinnovare l'umanità! Vaga e quasi mistica formola come le son tutte quelle del Mazzini. Il quale non è vero che abbia né religioso, né economico, né politico sistema ben definito; fermo, anzi ostinato, egli è solo in questo, che l'Italia debba formare un unico stato con Roma capitale per mezzo di una rivoluzione, di una guerra, di un governo popolare. In teologia è deista, è panteista, è razionalista a vece a vece, o un po' di tutto; par cristiano, ma non sapresti se sia cattolico o protestante o di qual setta; è parso un tempo che egli copiasse in tutto il Lamennais, cioè un altro uomo

---

1. *Noi . . . l'Austria.* Né il Mazzini, né alcun altro avrebbe allora potuto sospettare che contro Roma si sarebbero mosse le armi della Francia repubblicana.

senza verun sistema; repubblicano il Mazzini nol fu sempre o nol
parve; certo non l'era o nol pareva quando nel 1832 invocava re
Carlo Alberto liberatore; se era repubblicano, vagheggiava una
strana forma di repubblica quando nel 1847 incoraggiava Pio IX
*ad aver fede*, e lo credeva acconcio ad ogni nazionale, anzi umanitaria impresa. Un tempo scrisse contro le teorie che appellano socialiste, poi mutati i tempi, ne confettò qualche nuovo scritto e
si collegò con socialisti d'ogni nazione. Mediocre uomo credo io il
Mazzini in tutto; ma gli è un genio di pertinacia: orgoglio tragrande, in sembianza di umiltà e di modestia: costumato, liberale,
buono, dei suoi amici tenerissimo, ha gran potere di lusinga: tempra
d'animo ostinato in mezzo alla universale mollizie degli uomini
moderni; virtù in mezzo ai vizi di molti de' suoi acoliti: parola
facile, immaginosa, carezzevole: idee fantastiche agli ignoranti paiono sublimità: compatimento dei vizi, e pur troppo anco delle
scelleranze de' suoi, e caldo patrocinio d'ogni fido: abiti ed usi
democratici, culto idolatra del popolo posto in terra ed in cielo
allato a Dio: queste, se io non fallo, le ragioni della sua potenza.
Aggiungi una formola semplice che abbaglia i semplici, i quali
credono che il semplice sia facile, e non l'è; perché composto è
l'organismo delle società come quello dell'uomo e dell'umanità,
ed in politica buone sono le formole che alle trasformazioni organiche delle società umane, per tempo e per momento di civiltà,
s'affanno, non quelle che vogliono soggettare la storia, il tempo, i
costumi, la natura. Mazzini parla molto di apostolato e di sacerdozio, e in verità ha natura di sacerdote più che d'uomo di stato:
non vede anch'esso in Italia che la propria casta: vuole costringere
il mondo nel cerchio della sua idea eterna, una, immutabile. Che
importano a lui i dolori dell'umanità? Tutti i tribolati, tutti i
morti in Mazzini son martiri: non sono scritti nell'albo dei liberi
cittadini d'Italia, ma il martirologio della fede mazziniana li ven-
dica! Che sono gli anni ed i secoli nel còmpito dell'idea eterna?
Mazzini sa che deve trionfare: par lo sappia da Dio stesso: parla
ispirato, parla santo; bestemmia e prega, benedice e scaglia ana-
tema: è pontefice, è principe, è apostolo, è sacerdote. Fuggiti i
chierici, a Roma è in casa sua.

VIII

[CADUTA DELLA REPUBBLICA ROMANA][1]

Mentre si perdeva il tempo in questi tumulti, in queste disputa-
zioni, i francesi *coronavano* la breccia e vi si fortificavano così, che
l'assalto meditato dal Roselli[2] diventava impossibile. Il Mazzini
stesso confessava non avere più speranze; ed in quel giorno 22 scriveva a Luciano Manara:[3] «considero Roma come caduta»; ma voleva la soddisfazione (scriveva anche questo) «di non apporre il suo
nome a capitolazioni» che prevedeva «infallibili»; eppure la sera
stessa i suoi cagnotti spargevano notizie di fortunate novità in Francia. Mirabile costanza, eroica virtù mostrarono in quei momenti i
più nobili soldati di Roma, cioè tutti quei valorosi giovani che nel
1848 avevano brandita un'arma per l'indipendenza d'Italia, né vollero riporla nel fodero finché in una parte d'Italia si combattesse
contro uno straniero. Repubblicani o no, ché molti non lo erano,
non mazziniani i più, stavano stretti alla bandiera senza speranza
di vittoria, e non mormoravano essi, non tumultuavano, non si que-
relavano, duravano inaudite fatiche, stentavano, combattevano,
morivano per l'onore proprio, per l'onore delle armi italiane. Il
24 le artiglierie francesi collocate sulla cortina dei bastioni 6 e 7
incominciarono ad offendere i romani, i quali con quelle avevano
in San Pietro in Montorio si difendevano, fortificandosi intanto
all'antica cinta Aureliana. La legione conosciuta sotto il nome del
Medici[4] occupava tuttavia il palazzo denominato il Vascello ed
altre case che di pochi passi distavano dalla breccia, e vi faceva
mirabili prove di valore. Alcuni giovani che si erano gittati nel
Casino Barberini furono circondati dai nemici ed uccisi tutti dopo
lotta così accanita, che taluno riportò venticinque ferite; venti
morivano sepolti sotto le rovine del Vascello che crollava alli 26,
senza che il Medici desse indietro. Ai 27 rovinò sotto i colpi
delle artiglierie la villa Savorelli ove Garibaldi aveva alloggiamento; San Pietro in Montorio, Palazzo Corsini e le case circo-

1. [Vol. IV, pp. 200-204 e pp. 217-228.]   2. Pietro Roselli (1808-1865),
tenente colonnello dell'esercito pontificio col quale aveva fatto la campagna del '48, aderì poi alla repubblica ed ebbe il comando della difesa di
Roma come generale di divisione. Durante la difesa fu in grave contrasto
con Garibaldi.   3. Su Luciano Manara cfr. la nota a p. 730.   4. Su Giacomo Medici cfr. nota 2 a p. 834.

stanti furono danneggiate assai; quasi tutti i feriti lasciavano gli
ospitali per rinfrescare la pugna, chi lavorava, chi combatteva, chi
correva a spegnere (come il volgo crede si possa) le miccie delle
bombe che piovevano; non bastando gli artiglieri, i soldati di
linea, i volontari prendevano il posto di quelli che cadevano; fu-
ronvi giovani che stettero in fazione due giorni e tre notti continue senza prendere riposo. Il quartiere generale aveva riparato
a villa Spada, la difesa era ridotta alla cinta Aureliana ed al
bastione N. 8 fulminati dalle artiglierie nemiche; la notte di
san Pietro, 29 del mese di giugno, era tempestosa, i tuoni della
tempesta si avvicendavano col rombo delle artiglierie, i lampi confondevano i guizzi luminosi colla luminaria della cupola di Michelangelo: i francesi irruppero in quella notte. Garibaldi colla
spada in pugno accorse incoraggiando i suoi colla voce e coll'esempio; seguì una zuffa sanguinosa in cui quattrocento italiani lasciarono la vita, altre vite nobilissime furono spente poco lunge dalla
mischia; perì Luciano Manara; gli ufficiali cogli archibusi, colle
spade e colle mani pugnarono come i soldati; molti artiglieri morirono avviticchiati ai cannoni che non volevano abbandonare; i
francesi trionfarono. Dinanzi a quei cadaveri deh! si plachi ogni
nostra ira, deh! o lettore, se hai sangue italiano, benedici a quei
morti che difesero l'onore d'Italia combattendo lo straniero; qui
né spirito, né ragion di parte; è terra italiana che lo straniero pesta, son difensori di terra italiana che cadono. Requie ed onore!

L'Assemblea che nei giorni scorsi era venuta discutendo la Costituzione della repubblica, commossa dall'ira e dall'angoscia si
riunì il mattino dei 30 giugno in Campidoglio. Surse primo il Cernuschi proponendo: dichiarasse impossibile ogni resistenza ulteriore, e stesse. Entra pallido il Mazzini, freme e spera; tre sono
a suo avviso i partiti: arrendersi, rinnovare i prodigi di Saragozza,[1] escire di Roma governo, assemblea ed esercito a continuare
la lotta nelle province; il primo indegno, degni e generosi gli
altri. L'Assemblea tacque incerta del consiglio, e quando il Bar-
tolucci generale ruppe il silenzio, attestando che Garibaldi aveva
certificato il Mazzini stesso che ogni resistenza oltre Tevere era

1. *prodigi di Saragozza*. Era ancor vivo il ricordo della conquista di Saragozza, che i francesi poterono effettuare il 21 febbraio 1809, dopo due
mesi di assedio e di accaniti combattimenti casa per casa, durante i quali,
dei centomila abitanti della città, ben cinquantaquattro mila erano morti.

fatta impossibile, mormorò del triunviro che velava il vero, e
mandò pel Garibaldi. Il quale giunto grondante sudore, le vesti
tinte di sangue, leale uomo, disse il vero: resistere oltre Tevere
impossibil cosa, tremendo il resistere di qua, tremendo ed inutile,
ché sol per pochi giorni si potrebbe; vana la difesa per le strade
di Roma dacché i francesi erano padroni delle alture; e conchiuse sarebbe crudele consiglio il tentare somiglianti prove,
meglio l'uscir di Roma. Alla quale opinione, sebbene alcuni deputati si accostassero e Mazzini perorando studiasse tirare gli altri,
i più non si acconciarono e fu abbracciato il partito introdotto
dal Cernuschi, di questo tenore: «In nome di Dio e del Popolo.
L'Assemblea costituente romana cessa una difesa divenuta impossibile e sta al suo posto»; e fu affidata al municipio di Roma la cura
di praticare co' francesi. Escì indignato il Mazzini, e scrisse, ras-
segnando la carica, parole di corruccio e di riprensione, le quali
dolsero assai ai deputati, ma non sì che accettata la rinunzia de'
triunviri, ed eletti in vece loro il Saliceti, il Mariani, il Calandrelli,
non acclamassero quelli benemeriti della patria. Mazzini, Avezzana,[1] i commissari sopra le barricate si congedarono da' romani
celebrandone la virtù e confortandoli a perseverare nella fede alla
Repubblica. Garibaldi rassegna le milizie in piazza San Pietro ed
offre loro uscir di Roma, fuggir la vista abborrita del nimico vittorioso, gittarsi nelle province, sollevarle, correre addosso agli austriaci: — Vi offro — disse — battaglie nuove, nuova gloria a prezzo di gravi stenti e di gravi pericoli; mi siegua chi ha cuore, mi
siegua chi ha ancora fede nella fortuna d'Italia; tinto il dito nel
sangue francese, andiamo a por le mani nel sangue tedesco. —
Il suo nome va alle stelle, e cinque mila uomini si scrivono e giurano seguirlo. Ma intanto, saputosi che le pratiche intraprese dal
municipio non erano efficaci sull'animo del generale Oudinot,
il furore concitava a tentare disperata resistenza nelle vie di Roma,
e sarebbesi tentata, se il consiglio dei nuovi triunviri e la ferma
volontà di alcuni ufficiali, fra cui il colonnello Pasi, non avessero
preservata Roma da quella disperazione. Allora il Mazzini propose all'Assemblea, eleggesse commissari che seguissero Garibaldi,
dittatori della repubblica, a governare e combattere ove si potesse;
e il partito fu vinto da mattina, ma poi riproposto da sera fu reietto.
I magistrati municipali iti al generale Oudinot avevano introdotti

1. Su Giuseppe Avezzana cfr. la nota a p. 887.

questi capitoli: entrasse in Roma l'esercito francese; sparirebbero
tutte le sbarre e tutte le opere di difesa; le podestà militari di Roma
potrebbero mandare i soldati romani a quegli alloggiamenti che
stimerebbero convenienti; le truppe che restassero farebbero il servizio della città colle francesi; sicure la libertà individuale e
le proprietà; la guardia nazionale in armi ed in ufficio; la Francia
non metterebbe mano nell'amministrazione dello Stato. Non
avendo il generale Oudinot ed il signor Corcelles accettati questi
capitoli, i magistrati non vollero stipularne d'altra maniera, e lasciarono la città in piena balìa dell'esercito conquistatore, nel tempo
che Garibaldi usciva di Porta San Giovanni la sera delli 2 luglio
con quattromila fanti e ottocento cavalli. L'Assemblea stanziò cento
mila scudi per l'esercito, sussidi alle famiglie povere de' morti,
per la repubblica, all'anima loro esequie solenni in San Pietro;
diede cittadinanza a tutti gl'italiani che avevano difesa Roma;
provvide che la Costituzione fosse in Campidoglio scolpita su tavole di marmo, e fece proponimento di aspettare al suo posto
l'esercito conquistatore. Il giorno appresso fu dal Campidoglio
promulgata corampopulo la Costituzione.

Nello stesso giorno 3 di luglio nel quale la Costituzione della
repubblica era promulgata dal Campidoglio, l'esercito francese si
faceva innanzi nella città. Dicesi che il popolo curioso si affol-
lasse oltre Tevere, e che s'udisse qualche amica salutazione; ma se
ciò fu oltre Tevere, di che i francesi soli fanno testimonianza,
non così più avanti, ché già a Ponte Sisto udivi il fremito degli
spettatori; chiuse le porte e le finestre, deserte le strade, sulla via del
Corso rotto il profondo silenzio da grida sdegnose; la truppa procedeva grave e silenziosa anch'essa rendendo immagine di sospetto
più che di trionfo. Ad un tratto levansi alte le acclamazioni alla
Repubblica Romana, le imprecazioni ai preti, le grida di villanìa
all'Oudinot, le beffe ai soldati, e il tumulto cresce perché strappano
una bandiera tricolore che sventolava sulla bottega da caffè delle
Belle Arti. Serra serra, la folla stringe il generale in piazza Colonna,
e gli ufficiali danno di sprone a' cavalli, i soldati di piglio all'armi e
la disperdono in un batter d'occhio. In mezzo al subuglio due o
tre preti morirono di pugnale; il Pantaleoni[1] assalito si difese con

1. Diomede Pantaleoni (1810-1885), di Macerata, medico e uomo politico
di parte moderata, era stato deputato nel '48, e aveva poi apertamente

una spada; l'abate Perfetti che era in sua compagnia fu ferito di coltello; con queste violenze i sicari contaminavano persino la maestà della sventura. Da sera la città muta, scura, vuota; il dì appresso una mano di soldati invase l'aula dell'Assemblea, e ne scacciò i deputati, i quali protestarono in nome dell'articolo 5° della Costituzione francese.

Intanto i triunviri e gli uomini che più si erano segnalati nella rivoluzione partivano da Roma con passaporti inglesi ed americani, senza che i francesi li molestassero, se eccettui il Cernuschi,[1] il quale fu sostenuto in Civitavecchia. Romani, italiani, e stranieri accalcavansi sulle navi; giovani e vecchi, nobili e plebei, soldati e donne, preti e magistrati, fior di galantuomini e schiuma di tristi: miserando spettacolo!

Garibaldi col favore delle tenebre, Ciceruacchio[2] guida, era sfuggito ai francesi, e con tutte le sue genti e gran copia di carri, co' bagagli e colle munizioni, era giunto a Tivoli all'alba del giorno 3. Finché egli ebbe la speranza di essere seguito dalle altre schiere romane e da' commessari dell'assemblea, fece disegno di trarre a Spoleto, città ben acconcia, a suo avviso, alla difesa, non occupata ancora dai nemici, e colà, posta la sede del governo e rialzato il vessillo di Roma, rinnovare la disperata pugna. Ma perduta questa speranza, dirizzò il pensiero audace a Venezia che magnanima resisteva ancora agli austriaci, divisando evitare le grosse battaglie e per non tentati sentieri condursi all'Adriatico e veleggiare alla Laguna. Lo accompagnavano i pochi superstiti commilitoni, che dalle Americhe dove avevano con lui dato splendido nome del valore italiano, lo avevano seguito in tutte le avventure della guerra; lo accompagnava la sua Anita, moglie tenerissima, di origine brasiliana, che lo aveva reso padre di tre figliuoli e portava il quarto in seno, e con maschio coraggio aveva sempre combattuto al suo fianco. Lasciarono Tivoli che il sole dei 3 di

avversato la repubblica mazziniana. Godé in seguito l'amicizia del Cavour, il quale si valse di lui nei suoi tentativi di risolvere la questione romana. 1. Il Cernuschi rimase vari mesi in prigione, e con questo pose termine alla sua attività politica. Andò esule in Francia, dove si diede agli affari, diventò un grande banchiere e si naturalizzò francese. 2. Angelo Brunetti, detto Ciceruacchio (1800-1849), il popolano trasteverino che tanta parte aveva avuto nel rivolgimento romano, catturato dagli austriaci il 10 agosto, fu fucilato nella notte, dopo un sommario interrogatorio.

luglio volgeva al tramonto, passarono la notte a Monticelli, il
giorno seguente a Monte Rotondo, di dove partiti alli 6, traversata
la via Salara verso Poggio Mirteto e valicati con dura e lunga fatica
i colli che scendono dall'Appennino, giunsero con tutti gli impedi-
menti a Terni alli 9 del mese. Così il condottiero mandò a vuoto i
disegni del generale Oudinot, che lo faceva inseguire dalla prima
divisione del suo esercito, dal generale Mollier sulle vie d'Albano
Frascati e Tivoli, dalla cavalleria del generale Morris verso Civita
Castellana, Orvieto e Viterbo; né francesi, né spagnuoli, né napolitani gli tagliarono il cammino. Trovato in Terni il colonnello
Forbes con novecento uomini, gli diede il comando di una legione; governava l'altra il tenente colonnello Sacchi, la cavalleria
un americano Bueno; ogni legione costituita di tre coorti, ogni
coorte di cinque o sei centurie.

La notte dell'11 abbandonarono Terni, e per la via di San Ge-
mini mossero a Todi ove furono ai 13. Giunte le notizie di Toscana — gli animi ribollire di sdegno perché il Granduca non solo la
ribelle Livorno aveva data in balìa degli austriaci, ma la stessa
Firenze che per virtù di popolo lo aveva ristaurato, la stessa gentil
Firenze era dai croati pesta; gli austriaci pochi e sparsi; ne' popoli
ardente la smania di riscuotersi; se passassero i romani il confine,
Toscana andrebbe in fuoco — Garibaldi apparecchiossi a tentare la
fortuna, divisando, se l'impresa toscana sinistrasse, ripassar l'Appennino e riparare all'Adriatico. Trovati alcuni cannoni a Todi,
ne prese uno che piccolo e leggero era; lasciò i carri, i cavalli,
le munizioni soverchie, ed apparecchiossi alla partenza. Due grandi
strade di là mettono in Toscana, l'una che da Viterbo per Acqua-
pendente va a Siena, l'altra che da Perugia accenna ad Arezzo;
occupate l'una e l'altra dagli austriaci. Il D'Aspre da Firenze,
Gorzkowsky e Wimpffen dalle Legazioni, sapute che ebbero
le mosse de' fuoruscisti romani, assottigliarono i presidii delle città
occupate per dar loro la caccia; il generale napolitano Statella
grosso di forze era in Abruzzo; i francesi, occupata Viterbo,
accampavano a Collesecco; pareva non restasse aperta via di scampo. Ma sperto il Garibaldi di quella maniera di guerra, trionfò
degli ostacoli naturali e delle tattiche nemiche; mandò un manipolo di cavalieri fin sotto le mura di Foligno, sei centurie alla volta
di Perugia, due verso Viterbo, per tenere a bada sulla sinistra del
Tevere austriaci e francesi, ed ordinò passassero il fiume le une

presso al lago Trasimeno, le altre presso Bagnorea ed Orvieto, e fossero il 19 a Cetona. Il 15 di mattina col grosso delle sue genti abbandonò Todi, valicò il Tevere sul ponte acuto; fu il 16 ad Orvieto, mezz'ora prima che i francesi vi giungessero, e per Ficulle e Città della Pieve giunto in Toscana, occupò ai 19 Cetona, la quale era stata in fretta abbandonata dai pochi soldati che la presidiavano.

Ma il suo piccolo esercito erasi già molto assottigliato: tre mila uomini appena lo seguivano, gli altri, spedati, stanchi, infermi, restavano indietro; molti i disertori, specialmente fra quelli che il Forbes aveva condotti e fra' dragoni partiti di Roma; e costoro si davano a rapinare ed ogni sorta di ribalderie commettere, onde poi corse grave la fama dei garibaldiani, sebbene il duce e i più fra gli ufficiali e tanti generosi giovani fossero netti di quelle macchie, colle quali la triste genia deturpava il nome delle legioni.

Da Cetona, ove il giorno stesso 19 ed il seguente erano giunte le altre centurie, Garibaldi mandò una mano di cavalieri ad esplorare i dintorni di Siena, ma il capitano, accampatosi a dieci miglia dalla città, praticò cogli austriaci, vendé uomini, armi, cavalli, e fuggì; tal fatta di vili nel fermento delle società sbuca, tale corruttela ammorba le schiere da quei fermenti create. Ai 20 da Cetona a Foiano, ai 21 Garibaldi da Foiano andò a Monte Pulciano, di dove mosse da sera per Castiglione Fiorentino e di là ai 23 per Arezzo; cui indarno tentò, perché i magistrati coi pochi austriaci che vi erano e le milizie cittadine, sapendo che l'arciduca Ernesto e Stadion traevano a quella volta, sbarrate le porte, si posero in sulle difese. Ai 24 levò il campo, e molestato nella ritirata dagli austriaci, camminando per vie scoscese giunse il giorno appresso a Citerna, sita in cima di un alto monte. I nemici erano già a Monterchi da una parte, a Borgo San Sepolcro dall'altra; in poco d'ora potevano circondare Citerna e chiudere ogni passo. Garibaldi manda poche centurie contro Monterchi per tenerli a bada, ne manda altre più fra Monterchi e Borgo San Sepolcro, quasi accennasse ad aprirsi il varco per la strada di Città di Castello, e messo tutto il campo nemico a romore, parte in silenzio al cader del giorno 26 verso Santa Giustina; batte sentieri così angusti che un uomo vi passava appena; giunge a Santa Giustina all'alba; cammina, cammina, toccò l'estrema vetta dell'Appennino e vi serenò. Sfuggito al grosso degli austriaci, e giunto ai 28 in Sant'Angelo in Vado nello Stato romano, avendo alle spalle le truppe dell'arciduca Ernesto, e volendo continuare il suo cammino, ai 29 simula ordinare la battaglia, assale il nemico coi bersaglieri, ma primaché irrompano numerosi, si salva ancora e volge i passi a San Marino. Non erano ancora tutti i suoi usciti di Sant'Angelo, che entrati gli austriaci furono addosso ai tardigradi, i quali si difesero con disperato valore, fra gli altri un romano Jourdan, capitano del genio, il quale stese morto un cavaliere austriaco, e ferito egli stesso nel capo seguitò a combattere finché si aprì la via a raggiungere i compagni.

Ridotto a quegli estremi, Garibaldi divisò entrare sul territorio della piccola repubblica che da San Marino ha il nome, lasciare colà ad ospizio, che sperava sicuro, coloro a cui non reggessero l'animo e le forze per avventarsi a nuovi cimenti; ed egli coi più forti e fidati trarre a Venezia. Cadeva già l'animo, cadevano le forze ai più: ogni speranza morta, neppure il conforto delle battaglie, neppure la gloria del morire lasciando un onorato nome; chi il raccorrebbe fra quei dirupi e quelle selve dove finivano la vita grama, chi? se il nome dei garibaldiani, contaminato dai ribaldi che insieme ai generosi lo portavano, suonava infame nella vigliacca età, che i violenti d'ogni qualità e setta sopporta ed onora tremando se imperino nelle serve cittadi, ma timorosa che la pelle sia scalfita, o tolta una foglia dai giardini d'Italia, sfata e maledice chi combatte lo straniero, chi muore, e sia pur che scapestri e folleggi, ma pur muore per l'onore d'Italia!

Toccare San Marino era ardua impresa; asprissimi inesplorati sentieri, fitti boschi, torrenti impetuosi, e non solo gli austriaci che scendevano dall'Appennino toscano alle spalle, ma a fronte, a costa, quelli che di Romagna incalzavano. Camminò Garibaldi tutto il giorno 29, fu a Macerata Feltria da sera; il dì seguente occupò Pietra Rubbia; ripreso il cammino, corse rischio di smarrirsi nei boschi, fu in una valle assalito dai nemici soprastanti; ma pure a mezzo giorno del 31 luglio giunse colle sue genti a San Marino, ove pubblicò questo manifesto: «Soldati, noi siamo giunti sulla terra di rifugio, e dobbiamo il miglior contegno a' generosi ospiti; così avremo meritata la considerazione che è dovuta alla disgrazia perseguitata. Io svincolo qui da ogni obbligo i miei compagni lasciandoli liberi di tornare alle case loro: ricordino che l'Italia non deve restare nell'obbrobrio, e che meglio è morire che vivere schiavi dello straniero. »

Gli austriaci preparavansi ad invadere la repubblica sanmarinese, ma i rettori, solleciti di accordi, furono al generale Gorzkowsky che era a Rimini, il quale fece intendere che procederebbe amico se le legioni deponessero le armi, ognuno potrebbe libero tornare alle proprie case, Garibaldi stesso manderebbe libero alle Americhe; intanto dieci mila uomini serravano i passi. Una parte dei legionari all'udir quelle proposte, — arrendersi no, meglio morire —, gridò; — a Venezia, a Venezia —; e Garibaldi trasalendo, levò il capo altiero, e disse: — A chi vuol seguirmi, offro nuovi patimenti, maggiori rischi, la morte forse, patti collo straniero mai — (perché il Mazzini che sacramenta non volere mai scendere a' patti, perché non era col Garibaldi?), montò a cavallo e partì con trecento uomini e la sua donna. Giunto a Cesenatico vi fece prigionieri pochi austriaci di presidio, allestì tredici barche da pesca, e la mattina del 3 agosto salpò per Venezia.

L'austriaco, cercandolo indarno per monti e per valli, minacciò in una grida la morte a chiunque ospitasse, guidasse, desse pane, acqua, o fuoco a Garibaldi, a' suoi, alla moglie gravida. Ito poi a San Marino, stipulata co' magistrati la libertà de' novecento che avevano consentito a deporre le armi, li fece sostenere in via, li mandò cattivi a Bologna, e di là i lombardi nelle prigioni di Mantova, e i romani in libertà dopo trenta colpi di bastoni per uno.

Garibaldi, abile navigatore, col vento in poppa veleggiando toccava già la *punta di Maestra* e vedeva le torri della regina dell'Adria, quando le navi austriache gli mossero contro: non più propizio il vento, i marinari, fulminando le artiglierie, perduti dell'animo; non perde egli l'animo, ché cercando aprirsi un varco governa unite le sue barche finché un legno nemico le separa; otto si sbandano, invano vuol rannodarle, son predate, ed i prigionieri mandati in catene nel forte di Pola. Scampa colle altre, e ricacciato ai lidi romani giunge a prendere terra sulla spiaggia della Mesola il mattino del 5 agosto; aveva seco la moglie, Ciceruacchio con due figliuoli, un ufficiale lombardo Livraghi, il barnabita Bassi ed altri non noti ufficiali e soldati. Pensarono a porsi in salvo, come meglio potessero: Garibaldi partì colla sua Anita ed un compagno dirizzando il passo a Ravenna, e viaggiarono per due giorni, conosciuti, ospitati e soccorsi, in onta alle minacce austria-

che, dai villici, dalle guardie di polizia e di finanza; ma il terzo dì
la donna, oppressa dai travagli e dalle fatiche, svenne ed in breve
ora esalò l'anima nelle braccia del marito inconsolabile. Andò
egli a Ravenna, di là in Toscana, poi a Genova, a Tunisi, ed emigrò poi alle Americhe. Gli altri, che con lui avevano preso terra,
errarono alla ventura per boschi e per lande, inseguiti, uccisi come belve, e lasciati insepolti; dei più non si ebbe notizia; sì notizia lacrimevole resta di due: frate Ugo Bassi e Livraghi furono
incatenati e condotti a Bologna, dove più innanzi vedremo come
perdessero miseramente la vita.

Così finì la Repubblica Romana.

L'Allocuzione pontificia del 29 aprile 1848, giova ricordarlo
qui, aveva sollevati gli spiriti nazionali contro il papato, ravvivando
l'antica persuasione, la quale non consente aggiunto tanto temporale allo spirituale che gli dà tanta autorità, e lo stima perenne ostacolo alla unione d'Italia. Quel documento fu causa che gli animi
intenti allo acquisto di una libera patria, si alienassero da un
principato che spezza l'armi che la vendicano, forbisce quelle che
la straziano; ed a cui prese vaghezza di parteggiare per un principato laico, a cui per una repubblica, a tutti sdegno; onde la
fiducia, la osservanza spente, il governo tollerato, non amato, fu
in balìa delle sètte e della fortuna. E come allora, sempre delle
sètte e della fortuna sarà in balìa qualunque Stato italiano, nimico, restìo o pigro al nazionale riscatto.

Dopo i casi del 15 e 16 novembre la partenza del papa dallo Stato, di cui non più sovrano assoluto, ma principe costituzionale era,
la mancanza di sagace consiglio nel cardinale e nel prelato, a' quali
esulando egli aveva commesso di governare in nome suo, e l'accoglienza negata da Gaeta ai deputati del parlamento e del municipio, avevano data origine al governo provvisorio. La Corte Gaetina desiderosa tanto di ripigliare per la Chiesa lo Stato, quanto
pei chierici gli onori ed i benefizi dell'assoluto imperio, aveva age-
volati i disegni dei sollevatori, ed aveva aperte le porte dell'Assemblea costituente disdegnando i consigli della parte costituzionale, gli uffici e gli aiuti del Piemonte. La scomunica minacciata a qualunque elettore od eletto mettesse mano in quel-
l'assemblea, aveva dato vinto il partito ai repubblicani. Nulladimeno la Repubblica, fattura di pochi, non aveva vita, e senza onore
finiva e senza compianto, se la Corte Gaetina chiamando tutti gli

stranieri non avesse esasperati gli spiriti, a cui ogni straniera invasione è, e debbe essere, esosa. Le minacce ed i pericoli avvalorarono la parte mazziniana, come quella che era la più calda nell'abbracciare i partiti estremi e, gran merito nei fortunosi momenti, sapeva quel che voleva e saper voleva tutto ciò che approdasse al maestro, che fu dittatore. I francesi assalendo Roma, il generale Oudinot tentandola con suo danno il 30 aprile, incominciarono la storia della repubblica mazziniana. Chi ricerca le cagioni dei casi di Roma, chi le studia con animo pacato e diligente, quei non può riferirle soltanto ai delitti di pochi sicari, alla malizia ed audacia di pochi cospiratori, all'ebbrezza di poco popolo; ma fatta ragione di siffatti accidenti e dei tempi insoliti e della indifferenza delle moltitudini, egli deve fare giudizio che ai chierici ed ai francesi Italia va debitrice assai di una storia della repubblica mazziniana. Nella quale si leggono, è vero, vuote declamazioni, servili imitazioni, puerili trastulli, vendette atroci e malvage opere; ma leggonsi eziandio combattimenti, vittorie, spendio, pericoli, temerità; e si vedono generosi giovinetti che cadono colle armi in pugno, e focosi condottieri che disfidano il Dio delle battaglie; e si contano le ferite e le si mostrano con giusta superbia; e si additano le tracce del ferro e del piombo straniero sui monumenti sacri alla religione ed all'arte; memorie queste, che molto più degli accidenti e degli sconci di governo sopravvivono nel cuore degli uomini, confortano i vinti, turbano le gioie dei vincitori, consolano i vecchi, raffermano i propositi degli adulti, accendono l'entusiasmo dei giovani, innamorano le fanciulle, inorgogliscono le madri, danno pascolo alle speranze, cemento alle congiure, simbolo alle riscosse.

# LUIGI SETTEMBRINI

# PROFILO BIOGRAFICO

Quando LUIGI SETTEMBRINI si volgeva indietro alle sue più lontane memorie, egli si vedeva bambino in una chiesa di Caserta tutta piena di gente. Era una mattina del 1820, e tutti erano in festa, e tutti, anche il prete che faceva una gran predica, erano adorni di coccarde e di fasce tricolori; un signore diede una coccarda anche a lui, «ed io la presi, e me la messi, e fui carbonaro a sette anni». Nei suoi ricordi d'infanzia seguivano poi la calata degli austriaci e le vendette del Borbone con la frusta a suon di tromba. E dietro questi, i fatti del '99, i racconti del padre che per miracolo era sfuggito alla furia sanguinaria dei sanfedisti. «Le sere d'inverno si metteva accanto al fuoco con due o tre amici che venivano a visitarlo, mia madre presso ad un tavolino cuciva, e io seduto sopra una seggiolella vicino a lei ascoltava i discorsi che facevano. Mio padre parlava tanto bene, e raccontava i casi suoi del 1799, e dipingeva ad uno ad uno quei grandi uomini che furono impiccati, e io piangevo, e m'innamorai di quegl'impiccati, e quando divenni uomo mancò un pelo a non essere impiccato anche io.» Questi non sono semplici ricordi d'infanzia; sono già esperienze. E la vita del Settembrini vi appare già tutta prefigurata.

Era nato a Napoli il 17 aprile 1813, in una famiglia in cui l'esercizio dell'avvocatura era già un'antica tradizione. Mandato a studiare nel collegio di Maddaloni, vi si accese tutto di ardore religioso. Non era solamente una vampata di quel misticismo che non è raro negli anni dell'adolescenza; ma era piuttosto un primo indizio della sua vocazione al sacrificio e al martirio. Correvano allora gli anni dell'indipendenza della Grecia; e il padre, che lo aveva richiamato a Caserta, dove, ammalato, egli si era trasferito, gli faceva leggere i giornali che parlavano di quei fatti e — figliuolo, — gli diceva — questa, che tu vedi fra noi, non è religione, ma superstizione, ma arte di tirannide per ispegnere proprio l'anima. L'uomo generoso ama la patria e si adopra per lei in fatiche onorate, non in ozio di convento —. Luigi a queste spronate si impennava come un puledro e aveva sempre innanzi alla mente Marco Botzari e Costantino Canaris, che rinnovavano le gesta della Grecia antica. Altro che farsi prete. Presero allora radice in lui quei princìpi di irriducibile avversione al Vaticano, ai quali rimase poi sempre fedele.

Intanto studiava privatamente, e il padre, che voleva farne un avvocato, nel 1828 lo mandò a studiar legge a Napoli. Luigi non ci aveva nessuna inclinazione, e invece amava la poesia. Eppure dovette ben presto mettere a profitto questi suoi studi. Dopo due anni, essendogli morto il padre — la madre l'aveva già perduta nel '25 — tentò l'esercizio dell'avvocatura a Santa Maria Capua Vetere. Fu un'esperienza breve, ma disastrosa; e dopo pochi mesi se ne tornò all'università di Napoli per dedicarsi definitivamente agli studi letterari, ingegnandosi intanto a vivere con gli sparuti proventi di qualche lezione privata. Questi suoi sacrifici furono coronati da un buon successo. Nel 1835 egli conseguì la laurea e vinse il concorso per la cattedra di eloquenza del liceo di Catanzaro. Il periodo delle angustie poteva considerarsi chiuso.

I quattro anni che trascorse a Catanzaro sempre egli li ricordò tra i pochi lieti e sereni della sua vita. Prima di partire si era sposato con Luigia Faucitano, giovinetta di diciassette anni, che ben presto doveva rivelarsi donna di eccezionale grandezza d'animo. E a Catanzaro gli nacque il figlio Raffaele, che fu poi sempre il suo idolo. Ma già a Napoli aveva cominciato a cospirare in una setta, «La giovine Italia», che un suo compagno di studi, Benedetto Musolino, aveva ideata e fondata a imitazione, alquanto fantastica, di quella del Mazzini. E così, la notte dell'8 maggio 1839 egli fu arrestato e tradotto a Napoli nel carcere di Santa Maria Apparente. Il processo fu lungo. Ma sia per l'inconsistenza delle prove, sia per l'abilità della difesa, esso si chiuse con un'assoluzione, e il 14 ottobre 1842 il Settembrini fu rimesso in libertà. Ritornò allora all'insegnamento privato, che era per lui un altro modo di cospirare, non più, com'egli disse, «a chiacchere con gli adulti», ma facendo innamorare i giovani dei suoi ideali umani e patriottici.

Così visse fino al 1848, facendosi dimenticare dalla polizia. Intanto l'ondata rivoluzionaria s'ingrossava anche nel Regno. Erano gli anni in cui il patriottismo napoletano si andava convertendo in patriottismo italiano. Nel '41 si era sollevata l'Aquila, nel '44 seguirono la ribellione di Cosenza e il tragico tentativo dei fratelli Bandiera, nel '45 si radunava a Napoli il settimo Congresso degli scienziati; si diffondevano intanto i libri dei Gioberti e del Balbo e l'opuscolo del d'Azeglio sui casi di Romagna; nel '46 veniva eletto papa Pio IX e cominciavano le agitazioni liberali. Il Settembrini approvava in gran parte il programma dei moderati; ma se ne allontanava risolutamente in due punti. Secondo lui, il vero nemico della libertà era il Papato, e non poteva perciò riconoscergli quella funzione che il Gioberti gli aveva attribuito; e inoltre non vedeva nessuna possibilità di accordo fra le popolazioni meridionali e la sperimentata perfidia e crudeltà della dinastia borbonica. Il Settembrini si diede allora a scrivere un opuscolo a somiglianza di quello del d'Azeglio, ma di spirito notevolmente diverso, in cui tracciò un quadro generale di tutte le miserie e le sofferenze delle popolazioni meridionali, facendo vedere chi era il re, chi erano i ministri, chi erano gli oppressori che provocavano il popolo alla rivolta. La *Protesta del Popolo delle Due Sicilie*, stampata alla macchia nel 1847, si diffuse rapidamente; e a Palermo, nella festa di Santa Rosalia, ne fu gettata una copia nella carrozza di Ferdinando II. La polizia, rabbiosa, ne ricercava l'ignoto autore. Perciò il 3 gennaio 1848 alcuni amici fecero imbarcare il Settembrini su una fregata inglese, che lo condusse a Malta. Ma il 12 gennaio scoppiava la rivoluzione a Palermo. Egli tornò allora a Napoli, dove sbarcò il 7 febbraio, quattro giorni prima che venisse pubblicato lo Statuto. Carlo Poerio, divenuto ministro della pubblica istruzione, lo volle capodivisione nel suo dicastero. Qui egli si trovò in mezzo a una baraonda, tutti venivano, e chi non chiedeva per sé, raccomandava altri o dava consigli. I ministri erano come le figure di una lanterna magica. Al Poerio successe Paolo Emilio Imbriani, e poi fu la volta di Carlo Troya: tre ministri in cinquanta giorni. Da professore diventato funzionario il Settembrini non si raccapezzava più, gli pareva di avere un continuo capogiro, e dopo due mesi rassegnò le dimissioni.

In questo rivolgimento egli non ebbe nessuna parte di primo piano. Uomo di assoluta purezza e semplicità di spirito, uomo tutto bontà e affetti generosi, allora e poi si dimostrò sempre negato alla vita politica. La parte sua era la parte del credente e del martire. Del resto, tra la malafede del re, l'intatta potenza delle forze reazionarie, i contrasti interni dei liberali, il problema siciliano e i conflitti di interessi di ogni sorta, la situazione si presentava così contraddittoria e arruffata e irta, da apparire ben presto irrimediabilmente compromessa. Il 15 maggio ci fu una sollevazione popolare con qualche barricata, e il re ne approfittò per riprendere il dominio della situazione e per demolire a una a una le malferme strutture liberali.

Bisognava dunque rifare il lavoro disfatto, e il Settembrini, Silvio Spaventa e altri fondarono una nuova setta, la «Società dell'Unità italiana», che era concepita e presentata come la continuazione della Carboneria e della Giovine Italia. La polizia borbonica ne ebbe presto sentore e già sulla fine del '48 cominciarono gli imprigionamenti. Il Settembrini fu arrestato il 23 giugno 1849. Questa volta la procedura fu assai più rigida, e con sentenza del 1° febbraio 1851 egli fu condannato a morte. Dopo tre giorni trascorsi nel confortatorio la pena gli fu commutata nell'ergastolo a vita, e fu rinchiuso nel penitenziario di S. Stefano, dove avrebbe dovuto finire i suoi giorni. Ma pochi anni dopo, in seguito alla guerra di Crimea e al Congresso di Parigi, la situazione politica europea mutava tutta a sfavore del governo borbonico, il quale perciò, al fine di migliorare la propria posizione diplomatica, tentò nel 1856 di liberarsi dei detenuti politici facendoli emigrare in Argentina in qualità di coloni. Andato fallito questo primo disegno, nel gennaio del 1859 il Settembrini e altri sessantacinque detenuti politici, su un vapore napoletano accompagnato da una nave da guerra, furono trasportati a Cadice, dove fu noleggiata una nave a vela americana che avrebbe dovuto sbarcarli a New-York. Ma nella rada di Cadice si trovò di passaggio il figlio del Settembrini, Raffaele, che era diventato capitano della marina mercantile britannica; e questi, imbarcatosi con un sotterfugio nella nave americana, riuscì audacemente a far mutare la rotta e a far sbarcare i prigionieri a Queenstown in Irlanda, da dove poi essi passarono a Londra, e quindi in Italia. Si compiva intanto l'impresa dei Mille, e il Settembrini con la sua famiglia poté fare ritorno a Napoli, dove, durante il periodo della Luogotenenza, fu ispettore generale dell'istruzione pubblica e coadiutore nel ministero dell'istruzione. Abolite poi queste due cariche, nell'ottobre del 1861 fu nominato professore di letteratura italiana all'università di Napoli.

Dopo quindici anni trascorsi complessivamente nel carcere e nell'ergastolo egli tornò allora a vivere con quello stesso entusiasmo giovanile, con quel suo stesso cuore di una volta, scrivendo, parlando, lottando per il compimento dell'unità italiana (fu presidente dell'Associazione unitaria costituzionale), e soprattutto insegnando. Pubblicò la traduzione, da lui compiuta nell'ergastolo, dei dialoghi di Luciano con un lungo discorso introduttivo (Firenze, Le Monnier, 1861-1862); seguirono poi le *Lezioni di letteratura italiana* (Napoli, Salvi, 1866-1872). Quest'opera non fu accolta come egli sperava. Egli l'aveva scritta con quel suo cuore di una volta, di quando, per lui, insegnare era lo stesso che cospirare; e con quel suo spirito prequarantottesco, di origine giacobineggiante, aveva visto nella nostra letteratura il riflesso della lotta implacabile tra la libertà laica e l'oppressione clericale. Invece la nuova generazione era già lontana dalle polemiche risorgimentali; essa aspirava ad essere tutta rigore storico e filosofico, o tutta rigore filologico. La discussione si inasprì; e neanche il saggio del De Sanctis valse ad addolcire il disinganno del Settembrini. Il quale, tuttavia, non è da credere che rimanesse isolato. Il prestigio, la profonda e schietta umanità del maestro, la sua varia e larga e fresca cultura e soprattutto il sentimento, che egli aveva vivissimo, della poesia antica e moderna, eran fatti per soggiogare i suoi discepoli, che non gli negarono mai il loro affetto e la loro devozione. Il suo sentimento unitario nazionale si rifletteva anche nel suo insegnamento universitario e in genere nella sua operosità di studioso: egli procurò sempre di mettere in luce il contributo che Napoli e il Mezzogiorno avevano dato alla cultura italiana. Di questo suo sentimento fu anche frutto la sua edizione del *Novellino* di Masuccio Salernitano (Napoli, Morano, 1874).

Nel 1873 fu nominato senatore del regno; ma col compimento dell'unità nazionale egli si era venuto sempre più estraniando dalla vita politica. Negli ultimi anni la sua salute declinò inesorabilmente, e travagliato da lunga malattia si spense il 4 novembre 1879. Furono pubblicati postumi, e tutti presso il Morano di Napoli, gli *Scritti varii di Letteratura, Politica ed Arte* (1879-1880), le *Ricordanze della mia vita* (1879), i *Dialoghi* (1880) e l'*Epistolario* (1883).

Piuttosto che uomo di idee, il Settembrini fu uomo di salde convinzioni, radicate in un animo schietto, bonario, affettuoso e inflessibile. E fu anche uomo di rara energia interiore. Il cospiratore, lo scrittore, il professore, il padre di famiglia facevano in lui una cosa sola. In ogni forma della sua attività egli metteva sempre tutto se stesso. Perciò i suoi scritti, caduchi per tante ragioni, si salvano sempre per il loro fondo autobiografico, per il loro inconfondibile sapore umano. E perciò la sua opera più genuina doveva necessariamente riuscire la sua autobiografia, nella quale egli poté narrarsi e confessarsi con la più schietta interezza, lasciando di sé l'immagine più compiuta. Pur così monche e lacunose, come egli dovette lasciarle, non c'è lettore che possa interamente sottrarsi al fascino morale delle *Ricordanze*.

★

La prima edizione delle *Ricordanze della mia vita* è quella di Napoli, Morano, 1879-1880, in due volumi, con prefazione di FRANCESCO DE SANCTIS. Oggi il testo più sicuro è quello che ADOLFO OMODEO curò per la collezione laterziana degli «Scrittori d'Italia», Bari 1934. Dell'*Epistolario* c'è solo la prima edizione, con prefazione e note di FRANCESCO FIORENTINO, Napoli, Morano, 1883. La raccolta non è completa. Molte lettere erano già state accolte nelle *Ricordanze*, altre si trovano altrove.

Il primo a scrivere compiutamente del Settembrini fu FRANCESCO TORRACA, *Notizie su la vita e gli scritti di L. S.*, Napoli, Morano, 1887. Fra gli altri scritti biografici e critici si consultino: LUIGI PITRÈ, *Nuovi profili biografici di contemporanei italiani*, Palermo 1868; A. DE GUBERNATIS, *Ricordi biografici*, Firenze 1873; P. VILLARI, *Arte, storia e filosofia*, Firenze 1884; F. ALFANO, *L. S. nella vita e negli scritti*, nella «Rivista abruzzese» di Teramo, 1900; VINCENZO LOZITO, *La vita e le opere di L. S.*, Livorno, Giusti, 1915; SILVIO SPAVENTA, *Dal 1848 al 1861*, lettere scritti documenti pubblicati da B. CROCE, Bari 1923; LUIGI RUSSO, *F. De Sanctis e la cultura napoletana (1860-1885)*, Venezia 1928.

Particolarmente sulle *Ricordanze* sono fondamentali la prefazione del DE SANCTIS (del quale si veda anche il «saggio» *Settembrini e i suoi critici*) e i seguenti tre saggi: B. CROCE, *L. S.*, nel primo volume della *Letteratura della nuova Italia*; ADOLFO OMODEO, *L. S.*, nel vol. *Figure e passioni del risorgimento italiano*, Palermo 1933; A. MOMIGLIANO, Le «*Ricordanze*» del *S.*, nel vol. *Studi di poesia*, Bari 1938.

# DALLE «RICORDANZE DELLA MIA VITA»

## I

### L'UNIVERSITÀ

La coscienza mi diceva: «Tu sei pure un ignorante; gli studi li hai fatti in fretta; scienze non ne conosci, di filosofia ricordi soltanto che cosa è idea, nel latino sei corto, in italiano non scrivi abbastanza corretto: bisogna rifarti da capo. Andiamo dunque nell'università, dove ci ha tanti professori, che insegnano tante belle cose. Bisogna acquistare buone e sode cognizioni, e poi lasciamo fare a Dio. Egli mi aprirà una via per viverci onorato. Si fanno tanti concorsi: se io ne vincerò uno, sarò professore anch'io, e avrò un ufficio per merito, non per favori e raccomandazioni.» Andai dunque nell'università, e presi ad ascoltare vari professori.

L'università di Napoli è stata sempre una grande scuola gratuita di studi professionali, dove gli studenti sono liberissimi di entrare e di uscire o di non andarvi affatto; e pochissimi ci vanno. Chiunque si presentava, e pagava la tassa, e faceva gli esami, ed era approvato, aveva il suo diploma. Il governo ebbe sempre paura di ragunare in un solo luogo le molte migliaia di giovani, che da tutto il regno convenivano in Napoli a studiare, e però non li obbligava ad assistere ai corsi, e li lasciava sparpagliare nelle scuole private, e teneva l'università come a pompa, perché c'era stata sempre, e non altro che un'officina da sfornare dottori. Questo produceva un male, ed un bene. Il male era che i giovani non si conoscevano né s'affratellavano fra loro; i professori per la rarità degli scolari si svogliavano benché valenti, e se togli qualcuno di molto grido, gli altri leggevano ai banchi; l'università non ebbe gran nome. Il bene, che a mio credere avanzava il male, era che l'insegnamento era liberissimo; la scienza non s'imparava dal professore ufficiale, che insegnava come volevano i superiori; ma da maestri privati, che in casa loro insegnavano come volevano: metodo, libri, sistema, ognuno aveva il suo, e i giovani correvano dai migliori e di maggior grido. Ma i più utili tra questi professori privati erano quelli che avevano pochi scolari, coi quali pigliavano dimestichezza e affezione, e però insegnavano liberamente e senza paura, e quasi in conversazione amichevole. Molti valenti uomini

trascurati o mal visti dal governo fecero i professori privati, edu-
cando i giovani a nobili sensi: ed uno di essi diceva: «Mi perseguiti
pure il governo, purché mi lasci insegnare, ché io insegnando gli fo
la maggiore guerra, formo voi altri giovani, che un giorno sarete
colti, onesti, generosi, e suoi nemici.» È vero che per insegnare ci
voleva il permesso della polizia, ma zitto zitto se ne faceva anche
senza per un otto o dieci giovani che non parevano. Questo libero
insegnamento ci ha salvati dall'ultima servitù, dalla servitù del
pensiero, ed ha favorito l'educazione dei grandi e liberi pensatori
che noi avemmo in ogni tempo.

Tra i professori ce n'erano alcuni che avrebbero onorato ogni
università di Europa, come Pasquale Galluppi, che insegnava filosofia, e Nicola Nicolini diritto penale:[1] c'erano Vincenzo Lanza
principe dei medici napoletani, Costantino Dimidri[2] valente in
anatomia e di mirabile eloquenza, Francesco Avellino[3] dottissimo
di molto sapere e giurista profondo; ed altri molti, ciascuno bravo
nella sua scienza. C'era qualche tristo codardo: c'era ancora qualche dabbenuomo, che sapeva solo una cosa, e nel resto era ignorante. Sentite che mi accadde un giorno con un professore, che
sapeva bene una cosa sola: e non lo dico per male. Dopo la lezione
uscimmo insieme, ed ei non sapendo bene le vie mi pregò che lo
accompagnassi al Carmine. Quando giungemmo presso la piazza
del Mercato, io così per un dire gli dissi: «Quante cose ricorda
questo luogo!» «E che ricorda,» rispos'egli «gl'impiccati?» «Qui
in mezzo alle due fontane fu decapitato Corradino, e il suo cugino.»
«Era un bandito questo Corradino?» «Oh no, era il figlio del re

1. Pasquale Galluppi (1770-1846) ebbe la cattedra nel 1831. Nel suo insegnamento e nelle sue opere tentò una revisione critica del kantismo. Era
di spiriti liberali; ma specie sotto Ferdinando II non si compromise mai
politicamente. — Nicola Nicolini (1772-1857), eminente giureconsulto e
avvocato generale della Corte di cassazione, era stato destituito dopo i moti
del 1820. Richiamato al suo posto da Ferdinando II, aveva avuto anche la
cattedra di diritto e procedura penale. Fu poi ministro senza portafogli e
Primo presidente della Suprema Corte di giustizia.　2. «La fortuna aveva dato tutto al Dimidri: bell'aspetto, bella parola, molta fama, grossi
guadagni nella sua professione. Ebbene egli, la moglie, il figliastro vissero
una vita amara e disperata, e morirono pel giuoco delle carte!» (Settembrini).　3. Francesco Maria Avellino (1788-1850) fu studioso insigne di
antichità classica, specialmente di numismatica, ed eminente giurista ed
avvocato. All'università di Napoli occupò successivamente dal 1815 le
cattedre di lingua e letteratura greca, di economia politica, di istituzioni
di diritto romano e di pandette.

Corrado, erede del trono di Napoli, allora occupato da Carlo d'Angiò, che lo fece prigione e gli mozzò il capo. Era un giovanetto di sedici anni, e il cugino ne aveva diciassette.» «Che crudeltà contro due fanciulli! E pure Carlo era fratello di san Luigi Gonzaga!» «No, Luigi IX di Francia.» «E nessuno diede un cazzotto a quel birbante di Carlo?» «Glielo diedero i Siciliani al Vespro.» E troncai ogni discorso, che mi aveva fatto salire le vampe al viso. Eppure il professore sapeva benissimo il latino, ed era mio maestro, e si faceva voler bene.

Raramente i professori erano scelti per meriti; ordinariamente per concorso, specie di giuoco che non dà mai il migliore, a cui gli uomini riputati non si cimentano, ma vi si arrischiano i giovani che non hanno che perdere, e chi per avventura sa bene quell'una cosa che è dimandata vince gli altri che ne sanno molte. E poi il governo, circondato sempre da spie, da adulatori, e da quelli che usano il sapere a tristizie, non conosceva i valorosi onesti, o se li conosceva li aveva sospetti per politiche opinioni, e li escludeva anche dai concorsi: onde spesse volte le cattedre erano date a sfacciati ciurmadori. Udii dallo stesso Galluppi raccontare il modo ond'egli fu nominato professore. Il barone Pasquale Galluppi di Tropea, cittadella di Calabria, sostentava la sua onesta povertà ed undici figliuoli con un ufficio di controllore nelle dogane. Le cure della famiglia e le noie dell'uffizio non lo toglievano da' suoi studi filosofici, nei quali egli era sì assorto e si profondava tanto, da non udire il diavoleto che gli facevano intorno un vespaio di fanciulli. Scrisse un *Saggio critico su le conoscenze umane*, che stampato in Messina, fu conosciuto poco in Italia, e levò alto il nome del Galluppi in Francia e in Germania. Essendo vacante la cattedra di filosofia nell'università, gli amici lo consigliarono e la sua coscienza lo persuase a chiederla. Venne in Napoli, andò dal ministro dell'interno, gli presentò il libro, e chiese la cattedra. Il ministro, che non lo conosceva, rispose: «Bene: vi cimenterete all'esame.» Ed egli: «*E cu c'è a Napoli, che po' esaminari Pasquale Galluppi?*» Il ministro si strinse nelle spalle, e l'accomiatò con un *vedremo*. La sera raccontò nel crocchio degli amici come un vecchietto calabrese e mezzo matto era andato a chiedergli la cattedra, e tutto ringalluzzito gli aveva detto non ci essere in Napoli chi potesse esaminarlo. Ci fu qualcuno che dimandò: «Fosse egli il Galluppi?» «Non ricordo il nome: leggetelo nel libro che mi ha dato.» «È desso, è il Galluppi, il primo filosofo vivente d'Italia.» Sua Eccellenza cadde dalle nuvole: si informò da altri, udì lo stesso, e lo pregarono desse quest'ornamento all'università di Napoli. E così il Galluppi, ricercato bene se egli avesse qualche vecchio peccato politico e trovato netto, fu senz'altro nominato professore quando egli non se l'aspettava né ci pensava più. Con che festa noi giovani e con quanta calca tutte le colte persone si andò a udire la sua prolusione, e poi le lezioni che egli appollaiato su la cattedra dettava con l'accento tagliente del suo dialetto! Ci sono sempre i maldicenti, i quali dicevano che egli era mezzo barbaro nel parlare; ma in quel parlare era una forza di verità nuove, ma l'ingegno era grande, e il cuore quanto l'ingegno. Che buon vecchio! quanto amava i giovani!

Un altro filosofo era in Napoli, e gagliardo forse più del Galluppi, che fu Ottavio Colecchi;[1] ma perché propugnatore delle dottrine del Kant, perché di animo fiero e sdegnoso, e di libere opinioni, non ebbe mai uffizio, insegnò a pochi, e non levò sì alto grido. In Italia non è conosciuto, perché dura la vecchia colpa di non curare i nostri; ma i suoi discepoli, fra i quali Bertrando Spaventa[2] e Camillo Caracciolo marchese di Bella, farebbero opera buona a la scienza e a la patria a pubblicare tutti gli scritti di quel severo intelletto che disprezzava ogni cosa al mondo, e diceva di non pregiarne altre che due, la virtù ed il sapere.

Io udivo molti professori, tra gli altri il Dimidri, che mi fece venire voglia di studiare medicina; ma non i cadaveri, né il puzzo del teatro anatomico, sì bene i modi fecciosi e bestiali dei giovani che li manipolavano mi disgustarono, ed avvicinai e presi ad amare il canonico Michele Bianchi professore di letteratura italiana. Eravamo ascoltatori soliti un quattro o cinque giovani, tra i quali era Giovanni Calvello, ora professore di storia antica, e fin da allora uomo di animo e di costume antico, ed amico mio carissimo. Il Bianchi ragionava con noi come con amici, e soltanto quando ci

---

1. Ottavio Colecchi (1773-1847) era stato in Russia precettore dei figli dello zar, e viaggiando in Germania aveva studiato le opere di Kant nel testo originale. Era a Napoli il più saldo sostenitore, contro il Galluppi, del criticismo kantiano e della filosofia di Hegel. 2. Bertrando Spaventa (1817-1883), storico della filosofia, aveva derivato infatti dall'insegnamento del Colecchi il suo indirizzo hegeliano. Esule in Piemonte dopo il '48, insegnò dopo il '60 all'università di Napoli. Insieme col fratello Silvio fu tra le più eminenti figure della cultura meridionale e nazionale.

capitava qualche sconosciuto faceva un po' di diceria distesa. Non usava come gli altri professori, che come scoccava la mezz'ora rompevano a mezzo il discorso; ma s'intratteneva con noi lungamente, e ci diceva molte belle cose, e finita la lezione lo accompagnavamo per buon tratto di via, e seguitavamo a ragionare. Quando ero io solo con lui, egli usciva a la politica; parlava de' tempi trascorsi, di molti uomini, di molti avvenimenti, e ne giudicava con senno severo: e se parlava di quella che egli chiamava *casta pretesca*, non sapeva frenare lo sdegno e diceva: «È nemica di Dio e di Cesare: fu, è, e sarà principale cagione della servitù d'Italia. Credete a me, che conosco quali visi si nascondono sotto quelle maschere.» Era egli un uomo che bisognava guardare da vicino, e allora lo stimavi e lo amavi. Poco eloquente, di maniere modeste, un po' pedante, ma dotto assai, liberi sensi, gran bontà di animo. Ogni volta che mi partivo da lui avevo imparata qualche cosa: però la sua memoria mi è cara ed onorata. Si piacque molto e mi lodò di due miei scritti, li fece leggere a monsignore Colangelo presidente dell'istruzione pubblica, e gli disse di propormi a professore in un collegio. Monsignore, che era come un ispido cinghiale, volle vedermi, mi accolse bene, e mi propose al ministro, il quale rispose che le cattedre si davano per esame. «E voi farete l'esame,» disse il canonico «e per cattedra superiore.» Fui punto sul vivo, e mi messi a studiare di forza: ripresi il greco, e mi posi a battere sopra Omero; non avevo per mano altri libri che greci e latini, e lessi Tito Livio due volte, e spesso leggendolo mi dovevo asciugare le lagrime. Senza maestri, con pochi libri, che importava? avevo la febbre dello studio, e vent'anni di vita.

«Sì,» mi direte «ma come campavi tu allora, povero giovanotto?» Oh, non vi ho detto che io fidava in Dio? Tra i giovani studenti c'eran di quelli che avevano bisogno del latino per gli esami, ed io li addestrava nel latino; c'eran di quelli che non sapevano scrivere correttamente in italiano, ed io li facevo scrivere: insegnavo in una scuola femminile e in alcune case particolari. Erano quattrinelli che guadagnavo, ma mi bastavano, e ci campavo col mio fratello Giovanni, il quale studiava le matematiche e il disegno per divenire architetto, ed era sempre allegro, e per la casa andava cantarellando le arie de la *Sonnambula*, e mi faceva trovar pronto quando tornavo a casa il rosto di pecoro, che era il nostro cibo consueto. Con che gusto, con che gioia, con che risate quel mio fratello ed io facevamo il nostro pranzo! Un giorno che io rilessi d'un fiato le *Georgiche* di Virgilio, e poi mangiammo due piccioni che ci furono regalati, lo ricorderò sempre quel giorno felice: io mi sentii più grande d'un imperatore, e cenai proprio in Apollo. Con le *Georgiche* in capo, e un piccione in corpo, chi stava meglio di me? E poi io aveva veduta una fanciulla che aveva due occhi come due stelle, e sebbene non l'avessi più riveduta, io n'ero innamorato e avevo sempre innanzi alla mente quegli occhi e quella persona gentile. Oh chi era? dov'era? Io non lo sapevo, ma io l'amava.

A vent'anni, quando si studia e si ama, e si ama con tanto ardore, è pur bella la vita! Con la mente ed il cuore così pieni, io avevo pochissimi bisogni e mi credevo più ricco e maggiore di tutti i maggiori del mondo.

Mentre nell'università il Bianchi leggeva agli scanni e a quattro studenti, il marchese Basilio Puoti aveva in sua casa una fiorita scuola di lettere italiane, dove convenivano oltre dugento giovani.[1] Prima del 1820, quando s'ebbe a fare il professore di letteratura italiana nell'università, si presentarono al concorso parecchi, fra i quali il Puoti, e il poeta Gabriele Rossetti.[2] Il tema fu: scrivere un comento italiano ad un sonetto del Petrarca, ed una dissertazione latina sopra non so qual secolo della nostra letteratura. La benedetta dissertazione latina decise il merito. Il Bianchi, professore in un collegio, avendo abito e facilità di scrivere in latino, poté dire agevolmente tutto quello che sapeva, dove che gli altri più o meno impacciati dalla lingua dissero meno di quello che sapevano: onde giudicati imparzialmente su gli scritti, il Bianchi ebbe il primo luogo, e l'ultimo toccò al povero Rossetti, che fece qualche errore di grammatica tutto che avesse quell'ingegno e quella beata vena di poesia. Tutto questo me lo narrava il Bianchi, e dimostra come nel concorso non apparisce il migliore.

Il Puoti, escluso dall'uffizio pubblico, si mosse privatamente a

1. Basilio Puoti (1782-1847), il più grande dei puristi meridionali, aveva aperto la sua scuola privata nel 1825. Il ritratto che qui ne fa il Settembrini (del quale cfr. anche l'*Elogio del marchese B. P.*, nel I vol. degli *Scritti vari*) concorda sostanzialmente con quanto ne scrisse il De Sanctis nella *Giovinezza* e nel saggio intitolato *L'ultimo dei puristi*. 2. Gabriele Rossetti (1783-1854), rinomato poeta e improvvisatore, ardente patriota, fu proscritto da Napoli in seguito ai moti del 1820. Riparò prima a Malta e poi, nel 1824, a Londra, dove, nel 1831, divenne professore di italiano al King's College, segnalandosi per le sue interpretazioni dantesche.

fare quel bene che si era proposto, a ristorare la lingua già guasta e imbarbarita. Voi sapete che quando un popolo ha perduto patria e libertà e va disperso pel mondo, la lingua gli tiene luogo di patria e di tutto; e che quando gli ritorna il pensiero e il sentimento della sua passata grandezza, la lingua ritorna appunto all'antico. Sapete che così avvenne in Italia, e che la prima cosa che volemmo, quando ci risentimmo italiani dopo tre secoli di servitù, fu la nostra lingua comune, che Dante creava, il Machiavelli scriveva, il Ferruccio parlava. Sapete infine che parecchi valenti uomini si diedero a ristorare lo studio della lingua, e fecero opera altamente civile, perché la lingua per noi fu ricordanza di grandezza, di sapienza, di libertà, e quegli studi non furono moda letteraria, come ancor credono gli sciocchi, ma prima manifestazione del sentimento nazionale. Ora tra questi valenti uomini fu il marchese Basilio Puoti, il quale, lasciato il titolo, la primogenitura e il governo della famiglia al suo fratello minore, si messe ad insegnare gratuitamente le lettere e la lingua d'Italia. Egli non era *uno scrittore*, non aveva concetti nuovi e grandi, e arte di tirare a sé i leggitori; ma era *un solenne maestro*, aveva giudizio retto, gusto squisito, amore grande agli studi ed ai giovani: era cote, non rasoio. Eppure, se avesse scritto come ei parlava, con quei motti, quei frizzi, quelle ire sùbite, e poi quell'abbandono e quella bonarietà tutta sua, sarebbe stato piacevolissimo: ma la troppa arte lo impacciava, lo rendeva un altro uomo quand'ei scriveva, e non ti pareva più napoletano. Lo deridevano come purista e cruscante, ed egli sprezzò anche la beffa, che pochi uomini sogliono sprezzare; si circondò di giovani che lo amarono assai, e fondò una scuola che ebbe gran nome e fece gran bene. Quelli stessi che prima lo sfatavano, cominciarono a vergognarsi del sozzo ed infranciosato scrivere, riconobbero la necessità di correggersi, accettarono una parte delle sue dottrine: ed egli profittando della costoro opposizione andò temperando il suo rigore. Così avviene di ogni dottrina, che prima nasce direi quasi angolosa ed immaneggiabile; e poi a poco a poco va accomodandosi a la necessità dei tempi. Ci è ancora chi lo chiama pedante: eppure la pedanteria è un santo rigorismo in mezzo alla licenza, ed ha un profondo significato nella storia del pensiero. Per me io credo ed affermo che la sua scuola in fatto di lingua ne seppe più che ogni altra in Italia, e che tra noi, se vi fu e vi è gusto di buona lingua, tutti direttamente o indirettamente ne sono obbligati a lui. Rarissimo uomo, chi lo conobbe da vicino ne amerà sempre la memoria.

Mi ricordo la prima volta che lo vidi. Senza raccomandazioni, me gli presentai così a la buona, tirato da la fama della sua bontà e del suo sapere.

Lo trovai fra una dozzina di giovani in una stanza dove non era altro arnese che libri negli scaffali, su le tavole, su le seggiole; ed in un canto v'era il suo letto dietro un paravento. «So che amate i giovani,» io gli dissi «ed io desidero farmi amare da voi.» «Bravo, giovanotto; se vuoi studiare, saremo amici. Vediamo quello che sai: spiegami un po' degli *Ufficii* di Cicerone.» Spiegai, risposi a varie dimande: «Bene, batti sul latino ogni giorno: ogni giorno una traduzione dal latino e una lettura d'un trecentista. *Nulla dies sine linea.*» E mi accettò tra i suoi scolari. Ei non viveva che di studi, in mezzo ai giovani, ai quali era compagno ed amico: con essi studiava, con essi passeggiava, con essi lavorava ai comenti dei molti classici che fece ristampare per diffondere la buona lingua; ad essi dava consigli, libri, avviamento; molti ritrasse da pericoli, a molti diede anche il suo. Sapeva bene il latino, bene il greco antico, parlava il moderno, benissimo il francese: pieno di motti e di lepori, ebbe animo sempre giovanile, e seppe mettersi a capo di dugento giovani senza dare sospetti a chi reggeva. Una volta mi disse: «Pare piccola cosa quella che io fo; ma quando sarò morto la intenderete. Se io vi dico di scrivere la vera lingua d'Italia, io voglio avvezzarvi a sentire italianamente e avere in cuore la patria nostra. Tu vedrai altri tempi, e spero farai intendere ciò che io ho tentato di fare, e non dimenticherai l'amico della tua giovinezza.» Degli scolari del Puoti, alcuni sono rimasti fedeli alle sue dottrine ed hanno coltivato studi grammaticali, come il Rodinò, il Melga, il Fabricatore; altri di maggiore ingegno e di più larghi studi le hanno interamente abbandonate, come Francesco De Sanctis ed A. C. De Meis,[1] in quella guisa medesima che si abbandona i primi elementi in ogni disciplina e si procede innanzi nel vasto campo della scienza. Questi, che io chiamo i mag-

1. Angelo Camillo De Meis (1817-1891), scienziato e filosofo, insegnò storia della medicina nell'università di Bologna. Era stato discepolo, a Napoli, di Bertrando Spaventa e di Francesco De Sanctis, e rimase poi religiosamente fedele alla filosofia di Hegel. Fra le sue opere si veda particolarmente il romanzo *Dopo la laurea*, che può considerarsi come una biografia spirituale dell'autore.

giori scolari del Puoti, ne hanno svolte e dilargate le dottrine, le quali anche nella loro primitiva strettezza sono vere e necessarie a tutti. L'opera del Puoti rimane e rimarrà, sebbene trasformata dai suoi discepoli, che vivono una vita novella e non sono più napoletani, ma italiani.

II

## LA RIVOLUZIONE DEL 1848

In Malta non avevo che fare, mi pareva essere diviso dal mondo, mi tardava di andare in Toscana: il giorno 5 febbraio m'imbarcai col mio Raffaele sopra un postale francese, e nel 6 entrammo nel porto di Messina. Il cielo era coverto di nuvole, e cadeva un'acqua fina e fredda: la cittadella, muta e minacciosa, non pareva abitata da anima viva, e sovr'essa la bianca bandiera borbonica si moveva lentamente: su la città sventolavano le bandiere di tutte le nazioni che lì avevano consoli, e in alto, sopra un forte, la bandiera tricolore; la gran via su la marina era deserta, molti bei palazzi mostravano qua e là lo sdrucito fattovi dalle palle dei cannoni. Vennero su la banchina pochi marinai ed alcuni uomini con una bandiera francese. «Si può scendere?» fu dimandato da bordo. «No, sì, si può, scendete.» Scendemmo parecchi, ed io con gli altri tenendo forte per mano il mio Raffaele. «Camminate diritti, se no da la cittadella vi vengono fucilate.» Per un viottolo entrammo nella città. Tutti erano in armi, ed erano molto popolo, e fra tutti il Piraino, andava, veniva, dava ordini, era presente in ogni luogo. Ci accolsero bene. «E i nostri quando torneranno da Malta?» mi fu dimandato; ed io: «Con l'altro postale.» Andammo poco innanzi e in una bella piazza, al cominciare d'una lunga e diritta via, era una barriera di sacchi d'arena, in mezzo ai quali un cannone, e dietro ai sacchi erano postati due giovani armati, bruni e accigliati, che ci sguardarono un momento, e poi fissarono gli occhi giù in fondo a quella via, e così stavano. Bisognò tornare subito a bordo. E come il vapore si mosse ed uscì del porto, apparve il sole, che ci mostrò tutta la bellezza del faro e le isole Eolie e le coste della Calabria. Il giorno 7 si giunse in Napoli.

Come il vapore entra nel porto e dà fondo, ecco parecchi battelli con bandiere tricolori, e in uno mio fratello Peppino, il quale da lontano mi grida: «Costituzione, amnistia! Bozzelli ministro dell'interno, Carlo Poerio direttore di polizia:[1] tutto è mutato; scendi, scendi.» Lo abbracciai, e gli dissi: «Come va tutto questo?» «C'è stata una grande dimostrazione il 27 gennaio, e il 29 si è pubblicato il decreto reale che promette una costituzione, e dà piena amnistia.» «E con le grida si è ottenuto tanto?» «In Napoli sono state grida, ma in Palermo una rivoluzione terribile, che ha vinte le truppe, e una rivoluzione nel Cilento.» «E Ferdinando, che voleva piuttosto fare il colonnello in Russia che cedere, ha ceduto?» «Sì, e nel sottoscrivere il decreto della costituzione sai che ha detto? — Don Pio IX e Carlo Alberto hanno voluto gettarmi un bastone tra le gambe, ed io getto a loro questa trave. Spassiamoci ora tutti quanti. —» «Si spassino pure, faremo davvero noi.» «Intanto scendiamo: manderemo Raffaele subito da la mamma, e tu verrai meco in polizia, e poi a casa.» «Oh perché in polizia?» «È ordine: chi scende deve andare in polizia, e dar conto di sé. Oh di che temi? Sai chi è prefetto di polizia? Giacomo Tofano. Egli avrà piacere a vederti.» «Ebbene, andiamo. Mia moglie come sta? come la Giulia?» «Bene, ed allegre. Ti aspettavano il 28, e tua moglie venne ad incontrarti con la coccarda tricolore sul petto, che in quel giorno non la portavano neppure gli uomini; ma tu non venisti in quel giorno, e fu meglio, ché forse non saresti disceso.» Andammo dunque in polizia. Il Tofano mi porse la mano, e mi disse: «Ben venga, ben tornato! speriamo che non scriverete altre proteste.» Peppino rispose: «Perché no, se saranno necessarie?» Io non dissi parola, feci un inchino ed andai via: mi accorsi che il Tofano aveva già preso l'aria di prefetto.

Tornai in casa mia, donde era stato lontano un mese e pochi giorni; tornai a la mia professione dell'insegnamento, tornai a la mia vita consueta lontano dalle adunanze e dai rumori, e raramente uscivo di sera. Andavo sempre guardingo, sapevo che i Borboni non perdonano, ed io li aveva offesi, e temevo un pugnale o un veleno:

1. Francesco Paolo Bozzelli (1786-1864), già proscritto da Napoli in seguito ai moti del 1820, vi era ritornato nel 1837. Nel 1848 fu ministro dell'interno e redasse lo Statuto; poi favorì la reazione, e l'anno seguente, dopo essere rimasto al governo come ministro dell'istruzione, si ritirò a vita privata. — Carlo Poerio (1803-1867), studioso del diritto internazionale, vissuto in esilio fino al 1833, fu considerato come il capo del partito liberale napoletano. Nel 1848 fu direttore di polizia e poi ministro dell'istruzione. L'anno seguente fu processato e condannato a 24 anni di ferri. Deportato e liberato, nel '59, insieme col Settembrini, ritornò in Italia e fu deputato di destra.

non accettai alcun invito a pranzo, non scrissi mai in alcun giornale. Consideravo attentamente tutte le cose che mi si dicevano, osservavo bene quelle che mi cadevano sotto gli occhi, pensavo sempre, e dimandavo come erano avvenuti i fatti. Ogni volta che io udivo i monelli gridare per le vie, vendendo alcune carte stampate: *L'esilio di Delcarretto, la fuga di Monsignore Cocle, la fuga di Campobasso e Morbillo, storie belle a leggere, un grano l'una!* io mi sentivo scuotere, e pensavo: questi uomini, quindici giorni fa, facevano tremare Napoli, ed oggi sono vituperati. Quando il re aveva le dolorose nuove della Sicilia, e sentiva crescere ogni giorno i bollori di Napoli, chiedeva consiglio a quelli che gli erano dattorno, e chi gli diceva usasse il cannone, chi facesse rizzare una forca in capo ad ogni via, chi la forza più irriterebbe il popolo e doversi concedergli qualche cosa, chi guadagnare i principali e più accesi liberali e tirarseli con denari, onori ed anche uffizi: tutti furono di accordo a dire che la cagione di tutti i mali erano gli abusi della polizia, si parlò della pericolosa potenza di Delcarretto,[1] del suo piegare verso i liberali, che tornava il carbonaro che era stato nel 1820, che il ministero di polizia si dovesse abolire, e non confidare più tanti poteri ad un uomo solo. La notte del 26 gennaio fu chiamato il Delcarretto come a consiglio nel palazzo reale; gli si fecero innanzi il ministro della guerra ed il generale Carlo Filangieri,[2] e gli dissero che per comando del re doveva subito allora imbarcarsi su di un vapore che attendeva, ed uscire del regno. Il Delcarretto fu come percosso da un fulmine; chiese di parlare al re, gli fu negato, dovette immediatamente così come si trovava montar sul vapore il *Nettuno* e partire. Andò a Livorno, e lì il popolo trasse al porto, e con alte grida maledicendolo e chiamandolo a morte, negò acqua e carbone, e lo fecero partire. A Genova fu peggio: alcuni balzarono nei battelli per assalirlo e prenderlo; e il capitano, temendo per sé ed i suoi marinai, voltò subito la prua e partì.

1. Francesco Saverio Del Carretto (1777-1861), prima liberaleggiante, poi reazionario e comandante della gendarmeria, era soprattutto noto per avere spietatamente represso nel 1828 la rivolta del Cilento. Dal 1831 era ministro della polizia. La sua fortuna precipitò nel 1848, come qui narra il Settembrini. Tornò a Napoli nel 1850: ma il re non si valse più dei suoi servigi. 2. Carlo Filangieri (1784-1867), principe di Satriano, aveva militato negli eserciti di Napoleone conseguendovi il grado di maresciallo di campo. Destituito in seguito ai moti del '20, fu reintegrato da Ferdinando II, al quale nel 1849 riconquistò sanguinosamente la Sicilia. Nel 1860 invece rifiutò di combattere contro Garibaldi.

Tornò a Gaeta, e dimandò al re che dovesse fare d'un uomo cacciato da tutte le terre d'Italia: fu risposto, lo gittasse in Francia. Andò a Marsiglia, dove anche grida e maledizioni; ma dopo due giorni sbarcò di notte presso al lazzaretto e si nascose in una villa presso la città. Questa fine ebbe la potenza e l'ambizione di Francesco Saverio Delcarretto: pagò egli per tutti.

Intanto si aspettava con impazienza lo statuto, che il Bozzelli compilava per incarico avuto dal re. Ognuno se lo immaginava secondo le sue voglie, ed alcuni scrissero improvvisamente e stamparono proposte di statuto, e le portavano attorno, e te le davano a leggere, e dimandavano: «Che ve ne pare?» I vecchi dicevano non c'essere bisogno di nuovo statuto, bastare quello del 1820 con qualche leggera mutazione, così affermarsi non caduti mai i diritti della nazione, così fare i siciliani, che volevano non altro che la costituzione del 1812 accomodata ai tempi, ma dal parlamento non dal re. Il giorno 10 febbraio fu sottoscritto dal re lo statuto; fu pubblicato il giorno 11. Io ne portavo in mano una copia; un omaccione, Matteo V..., me la chiese, e avutala salì sovra una panca innanzi ad un caffè, e cominciò a leggere con una voce di campana: il batter delle mani, gli applausi, i comenti, i no, i sì, furono molti: io vedevo ed udivo di lontano. Lo statuto era una copia, anzi una traduzione della *Carta* francese del 1830: il Bozzelli credette di avere scritto il codice di Solone, che renderebbe lui immortale e il popolo felicissimo. La moltitudine, senza discorrere altro, come udì pubblicata la legge nuova che costituiva lo stato, prese a festeggiare; andarono innanzi la reggia, e quantunque cadesse gran pioggia, vollero vedere il re, e salutarlo: egli comparve sul gran balcone, circondato dalla famiglia, dai ministri, e dai nobili servitori con le dorate livree, e fece molti inchini al popolo plaudente. Poi lo vidi uscire in un carrozzino scoperto con a fianco la moglie, e guidava egli i cavalli, e salutava accennando col capo: il popolo gli si affollò intorno, volevano tôrre i cavalli e tirar la carrozza a mano, ma egli, tutto fuoco in volto, con rabbiosa e paurosa impazienza, gridando *lasciate*, e squassando le redini e flagellando i cavalli, si fece dar la via terribilmente, e corse per la città. Per tutta la via Toledo si vedevano carrozze e carri, con sopra ogni condizione di persone che agitavano bandiere e gridavano: e tra gli altri, su di un carro, vedevasi don Michele Viscusi vestito da popolano tra dodici popolani che rappresentavano i dodici quartieri della città, e tenevano ciascuno un gran cartello, sul quale era scritto il nome e il vanto del quartiere.[1] La sera non interruppe le furiose feste ed il corso, che durò gran parte della notte: i balconi tutti illuminati, i cittadini sui cocchi o a piedi agitavano torchi accesi, gridavano, si abbracciavano fra loro chiamandosi *fratelli*, abbracciavano soldati, gendarmi, birri. Il popolo minuto ed i fanciulli non sapendo che dovevano dire, e pur volendo gridare, e forse beffare, ripetevano *Vivòoo*, voce senza idea, come senza idea era per essi quel mutamento di cose. Ma non si può dire che sentimento si provava all'udire molti popolani gridare: *Viva Italia! noi siamo italiani!* Quella parola Italia che prima era profferita da pochi ed in segreto, quella parola sentita da pochissimi e che era stata l'ultima e sacra parola profferita da tanti generosi che morirono, udita allora profferire e gridare dal popolo mi faceva sentire un brivido per la schiena, pei visceri, pel petto, e mi sforzava alle lagrime.

Nei giorni seguenti continuarono grida, luminarie, canti, musiche; ed una sera innanzi la reggia fu cantato un inno in onore del principe da molte signore e gentiluomini, e fu bellissimo. In questa ecco il carro del Mamone, tutto illuminato, e coi ritratti del Pagano, del Cirillo,[2] e di altri del 1799. Il re l'ebbe come un insulto,

---

1. «Michele Viscusi, nato di civile condizione, piacevole, arguto e beffardo, come napolitano, prese a predicare al popolo, e spiegargli che cosa fosse la costituzione. Il nostro popolo aborriva questo nome di costituzione, perché non intendeva altro che o re o repubblica, e ricordava i mali sofferti dal 1820, la venuta degli austriaci, le morti, le condanne, le rovine di molte famiglie. Andava don Michele nelle piazze più popolose, e montato in alto parlava ad una gran moltitudine, che lo interrogavano, e gli rispondevano. "Sapete che è la costituzione? È come il giuoco del tocco. Il re è padrone del vino, e se lo può bere tutto se ha stomaco, ma se ne vuol dare ad altri deve avere il permesso del sotto-padrone che è il parlamento." "La costituzione è come una ruota di carro: il re sta in mezzo ed è il mozzo: i ministri sono i raggi, e il parlamento è il cerchio di ferro che stringe in mezzo ogni cosa. E così la ruota cammina." *"Don Michè, e addó cammina?"* *"Mappata di f...! ncoppa a le spalle noste."* «*Embè?*» *"Embè che? Mo sentimmo lo circhio, primma sentevamo le pponte che ce trasevano dinto a le costate."* *"Viva don Michele!"* Quest'uomo viveva con una donna che era la sua croce: gelosa, capricciosa, indomabile. Un giorno andò su le furie e corse ad un balcone per precipitarsi giù. Don Michele l'afferra per la vita, la trattiene, la calma: poi scende giù su la via, la chiama, ella si fa al balcone, ed egli le dice: "Ora se volete, madama, servitevi pure" » (Settembrini). 2. Francesco Mario Pagano, nato nel 1748, avvocato e studioso di diritto penale, membro del governo provvisorio della Repubblica partenopea, era stato impiccato il 29 ottobre 1799. — Domenico Cirillo, nato nel 1739, studioso di botanica e di medicina, professore nell'università di Napoli, presidente della Commissione legislativa della Rep. part., era stato impiccato insieme col Pagano.

e se ne sdegnò fieramente; e il povero Domenico Mamone Capria, che era un professore di chimica, e aveva fatto quel carro coi suoi giovani, ebbe di poi a passare i guai suoi, che furono molti e grossi.

Dei mali sofferti per tanti anni, si dava la colpa ai ministri, al confessore, e a taluno altro: dicevano che il re era buono e generoso sino a dare spontaneo uno statuto costituzionale, ma era stato tradito, ingannato, non aveva saputo mai nulla del dolore del popolo. Il Bozzelli stesso diceva a tutti: «Il re è un leale cavaliere, ha maniere incantevoli, ha ingegno non mediocre, è di buona fede, ve lo assicuro io, è più costituzionale di noi.» «Neh!» rispondeva alcuno, «e noi per ventisette anni non l'avevam conosciuto!» In tutti gli uomini di senno stava la ferma persuasione che il re era di mala fede, che tutti i Borboni per tradizione di famiglia rappresentano la monarchia assoluta che è stata la loro grandezza, che cedono sforzati da necessità ed all'occasione ripigliano il pieno potere, che Ferdinando aveva data la costituzione per imbrogliare le cose non per ordinarle, che chi pochi giorni innanzi aveva fatto bombardare Palermo, Messina, Reggio, non era a un tratto diventato un angelo. «Stiamo attenti, smettiamo le feste, attendiamo a lo stato, ordiniamo la guardia nazionale, provvediamo a le province.» Ma le feste continuarono, anzi crebbero come si seppe che Carlo Alberto l'8 di febbraio, e Leopoldo di Toscana il 10 avevano dato anche essi i loro costituzioni. Feste lì per la nostra, feste qui per le loro. La rivoluzione di Napoli cominciò con l'agitare de' fazzoletti, crebbe con le grida e le chiacchiere, doveva finire con le schioppettate.

### III

#### [GLI ERGASTOLANI]

Le nostre leggi a pochi delitti dànno la pena dell'ergastolo: non di meno sono più di settecento ergastolani, ed in vent'anni ne sono morti mille e duecento, de' quali più di mille uccisi. Rari sono i condannati a questa pena nel primo ed unico loro giudizio: il maggior numero è di condannati a morte che per grazia scendono a questa pena: vi ha di molti che salendo di misfatto in misfatto e di pena in pena giunsero sino all'ergastolo. Questi ultimi sono i più tristi; poiché da fanciulli avendo cominciato il mestiere di ladroncelli, cresciuti ed educati nelle carceri, sono bruttati di tutti

i vizi più nefandi, sogliono morire uccisi da' compagni. Sicché l'ergastolo è la sentina del regno delle Sicilie, e vi cadono i pessimi tra
otto milioni di uomini.

Nell'entrare in questo luogo vedi facce aspramente scolpite,
angolari, rugose, triste, cineree; occhi incerti, sorriso raro e sinistro; vesti strane; parole aspre, fendenti, strascicanti, avvolte, stri-
denti, di tutti i dialetti del regno. Ciascuno ha le mani lorde di
sangue e di furto; ciascuno ha ucciso un altro uomo e due, e tre, e
cinque, e sette e più; e taluno il fratello o la sorella; taluno la moglie; taluno il padre ancora, e la madre, ed i figliuoli suoi.

Ci ha molti vecchi, ci ha uomini attempati, e giovani: quasi
tutti son gente di vilissima condizione, e qualcuno che nacque
gentilmente è più scellerato, più infame, più sozzo ed imbestiato
degli altri. Tutti hanno intelligenza e ferocia di belve: sono spaventosamente atei, bestemmiano Dio anche scherzando, credono
solo quello che vedono; non comprendono che sia virtù, e beffano
chi ne parla: si vantano dei loro delitti, e non sentono o mostrano
di non sentirne rimorso; non hanno altra passione che pel vino, pel
giuoco, pei denari; non sentono e non ricordano più affetti di
famiglia; sono ritirati in un'arida o orribile solitudine, non curano
che se stessi. Son chiusi nell'ergastolo da quindici, da venti, da
trent'anni; dimentichi del mondo, dimenticati da tutti: ed hanno
presenti alla loro mente i lunghi anni della loro prigionia, come
fossero un giorno solo. Il tempo non è scorso per essi: ti parlano
di cose vecchie ed obliate come se fossero recenti: credono che il
mondo stia al punto che essi lo lasciarono: i vapori, le strade ferrate, i nuovi trovati delle arti sono ignoti a molti, che li credono
burle che ad essi si vorrebbe fare: parlano come se parlasse un
uomo morto da trent'anni. La prima volta che per caso dimandai
ad uno da quanto tempo era condannato, mi rispose: *Sono ne'
guai da trentotto anni*. Raccapricciai d'orrore a queste parole, pensando che costui penava da che io era nato al mondo. Ma tosto
mi furono mostrati altri vecchi, che da cinquant'anni e più vanno
trascinando la vita nelle galere. C'è un vecchio di 89 anni, nato in
Itri, seguace dei briganti Promio e Fra Diavolo,[1] condannato alla

---

1. Giuseppe Promio (1760-1804) e Michele Pezza detto *Fra Diavolo*
(1771-1806) furono tra i principali esponenti del brigantaggio, che nel
1799 i Borboni scatenarono contro i repubblicani di Napoli. L'uno e
l'altro ebbero in premio da re Ferdinando il grado di colonnello dell'eser-

galera sin dal 1800, sta da trentadue anni nell'ergastolo: c'è un altro calabrese di 75 anni, stupratore ed omicida il 1797, brigante col cardinal Ruffo,[1] dannato alla galera in vita il 1802, poi uscito per le vicende politiche, poi capo di scherani, infine gettato nell'ergastolo nel 1825; si vanta di avere ucciso trentacinque uomini. Ci sono molti altri antichi briganti, che ebbero parte nei terribili fatti narrati dalla nostra storia: ed alcuni di essi portano ancora sui fieri volti e sui corpi le cicatrici avute nei combattimenti, i quali essi narrano a modo loro. Qui dove tutti hanno delitti, nessuno vergogna o teme di confessare i suoi, anzi li dice con orgoglio per mostrarsi maggiore degli altri.

In questa fiera comunanza di uomini sono tutti gli odii, le invidie, gl'intrighi, i pettegolezzi, le furberie, e le lascivie ancora, che sono in un convento di frati: s'irritano e s'inviperiscono per la più lieve cagione, per uno sguardo, per una parola, per nulla: e decidono loro contese con le armi. Tutti hanno loro coltelli, che chiamano *tagliapane*, spesso lunghi quanto una spada, e lavorati con arte fina, e con ornamenti di argento. Pare impossibile che uomini chiusi in un ergastolo, su di uno scoglio lontano, vigilati severissimamente, minacciati da terribili castighi, possano avere armi, e tante; ma essi vi spendono ogni danaro, e se ne fanno portare dai custodi o dai serventi, i quali loro vendono lime o pezzi qualunque di ferro, cui essi dànno la forma di stile. Talvolta raccolgono chiodi e bullette, strappano gangheri dalle porte, rompono pezzi di bandelle,[2] svellono i ferri che uniscono i piperni,[3] rubano maglie di catena, li gettano nel fuoco, e la notte, tra due pietre, l'una che serve da incudine, l'altra da martello, fanno di queste armi maravigliose. Le nascondono nelle mura, sotto le selci del pavimento, negli arnesi di legno sbucati e turati diligentissimamente, e qualche sottile lama, avvolta in cenci, taluno ardì nascondersela nell'ano. Per ritrovarle i custodi usano diligenza incredibile; ricer-

cito borbonico. Fra Diavolo tentò nel 1806 di sommuovere la Calabria, ma fu catturato e impiccato dai francesi.   1. Il cardinale Fabrizio Ruffo (1744-1827), studioso di economia, di agricoltura e dell'arte militare, è rimasto famoso per la riconquista di Napoli (1799), che egli riuscì ad effettuare facendo leva sul brigantaggio e organizzando in bande armate le indisciplinatissime e sanguinarie plebi rurali e cittadine, che presero il nome di sanfedisti.   2. *bandelle*: spranghe di lama di ferro, conficcate nelle imposte d'usci o di finestre e terminanti con un anello, che si infila nell'arpione.   3. *piperno*: è una pietra lavica, di cui a Napoli si facevano stipiti di usci e di finestre.

cano le persone e le fanno spogliare nude, rovistano tutte le masserizie, sconnettono le pietre del pavimento, staccano l'intonaco dalle
mura, e spesso non giungono a ritrovarle, se da una spia non sanno
il luogo certo del nascondiglio. Raccontano che pochi mesi fa venne
da Napoli un uffiziale maggiore con un battaglione di soldati, e
fattili schierare nel cortile, fece gridare che i condannati dovessero
gittar le armi fra tre ore, e chi ne avesse serbata una sarebbe stato
fucilato. Per tre ore nel cortile fu una pioggia di vari e mirabili
coltelli, che raccolti furono più di mille. Partiti i soldati e la paura,
rinacquero i coltelli come per incanto. Tutti debbono avere le
armi, i forti per opprimere, i deboli per non farsi opprimere, i
timidi ed i quieti per indeclinabile necessità. E veramente se un
uomo della tua provincia, che tu neppure conosci, si rissa con un
altro, costui ed i suoi paesani, se per caso t'incontrano su la loggia,
nel loro cieco furore ti corrono addosso perché sei paesano del
loro nemico, e ti uccidono. Eppure questi uomini, che per nulla
si scannano tra loro, non ardiscono toccar gli aguzzini; uno solo
uccise un sergente, e subito fu trafitto dagli stessi compagni. Una
è la stoltezza dei deboli.

Le più frequenti cagioni di risse sono il giuoco ed il vino.
Il giuoco è severamente vietato; ma giuocano a carte, che fanno
essi stessi con tipi di legno. Giuocano il giorno, giuocano la notte,
e ne comperano il tacito permesso dai venali custodi: si giuocano
danari, il pane, la zuppa, il letto, i panni, il pudore. Pel vino non
v'è alcun regolamento: ognuno ne beve quanto può comperarne dal
tavernaio, quanto ne guadagna giuocando alla mora: né beve se
non nel giuoco, che, dicono, dà sapore al vino. Molti mangiano la
zuppa e mezzo pane senza bere o gonfiandosi d'acqua; dipoi si
uniscono, giocano alla mora, spendono quel che tengono o che
hanno guadagnato filando per molti giorni, o che hanno preso ad
usura, e bevono dal mezzodì fino alla sera, fino a rendersi bestie.
Li vedi bevendo e ribevendo parlar lungamente, ricordar cose accadute molti anni prima, vecchie e perdonate offese, e ad un tratto
far gli occhi strani, levarsi, far lago di sangue e di vino. I loro
combattimenti non sono forti e direi generosamente scellerati, ma
traditori e vigliacchi: molti s'avventano su di uno che siede o che
dorme, e lo feriscon di dietro; o mentre passa innanzi una porta
gli cacciano un pugnale nel fianco. Una rissa ne genera molte per
molto tempo; gli amici ed i paesani raccolgono l'eredità dell'odio

e della vendetta: l'uccisore è ucciso da un altro, e questi da un altro, e così sempre. Se la rissa si accende in un piano inferiore, vedi dal superiore volar pietre, scagliar fornacette che schiacciano le membra, correre, inseguire, ferire: odi grida terribili e strazianti, urla, bestemmie, e par che tutto l'ergastolo tremi dalle fondamenta. La sentinella, che sta sulla piazzetta, chiama i compagni all'arme: e quando tutto è cessato, viene il comandante, gli aguzzini, il chirurgo, il prete: i feriti vanno all'ospedale; i morti nella bara al cimitero, agli altri si prepara il castigo: tutti i condannati, chiusi nelle celle, sono concitati da ira, da pietà, da gioia feroce, da diversi e strani affetti.

Per impedire questi orrori non basta il senno e la vigilanza de' comandanti, non le battiture, il *puntale*, le *traverse*, le manette, che sono gli aspri castighi che si dànno ogni giorno a chi commette i più lievi falli ed i più gravi. Il colpevole è disteso bocconi sopra uno scanno in mezzo al cortile: e da due aguzzini con due grosse funi impiastrate di catrame ed immollate nell'acqua, è battuto fieramente su le natiche, e su i fianchi ancora e su i femori. Il comandante prescrive il numero de' colpi, ed è presente col medico e col prete: i soldati stanno su la loggia con l'arme al braccio: i condannati debbono riguardare: il battuto urlando chiama la Vergine ed i Santi, che poc'anzi bestemmiava: alcuno soffre muto, e levatosi dallo scanno con orgogliosa impudenza si scuote i calzoni e le battiture. Dopo le battiture è incatenato ad un piede, e messo al *puntale*, cioè l'altro capo della catena è fisso ad un grosso anello di ferro che sorge dal pavimento d'una segreta, o è fisso ad un cancello d'una finestra: e così sta assai giorni e mesi. Talvolta gli si mettono ancora le *traverse*, che sono due semicerchi di ferro messi ai piedi e fermati da un grossissimo perno che pesa su i talloni e rende difficile e doloroso stendere un passo. Questi castighi sono continui, le battiture quasi ogni giorno: alcuni in varie volte ne hanno ricevuto oltre duemila, e ne muoiono consunti da tisi, ma non domati. Dopo l'omicidio s'incomincia il processo: i testimoni, che spesso sono congiurati, aiutano il vivo, dicono che è stato provocato da schiaffi e da ingiurie. Il colpevole dopo tre o quattro anni è mandato a Procida, dove una commissione militare lo giudica e lo condanna ad altre battiture, o a pochi mesi di puntale, rarissimamente a morte: onde ritorna più baldanzoso tra i suoi, e pronto a dare altre morti. Le robe dell'ucciso spesso sono rubate, o i paesani se le dividono: se muore dopo alquanto tempo nell'ospedale, il prete si fa lasciar qualche cosa o tutto per dirgli una messa di requie: i cenci, il letto, la cassa, si vendono all'incanto in mezzo al cortile, ed il danaro si divide tra i creditori, che ricordano di lui solamente per maledirlo.

Vi sono ancora armi più crudeli e velenose dei coltelli. Coloro che sanno scrivere fanno scellerate denunzie contro i loro compagni, e ne hanno particolari favori, o un compenso di dodici carlini il mese: e quando non sono favoriti o compensati come vogliono, accusano il comandante, il prete, i medici, dicono cose vere e false, e con incredibili astuzie mandano le carte ai ministri ed al re. Qualche comandante ne ha fatto aspra vendetta: un sicario ha trafitto il denunziatore, e se la ferita non è stata presto mortale, è stata avvelenata. Così i delitti sono vendicati coi delitti.

Quando la sera, verso il tramonto, levato il ponte, tutti sono noverati e chiusi nelle loro celle, rimangono per qualche tempo muti e pensosi, riguardando il cielo dall'angusta ferrata e parlando co' propri dolori. Alcuno per ubbriachezza, per noia, o per costume, si corica: gli altri, accesa la lucerna, fan cerchio, filano canape, e cominciano i discorsi della sera. Terribili discorsi, che ti volgono sotto sopra l'animo, ti straziano il cuore profondamente, e talvolta ti fan tutto tremare e sudare ed arricciare i capelli sul capo per lo spavento. Raccontano la storia dell'ergastolo, cioè gli orribili delitti che qui hanno veduti, e le cagioni delle risse: descrivono i lunghi coltelli, le ferite, le grida, gli atti del ferire e del morire, ti additano i luoghi, e ti dicono che non v'è cella, non vi è pietra che non sia sparsa di sangue. Spesso raccontano la storia de' misfatti altrui, spesso dei propri. Un mostro fece incesto con sua madre, e saputo che suo padre usciva dal carcere, con lei gli va incontro, e l'uccide: dannato a morte, ebbe grazia dal principe, ma nell'ergastolo fu ucciso per volere di chi è più giusto dei principi. Un altro uscito di galera dice alla madre mendìca che la sera gli faccia trovare certi danari: la misera non li raccoglie dalla limosina: lo scelleratissimo la lega sul letto, v'appicca il fuoco e parte: alle grida accorron le vicine e salvano la vecchia mal viva. Per gli altri delitti costui fu mandato all'ergastolo, dove perì pugnalato. Un bottaio giuocava in una cantina e poco lavorava: la moglie un dì manda a chiamarlo per un figliuoletto: quelli dal giuoco o dal vino renduto bestia, scagliasi sul fanciullo, e con un temperatoio lo uccide. Or piange continuamente, ha quasi perduto il senno, e non sa morire. Presso Lecce un ciarlatano, ingannato ed ingannatore, persuade alcuni contadini che sotto le macerie di una cappelluccia era nascosto un gran tesoro, che poteva trovarsi uccidendo un fanciullo. Una notte un romito, che abitava presso la cappelluccia, ode un lamento di un fanciullo, che dice: « Mamma mia, aiutami! » Riconosce il ciarlatano ed i contadini, e li denunzia. I giudici inorridiron del misfatto, ma non sapendo o non volendo trovarne l'autor vero, perché avrebber dovuto punire chi vuol tanta ignoranza, condannarono quattro di quei sciagurati all'ergastolo. Un giovane di diciotto anni, di agiata ed onorata famiglia, educato assai gentilmente, di svelto ingegno e di persona bellissima, studiando in Napoli abitava in casa di una signora vedova, che appigionava stanze a varie persone. Avendo perduti al giuoco ottantatre ducati, datigli per mandarli al padre, era forte turbato dal timore de' paterni rimproveri. La donna gli dimandò la cagion del turbamento, e saputo il vero, gli disse: non si affannasse; se egli era uomo, aveva coraggio ed un compagno, poteva avere non ottantatre ma sessantamila ducati; che tra i suoi inquilini era il cavaliere S., vecchio ricchissimo, avaro, smemorato, solo; che ella lo aveva fatto rubar due volte da un servitore, ed egli non se ne era accorto; che ora potrebbero torgli ogni cosa sicuramente. Lo sciagurato giovane ascolta la malvagia femmina, parla e persuade un suo compagno, giovane anch'egli e di buone speranze: entrano nella stanza del vecchio, lo rubano, gli dànno di un pistello sul capo e l'uccidono. Presi con la donna che confessò il fatto, giudicati e condannati a morte, ebbero per grazia la vita, e sono da vent'anni nell'ergastolo. Il bel giovane è imbestiato in tutti i vizi che si possono immaginare; ubbriaco ogni dì, trema in tutte le membra: l'altro, divenuto epilettico, piange amaramente il suo fallo, il dolore e lo scorno della sua famiglia. Terribile esempio ai giovani. Un altro giovine gentiluomo abruzzese, renduto deforme e cieco di un occhio dal vaiuolo, s'innammorò fieramente d'una donzella appartenente ad una famiglia, che, secondo avviene nei paeselli, era nemica della sua. Ottenne di essere riamato; ma non potendo vincere l'odio del padre della fanciulla, prese il feroce consiglio di farlo uccidere da due sicari, i quali, seguendo loro costume, lo rubarono ancora. Fu scoperto il fatto e la vergogna; e l'innammorata donna, sia che non lo credesse colpevole, sia che per aiutarlo volesse mostrare

che tra le due famiglie non v'era odio di sangue, sia per altra cagione, ebbe cuore di sposare il fratello di chi gli aveva tolto il padre.
Il giovane, dannato a morte, bevve un veleno, ma fu fatto vivere
per seppellirlo nell'ergastolo, dove sta da trent'anni, ed ancora si
strugge d'amore e piange miseramente. Io non voglio dire né
ricordarmi di altri, ché la mano non mi regge a scrivere: immagina qualunque più nefanda scelleratezza, e tra questi uomini la
troverai.

E in questo ergastolo, tra questi uomini, stiamo venti prigionieri
politici, sei ergastolani, quattordici condannati da venticinque a
trent'anni di ferri. Questi son tutti povera gente, condannati per
*avere con parole sparso il malcontento contro il governo*; e tra essi
sono sei miseri contadini di Gragnano, che la Corte Criminale di
Napoli condannò come *appartenenti ad una setta così detta Repubblica*. Nell'ergastolo è Gennaro Placco, giovane albanese di
Calabria, che combattendo valorosamente a Castrovillari perdé
l'indice della destra mano: è Giovanni Pollaro, siciliano, che nello
stesso combattimento perdé un occhio e mezzo naso; e siamo noi
quattro.[1]

Per noi si usa più rigore che per tutti gli altri: e solo quattro de'
nostri compagni condannati a' ferri, disperati per la miseria, fanno
i cucinieri ed i serventi per guadagnar qualche cosa. A che può
esser condotta la virtù sventurata! Uomini puri, che amarono il
bene senza ambizione, essere costretti a servire gli assassini ed i
parricidi! Noi dall'alta loggia dell'ergastolo con uno stringimento
di cuore riguardiamo i nostri compagni di dolore trascinar pel cortile
le pesanti catene: ed essi amorosamente ci salutano, e ci domandano un conforto, una speranza, che noi non abbiamo per noi stessi.
I condannati politici son quasi i soli che vanno alla chiesa, perché
chi crede nella virtù crede in Dio, e sente che da lui solo avrà il
premio delle azioni virtuose; per le quali questi uomini soffrono
immeritamente e trascinano le catene scellerate senza lamento,
con dignitosa pazienza, con viva fede nell'avvenire, con accesa
speranza, quantunque ignorati dal mondo, e compianti soltanto
da pochi, che come essi piangono le lunghe sventure del nostro
paese.

1. Emilio Mazza, Salvatore Faucitano, Filippo Agresti e il Settembrini.

# DALL'«EPISTOLARIO»

## I

### ALLA MOGLIE[1]

*1º febbraio 1851, ore 8 del mattino.*

Io voglio, o diletta e sventurata compagna della vita mia, io voglio scriverti in questo momento che i giudici stanno da sedici ore decidendo della mia sorte.

Se io sarò dannato a morte, non potrò più rivederti, né rivedere le viscere mie, i carissimi miei figliuoli. Ora che sono serenamente disposto a tutto, ora posso un poco intrattenermi con te. O mia Gigia, io sono sereno, preparato a tutto, e, quello che più fa maraviglia a me stesso, mi sento la forza di dominare questo cuore ardente, che di tanto in tanto vorrebbe scoppiarmi nel petto. O guai a me se questo cuore mi vincesse. Se io sarò dannato a morte, io posso prometterti, sul nostro amore e sull'amore de' nostri figliuoli, che il tuo Luigi non ismentirà se stesso; morirò con la certezza che il mio sangue sarà fruttuoso di bene al mio paese, morirò col sereno coraggio de' martiri, morirò, e le ultime mie parole saranno alla mia patria, alla mia Gigia, al mio Raffaele, alla mia Giulia. A te e ai carissimi figliuoli non sarà vergogna che io sia morto sulle forche: voi un giorno ne sarete onorati. Tu sarai striturata dal dolore, lo so: ma comanda al tuo cuore, o mia Gigia, e serba la vita per i cari figli nostri, ai quali dirai che l'anima mia sarà sempre con voi tutti e tre, che io vi vedo, che io vi sento, che io seguito ad amarvi come vi amava e come vi amo in questa ora terribile. Io lascio ai miei figliuoli l'esempio della mia vita ed un nome, che ho cercato sempre di serbare immacolato ed onorato. Dirai ad essi che ricordino quelle parole, che io dissi dallo sgabello nel giorno della mia difesa.[2] Dirai ad essi che io, benedicendoli e

1. Questa, che è la più famosa lettera del S., è tolta dalle *Ricordanze*.
2. Concludendo la sua difesa, il S. si era rivolto ai giudici con queste parole: «Anche da questo sgabello posso dire con fronte alta che sono un onest'uomo. Se mi sarà dato a colpa l'essere onesto, l'aver creduto che la virtù non sia una illusione, l'aver consumata la vita tra fatiche, stenti e dolori di ogni sorta, l'essermi dedicato ad ammaestrare amorosamente i giovani, e fare nel mondo la mia parte di bene; se questo è il mio delitto, fatemi morire, io disdegno di vivere dove la virtù è delitto; io andrò a presentarmi ad altro giudice, e da Lui avrò quella giustizia che gli uomini mi negano.»

baciandoli mille volte, lascio ad essi tre precetti: riconoscere ed adorare Iddio; amare il lavoro; amare sopra ogni cosa la patria. Mia Gigia adorata, eran queste le gioie che io ti prometteva nei primi giorni del nostro amore, quando ambedue giovanetti, tu a quindici anni con invidiata bellezza e con rara innocenza, ed io a vent'anni, pieno il cuore di affetti e di speranze, e con la mente avida di bellezza, di cui vedeva in te un esempio celeste, quando ambedue ci promettevamo una vita di amore, quando il mondo ci pareva così bello e sorridente, quando disprezzavamo il bisogno, quando la vita nostra era il nostro amore? E che abbiamo fatto noi per meritare tanti dolori, e tanto presto? Ma ogni lamento sarebbe ora una bestemmia contro Dio, perché ci condurrebbe a negare la virtù, per la quale io muoio. Ah Gigia, la scienza non è che dolore, la virtù vera non produce che amarezze. Ma pur son belli questi dolori e queste amarezze. I miei nemici non sentono la bellezza e la dignità di questi dolori. Essi nello stato mio tremerebbero; io sono tranquillo perché credo in Dio e nella virtù. Io non tremo: deve tremare chi mi condanna, perché offende Dio.

Ma sarò io dannato a morte? Io mi aspetto sempre il peggio dagli uomini. So che il governo vuole un esempio, che il mio nome è il mio delitto,[1] che chi ora sta decidendo della mia sorte ondeggia tra mille pensieri e tra mille paure: so che io sono disposto a tutto. Sarò sepolto in una galera, con un supplizio peggiore e più crudele della morte? Mia Gigia, io sarò sempre io, Iddio mi vede nell'anima, e sa che io non per forza mia, ma per forza che mi viene da lui, sono tranquillo. Vedi, io ti scrivo senza lagrime, con la mano ferma e corrente, con la mente serena; il cuore non mi batte. Mio Dio, ti ringrazio di quello che operi in me; anche in questi momenti io ti sento, ti riconosco, ti adoro, e ti ringrazio. Mio Dio, consola la sconsolatissima moglie mia e dàlle forza a sopportare questo dolore: mio Dio, proteggi tu i miei figliuoli, sospingili tu verso il bene, tirali a te, essi non hanno padre, son figli tuoi: preservali dai vizi; essi non hanno alcun soccorso dagli uomini: io li raccomando a te, io prego per loro. Io ti raccomando, o mio Dio, questa patria: dà senno a quelli che la reggono, fa che il mio sangue plachi tutte le ire e gli odii di parte, che sia l'ultimo sangue che sia sparso su questa terra desolata.

---

1. Nel Settembrini si voleva colpire, soprattutto, l'autore della *Protesta*.

Mia Gigia, io non posso più proseguire perché temo che il cuore non mi vinca: io non so se potrò più rivederti.

Addio, o cara, o diletta, o adorata compagna delle mie sventure e della mia vita. Io non trovo più parole per consolarti; la mano comincia a tremarmi. Abbiti un bacio, simile al primo bacio che ti diedi. Danne uno per me al mio Raffaello, uno alla mia Giulia, benedicili per me: ogni giorno, ogni sera che li benedirai, dirai loro che li benedico anche io. Addio.

Tuo marito<br>LUIGI SETTEMBRINI

II

AL SIG. GIORGIO FAGAN[1]

*S. Stefano, 2 marzo 1857.*

Mio onorando signore,

La bontà che ella ha mostrato sempre per me mi fa ardito di scriverle per chiarirla di un mio proposito, che a me pare ragionevole: e per pregarla, se ella sa cosa che io non so, e per la quale m'inganno, di farmela sapere per mezzo di mia moglie che le presenterà questa lettera.

Il signor P.[2] in nome suo e dei suoi onorevoli amici mi consiglia di chiedere grazia; perché, si vede chiaro, egli non ha altra speranza, ed io non ne ho mai avuta, né ora ne ho alcuna. Mi consiglia ancora di non accettar mai e poi mai di andare nell'Argentina; ma non me ne dice una ragione; ed io, benché vi ho ripensato molti giorni, non ho potuto trovarla. Il signor P. è un uomo di tanta autorità per me, io lo rispetto, l'onoro, lo amo, gli debbo tanto, che sono veramente addolorato di trovarmi con un'opinione diversa dalla sua: e credo che o gli sieno state mal riferite

---

1. Era addetto alla Legazione d'Inghilterra a Napoli.   2. *Il signor P.*: è Antonio Panizzi (1797-1879), di Modena, il quale, costretto a esulare nel 1821 perché Carbonaro, visse poi sempre in Inghilterra, ed essendovisi dedicato alla carriera bibliotecaria, l'anno precedente (1856) era stato nominato direttore del British Museum di Londra. Godendo di moltissima stima e considerazione presso la migliore società inglese, egli vi poté guadagnare molte simpatie alla causa italiana. Fu in relazione con i nostri liberali di ogni tendenza e aiutò molto i nostri esuli. Nel 1855 aveva organizzato il tentativo di evasione del Settembrini e degli altri ergastolani politici.

le mie intenzioni, o egli sappia ben altro che io non so. Non scrivo a lui, perché avendo egli espresso nella lettera la sua *ferma* opinione, mi parrebbe scortesia a contraddirgli. Onde io prego lei farmi conoscere, se le sa, le ragioni che ha il signor P. per darmi quel consiglio; o pure di presentare a lui le ragioni mie, se le crede giuste, potendo ella farlo con più garbo di me. Io non voglio far cosa che dispiaccia ad uomo del mondo, e molto meno a lui ed ai suoi amici, che mi hanno dimostrata tanta benevolenza: ma credo che se fo cosa ragionevole, né egli né altri potrà dispiacersene né biasimarmene.

Ella, o signore, essendo da molti anni fra noi, e conoscendo bene le intenzioni e le opinioni del governo e della parte liberale, sa che nelle presenti condizioni una dimanda di grazia non è un affare personale, non è solamente un sacrifizio della dignità propria e di quel giusto e santo orgoglio che deve avere ogni uomo che si sente uomo, non è un venire a patti con un masnadiere e pregarlo che ti dia la vita; ma è un affare pubblico, è un rinnegare la fede politica che si professa, è un riconoscere per giusto, per legale, per santo un enorme cumulo d'ingiustizie commesse da nove anni, è un dire alla nazione che tutti quanti abbiamo torto, ed uno solo ha ragione, è un dare la mentita all'Inghilterra ed alla Francia, che sì solennemente hanno riprovata la condotta del governo napolitano,[1] è un dire all'opinione pubblica di tutta Europa: «Voi vi siete ingannati.» Il governo napolitano intende benissimo che le dimande hanno questo valore, e però adopera ogni maniera d'insinuazioni e di suggestioni per averle: e se non sono vili, non le accetta, perché vuole non pure avvilire, ma svergognare chi le fa. Se non v'è altra porta per uscir dall'ergastolo, io non picchierò mai a questa: vi resterò, vi morirò, non importa. Molti altri hanno dimandato; lo so, e non li biasimo; ma spero che nessuno potrà biasimar me del mio proposito saldissimo. Ma su questo punto io non mi trovo discorde (né potevo) dal signor P., il quale dice, che se si vuole dimanda disonorevole, non si faccia a nessun patto. Sì, si sappia che non si vuol altro che disonorare i conculcati, togliere loro l'unico bene che loro rimane, mostrarli al cospetto della nazione avviliti e prostrati, che non ebbero co-

---

1. Dopo il Congresso di Parigi i governi francese e inglese avevano rivolto severe rimostranze al re di Napoli, e si era addivenuto alla rottura delle relazioni diplomatiche (ottobre 1856).

scienza di quel che fecero, che non hanno cuore di sostenere la loro causa, perché sentono che non è giusta; e dopo di averli così avviliti, far loro una grazia (di che pure si potrebbe dubitare, perché ci ha masnadieri che ti promettono la vita per farti cacciare il danaro, e dopo che l'hai cacciato ti tolgono il danaro e la vita), una spregevole grazia, amara più della galera e della morte. Ma l'onor mio è mio, la mia coscienza è mia, e nessuna potenza al mondo può strapparmi quest'unico bene che mi resta. Io dunque sono convinto e persuaso che, facendo dimanda di grazia, nuocerei a me stesso ed alla causa comune, e però sono deliberato di non farla mai a verun patto.

Ma v'è pure una via per uscir dalla galera: andare in America. Questa via è onorevole, non offende la mia dignità, perché il governo l'offre a me, non io la dimando a lui; non offende la causa comune, perché sebbene paia che io partendo non confidi nel paese, pure io non fo sospettare che rimanendo voglia pregare ed aspettar grazia. Ah, mio signore, in questo tremendo ergastolo io vado ogni giorno perdendo l'intelligenza, la coscienza, l'essere di uomo; e quel che più mi cuoce e mi arde l'anima, e mi addoppia la pena, è che da sette anni ci vivo dell'altrui beneficenza. Questa è condizione insopportabile: ed io, per fuggirla, un anno fa mi mettevo a grande rischio,[1] ed ora volentieri andrei non pure nell'Argentina e nella Patagonia, ma anche nella Terra Vittoria ed al Polo. Non intendo né ho pensato mai di stabilirmi colà, ma di rimanervi il più breve tempo possibile, e tornarmene subito in Europa, in Piemonte, dove ricongiungermi con la mia povera donna e col mio caro figliuolo, dove lavorare e vivere del dolcissimo frutto del mio lavoro. Per me è come essere esiliato in Piemonte, a condizione di valicare prima due volte l'Oceano. E per quelli che non tornano subito parmi che neppure sia un male l'andare: perché, o il nostro paese resta come è, ed è meglio stare nell'Argentina che in ergastolo o in galera; o muta sorte, e di là si può sempre tornare. Questa mia opinione mi pareva e mi pare ragionevole: ma leggendo la lettera del signor P. sono stato tanto commosso dall'autorità dell'uomo, che ho diffidato di me stesso, sono stato tra molti dubbi, mi sono stillato il cervello a trovare una ragione che mi persuadesse del contrario, e non ho saputo trovarne alcuna. È

1. Allude al tentativo di evasione, che non si poté poi effettuare.

vero che nel paese generalmente non si loda il trattato; ma io credo
che ciò sia per due ragioni: per preoccupazione contro il governo, che essendo odiato fa male ciò che ei fa; e per ignoranza,
che fa immaginare viaggio interminabile e disastroso, e poi febbre
gialla, selvaggi, ed orrori in quella contrada. A queste voci di volgo
non si può dare ascolto senza esser parte di volgo. Alcuni poi mi
hanno voluto dare ad intendere, che noi andati là, non potremmo
più ritornare, e che la convenzione è fatta con artificio per tirarci in
una trappola. Io stando alle prime e veraci informazioni che per
mezzo di mia moglie ebbi cortesemente da lei, o signore, credo e
sono certo che chi non accetta la condizione di colono, chi dice a
quel governo: «Io vi ringrazio, non voglio niente da voi, vivrò qui a
mie spese»; non può essere obbligato a nulla, può stare lì e tornarsene come e quando gli piace. Il colono che contrae un debito, è
giusto che sia vigilato, acciocché non fugga e non truffi, è giusto che
non possa uscire di là se prima non abbia pagato il suo debito; ma
chi nulla accetta, nulla deve. Sarebbe un'enormità di nuovo genere
se i repubblicani dell'Argentina diventassero sgherri borbonici,
e tenessero in altra specie di custodia i prigionieri politici. Si rac-
comandarebbero bene all'Europa, inviterebbero bene gli stranieri
ad andare a colonizzare l'Argentina, adoperando a questo modo,
contro il senso e la lettera della loro costituzione, che io ho letto,
e ne ringrazio la sua cortesia. Io credo adunque che non ci sia
questo divieto di uscire di là, né ci sieno altre convenzioni segrete a
questo riguardo: e se ella, o signore, crede ora diversamente, o
pure ne sospetta, io la prego di farmelo conoscere schiettamente;
e ne la prego caldissimamente, perché questo è punto importantissimo per me. Ella mi fece assicurare che si può tornare in Europa; io su questa assicurazione, e su quanto ho potuto leggere nel
frammento del trattato, ho creduto e credo che sia ragionevole ed
utile l'andare: il signor P. ora mi consiglia di non andare, senza
addurmene una ragione: mi sciolga ella questo dubbio, torno a
pregarnela istantemente. E per dirle ancora tutto il mio pensiero,
io fo conto, potendo tornare, d'imbarcarmi subito sopra una nave
mercantile come meglio posso, e venire a Genova o Marsiglia. Il
mio Raffaele tre anni fa andò a Montevideo sopra una nave mercantile, e fece il viaggio dell'andata e del ritorno in meno di dieci
mesi, compreso il tempo che rimase lì, che non fu corto: però io
credo che in due mesi, e forse meno, si viene dalla Plata a Genova.

Ora in tutto questo io non vedo male né per la causa pubblica, né per me in particolare. Se altri cel vede, io prego che mi si dica chiaro il male che c'è, affinché io corregga il mio giudizio, e non faccia cosa che noccia a me, e dispiaccia a persone che mi amano, e che io onoro altamente ed amo. Però aspetto dalla sua cortesia, o signore, che ella mi dia a voce per mezzo di mia moglie una risposta, la quale o mi faccia mutare opinione, o mi confermi nel mio proposito, che finora mi pare ragionevole.

In ultimo debbo dirle che tutti i condannati politici, anche i relegati in Ponza e Ventotene, sono stati richiesti se vogliono o no andare nell'Argentina: noi ergastolani soli non ancora. Quale sia la ragione di questa eccezione, non so: se il governo non vuole mandar noi, se ci riserba per una seconda spedizione, se irritato dal rifiuto di quasi tutti i condannati non vuole saperne più nulla, o pure ha sospeso questo affare, io non so nulla; ma credo che l'indugio non torrà che la cosa abbia effetto anche per noi altri ergastolani, che siamo tenuti come avanzi del patibolo.

Perdoni, o signore, il lungo scrivere: gradisca e faccia gradire all'ottima sua madre i miei rispettosi ossequi, e mi creda

*Suo devoto ed obbligato servitore*
L. Settembrini.

III

AL FRATELLO GIUSEPPE

*S. Stefano, 3 settembre 1857.*

Mio carissimo Peppino,

Ti ringrazio moltissimo del bel calamaio, che userò quando mi manderai dell'inchiostro fatto da te, e del quale anticipatamente ti rendo grazie.

Spero che potrai effettuire il tuo pensiero, di andare da mia moglie sul casino il giorno di Piedigrotta, e farvi anche venire la Giulia con Errico.[1] Io sarò col pensiero in mezzo a voi, e vi vedrò tutti quanti: di alcuni ricorderò, come di te, di Maria, di Vin-

---

1. La figlia e il genero del Settembrini, Enrico Pessina, che fu poi professore universitario e senatore del regno.

cenzo,[1] di mia moglie, della Giulia: di altri farò immagini nella mia fantasia, come di Errico, che vidi solo una volta, e dei tuoi figliuoli, che non sono più quei bambini pulitini pulitini che mangiarono meco in uno dei criminali della Vicaria, ma giovanetti, Errico giovane, Amalia donzella, e così di mano in mano, il serio Eduardo, l'impertinente Eugenio con certi occhi irrequieti, ed il paffuto Alberto, sono altri da quelli che li lasciai, e debbo ricompormeli con la fantasia. Vi vedrò tutti e vi parlerò, e voi mi sentirete, ed io sentirò voi, benché a tanta distanza. Oh, quanto mi rallegrano queste riunioni di famiglia! Mi fanno ricordare che nel mondo v'è una pace che io un tempo ho goduta e che da nove anni non godo più e l'ho dimenticata, o ne ricordo per maggior tormento! Non desidero altro che una stilla di pace! Sai che bisogno io sento? Di udire una musica; ed è un bisogno tormentoso. Una musica mi laverebbe l'anima insozzata, mi ristorerebbe, mi risusciterebbe. Il rumore delle catene, il rumore delle mazzate, e le grida dei battuti, i canti osceni dei condannati percuotono le mie orecchie da sette anni. Quando venne la Giulia[2] due anni fa, la vidi e la udii suonare un gravecembalo, e che sentii non so dirtelo: una scossa elettrica, un guizzo per tutta la persona che mi tremava. Oh, che vado io dicendo! parliamo d'altro: ché certe cose anche a ricordarmele mi fanno male.

Mi piace molto che Errico[3] traduca dall'inglese, e aspetto di leggere qualche sua traduzione che subito gli rimanderò. Tu non ti scuorare pe' tuoi figliuoli, ai quali più delle tue parole sono esempio le tue opere; e però non dubitare, essi saranno uomini onesti. S'istruiranno a poco a poco da se stessi, quando essendo in mezzo al mondo sentiranno il bisogno d'istruirsi. È bene che non abbiano idee storte e princìpi falsi: che sappiano poco non te ne curare; perché al poco e buono è cosa facile aggiungere altro, che naturalmente sarà anche buono: ma se il fondamento è cattivo, il resto sarà cattivo e non si potrà raddrizzare mai. Tu le sai queste cose, e però non ti dico più. Ciò che ogni padre deve desiderare è

1. Maria Periti era la moglie del fratello Peppino. Vincenzo era il fratello prete, di carattere allegro e gioviale, le cui relazioni con Luigi rimasero sempre affettuose, malgrado la discordia delle loro idee politiche e religiose. 2. Nel 1855 la figlia e la moglie del S. avevano avuto il permesso di recarsi a visitare il loro congiunto e avevan potuto fermarsi a S. Stefano dal 28 giugno al 4 luglio. 3. Uno dei figli di Giuseppe Settembrini.

che i suoi figliuoli siano onesti, vivano tranquilli, facciano e dicano come tutti gli onesti, abbiano nella loro coscienza il più bel premio delle loro azioni, e vivano, come tutti gli uomini veramente utili a se stessi ed agli altri, in un'aurea mediocrità, esercitando un'arte, una professione, un mestiere, senza rumore e senza impacci. Questo tu puoi e devi desiderare, e puoi e devi sperare di ottenere: e l'otterrai, te lo dico non per affettuoso desiderio, ma per convinzione che ho. Saranno come te: e tu, e gli altri, ed io ne potremo esser contenti . . .

Io sto bene al mio solito: ho finito di prendere i bagni, dai quali sento che ho tratto molto giovamento. Ho compiuta la traduzione di Luciano, e mi restano un paio di mesi e più di lavoro per compiere la correzione. Dopo di aver compiuto tutto, mi occuperò a scrivere una lunga prefazione; e così avrò menato a termine un lavoro di quattro anni, che mi costa fatiche, noie e pene infinite: e che avrei già compiuto, se varie cagioni non me lo avessero fatto sospendere due volte. Ora caschi il mondo, o vada in cielo, non lo lascerò più. Pel venturo anno spero di tormelo di mano. Eppure non ti so dire quanto mi ha giovato a stordirmi, ad occuparmi, e talvolta anche a consolarmi questo lavoro! Qui non v'è rimedio né via di mezzo, o si studia, o si diventa ergastolano.

Addio, mio caro Peppino. Saluto caramente Maria ed i tuoi figliuoli, e ti abbraccio con tutto l'affetto fraterno.

Tuo Luigi.

IV

AL FRATELLO GIUSEPPE

Londra, 25 dicembre 1859.<br>62 Gr. Portland Street.

Mio caro Peppino,

Fin da due mesi fa ti scrissi di mandarmi Errico, t'indicai ciò che doveva portarsi, ciò che doveva fare giunto a Parigi, e come scrivermi per andarlo ad incontrare alla ferrovia. Per due mesi l'ho aspettato quasi ogni giorno, e vedendo il ritardo, me lo spiegavo dicendo: «il povero padre non ancora avrà trovato il danaro per darglielo». La lettera mia, in cui ti scrivevo tutto, insieme con altre a mia moglie e ai miei, è andata perduta, sicché io sono stato più di un mese senza lettera de' miei, con la testa piena di sospetti e di paura. Tu che non hai veduto miei caratteri avrai creduto non so che, che io non volevo Errico, e però non ti scrivevo. È stata una disgrazia: a quest'ora Errico sarebbe collocato: ma la disgrazia maggiore è che questo ritardo non è rimediabile, perché io per cagione di salute debbo partire subito d'Inghilterra. In questi due mesi ho avuto dolori reumatici in tutte le giunture, sicché poco mi potevo muovere, ed ero divenuto un peso inerte: ora quel reuma è andato via, mi è venuta tale una sovrabbondanza di bile, che sono tutto giallo, ed ho l'itterizia. Una malinconia, un umor nero, una lassezza mi abbattono le forze: i medici mi dicono, ed io sento, che debbo mutar clima, perché qui i mali al fegato crescono molto. E poi, Peppino mio, la nebbia che è qui, per modo che un uomo non vede la propria mano, vedi la fiaccola e non l'uomo che la porta; l'umido, la malinconia, la nebbia sopratutto m'ammazzeranno se vi resto. Aspetto Raffaele che tornerà tra pochi giorni, e poi subito partirò, e per la via di Francia verrò in Italia. Voglio morire in Italia, dove almeno vedo il sole, e non mi sento soffocare dalla nebbia. Se sapessi che giornata è oggi, come è scura ed umida, e che puzza fa il carbone che arde nel camino della mia stanza! È il giorno proprio di Natale, io penso che costà sarà un bel giorno, e qui tristo e scuro! Io non ci voglio né ci debbo stare più di un mese, ed anche meno: tutto dipende dalla venuta di Raffaele, che aspetto proprio con agonia, per fuggire di qui subito, subito.

In questa condizione, Peppino mio, come far venire Errico? Io ne sono dolentissimo, e penso che il povero giovane è stato pure disgraziato.

Nella stagione presente non passerò le Alpi, ma per Marsiglia anderò a Genova, e poi non so se a Milano o a Firenze, dove troverò da fare, e da guadagnare per vivere. Peppino mio, come è tristo l'esilio, e poi in un deserto così vasto come è Londra, dove ognuno bada a sé, dove lingua, costumi, idee, sangue, tutto è diverso dal mio, dove mi trovo solo in due stanzette in cui mi sento oppresso se rimango, e se esco dove vado? In Italia almeno udirò parlare la mia lingua, e vedrò il sole, e troverò chi mi intende: forse m'uscirà dal fegato questo male. Il cibo, specialmente il cibo inglese, mi fa nausea, eppur debbo mangiare acciocché la bile non mi bruci le interiora.

Io sono rimasto sano tanti anni, perché viveva come un orologio;

ora mutato quel genere di vita, in altro clima, in altro paese, la salute mi si va alterando; la state sono stato bene, il verno mi accoppa.

Se tu mi rispondi subito, puoi indirizzare la lettera qui, che forse ci sarò; se no, saprai da mia moglie dove sarò andato.

Salutami caramente Maria, e ad uno ad uno i tuoi figliuoli, e specialmente Errico. Abbraccio i fratelli tutti quanti. Spero di scriverti subito che sto meglio: ma che sto bene, non te lo potrò scrivere che da altro paese.

Addio, Peppino mio: ti abbraccia caramente

tuo f.llo Luigi.

V

AL PROF. F. FIORENTINO [1]

*Napoli, 10 dicembre 1869.*

Mio carissimo amico,

Scrivo a voi e non al Tocco per essere più libero, ed aprirvi tutto l'animo mio. Stringetegli la mano, abbracciatelo, baciatelo, dategli un bravo per me. Bravo davvero il mio Tocco,[2] il mio Peretto! Che ordine, che lucidezza, che forza in quelle sue Lezioni! Ma sapete quello che pare a me? Che Peretto è legno da diventare un filosofo di prima riga, se è calabrese vero, se ha costanza e perseveranza negli studi. Lessi il suo Leopardi, e mi piacque assai: queste Lezioni mi piacciono più. Avete fatto benissimo voi a pubblicarle. Siate benedetto: così fanno i galantuomeni filosofi, a differenza di certi altri filosofi che come vedono sollevarsi un giovane lo guardano con l'occhio del porco. Io non vorrei farlo invanire, vorrei per spingerlo più innanzi approvarlo sì, ma temperatamente: ma se l'avessi vicino, oh! io me lo abbraccerei mille volte. Crede-

---

1. Francesco Fiorentino (1834-1884), storico della filosofia, era allora professore all'università di Bologna; nel 1871 passò a quella di Napoli e nel 1877 a quella di Pisa. Fra i suoi lavori, meritamente apprezzati, il S. ricorda in questa lettera lo studio su Pietro Pomponazzi, che era stato pubblicato l'anno prima.     2. Felice Tocco (1845-1911), di Catanzaro, era stato a Napoli discepolo di Bertrando Spaventa e del S., e si era da un paio d'anni laureato a Bologna in filosofia col Fiorentino. Aveva da poco pubblicato la sua tesi di laurea e un discorso su Leopardi, che egli aveva letto l'anno innanzi nel liceo dell'Aquila, dove insegnava filosofia. Il T. insegnò poi nelle università di Roma, Pisa e Firenze, e fu particolarmente noto per i suoi studi sul movimento francescano e sulle eresie del medio evo.

temi, caro Fiorentino, quando io vedo un giovane che può fare, io vorrei sollevarlo, vorrei vederlo divenire un Galileo, un Bruno, un grandissimo uomo, una gloria d'Italia, da poterlo mostrare agli stranieri e dir loro che siamo vivi anche noi. Essi, questi giovani sono la mia speranza, il mio avvenire, i figli miei, quelli a cui noi consegneremo la lampada, quelli che dovranno metterla sul monte e far luce agli avvenire. E voi, e Peretto, e Acri,[1] e qualche altro bravo tra pochi anni . . . Oh se potessi vedere per opera vostra la scienza splendere in Italia di luce italiana! Ma sì, sarà questo splendore, io ne sono certo, e non importa che io non debba vederlo, ne sono certissimo.

Non ho potuto leggere ancora il libro del Biamonte:[2] sono tanto occupato e tanto stanco! Scriverò al Peretto, ma quando avrò avuto e letto anche il seguito delle sue Lezioni. Lo chiamo Peretto, perché (vedete mio ghiribizzo!) mi pare che egli come di persona, così d'ingegno dovrà somigliare al vostro Pomponazzi,[3] al vostro bellissimo Pomponazzi.

A proposito. Qui è un giovane prete di Sessa, un certo Giannini, che ha scritto un'esposizione bellissima della *Genografia dello scibile* del De Pamphilis,[4] e me l'ha fatta capire, ed è stato lodato anche da Bertrando.[5] Io gli ho detto di mandarne una copia a voi. Ve l'ha mandata? Sta studiando sul Nifo,[6] per farvi una monografia. È bravo, è modesto, è galantuomo benché prete, e se avrà pane si spreterà.

Ho ricevuto lettera da P. Ardito, che vuol fare un lavoro sopra G. B. della Porta.[7] Ma come si può fare un lavoro simigliante

1. Francesco Acri (1836-1913), filosofo mistico e neoplatonico, nel 1871 era successo al Fiorentino nella cattedra dell'università di Bologna. Fu apprezzatissimo traduttore dei dialoghi di Platone. 2. *Sulla istoria del Cristianesimo. Riflessioni scritte e pubblicate in occasione del prossimo Concilio ecumenico* per Raffaele Biamonte. Bologna, Tipi Fava e Garagnani, 1869. Il S. menziona qui il primo volume di quest'opera; il secondo uscì l'anno seguente. 3. Peretto fu comunemente chiamato Pietro Pomponazzi, perché ebbe statura assai piccola. 4. *Genografia dello scibile, considerato nella sua unità di utile e di fine, con la dichiarazione differenziale ed integrale de' rapporti tra l'uomo e la natura.* Tavole sinottiche di Giacinto De Pamphilis. Napoli, Tip. del R. Albergo de' Poveri, 1829. 5. Bertrando Spaventa. 6. Agostino Nifo (1473-1545), da Sessa, eruditissimo scrittore di cose filosofiche, dovette in gran parte la sua notorietà alla polemica ch'egli ebbe col Pomponazzi sull'immortalità dell'anima. 7. Giovambattista Della Porta (1535-1615), napoletano, fu fecondissimo studioso di scienze matematiche, naturali, speculative e anche di magia. Oltre molte opere in latino, ab-

in Nicastro, dove non è una biblioteca? Deve venire in Napoli, dove troverà anche qualche difficoltà ad avere le opere italiane del Porta, ma dove potrà averle finalmente.

Quanto mi piace questo moto, questo desiderio operoso in tanti che io conosco! Come mi allarga il cuore perché mi mostra l'avvenire! Io sono vecchio, e dovrei vivere di passato, e pure io penso sempre all'avvenire, all'Italia futura, ai giovani: e vi dico all'orecchio a Tommaso di Savoia. Quante ne hanno fatte a noi gli spagnoli per quattro secoli? ed ora se un cosetto italiano di sedici anni...[1] Ci avrei un gusto matto se potesse entrare nei preti spagnuoli. Non vi pare che Italia dando un re a Spagna si unisce a lei, e riforma il cattolicismo mettendo il papa al suo posto, e abbassa la divota alterigia francese?... Ma dove diavolo sono andato? Perdonatemi: io fantastico sempre.

Ho ricevuto tutte le vostre lettere, l'ultimo libro non ancora: forse l'avrò oggi, o dimani.

Salutatemi l'egregio De Meis, la bella e nobile anima del De Meis.

E voi vogliatemi bene, bene alla calabrese, così, schietto, senza cerimonie, come io voglio bene a voi. E state sano.

*Il Vostro*
L. Settembrini.

biamo di lui in italiano una tragicommedia, due tragedie e quattordici commedie. Era desiderio vivissimo del S., che qualcuno studiasse questo scrittore. Ma l'amico suo Pietro Ardito rinunziò al concepito disegno, e più tardi ne trattò brevemente il Fiorentino stesso (cfr. *Studi e ritratti della Rinascenza*, Bari 1911). Non sfugga il fervore di cultura meridionale, e particolarmente napoletana, da cui è animata tutta questa lettera.
1. Allora si credeva che al trono di Spagna, vacante per la fuga della regina Isabella II (1868), fosse chiamato Tommaso di Savoia, duca di Genova, che era nato il 6 febbraio 1854. Vi andò poi Amedeo I di Savoia.

ANTONIO BRESCIANI

# PROFILO BIOGRAFICO

Antonio Bresciani nacque ad Ala, nel Trentino, il 24 luglio 1798. Studiò nel ginnasio municipale di Verona e ben presto si manifestò in lui una irresistibile vocazione religiosa. Nel 1821 fu ordinato sacerdote, e sette anni più tardi, vincendo finalmente l'opposizione del padre, entrò nell'ordine dei gesuiti. Lo stesso anno 1828 fu mandato a Genova a insegnare in un collegio della Compagnia. Era di gracilissima complessione e fu sempre di salute assai cagionevole, eppure dovette frequentemente viaggiare e trasferirsi da una città all'altra, finché nel 1846 poté stabilirsi a Roma come direttore del collegio di *Propaganda fide*. Aveva già scritto e pubblicato diverse operette di argomento linguistico e letterario; ma la sua rinomanza ebbe inizio con la fondazione della «Civiltà cattolica», nella quale rivista, oltre vari scritti di vario argomento, egli pubblicò nello spazio di dodici anni i suoi dieci romanzi. Morì a Roma nel 1862.

Per tutta la sua vita il Bresciani fu un astioso combattente in favore di una causa già screditata, quella del diritto divino dei troni e del potere temporale del papato. Le sue prime armi le fece a Genova, dove era già fiorente il gruppo del Mazzini e dei suoi seguaci, per i quali il romanticismo era nella letteratura quello che la libertà doveva essere nella vita politica. Il Bresciani si rivelò subito come un risoluto avversario del romanticismo, e contro di esso si diede strenuamente a sostenere il classicismo ed il purismo. È ben vero che la letteratura romantica assumeva volentieri, almeno nella scuola lombarda, aspetti religiosi ed esplicitamente cristiani; ma il Bresciani vedeva bene che lo spirito che vi alitava dentro non era lo spirito della Compagnia di Gesù. Non esitava dunque a denunciare la scuola romantica come una scuola di traviamento «non solo in fatto di belli studi, ma eziandio, che è molto peggior male, in fatto di morale, di fede e di politica»; «imperocché» aggiungeva, e qui coglieva certo nel segno, «il romanticismo in ragione di lettere è il liberalismo intromesso negli studi; in ragione poi della virtù civile e religiosa è l'opera della ribellione contro i Principi e la Chiesa» (*Discorsi sopra il Romanticismo*, p. 78). E la conferma, se pure di conferma poteva avere bisogno, gli venne dal '48. Allora qualche principe fu spodestato, il papa fuggì a Gaeta, la Compagnia di Gesù fu sciolta, e il nostro Bresciani, costretto a vivere nascosto e per così dire in incognito a Roma, poté assistere allibito alle nefaste operazioni dei rivoluzionari e soprattutto di quel Mazzini, che egli aveva conosciuto a Genova venti anni innanzi e del quale non si era dunque ingannato quando ne aveva respinto le idee letterarie. Ma finalmente i Francesi ricondussero il Bresciani alla sua comoda sede di Propaganda, ai suoi libri, ai suoi studi. Allora il polemista letterario si rivelò meglio per quel che era davvero, un polemista politico; e scese risolutamente in campo non esitando a impugnare l'arma medesima dell'inviso romanticismo: il romanzo storico. *L'ebreo di Verona* fu il suo primo romanzo; ed esso, come poi tutti gli altri — fino all'ultimo, che fu *Olderico ovvero il Zuavo pontificio* —, sotto forma narrativa non era che un velenoso libello politico, nel quale lo scrittore aveva riversato le paure e la bile che l'avevano roso durante il rivolgimento romano.

Questi romanzi del Bresciani, specialmente i primi, usciti nella temperie reazionaria succeduta ai fatti del '48 e del '49, sapientemente diffusi dai gesuiti, trovarono molti lettori in quegli anni di smarrimento e di scoraggiamento. Ma uno dei segni, e non dei meno eloquenti, della ripresa dello spirito liberale, fu il saggio che nel 1855 il De Sanctis dedicò all'edizione torinese dell'*Ebreo di Verona*. Mai più, o forse solo nel saggio sull'uomo del Guicciardini, la penna del De Sanctis seppe essere così acuminata. Quella analisi critica, così implacabile e travolgente, sradicò e mise a nudo tutta la miseria morale e artistica di quel libro; e il romanzo ne uscì irrimediabilmente condannato, con uno di quei giudizi, che non ammettendo alcuna possibilità di errore, infirmano a priori ogni tentativo di revisione e di ricorso in appello. Ma al Bresciani ne derivò una fama su scala nazionale, che dura anche oggi. Egli divenne il simbolo di quella letteratura, alla quale, dalla sua stessa impostazione meschinamente e caparbiamente reazionaria, è precluso ogni serio e positivo risultato artistico, vile e plebea nello spirito anche se decorosamente agghindata nella forma. Triste fama, e ancor più triste simbolo; eppure il Bresciani non era neanche da tanto. Di tal genere di letteratura egli era solo, in quegli anni, il più notevole esemplare, non ne era l'eroe.

Più tardi, *sedatis motibus*, non son mancati tentativi di attribuire — con una distinzione alquanto estrinseca ed arbitraria — un valore positivo, se non addirittura al narratore, definitivamente ab-

battuto dal De Sanctis, almeno al «prosatore» che viveva fra le
pieghe di quello, o meglio, per parlare con più esattezza, al lin-
guaiolo virtuoso di descrizionismo; e oltre le molte pagine descrit-
tive che si ritrovano in tutti i suoi romanzi, si tengono d'occhio
segnatamente le relazioni dei suoi viaggi nella Savoia, in Tirolo e
nella Sardegna.

Tra il 1843 e il 1846 il Bresciani ebbe necessità di recarsi quattro volte in Sardegna per negozi del suo ordine. Ne approfittò
per osservarne i costumi, nei quali egli scorse singolari analogie
con quelli delle antiche popolazioni orientali, e ne riportò buona
messe di appunti che poi si diede a sviluppare a Roma durante la
rivoluzione. Nacque così l'opera *Dei costumi dell'isola di Sardegna*, che uscì alla luce nel 1850. Ma anche in questo volume le
pagine ancora leggibili sono ben poche. Tutta l'opera è aduggiata
dalla precarietà del suo apparato scientifico e soprattutto dall'impostazione dialogica, che nella seconda parte sminuzza senza av-
vivarla la materia descrittiva. D'altra parte il De Sanctis aveva
analizzato anche il virtuosismo descrittivo del Bresciani, e lo aveva
bellamente liquidato.

Oggi si vuol sostenere che il Bresciani scrive caldo e bene, come
il padre Bartoli. Ma come ebbe a dire Pietro Giordani, che di queste
cose se ne intendeva, «somiglianza di berretto non fa uguaglianza
di cervello». E inoltre è da tener presente l'osservazione del Croce,
secondo cui il descrizionismo, che non bisogna iscambiare col
realismo e che non ha niente da vedere con l'amore per le cose, è
una forma deteriore e barocca intesa a ingenerar meraviglia con
l'audacia e la stravaganza «della miope osservazione e dell'esattezza nel renderla» (*Storia della età barocca*, p. 257). Ora, l'osservazione del Bresciani è artisticamente «miope», e semmai può
offrire un interesse secondario di grezza documentazione folclo-
ristica; il suo linguaggio, apparentemente ricco, è in sostanza ricercato e pedantesco; i suoi modi sintattici riescono quasi sempre
pesanti e monotoni. Non si può negare che qua e là egli non giunga
a far colpo con certi suoi tratti di colore e perfino di movimento;
ma la sua meraviglia, il suo stupore e gli altri moti dell'animo che
accompagnano le sue descrizioni, si rivelano subito convenzionali
e manierati. Accostandolo al Bartoli non si fa altro, in fondo, se
non indicare in quale direzione artistica egli si movesse, e proporre
il modello esemplare, e certamente ineguagliato, della sua scrit-

tura; ma l'accostamento esige che entro i limiti dell'ammirato se-
centista si segnino anche quelli che furono propri del Bresciani, al
quale troppe corde fallirono in cui il Bartoli era espertissimo.

D'altronde, ritagliare dalle opere di uno scrittore una serie di
paragrafi più o meno ghiotti, può essere un sistema da buongustai;
ma non è certo il migliore dei metodi critici. Solo da un esame
complessivo, che movendo dalle doti personali del Bresciani e dai
circoli reazionari a cui egli apparteneva giungesse a definire convenientemente il suo purismo, che fu diverso da quello del Giordani del Puoti e anche del Cesari, e i suoi modi classicizzanti e
oratori, che non sono da confondere con quelli del Guerrazzi e
degli altri scrittori democratici, potrebbe risultare anche un'adeguata e sicura caratterizzazione del suo virtuosismo linguistico e
descrittivo.

*

La prima edizione dell'opera sulla Sardegna fu questa: *Dei costumi dell'Isola di Sardegna, comparati cogli antichissimi popoli orientali* per ANTONIO
BRESCIANI d. C. d. G., Napoli, all'Ufficio della *Civiltà cattolica*, 1850.
Le opere complete del Bresciani uscirono in 17 volumi prima a Roma
(1865-69) e poi a Milano (1872-74); alle due edizioni è premessa una
notizia sulla *Vita ed opere del p. A. B.*

L'articolo del DE SANCTIS si trova fra i suoi *Saggi critici*. Cfr. inoltre
B. VERATTI, *Ricordi della vita e delle opere del p. A. B.*, Modena 1862;
L. FORNACIARI, *Intorno alcune opere del p. A. B.*, in «Atti della R. Ac-
cademia lucchese» 1839; L. CHIALA, *Biografia di A. B.*, nella «Rivista
contemporanea», 1853-54; G. RABIZZANI, *Antiromanticismo cattolico*, in
*Pagine di critica letteraria*, Pistoia 1911; G. FALDELLA, *Storia della Giovine
Italia*, Torino 1899, pp. 441 sgg.; F. LOPEZ CELLY, *F. D. Guerrazzi nel-
l'arte e nella vita*, Milano-Roma-Napoli, 1918, cap. XI.

La monografia più compiuta è quella di ROSA IDA RACCOSTA, *A. B. e le
correnti ideali del suo tempo*, Milano 1921; ma è tutt'altro che esauriente.

Un singolare parallelo fra il Bresciani e il Guerrazzi si trova nel saggio
del CROCE sul Guerrazzi (*La letteratura della nuova Italia*, vol. I).

# DAI «COSTUMI DELL'ISOLA DI SARDEGNA»

## I

### [LE NOBILI SELVE DI SARDEGNA][1]

Io credo che nei tempi che l'abitarono i primi popoli, l'isola era tutta ricoperta di boschi e di foreste come la Sicilia e le meridiane parti d'Italia. E siccome, com'egli è a credere, quelle genti primitive erano pastori, così deono aver diboscato di molte selve per accrescere i pascoli di lor gregge e di loro armenti. Ma se attendete che il solo Capo australe è sì spoglio e ignudo d'alberi, e più su i rivaggi delle marine orientali dell'isola, io reputerei non iscostarmi dal vero se ne accagiono i sopravvegnenti conquistatori. Imperocché navigando essi dall'Iberia, dall'Africa e dal mare di levante, assaltavano come più prossimo il Capo di sotto e le spiagge che guardano Italia; ondeché trovando i primi abitatori battaglieri risoluti e gagliardi e dalle boscaglie mirabilmente protetti, per iscovarli dai loro ridotti doveano appiccare il fuoco alle selve, come appresso furon usi di fare i Romani cogli Elvezi, co' Galli e co' Britanni sotto la condotta di Cesare. Considerate inoltre, che i Cartaginesi, signori per assai tempi dell'isola, con barbarissimo intendimento fecer divellere tutti gli alberi fruttiferi e imposero con crudelissima legge pena la testa a chi ripiantasse un magliuolo di vite o un polloncello di pomo. Poscia i Romani, che l'imperiarono parecchi secoli, avean fatto della Sardegna il fecondo granaio di loro repubblica, per il che diselvate le pianure e i poggi, le recavano a grano a fornire di vettovaglia il popolo di Roma. Allo stesso modo fecero e veggiam fare tuttavia i coloni degli Stati Uniti d'America colle immense foreste della Virginia, della Pensilvania e di tutte le contrade che volgono all'occidente insino al mare Pacifico.

Bruciate poi e divelte le foreste dai monti, non ripullularono più a cagione che le piogge invernali non avendo più i ritegni e le roste[2] degli alberi, ogni fior della terra travolgevano a basso nelle valli, lasciando il greppo e il sasso ignudo, o con quel poco di terra così smunto e spolpato, che le radici non barbavano e iste-

---

1. [Vol. 1, pp. 12-16.]    2. *roste*: fosse a ventaglio a piè degli alberi, per raccogliervi acqua, o materiale da ingrasso.

rilivano in sul primo getto. Che dove nel centro dell'isola non penetrarono i conquistatori, poiché i primi isolani ridottisi a difesa alle asprezze de' monti, colà s'aggruppavano, s'attestavano e delle foreste si bastionavano, le foreste rimasero intatte.

E voglio dirvi che oggimai in tutta Europa non trovereste più forti, oscure e vergini selve di quelle di Sardegna, le quali per la condizione dei luoghi in che crebbero non furon mai tocche da scure d'uomo. Ond'esse videro gli antichissimi popoli che le abitarono, e nel più cupo di quelle boscaglie gli Dei penati e i padri e le donne e i figliuoli e le greggi accomandarono, mentr'essi a piè de' monti per libertà combattevano l'un dopo l'altro i Tirreni, gli Elleni, gli Iberi, i Cartaginesi e i Romani.

Cavalcando nelle parti centrali dell'isola, io m'avvenni ad attraversare quelle di Macomer e di Soletta nei monti d'Ozieri, quelle di Benetutti, di Nuoro, di Bono e di Monteraso, né potrei descrivervi a mezzo la reverenda maestà di quelle foreste. Querce, roveri, cerri, elci, sugheri di maravigliosa grandezza vestono i cupi fianchi di que' monti e di quelle voragini; e le immense moli di quei fusti che videro passar oltre tanti secoli, e le gran braccia che spandono e si diramano a larghissimo spazio e si confondono, s'abbracciano, si serrano in una notte solitaria e profonda, destan l'animo del passeggero a sublimi pensieri. Qui e colà in certe frane e burroni scurissimi la foga de' torrenti, o l'impeto de' turbini e delle procelle, gli hanno diradicati e con tutto lo scoglio che gli immorsa divelti e fracassati, i quali ruinando con orrendo scroscio molti rami della selva soscesero e trassero seco. Io li vidi quegli immani tronchi giacersi buttati e distesi a traverso il fitto delle piante, e dai geli, dalle piogge e dalle brume mondati e biancastri, gittar fuori i noderosi mozziconi, come lo sterminato carcame dei fulminati giganti. Mi occorse altresì di trovare alcuno di quegli aridi stipiti mezzo bruciato; imperocché nel verno i banditi v'assiepano innanzi di gran frasca, e dato fuoco alla stipa la fiamma s'appiglia al tronco, e lo lambe così attiva, che il legno infoca e riverbera, come un gran lastrone di stufa, il calore addosso a quegli intirizziti e dalle piogge o dalle nevi tutti molli e inzuppati.

V'ha de' pedali di sì straboccata grossezza, che parecchi uomini non varrebbero insieme ad abbracciarli; e côlto più volte in mezzo al più folto della boscaglia da tempeste di vento, di grandine e di piogge dirottissime, né avendo presta a riparo una caverna o un balzo sporgente, un solo albero schermiva me colla brigata e con tutti i cavalli come una vasta tettoia. Anzi ne trovai di sì disordinatamente corputi, che a sommo il torso mandano al cielo sino a sei ed otto rami sì noderosi e massicci, che ciascun d'essi nelle nostre alpi sarebbe un albero di gran podere. Onde pensate voi il magnifico orrore di quelle selve.

Là dentro in quel cupo il silenzio non è rotto che dal fischio dei venti o dal fragor delle acque che dirupano nelle valli; e la solitudine non è tolta che dalle torme dei cervi, delle damme e dei cavrioli fuggenti fra gli ermi recessi della foresta. Ivi s'accovano, tra i vepri e sotto gli scogli e i macchioni de' rovi e de' lentischi, di molte frotte di cignali i quali ciban le ghiande scosse dai roveri e dai cerri. E fra quelle ombre paurose e per entro i tronchi imputriditi, e nelle spelonche e nelle tane sotterra, riparano i banditi, che a guisa di ferine bestie vi menan la vita, sempre ormati dalla giustizia che dà loro la caccia. Ma que' luoghi montani sono sì romiti, tortuosi e repenti, e le piante sì spesse, o l'ombraggio sì denso, che raro è mai che sien colti. Egli è avvenuto talora, che mentre i cavalleggeri cercavan la selva, scortili i banditi, essi per non dar loro sospezione di sé, si tenean ritti dietro quegli smisurati cerri, e i cavalleggeri passavan loro a costa senza vederli.

Ma voi direte a buona ragione: e da che avvien egli, che di sì invitte e mirabili piante non si fa mai taglio da usarne per la costruzione delle navi? Appunto. Sappiate, che attraversando in quelle selve mi surse più volte nell'animo lo stesso pensiero, e diceva da me a me: vedi tronco gigantesco da pigliar egli solo mezza carena di qualsiasi vascello da guerra; e venìa divisando meco medesimo i pezzi curvi da incastellare i fianchi, da costolare la prora, da correre l'ossatura di poppa, da travare le impalcature, da puntare l'albero di buonpresso, da inceppare quello di mezzana e di trinchetto. Ma egli è indarno il far somiglianti avvisamenti a cagione dei luoghi inaccessibili e fuor di mano. Conciossiaché quei monti e quelle valli non hanno né vie né sentieri, e sì v'assicuro che m'ebbi a trovare più volte in certi frangenti da andarne a un pelo la vita. E se non che i cavalli sardi son generosi, arditi e avvezzi a que' burrati e a que' scogliosi tragitti, non se n'uscirebbe colle ossa intere. Que' cavalli si gittano su per erte così rigide e sopra scaglioni di rocce così a filo, e si slanciano con tanta foga puntando l'ugne negli spicchi dello scoglio, che se si schianta la cigna o il pettorale, il cavaliere precipita negli abissi. L'anno passato di luglio, venendo da Friburgo in Aosta, m'accadde appunto lo strappo della cigna sulle altezze del Gran San Bernardo; ma colà fui rovesciato sopra la neve ben alta, e trovandomi sì morbidamente accolto: — buono — dissi — che il caso non occorse sugli spigoli dei greppi di Geremeas, di Nurri o di Soletta, che povere l'ossa mie.

Or voi vedete se da quei siti è agevole trascinare il legname a lunghe distanze per metterlo sino alle marine. Aggiugnete che i fiumi dell'isola, non avendo regolar corso in letti arginati, o dai pignoni e dai pennelli[1] guidati con avvedimento e consiglio, vagano senza freno, s'incavernano nei tufi montani, si gittano pe' balzi, si diramano per le sassaie e pei sabbioni, travasano per le sottoposte pianure, ove impozzano ed impaludano, e però, non che portare quei travoni in sino allo sbocco in mare, alcuni vi portano appena se medesimi poveri d'acque. Egli è il vero che ora si sta abbattendo la foresta di Macomer per opera delle navi; ma essa non è guari lontana dalla strada reale che parte tutta l'isola da settentrione a mezzodì; perché spianate le asprezze, e assettate alcune vie che rispondono e imboccano alla strada maestra, su quella conducono già squadrate coll'ascia quelle enormi piante, e di là le tirano a molti gioghi di buoi sino al porto d'Oristano.

Ho voluto dirvi alquanto per disteso delle nobili selve di Sardegna, acciocché veggiate che l'esser l'isola disarborata da presso al mezzo in giù non è peccato del terreno, ma spetta ad altre cagioni, le quali non han che fare coll'intrinseca sua virtù germogliatrice. Imperocché le grandi vallate d'Arizzo, di Tonnara, d'Oliena e tutte l'altre del centro sono feconde di castagni e d'ogni sorta frutti che possano patire il suolo e l'aere de' monti; e più basso nelle valli e ne' piani sono viti, gelsi, ulivi e agrumi, che vestono riccamente l'isola insino a Sassari, e per ponente da Bosa insino ad Alghero. Chi pratica il paese non gli intraviene di dubitarne, e chi chiama la Sardegna terra malvagia, o non la vide mai, o non vide oltre gli aridi sassi delle costiere della Nurra, di Figari o di Tavolara.

1. *pignoni* e *pennelli*: ripari di muraglia, che dalla riva o dall'argine si stendono obliqui nell'alveo del fiume, a difesa dalla corrosione.

## II

### [LA PESCA E LA CACCIA][1]

Se ci volgiamo al mare, egli è forse il più pescoso d'ogn'altro, e lungo le sue marine vengono i legni pescherecci delle riviere di Genova, di Napoli e di Sicilia alla pesca delle sardelle, e ne imbottano e insalano sì largamente da rifornirne Italia, Svizzera e Germania. Egli è bello il vedere alla stagion della pesca formicolare il mar di ponente di mille ragioni di legnetti leggeri, di feluche, di tartane, di gonde, di paranzelle, di gusci, di sandoli e di battelli, e porsi entro mare in parata, e schierarsi e volteggiare e trascorrere velocissimi con loro velette latine e terzarole e mezze quadre.

Altri si mettono a cerchio e gittano a largo spazio la sciabica, che manda i piombini a fondo e i sugheri a galla, formando come un'ampia muraglia in mare. Altri gittano la sagine, altri i gangani; altri le ipoche fonde e rezze e nasse e bucine e ragne lunghissime, da incogliere in sì stretto assedio eziandio i più minuti pesciolini.

Alla stagione dei coralli, eccoti napoletani e genovesi pigliar mare, che a vederli dal porto e dagli spaldi d'Alghero paiono un grande naviglio che surga in sull'ancore all'ossidione della città e del golfo. I corallieri fanno di lunghe schiere di legni, e con loro graffi, cesoie, torte, reti e argomenti staccano nei bassi fondi e lungo gli scogli le coralline; ed avvi arboscelli di vaghissime ramificazioni e scherzi d'intrecciamenti, di nocchi, di cannutiglie[2] lucidissime, le quali in altre più sottili partendosi, e queste in altri fuscellini torti e geniculati e lisci tuttavia producendosi, danno alla pianta del corallo l'aria e la vista d'un alberetto chiomato di foglioline variotinte. Essendoché evvi coralli bianchi, grigi, morati, ma il più rossi; e il rosso, altro è chiuso e volge al vermiglione, altro aperto e d'un allegro cinabro, altro si ombreggia d'amatista; e quando è carnicino acceso, e quando l'incarnazione sfuma in un pallido cangiante. Secondo i diversi colori sono i prezzi e le forme e le fazioni.[3] I coralli fiammanti e grossi li brillantano a faccette, a punte, a tavole e a bozze; e ne ingemmano frontaletti, diademi e spilloni da capo. Ne fanno collane, smaniglie, braccialetti e penda-

1. [Vol. I, pp. 16-22.]   2. *cannutiglie*: cannellini di vetro (anche cordoncini d'oro e d'argento).   3. *fazioni*: fattezze, fogge.

gli e vezzi da petto e da cintura. I meno accesi foggiano in bacche e granelli più o men grossi per le nostre foresi; e i turchi gli avvolgono a molti giri ai turbanti, e loro donne se ne adornano assai e ne son vaghe.

Anche sul mar di ponente si fa in certi golfi dell'isola la pesca de' tonni, ch'è a vederla come una battaglia navale o una caccia tempestosa in sull'acque. Imperocché i legni non sono sì sottili e leggeri come quelli della pesca delle sardine e de' coralli, ma barconi di rispetto, e bovi, e tartanoni piatti, e marani, e fuste grosse da reggersi in alto e scorrazzare alla ronda. Con sì fatti legni, a guisa de' balenieri, si mettono alla posta; e ne' seni ove accorrono le frotte de' tonni alla pasciona di certi frutti di mare onde son ghiotti, tirano di lunghissime cortine di fune a maglia. Dopo esse, affondano in quadro le camerelle, che sono parecchie, e a guisa d'alloggiamento reale entrano per vari sfogatoi l'una nell'altra, e così sino all'ultima, ch'è più larga e di maglioni più sodi e fitti, da reggere all'urto di que' gran pesci. I quali stupidamente mettendosi a pascere lungo le ampie cortine, filano diritti alle stanze e v'entrano di colta.[1] Là volteggiano ignari, e d'una entrati in un'altra, vi nuotano a sollazzo, intanto che all'ultima pervenuti, che si chiama dai tonnari la stanza della morte, ivi del poter riuscire è poi nulla. Perché quelle bestiacce insensate, dando di cozzo nelle maglie, pauriscono e volgono altrove; di guisa che nuotano in cerchio, e pel sopravvenire d'altri ospiti sì s'accavallano, e stipano, e posano il muso sulle schiene de' sottani, e così via via sempre danzando il ballo tondo.

Come i tonnari scernono la colmata, allora si fanno altri apparecchi per la *mattanza*, od uccisione che vogliam dire. E vedreste lungo il lito piantar padiglioni e trabacche e focolari e caldaie e paioli e cazze,[2] per dare la prima cottura e spremer l'olio. Indi botti e barili per istiparvi i rocchi in concia, e apprestamenti per far delle ovaie la buttagra;[3] onde tutto è in fazione e movimento di navi e di genti. Venuto il tempo a proposito per la mattanza, i mattadori stanno in sui ponti ignudi, se non quanto hanno un guarnello alle reni; armati d'un coltellaccio ad armacollo, e con in pugno fioscinoni e tridenti e grampi uncinati. Il commendatore o condottiero di que' gladiatori, imposto il segno dell'assalto,

1. *di colta*: difilato.   2. *cazze*: conche di ferro.   3. *la buttagra*: la bottarga, l'ovaia del pesce seccata al fumo o al vento.

tutti danno con impeto i remi in acqua, e remigando di gran lena, e alla stanza di morte pervenuti, tutta l'assediano e stringono in cerchio. I tonni, a quel rombo di remi, a quello spumeggiar del mare, a quel giugnere de' barconi, tutti si mettono in isbaratto; e scompigliati e addossati, si cozzano, s'impacciano, si confondono, si tuffano e rigalleggiano. Intanto i mattadori lungo il bordo s'incurvano, e scagliano i fioscinoni e i tridenti nelle schiene de' galleggianti. E l'uncinarli, e l'alzarli di peso, e il buttarli sul ponte, e il tagliar loro il capo, e lo sventrarli, è così rapido che non vedeste mai sì magnifica scena. E siccome i mattadori hanno per sé le teste e le ventraglie de' tonni che aggranchiano e sparano,[1] così è quel fulminarli ed ucciderli sì concitato e repente. È impossibile a dire lo sforzo d'alzare quelle immani bestie, e balzarle di peso sul ponte, e colle mannaie dicapitarle e coi coltellacci sventrarle.

Frattanto sopra la stanza de' tonni un mareggio, un bollimento, una tempesta, un batter di code, uno sprazzare, un divincolarsi, un boccheggiar de' feriti, un urtar dei fuggenti, e bava, e sangue, e spuma, e i mattadori che non hanno più sembiante d'uomini ma di mostri marini, tanto son tutti arruffati, sanguinosi, trafelati ed accesi. Altri spiccano lor di sotto i tonni dicollati, e con asce corte li scotennano, disquatrano e disgrassano; e i quartieri ne portano alle caldaie, e il grasso spremono, e le ossa bollono per colarne l'olio. Pensate ricchezza che ne ritraggono que' mercatanti che dai signori del loco conducono le tonnare, e le pescano in loro capo e ventura!

Che se vi volgete entro terra avete copiosissima pesca negli stagni d'Oristano, di Palmas, di Cagliari, d'Orosei e d'altri luoghi assai; e ne colgono pesci di finissimo sapore e d'ottime carni, dal muggine, dal dentice, dal lupicino, insino alle lasche, alle anguille e alle lamprede. E le riviere de' monti menano barbi, lucci e trotelle squisite; e le scogliere hanno polipi, ricci, ostriche e nicchi d'ogni grandezza e sapore.

Né l'aria si lascia vincere al mare, ch'ella nutrica alla Sardegna uccelli bellissimi e rari, dall'aquila reale insino alle quaglie e a' beccafichi. E vi ha per le fratte e per le macchie de' monti sì gran copia di coturnici,[2] di starne, di beccacce, di tortore e di tordelle, che non potreste credere quante se ne arrechino sul mercato di Cagliari e come s'abbiano a buon conto. E sappiate che nel cen-

---

1. *sparano*: sventrano dall'alto al basso.   2. *coturnici*: cotornici, quaglie e anche pernici.

tro dell'isola e nella Barbagia e in Gallura e per poco in tutto il capo di Sassari, quasi che non le curano di cacciarle, ond'esse crebbero a tale, che viaggiando per que' luoghi foresti vi danno su starnazzando a covate e a brigatelle, ch'è un piacere.

Similmente lungo gli scogli e le rupi sopra mare ha spelonche, forami e fenditure, nelle quali si riducono palombi salvatici in sì gran numero, che n'escono a nuvoli in sul mattino a foraggiare lungo le coste e pe' campi; onde i giovani sardi stan loro alla posta nelle barchette, e come tornano alle caverne sparano nello stormo parecchi archibugi a un tratto, e i palombi feriti a morte cadono in mare, a' quali i cacciatori ammettono i cani, che nuotando gli abboccano e li portano alle barchette.

Delle svariatissime specie degli uccelli de' stagni, de' golfi e degli scogli non vi dirò; ché quella gentil persona del signor Cara con somma diligenza raccolse, imbalsamò, acconciò e pose in bell'ordine nel museo di Cagliari tutti gli uccelli dell'isola, e vagamente li descrisse nella sua *Ornitologia sarda*. Per il che nella classe degli acquatici li vedreste tutti schierati dai fenicotteri, o ali-difiamma a lunghi stinchi, dagli aironi, dai pellicani, insino alle otarde, agli anitrini e alle folaghette che guazzano nei cannicci di Santa Giusta.

Ma comportate ch'io non mi taccia delle generose aquile, che sì invidiosamente attiravano li sguardi de' pretori romani, i quali ne presentavano consoli e imperatori come di magnifico dono; poiché in Sardegna albergano le più grandi e superbe aquile reali delle nostre regioni di mezzodì. Battono gli ultimi ciglioni delle scogliose montagne d'Iglesias e di Nurri, e là covano e hanno loro dimora, e spaziano liberamente come reine dell'aria. E perché loro non manchi onor di corteggio, nelle creste più basse hanno stanza gli avoltoi gorgierati e gli avoltoi bigi e i fulvi, i gran girifalchi e li sparavieri e i falconi lanieri e montanini.

Cavalcando io nel mese d'aprile da Mandas a Nurri, e assai dilettandomi dello strano sito di quelle valli e di que' monti bruciati e nericci per li spenti vulcani che disertarono e tutta scommossero la contrada, me ne salìa lentamente un poggio considerando i larghi crateri e le lunghe liste di lava che ne traboccarono, e li spicchi dei basalti e i grumi de' trachiti[1] e le ceneri e i lapilli. Ed ecco al ca-

---

1. *trachiti*: rocce a grana ruvida di color traente al bruno rosso o al giallo.

lare del poggio aprirsi come per incantesimo un vallone tutto ricinto d'altissime rupi, intorno alle quali le aquile roteando a volo spianato e celerissimo avvisavano alla preda; e altrove si bilicavano in sulle grandi ale i rapaci avoltoi e gli astori, i moscardi e gli smerigli veloci. Mi occupava dolcemente la vista quel volteggiare, quello scendere a mezz'aria e risalire altissimi, e filare come saettìe[1] spalmate per lo vano de' cieli, e vogar coll'ali, e poscia piombar repente come folgori a ghermire chi lepri, chi conigli, chi starne, e ripigliar cielo e volar vittoriosi e truculenti a rintanarsi, come fanno i ladroni ne' dirupi de' balzi.

Gli animosi garzoni che abitano que' gioghi vanno a caccia di quegli uccellacci, e gli avoltori pigliano all'esca di carogne che mettono nelle tagliuole o ne' lacci, sulle quali si gittano ingordi, e lasciano il collo fra le morse o accappiati si strozzano. Ma la più crudel caccia si è quella degli aquilotti; che per giugnerli nel covo de' lor nidi s'avventurano que' montanari a mille rischi mortali. Imperocché il più ardito, messosi cavalcioni d'una stanga annodata al capo d'una fune, i compagni da quegli aerei cacumi lo funano giù pe' repentissimi balzi, e côlto il punto che le aquile sono ite a far carname, vanno di ciglio in ciglio, di scheggia in scheggia, sinché, trovato il nido, esso con tutti gli aquilini si mettono in una gran carniera che pende loro a lato, e sì lo recano alle capanne. Poscia allevatili a gran diligenza, fatti grandi, li vendono ai parchi reali o a coloro che conducono in mostra per le città i serragli delle fiere. Or avvenne pochi anni sono, come si lesse ne' giornali, ch'un audace garzone appostato nelle rupi de' monti d'Iglesias il nido d'una grande aquila reale, si fece funare da un altissimo cinghio per averne i pulcini, che a suo avviso doveano esser già pennuti e quasi maturi al volo. E il tratto gli andò felicemente. Se non che l'aquilone padre, tornato alla caverna col pasto, né trovati gli aquilini, vide il garzone che via se li portava per aria, e dato un acutissimo strido salì di presente velenoso e fellone[2] ad investirlo. A quello squillo trasse la madre, e con lei di molti avoltoi, nibbi, gheppi, poane[3] e falconi che costumavano in quelle rocce. Il rombazzo, i fischi, li strilli, le smanie, la rabbia, il furore di quegli uccellacci era infinito; chi l'assaltava per fianco, chi l'arroncigliava nel petto, chi gli dava di rostro alle spalle. Onde il garzone si tenne morto;

1. *saettìe*: navicelle leggère e velocissime.  2. *fellone*: furibondo.  3. *poane*: poiane, altri uccelli di rapina simili ai falchi.

perché tratto disperatamente il suo coltello dal fianco, menava colpi fierissimi a cerchio, e molti feriva, e molti uccideva. Ma badando a pur colpeggiare, gli venne sprovvedutamente dato un colpo di paloscio[1] nella fune, che tagliò per quasi due terzi. Orridì il misero a quella vista, tutti i peli gli si raggricciarono addosso, s'intirizzì la pelle, e mandò un sudor freddo. Era pendulo in aria, e s'attendeva ad ogni istante, strappata la fune, di piombar negli abissi; pure Dio l'aiutò di tanto, che quel filo resse, e fu tirato a salvamento con tutto il nido degli aquilini. Ma che? i compagni s'avvidero che i capelli, dianzi nerissimi, gli si erano in quel ribrezzo incanutiti di tratto, e il giovane col capo bianco come la neve porta ancora il marchio della sua audacia.

## [III][2]

### DANZA, MUSICA E CANTO

Or anco i Sardi, oltre alle carole ristrette e le danze gagliarde che si fanno in casa o sulle piazze, nelle quali altro intendimento non si vede che quello di saltare a misura per gioia e festività giovanile, hanno l'antichissimo ballo, in cui con pienezza di fatto rappresentano una istoria viva, ch'essi oggi più non ricordano di certo. Pure le particolarità di cotal danza mi finiscono di persuadere, che tutti gli atti e gesti ch'io descriverò si risolvano nel rito delle feste di Adone,[3] che avea gran culto e solenne, come vedremo, in Sardegna.

L'occasione fu questa. Visitando io la tenuta di Geremeas, luogo solitario ed ermo in sul mare, ivi convennero da ogni banda

---

1. *paloscio*: coltello, fatto a guisa di corta spada. 2. [Pp. xxi-xxix.] 3. Il mito di Adone è così riferito dal Bresciani a p. 266, t. ii di questa sua opera: «Adone era il marito d'Astarte, giovine bello, luminoso e festivo, il quale essendo un giorno alla caccia sul Libano, sbucato all'improvista un rio cignale, co' morsi l'uccise, e travolto dalla gonfia riviera, scomparve. Di che Venere-Astarte fieramente dolorosa, lacrimando e i bei capelli strappandosi e graffiandosi le gote, corse tutta la terra per rinvenirlo. E non venendole fatto, scese insino al profondo inferno, ove trovollo amato e accarezzato da Proserpina reina del buio Averno. Venere tanto fece, tanto pianse e pregò, che la tetra Iddea mossa a compassione venne a patti d'averlo seco in inferno sei mesi, e poscia risurto a novella giovinezza, per gli altri sei mesi avessel e godesselsi la primiera sua sposa. Chi non vede in questo rito le lunghe notti vernali simboleggiate per la morte, e li protratti e lucidissimi giorni di primavera e d'estate per la giovinezza e vigoria dell'esultante Adone?»

pastori e vaccari di que' monti colà intorno e agricoltori di Pirris e di Quartu. A' quali avendo io fatto festa d'una cena e godutoli un pezzo veder mangiare e bere secondo lor modi paesani, come la giocondità del vino diè lor baldanza e caldezza di spiriti, si fur rizzati da sedere, e presisi per mano alla mescolata giovini e vecchi, misero una lor danza al suono della *lionedda*. Il cerchio era grande; e il sonatore delle tibie impose una cadenza che li fe' dare in certi passetti brevi e presti, i quali faceanli roteare quasi a rimbalzi. Tremavan tutti della persona (ed anco in ciò scernesi l'origine orientale), e il tremolìo or era lieve a guisa di ribrezzo, e talvolta gagliardo e rotto da un certo come fremere. I volti eran seri e scuri, gli occhi a terra, e il capo quando levato, e quando chino e col mento in seno. Segni di tristezza chiusa in fondo del cuore. E intanto la lionedda sonava un gemito rauco e lamentoso, e talora sì fievole che parea spento; sinché a mano a mano iva sollevandosi in uno strepito intronato e fondo, come di vento nella foresta. Allora fu il girare più avvivato, che passò ben presto a concitazione; ed ecco un giovinetto scagliarsi improvviso nel mezzo del cerchio, ed ivi contendersi, divincolarsi, balenare e cader tutto lungo in terra: e i danzatori battere il suolo rinforzati, e tragittar le braccia, e percuotersi colle proprie e colle mani de' compagni in fronte; attorno al caduto s'inginocchiano, s'accerchiano, s'ingroppano, fan viluppo; indi si sbaragliano, s'attraversano, si confondono con simulata baruffa a legge, accomodatamente, e colla maggior grazia che mai, dando mostra d'un cruccio disperatissimo. In questo mezzo la lionedda spicca un suono allegro e spiritoso, e il morto giovinetto guizza in piè, batte le mani, leva e trincia una caprioletta leggera mentre tutta la brigata, dato giù quel furore, ricompone il passo, assesta il cerchio, e rapidissima galoppa e scambietta e si diguazza in un tripudio fiorito. Poi rimetton la carola a tondo, e diveltisi dalla corona a due a tre, danzano in atto carezzevole innanzi al risorto donzello, il quale ballonzola e porge le mani a questo e a quell'altro. E così i primi, dato un salto indietro, si ricongiungono cogli accerchiati, ed altri movono a misura nel mezzo a questo rinchinare e riverire il giovine ravvivato. Per ultimo si ristringono a que' passi di contegno, e tutti tremolosi rigirano con saltetti minuti, picchiando spesso il terreno nell'atto del contrapasso,[1]

1. *contrapasso*: è l'incontro reciproco di chi balla, tornando dopo di essersi scostato.

e volgendo il capo lietamente in qua e in là insino a che l'un mezzo cerchio s'avvicina all'altro in due ale distese, e fatta una cotal riverenza, e dato un rimbalzo, sciolgon la danza.

Questo ballo mi percosse altamente di meraviglia e non sapea da prima ove volesse riuscire; ma colla matita iva notando in un foglietto tutti i particolari, poiché mi dicea l'animo adombrarsi in quegli intrecciamenti alcun significato ascoso a quei semplici montanari, che lo si danzano senz'altro avviso che di trastullarsi. Chi ha mano nelle dottrine orientali, scorgevi leggermente il corrotto delle feste Adonie con tutto lo smaniare delle donne di Bibli e di Berito sopra il giovine Adone ucciso dal cignale, e poscia ricondotto a vita pel grazioso dono di Proserpina: onde quel pianto rivolto in letizia, e la letizia in gioia, e la gioia in tripudio, e il tripudio in baccano. Né i Sardi hanno sol cotesto ballo, che ritrae dagli antichissimi culti Cananei, ma sì altri che mi gioverebbe conferire[1] coi riti Isiaci, Mitriaci e Berecinzi; e n'avrei monumenti espressi nei vasi etrusco-pelasghi. Ma ivi abbisogna di molti libri, e colla biblioteca chiusami in faccia non si può venirne a capo.[2]

Degli stromenti musici de' Sardi non accade distendersi a dire se risalgano all'antichissimo secolo, quando noi veggiamo usate in Sardegna oggidì le tibie dispari, non altrimenti fatte che le si facessero i primi popoli dell'oriente, e in occidente i Pelasgi tirreni. I Sardi domandano coteste pive la *lionedda*, ed è composta di tre calami, uno più grosso e più lungo dell'altro, e pongonseli a bocca serrando le tre pive fra le labbra e sostenendole delle due mani col dito grosso di sotto, e cogli altri giocando sopra i fori che variano i suoni. Alla sinistra è la cannetta esile e corta che dà il soprano, in mezzo è il tenore, a man ritta il basso. Vi soffian dentro maestrevolmente gonfiando le gote, che servon loro come l'otre alla cornamusa; e a cagione che il suono sia sempre disteso ed unito, s'avvezzano a respirare col naso; ma di tal guisa che durano una danza intera senza alenare o sospendere d'un attimo il filo della melodia, che fluisce continuo come dalle canne dell'organo. E sì maraviglioso è in essi l'abito di cotesto imboccare il fiato a dilungo, che appena è mai ch'esca a singhiozzi od anco a minimi intervalli di mezza

---

1. *conferire* ecc.: confrontare coi riti di Iside, divinità egiziana, di Mitra, divinità persiana, e di Cibele, detta Berecinzia da Berecinto, località della Frigia sacra al suo culto. 2. L'A. scriveva a Roma quand'egli era stato rimosso dalla direzione del collegio di Propaganda Fide.

croma; né per ciò che ispirino colle narici mozzan l'uscita dell'aria dalle pive, la quale esce come da un serbatoio perenne. Il che come si faccian'egli non è agevole a pensare: ove nei nostri sonatori di chiarina, di flauto, di zuffolo e di cornetta veggiamo intervenir sempre, a tante battute, la rimessa del fiato. Parrebbe anco, a sì fatta continuità di soffio, che i tibicini sardi avessero a gonfiare gli occhi, tendere le narici, tingere in violetto le gote e arieggiar tutto il sembiante d'una passione eccessiva a quel lungo durare in tanto sforzo d'alito senza remissione. Tant'è: nulla apparisce di soverchia alterazione in que' visi; con tale un'agiatezza e naturalezza d'arte lo si fanno.

La foggia poi dei calami è ancora quale ce la porgono i monumenti più lontani delle gemme assire e persepolitane; ma supremamente in fra tutti, i vasi etrusco-pelasghi che n'hanno una dovizia, e scernesi aperto che ne' Sardi fu mantenuta soda e ferma l'usanza d'avvivare col suono di questo stromento tutti gli atti religiosi e civili. Imperocché in Sardegna l'armonia della lionedda occorre in tutte le sacre delle ville e spezialmente nelle processioni, nelle rogazioni,[1] nelle rappresentanze dei misteri, al battesimo dei bambini e nell'esequie de' morti. Oltre a ciò le sponsalizie, l'andata del fornimento della fidanzata a casa il marito, le nozze, hanno sempre in capo la festa delle tibie: così in sulle danze, in sulle giocondità de' conviti, della vindemmia, del purgare il grano, del tosare le agnelle, dello sfioccare la lana. In somma, voi non leggete nella Bibbia e in Omero contingenza niuna, in cui s'accenni al suono delle tibie, che voi non la veggiate in Sardegna ancora in presente. Ed è a notare che di spesso van di conserto co' timpani, co' cimbali, co' sistri, e coi tintinni, che vi parrebbe d'essere in tutto a trenta secoli addietro; ed ora in sul Tigri e sull'Eufrate, ora sul Giordano e sull'Oronte, in fra i babilonesi, gli assiri, i fenici, gli aramei e quant'altri popoli abitaron primi quell'oriente. Nelle contrade occidentali le antichissime figuline[2] volsce del museo Borgiano, hanno il sonatore delle tibie, che rallegra il simposio. Il gabinetto dell'Hamilton, il museo del Gori, le dipinture etrusche del Passeri, il museo Chiusino, il museo Gregoriano, i vasi di Canino, hanno pinte per tutto le tibie sarde alle cene funerali, alle

---

1. *rogazioni*: processioni che si fanno tre giorni prima dell'Ascensione per impetrare buon raccolto. 2. *figuline*: vasi d'argilla.

danze, alle nozze, ai sacrifizi; e per ogni dove nelle bacchiche, nelle berecinzie, nelle mitriache vedete gli stessi crotali, li stessi cimbali e tamburelli e sistri ed oricalchi, che toccano sì destramente anche oggi i Sardi.

Che se cotanta è la somiglianza degli stromenti, io mi reco volentieri a pensare, che simile eziandio all'antica voglia essere la natura della musica serbataci da cotesti isolani. Noi sappiamo dalle vecchie memorie quant'ella fosse semplice e sovrana, desta e gagliarda, commovitrice di tutte le alte e nobili affezioni degli animi delle prische genti: per sì fatto modo, che la musica aveasi per divina, e la voce degli Iddii per altra guisa non veniva agli umani orecchi, che per melodia di concento, splendore e grazia di note, ordine, misura, soavità e copia di spiriti musicali. Perch'io vorrei che sottilmente e realmente s'investigasse da' maestri, quali rispetti possa avere la musica presente de' Sardi con quella che dagli antichissimi popoli s'accomodava al suono delle tibie, ch'erano in tutto a piva, come la *lionedda*, e doveano intonare a metri fra sé differentissimi con effetti anco talvolta contrari in fra loro. Conciossiaché, a usare i nomi greci, gli antichi nel suono Frigio sollevavano l'armonia delle tibie alla sublimità reverenda e terrifica de' sacri misteri, che s'operavano nei templi degli Iddii; con che animavano i conserti di tanta grandezza e profondità e maestà di sentimento, che rapian seco i cuori nelle regioni celesti, ed ivi immobilmente estatici ratté
neanli sopiti in una religiosa insensatezza. Nel suono Lidio invece era così possente lo scorso dell'armonia, che dato in certe note acute, rapide, risentite ed accese penetravano i petti degli uditori con tanto impeto, che traripavali in furori e smanie crudelissime. Né con altro argomento, che pure il tuono Lidio, gittavano nelle Bacchee e nei Coribanti[1] le furiosità e gl'impeti, che li facean dare in quegli eccessi da spiritati. Per contrario il tuono Dorio colle sue cadenze gravi, parche, lente e riposate, occupava gli animi di tanta temperanza e li piantava in tanta sodezza di pensieri e mitezza d'affetti, che li rendea piani, sobrii e composti notabilmente. In quella vece l'Ionico era così flebile e dolce, scorrea sì soave, condiva le note di sì bella grazia, fioriva le voci a sì vaghi colori ed illustri, scendea così lene e melliflu
o nelle ultime cellette del cuore, che tutto lo serenava, molceva

---

1. *Bacchee*: Baccanti. I *Coribanti* erano i sacerdoti di Cibele.

e mettea in un mare di latte. Indi l'intonatrice Lesbia imponeva alle tibie i voluttuosi concenti che erano fomite alle lascivie degli amori, de' geniali conviti, delle molli danze, dei dilicati riposi dell'asiatica effeminatezza e delle greche giocondità.

E tutti questi effetti venivan cagionati da un artifizio di note semplici, con modulazioni distese, con trapassi, salite, abbassamenti schietti, con acutezze di sottilissimi e affilatissimi suoni, mescolate a tempo; con intonature occupate, velate, rauche e profonde; le quali assortite e divisate con una cert'anima, giugneano a ingenerare nelle umane affezioni quelle maraviglie e quegli stupori, ignoti alle armonie de' nostri contrapunti, raffinati d'ogni eccellenza. Onde che, ovvero l'immaginazione e il sentimento degli uomini antichi erano d'una tempera più calda, risentita ed armonica della nostra, ovvero la musica loro era d'altra condizione della moderna. Io crederei, che bene esaminando l'armonia della lionedda sarda forse di facile si potria pervenire a carpir l'indole della musica antica; però che forse niun popolo ci rimane, che abbia conservate intatte le tibie dispari, colle misure de' calami, cogli intonamenti delle pive, e le distanze e il numero de' fori come in Sardegna.

Ma di non picciol rilievo sarebbe altresì il ragionare largamente del canto sardo e avvisarne la natura e l'ingegno suo singolare, pel quale esce dalla norma de' canti eletti ed anco de' popolari d'Italia e forse di tutta Europa. Né in ciò sarei punto restìo di credere che i Sardi ci avessero guardata quasi inviolatamente la maniera de' cori in sulle accordanze de' popoli primi dell'Asia, avendo potuto in Propaganda fare di viva voce assai riscontri, così nel metro, come ne' conserti, e delle guise de' tuoni, delle fughe, e dei richiami, rispondentisi in tutto con quelli dell'Asia centrale ed anteriore. Imperocché feci cantare da giovani paesani i cori di Persia, del Curdistan, della Mesopotamia, dell'Armenia, della Siria, del Libano, della Palestina, e tutti s'attemperano alla natura del canto sardo, così ne' tuoni, come nello spandere delle voci a distesa, senza gorgheggi, trilli e cavatine di contrasalto; ma toccan note lunghe recate in uno sulla scala degli accordi, le quali tengono le proporzioni degli ordini acuti, o gravi, o semituoni: e secondo gli spartiti con ogni convenevolezza son divisate in soprani, contralti, tenori e bassi, tutti a una chiave; onde avviene che da quei cori ne risulta un'armonia semplice, naturale e d'una voce in vari

suoni, con elazioni[1] e abbassamenti continuati e soluti, senza pausa
a molte battute, come allora che nelle ricercate dell'organo si tiene
aperto lo spiraglio delle canne, e il suono esce perenne. Nel coro
de' Sardi il basso dà la bocca a un rombo unisono, cupo, fondo, che
è il regolatore di tutto il conserto, e allenta e rinfranca siccome
porta o l'arresto o lo scorrimento delle note; onde gli agguagli delle
voci producono una melodia varia e vivace sì, ma intenta sempre
e contratta intorno all'intonazione del basso, e però non formata
di più compositi, come le sinfonie moderne. Ancora, secondo
che vidi usare agli orientali, i Sardi spiccano più le voci di testa
che di petto, di che risultano in un poco di nasale, con una certa
grazia tuttavia che appaga l'udito e l'accarezza dolcemente con un
tale non so che di soave mestizia, la quale è creata da un tremolìo
che fan tutte le voci; e questo tremolare trincia la prolissità dello
stesso tuono, ond'è organizzata la musica vocale de' Sardi. Gl'Italiani che vanno in Sardegna, udendo quei cori a voce tremolante dicono che ivi si canta come gli ebrei nelle sinagoghe; ma potrebbon
dire similmente che i Sardi cantano come i Siri, i Curdi, gli Arabi,
i Persiani e gli Orientali tutti, nei quali perciò è chiaro esser
durata la natura e l'indole dell'antichissimo canto.


IV

[USANZE MARITALI][2]

Nelle parti più interne dell'isola, e massime di verso la Gallura,
il giovane che ha posto il cuore ad una fanciulla e la brama in moglie, avuto il padre e la madre in disparte, significa loro il suo
desiderio. Il padre destreggia e piglia tempo e opportunità al negozio; sinché adunato il parentado annunzii i divisamenti del figliuolo, il nome della fanciulla, il casato e attinenze, la dota ed il
corredo: e s'ell'è d'altro villaggio, parla de' consorti e dell'indole,
assuetudini e modi della contrada: quivi ognun favella secondo che
gli dà il cuore, e si cerca se gare e offese avesser luogo da tre
e quattro generazioni in su; se leghe, se parti amiche, se fazioni
contrarie. E trovato che i sangui son puri d'ogni macchia verso la
casata sua e de' suoi, che la dota può esser di buona ragione, che la

1. *elazioni*: innalzamenti.  2. [Vol. II, pp. 137-155.]

fanciulla è avvenente, costumata, faccendevole e procaccina, che la madre, il padre e i fratelli son discrete persone e d'assai, ciascheduno attesta che quel matrimonio può tornare ben augurato e di comune soddisfazione del parentado.

Avuto il consiglio de' parenti e consorti, il padre del garzone assegna il più anziano fra essi e ne fa gittare un motto al padre della fanciulla, il quale dal suo lato rifà le medesime inchieste co' suoi; i quali venuti nello stesso giudizio, risponde poscia al richieditore, sé e la famiglia tenersi onorati di legar parentela con sì buona gente e amorevole, e non che disdìrgli la fanciulla, l'avesse in sino da quel punto per sua.

Allora si conviene de' scambievoli donàri e del tempo e de' modi; e quelli che sono d'un'agiata contadinanza fanno apparecchi vistosi, massime per la sposa, la quale secondo le consuetudini dell'isola dee recar seco tutto il fornimento della casa maritale, essendo che i Sardi quando si maritano sogliono por casa da sé, e tutto in essa dee esser messo a nuovo o ristorato, imbiancato o rabbellito.

Allorché tutto è fermo fra le parti, nel dì stabilito il padre dello sposo con tutta la comitiva de' parenti e de' paraninfi move alla volta della sposa presso la quale son già adunate le parenti vagamente vestite, e tutta la casa è acconciata a festa. Allo scalpiccìo de' cavalli il padre finge di nascondersi, e intanto il messaggero picchia e ripicchia, e niun si fa vivo. Giugne il drappello e fa le viste di sdegnarsi, sinché ripicchiato più forte, s'ode di dentro una voce che chiede alla brigata che buone novelle arrechino e se vengono amici. — Amici, — rispondono — e rechiamo *onore e virtù.* — Allora il capo di famiglia facendo il nuovo, e quasi maravigliato, esce in sulla porta, e vedutigli dà loro i ben venuti; gli aiuta a scavalcare, fa legar i cavalli agli arpioni, e con mille amorevolezze gli introduce in casa. Ivi dopo le prime accoglienze, fattosi innanzi il padre del garzone dice con ansietà, aver egli perduta la più cara e graziosa agnelletta della sua torma, e averla cerca per tutto indarno, e alla perfine venire alla casa sua per vedere se la buona ventura il favorisse di tanto d'abbattersi a ritrovarla; da che ei non può vivere senza la sua agnellina; la quale forma la pace, la letizia e la gioia del viver suo, tant'è candida, piacevole e mansueta;

42

così dolce ne' sembianti, così giuliva negli occhi, così aggraziata negli atti e nelle maniere.

L'ospite fa le maraviglie, finge di non l'aver veduta, dice che entro casa ha di molte agnelle, s'inoltri, e vegga se per sorte la sua gli cadesse sott'occhio. Di che messi nel salotto, trovano le donne poste a sedere le une appresso alle altre, in aria composta, con un piacevole sguardo, ma tutte in silenzio, e niuna si leva o saluta i forastieri. Allora il padre della fanciulla, cominciando dall'uno de' lati, si volge al chieditore e gli presenta la prima, dicendo: — È questa per avventura l'agnella vostra? — E l'altro risponde: — È bella, savia e gentile, ma non è dessa. — Gli accenna la seconda, l'altro encomia, pur sospirando, dice: — La non è dessa. — Insomma pervenuto alla sposa: — Questa, questa — esclama. — Non vedi tu da quel volto uscire una virtù che mi presagisce ogni buona ventura? — Allora il padre la fa rizzare, e lei, in sembianza renitente, quasi per forza gli mette innanzi. Di che il futuro suocero tutto giubilante le appende agli orecchi di belli orecchini, in dito le pone una gemmetta, al collo un ricco monile, e tutti gli altri parenti e paraninfi venuti seco le offrono i doni loro. Dal suo lato la sposa porge vergognosetta al padre i presenti da recare al suo fidanzato; regala di qualche galanteria i paraninfi, e poscia modestamente si ripone a sedere in mezzo alle donne che la festeggiano ed accarezzano graziosamente. La qual prima cerimonia terminata, si recano finissimi vini e confetti, si fa crocchio, si novella, si dà il buon pro alla sposa; le donne congratulano al padre del garzone d'essersi procacciato sì buona fanciulla, si fanno pronostici, si spiegano sogni, e poi confettato a piena voglia, ciascuno si rizza, e rimessisi a cavallo, ritornano lietamente a' fatti loro.

In ciò che tiene al sacramento cristiano, fassi nell'isola né più né meno che il ceremoniale cattolico della Chiesa; ma la festa domestica e cittadina ha riti antichi ch'è bello a vedere quanto s'acconcino colle usanze che ci tramandarono le storie e le tradizioni delle prime genti.

Come dunque il dì posto al maritaggio è giunto, lo sposo col suo parroco o pievano, col padre, coi parenti e coi paraninfi move alla casa della sposa, ov'è tutto il parentado di lei e il suo parroco in aspetto dello sposo. Appena egli mette il piè sulla soglia della camera, la novizia si getta improvviso ginocchioni dinanzi alla madre, si scioglie in lagrime copiosissime, e stringendole la mano, singhiozzando, le domanda perdonanza de' falli e difetti commessi in tutta la sua puerizia, la predica e lauda per ottima e tenera madre, chiama Dio in testimonio dell'amore e riverenza in che l'avrà sempre, e le domanda la materna benedizione.

La madre commossa in cuore, ma con fermo sembiante e grave, pur lasciandola a ginocchi, le parla solennemente de' suoi doveri in verso il marito, i suoceri e il casato; le prega ogni bene, la chiama felice di sì eletto marito, la benedice in fronte, la rialza, la bacia e la consegna al suo nuovo pievano, dicendo che d'oggi innanzi l'abbia per sua figliuola spirituale.

Anche lo sposo viene per ricambio consegnato al parroco della sposa, e fatte due brigate, ciascuna da sé, preceduta dai sonatori di tibie, si conduce alla chiesa. Ivi la sposa è sempre velata o col peplo grande o col mantello, che in alcuni luoghi dell'isola suol calarsi molto basso in sugli occhi nell'atto che si fa all'altare. Giuntivi ambedue, si pongono a ginocchi, e secondo il santo rito dato l'anello, e giuratisi insieme, ritornano poscia tutti d'una comitiva alla casa della sposa novella, e seggono di presente al convito nuziale. Egli è appunto qui che marito e moglie stanno per la prima volta l'uno a canto all'altro, e v'ha luogo la singolar ceremonia di mangiar non solo la minestra ad una scodella, ma prestandosi il cucchiaio a vicenda; così mangiano il restante allo stesso piattello, o beono allo stesso nappo, come se l'un fosse nella persona dell'altro.

Terminato il desinare e tolta la sposa con una dolce violenza ai materni abbracciamenti, s'acconcia a sedere sopra un bel palafreno. Sella, gualdrappa e briglie son prestate per la pompa nuziale dal Barone della terra, le quali son di velluto e di gran ricami d'oro tutte fregiate. Ondeggia a sommo la testiera un gran cimiero di piume vermiglie e bianche, la criniera è intrecciata di nastri chermisini, la pettiera, il frontale e la groppa sono adorne di rosoncelli e cordelle incarnatine, e dalla sella pende una soppidiana[1] covertata di velluto azzurro ove la sposa ferma i piedi in luogo di staffe. Essa porta in capo sopra il candido velo, che le scende raccolto per le spalle, un leggiadro cappel di feltro ricinto di gran na-

1. *soppidiana*: panchetta, pedana.

stri di color di fiamma, e dall'un de' lati ha un gaio pennacchio piovente che le dà aria e brio con grandezza e dignità.

Il paraninfo l'addestra[1] al freno a ciò che più soavemente cavalchi, e poco appresso a lei son altre donzelle a cavallo coi feltri in capo sopra i bianchi veli, e i feltri inghirlandati di rose, e ornati di nastri a vaghi colori. Lo sposo in suo berretto frigio, e di finissimi panni vestito le cavalca dal lato manco; e così i parenti e gli amici, che seguon dopo a due a due su leardi[2] corsieri, tengon le donne alla diritta e fan nobile corte agli sposi. In alcune province però, innanzi che la sposa monti a cavallo, due garzonetti le presentano una corbella piena di colombe, che essa accetta amorevolmente; e presele ad una ad una, e careggiatele con molti vezzi, apre la mano e dà loro il volo e la libertà, plaudendo gli spettatori, mentre le amorose colombe con larghissimi cerchi e velocissime penne s'aggiran per l'aere adocchiando l'amica torricciuola per ricogliersi in essa al nido loro ospitale. In testa della cavalcata procedon sempre due sonatori di *lionedda*, e in alcuni villaggi li precede un coro di timpanistrie[3] che menan carole e canti nuziali, e giovinetti che tripudiano intorno.

Come il suono delle tibie, de' cimbali, de' sistri e de' canti annunzia prossimo l'arrivo degli sposi, tutte le donne della contrada si fanno agli usci e alle finestre, e gittando addosso agli sposi pugnate di frumento, gridan loro gli auguri di buona ventura. Intanto la suocera della sposa gli attende in sulla porta della corte tenendo in mano un piattello con grano e sale, che i Sardi noman *sa grazia*, e al primo loro por piede in sulla soglia ne gitta loro incontro parecchie mani.

Fra mille plausi de' parenti e de' vicini la sposa giugne al portichetto che corre innanzi alla casa, ed ivi postole sotto uno sgabello covertato d'un bel drappo smonta di cavallo, e messo il piè a terra, s'inchina, e bacia riverentemente la mano ai suoceri in segno di sommessione e d'osservanza, offerendosi in tutto a loro figliuola. D'indi è condotta dalla suocera nella stanza nuziale, che i Sardi con antichissima usanza dicon *sa domu e lettu*, ciò è *casa del letto*. E quivi in alcuni luoghi dell'isola al primo porre il piè sulla soglia del talamo la suocera versa in terra dinanzi alla sposa una

---

1. *l'addestra*: sta alla sua destra.    2. *leardi*: dal mantello grigio o baio.
3. *timpanistrie*: suonatrici di timpani.

coppa di limpid'acqua, e le getta addosso alcun pugno di *grazia* ossia di grano e sale.

Anche in alcuni siti più interni del Logodoro la sposa giunta alla casa maritale, e fatta la ceremonia della stanza mentovata qui sopra, si riconduce nel salotto ed ivi ne' suoi pomposi ornamenti posta a sedere in una sedia a bracciuoli e co' piè posati sopra un nobile sgabelletto, se ne sta colle mani giunte immobile ed in istretto silenzio tutta quella prima giornata. Così seduta maestosamente quasi in trono come una Giunone riceve le visite e gli omaggi de' parenti e degli amici, i quali vengono a congratularsi con modi piacevoli e cortesi del suo avventuroso connubio, improvvisandole innanzi di calde e vivaci poesie epitalamiche; né come una Deessa in istatua la novella sposa può muovere un dito e pronunziar parola. Venuta per ultimo la notte, la festa è per lo più terminata in una splendida cena, in cui gli sposi rinnovellano il rito di mangiare a un piatto e di bere a una coppa. Ivi giovinette battono i crotali e cantano inni nuziali, i poeti dicon versi improvvisi cantando le genealogie delle due famiglie, di che sono spertissimi, o qualche impresa popolare della patria istoria; e si pon fine alla prima giornata con una danza. Dal che voi vedete quanto degli antichissimi riti abbiano custodito i Sardi nella solennità de' maritaggi: riti che contengono la storia non solo della divina istituzione, ma degli esordi altresì della prima civiltà delle genti occidentali.

## V

### [FA PIÙ UNA DOZZINA DI MISSIONARI CHE DIECI REGGIMENTI DI SOLDATI][1]

Volea dire per ultimo degli odii di parte, che sono come una fiamma che brucia sovente e conduce a nulla non poche casate de' villaggi, la quale, quando s'appiglia a quegli animi già caldi e risentiti per se medesimi, non è altro argomento che la spenga se non la religione, ch'alligna ampiamente, ed è radicata in profondo in que' generosi petti e costanti. Onde nelle missioni che in molti luoghi dell'isola dettero i padri della Compagnia di Gesù, si videro quest'anni esempi mirabilissimi. Imperocché grossi villaggi interi, parteggiando in gare mortali già da parecchie generazioni, mossi alle

1. [Pp. XXXI-XXXV.]

grandi verità eterne, gittato l'odio e aperto l'animo a carità, fermaron le paci in chiesa al cospetto di Cristo crocifisso, impalmandosi, baciandosi, abbracciandosi gli uni gli altri con grida e lagrime di compunzione, da intenerire i più crudi e spietati ingegni.

Abbine un saggio, o lettore. Mentre l'anno 1840 alcuni padri predicavano la missione in un popoloso villaggio, fu loro significato che fra il così vivo fervore di pietà ivi destato dalla santa parola, non potea di certo esser pieno né durevole il frutto di tante loro fatiche, se non avesser condotto un cotal maggiorente della terra a perdonare a un suo sfidato nimico. Era questi un vecchione al quale alcuni anni a dietro era stato ucciso per gelosia l'unico figliuolo, speranza e sostenimento della sua casa e del parentado; di che i congiunti e consorti delle due famiglie, fatta parte, viveano in sull'arme e in sulle vendette. Assai pacieri s'erano intromessi per placar l'ira del padre, nel cui feroce animo non albergava altro pensiero, né s'accoglieva altra consolazione, che il pur isperare di vedersi morto dinanzi agli occhi l'uccisore del figliuol suo, prima di scendere al sepolcro. I missionari, udito di questo odio lungo e crudele, vollero veder modo di medicarlo; e in questo pio intendimento si condussero alla casa di lui, e trovaronlo seduto al focolare in un seggiolone a braccioli. Il vecchio gli ebbe accolti tanto cortesemente che non si potrebbe dire, e fatto recare malvagìa e confetti, e detto loro «qual suo merito di sì onoranda visita?», non si saziava di ringraziarneli e baciar loro la mano. Ma come il superiore di quei sacerdoti si fe' dolcemente ad avviare il ragionamento del cristiano perdono, il vecchio, fattosi in viso di foco e balzato in piè e presosi ad ambe le mani il ventre: — Qui, qui, il sangue di queste viscere — gridò — fu versato e beuto dalla terra. Il sangue mio fuma ancora, e chiama vendetta.

I missionari, veggendo quell'atroce atto e l'uomo alteratissimo, placatolo con dolci parole, riputaron saviezza il non provocarlo di vantaggio, e si furono partiti e raccoltisi in casa, a pregare Iddio che togliesse sopra di sé l'arduo negozio d'ammollirlo. Intanto il vecchio, come tutti gli altri terrazzani, andava alle prediche della missione, e non falliva mai dì ch'egli non fosse a suo luogo bene accerchiato e difeso da' suoi consorti; e così da un altro lato la fazione avversaria tenea ben guardato il micidiale e suoi congiunti. Si venne da' missionari alla meditazione del *Figliuol prodigo* e come nostro Signor Gesù Cristo volesse immaginare in essa parabola la paterna e infinita misericordia di Dio verso i peccatori. Di che contriti gli uditori piangevano, e picchiandosi i petti chiedeano mercé e pietà al Signore de' loro peccati, pure confidando di perdono. Allora il missionario, veduto la compunzione universale, fece stendere in terra a piè del palco Gesù crocifisso, e disse con impeto di fervore: — Chiunque abbia perdonato al suo nemico, venga e baci la piaga del costato di Cristo, e speri perdonanza di ogni suo fallo anche gravissimo. Ma chi non perdona, non sia oso di accostarsi al benigno Signore, che morì in quella croce pe' suoi nemici. Quel divin sangue è sangue d'amore; ma a chi non ama e non perdona è sangue di tremenda giustizia.

In popoli di quella gran fede, che sono i Sardi, queste parole e la vista del Crocifisso sono sprone acutissimo di desiderio di baciarne quelle piaghe divine, e versar tutta l'anima in esse. Onde che coloro che o non aveano odio a persona, o l'avean isvestito di tutto l'animo, s'accalcarono intorno al Crocifisso, e gittati a' suoi sacri piedi non rifiniano di baciarli e bagnarli di lacrime. In quel mezzo Giovanni, così avea nome il vecchio, visto il Crocifisso, se gli diede sì grande stretta al cuore, che rimase come uomo smarrito, e tanta brama il comprese di pure abbandonarsi sopra il costato del Signore, che tutto si scosse. Ed or girava l'occhio inverso Gavino, l'uccisore del figliuol suo, ed ora alla croce; sospirava, gemeva, contorceasi tutto in se medesimo; né più potendo capire in petto l'odio e la pietà che battagliavan dentro, fu sì grande la percossa della grazia nel cuor suo, che serrò le pugna, e messo un rugghio gridò alto: — Gavino, vieni a me. — Il giovane a quel grido si scompigliò, e cominciò a tremare e impallidire; ma pure il vecchio continuando di chiamarlo, ai conforti de' suoi congiunti si mosse, e venne a Giovanni. Allora il venerando vegliardo, aperte le braccia, con respiro affollato gliele gittò al collo e serroselo al petto, sclamando con un impeto di cuore: — Io ti perdono. — A quella voce fu sì grande la piena del dolore nel giovine, che gli cadde tramortito in seno. A tal vista si alzò un mormorio e un pianto nel popolo, e un gridare fra' singhiozzi — perdono, perdono —; e le parti nimiche corrersi incontro, e spalancare le braccia, e stringersi, e baciarsi, e mescolare insieme lacrime e voci, e un esclamare — gente, fate misericordia a me; a me che v'ho offeso; perdonami fratello; sì, sì, dammi la mano, dammi il bacio di pace.

Il missionario dal palco e gli altri sacerdoti da basso, stupefatti a quella santa turbazione e allegri di sommo gaudio, procacciavan con atti e visi (che a parole non valea in quel frastuono) di pur temperare la gente; e massime le donne, che veduti i loro uomini rappacificarsi, eran tutte in dirottissimi pianti e baciamenti e affetti d'inestimabile amore in fra esse, che prima si nimicavano sì crudelmente da tanti anni in su. E poscia che fu calmato alquanto quel fervore, fattisi a uno a uno al costato di Gesù crocifisso e baciato e bagnatolo di pianto, giuravano bando agli odii, alle ingiurie e alle vendette; e Giovanni il primo, il quale, tenendo Gavino per la mano, voltosi a' popolani, disse: — Ecco, egli sarammi in luogo d'Antioco figliuol mio, e sposerà l'unica mia figliuola. — Di che il pianto crebbe. Né furono soltanto parole, perocché i missionari innanzi che si partissero dal villaggio videro fermata la pace nei vincoli della carità. Per queste cagioni, che fruttavano ad ogni missione così fatti accidenti, più volte il re Carlo Alberto m'ebbe a dire: «Valer più in Sardegna una dozzina di missionari, che dieci reggimenti di soldati». E diceva sapientemente. Imperocché s'io scrivessi la storia delle missioni che da vent'anni si fecero in tante parti dell'isola, riconoscerebbe il lettore da quelle tanto gran bene, quanto, da chi non è informato a pieno della fede e della generosità de' Sardi, non si potrebbe stimare.

# VINCENZO PADULA

# PROFILO BIOGRAFICO

Vincenzo Padula nacque ad Acri, in provincia di Cosenza, il 25 marzo 1819. Suo padre, Carlo Maria, era medico. Dei suoi due fratelli (ebbe anche due sorelle) l'uno, Umile, fu medico come il padre; l'altro, Giacomo, fu avvocato e morì di 23 anni il 25 settembre 1848 ucciso per mandato de' «galantuomini» del paese, avendo egli perorato contro le loro usurpazioni delle terre demaniali. Vincenzo, destinato al sacerdozio, fu educato prima nel seminario di Bisignano, e poi in quello di San Marco Argentano, nel quale, divenuto prete, rimase come insegnante. Ma la sua vocazione più forte era la letteratura, anzi la poesia, e naturalmente la poesia romantica e byroniana, a cui egli intrecciava quel radicalismo politico, che nei migliori giovani calabresi era alimentato dalla tradizione giacobina e dalle miserabili condizioni sociali della loro terra.

Al risveglio della cultura meridionale che precedette il '48 questi giovani recarono un valido contributo dando vita a una rivista «Il Viaggiatore», fondata a Napoli nel 1840 da Domenico Mauro, e pubblicando a Cosenza dopo il fallimento dell'insurrezione del 15 marzo 1844 un altro foglio, «Il Calabrese». A questi due periodici di ispirazione antiborbonica collaborò il Padula, il quale in quegli anni si rese noto soprattutto con la pubblicazione di due novelle in ottave, *Il monastero della Sambucina* (1842) e *Il Valentino* (1845).

Con questi precedenti non è da meravigliarsi se la sua partecipazione alla rivoluzione del '48 non riguardò tanto il moto politico, al quale diede un contributo, sincero sì, ma «più che di altro, di parole», come ebbe a dire il Croce; quanto piuttosto riguardò quel che più direttamente rispondeva al suo temperamento, e cioè l'istanza sociale di quel moto. E infatti, a somiglianza di gran parte del clero povero di Calabria, egli si schierò a difesa dei contadini poveri, corroborando dal pulpito la campagna che il fratello Giacomo conduceva contro gli usurpatori delle terre comunali. L'arma che uccise il fratello era rivolta contro di lui. Ed egli, rimasto poi soggetto alle vessazioni della polizia, dimesso dall'insegnamento nel seminario, dovette acconciarsi al mestiere dell'aio, prima a Policastro in casa Ferrari, poi a Cotrone presso i baroni Berlingieri.

Solo nel 1854 la polizia gli concedette di trasferirsi a Napoli; ma non gli fu permesso di concorrere a cattedre di pubblico insegnamento. Visse pertanto ingegnandosi con le lezioni private, scrivendo cose d'occasione a richiesta di prelati e di signori, tentando di far carriera nel mondo ecclesiastico e recitando panegirici qua e là, come quello *Per le sponsalizie di Giuseppe e Maria*, che fu stampato a Cosenza nel 1859, e l'altro *Per Maria Addolorata* (ivi 1860). Ma attese anche ad opere più solide e più meditate. Pubblicò *L'Apocalisse di S. Giovanni Apostolo recata in versi italiani ed esplicata* (Napoli 1854) e una *Introduzione allo studio dell'estetica* (ristampata in *Prose giornalistiche*, Napoli 1878). E strinse relazione con i pochi intellettuali frondisti e antiborbonici che erano sfuggiti alla reazione, coi quali collaborò al giornale umoristico «Il palazzo di cristallo», e soprattutto al «Secolo XIX», che egli fondò nel 1856 insieme con Carlo De Cesare, Federico Quercia e Pasquale Trisolino, i quali avevan fatto parte del circolo di Silvio Spaventa, tutti di parte moderata.

Ma il moderatismo del Padula non era, come quello dei «galantuomini» calabresi, uno sfruttamento del moto unitario a tutto personale vantaggio; esso non era sordo a quelle istanze di giustizia sociale di cui egli s'era già fatto portavoce nel '48. Le riforme sociali, che per il suo moderatismo egli non voleva che fossero imposte per moto rivoluzionario dal basso, auspicava però — e certamente come tanti altri in quegli anni si illudeva — che fossero realizzate dall'alto per iniziativa del governo e con la collaborazione della classe dirigente o meglio della borghesia settentrionale. Caduto pertanto il regno borbonico e avuta nel 1862 dal De Sanctis la nomina di professore nel liceo di Cosenza, due anni dopo vi fondò «Il Bruzio», un giornale interamente scritto da lui, e che al dire di un suo studioso riuscì «l'opera più bella e più appassionata di tutta la sua vita, e più degna di sopravvivergli». Era un giornale di centro-sinistra, e perciò, mentre si volgeva contro l'estrema destra borbonica e clericale, nemica del nuovo stato, lottava anche contro l'estrema sinistra mazziniana e contro le prime anarcoidi manifestazioni del socialismo, e auspicava la formazione di un'illuminata classe dirigente soprattutto in Calabria. Ed era inevitabile che seguendo questo indirizzo il Padula si trovasse di fronte ai problemi che sorgevano dalle condizioni particolari della Calabria, i problemi del latifondo, della Sila e delle terre demaniali.

In molti suoi articoli egli descrisse allora lo «Stato delle persone in Calabria»; e furono queste le pagine sue più solide e più vive, giacché la passione e gli affetti vari dell'autore le riscattano da quel pittoresco ma sterile folclorismo nel quale esse sarebbero potute cadere, e l'inchiesta sociale, che pur ne è l'anima, si tramuta con ben altra efficacia in un eloquente e indelebile e poetico ritratto di quella terra e di quegli uomini.

Il rinnovamento auspicato dal Padula non ebbe effetto; e la dura realtà contro la quale egli cozzava, vale a dire la forza soverchiante degli interessi costituiti, lo persuase a desistere dalla lotta. Il 28 luglio 1865, dopo circa un anno, il «Bruzio», nel quale egli aveva pubblicato anche varie poesie e un dramma, *Antonello capobrigante calabrese*, cessò di vivere. Il Padula, in cerca di migliore sistemazione, si trasferì a Firenze, dove fu segretario particolare di Cesare Correnti allora ministro della pubblica istruzione (1867). In seguito fu professore di liceo a Napoli, dove nel 1869 recitò e pubblicò un *Elogio di Antonio Genovesi*, che è fra le sue cose più notevoli. Nel 1871, aspirando alla cattedra napoletana di letteratura latina, pubblicò due dissertazioni: *Pauca quae in Sexto Aurelio Propertio Vincentius Padula ab Acrio animadvertebat* e *Quomodo litterarum latinarum sint studia instituenda*, l'una e l'altra, a giudizio del Croce, «scritte in elegante e vivace latino, ricche di squarci eloquenti e di descrizioni felicissime, tra le quali assai bella, nella prima di esse, la descrizione della popolare festa di Montevergine». La sua aspirazione rimase ancora una volta delusa; e solo più tardi nel 1878 poté ottenere l'insegnamento della letteratura latina nell'Università di Parma. Ma vi durò solo un biennio, e nel 1881 ritornò a Napoli. Poco appresso si ritirò nella sua nativa Acri, dove si spense l'8 gennaio 1893.

Ebbe il Padula ingegno ricco ed acuto, plastica e vivace fantasia, larghezza e varietà di interessi, temperamento sensuale. Fu altresì uomo non di rado estroso e bislacco; e questo alimentò a suo danno la fama che sempre lo accompagnò, fama esagerata ma sostanzialmente veridica, di prete stravagante e licenzioso, che secondo l'umore ora deponeva ora ripigliava la tonaca. Ma i suoi estri erano indizio di un instabile equilibrio interiore, che non poteva rimanere senza conseguenze anche sugli scritti; e la sua produzione letteraria, considerata nei suoi propositi e nei suoi risultati, ne derivò infatti un'impronta innegabile di ineguaglianza.

Tuttavia, nel periodo della nostra letteratura che va dal 1840 al 1870, e soprattutto come prosatore, Vincenzo Padula rimane certamente tra le figure di maggior rilievo.

★

L'inchiesta su *Lo stato delle persone in Calabria* fu pubblicata dal Padula primamente nel giornale «Il Bruzio», che diretto e scritto quasi tutto da lui uscì a Cosenza dal 1º marzo 1864 al 28 luglio 1865. Gran parte degli scritti in esso contenuti furono poi ripubblicati dal P. nel volume *Il Bruzio.* «Giornale politico letterario» di V. P. da Acri, Napoli, Tip. dei F.lli Testa, 1878. Di quest'opera uscì solo il primo volume. Oggi lo *Stato delle persone*, insieme con altre prose, si può leggerlo in V. P., *Persone in Calabria*, a cura di CARLO MUSCETTA, Milano, Milano-Sera editrice, 1950. Il nostro testo deriva da questa edizione, dalla quale abbiamo anche riportato nelle note le traduzioni dei passi dialettali.

Sul P. si veda innanzi tutto FR. DE SANCTIS, *La letteratura italiana nel sec. XIX*, a cura di B. CROCE, Napoli, Morano, 1896; e la fondamentale nota del Croce a pp. 208-212. Le lezioni del De Sanctis sono ora anche nel vol. *La scuola cattolico-liberale e il romanticismo a Napoli*, a cura di C. MUSCETTA e G. CANDELORO, Torino, Einaudi, 1953. Lo stesso Croce dedicò poi al P. un saggio nella sua *Lett. d. nuova It.*, vol. I. Il Croce ritornò ancora sul P. discorrendo ampiamente del suo studio su Properzio (nel vol. *Poesia antica e moderna*, Bari 1943), del quale aveva già ristampato nella «Critica» (1910) la descrizione della festa di Montevergine. Il dramma *Antonello capobrigante calabrese*, pubblicato dal P. prima nel «Bruzio» e poi nelle *Prose giornalistiche*, è stato ristampato ora a cura di FAUSTO GULLO in un volumetto della «Universale economica», Milano 1952.

La monografia più compiuta, ma non per questo in tutto soddisfacente, è quella di STANISLAO DE CHIARA, *V. P.*, Messina 1923. Cfr. anche G. REDA, *Studio critico sulle poesie e prose di V. P.*, Cosenza 1923. Ma sia per l'esattezza delle notizie, sia per l'interpretazione della figura e dell'opera del P., si veda ora soprattutto l'ampio e documentato studio che Carlo Muscetta ha premesso alla sua edizione sopra citata.

# DALLO «STATO DELLE PERSONE IN CALABRIA»

## I

### IL MASSARO

Le indagini delle quali ci occuperemo sono della massima importanza, se non per i nostri lettori calabresi, per quelli almeno dell'alta Italia i quali ignorano le nostre condizioni.

Lo stato delle persone in Calabria è composto di tre ceti, il *basso*, il *medio* e quello dei *galantuomini*. Formano il basso gli agricoltori possidenti, i fittaiuoli, i coloni, i braccianti, i pastori, i guardiani, i garzoni ed i servitori; e noi studieremo l'indole, i bisogni, i vizi e le virtù di ciascuna di queste classi per migliorare lo stato morale della patria nostra.

L'agricoltore possidente è presso noi chiamato *massaro*. È massaro chi ha una *masseria*, e dicesi *masseria* un campo seminato. Il campo è suo, sue le capre o le pecore che lo stàbbiano,[1] suoi i bovi che lo arano, suo l'asino che ne trasporta i prodotti; e nei tempi dei lavori campestri ha denaro che basta a pagare l'opera dei braccianti che lo aiutano. All'aria d'importanza che gli si legge nel viso, all'andar tardo, alle parole rare e misurate, voi conoscete il massaro.

Egli deve *rispondere a botte come l'orologio*, guardare poco in faccia il suo interlocutore, e sputare sentenze. Siffatte sentenze sono vecchi proverbi, e ci serviranno a farcelo conoscere.

Egli dice: *Terra quanto vedi, vigna quanto bevi, e casa quanto stai*; e il massaro ama la terra lasciatagli dal padre, e studia d'ingrandirla con compre successive; e volendo conservarla intera, accorda moglie ad un solo dei figli, ed alle femmine dà la dote in denaro. Trascura la coltura delle vigne e la bellezza e l'ingrandimento delle case; e se queste in tutti i nostri paesi son piccole, ad un piano, e l'una all'altra addossate, la ragione non dee recarsene alla miseria degli avi nostri, ma alla loro condizione di massari. Ora i fabbricati si migliorano; gli artigiani amano il lusso, vogliono il balcone, vogliono i vetri alle finestre; ma le loro casette così belle al di fuori sono povere internamente, mentre le case dei nostri

---

1. *stabbiare*: è il pernottare delle bestie nei luoghi che si vogliono ingrassare.

antichi massari nascondevano sotto un'umile apparenza una vera dovizia.

*Chi vo' mangiari pani, e vìvari vinu, Simmini jermanu e chianti erbino.*[1] E il massaro, che vuol mangiare pane, preferisce la segale (*jermanu*) al frumento, e l'*erbino* (specie di vite che dà uva sempre ed in abbondanza) a qualunque altra vite. Il suo pane è di segale, cibo duro, ma che sostiene meglio le forze; e coltiva il grano per venderlo, non già per usarlo, tranne i giorni solenni dell'anno. In Calabria il pane di frumento serve ai soli galantuomini, e dicesi *pane bianco*; e *Donna di pane bianco* significa *Signora*. Vi sono eccezioni a questo fatto, e le diremo in appresso. *Casu dimmaggia casa. — Prisutto è na rutta. — Pani tuosto manteni casa. — Sparagna a farina quannu a tina è china; quannu u culacchiu pari, nu bisogna sparagnari.*[2] E il massaro governandosi con queste regole, benché le pecore del suo campo gli diano buoni formaggi, benché ad ogni gennaio si uccida uno o due porci, pure si astiene dal cacio (*casu*) che danneggia (*dimmaggia*) gl'interessi di sua casa, e dal pregiutto, che basta manomettere (*rùmpari*) per poco perché si consumi in un giorno. Risparmia la farina quando il tino n'è pieno; non compra carne fresca al macello, ma mangia legumi e minestra di cavoli con carne salata dentro. Non beve al mattino né caffè, né acquavite; queste chiama abitudini di pezzenti, e memore del proverbio: *Chi vivi* (beve) *avanti a Suli* (il Sole), *forza acquista e mindi* (mette) *culuri* (colore); *Chi mangia de bon'ura* (di buon'ora), *cu nu puniu scascia nu muru* (con un pugno fracassa un muro), si fa, come si toglie al letto, il panunto con un tocco di lardone infilzato allo spiedo, lo inaffia con un bicchiere di erbino, e va al lavoro. In casa però non gli mancano le cose di lusso. Nelle fiere si provvede di rosoli, di dolci, di confetture, ch'egli serba in caso di malattia, o di visita che riceva dagli amici. La sua donna fabbrica il pane una volta al mese, lasciandolo indurire nel soffitto perché se ne consumi meno; giacché il marito le ripete: *Pani tuosto* (pane duro) *mantene casa* e vi vogliono veramente i ferrei denti dei nostri tangheri per sgretolarlo. Egli però lo affetta mescolandolo con la sua minestra brodosa, e siffatta abitudine è così propria dei massari, che a senno loro non è uomo compìto chi non l'abbia. Un sarto attillato e *pinto* avendo chiesta

1. «Chi vuol mangiar pane e bere vino, semini germano e pianti erbino».
2. «Quando il fondo appare, non bisogna risparmiare».

a sposa la figlia d'un massaro, il padre, a provare se il futuro genero fosse degno di lui, lo invita a pranzo, e chiama a tavola un'abbondante minestra di cavoli con grandi pezzi di lardone. Il sarto vede la minestra fumante, e la guarda. — Perché non mangi? — Aspetto che si freddi —, e prese a soffiarvi sopra. Il massaro sorrise: vi buttò dentro grosse fette di pane, e subito la minestra si raffreddò. — Voi non siete per mia figlia, riprese poi: non è uomo di pane chi non sa l'uso del pane —; e le pratiche si ruppero. Il massaro ha stomaco capace e forte; mangia quattro volte al giorno, e dice *Saccu vacanti nun si reje all'irta* (sacco vuoto non si regge ritto); trascura l'eleganza del vestire, le sue brache sono le brache più larghe, il suo cappello è il più vecchio cappello, e ripete: *Trippa china* (piena) *canta, e non cammisa janca* (bianca); *Trippa china e faccia tinta.* La sua faccia non è sempre dunque pulita e la sua camicia non è sempre di bucato; ma è ricco, è indipendente, ed ama il lavoro. Va a letto al tocco e se ne leva all'alba, anzi prima. *Prima ch'u gallu canta sùsiti* (alzati) *e va fora; si vu' gabbari u vicinu, curcati priestu e sùsiti matinu*; *chi si leva matinu abbuschia* (lucra) *nu carlinu; chi si leva a journu s'abbuschia nu cuornu*, son le massime che il padre lasciò a lui e ch'egli lascia ai suoi figli. Questi son docili, ubbidienti e bene educati; non cachinnano, ma ridono; non ridono, ma sorridono; e ciarlano mal volentieri; perché il padre che domina in casa con governo assoluto ripete sempre a loro: *U juoco è nu pocu, A risa è na prisa*, e *A jumi cittu nu jiri a piscari* (non andare a pescare in fiume che non fa rumore). Essi aiutano il padre nei lavori del campo e nelle cure del gregge. Le pecore son preferite alle capre perché secondo il lor detto: *Sett'anni impecora, ed uno specora*, vale a dire che le pecore, se non fruttano un anno, fruttano però sett'anni di seguito, e la guardia non se ne confida a persone estranee e mercenarie, perché il massaro ha trovato scritto nel suo codice: *'A piecura è di chi a sièculta*, vale a dire, la pecora appartiene a chi le va appresso. Il massaro rientra in paese la sera di ogni sabato; la dimane esce in piazza, siede nel sacrato della chiesa, e là tutti i contadini lo circondano, gli usano mille atti di rispetto, gli chiedono consiglio, gli domandano soccorso, lo pigliano ad arbitro delle loro controversie. Egli decide, e le sue sentenze sono inappellabili. *U massaru è seggia* (sedia) *e notaru*; ed egli è notaio, è avvocato, è giudice, è quello che gli antichi patriarchi erano nelle antiche tribù. Nei

43

piccoli paesi, dove non sono famiglie di galantuomini, il massaro è il factotum. Il parroco, i preti, i monaci lo corteggiano, perché egli dà loro a vivere con le sue elemosine e decide della loro buona opinione.

Il predicatore quaresimale gli fa la prima visita perché sa che predicando egli, se il massaro dorme in chiesa tutti dormono, s'egli sputa tutti sputano, se arriccia il naso in segno di disapprovazione, i contadini, che guardano come in una bussola nella punta del naso del massaro, disertano dalla chiesa. La moglie del massaro è onesta, laboriosa e un po' superbetta. Ella dice: *Lana e linu, amaru* (infelice) *chi un ni fila! Pani, amaru chi un ni schiana* (spiana); *ca* (perché) *puru cu li màllari* (pasta che resta impiastricciata alle dita) *ti ni fai na pitta* (focaccia). E lavora di lana e di lino, e nulla manca in sua casa; e se le vicine le perdono il rispetto, ella con un fare imperioso risponde: *I jidita nu su pari* (tutte le dita non sono uguali); *e chi parrati vua, chi nun vi stricati mai u villìcu alla majilla? chi faciti a fellata, e vi liccati i curtella?* Il che vuol dire: A che parlate voi, che non vi strofinate mai il bellico contro la madia, e che vi leccate il coltello quando fate a fette il pregiutto?

Dopo di ciò si comprende, senza dirlo, che un massaro scapolo sia ambito da tutte le donne del paese. Una canzone dice:

> *Si vu' mangiari pani de majisi,*
> *pigliati nu massaru, donna bella;*
> *nun ti prejàri d'u càvuzu tisu,*
> *chi ti porta lu pani in tuvagliella.*

Il *calzone teso* è l'artigiano, che veste attillato, che compra il pane in piazza, e lo avvolge nel tovagliolo, e la donna bella non dev'essere lieta (*prejàri*) dell'amore di costui, ma del massaro, che le fa mangiare pane di maggese (*majisi*). E se la donna fu sorda a questo precetto, non manca altra canzone popolare che ne la rimprovera:

> *De mille amanti tu tenia na pisca*
> *e ti pigliasti nu bruttu craparu:*
> *t'innamurasti d'a ricotta frisca;*
> *va, vidi allu granaru si c'è ranu.*
> *Mo ti e' trovari na rigliara stritta,*
> *pecchì d'a làriga ni schioppa lu ranu.*[1]

---

1. «Di mille amanti tu avevi un subisso, e invece prendesti un brutto capraio: t'innamorasti della ricotta fresca; va, vedi nel granaio se c'è grano. Ora hai da trovarti un crivello fitto, perché da quello largo ne scappa via il grano.»

L'ironia degli ultimi versi è bellissima. Tu, si dice alla donna, dèi procacciarti un crivello fitto; perché se non è fitto, il grano che ti porta il tuo marito ne cade giù. Un'altra canzone più bella fa il confronto tra il massaro e il marinaio, e dà al primo la preferenza.

> *Parti lu marinaru, e va pe' mari,*
> *lassa menza cinquina alla mugliera.*

La *cinquina* è 11 centesimi; e il marinaio è così povero che gliene lascia alla moglie la metà.

> *Muglieri mia, accattatìcci pani,*
> *'nzinca chi vaiu e viegnu da Messina.*

E la moglie resta con sei centesimi, che le debbono bastare a provvedersi di pane, finché il marito va e ritorna da Messina. Può contentarsene? No; e quindi ella esclama:

> *Santo Nicola miu, fallo annicari;*
> *un mi ni curu ca riestu cattiva.*

E non le duole di rimanersi vedova (*cattiva*) e prega san Nicola, che il marito si anneghi; perché passerebbe a seconde nozze con un massaro, conchiudendo così:

> *Ca a quantu va na scianca di massaru*
> *nun va na varca cu tricientu rimi.*

L'anca d'un massaro vale più d'una barca con trecento remi; ed in Calabria, non so perché, si attacca all'anca un'idea di nobiltà. La donna ingiuriata da altra donna le dice: *di me tu avessi un'anca!* e nella vita di Pitagora, che visse in Calabria, troviamo tra l'altre favole che quel filosofo avesse un'anca di oro. Pitagora ha dunque lasciato la sua anca di oro ai nostri massari ed alle nostre donnette oneste, perché le loro anche si pregino tanto?

[18 giugno 1864]

## II

### VARIETÀ DEL MASSARO

Il numero dei *massari*, onde facemmo la descrizione, cominciò a scemare sullo scorcio del secolo precedente, ed ora è ridotto a ben piccola cosa. Con le leggi eversive della feudalità sparirono gli usi civici, i beni ecclesiastici divennero allodiali di pochi, crebbero i fitti delle terre, montarono i prezzi dei pascoli, ed i massari fallirono l'uno dopo l'altro. Aggiungasi a ciò la febbre ambiziosa che invase tutti gli animi, il desiderio di uscire dalla propria classe, e l'amore del lusso, cose tutte sconosciute prima della invasione francese e per le quali avvenne che il massaro vendé i buoi e l'aratro, il piccolo podere e la capanna, per dare al figlio un'arte od una professione. Una turba di preti, di medici e di avvocati, di sarti e di calzolai succedette agli antichi massari, la quale se non ebbe addosso la sordida giubba del padre e l'uosa di cuoio bovino al piede, non s'ebbe neppure né l'indipendenza d'indole, né la vita agiata e sicura, né la tranquilla e venerata vecchiaia. Tolti i pochi nobili preesistenti alla Rivoluzione francese, tutti gli altri nostri galantuomini attuali sono figli di massari che al 1789 solcavano la terra. E fin d'allora prese a scemare l'amore per l'agricoltura e il numero degli agricoltori, e quello crescere invece degli artigiani, degli avvocati, dei medici e dei preti, con danno della pubblica quiete e della pubblica morale. Coloro che attualmente si contano in maggior numero sono i massarotti, e vanno divisi in quattro classi.

La prima classe è di quelli a cui il galantuomo proprietario dà uno, due o tre paia di buoi. La spesa pel loro nutrimento, e per l'aratro pel carro e per gli attrezzi e gli accessori di entrambi, si dividono ugualmente tra il massarotto e il proprietario, e si divide del pari il guadagno. E questo secondo le annate è ragionevole. Nell'autunno per la semina del grano e in està per la piantagione del grano turco il massarotto loca l'opera sua. Ogni campo tra noi chiede tre arature, che diconsi *rottura*, *alzatura*, e *seminatura*, ed ogni bifolca si paga tre lire e 39 centesimi, sia che si faccia per scassare, solcare o costeggiare le porche,[1] sia che si adoperi per trebbiare. Ed oltracciò il massarotto riceve dal padrone

1. *porche*: spazi di terra tra solco e solco.

del campo non pane, non vino, ma il solo companatico. E poiché i mesi della semina sono vari secondo che i nostri paesi sono in valle, in monte o a mare, il massarotto, compiuti i lavori in un paese, emigra in un altro. Nei paesi freddi si arano i terreni dopo la caduta delle prime acque, e si terminano le opere ad ottobre; da questo mese poi alla vigilia di Natale il massarotto lavora nei paesi valligiani e marittimi, e tutto quel tempo dicesi della *guadagna*. E la *guadagna* finisce con l'antivigilia di Natale, giorno solenne che il massarotto torna a casa sua col borsellino pieno, per sedersi al focolare innanzi al ceppo ardente dell'olivo, e tenere, secondo le nostre antiche costumanze, il manico della padella, mentre la moglie vi versa a friggere nell'olio le diverse ragioni di pasto che si adoperano in quella festa. Uscito il tempo della semina, l'aratro si ripone in un canto della stalla e si attaccano i buoi al carro: e il nolo che se ne paga è diverso secondo le distanze ed i patti. Egli è perciò che questa prima classe di massarotti è agiata nei paesi che hanno vie carreggiabili, e miserabile in quelli che ne son privi. In questi i massarotti non trovano lavoro che in due sole stagioni dell'anno, nell'altre stentano la vita, né possono ad altro adoperare utilmente i buoi che al trasporto di legname. Il che, a tacere dei bisogni dell'industria, deve essere motivo che basti a persuadere i nostri comuni a moltiplicare il numero delle strade che ricevono i carri.

La seconda classe è di quelli che prendono dal galantuomo proprietario uno, due, tre paia di buoi a *pedàtico*, specie di contratto del seguente tenore. Si fa la stima d'un paio di buoi (che valgono presso noi un 424 lire); il massarotto ne assicura la proprietà e si obbliga pel tempo pattuito di dare ogni anno al proprietario tre ettolitri e 33 litri, cioè, come diciamo noi, sei tomoli di grano. Questo contratto è immorale, perché il proprietario non rischia nulla; il suo capitale in bovi è sempre sicuro, e poiché il prezzo medio tra noi di ogni 55 litri e 54 centesimi di frumento è di lire 10 e 18 centesimi, è chiaro ch'egli impiega il suo denaro alla ragione del 14 per cento.

Il massarotto della terza classe è il *mezzaiuolo* di Toscana. Il proprietario gli dice: — Tu hai i bovi; io ho la terra: io ti do la terra, e ti anticipo le sementi. Le terre sono di dieci moggiate, ti do dieci moggi di grano, e tu lo seminerai. Alla trebbiatura io mi preleverò dalla massa i dieci moggi di grano che ti ho anticipato; più dieci quarti come frutto dell'anticipazione, più trenta moggi come terratico, e il resto si dividerà. — Questo contratto è immoralissimo, e nei paesi dove i galantuomini non divertiti[1] da studi letterari attendono ai campestri è cagione d'immedicabile miseria. Perché in tutto il Vallo di Cosenza le terre rendono il sei, negli altri paesi il dieci nelle migliori annate; sicché su per giù la media del prodotto è di otto per ogni moggio. Levatene tre di terratico, uno ed un quarto di semente, dividete a due i tre ed un quarto che rimangono, e vedrete che per un anno di fatica personale e per frutto di quella dei buoi il massarotto non ha più d'un moggio e tre quarti! Questa misera condizione di cose ha dato origine al proverbio: *Il povero s'affatica pel ricco.*

La quarta classe dei massarotti è quella dei fittuari. Avendo bovi e poche vacche, prendono a fitto terreni dove possano seminare e pascere insiememente. Nel Vallo i terreni non riposano; dopo la mietitura del grano si debbiano[2] immediatamente, si arano, e si pianta il grano turco, e il fittaiuolo dà al proprietario due moggi di frumento ed altrettanti di grano turco per ogni moggio di terra. Se il terreno è irrigabile, lo coltiva a poponaie, e di questa coltura non dà niun merito al padrone, il quale si crede abbastanza compensato pel miglioramento che ricevono le terre dal concime voluto dalle poponaie. Negli altri luoghi vale il principio che il fittuario deve al padrone pagare un dippiù per ogni altra cosa che semini oltre del frumento e del grano turco. I frutti degli alberi non entrano nel prezzo di fitto. Gli alberi comuni tra noi sono i fichi, gli olivi, i castagni ed i gelsi. Se il fittuario ne vuol i frutti e le frondi, se ne fa la stima; altrimenti il padrone li vende altrui; per la compra della fronda del gelso il fittuario è preferito; e prima d'introdursi la seta organzina, pagava per ogni quintale di fronda quattr'once di seta cirella; ora paga otto libbre di bozzoli; e il caro dei prezzi e la malattia dei bachi han fatto sì che l'industria serica va scadendo l'un dì più che l'altro. Al momento che scrivo i gelsi del Vallo nostro verdeggiano di frondi che nessuno raccoglie; ed i proprietari, invece di scemare l'enorme prezzo che finora han richiesto, durano saldi a ritenerlo. Vero è bensì che da 15 anni a questa parte non si è fatto altro che piantare gelsi;

1. *divertiti*: distratti.  2. *debbiare*: è abbruciare sul terreno legni e sterpi per ingrassarlo.

ma l'industria serica non è cresciuta, ed i gelsi cresciuti devono ora tagliarsi.

Insomma, l'industria serica è tra noi esercitata dalle donne dei massari, dei massarotti, e degli altri contadini; ed esse la trascurano, perché spaventate dall'enorme prezzo della fronda han detto al pari dei loro mariti: *Il povero si affatica pel ricco.* I massarotti, di cui siamo a discorrere, mandano a male i terreni che tolgono a fitto dal ricco, giacché non avendo l'abitudine di chiudere nelle stalle i buoi rovinano tutta l'alberatura del fondo; il che fa sì che non trovino facilmente chi fitti loro le terre. E però dove mancano terreni comunali questi ultimi massarotti, di cui parliamo, sono assai pochi.

La sparizione della classe dei massari e la diminuzione crescente dei massarotti sono due piaghe dell'ordine sociale tra noi. Il popolo è quasi tutto attualmente di *coloni* e di *braccianti.*

[25 giugno 1864]

### III

#### I MEZZADRI

Quando i bisogni domestici e il mancato ricolto costringono il massarotto a disfarsi dei buoi e sgocciolano la borsa del fittaiuolo, l'uno e l'altro non hanno altro partito per vivere che di diventare mezzadri o coloni. Il colono diventa tale per bisogno; il ricolto o fu scarso o consumato, l'inverno con le sue brevi, inerti e fameliche giornate è vicino, ed egli entrando nella mezzadria comincia a porre per primo patto che il proprietario gli faccia un mutuo, gli dia una scorta in sementi ed in bestiame, e questi ed altri debiti si pagheranno in agosto. Stante la distanza dei fondi, la mancanza delle strade delle quali pochissime ed a stento sono cavalcabili, e la paura dei briganti che ci fa impallidire di tutte le stagioni, il fondo dato a mezzadria rende interamente al colono e quasi nulla al proprietario, che non può sorvegliare i lavori, assistere alla mietitura e alle fatiche dell'aia, e deve in tutto e per tutto rimettersi alla buona fede ed all'onestà del colono, che non ha nessuna di quelle due virtù. Egli lo froda nella foglia, di cui si fa la stima troppo tardi e della quale già si è giovato fino alla prima dormita dei bachi. Lo froda nella fruttaglia, della quale vende o serba per sé le migliori specie. Lo froda nella quantità del grano che confida ai solchi, e che ne ritrae. Entrato nel fondo per bisogno ed intendendo di rimanervi finché duri il bisogno, non vi piglia amore e trascura la coltivazione, perché sa che il prodotto servirà per intero ad estinguere i debiti da lui contratti in anticipazione col padrone. E se trova lavoro presso il vicino, egli allettato dalla mercede corre a coltivare il fondo altrui negligendo il proprio. E nondimeno il colono ha molti vantaggi: altro non divide col proprietario che il frumento, i legumi, il frumentone, e la fruttaglia; l'ortaglia è tutta sua, e solo in taluni paesi usa di portargli due volte la settimana la mancia dei cavoli, dei fagiuoli in baccelli, dei petronciani, ed infine poche reste di aglio o di cipolla. Se nel fondo vi sono terreni novali, gli se ne accorda la coltivazione per cinque annate gratuitamente; ma pochi li coltivano, perché, ripeto, i nostri coloni son poveri. Il padrone gli dà pure una scorta o di porcelle o di porcastri, e il frutto delle prime si divide, e si divide la carne dei secondi a Carnevale. Ma il maggiore di questi vantaggi, benché immorale e vergognoso, è il seguente. Noi altri galantuomini calabresi, qual più, qual meno, abbiamo tutti del Don Rodrigo, e ci rechiamo ad onore di proteggere i ladri, gli assassini, i truffaiuoli. Il colono diventa tale per sfuggire alla persecuzione dei suoi creditori: entrato nel mio fondo, quando questi al tempo del ricolto vengono a sequestrarglielo, io salto su, e dico: — Il mio credito è *privilegiato* —, ed affaccio un titolo falso. E così noi invece di educare il popolo contadino al bene, gli diamo l'esempio funesto della frode e gli tenghiamo mano nella truffa. Ma spesso l'inganno ricade sull'ingannatore, e il colono, dopo di essersi gravato di molti debiti con me, ecco un bel dì mi pianta il fondo e va colono con altri. Nei poderi che stante la loro poca distanza dal dimestico possono essere visitati sicuramente dal proprietario, i coloni son più docili, i terreni meglio coltivati, i padroni puntualmente soddisfatti a metà di ogni sorte prodotti. E quindi la coltura degli alberi a frutti è più copiosa e studiata, mentre a tre miglia dal paese le terre o son nude o coverte di querce, di scope e di ginestre. Dalla varia forma onde si costruiscono i nidi si scerne la varia specie e il vario costume degli uccelli, e dal vario modo onde si coltivano le terre si deduce il grado delle guarentigie sociali in una contrada. In tutta la Calabria il fico, la vite, l'olivo, il castagno son coltivati ad un trar di pietra dal paese; e ciò dimostra che gli avi nostri vissero al par di noi in mezzo a ladri ed a briganti, e vollero avere sott'occhio quei frutti che facilmente e subito poteano essere involati, e quelle colture che richiedevano almeno una visita al giorno. Discorremmo altrove dell'inerzia dei nostri proprietari in opera di agricoltura, e ne indicammo le radicali cagioni; ma quella sparirebbe in parte tosto che il giro in contado si rendesse sicuro. Come volete che i proprietari piglino amore ai campi, se per andarvi debbono spendere in armigeri e guardiani quanto pagherebbero per condursi in Napoli? Noi ne sappiamo molti che non conoscono neppure di veduta le loro terre: le lasciano in piena balìa dei coloni, i quali facendo profitto della loro paura mettono in giro le più strane novelle di briganti nel tempo appunto del ricolto; e quei briganti talora non esistono, ed eglino a nome loro chiedono denaro od altro al padrone; e talora esistono, e se il padrone va al podere, il colono non abborre dall'essere manutengolo di quelli. E questa maledetta condizione di cose, non di oggi, né di ieri, ma che dura da secoli, rende giusti i lamenti dei nostri proprietari che dicono al governo: — Tu mi aggravi di continui balzelli, ma rendimi almeno sicura la proprietà; tu mi spremi in un torchio, il brigante in un altro: che partito ho da prendere? — E noi rispondiamo loro: — Pazienza! Il denaro vostro è dal governo impiegato appunto a distruggere il brigantaggio, e a darvi le strade che vi mancano, e gli esempi vi stanno sott'occhio: diamo tempo al governo, e non siamo così ingiusti da addebitare a lui uno stato di cose creato dalla signorìa borbonica, che la signorìa borbonica non poté o non volle distruggere, ch'era più terribile stando quella sul trono, e del quale neppure avevamo la soddisfazione di far libero lamento.

Oltracciò il governo non potrà mai badare alla costruzione delle strade campestri: è dovere dei proprietari il costruirle a spese comuni; ma questo amore di associazione non è ancora nato tra noi, e ciascuno dice: — Io vado al mio fondo come posso, gli altri vi vadano come vogliono. — Ed esempio di sì codardo egoismo ce lo porge Cosenza, dove non manca qualche generoso che vorrebbe incanalare le acque del Busento dal punto dove animano i molini, e condurle ad irrigare gli asciutti terreni del Vallo con immenso beneficio dell'agricoltura; e nondimeno i proprietari non vogliono saperne.

Facciam fine a quest'articolo sui coloni avvertendo che il loro numero è straordinariamente cresciuto da cinquanta anni a questa parte. E di tal fatto la ragione è da recarsi non solo, come dicemmo, alla vendita dei beni di mano morta, alla soppressione della feudalità e degli usi civici avvenute nell'invasione francese, ma eziandio alla popolare miseria aumentata. I nostri contadini possedevano le loro casette nel paese: moveano pei campi, se vicini, al mattino e ne tornavano la sera; se lontani, il lunedì e n'erano reduci la sera del sabato. E il sabato spira una fragranza poetica in tutte le canzoni popolari:

> *Sira passannu lu sàpatu io*
> *vidivi due bardasci ragiunari*[1]

e la *bardascia* aspettava il suo marito contadino sulla soglia della casetta con in mano la rocca bene inconocchiata. Poi la miseria crebbe, non ebbe più olio per far le fritture solite a festeggiare il ritorno del consorte e vendé la padella, poi vendé la casa, e i nostri redivivi Adamo ed Eva andarono coloni per avere un tetto dove riposare lo stanco capo. Ogni fondo infatti che si dà a mezzadria ha una casa rustica detta *torre*, e di qui il nome di *torrieri* dato ai coloni. E le nostre campagne si popolarono di torri e di torrieri, i quali col vivere segregati da un anno ad un altro, col non venire nel paese che rare volte, ignari di scrivere e di leggere, e privi d'istruzione religiosa, vivono in uno stato che confina con quello del bruto. Ed altro male che ne nacque fu la cresciuta difficoltà di distruggere il brigantaggio, giacché il brigante trova sempre in ogni punto della campagna un covo che lo accoglie.

[29 giugno 1864]

## IV

### I BRACCIANTI

La classe più numerosa e più miserabile è quella dei braccianti. Fino ad otto anni il fanciullo calabrese va dietro all'asino, alla pecora ed alla troia: a nove anni il padre gli pone in mano la zappa e la pala, in ispalla la corba, lo conduce seco al lavoro e lo mette in condizione di guadagnarsi 42 centesimi al giorno. A quindici il suo salario cresce, e ne ha 67; a venti non tratta più la zappettina,

---

1. «La sera di sabato, passando, io vidi due ragazze ragionare.»

ma la grossa zappa, e con rompersi l'arco della schiena da mane a sera ha 85 centesimi e la minestra, o 125 senza minestra. Allora si sente di esser vero bracciante, e per scemare o raddoppiare la sua miseria, prende moglie. E la prende perché il padre dice: *Ad agusto, fora fora, nun vuogliu sèntari chiù suspiri.* E finito in agosto il ricolto, il bracciante ha una piccola provvisione di grano che gli dà il padre, e prende moglie. La nostra contadina in aprile sogna fiori, e il bracciante è contento, perché in Calabria per dormire a letto bisogna essere marito. Fino a due anni dormì nel misero letto dove fu concepito: nacque il secondo fratello, ed egli fu respinto nella parte inferiore; nacque il terzo, ed egli uscì dal letto e dormì sopra il cassone; nacque il quarto, ed ei cadde giù dal cassone, e si trovò a dormire sul focolare. Poi crebbe, e d'inverno passò la notte nel pagliere accanto all'asino; d'està prese sonno sulla via allo scoverto, e se avea un'innamorata andò a dormire sullo scaglione della porta o sul ballatoio della scala di lei.

> *Tutta stanotti a na scala ho dormuto;*
> *l'acqua e lu vientu mi ci ha perramatu;*
> *ma u vientu mi paria lu tua salutu,*
> *e l'acqua mi paria acqua rosata.*

*Perramare* significa *perticare, abbacchiare*; e il poverino era flagellato dall'acqua e dal vento; e nondimeno quel misero ha tanta gentilezza di cuore e bellezza di fantasia, che il buffo del vento gli pare il saluto della sua bella, ed acqua di rose la pioggia. Ma agosto è venuto; egli si mette una piuma di pavone al cappello, e prende moglie; e l'idea della moglie va associata con quella del letto, del letto che gli sembra un trono. E come potrebbe immaginare l'una senza l'altro? Nella Calabria nostra la povera donna del popolo per maritarsi deve avere un letto, che spesso è l'unica sua dote; e il nostro bracciante che fino a venti anni si ha ammaccato le carni sulle pietre della via, vede quel letto e canta:

> *Intra su liettu 'e ricamati panni*
> *ci sta una varca cu tricientu 'ntinni:*
> *è na figliola di quattordici anni,*
> *calata da lu cielu 'nterra vinni.*
> *Sia beneditta chi ti fozi mamma,*
> *e beneditta chi ti dezi minna,*

*nun mi guardari cud uocchi tiranni!*
*Spogliati, bella mia, e jamuninni*[1]

E la bella che si spoglia, a lui sembra una *barca con trecento antenne.* Che immagine graziosa! Il poeta aristocratico ed ignaro della vita paragona una bella donna alla farfalla variopinta, alla tortorella che geme, alla pallida luna che viaggia, alla rosa ricca di minio che pompeggia nel prato; ma il nostro bracciante ha miglior gusto, non ha che farsene né di farfalle, né di rose, né di luna; e vuole una *barca con trecento antenne,* una donna dal collo corto, dalle spalle larghe, dai fianchi arditi, dai polsi di acciaio, vigile, diligente, infaticabile massaia; e siffatta donna si chiama *barca* tra noi, barca che porta grano e ricchezza, barca con la quale il povero uomo spera solcare lieto le onde tempestose della vita. O venti, spirategli propizii! Ei benedice a colei che le diè la poppa (*minna*), e si mette in cammino! Che ne avverrà? O lettori e lettrici, cui fortuna sorrise, lasciate di contemplare le piaghe di un Cristo di legno: io vi prèdico la vera religione, e vi mostro un Cristo di carne, il bracciante.

Non in tutti i comuni il bracciante trova un terreno comunale da coltivare; se lo trova, non rinviene un *monte frumentario* che gli muti la semente; se il *monte frumentario* vi è, non ha un signore che lo garentisca; e se vince questi ostacoli, se a forza di pazienza e d'industria è giunto ad ottenere un pezzo di terreno comunale, gli *uccelli grifoni* (ché così i galantuomini usurpatori si chiamano tra noi) quanto tempo credete che lo lascino tranquillo? La poesia popolare è il sublime gemito del popolo, il grido che lascia dietro a sé questo torbido torrente senza nome, che scorre per un alveo interrotto da sassi; e la poesia popolare dice così:

Nun appi sciorta de dormiri a liettu,
né mancu de mi fari nu pagliaru;
mi ni fici unu 'npedi a nu ruviettu (rovo)
jiètturu (andarono) i genti boni, e m'u sciollaru.
Pe lu munnu li via (possano) jiri dimierti[2]
cumu fo (fanno) jiri a mia senza pagliaru!

1. «In questo letto di panni ricamati c'è una barca con trecento antenne: è una ragazza di quattordici anni, calata dal cielo venne in terra. Sia benedetta chi ti fu madre, e benedetta chi ti diè il seno; non mi guardare con occhi tiranni! Spogliati, bella mia, e andiamocene.» 2. «che io li veda andare raminghi per il mondo».

Il poverino dunque che non *ebbe sorte di dormire in un letto* e di possedere una *capanna*, se ne avea costruito finalmente una a piè d'un rovo, come fa la lucertola, come usa la capinera di formarsi il suo nido; ma quel terreno era buono, fece gola alla *gente buona*, cioè al galantuomo, e il galantuomo mandò i suoi guardiani armati fino ai denti, che demolirono la capanna! L'infelice non si scorò; scelse il terreno più sfruttato, più inutile, una grillaia, un renacchio insomma; ma anche quel luogo gli fu invidiato.

> *Amaru iu! duvi simminai!*
> *A nu rinacchiu 'nmienzu a dua valluni.*
> *Simminai ranu, e ricoglietti guai,*
> *all'aria riventaru zampagliuni.*
> *Vinni nu riccu pe' si l'accattari;*
> *pe' dinari mi detti sicuzzuni.*
> *Jivi alla curti pe' m'esaminari,*
> *u Capitanu mi misi 'nprigiuni.*
> *Jivi a lu liettu pe' mi riposari,*
> *cadietti e scamacciavi li picciuni.*
> *Jivi allu fuocu pe' m' i cucinari,*
> *a gatta mi pisciatti li carbuni.*

Questa canzone vale quanto l'*Iliade* di Omero. È la storia lacrimevole del popolo calabrese, e si prova — all'udirla cantare dal contadino, quando tra un verso ed un altro fa pausa con un cruccioso colpo di zappa — una compassione profonda. Egli dunque seminò in un *renacchio collocato tra due torrenti*; *seminò* grano e il suo raccolto fu di dolori. Gli *zampagliuni* sono, ora i grilli di lunghe *zampe*, ora le mosche cavalline; e il suo frumento battuto sull'aia diventò uno sciame di mosche e volò, perché i creditori non gli diedero tempo di portarselo a casa; ma gli furono sopra sull'aia medesima, e glielo sequestrarono. Il misero pensò di vendere quel renacchio ad un ricco signore; e costui invece di denaro gli diede *sicuzzuni*, parola che risponde a capello al toscano *sergozzone*, perché pare che in tutti i punti del globo i *sergozzoni* siano fatti pel contadino. Spogliato e giuntato se ne richiamò col giudice, e per tutta giustizia il capitano lo manda in prigione. Quale scoramento non entra allora nel cuore del malarrivato! Nulla gli riesce, nulla crede che gli possa riuscire; trova inciampi per tutto, anche nel letto, ne casca giù, e schiaccia (*scamaccia*) i piccioni, che vi si educano sotto. L'ultima strofe ha una grazia indefinibile, la grazia del riso tra le lacrime, la grazia dell'uomo che dà la baia a se stesso ed alla fortuna. Accende il fuoco, vuole arrostirsi i piccioni; ma un triste destino veglia ai suoi danni, e il gatto orina sulle braci e gliele spegne. I suoi proverbii sono informati da giustizia profonda: *Sugnu fortunatu cumu l'erba d'a via! U disignu d'u pòvaru u vientu u mina! Tutti i petri s'arruzzuòlanu alli piedi mia! U vo' ha da moriri cu la lingua grossa!* Egli dunque non è un uomo ma un'erba che cresce sulla via: chi passa la calpesta! Fa mille disegni, ma un soffio di vento glieli disperde, e l'avvenire resta chiuso per lui! Nel cammino della vita chi lo precede e chi lo segue smuovono le pietre, e queste rotolando non feriscono altro che i piedi suoi! La società con tutte le classi più elevate gravita su di lui, ed egli bue, egli fratello del bue, condannato a continuo lavoro, non può neppure lagnarsene, ma deve come il bue (*vo'*) morire per ingrossamento di lingua! Non è trista siffatta condizione? Eppure il detto è poco. Il nostro bracciante è rimasto senza terreni comunali; che ha da fare per vivere? Locare le sue braccia: e noi, che amammo sempre la conversazione del povero e dell'infelice, restammo commossi tutte le volte che stendendole e facendo spallucce ci disse (come è solito di dire): — Non abbiamo che queste! — Bastassero almeno a farlo vivere! Ma ciò è impossibile. Il suo salario, il dicemmo, è una miseria, ed il lavoro campestre non è continuo tra noi, ma periodico e due volte all'anno. Stante i meschini termini in che si trova l'agricoltura, si sconosce il seminatore, lo scotennatoio, la marra ed il bidente. S'ignora il mazzuolo per schiacciare le zolle, il cilindro per comprimere le sementi, l'erpice per appianare i solchi, ed i vari istromenti per innestare ad occhio, a scudo, a scappo. Uniche armi sue sono il digitale, la falce e la forca quando miete, la zappa, la vanga e la scure quando semina. La zappa a piccone (*pìnnolo*), la gruccia per ficcare i magliuoli nel divelto,[1] e la pala per lo sterro sono del proprietario che adopera il bracciante. Né poi tutti i braccianti sono buoni a questi semplicissimi lavori campestri: non tutti sanno trattare il pennato[2] e potare le viti, non tutti concare[3] le viti per propagginarle,[4] non tutti l'arte dello innesto. Zappare per seminare, potare e schiarire gli alberi, cavare formelle per piantarvi

1. *divelto*: terra divelta, vangata a fondo.   2. *pennato*, strumento adunco e tagliente per potare.   3. *concare*: potare a conca.   4. La *propaggine* è il tralcio che si piega dalla sua pianta senza romperlo, e si sotterra perché ributti.

gelsi fichi ed olivi, ed i lavori che in paesi più culti si fanno dai giumenti e dai carretti, sono tutte le occupazioni dei nostri braccianti. Fossero almeno continue! Grazie alle fatiche dell'està, la sua piccola casetta ha in agosto qualche bene di Dio; ma il proverbio suo dice:

> *Agustu porta lìttari,*
> *Settembre si li leje* (se le legge)*:*
> *viestiti, 'nculu nudu,*
> *ca viernu priestu vene.*

Agosto divenuto corriere porta lettere a settembre. Il signor settembre sgombrasi la fronte, per veder meglio, dalla corona dei pampini che lo adombrano, legge le lettere, e vi trova scritto: O povero bracciante, che hai le natiche nude, pensa a vestirti perché l'inverno è vicino. E il poveretto vende parte del grano riposto, e si veste, e guarda fidente il futuro. M'ohimé! *Finu a Natali, né friddu né fami: e' Natali avanti, tremanu i 'nfanti.* Questo proverbio dipinge lo stato del popolo nostro: con le provvisioni accumulate in està egli vive fino ai 25 di decembre, e d'ind'in poi? E d'ind'in poi, il freddo, la fame, la miseria, la malattia, la disperazione ne porta metà all'altro mondo. Il bracciante guardasi le braccia divenute inutili, la neve che gli cade sul tetto e lo chiude in casa, il focolare senza un tizzo che lo riscaldi, e fa debiti sopra debiti, e la sua preghiera è che Dio gli faccia vedere aprile. I proverbi: *È juruta a frasca; non avimu chiù paura,* e *A primavera u Signuri spanni a tàvula*[1] sono commoventi. O tragicommedia della vita! Il fiorellino che spunta parla due linguaggi; al ricco dice: — Ama! — al povero dice: — Mangia! — E il bracciante riprende la zappa e torna ai campi, ma questa volta non lavora più allegramente, perché sa che tutti i suoi guadagni della bella stagione non bastano a pagare i debiti da lui contratti nella brutta. Una canzone popolare dipinge il suo stato, ed è mirabile:

> *Iu chiagnu* (piango)*, amaru io! quant'aju de dari;*
> *nu mi resta nu filu de capilli.*

Infelice! per pagare dunque i suoi debiti dovrà privarsi di tutto, e rimanere senza *un filo di capelli?*

---

1. «È fiorito il ramo, non abbiamo più paura, — A primavera il Signore apparecchia la tavola. »

*Nun puozzu cu la genti pratticari;*
*ugnunu chi mi sconta: Avissi chilli?*

Che pittura vera! Egli non può bazzicare liberamente come prima e chi lo incontra strofina il pollice sull'indice e gli dice: — Hai tu quel denaro che mi devi? — Quel *chilli* senza sostantivo, quella domanda senza un *mi dice*, che lo preceda, son due eleganze stupende che non s'imparano certo sul vocabolario, ma sulla bocca del popolo.

*Io mi vuotu cu nu buonu parrari:*
*oji li dugnu a tia, dumani a chillu.*

*Io mi volto.* Non ti pare di vedere un botolino dentro una cerchia di grossi cagnacci, che con la coda tra le gambe giri attorno a se stesso? *Con un buon parlare.* E certo il suo dev'essere un umile e buon parlare per chetare i creditori, quando dice: — Oggi pagherò te, domani lui.

*Ca si alla chiazza mi faciti stari,*
*iu a pocu a pocu vi ni pagu milli.*

La piazza (*chiazza*) è avanti la chiesa, è il luogo di riposo e di diporto nelle domeniche per i braccianti; e il nostro vuole che quivi non lo molestino, perché egli è puntuale, e non che cinque pagherà mille creditori, ma *a poco a poco.* La domanda è onesta, ma il difficile in Calabria è di trovare un creditore che ti dia respiro.

*Si mi faciti pua sempri 'ngrignari,*
*iu mai né pagu a tia, né pagu a chilli;*
*ma mi fazzu na mazza 'e nu cantaru,*
*e a tia ni dugnu sette, e cientu a chilli.*

Ed ecco qui l'indole nuda del calabrese. Con le buone ne fate a vostro senno; ma se lo fate adirare (*'ngrignari*), non solo non paga a te ed agli altri, ma si procaccia una mazza del peso d'un cantaio e la darà a te sette volte per le spalle, e cento per le altrui.

[2 luglio 1864]

Uscita la stagione della semina, i nostri braccianti si adoprano in tutt'i modi per vivere. Altri pigiano le uve nei palmenti e nei tini, altri corrono alle fungaie sul cadere delle prim'acque, altri rassettano le castagne, e calzati di zoccoli le sgusciano dopo che son secche nel metato,[1] altri pigliano il mestiere del manovale o del carbonaio, altri fa panieri, o fusti per basti, o cerchi per botti, ed altri diventa fattoiano, ossia trappettaio.[2] Non tutti però sono abili a queste sorte mestieri, né ogni paese offre occasione di esercitarli; e però il più, che altro non sa che trattare la zappa o la vanga, emigra in lontane contrade, e Sicilia ne riceve ogni anno nude, innumerevoli e famèliche schiere. Né siffatta emigrazione è altrove maggiore quanto nei comuni del *Manco*, con che danno dell'igiene e morale pubblica il vedremo in seguito. Di tutti i lavori del bracciante prende parte la sua *barca con trecento antenne*.

— *Due tizzi morti non fanno fuoco*, dice il loro proverbio, e se il marito è tizzo che arde, la moglie ne seconda le fiamme, e quando è diligente ed operosa massaia si dice che *sostiene il naso sulla faccia* del marito. Che fa dunque costei? Per saperlo è d'uopo entrare in sua casa. La casa del bracciante è a terreno, non battuta, né ammattonata; riceve la luce dalla porta, e se ha finestra la è senza vetri o impannata. Di fianco è il focolare privo di cappa e di cammino, e il fumo tinge le pareti e costringe gl'inquilini a curvarsi. Di faccia è il letto fatto d'un saccone, poche volte d'una materassa ripiena di capecchio, e fornito di due coverte. Una caldaia ed un calderotto di rame, una padella di ferro, un albio[3] col mattarello, una madia con la rasiera[4] e lo staccio, un bacioccolo[5] per pestarvi il sale, pochi canavacci, due o tre canestri e panieri, una caniccia per riporvi sopra o frutta o pane o altro, un carruccio[6] per tenervi il bimbo, una cassapanca vicino il focolare, un cassone con due sedie sopra, un trespolo per desinarvi, pochi scanni di ferola, un cofano, due o tre corbelli col cercine dentro, due o tre corde, due o tre stroppe e bilie,[7] un crivello, una lucerna di creta, poche stoviglie risprangate[8] con accia, una bombola di creta invetriata, due orciuoli, un bacile, un paio di sacchi, una bisaccia, una scala a piuoli per andare al soppalco (*suffitta* o *chiancatu*), un catino per rigovernare i piatti, un bicchiere, un paiuolo, una pentola, due o

---

1. *metato*: seccatoio delle castagne.   2. *fattoiano*: frantoiano; che attende alla frangitura delle ulive; il *trappeto* è il *frantoio*.   3. *albio*: conca.   4. *rasiera*: bastoncello tondo col quale si striscia sulla bocca dello staio o altra misura di capacità, per pareggiarne il contenuto.   5. *bacioccolo*: vaso, mortaio.   6. *carruccio*: l'arnese col quale i bambini imparano a star ritti e a camminare.   7. *stroppe e bilie*: bastoncelli torti per serrare le legature delle some; ritorte.   8. *risprangate*: rotte e cucite con fil di ferro (*spranga*) o con altro filo greggio e fortemente ammatassato (*accia*).

tre zucche per riporvi pepe e sale, uno ziro,[1] due o tre terzeruole,[2] una scodella di legno, una scure, una zappettina, una granata, una bùgnola,[3] e due o tre batacchi dietro la porta, e un gatto, un porcello, e poche galline formano tutta la masserizia e la ricchezza della nostra barca con trecento antenne. Manca l'orinale e il pitale; ma in Calabria l'occorrenze si fanno innanzi la porta; le abitudini della nettezza non sono ancora parte di nostra educazione, e finanche in Cosenza non è raro il signore che la sera prima d'andare a letto apra i balconi ed orini sulla strada. *Faccia tinta, e trippa piena* dice il nostro popolo; e quindi il bracciante si lava il viso la sola domenica quando si rade, e la sua donna quando va all'acqua. Mentre l'orciuolo si riempie, ella si sciacqua la faccia, il collo ed i piedi nudi ed inzaccherati; poi guarda d'attorno, solleva la gonna, piglia un gherone della camicia mostrando una gamba invidiabile alla signora, e si asciuga. Memore del proverbio: *A gallina chi cammina, si ricogli cu la vozza* (gozzo) *china*, ella ai primi bagliori antelucani armata di scure va in contado; fa una fascina, od un fastello, lo lega con la sua stroppa, se lo mette sul cercine e rientra in paese a venderlo cinque soldi. Poi si piglia il barile, lo porta pieno d'acqua a chi ne la richiede, e guadagna un soldo; poi, se la signora la chiama, le abburatta la farina, le porta le tavole col pane al forno, e si busca una focaccia e tre pani; o vaglia il grano del proprietario, e le si dà un morsello o di cacio o di lardone; o fa il bucato ad altra signora, ed ha 42 centesimi, una minestra di fave e quattro pani di segala; poi se le avanza tempo fila, governa il porcello e le galline, e si pettina. Di està coglie la foglia pei bigatti,[4] ed ha cinque soldi a sacco; lavora nei campi quando si sarchia, si miete, si trebbia, ed in tutte sorte lavori il salario della sua giornata è sempre 42 centesimi. I marroneti sono vicini al domestico, e nel mese di ottobre ella rassetta le castagne; poi, se il marito glielo permette, emigra nei paesi maremmani e loca l'opera sua a rassettare l'olive. Affannandosi in questo modo ell'aiuta il marito, ed i due poveretti vivono; e per vedere come vivono bisogna vedere come mangino. Memore del proverbio: *A stati chiudi spini, ca u viernu si rivèntanu ngilli*, ella seccò al sole forza di zucche, di peperoni, e di bucce di poponi; raccolse l'olive ap-

---

1. *uno ziro*: un orcio grande.   2. *terzeruole*: misure (da vino).   3. *bùgnola*: panierina per tenerci biade, crusca o altro di simile.   4. *bigatti*: bachi da seta.

pena vaiate e giù battute dal vento, i pomodori acerbi, i petronciani, i funghi, e li salò nelle sue terzeruole; e questi e le patate e gli agli e le cipolle e le uova della gallina sono tutti i loro cibi: cibi che *sono spine*, e non diventarono *anguille*. Quando sono ricchissimi mangiano pane di segala, di frumentone, o inferigno:[1] finito il grano, mangiano il castagnaccio, o pane di orzo, o d'una mistura di veccia, lupini e fave. Vino non mai, se non quando l'hanno in dono; carne non mai, se non quando uccidono il porco, o per qualche lavoro estraordinario sentonsi sonare in tasca una lira di più. Allora i poveretti dicono: *Chi vò gabbari u chianchieri,* — *Cumprassi capu, trippa e piedi,* e per frodare il beccaio comprano una busecchia col sangue, e spanciano e lupeggiano per un giorno. Perché noi sorrisi dalla fortuna provassimo pietà per questa povera gente, ci bisogna vedere i nostri braccianti nell'ora del beruzzo.[2] Per rinfrancare le forze si cavano di tasca un cantuccio dell'orribile pane onde dicemmo pocanzi, e lo mangiano o scusso[3] o accompagnato da un peperone, o da un capo d'aglio! E nondimeno tra tanta miseria il genio calabrese non si estingue: la poesia rovescia la sua luce sulla povera casacca e la rattoppata guarnaccia, e composte dai braccianti nostri sono l'anonime canzoni popolari che ne descrivono lo stato. Una di esse dice:

> *Un mi ni curu si giùvani iu muoru,*
> *ca lassu la mia bella accomudata;*
> *li lassu na gallina chi fa l'ova,*
> *nu gallu chi li fa la matinata;*
> *li lassu na farzata* (coperta) *e dua lenzola,*
> *si ci cummoglia alla forti vernata:*
> *li lassu nu stuppiellu*[4] *e piparuoli,*
> *si ci mangia lu pane quannu è stati.*

Quanta pietosa ironia è in questa canzone! Il bracciante dunque muore contento, perché sa che, morto lui, la moglie rimane provveduta di tutto! E di che è provveduta? D'una gallina che le fa l'uovo, d'un gallo che la sveglia, d'una sola coverta per l'inverno, e di peperoni *ardenti* coi quali, egli dice, la si *rinfrescherà il sangue* mangiandoli in està col pane, o facendone una cresentina.[5]

1. *inferigno*: fatto con farina poco stacciata. 2. *beruzzo*: colazione sul lavoro. 3. *scusso*: senza companatico. 4. *stuppiellu*: antica misura napoletana corrispondente a un ottavo di tomolo, e cioè a circa sette litri. 5. *cresentina*: fetta di pane arrostita e condita.

Quest'altra canzone è più seria, mettendo a confronto il povero col ricco:

> *Nasci lu riccu e' buonu parentatu,*
> *u povariellu de n'affrittu lignu:*
> *u riccu ad ugne tavula è 'mmitatu,*
> *u povariellu nun ne fozi* (fu) *dignu;*
> *u riccu, quannu ha debiti, è aspettatu,*
> *u povariellu o carcerato o pignu;*
> *mori lu riccu, e la cruci ha 'nnorata* (dorata),
> *u povariello ha na cruci de lignu.*

Dopo tali canzoni dovrò aggiungere quella dei *pidocchi*? A questa e consimili parole, molti nostri lettori che hanno il liberalismo, il galateo e la carità cristiana non nel cuore ma nel naso, l'arricceranno sdegnosamente. Noi abbiamo altro gusto; noi con questi pazienti studi sulle condizioni del nostro popolo miriamo a ben altro scopo che a quello di soddisfare un'inutile curiosità. Noi vogliamo che la classe culta ed agiata guardi il popolo nostro composto tutto di braccianti proletari, nati da un legno afflitto, respinti dalla tavola dei beni sociali, costretti a garentire la lira che si mutuano, o col pegno della zappa o col sacrificio della loro libertà; e solleviamo arditamente il lurido e fetido panno che ne copre le piaghe, per far cessare le prepotenze, per far sparire le barriere che un orgoglio feudale ha messo tra i galantuomini ed il popolo, e per dir loro: — Educhiamolo. — Ah! e che cosa è dunque un popolo ch'è capace di comporre, di cantare, di udire ridendo la seguente canzone?

> *Nu journu li piducchi feru festa,*
> *mi jianu* (andavano) *pe' li spalli cumu muschi;*
> *ed io jia pe' porti e pe' finestri,*
> *nu quaderuottu pe' trovari 'nbrustu* (in prestito).

I pidocchi dunque festeggiano e fan galloria sulle carni abbronzate del nostro popolo, che non ebbe mai né due calzoni, né due camicie, e che per nettarsi degl'insetti, che lo succiano, si presta una caldaia, e vi mette a bollire i suoi panni!

> *Nu quaderuottu nun puotti trovari,*
> *e jivi a mi circari*[1] *a nu valluni:*
> *a schere a schere cientu a lu collaru,*
> *e quattrucientu jianu allu juppuni.*[2]

---

1. «andai a cercarmi», cioè a spidocchiarmi.　2. *juppuni*: giubbone.

*Unu ci n'era, ch'era palummaru* (palombaro).
*Tenia li corna cumu nu muntuni:*
*iu jivi — amaru iu! — pe l'amazzari;*
*e mi dezi allu piettu nu 'mmuttuni.*
    *Cadivi 'nterra, e cursi alli gridati*
    *u capitanu de lu battagliuni:*
    *ni fuoziru* (furono) *tricientu fucilati,*
    *e l'àvutri* (gli altri) *si mìsiru 'nprigiuni.*

Tra i mille imitatori del Berni non mancò chi trattasse in buon italiano il medesimo argomento; ma il nostro bracciante poeta è rimasto insuperato. È grazioso quel suo andare a spollinarsi in un vallone; è bella l'iperbole d'un pidocchio armato con le corna d'un ariete che combatte col misero contadino e lo manda a gambe levate per aria, con dargli una capata al petto. E l'arrivo del capitano che mette in ginocchio quei pidocchi come altrettanti briganti, e grida al suo battaglione: — Fuoco! —, aumenta la bellezza dell'iperbole.

Ma noi domandiamo: — Un contadino pari al nostro, che conosce d'esser povero, imbrutito, lordo, sporco, ignorante, e ne ride, non merita pietà da noi? Non è degno che ci occupiamo di educarlo, di migliorarlo, di fargli nascere in petto il sentimento della dignità umana? Esso attualmente non è uomo, ma un'appendice dell'animale. Lavora per mangiare, mangia per aver forza a lavorare, poi dorme: ecco tutta la sua vita. Sente i bisogni dell'intelligenza? No. Sente quelli del cuore? Neppure. E pensare che dopo una vita intera vissuta a stecchetto egli parte dal mondo senza aver conosciuto né il mondo né Dio né le meraviglie del mondo e di Dio, è cosa che stringe il cuore. E stringe il cuore il vedere tutta la felicità d'un uomo attaccata ad un capo d'aglio, e quella d'una donna al possesso d'una gallina! Quando questa vien rubata, se ne piange la perdita per tre giorni. La nostra *barca con trecento antenne* è invasata da trecento furie, e facendosi all'uscio comincia a gridare: — Possano le penne della gallina mia nascere in faccia di chi la rubò! Altro non gli lasci Dio nella casa che la povera gallina mia! Io me l'avea cresciuta come una figlia con le molliche del pane, ed ella mi venia appresso come una cristiana. Mille sventure colgano chi mi tolse gli alimenti dalla bocca! Io ne cangiava le uova alla taverna or con olio ed ora con sale, ed ero ricca. Si chiuda, come il baco nel bozzolo, chi chiuse in sua casa la gallina mia! O male vicine, datele la libertà. Dio sterri la famiglia che ha rubato la gallina mia; non ci resti altro di vivo che una gatta nera che gridi *Miau*. Possano nell'impeto del dolore raschiarsi il volto con lo scardasso! Possano dibattersi come trote inebbriate dal tasso[1] come fanno ch'io ora mi dibatta, e vada su e giù. O male vicine, liberate la mia gallina. — Ponete in versi questi lamenti, non inventati certo da noi, ma presi dal vero, ma uditi mille volte, e farete una poesia che manca a Teocrito, a Virgilio ed a Gessner. La poesia è sorella della miseria, ed entrambe si trovano nel nostro popolo. Bisogna che l'una resti, e l'altra sparisca.

[6 luglio 1864]

V

### BIFOLCHI, GIUMENTIERI, PASTORI, CAPRAI E VACCARI

Noi diciamo in Calabria *iumentari* e *gualani* a quelli che in Toscana si addimandano giumentieri e bifolchi; e stante i ristretti termini in che l'industria equina è tra noi, pochi sono i giumentieri, ma più numerosi i bifolchi, e numerosissimi i pastori e i vaccari. Il bifolco entra al servizio del massaro e del massarotto a patto di avere all'anno dieci tomoli di frumentone e due di grano, cinque lire al mese, ed un paio di *zampitte* o *calandrelle*. È la calandrella una foggia di calzare, fatto d'un limbello di cuoio bovino concio in allume, cui si è tolto il carniccio e si è lasciato il pelo, e che messo sotto la pianta si lega sul dosso del piede con corde di lana, che dal greco *krokis, idos* si dicono *crocili*. La calandrella lascia nudo il calcagno; ed ogni altra specie di scarpa gli tornerebbe, non che inutile, molesta; perché, atteso il vivere nomade di nostre bestie boccine,[2] il bifolco, che non ha provvisioni di foraggi, non trova miglior partito di pasturarle che di arrampicarsi sugli alberi e scapitozzarli. Ed egli con l'aiuto delle calandrelle vi monta facilmente e passa da ramo a ramo, e sovente da albero ad albero: la quale abilità è veramente mirabile, ma torna a danno incalcolabile delle nostre selve, tra le quali il passaggio

1. L'ombra del tasso era creduta nociva, e il suo umore velenoso.    2. *boccine*: bovine.

del bifolco è segnato da cadaveri. Tu trovi qui degli alberi, altri sbatacchiati e sbucciati che miseramente abbiosciano, altri divettati ed impediti di venire innanzi, altri scoronati e sfronzati per intero. Il bifolco non tocca vitto dal padrone; ma quando è mandato a lavorare per altrui, viene spesato da chi ne conduce l'opera.

Fra noi le greggi di capre e di pecore si danno a capo saldo, ma per lo più si associano. Ogni gregge si compone da 250 capi in su. Diciamo *massaru* il mandriano, *curàtulu* il cascinaio, *furisi* i pastori ed i caprai, e *capufurisi* il vergaro. Diciamo *anniglia* la stroppella,[1] *sciamorta* la sopranno,[2] e *pecora fatta* la fattrice. *Anniglia* è vocabolo più bello di *stroppella* e bisognerebbe introdurlo nel dizionario italiano; e del pari la *cervella*, la *lastra*, e la *capra* corrispondono all'italiano capretta, toriccia e capra.

Quando il gregge si dà a soccio[3] pretto, il padrone non spesa i pastori, ma dà loro il viatico (*mmiata*, inviata) da Pasqua alla festa di S. Pietro in fave, olio, sale e polenta. Ma quando si dà, come diciam noi, metà a *suolo* e metà a *parte*, il pastore riceve dal padrone da quattro a cinque tomoli di grano o frumentone, più o meno secondo i luoghi ed i patti, e cede a lui la metà di ciò che potrà spettargli dei frutti della mandria. Son frutti della mandria l'agnellatura, il latticinio, la lana e lo stallatico. Al dì festivo di S. Pietro si fa la massa delle spese in erbaggio, in viatico e nelle tre scarnascialate di Natale, Carnovale e Pasqua, e ristorate le spese ciò che avanza del guadagno si divide in due parti, l'una delle quali cade al padrone e l'altra al mandriano ed ai pastori, che se la compartiscono. Il padrone però ad ogni centinaio di stroppelle se ne preleva tre per *carnaggio* e *perdenza* come diciamo noi, per compenso, vale a dire, delle bestie che si smarrirono o potevano smarrirsi, che furono divorate o poteano divorarsi dal lupo. I caci si dividono a metà; ma le ricotte cedono tutte ai pastori, salvo il dritto al padrone di averne una mancia due volte la settimana, e quello del cascinaio di fare dal prezzo delle ricotte una tolta di 12 centesimi ad ogni cacio per spese d'insalamento. I luoghi dove il bestiame s'aggreggia di notte o nel cattivo tempo sono l'ovile (*garazza, sgarazzu, curtaglia*), la steccata, ch'è una palizzata di canne o sarmenti o lentisco (*interratu*), e l'ag-

---

1. «*Stroppella* nel vocabolario è segnata nel senso di piccola *ritortola*; ma in quello di anniglia è usato dai contadini toscani» (Padula). 2. *sopranno*: che ha più di un anno. 3. *a soccio*: a mezzo guadagno e mezza perdita.

ghiaccio (*mandrone*). Lo stallatico vernòtico che si fa nell'ovile, ed il primaverile in aprile e maggio, appartiene al padrone; quello dell'agghiaccio (*notti* e *nuotti*) si divide tra i pastori. L'ovile è un muricciuolo che corre parallelo ad una serie di stecconi confitti in terra, e che si curva a foggia d'un ferro di cavallo. Gli uni e l'altro sostengono il coperto, ch'è d'embrici, e sovente di frasche. Il muricciuolo è di creta, spesso secco con sola incalcinatura, ed alto un quattro palmi. L'agghiaccio non si cinge con funi, come usano in Toscana, ma con siepaglie mobili che si portano da un punto all'altro. L'agghiaccio di cento pecore o capre si vende da 34 a 63 centesimi secondo i luoghi e le stagioni; ed i padroni delle terre che si stabbiano, per avere maggior copia di pecorina, usano di lanciare in aria tizzi ardenti, che cadendo tra le tenebre sull'agghiaccio spaventano le pecore, che levansi in tumulto e fanno ciò che la paura suol produrre.

Le pecore si tosano tre volte all'anno, alla metà di marzo, a maggio ed a settembre. La prima tosatura che si fa sopra i soli gropponi dell'animale ci dà la lana *subeglia*, parola a cui manca la corrispondente nel vocabolario, le altre due la maggiàtica e la settembrina. I pastori però le tosano per sé sotto le cosce, e di quell'èsipo, che filano, fanno crocili per le loro calandrelle, e suste[1] (*tope*) per gli asinai.

Il bestiame boccino si compone di *vitelluzze, vitelle, vitellazze, jenche, vacche, vua e tauri*, che corrispondono alle parole italiane vitella mongana, lattonza, birracchio, giovenca, vacca, bue e toro. Non si dà a soccio; il frutto è tutto del proprietario, e ciascun vaccaro ha per anno la mercede di L. 101 e 97 centesimi, e i capomandria (*caporali*) quella di 127 lire e 46 centesimi. Non si chiude dentro stalle, ma in parchi scoverti (*cortina*), ed emigra al pari delle pecore e delle capre dai monti al piano, e dal piano ai monti.

Questa pastorizia nomade è rovinosa. Le nostre terre abbondano, è vero, di erbe spontanee, tra le quali il loglio, il trifoglio, l'erbe mediche e svariate ragioni di avena, di cicorie, di meliloti, di asfodilli e di amaranti; ma la scarsezza delle piogge autunnali leva il vitto alla pecora. Le cattive condizioni degli ovili e delle steccate, il difetto di buoni impatti,[2] le fetide pozzanghere che ne fanno le veci, e le nevi e le serezzane delle lunghissime notti

1. *suste*: corde con che si legano le some.  2. *impatti*: letti per il bestiame, fatti con paglia o altro.

iemali intristiscono, ammorbano, uccidono le pecore, ne offendono il tessuto capillare; e di qui lane scarse, caprone, durissime al pettine. Il boldrone[1] della migliore delle nostre pecore
pesa meno d'un chilogramma; e quando si parla ai nostri Tìtiri di
stalle speciali, secondo le stagioni, ariose, allegre, asciutte e ben
coperte, eglino rispondono: *A piecura dice: Trippa china e malu riciettu. A capra dice: Menza trippa e buonu riciettu.* Noi invidiamo
loro la facoltà che hanno di conversare con le pecore e con le capre,
e d'intenderne il linguaggio; ma pare che l'une e l'altre vogliano
la pancia piena ed il ricovero buono.

I nostri pastori sono ignoranti. Non separano in vasi diversi il
latte munto nelle varie ore della giornata, per averne, secondo il
più o meno di crema che contiene, varie qualità di formaggi: ignorano il lattòmetro per misurare i gradi di calore richiesto dalla
coagulazione; le forme che adoprano sono fiscelle di giunchi, non,
come dovrebbero essere, di legno o di coccio; e tutte queste cose
unite ai pessimi gagli, alla sporchezza dei vasi, alla luridezza degli
abiti e delle mani dei pastori, e alle putride esalazioni degli ovili,
mutano spesso il latte in vino ossiacetico e ci danno caci cattivi.

Finché la pastorizia non si renderà fissa, finché ai pascoli naturali non saranno sostituiti gli artificiali, non avremo né ovili de-
centi, né cascine splendide, né squisiti formaggi, né agiatezza di
pastori. Il frutto delle mandrie è poco; e il pastore ha solo quanto
basta a soddisfare i primi bisogni della vita; e la seguente canzone popolare esprime il suo lamento:

> *Nu journu mi cridìa d'essari papa,*
> *e mi sugnu trovati essari pupa.*
> *Vajo n'avanti cumu va la rapa,*
> *pigliu pe' appedicari e mi perrupu.*
> *A cuntu propriu m'accattai na crapa,*
> *si la mangiaru cincucientu lupi.*
> *Aju a trippa vacanti, e china a capu,*
> *Supra u jumi* (il fiume) *aju u liettu, ed è nu scupu.*

Il poverino dunque si fe' pastore con la speranza di esser *papa*,
e si trovò divenuto una *pupa*, ossia un *bamboccio*, che il padre ne
sbalza a suo capriccio ora dai monti alla marina, ora dalla marina
ai monti! Crebbe al pari della rapa, studiò d'arrampicarsi sul colle
della fortuna, e cadde! Si comprò una capra, intruppandola con

1. *boldrone*: vello.

quelle del padrone, e il lupo andò a mangiarsi giusto la sua! Ha il ventre vuoto, e il capo *pieno* di rimproveri, e il suo letto è una fascina, un mazzo di scope, su cui si corica per non bagnarsi *mentre l'acqua piovana gli passa sotto*! Su per giù questo è il dormire dei nostri pastori. Al vederne uno, tutto solo nelle lande Silane, coverto da capo a piè di un vello, con due cerri o cerfugli ch'ei s'arrovescia dietro l'orecchio come i due bargigli che pendono sotto il mento dei becchi, e col pedo[1] in mano, tu credi di esserti abbattuto in un antico Fauno. Quando il tempo si abbuia, quando le piante sfrascano, quando il tendone dei nuvoli è rotto dai lampi, egli conficca la scure ad un albero per farne un parafulmine, e si colloca in distanza. Quando diluvia si ricovera sotto un frascato; se il frascato gli manca ficca il pedo a terra, vi sciorina sopra il manto e se ne fa un ombrello, si corica sopra una fascina di scope con la panettiera sotto la testa e dorme. Quando il tempo schiara, egli o zampogna o fila lana per farne crocili o fa rocchette per regalarle alla sua bella; né si dimentica mai di incidere sul manico della rocca un pastorello ed un cane. Questo modo solitario di vivere lo educa ai vizi propri della solitudine, ed uno di questi è accennato dal *torvum tuentibus hircis*[2] di Virgilio. L'altro suo vizio è l'insensibilità di cuore: il mondo può rovinare, il pastore non se ne briga. Egli dice: *Piecura nivura e piecura janca, Chi mori mori, e chi campa campa*, il quale suo proverbio si traduce così: «Muoia chi muore, viva chi vive: le pecore, altre son nere ed altre bianche, e gli uomini debbono essere quel che sono, gli uni felici e gli altri no.» Il fatalismo è la religione del nostro pastore; nulla egli teme più che il mal tempo ed il mese di marzo, ed intorno a ciò ha delle opinioni singolari. — Al giorno della Candellaia — egli dice — esce il Lione dalla tana e grida: «Se nevica e se piove, quaranta giorni vi sono ancora; ma se Sole spande, tanta acqua getta.» — E più volte noi domandammo che cosa fosse codesto leone, e da che tana si affacciasse. Ed il pastore ci rispose: — Vuoi sapere che sia il leone? Il leone è il leone, e ciò ch'io dico è vero: s'oggi ch'è il dì della Candellaia fa neve e pioggia, gli è buon segno, ed avremo quaranta giorni d'inverno, e non più. — Quando poi la sera il Sole tramontando dietro le nubi, queste si aprono ad un tratto facendo un foro luminoso, il pastore con la

---

1. *pedo*: verga.  2. più esattamente: «transversa tuentibus hircis» (*Ecl.*, III, 8): mentre i caproni riguardavano torvi.

sua faccia di Satiro guarda il cielo, e dice sorridendo: — Domani avremo buon tempo, la Signora ha fatto il buco. — Quanto a marzo, egli dice con tutta la serietà: — Marzo è figlio spurio, fece annegare la madre nel fiume; vinse quattro giorni ad Aprile, e rovinò il pecoraio che diceva: «Tegno marzo al deretano; le pecore le ho tutte.» — Non ne capisco nulla —, dicemmo una volta ad un pastore; e il pastore ci rispose: — Senti, padrone, ti dirò il fatto io. Marzo è mulo, ossia è figlio illegittimo, e quando nacque piangea con un occhio e ridea con un altro. La madre se lo strinse al petto e gridò: «Marzullo, tu mi geli la mammella e mi agghiacci il sangue.» «Mamma,» rispose Marzullo «voltami verso l'altra mammella.» La madre lo voltò, e gridò di nuovo: «Marzullo tu mi bruci»; e spiccatoselo dal petto lo adagiò nella culla. «Perché» gli disse poi «sei così cattivo, figlio mio?» «Io so» rispose Marzo «che tu mi hai generato in contrabbando, e non sarò quieto se non mi dici il nome di mio babbo.» «Questo non si può» ripigliò la madre, e Marzo allora spinse dalla bocca una pochina di lingua facendo una smorfietta, e tosto i diavoli ballarono e si levò una serezzana così acuta e così fredda che ti spiccava l'ugna dalle dita. «Marzullo», disse la mamma «fa, ti prego, che il tempo schiari: ho da imbucatare i tuoi pannicelli, e mi fa bisogno d'un bell'occhio di Sole per assolitarli.» «Va pure,» rispose Marzo «penserò io.» E fece un tempo così bello, che gli alberi mettettero, i fiori spuntarono sotto i piedi della madre. Ma tutto ad un tratto Marzo aggrondò: il cielo si turba, vien giù un subbisso di pioggia e di gragnuola, il fiume si gonfia, e ne porta via la madre e il suo corbello coi panni. — Oh! è cattivo codesto tuo Marzo. — Sì, assai cattivo, padrone mio, — mi soggiunse il pastore — e n'è prova un pecoraio di cui la felice memoria di *tata* mi raccontava che avendo detto: «Ah! mulo di Marzo, non ti curo più d'un corno: le mie pecore son tutte, e già siamo al trentuno», Marzo si tenne offeso, uscì di casa e fu da Aprile. «Fratello,» gli disse «son venuto a trovarti; siamo di Pasqua, sai? Vuoi fare ad *arè busè* (zùcculu)?» «Facciamo, ma che si perde e che si vince?» «Tu hai» disse Marzo «trenta giorni, giochiamone tre, se tu perdi resterai con ventisette, se perdo io te li darò l'anno venturo.» «Son contento» risponde Aprile». Si mette la lippa[1] a terra; Aprile percuote con la mazza,

---

1. *lippa*: bastoncello. Il giuoco consiste nel picchiare su un'estremità della lippa, così da farla saltare in aria.

e non coglie. Marzo, mulo ch'egli è, percuote, e la lippa vola a quaranta passi. «Hai vinto» dice Aprile. «Ho vinto» dice Marzo; e padrone dei primi tre giorni del fratello li carica di tanta neve e di tante burrasche, che il pecoraio, il quale già si tenea sicuro del fatto suo, perdette tutte le pecore.

Queste favole che noi abbiamo raccolto dalla bocca del popolo, queste credenze ad una *signora misteriosa che col roseo dito fa un buco nelle nuvole*, ad un *Leone vecchio*, che come un vecchio Barbanera *si affaccia dalla tana a far pronostici sul buono o reo tempo*, a Marzo creduto *mulo, che annega la madre e vince il fratello*, accennano a tradizioni antiche, a poemi popolari perduti, ad idee pagane non ancora estinte tra noi.

[13 luglio 1864]

I pastori abbandonano la mandria a vicenda e rientrano in paese ogni quindici giorni; ma ciò avviene di està, non d'inverno, perché in questa stagione trovandosi nei luoghi maremmani vi dimorano sei mesi dell'anno non interrotti mai, essendo troppo lontani dai villaggi nativi. E questo loro vivere segregato e selvaggio in campagna, senza culto, senza insegnamento religioso, li rende stupidi ed ignari di ciò che, non dico ogni uomo, ma ogni fanciullo cristiano deve conoscere. Del mondo civile han poche idee, di Dio nessuna, e noi più volte ci siamo provati a studiare il laberinto del loro cervello, e non ci è riuscito. Il popolo che li deride al vederli entrare in paese, camminando in punta di piedi come le capre, avventando la persona coll'atto di chi col vincastro si spinga innanzi le pecore, e facendo attorno a sé certe guardature da lupo, ne ha dipinto l'indole balorda ed i costumi brutali nella qui sotto poesia, onde i fanciulli nostri, birichini che sono, non mancano mai d'inseguirli cantando:

> U pecuraru quannu va alla missa
> si assetta 'nterra, e mussu e piedi accucchia,
> vidi l'acquasantara e: — Chid'è chissa?
> Mi pari l'acquicella de na pucchia.

È molto se il pecoraio ode messa cinque volte l'anno. Entrando in chiesa s'assetta per terra, ed accoppia (*accucchia*) il muso coi piedi. Stando in quel modo guarda tutto e di tutto ha maraviglia. Vede l'acquasantara, ossia la pila dell'acqua benedetta, e domanda: — Che cosa è questa? — E gli pare che sia l'acqua ferma d'una pozza (*pucchia*). È una magnifica idea.

*Quannu senti sonari li campani*
*grida: — Cumpagnu mio danni sa mazza —,*
*e dà nu fischiu pe' chiamari li cani,*
*ca si cridi lu lupu alla garazza* (ovile).

Ma la maraviglia si fa spavento quando egli ode suonare i sacri bronzi. Quel suono gli sembra venire dai campanacci delle pecore assalite dal lupo dentro l'ovile; e il buon uomo, dimentico di trovarsi in chiesa, grida al compagno: — Dammi qua codesta tua mazza —, e fischia chiamando i cani, che si trovano Dio sa dove.

*Quannu pua vidi l'ostia de l'ataru*
*cridi ch'è na pezzulla e casu friscu.*

La pittura si fa più viva. L'ostia del prete all'altare gli sembra un caciolino; ma ciò che segue è più bello:

*E si mindi* (mette) *allu prieviti a gridari:*
*— Chi fo? alla mandra tua c'è stata a pisca?*

E grida al prete: — Che avvenne dunque? La tua mandra or fu sì infeconda, perché tu facessi codeste caciuole così meschine? — Il bello è quando il pastore si comunica. Il comunichino che vede biancheggiare tra lo indice e il pollice del prete gli pare un tocco, un morsello (*mùzzicu*) di ricotta. E la canzone continua:

*Quannu pua si comunica, illu arricchia,*
*dici: — Chid'è su muzzico e ricotta?*
*Viene alla mandra mia, ca ti n'atticchiu*
*iu tantu chi ci vu' fari na botta.*

Grazioso quell'arricchia: esprime l'atto di bestia spaventata che appunta l'orecchio (*ricchia*); e più grazioso quell'*atticchia* che pinge col suono il glon glon che fa il gorgozzule di chi avidamente mandi giù liquidi o cibi; e il pastore vuol dire: «Mio buon pretino, va là con codeste miserie di ricotta; vieni a vedermi, e te ne caccerò io di quelle tante in corpo, che ne creperai.» Ma la canzone è implacabile: dopo averlo berteggiato nella chiesa, lo berteggia tra le braccia della moglie:

*U pecuraru è cumu nu sumieru*
*ed allu liettu nun si sa curcari:*
*quannu mindi* (mette) *la capu allu spruvieru*
*si cridi ch'è lu ziernu d'u pagliaru.*

*Quannu mindi la capu a lu cuscinu,*
*si cridi ch'è la tràstina d'u pani;*
*quannu tocca li minni alla mugliera*
*si cridi ch'è la piècura allu vadu.*

Quanta la verità e fantasia insieme! Il pastore, nuovo ch'egli è al letto, vi si affonda e vi si voltola come somaro in un renacchio; scambia lo sproviero con la cinta della sua capanna, il guanciale con la sua panattiera di bassetta,[1] le poppe della moglie con le tette della pecora! Ma i nostri pastori non tutti tolgono donna: il più è consigliato dalla miseria a rimanersi celibe; e se il celibato dell'alte classi è la cangrena della società nostra in Calabria, quello dell'infime n'è la peste. La seguente canzone popolare esprime intorno al matrimonio il modo di pensare del nostro pastore:

*Tiegnu lu cori nmienzu a dua pensera,*
*nun aju chi chiù prima cuntentari:*
*unu mi dici: — Pigliati mugliera —,*
*l'atru rispunni: — Nun te la pigliari.*
*Ncapu tri juorni ti mustra lu pedi:*
*— Accattami li scarpi e lu sinali. —*
*Pe la paura mi piglia la frevi:* (la febbre)
*chi diavulu l'ha tanti dinari?*

Nel suo cuore dunque il sì tenzona col no. Un pensiero gli dice: — Prendi moglie —; un altro gli risponde: — Non prenderla, perché dopo tre giorni ella ti mostrerà il piede — e questo atto ritrae a capello l'indole delle nostre donne — e dirà: «comprami le scarpe, comprami lo zinnale»; e questo pensiero — conchiude il pastore — mi mette i brividi addosso. — Il vaccaro, il bovaro vanno più in là: le corna delle loro bestie sono una muta ed eloquente lezione per loro, ed essi cantano:

*Giuvani, chi ti nzuri* (ti ammogli) *e nente sai,*
*cuntenta priestu li capricci tua.*
*Nzùrati, ca lu meli proverai;*
*pua si riventa tuossico de vua.*
*Vi' ca li donni su pompusi assai,*
*nun li cuntenta nisciunu de nua;*
*si vuonu ncuna* (vogliono alcuna) *cosa e tu nun l'hai,*
*ti mìnduno* (mettono) *u fruntali de li vua.*

1. *bassetta*: pelle d'agnello ammazzato piccolino.

E il consiglio di questa canzone è saggissimo. Per questi pove-retti il mele del matrimonio indi a pochi giorni passa in amaro «fele di bue». Nessuno di loro può soddisfare a tutte le voglie di sua donna, e costei gli impianta in fronte il «frontale dei buoi», gli fa le fusa torte, e così avviene. Oh! non è il solo amore del guadagno che dovrà quindi innanzi persuadere i nostri proprietari a farla finita con la pastorizia nomade, a chiudere le vacche nelle stalle, e il bestiame minuto in ovili ben fatti e forniti di stanze per i pastori, dove questi dimorino da un anno ad un altro, e pos-sano convivere con le loro mogli; ma è l'amore che debbono sen-tire per la morale ed igiene pubblica. Nei nostri piccoli paesi alla stagione invernale tu non trovi altro che donne separate dai mariti, e pochi preti e pochi galantuomini e pochi artigiani. Hanno luogo allora le seduzioni, né la cosa può essere altrimente: ed i mariti di quelle donne, che son tutti pastori, vivendo sei mesi dell'anno lontani dal focolare domestico si abbandonano alla vaga venere, e tornando a casa o vi portano o vi trovano il germe di mille morbi vergognosi, che l'amore disprezza, la miseria non cura, la generazione propaga. E tanta calamità non è altrove sì grande quanto nei Casali, i cui abitanti privi dei terreni Silani altro partito non hanno per vivere che di emigrare armati di vanga in Sicilia, o di divenire pastori, vaccari e giumentieri. E chi sen-tesi cuore in petto ha certo di che fremere alla vista di tante po-vere famiglie, alla cui miseria si aggiunge per soprassello la mal-sania, e che ogni anno nei mesi estivi corrono, con improvvido consiglio, nei bagni termali della Guardia. Bisogna andar colà per conoscere a fondo le miserie popolari; e se avrai cuore per non sdegnare la conversazione degl'infelici, aria di bontà nel viso e nei modi per procacciartene la fiducia, ed intelligenza per compren-derli, tu udrai quello che noi abbiamo inteso e che ora scrivendo non possiamo ridire.

Diremo solo che tra tanto sorriso di cielo e bellezza di natura che ne circonda, il nostro pastore, non ostante il suo miserabile vivere, è pur bello. Bello si fa lo spino quando primavera lo copre di fiori; ed egli si fa bello quando amore lo desta. E amore lo desta nel mese di Pasqua. L'inverno è passato; non gli è più letto una fascina sull'acqua, ma il campo fiorito; non più cibo un duro pane favato, ma latte e ricotte. Egli porta bene la vita, educa la zazzera, spiana le grinze, e se il bracciante intoppandosi in lui nei dì festivi in piazza, gli fa segno di invidia, e dandogli d'un pugno alla schiena (come è stile dei nostri villani nel salutarsi) gli dice: — Oh le spalle di ladro che hai fatte! — egli con rauca voce gli risponde:

> U pecuraru è statu vistu a Pasqua
> quannu si mangia la ricotta frisca;
> ma nun è statu vistu u misi e marzu
> quannu jestima (bestemmia) li santi de Cristu.

E sentendosi lieto e bene in gambe, la domenica rientra in paese, porta la mancia al padrone, poi passa innanzi l'uscio della bella, e se costei è sulla soglia, cava dalla panattiera un caciolino e glielo porge. Poi la notte movendosi per tornare al gregge, le passa di nuovo innanzi all'uscio serrato, anima la zampogna e canta. Teocrito ha dipinto i nostri antichi pastori, che d'inverno migravano come ora verso le marine di Crotone; ed in una delle sue egloghe un pastore calabrese canta così:

> O graziosa Amarilli, perché allora che io passo tu non porgi più la testa dalla apertura della tua grotta? Mi odii tu? Ho deforme il viso, inelegante la barba? O Ninfa, tu mi fai morire.
> Ecco dieci pomi che io ti arreco. Gli ho colti sul medesimo albero che tu mi indicasti, e domani te ne porterò altri. O Ninfa, abbi pietà del mio affanno!
> Ah perché non posso trasformarmi in quest'ape che ronza? Se così fosse, o Ninfa, io penetrerei nel tuo speco, introducendomi a traverso le verdi frondi e l'èllere che lo coprono . . .

Questa poesia è bella; ma Teocrito è un meschinissimo poeta a paragone del nostro pastore quando canta:

> Vorria èssari nu milu, si potissi
> e dintra u piettu tua ci giriassi!
> Vorria èssari seggia, e tu sedissi,
> ed iu cu si jinocchia ti jucassi!
> Vorria èssari tazza, e tu vivissi,
> ed iu cu si labbruzzi ti vasassi!
> Vorria èssari liettu, e tu dormissi,
> ed iu lenzulu chi ti cummogliassi (coprissi)!
> Vorria èssari santu, e pua morissi,
> e tu cu si manuzzi mi pregassi!

Nessuna letteratura antica o moderna ha una anacreontica simile a questa. Com'è ritratta bene la natura! Le nostre donne, prive di tasche, usano riporsi tra le mammelle la chiave, il denaro, il gomitolo del filo, la noce, la castagna, la mela, che altri doni a loro. E il nostro pastore non offre una mela alla sua bella, ma brama di trasformarsi in mela per essere riposto nel seno di lei. Desidera di mutarsi in sedia, in tazza, in letto, in lenzuolo, e l'ultimo desiderio è d'una sublimità commovente. Essere santo, morire, ottenere un tempio, un altare ed una statua, e poi vedere la sua bella venire a quel tempio, prostrarsi a quell'altare, «stendere le manine» e pregare quella statua, oh si può immaginare cosa più gentile e graziosa? Ma la donna è una brava tessitrice; il rumore del suo telaio ha destato spesso un palpito al nostro pastore: che credete voi ch'egli desideri?

> *Mi vorra* (vorrei) *riventari de marbizzu*
> *pe mi vuttari dintru su tilaru;*
> *ti rumperra lu piéttini, e lu lizzu,*
> *puru la navettella de li mani.*

Vuol cangiarsi in tordo, ficcarsi tra l'ordito del telaio, rompere col becco il pettine, il liccio, ed anche (e quell'anche è grazioso) la spola ch'ella ha in mano. Il desiderio di Teocrito di entrare nella forma di ape è espresso meglio che altrimenti nella seguente canzone:

> *Oh perchì dintru a chilla finestrella*
> *trasìri nun mi fai, mala fortuna?*
> *Là dintri c'èdi* (c'è) *na figliola bella,*
> *ch'à dintra u piettu u Suli cu la luna;*
> *mi vorra riventari rinninnella* (rondinella)
> *pe la jiri* (andarla) *a trovari quannu è sula;*
> *li vorra muzzicari na minnella,*
> *cumu la vespa a lu cuocciu de l'uva.*

È qui ben altro che l'ape di Teocrito! Non contento di trasformarsi in rondine per sorprendere soletta lei, che ha nel seno il sole e la luna, egli vorrebbe «essere una vespa che morde un granello d'uva, un grappolo di moscatello», e quel grappolo è il seno della sua donna.

[16 luglio 1864]

## VI

### I CONCARI

La regolizia dal fusto liscio e dai fiori giallognoli viene spontanea in molti luoghi, finanche tra le macìe del castello di Cosenza; prova in ogni sorta terreni, più nei bianchi, meno nei renischi e troppo asciutti; ed i frigidi ed i pollini,[1] che ne sono i migliori recipienti, danno ventuno chilogramma di panellini[2] per ogni ottantanove di radice. Il proprietario di terre acquitrinose vi pianta la radice a glabe[3] d'una spanna, e due palmi profonda, le lascia vacare il primo anno, le pone a seme nei seguenti, guardandosi però dall'adoperare la zappa, ed al terzo anno ne cava la radice. E sui terreni che già si trovano divelti torna a sementare senza veruna spesa, sicché non vi ha caso che statino, né i cereali gli fruttano mai, che non gli frutti ancora ogni tre anni la regolizia. Fatta una volta che se ne abbia la piantagione non è mestieri che si rinnovelli, perché la vaga dell'umido sempre più s'addentra sotterra, né viene mai meno, solo che si adopri, come dicemmo, l'aratro, e non la zappa, che facilmente la sfittona. Trentaquattro are gittano nelle buone annate intorno a 18 quintali di radice, e poiché 89 chilogrammi di essa fanno un prezzo oscillante tra le dieci e le quindici lire, è chiaro che senza negligere l'altre colture il proprietario può sicuramente guadagnare in ogni terzo anno da 180 a 270 lire sopra 34 are di terreno. Nondimeno la coltura della regolizia è trascurata, e pochi tra i nostri più grandi proprietari se ne pigliano pensiero, e di ciò è causa il poco o nessun consumo che si fa tra noi dei panellini di liquerizia. Un panellino si dà via per due soldi dai merciaiuoli e dai venditori ambulanti e lo comprano i ragazzi per ghiottoneria, gl'infermi per espettorante, e sedici di essi fanno un rotolo nostro, cioè trentatré once. In digrosso si vendono allo straniero, e dieci anni sopra i nostri tempi 89 chilogrammi di bastoncelli facevano 110 lire; ma ora il prezzo n'è cresciuto a 127 e a 135.

Diciamo *conci* alle fabbriche della liquerizia, e *concàri* agli opranti, che assistono ai càccavi dove si mette a bollire la radice. I conci sono pochi, e s'incontrano tutti nelle pianure valligiane

---

1. *pollini*: terre salmastrose e acquitrinose nelle vicinanze del mare.  2. *panellini*: di liquerizia.  3. *glabe*: polloni.

e nelle maremme in aperta campagna e lontani dall'abitato. Dicesi *zerna* l'insieme di cinque quintali e trentaquattro chilogrammi di radice; e per ogni zerna bisogna un caccavo, e per ogni caccavo due concari. Il più dei nostri conci sono di otto zerne ciascuno; vi si lavora dì e notte, vi s'adopra molta gente, e l'inumano governo che se ne fa persuade a chi visita un concio di trovarsi tra gli schiavi negri delle Antille. In ogni concio è un fattore, sedici concari, un capoconcaro, un trinciatore, sei molinari, un falegname, due acquaiuoli, un pesatore di legna, un fanciullo marchiatore, e sedici impastatrici. Accrescete a costoro i mulattieri che someggiano legna, i contadini che scavano la radice, e già un concio vi darà l'aspetto d'un piccolo paese, dove per sei mesi dell'anno, da decembre a tutto maggio, traggono uomini e donne di tutti i nostri villaggi. Il capoconcaro tira 50 lire e 90 centesimi al mese; 59 e 48 il falegname; 29 e 74 ciascuno dei concari e dei molinari, e 33 e 99 il pesatore e il trinciatore. Degli acquaiuoli poi l'uno tira 34 lire, l'altro 27 e 61 centesimo. Hanno oltracciò ciascuno quattro chilogrammi di olio al mese per lume e condimento, ed una mancia di sei chilogrammi di carne porcina al Carnevale. Altre mance (*jussi*) toccavano negli anni addietro; si rendeva solenne l'apertura del concio e il principio dei lavori con due barili di vino; a Natale ciascuno uomo toccava mezzo chilogramma di olio ed altrettanto di farina per far frittelle, a Capodanno una ricotta, a Carnevale una libbra di formaggio e due maccheroni, e a Pasqua un chilogramma di carne di agnello; ma ora l'avarizia dei grandi signori è cresciuta, e tutte queste mance si sono tolte, tranne quella, che dicemmo, di Carnevale. Le impastatrici, e quelle che vengono chiamate sull'entrare di marzo a risciacquare nell'acqua fresca e corrente i panellini di liquerizia già rasciutti, sono in peggiore condizione.

Elleno col fanciullo marchiatore non tirano più di 34 centesimi al giorno e non toccano nessuna mancia. Di queste donne alcune vengono nei conci coi mariti, altre coi padri, altre sono avventuriere.

Viaggiando una volta per le maremme fummo colti dal mal tempo. La pioggia ci aveva tutti fradici, poi, come spiovve, una neve soffice e bioccoluta prese a caderci addosso, e pensammo di far notte in un concio che ci appariva in distanza. Ci accozzammo per via con mulattieri, venuti colà da vari paesi per trovar lavoro per sei mesi all'anno. — Come vendete la legna? — chiedemmo loro. — Centotrentacinque chilogrammi ci si pagano una lira e 70, e dobbiamo a nostro rischio tagliarle nei boschi comunali; e nondimeno il fattore che ce le pesa le segna sempre nel suo libro al meno, e per poco che fiati in contrario ti dà del sagoma[1] sul capo. — Traversammo un campo esteso dove da venti braccianti cavavano la regolizia, e domandammo: — Quanto vi si paga la vostra giornata? — Noi lavoriamo — risposero — non a giornata, ma a compito, e ci si dà una lira e 70 centesimi per ogni cento trentacinque chilogrammi di radice; e nondimeno il fattore che ce li pesa li segna al meno nel suo libro, e per poco che fiati ti dà del sagoma sul capo.

Vedemmo fuori del concio vagare asini, gatti e galline, e chiedemmo: — Di chi sono quelle bestie? — Sono dei concari e delle loro donne, che emigrando dai paesi nativi, e lasciando chiuse a chiave le loro casette, portarono seco i gatti, i polli e quegli asini, che vacano. — E perché non i porcelli? — Perché i porcelli sono banditi dai conci, atteso che il fattore pretenda per sé e gratuitamente tutta la crusca che rimane ai concari ed alle loro donne dopo fatto il pane; e nell'anno passato egli guadagnò in tal modo sessantasei ettolitri di crusca. — Ma questo è un furto. — Furto e peggio; ma che fare? Per poco che fiati ti tocca rasciugare una tempesta di legnate.

Sullo spianato che si allarga fuori della manifattura un vecchio con le carni accapponate dal freddo, e ritto d'innanzi ad un ceppo, tagliuzzava la radice. Quell'uomo condannato a starsi le intere giornate allo scoverto ci mosse a pietà, ed entrammo nel concio. Vi era un silenzio di tomba interrotto solo dal rumore di un orologio a suono ed a sveglia confitto nel muro, e da quello dei lavori. Vi avevano otto conche; attorno a ciascuna due concari scalzi e con la camicia rimboccata sopra le gomita, ed armati di menatoi calzati da una gorbia[2] di ferro che finiva a penna (*fravosce*), rimestavano la radice che bolliva. Altrove la radice era cotta, e levandosi con una forca a quattro rebbii piegati si versava nei mastelli. I molinari, che meglio andrebbero detti trappetari, toglievano i mastelli e li vuotavano nelle gabbie. Queste si incastellavano sullo strettoio, e si premevano. Il sugo che ne grondava,

1. *sagoma*: è il legno «duro e broccoloso» di cui è detto più innanzi.
2. *gorbia*: puntale.

si rimetteva in altre conche per condensarsi a lento fuoco. Il fattore, a cui è commesso il capo e l'indirizzo del concio, portava nel viso l'aguzzino; andava giù e su armato di un legno duro e broccoloso, ed aveva autorità di fare alto e basso su quei miseri. Alzò quel legno sopra un concaro, colpevole non sappiamo di che; il concaro non fe' motto, non si mosse: sorrise mostrando due filze di denti bianchi ed acuti come quelli della tigre. Il fattore abbassò il bastone, e buttò nel fuoco una lira, che si liquefece. Noi eravamo a sedere al focolare in mezzo ad altri concari che si riposavano, ingannando un po' di sonno, col capo ravvolto nel mantello per non essere offesi dal fumo e stesi lunghi lunghi coi piedi nudi al fuoco; modo di dormire prediletto dai nostri villani calabresi, che dicono: *Si vive cento anni a dormire col capo sulla neve e coi piedi alla fiamma.*

Un solo era seduto al nostro fianco, che al vedere quella lira liquefarsi prese a fare il tentennino con le ginocchia. — Amico! — gli dicemmo — che vuol dire quella lira? — Vuol dire che qui siamo trattati peggio che cani; vuol dire che qui un legno di più che si metta nella fornace, un'oncia di brodo che vada giù a terra nel riversarlo nei mastelli, un minuto di tempo che un povero cristiano si alleni, si pagano con legnate e con multe. Il fattore gitta una e due lire nel fuoco, e nel suo registro le accende in debito al colpevole. — La è una infamia; ma poi siete pagati bene: sette docati al mese e cinque rotoli di olio, potete dirvi contenti. — Bah! A conto di quei sette docati il padrone ci dà grano e fave; e il grano è vigliatura pretta, è spazzatura di aia. Poi, i molini sono del padrone: il fattore ci scrive un biglietto al mugnaio; questi ci fa la macinata, e sopra cinquanta rotoli di farina ce ne froda sei. L'olio ci si dà a spilluzzico: ci tocca il primo dì del mese, e lo riceviamo dopo 15 giorni. Un rotolo è 33 once; egli ce ne pesa 24, e lo riscalda prima di misurarlo, perché abbia molto volume e poco peso. A lui poi tocca un mezzo maiale; egli lo vuole intero, e per averlo intero froda noi, a qual più, a qual meno, quel po' di carne che ci spetta al Carnevale. Galline poi non ce ne lascia una viva; la crusca se la piglia; insomma *mena l'organo.* — Che vuol dire che *mena l'organo*? — Vuol dire che ruba; e così ci rompiamo le reni da mane a sera per vivere; e qual vivere! Fave e pane, pane e fave; e se ci bisogna tabacco, o sale, o sapone, o altro, diamo al mulattiere che va in paese il nostro pane, ed ei lo lascia al tabacchino ed al pizzicagnolo in cambio. Ah! un concio è un inferno! il lavoro è continuo; ci diamo la muta, è vero, ma nessuno può mai dormire il suo bisogno: quell'orologio lì a dondolo ci governa, e il capo ci va su e giù come quella sua lente. — Mio buono amico, queste condizioni son dure; ma perché voi le pigliate? — Perché voi le pigliate? E d'inverno che volete che facessimo di meglio noi miserabili braccianti? A non finire di fame e di freddo corriamo qui, e soffriamo corna e peggio per non essere mandati via; perché noi siamo assai fratelli. — Hai dunque altri fratelli? — Il concaro rise come può ridere un lupo e rispose: — Fratello in lingua nostra significa povero; e dove son molti poveri, il proprietario paga gli opranti a suo senno, e se altri se ne va dal concio, non mancano i mille che preghino di entrare in suo luogo.

[24 agosto 1864]

## VII

### LE IMPASTATRICI

Venimmo in desiderio di vedere le impastatrici, ed entrammo in altra stanza a terreno. Le donne erano venti, tutte in fila con avanti un tavolello di noce e ciascuna con un utello[1] alla sua destra. Il capoconcaro scodellò nel mezzo del tagliere un pastone tuttavia bollente; le meschinelle si versarono sulle mani un filo di olio dall'utello, e con l'estreme dita spiccarono della pasta scottante, facendo siffatti versi col volto che ci mossero il riso. Nessuna canzona, nessun motto arguto allegrava il lavoro; il fattore andava sossopra per ogni nonnulla, e punto che l'opera gli paresse abborracciata, e punto che una donna si disistancasse, egli era sempre lì a frugarle le spalle col suo maledetto legno. Quando la pasta fu mediocremente ammazzerata,[2] le donne raddoppiarono il maneggio: i lombi, i polsi travagliarono con più lentezza, ma con forza maggiore; il dorso delle mani si fe' turgido e livido, il sudore gocciò dalla fronte. Per ridurre allora la pasta più obbediente ed arrendevole vi sputarono sopra, si sputarono sulle mani, il che facendoci stomaco bastò a toglierci da quel luogo. Traversammo un'altra stanza dove il falegname incassava i bastoncelli, incartocciandoli in frondi di lauro; e montando per una scaletta fum-

1. *utello*: vasetto per l'olio.   2. *ammazzerata*: domata.

mo nelle stanze a torre, dove, scévere dagli uomini, sogliono dormire le donne. Vi trovammo inferma sopra un povero saccone una giovinetta di Longobucco. — Oh! — le chiedemmo — siete dunque ammalata, buona donna? — Ma nei conci si può star bene? — ci rispose. — Voi avete visto le mie compagne laggiù, e con quel lavoro lì non ci restano lombi, non ci restano polsi, si raccattano caldane, febbri, sbalordimenti di testa. Guardate. — E levando da sotto la coltre le mani ce le mostrò piene di setole[1] (*serchie*) con la pelle rotta, magagnata, ricoverta di croste.

E sfogliandosi quelle croste con l'ugne, continuò: — Bisogna che la liquerizia si assodi a furia di sputarvi sopra e di maneggiarla; bisogna che, come un pane biscottato, vada, cadendo a terra, in mille frantumi; e per condurla a tali termini si richieggono polsi di acciaio. Poi non vi è verso da far contento il fattore; quando i panellini non gli sembrano sodi a bastanza, gli disfà e rimette nel caccavo, e liquefatti e bollenti vuole che si rimpastino. A non scottarci le mani le ungiamo di olio; e ne avessimo almeno a sufficienza! Spesso dobbiamo comprarlo di nostro. La mattina ci si accorda un po' di tregua, e ci mettiamo al lavoro con due ore di sole alzato; e spendiamo quel po' di tempo ora a fare il pane, ora a lavare ed imbucare i panni agli uomini nostri. — E se un concaro non ha moglie, chi gli fa il bucato? — Una di noi, e per tutti i sei mesi che dimoriamo qui le dà 85 centesimi. Poi l'orologio ci chiama al tavolello, e tranne cinque minuti che ci accordano a mezzodì per mangiare, non ci togliamo dal tagliere prima che il pastone scodellato dal capoconcaro non sia ridotto a bastoncelli. E così lavoriamo a notte adulta, e spesso con la febbre addosso; perché il fattore è un cane, che non ci conta la giornata quando siamo *malatelle*. — Questa parola le scappò con tanta grazia di bocca che noi la scriviamo quale l'udimmo. — Veggo qui — le chiedemmo — panieri e ceste; ma non già il tamburello, ch'è l'arnese indispensabile di voi altre giovanette; e tu, che credo maritata, potresti con quello far bordone alla chitarra di tuo marito. — Qui non si soffrono, signore, né chitarre, né tamburelli: *il concio è un lutto.* Ed alle povere donne è vietato finanche il riso, perché tra noi non manca alcuna a cui il fattore dà di brùscolo, ed ella, superba di essersi messa nella grazia di lui, ci fa la fattoressa ad-

1. *setole*: screpolature.

dosso, né si può dirle: «Fatti in là.» Io poi son maritata, ma come nol fossi; qui le mogli si dividono barbaramente dai mariti, e questi per vederle alla macchia pagano una multa. Sì, mio buon signore. Quando il sole è caduto, la manifattura si chiude; e chi si trova fuori resta fuori, sia che piova, sia che nevichi. E quando alla dimani rientra nella fabbrica, paga 85 centesimi di multa. Or mio marito, per vedermi, finge, quando il sole è presso al tramonto, di fare un po' di corpo, ed esce. La fabbrica si chiude, ei vi rientra alla dimani e paga la multa. E così il nostro meschino guadagno di sei mesi se ne va tra multe, spese di medicine, ed elemosine. — Oh! ma voi così povere come potete fare l'elemosina? — La *malatella* sorrise, e rispose: — La limosina non si fa da noi; ma dal padrone, e si paga da noi: e nell'anno passato vi ebbe un tremuoto, e il padrone ci fe' sapere che avendo dovuto soccorrere ai danneggiati del tremuoto, intendeva ritenersi tre lire dall'avere di ogni concaro e d'ogni impastatrice. — A queste parole lasciammo pieni d'indignazione la *malatella* e tornammo al focolare. — Cantate qualche cosa — dicemmo ai concari — e vi daremo il vino. — Nel carcere si canta, ma non nel concio —, ne risposero. Ci sedemmo al fuoco, ma i nostri occhi erano su quei poverelli. Dopo un tratto vollero contentarci, e maneggiando mestamente le fravosce intonarono in quilio[1] la seguente canzone:

> *Povara vita mia, chi campi a fari*
> *mo chi si chiusa dintra a quattru mura?*
> *De mani e piedi mi fici ligari*
> *a na nivura* (nera) *fossa funna* (fonda) *e scura.*
> *Sula a speranza nun mi fa schiattari,*
> *e tu, rilogiu, chi mi cunti l'uri:*
> *tannu mi criju* (allora credo) *de mi liberari*
> *quannu mi dici: Su' vintiquattr'uri.*

Un'infinita malinconia governava quel canto. Il concaro si dipingeva legato nelle mani e nei piedi, in fondo ad un abisso tenebroso, con gli occhi rivolti non al Cielo, non a Dio, ma all'orologio che gli conta il tempo. Ci segnammo nella memoria la canzone, e volgemmo l'occhio alle persone che ci stavano attorno. Il numero n'era cresciuto. Braccianti, mulattieri, pastori e viandanti di tutti i paesi erano convenuti colà a passarvi la notte. Non mai vedemmo

1. *in quilio*: in falsetto.

cere più sinistre, non mai udimmo più scellerati discorsi. Nelle loro conversazioni si metteano in ballo i disegni più sanguinosi: si raccontavano imprese di briganti, audacie di carcerati; si narravano i vizi e le abitudini dei nostri più ricchi signori, e discutevansi le insidie tese a loro dai briganti per sequestrarli. A noi tardava un secolo di potere uscire da quel conciliabolo di gente famelica, che affrettava coi voti il ritorno della bella stagione per pigliare il mestiero del brigante o del manutengolo; e quando fu giorno ci rimettemmo in viaggio. Fuori della manifattura alcune donne sfornavano il pane, ed una di quelle allungandosi più che potesse sulla punta dei piedi stendeva la mano ad un finestrino cancellato[1] della fabbrica. — Che fate, buona donna? — Non posso entrare per l'uscio, e porgo per di qui al mio povero marito un mezzo pane caldo condito con un poco di olio. — E noi spronando il cavallo dicemmo nel nostro cuore: «Proseguite pure, miei bei signori calabresi, a far così inumano governo della povera gente; e poi gridate, ché ne avete ben d'onde, che vi siano briganti i quali vi sequestrino.»

[27 agosto 1864]

---

1. *cancellato*: con inferriata.

# SCRITTORI GARIBALDINI

★

GIOVANNI COSTA

GIUSEPPE CESARE ABBA

GIUSEPPE BANDI · EUGENIO CHECCHI

ANTON GIULIO BARRILI

GIUSEPPE GUERZONI

# GIOVANNI COSTA

# PROFILO BIOGRAFICO

GIOVANNI COSTA nacque a Roma nell'ottobre del 1826, terz'ultimo di quindici tra fratelli e sorelle, nel palazzetto che il padre — di umilissima origine, tanto che da ragazzo aveva girato la ruota ai cordari, ma arricchitosi poi molto con l'industria della lana — si era fatto fabbricare a San Francesco in Ripa. Dopo una prima istruzione ricevuta in casa da un prete, fu messo a studiare nel collegio di Montefiascone e in seguito, fino al 1845, nel Collegio Bandinelli di Roma, a San Giovanni dei Fiorentini. Terminati questi studi, egli poté liberamente darsi a coltivare la sua viva inclinazione per l'arte, e frequentò gli studi dei pittori che allora in Roma erano fra i più apprezzati. Ma questa sua prima attività artistica fu ben presto turbata e interrotta. Con l'elezione di Pio IX sopraggiunse il rivolgimento romano e il Costa vi partecipò con tutto l'ardore del suo spirito patriottico, avido di azione e di indipendenza. Arruolatosi nella legione romana, vi rimase anche dopo l'enciclica papale del 29 aprile, e combatté alla difesa di Vicenza. Poi, tornato a Roma, durante la repubblica fu membro della municipalità e della commissione degli ospedali; le quali cariche non lo distolsero dal battersi agli ordini di Garibaldi, che durante l'eroica difesa lo chiamò a far parte del suo stato maggiore.

Tornò all'arte nel decennio che seguì alla caduta della repubblica romana. Si diede allora a dipingere dal vero nella campagna romana dimorando assiduamente all'Ariccia, e allacciò relazioni di amicizia con quasi tutti i pittori italiani e stranieri, che allora lavoravano a Roma, specialmente con gli inglesi Giorgio Mason e Federico Leighton. In questi anni subì anch'egli la generale evoluzione dell'orientamento politico italiano, staccandosi dalle idee repubblicane e mazziniane, e accettando l'indirizzo politico della monarchia. Con questo spirito fu nel 1857, dopo il viaggio di Pio IX nelle Legazioni, uno dei quattro presentatori di un indirizzo al ·municipio romano, in cui si chiedevano riforme e amnistia. Ma solo col marzo 1859 si può parlare di un suo effettivo ritorno all'attività politica. Il suo stesso arruolamento nell'esercito piemontese fu un atto di significato non genericamente patriottico, ma schiettamente politico. Il suo impulso lo avrebbe spinto ad arruolarsi con Garibaldi nel corpo dei Cacciatori delle Alpi. Ma egli ed altri patriotti romani credettero più opportuno arruolarsi nell'esercito regio, sia per coerenza con la loro evoluzione politica, sia per significare la volontà dei romani di diventare nell'Italia unita sudditi di Re Vittorio. Si arruolò pertanto nei cavalleggeri di Aosta. Ma non ebbe a lodarsene, perché per tutta la durata della campagna il suo corpo non partecipò a nessuna azione di guerra. L'armistizio di Villafranca lo restituì all'arte. Da Torino passò a Milano e poi subito a Firenze, dove dimorò a lungo perché vi trovò un ambiente artistico di notevole significato e valore: quello dei «macchiaioli». Dei quali il Costa condivideva le vedute e le esigenze generali, non però la tecnica; e con molti di essi fu in intrinsechezza, specialmente con Giovanni Fattori, su cui egli esercitò una notevole influenza spronandolo e sostenendolo nella sua evoluzione dai quadri di soggetto medievale all'interpretazione pittorica del paesaggio e della figura umana mediante un appassionato studio dal vero. Dopo circa due anni di intenso lavoro, sia per farsi conoscere ed apprezzare da un pubblico più vasto, sia per esaminare da vicino la nuova pittura francese, di cui aveva avuto notizia a Firenze, nella primavera del 1862 si recò a Parigi, dove la sua tela *Donne che imbarcano legna a Porto d'Anzio* fu accolta senza difficoltà dalla giuria del «Salon», e contemporaneamente espose uno *Studio di alberi di olivo* al «Salon des refusés». Incoraggiato dal successo di questi due lavori, egli mostrò ai pittori francesi, che già gli avevano manifestata la loro simpatia, la sua collezione di studi dal vero della campagna romana e della costa toscana, che furono molto apprezzati, specialmente dal Corot. Alla fine dell'anno, dopo una breve puntata a Londra, tornò a Firenze.

Un altro viaggio a Londra e a Parigi egli compì l'anno seguente; e nel 1864 si apprestava ancora a tornare a Parigi, quando gli fu proposto, ed egli subito accettò, di recarsi a Roma per riorganizzarvi e rianimarvi il troppo languente Comitato nazionale. In quest'opera impiegò circa tre anni viaggiando continuamente tra Roma e Firenze. Poi, constatata l'impossibilità di ridar vita attiva a quel comitato nazionale, che invece era diventato un «comitato dell'inazione», nel marzo del 1867, anche per non lasciar tutta l'iniziativa al comitato mazziniano, egli fondò a Roma il «centro di insurrezione». Le tre associazioni si fusero poi per volere di Garibaldi nella «Giunta nazionale romana», alla quale spettò il compito di promuovere dentro la città un moto insurrezionale, che coordinato con l'invasione dell'Agro romano, guidata da Garibaldi, avrebbe dovuto provocare l'intervento dell'esercito regio. Il tentativo, come è noto, non riuscì; e pochi giorni dopo, il Costa, uscito da Roma, raggiunse a Monterotondo Garibaldi, che lo riprese nel suo stato maggiore; combatté a Mentana, e poi accompagnò il Generale fino a Figline, dove fu tra i firmatari della Protesta per l'arresto, ivi avvenuto, di Garibaldi. Ritornò quindi a Firenze e all'arte. Ma nel '70, unitosi alle truppe del generale Cadorna, fu tra i primi a entrare in Roma, dove il 2 ottobre promosse il plebiscito della Città leonina e nel novembre fu eletto consigliere comunale, la qual carica tenne per sette anni.

Compiutasi ormai l'unità italiana, il Costa dedicò esclusivamente all'arte il resto della sua vita, acquistandosi meritata fama non tanto in Italia, quanto piuttosto in Inghilterra, dove egli fu fatto apprezzare e gustare principalmente da Federico Leighton, da Giorgio Howard e da William Blake Richmond, coi quali aveva cospirato e lavorato in Italia in fraternità di ideali politici ed artistici. Il valore della sua pittura ebbe la sua consacrazione a Londra nel 1882, allorché egli tenne durante la *season* un'esposizione di circa sessanta quadri. Il successo fu grande, e più tardi, nel 1896, una sua tela, *Il risveglio*, fu accolta, benché di autore vivente, dalla National Gallery.

Il Costa si spense a Bocca d'Arno il 31 gennaio 1903.

★

La principale fonte di notizie sulla vita e sulle opere del Costa è costituita dalle memorie che a cominciare dall'inverno 1892-93 egli dettò alla figlia e che furono poi da lei pubblicate nella seguente edizione: NINO COSTA, *Quel che vidi e quel che intesi*, a cura di GIORGIA GUERRAZZI COSTA, con 54 illustrazioni, Milano, Fratelli Treves, 1927. A questo volume si deve aggiungere la monografia di OLIVIA ROSSETTI AGRESTI, *Giovanni Costa. His life, work and times*, London 1904. Si vedano inoltre L. SICILIANI, *Per un pittore e per un patriotta*, nell'«Italia moderna», anno III, 8 marzo 1905; P. PANCRAZI, *Racconti e novelle dell'Ottocento*, Firenze, Sansoni, 1939, p. 153; GIANI STUPARICH, *Scrittori garibaldini*, Milano, Garzanti, 1948, pp. 1076-77 e l'introduzione.

# DA «QUEL CHE VIDI E QUEL CHE INTESI»

Erano i francesi già sbarcati a Civitavecchia e non ancora Roma aveva il proprio municipio. Così, certo Ugo ed io pensammo di far la lista dei candidati municipali. E stampata la lista di notte venne affissa, in gran parte, da noi stessi.

In questa lista figuravano nomi di uomini maturi, di valore ed intemerati, e di molti giovani ardenti ed attivi. Eran tra i primi: Armellini, Galeotti, Sturbinetti, Lunati, Piacentini ed altri. I giovani erano entusiasti e pratici. Così il municipio funzionò egregiamente.

Difatti in poco tempo il municipio, nel quale v'era anch'io e vi reggeva molte cariche, rafforzò le mura di Roma e vettovagliò la città; cosicché per tutte le settimane che durò l'assedio si ebber viveri a buon mercato. Così, per esempio, Grandoni ebbe incarico di andare in Sabina ad incettarvi una quantità enorme di olio, che portato in Roma veniva man mano rilasciato ai bottegai al patto che lo vendessero al pubblico con piccolo guadagno.

Luigi Silvestrelli, ricchissimo mercante di campagna, empì Roma di bestiame da macello. Una notte, a cavallo, vestiti da butteri siamo passati fra le armate francese e spagnola, spingendo col pungolo trecento capi di bestiame che riuscimmo ad introdurre in Roma.

Questa di condur bestiami dentro Roma non era facile impresa. Bisognava agir alla chetichella e camminar tenendo il fondo delle valli. Ordinariamente per condurre quegli animali selvaggi è necessario mandare avanti due di loro, più grossi e più cornuti, con grandi campani al collo e capaci di passar per qualunque luogo, guidati dall'inflessioni stentoree del buttero, volgendo senza paventare a dritta ed a manca. Ma, nel nostro caso, non potevamo passarci il lusso dei due «mandarini» — così si chiamano i due buoi del campano — onde non essere scoperti dal nemico, che si sarebbe pappato lui tutto quel ben di Dio.

L'impresa di approvisionare Roma di carne andò felicemente, malgrado le gravi difficoltà non prive di poesia.

Lo sbarco dei francesi a Civitavecchia fece la gioia dei clericali come di un certo partito liberale conservatore guelfo. Ma né l'uno né l'altro osò alzar la testa . . . per paura di scoprir la carotide. Però i capi di tali partiti, quietamente promisero ai francesi di aprir loro una porta che trovasi sotto i giardini del Vaticano; come pur promisero che le truppe nostre non si sarebber contro di lor battute, perché essi le avrebber comprate.

C'erano poi, fra i rivoluzionari, uomini terribili che atterrivano con fatti atroci. Zambianchi,[1] ad esempio, il quale era ufficiale superiore dei finanzieri, quando incontrava dei preti che non gli andavano a genio li faceva arrestare e li faceva chiudere nel convento di San Callisto. Durante la prigionia permetteva a quei disgraziati di andar a prender aria nell'orto di quel convento ed a passeggiare in un certo viale che termina con una fontana. Mentre il povero prete beatamente si sgranchiva le gambe, gli arrivava una fucilata che lo abbatteva.

Un di questi infelici cadde con la testa nella fontana. Lo Zambianchi non solo assisteva, ma stabiliva gare tra i suoi dipendenti in questo atrocissimo tiro a bersaglio.

Con buon successo, per far cessar tanto feroce carneficina, più tardi ricorremmo, io e Cortesi, a Garibaldi.

Era imminente la Pasqua di quell'anno e Mazzini volle che ai romani non mancasse la benedizione — che in tempi ordinari, per quella ricorrenza, era il Santo Padre che la impartiva al popolo — dalla gran loggia di San Pietro in Vaticano. Spettacolo imponente, avanzo in epoca di decadenza dell'antica grandiosità romana.

Per raggiunger lo scopo, che avea non trascurabile finalità politica, Mazzini si rivolse a me. Ed io accettai. Non era facile trovare

---

1. Callimaco Zambianchi (1811-1860), di Forlì, celebre mangiapreti, esule a Parigi dopo i moti del 1831, emigrò nel 1843 a Montevideo e militò nella Legione italiana agli ordini di Garibaldi, col quale tornò in Italia nel '48. Si batté alla difesa di Roma guadagnandosi il grado di maggiore, e dopo la caduta della repubblica, benché ferito a un piede, seguì Garibaldi nella ritirata fino a San Marino. Tuttavia egli, che a Roma aveva fatto sommariamente fucilare tre frati, fu inviso a molti per la sua brutalità, e rovinò del tutto la sua fama nel '60, quando, affidatogli da Garibaldi il comando della colonna che da Talamone avrebbe dovuto effettuare una diversione strategica sconfinando nello Stato pontificio attraverso la Toscana, diede prova di tutta la sua inettitudine. Arrestato poco dopo a Genova, accettò dal governo di farsi espatriare per denaro in America. Morì alla vigilia del suo arrivo a Buenos Aires.

un sacerdote il quale si prestasse a sostituire in tanta cerimonia il pontefice.

Ma pensai subito a prete Spola, ne andai in cerca e gli tenni questo discorso:

— Senti, prete, benché tu non ti sia portato benissimo, la Provvidenza e le circostanze ti aiutano. Io ti promisi di farti vescovo *in partibus*, in luogo di ciò ti faccio papa. Vuoi tu impartire la benedizione di Pasqua dalla gran loggia di San Pietro?

— Voglio — rispose il prete libertino. — Ma quanto mi date?

— Trenta scudi.

— Che sian scudi e non denari!...

Il giorno dopo, che era quello di Pasqua, si raffazzonò alla meglio un simulacro di Corte pontificia con relativi flabelli. Si fecero quadrati di truppe in piazza di San Pietro ed i romani non mancarono di affluirvi; parte per lo spettacolo, parte per abitudine, parte per religione. Le campane suonavan da rivoluzionarie, le artiglierie sembravan tuonassero più a battaglia che a festa.

Intanto prete Spola in sontuoso paludamento, aperte con gran solennità le braccia, benediva il popolo.

I triumviri, Mazzini, Armellini e Saffi, assistevano alla gran cerimonia dalla loggia della Guardia svizzera.

Mazzini, mi par ancora di vederlo, in marsina nera ed in cravatta bianca, con prete Arduini accanto, tutto assorto e pensoso, mirava l'imponentissimo spettacolo. E quando fu finito si scosse e, voltosi a me che pur gli ero accosto, disse:

— Questa religione si regge e si reggerà ancora per molto tempo per la gran bellezza della forma.

Enfatico il prete Arduini mi abbracciò dicendomi:

— Siete un vero angelo!...

Io mi schermii e replicai:

— Risponderà l'avvenire!... Pare, però, che saremo bruttini!...

Don Felice Spola ebbe a pagare assai cara tale sua passeggera gloria. Restaurato Pio IX egli venne acciuffato dalla Santa Inquisizione; e più nulla si seppe di lui.

## II (XIII)

### IL TRENTA APRILE

Ed eccoci al 30 aprile 1849.

All'alba di questo giorno mio fratello Paolo, il quale era d'accordo con un partito papalino liberale, spaventato dagli eccessi dei repubblicani, calorosamente mi consigliava di non andare a battermi. Perché, egli mi diceva, nessun dei benpensanti voleva saperne della repubblica di Mazzini. E perché la truppa non si sarebbe battuta; ché non la intendeva affatto di difendere questi che si dicevan fratelli ed erano assassini.

Meglio i francesi, meglio gli austriaci, meglio il diavolo che questi cari fratelli briganti. Aggiungeva, mio fratello Paolo, che tutto era combinato per aprir le porte ai francesi; che gli avrebber fatti entrare per una porta sotto i giardini del Vaticano. Che, infine, né i carabinieri si sarebber battuti, né il terzo reggimento di linea e nemmen la Civica né le Legioni romane.

— Ma io vo! — risposi.

Preso il fucile mi affrettai a San Pietro.

Qui sulla piazza trovai Nicola Fabrizi[1] che conduceva i carabinieri. Io mi detti premura di comunicargli il macchinato tradimento. Difatti, quando egli comandò di attraversar il colonnato per prender i cortili che mettono ai giardini, i carabinieri si fermarono.

Allora Nicola Fabrizi, sollevandosi all'altezza degli antichi Dei omerici quando scendevano in terra a partecipare ai combattimenti dei mortali, forte esclamò:

— E sarà vero che i carabinieri romani, pari agli eroi antichi, che si coprirono di gloria a Vicenza, rinculino davanti al nemico che assalta le mura stesse della lor città per rimettere in piedi il più inumano dei governi?

E finito di parlare, Fabrizi abbracciò il colonnello dei carabinieri Calderara. E non si scorse bene se quello fosse un abbraccio od una forte scossa. Ben vidi i carabinieri voltarsi risolutamente ed andar a distendersi al parapetto delle mura di Roma che abbracciano i giardini vaticani. Ma rimanevano sotto i palchi o ballatoi;

---

1. Nicola Fabrizi (cfr. nota a p. 849).

poiché il fuoco era per parte dei francesi cominciato coi cacciatori di Vincennes.

In quel momento i nostri stavano mettendo i cannoni in batteria e non avean alcun riparo, servendo da piattaforma una aiuola di fiori che stava al disopra del parapetto.

Vedendo i carabinieri che non si decidevano a montare a combattere, il colonnello De Angelis ed io montammo sull'impalcata. Quindi, sempre per far animo a quelli che non osavan venir su e mostrarsi al nemico, il colonnello De Angelis si espose alle palle, che già fischiavano intorno, dalla cintola in su, ed io mi inginocchiai sul parapetto stesso. E ciò non fu invano e lo vedemmo subito.

Quasi sempre le battaglie principiano freddamente. Ai primi rari colpi dei tiragliatori c'è un certo battito di cuore, sopratutto in quelli che si trovano e rimangono al fuoco per disciplina. Ma ciò non accade al volontario. Poi i colpi principiano a farsi più fitti, tuona il cannone, allora la vendetta e la poesia infiammano l'animo ...

Ecco che i francesi attraversano in colonna un prato, che si trova sotto le mura, allora i nostri escon tutti dal sicuro riparo, come leoni si avventano al parapetto e del nemico fan strage.

Anche qui, come a Vicenza, l'artiglieria romana si portò eroicamente. Io contai nove artiglieri caduti, distesi fra i fiori accanto ai loro pezzi. Fra questi il tenente Pallini ed il tenente Narducci.

Assicuratomi che qui le cose cominciavano ad andar bene, con una vettura rapidamente corsi fuor di Porta San Pancrazio. Vi giunsi nel momento che Garibaldi ordinava ad un piccolo nucleo dei suoi di occupare una casina che era sopra un prato di fronte al secondo cancello di Villa Pamphili. Unitomi a questo nucleo quando fummo alla casina ci contammo: eravamo in 17. Già i francesi si preparavano ad attaccarla tentando di circondarla. Noi ci impegnavamo a difenderla, ciò che ci divenne impossibile quando i cannoni cominciarono a mitragliare quella specie di capanna.

Allora, di corsa, passammo sotto gli acquedotti dell'Acqua Paola, ed entrati dentro Villa Pamphili e chiusi i cancelli ci appostammo dietro gli alberi di leccio sopra il muro che dà sulla strada che corre più bassa. Eravamo in una posizione eccellente; per attaccarci il nemico dovea salire su di un prato, e quando noi vedevamo apparir i *pompons*[1] ci mettevamo in guardia per aspettar che venisser fuori le teste, alle quali si tirava a segno allegramente. Noi avevamo per riparo le arcate dell'acquedotto, il muro che va da un'arcata all'altra e la strada, che equivale ad un fossato, poiché la Villa Pamphili si eleva col suo muro a terrazza sulla quale trovansi dei lecci secolari, dietro cui noi ci riparavamo. E buon per noi, ché queste piante erano, dalla parte del nemico, crivellate di palle.

Con tutto ciò ci tenevamo per perduti, dato l'esiguo numero. E già i francesi erano al cancello; e già alcuni di essi si battevano corpo a corpo con noi; e già andavamo verso San Pancrazio prendendo lungo le mura della Villa, e già ci sentivamo prigionieri, quando vedemmo alcune compagnie della Legione romana, sortite da Porta Portese, venire alle spalle in nostro aiuto. Allora, rinfrancati, facilmente facemmo prigionieri tutti quanti i francesi che si erano intromessi tra noi e le mura di Roma. Li contammo. Eran trecento, fra cui un colosso di capo tamburo. I quali noi, cantando la Marsigliese, regalando loro sigari, quasi presili fra le braccia, trionfanti acclamandoli quali fratelli repubblicani ingannati dai preti, li conducemmo dentro Roma. Appena in città demmo loro da bere, ed il capo tamburo festoso roteava la mazza.

Tutti protestavano che mai più si sarebbero battuti contro una repubblica; promessa, che, di lì a poche settimane, tradirono.

Il giorno dopo ho sentito da Garibaldi stesso che egli con pochi uomini avea inseguito, per venticinque miglia, tutti i francesi che si dileguavano davanti a lui.

Nei giorni seguenti venne, da Montecchi nostro con l'inviato della repubblica francese Ferdinando de Lesseps, concluso un armistizio di un mese.[2]

---

1. *pompon*: fiocco; ne era ornato lo *shako*, berretto militare di origine ungherese, che più avanti il Costa scrive *giacò*. 2. Mattia Montecchi (1816-1871), di Roma, avvocato e cospiratore, arrestato e condannato a vita nel 1844, ebbe la libertà dopo due anni con l'amnistia di Pio IX, e nel '48 si batté nel Veneto. Dopo la fuga del papa fu membro del primo triumvirato romano insieme con l'Armellini e i Saliceti; poi fu ministro del commercio e dei lavori pubblici. Caduta la repubblica, raggiunse a Londra il Mazzini; ma in seguito si venne staccando da lui e si accostò ai moderati. Nel '62 fu eletto deputato. — Ferdinando Lesseps (1805-1894), che fu poi universalmente noto per l'apertura del canale di Suez (1869) e per aver intrapreso quella del canale di Panama, in conseguenza dello scacco subìto dai francesi, che il 30 aprile persero più di mille uomini tra morti,

Mentre durava l'armistizio si accrescevano le fortificazioni, sempre meglio si vettovagliava la città, si preparavano gli ospedali. Io mi trovava in diverse commissioni, come quella delle fortificazioni e quella degli ospedali.

Essendo la mia casa paterna alla fronte di battaglia, Garibaldi vi mise per alcuni giorni il suo Quartier Generale. Mio fratello Antonio naturalmente non vide questo di buon occhio. Ciò non sfuggì a Garibaldi, il quale un giorno mi disse:

— Vostro fratello non ci è propizio. Non è lieto di darci ospitalità.

Fortunatamente i miei se ne andarono ad abitare a palazzo Giustiniani. Ed io rimasi solo faccia a faccia con Garibaldi e con quelli dei suoi che aveva condotto seco da Montevideo. Eran questi una sessantina; i quali, quasi tutti, trovaron la morte nell'assedio di Roma.

Mio fratello Pietro era rimasto anch'egli nella casa paterna. Ma stavasene in disparte, non riuscendo a nascondere l'orrore che ad esso producevano tutti questi eroi antipapalini.

Garibaldi mi chiamò nel suo stato maggiore affidandomi la difesa delle mura da Porta Portese al terzo bastione.

Dopo qualche giorno trasferì Garibaldi il suo Quartier Generale a Villa Savorelli. Frattanto, però, io mi valsi dell'umanità dell'animo suo per sollevar la miseria di molte famiglie povere prive di lavoro, come per far dare dei sacchi di grano ai frati di San Francesco a Ripa che morivano di fame. Così pure da lui ottenni fosse eliminata della trista gente che andava commettendo infamie in nome di Garibaldi.

feriti e prigionieri, fu mandato in missione diplomatica a Roma e stipulò coi triumviri una convenzione che avrebbe dovuto praticamente condurre alla cessazione delle ostilità. Ma la convenzione non fu approvata né dal ministero francese, né dal comandante il corpo di spedizione, generale Vittorio Oudinot (1791-1863), il quale, avendo intanto ricevuto rinforzi, ed essendo stato il Lesseps bruscamente richiamato a Parigi, denunziò l'armistizio e attaccò il 3 giugno alla vigilia della sua scadenza.

### III (XIV)

#### IL TRE GIUGNO

Nella notte del tre giugno i francesi, prima ancora che il termine dell'armistizio fosse spirato, si impadronirono di Villa Pamphili facendovi prigioniero in gran parte il corpo di Mellara.

Alle due e mezzo di notte, sentiti crepitare i fucili, correndo salii a Porta San Pancrazio. I francesi già occupavano tutte le ville e case là dinanzi fin sotto il Vascello, compreso il casino dei Quattro Venti. Era questo una vera fortezza.

Trovai che i nostri stavano sulla Porta San Pancrazio a disfarne il ponte levatoio, e su una piattaforma dove era un cannone, v'era Garibaldi col colonnello Galletti ed il maggiore Romiti. Egli era molto calmo; ordinò si cessasse la demolizione del ponte, mandò un aiutante di campo in città per raccogliere garibaldini. Frattanto impartiva altri ordini; e me volea mandare ad ordinare ai medici che raggiungessero i loro posti negli ospedali. Io, però, lo pregai di farmi rimanere per il primo assalto non essendoci ancora feriti.

Frattanto arrivarono i garibaldini ed alcune compagnie della legione di Manara.[1] Sortirono dalla porta e si schierarono sotto il Vascello, in attesa delle munizioni che vennero portate su di un muletto. Distribuite queste, subito di corsa si lanciarono all'assalto del casino dei Quattro Venti. Cominciò un fuoco d'inferno; si sentivano grida di tripudio, di scherno, di dolore. I nostri presero il casino.

Portai la lieta notizia dentro Roma, mentre facevo il giro per assicurar il servizio di medici e chirurghi negli ospedali. Più presto che mi fu possibile tornai a San Pancrazio. Purtroppo il casino dei Quattro Venti era stato ripreso dai francesi.

Essendo io molto amico di Alessandro Calandrelli, il quale comandava una batteria alla destra della Porta San Pancrazio, egli mi domandò di rimaner con lui per aiutarlo. Intanto arrivava fra

---

1. Luciano Manara (1825-1849), di Milano, dopo essersi eroicamente battuto nelle Cinque giornate, aveva continuato la guerra fino alla capitolazione di Milano. Tornato alle armi nel '49, insieme coi suoi militi, che eran parte della legione lombarda, accorse, dopo Novara, alla difesa della repubblica romana. Fu capo di stato maggiore di Garibaldi, partecipò alle più sanguinose battaglie e cadde mortalmente ferito il 30 giugno nella difesa di Villa Spada.

noi don Michelangelo Caetani¹ che *en amateur* veniva a godersi la
battaglia. Questo accadeva sotto il sole di giugno tanto sensibilmente bruciante.

Avvenne che un tenente dei garibaldini, rivolto al Calandrelli,
insultasse i romani. Calandrelli furibondo gli si fece addosso per
colpirlo; venne fermato in tempo. Ma l'ira sua fu tanta da farlo
uscir di mente; ebbe proprio un vero colpo di pazzia. Io, allora,
lo presi e mi rinserrai con lui in una camera della torre di San
Pancrazio.

Quando vidi che punto contradicendolo ed anzi secondandolo
in tutto la sua demenza verbale s'era ben ben sfogata, lo lasciai un
momento solo. E tornando a lui, gli dissi che i suoi artiglieri si
battevano da leoni e che domandavano di rivedere il loro Alessandro.

Il rumore della battaglia, le affettuose acclamazioni dei suoi
artiglieri lo fecero del tutto rinsavire e calmo tornar alla sua batteria. Forse sarebbe ricaduto nella sua esaltazione se una palla
di cannone, colta una ruota di un pezzo, non avesse morto uno
e ferito alcuni degli uomini suoi.

A questo don Michelangelo Caetani, che era tuttora lì, osservò
motteggiando non esser la guerra cosa divertente, e senza precipi-
tazione se ne andò per i fatti suoi.

Nel frattempo i nostri avean ripreso il casino dei Quattro Venti.
Poco dopo, mi recai sulla sinistra della porta, donde scorgevo le
mura del casino. Di là, così, mi fu dato di accorgermi che quatti
quatti i francesi erano per riprenderselo dal fianco. Fui dei primi
ad avvedermene ed a sparare addosso ai francesi assalitori. Ecco
che sopraggiunse l'Annibali, quello stesso di Vicenza,² e quasi
forsennato mi taccia di traditore, ché tiravo sui nostri. Io vivamente gli risposi:

1. Michelangelo Caetani (1804-1882), duca di Sermoneta, patrizio romano assai noto e colto, era in relazione con i più famosi scrittori, artisti
e studiosi del suo tempo. Era molto popolare a Roma, e nutrendo sentimenti liberali esercitò qualche carica pubblica; ma alla vita politica preferì sempre i suoi studi. Si consulta ancora il suo *Carteggio dantesco*,
che fu pubblicato postumo dal De Gubernatis (Milano 1883). 2. Il Costa, che lo aveva avuto commilitone alla difesa di Vicenza, lo aveva definito una «bestia eroica».

— Miserabile!... Apri gli occhi se la paura te lo permette...
Egli mi rispose vibrandomi una baionettata, che io parai gridandogli:
— Fermo!... Ho un'idea!... Andiamo assieme al casino dei Quattro Venti a trovare il vero nemico.
Questa idea domò la bestia.

Prima di far la nostra sortita, presso la porta vidi Garibaldi e gli comunicai il nostro proposito. Ed egli a me:
— Tutti si battono. Ma, se voglio tre uomini per dirigere un'azione, non li trovo!...
Usciti dalla porta, Annibali ed io infilammo uno dei cancelli di Villa Pamphili. Impossibile però ci era di andar diretti per il viale tanto era battuto dalle palle che venivano dal casino. Attraversando le mortelle, voltando a destra, trovammo che il muro lungo la strada maestra era tenuto dai nostri. Cioè dalla linea pontificia, la quale tuttora vestiva all'austriaca, col prosaico *giacò* dal piatto largo e sopra il *pompon*.[1] Questi soldati tranquillamente tiravano contro il casino Valentini; sotto il parapetto vi era una linea di morti, che continuamente crescevano di numero.
Ad un tratto sentimmo un gran scalpitio per il viale. Era lo stesso stato maggiore di Garibaldi che caricava facendo da cavalleria. I cavalieri erano fiancheggiati da molti fanti di diversi corpi: garibaldini, guardia civica e molti militi della legione Manara, che si distinguevano bene per il cappello piumato alla bersagliera.
Noi ci unimmo a quelli che erano in testa e con costoro andammo all'assalto alla baionetta. Fiero fu l'urto. Il combattimento divenne un feroce corpo a corpo.
Il pianterreno del casino dei Quattro Venti era pieno di morti fatti a pezzi per gli accaniti successivi assalti, avendo i francesi di quei miseri corpi fatto barricate; ed i nostri cannoni aveano travolti e fracassati i cadaveri, i pezzi dei quali emergevano tra il sangue ed i calcinacci. Uno ve ne era, tra tanti morti, al quale una palla di cannone aveva svuotato il petto e il ventre ed incastonato gli intestini sul muro; ed i calcinacci pioventi dal soffitto ne aveano riempito il ventre.

1. Cfr. nota 1 a p. 728.

Si sentiva al primo piano, nel fremito del combattimento ed il rantolo della morte, scalpitio di cavalli. Fin lassù eran montati i nostri caricando per le rampe esterne del casino. In questa furibonda carica era caduto il povero Masina.[1] Io lo vidi, ferito a morte, che avea tuttora un piede nella staffa, mentre un greco amico suo liberandolo da questa gli baciava il piede.

Vedemmo, ad un tratto, al di là del casino dei Quattro Venti, ormai di nuovo nostro, due feriti che ci tendevano le braccia per chiederci aiuto. Con Annibali andammo ad essi per por termine, così, al nostro duello. Erano quei feriti due colossali lombardi della legione Manara, entrambi gravemente colpiti alle gambe. Mentre ci caricavamo i due infelici sulle spalle vedevamo intorno a noi alzar nuvolette di polvere fin presso i nostri piedi dai colpi che i francesi ci tiravano dalle finestre del casino Valentini. Ma non appena ci videro col pietoso nostro carico, subito i francesi cessarono il fuoco ed applaudirono.

Battendomi con i francesi ho avuto sempre il sentimento di abbracciarsi prima, poi battersi e quindi riabbracciarsi.

Ho trovato il semplice soldato francese bravo ragazzo, vivace e di buon umore; generoso nella vittoria, danzante nella ritirata. Nel tedesco, o piuttosto il soldato tedesco, ho trovato rappresentare un numero della scienza matematica, sarcastico, duro e crudele, senza coscienza di responsabilità, senza sentimento umano, senza la serena gioia di chi ha un ideale.

Il trasporto dei due feriti fino alla chiesa di San Pietro in Montorio assai penoso fu per essi, ma ben più penoso fu per noi. Perché, oltre il peso dei due tanto voluminosi corpi e dei due fucili, il loro ed il nostro, ci straziavano i lor lamenti ed i morsi che, nel loro atroce spasimo nel moto, essi ci davano nel collo perché li lasciassimo. Si raccomandavano:

— Buttateci in terra . . . lasciateci . . . soffriamo troppo! . . .

Facendo io parte della commissione degli ospedali — che si erano pienati di feriti — alla sera ne feci il giro. Quindi, mezzo morto per la fame e per la stanchezza, me ne tornai a casa a San Francesco a Ripa. Mi buttai a dormire senza che la coscienza mi rimor-

1. Angelo Masina (cfr. nota 3 a p. 830).

desse. Perché anche lì io era sempre in prima linea. Io mi trovavo a circa duecento metri dalle mura a me affidate da Garibaldi. Ed il fuoco, poi, era cessato.

Veramente i francesi non han mai fatto alcun attacco a fondo tra Porta Portese ed il terzo bastione. Le mura, quivi, si estendevano nella valle su la destra del Tevere; e questa era dominata dalla nostra batteria dell'Aventino e da quella del Testaccio come da tutte le batterie del Gianicolo su cui erano diretti tutti gli sforzi del nemico, cui premeva aver nelle sue mani quell'altura che domina Roma.

Ad onta di ciò, per divertire forse l'attenzione della difesa, spesso tiravano sulla mia casa. Ed una volta una palla di fucile, entrando per diagonale da una finestra, trapassò una porta, andando a ficcarsi nel pagliericcio di un letto.

Alla fine di quella battaglia la gente di casa mia raccolse sul tetto un centinaio di palle di fucile e nel giardino tre palle di cannone. Però, essendo la mia casa così sotto tiro, le palle e le bombe passavano al di sopra del tetto. In una notte insonne, io ne ho contate fino a centosei.

Questi proiettili, girando su se stessi, fischiavano prima lentamente, poi sempre più presto man mano che si approssimavano alla caduta.

Appena giorno tornai a San Pancrazio e mi recai alla cereria Savorelli, dove era il Quartier Generale di Garibaldi. Gli feci rapporto di quanto accadeva nella valle, dalla quale io ero convinto non saremmo mai stati assaliti. Garibaldi mi comunicò che i francesi ancor una volta avevan ripreso il casino dei Quattro Venti. Ma dico male: non tanto era stato ripreso quanto piuttosto i nostri volontari se ne erano andati e, cheti cheti, i francesi lo avean rioccupato. Non certo per viltà, ma per spensieratezza ed indisciplina, compagne inseparabili dei volontari, questi se ne erano andati a dormire in santa pace, sicuri, forse, che il nemico avrebbe fatto altrettanto.

Con Garibaldi era Galletti[1] con diversi romani. Ed il Generale prendendo Galletti per una mano esclamava:

---

1. Bartolomeo Galletti (1812-1887), di ricchissima famiglia di droghieri romani, fu noto in gioventù per l'eleganza e le avventure galanti, e lo chiamavano scherzosamente il «Duca di Cacao». Ma poi si rivelò uno dei più

— Voi romani potete vantarvi di avere in Galletti un eroe bello al pari di un eroe dell'antica Grecia, coraggioso, intelligente, devoto alla Patria ...

A me tale quegli apparve e Garibaldi quale divinità di Omero.

Il Generale riprese:

— Ma il nemico non l'avrà il Vascello. Lo affiderò a mani sicure, ad uomini sodi, a Medici.[1]

Così fu.

E, difatti, il Vascello, durante l'assedio, venne dalle batterie nemiche poste al casino dei Quattro Venti, ch'era a tiro di pistola, quasi raso a terra. Quasi ogni notte vi erano assalti sempre respinti. A tre di questi assalti mi sono trovato anch'io ed ancor oggi mi domando come si potesse regger là dentro e come il Vascello abbia potuto resistere un mese.

Le barricate vi si erano formate naturalmente, con i rottami del palazzo. Era molto fantastico vedere, nelle sere di luna, staccare sui bianchi calcinacci i difensori in nero. Gli assalti a questo strano edificio eran salutati da una orchestra di fucilate dai diversi suoi piani, e dalle cannonate che dalle mura di Porta San Pancrazio venivano a spazzare la via sottostante.

Continuavano, intanto, ostinati gli attacchi anche alle mura. Ogni mattina all'aurora si udiva lo squillo delle trombe francesi; poscia la fanfara alla quale noi rispondevamo con le nostre. Quindi cominciava la battaglia che durava fino a sera.

Fino al giorno 12 non ci fu nulla di nuovo. Ma, per la notte del 12, Garibaldi avea deciso di far una sortita da Porta Angelica con un forte nerbo di uomini. I quali per riconoscersi tra loro nel buio doveano, rinnovando l'uso delle «incamiciate», avere la camicia sopra l'uniforme.

La sortita avea lo scopo di attaccare i francesi di sorpresa sul loro fianco sinistro. Due compagnie, uscendo fuori da Porta Portese, doveano far diversione richiamando su di sé l'attenzione e

eroici combattenti. Si batté con la legione romana alla difesa di Vicenza, e l'anno dopo, nelle varie azioni della difesa di Roma, diede tali prove di valore da meritarsi due medaglie d'oro. Alla caduta della repubblica andò in esilio, e nel '59 entrò nell'esercito e prese parte alla repressione del brigantaggio e alla guerra del '66. Nel 1868 andò a riposo col grado di maggior generale.   1. Giacomo Medici (cfr. nota 2 a p. 834).

la difesa del nemico. Il quale avea da quella parte le proprie trincee alla Villa Merluzzetto, che sta davanti alle mura che si distendono tra il terzo ed il quarto bastione.

A questa fazione presi parte anche io. Ciò che, del resto, erami di dovere perché si dovea operar nel terreno a me affidato. Sortimmo, procedendo sparsi tra le vigne; quasi senza accorgersene ci trovammo sopra le trincee nemiche, nelle quali i francesi in piccol numero stavano lavorando in maniche di camicia. Cosicché da principio non usammo le armi ma solo sassi contro di essi per non dar, con esplosioni di fucili, l'all'arme al grosso dei nemici.

I francesi, però, che se l'eran data a gambe, tornarono in forze abbondanti. Scambiammo, allora, fucilate in ritirata senza essere inseguiti, perché i difensori delle mura validamente ci proteggevano. Ci ritirammo fin sotto le mura. E sotto queste dovemmo rimanere tutta la notte, con molto soffrire, bocconi a terra, aspettando l'attacco dei nostri, su la destra, che non veniva mai. Ciò che ci faceva dir, motteggiando sommessamente:

— Quelli, trovatisi in camicia da notte, se ne sono andati a letto!...

L'assalto di fianco non poté aver luogo, poiché i francesi, avvisati dalle spie di Roma, erano pronti a sostenere l'attacco. Si capisce come fossero tenuti al corrente di ogni cosa da quelli del partito clericale e del liberale conservatore. Nel campo dei francesi era andato un certo marchese Lepri che aveva un palazzo in via Condotti. Questi nella notte assisteva al tiro delle bombe dentro Roma, facendo festa quando arrivavano al segno, incoraggiando gli artiglieri a metterne un'altra nei mortai dicendo:

— Evvia, un'altra bombina!...

Perciò ad esso rimase il soprannome di Bombino.

Fra quelli che avrebber voluto aprire le porte al nemico, tra Giggi Ciceruacchio[1] che pugnalava Pellegrino Rossi, e Lepri che si divertiva alle bombe tirate contro la Patria, chi fu il peggiore?

1. Luigi Brunetti, figlio di Angelo detto Ciceruacchio. A pag. 53 del suo libro il Costa attribuisce a lui personalmente l'uccisione di Pellegrino Rossi. Sull'episodio si veda in questo volume la versione del Farini.

IV (xv)

DURANTE L'ASSEDIO

Una notte, assieme a Toto Ranucci ed altri pochi, andammo ad affiggere il «Don Pirlone» al cancello del casino dei Quattro Venti. Era questo un giornale umoristico, nel quale era raffigurato il supremo comandante francese, generale Oudinot, in ginocchioni per servir la messa al pontefice ed avente nelle suola delle scarpe l'articolo V della Costituzione della repubblica francese.

Le sentinelle avanzate ci diedero il «Qui vive» e quindi una scarica. Non potendo noi tenere il viale, prendemmo a sinistra, dove il monte va quasi perpendicolarmente nella valle del Tevere. Incalzati camminavamo a parte a dietro per non far il tombolone. Eravamo tra le mura della città e le parallele del nemico con le spalle contro le siepi; cacciando il fucile tra le gambe le sfondavamo e, quindi, passando al modo dei gamberi per non offrire il viso agli spini. Quello che per primo sfondò la siepe si aggrappò al calcio del fucile di quello che gli veniva appresso perché, per dislivello, v'era da fare un salto di qualche metro. Così, prendendo uno il calcio del fucile dell'altro, facemmo una catena, e non senza ridere ci salvammo dal precipizio e dai francesi. Credo sarebbe stato, questo, un bel motivo per un pittore fiammingo.

Un'altra volta, sapendo che in un casino abbandonato, sotto al monte, vi eran rimaste alcune botti di vino, volemmo farle nostre in onta al nemico. Vi andammo di notte, chetamente, con dei muli. Entrati nel tinello, caricammo i muli con due barili ciascuno. I francesi non potevano scendere per venirci contro, essendo il colle a precipizio, e gridavano dall'alto il loro «Chi va là». Ma noi eravamo al coperto e non temevamo le fucilate.

Compiuto il carico delle bestie, spalancata ad un tratto la porta, ciascun di noi tenendo un mulo sotto mano, ci slanciammo a corsa per un certo viale che metteva alla strada maestra che mena a Porta Portese. Ci tirarono non poche fucilate ammazzandoci il povero mulo che veniva per ultimo. Ma salvammo il vino.

Un altro giorno, stando ad una finestra di casa mia vidi un uomo che dall'orto dei frati di San Francesco a Ripa tirò una fucilata e ferì uno dei difensori delle mura. Vidi il subbuglio che l'incidente cagionava fra questi. Previdi cosa sarebbe avvenuto. Corsi immediatamente dai frati, feci uscire e nascondere i frati giovani nell'orto opposto, che si estende fino alla chiesa di Santa Maria dell'Orto. I frati vecchi li misi tutti nell'infermeria.

Come io aveva preveduto, sopraggiunse poco dopo la caterva dei furibondi che intendeva ad ogni costo di far vendetta sui frati. Io li condussi nell'infermeria e tenni loro, presso a poco, questo discorso:

— Questi soli frati abitano ora il convento. Gli altri sono tutti all'Aracoeli. Gli eroi che difendono le mura dell'Eterna Città non insanguineranno il loro ferro col sangue di questi poveri vecchi. Garibaldi è amico loro appunto perché sono poveri, e li ha forniti di vino, olio e grano.

Con ciò li calmai. Dopo di che, sbolliti gli sdegni, potei spiegar loro come Trastevere fosse la parte di Roma più bersagliata dal fuoco del nemico.

E questo era vero. Sopratutto lo era la parte di Trastevere prossima a ponte Sisto; poiché tutte le palle destinate a battere in breccia, che superavano spalti e bastioni, venivano a piovere in quella parte della città.

Durante l'assedio ho passato i maggiori pericoli nell'andare all'ospedale dei Pellegrini e tornarne. Nel venir da ponte Sisto, al vicolo del Moro, c'era dopo una discesa una piazzetta. Una volta vi assistei ad uno spettacolo sanguinoso: una bomba esplose sotto la pancia di un cavallo montato da un ufficiale. Così vidi cavallo e cavaliere andare in pezzi accanto a me.

V'era poi altra piaga.

Molti bellimbusti facevano gli eroi; davano ad intendere per Roma di essersi battuti alle mura. Epperciò si permettevano ogni cosa, di soverchierie e birbonate, per le case dei poveri trasteverini.

C'era, fra gli altri, un certo Valeri, veneto, il quale si spacciava per tenente garibaldino; per i combattenti, diceva lui, andava rapinando galline alle vecchie, ed imponeva il suo amore alle giovani e portava via le argenterie per le spese della guerra. Saputo tutto questo andai da Garibaldi. Lo trovai in piedi al disopra del muro in cui i francesi praticavano la breccia. Aveva la sua camicia rossa,

il fazzoletto di seta al collo, calmo, quantunque si sentisse tremar
la terra per le palle che colpivano le mura e piombassero bombe
per allontanare i difensori. Le bombe si interravano e poi esplode-
vano. Quasi tutti si gettavano a terra per non essere colpiti dalle
scheggie. Ma Garibaldi era sempre là ritto come una divinità invulnerabile.

Esposi le gesta del Valeri. Mi rispose:

— Cosa vogliamo fare? Fucilarlo o chiuderlo in Castel Sant'Angelo?

Risposi:

— Come ella, generale, troverà più giusto. Ma per me lo farei
arrestare e, dopo avergli fatto fare un giro per Trastevere legato,
lo manderei in Castel Sant'Angelo.

— Volete portar questi miei ordini?

Io risposi che per allora meglio avrei amato rimanere al suo
fianco.

— Restate, — disse il Generale.

E dette gli ordini riguardo al Valeri che vennero eseguiti immantinente.

Tornato la sera in Trastevere sentii che benedicevano Garibaldi.

La sera, generalmente, io la passavo negli ospedali.

La sera del 21 giugno io mi trovavo all'ospedale della Scala;
il dott. Feliciani stava amputando lo stinco di un ferito, quando
con gran fracasso sopraggiunse nell'interno della chiesa, ove ci
trovavamo, una bomba che ne aveva sfondata l'abside. L'infermiere che reggeva la gamba all'amputando fece atto di scapparsene
senza lasciar la gamba, rischiando di tirar in terra il ferito.

Erano, intanto, portati altri feriti tutti colpiti alle gambe, cosa
che non si sapeva a che attribuire.

Questo affluir di feriti dicendomi che alle mura doveasi combattere, decisi andarvi subito. Ma volli prima passare da casa mia;
io vi conservavo molti razzi pirotecnici di quelli che, esplodendo
in aria, per qualche minuto danno luce. Io pensai di recarli alle
mura dove sarebber stati utili per illuminare il campo di battaglia.
Eran, questi razzi, parecchi e non bastando da solo a portarli tutti,
volonteroso mi aiutò alla bisogna certo Lubrani, giovane popolano.

Avviandoci col nostro carico, subito ci accorgemmo che le cose doveano essere ben serie lassù alle mura. Non appena preso l'interno di queste già si sentiva uno strano rumore lontano, un gran calpestio insieme ad angosciose voci. Principiavamo ad affrontar l'erta della collina, quando vedemmo un gran turbinare di militi in fuga, folli di terrore ed imprecanti al tradimento. Essi tenevano i fucili con la baionetta innestata, a bilancia a mezza canna. Con gli esplosivi per di più ch'io avea addosso, essere investito da questa ondata di uomini armati ed imbestialiti dalla paura fu, per me, il più gran pericolo ch'io abbia passato nella vita. Fortuna era che il Lubrani ed io conoscessimo ogni zolla, ogni piega di quel terreno. Ciò che ci permise di evitar l'urto e sicura morte, ridicola quanto spietata.

Passata la mandria fuggente, ripigliammo a salire e giungemmo al terzo bastione. Vi trovammo sette od otto dei nostri. I quali da sotto una balza davano il « Chi va là » cambiando voce, e faceano gran strepito per far credere al nemico d'esser in molti.

Erano con questi il capitano Regnoli, il fratello di Adelaide Ristori e tre o quattro trasteverini, un dei quali, facendoci egli il rancio, era da noi chiamato il « Ranciere ». Mentre io dicevo al Regnoli di esser meglio di non illuminare con i miei razzi la fuga dei nostri, vediamo due staccar sul cielo. Diamo il « Chi va là ». Rispondono in eccellente italiano:

— Viva la repubblica romana! Avanti due.

Due, il Ranciere ed un altro, andarono. S'intese un sordo e breve cozzar di ferri, qualche imprecazione di « Corsi traditori » e silenzio.

I due più non tornarono.

Noi rimanemmo tutta notte. Tornato la mattina a casa mia, montai sul tetto per rendermi conto dell'accaduto. Vidi i due nostri giacere a terra ammazzati. E vidi la casa Barberini occupata dai francesi; i quali, nella notte, passando per la breccia si erano fatti padroni delle mura.

Un manipolo dei nostri, fra i quali il pittore Gerolamo Induno, diede nella mattinata un assalto alla casa Barberini. I francesi, non mostrandosi, lasciarono che entrassero dentro e li crivellarono di baionettate. Tra gli altri l'Induno venne gettato fuor da quella casa ed a forza di baionettate, — ne ebbe quindici o venti — di gradino in gradino fatto rotolare per la scalinata. Non so come venne liberato: la sera stessa, però, trovai l'Induno all'ospedale amorosamente curato dal dott. Feliciani che salvò la vita all'artista eroe.[1]

Presa che fu la breccia, noi riducemmo la nostra difesa alla Cinta Aureliana.

Molto ebber da fare i francesi prima di poter stabilire le lor trincee su la nuova linea, battuti com'erano dalle batterie di Santa Sabina. Il giorno dopo, infatti, vidi saltare in aria un cassone delle lor munizioni che sconquassò tutti i loro lavori che dovettero ricominciare da capo.

Che cosa sono di temerario i ragazzi nelle guerre! . . .

Io ho veduto un ragazzo romano con un cappotto sulle spalle, forse perché si immaginava di ripararsi con questo dalle palle di cannone, attaccato come uno scarabeo ai lavori *di tura* dei francesi. Stava lì, chiotto chiotto, ad aspettare le palle di cannone che venivano da Santa Sabina. Dopo averle dissotterrate le rotolava giù perché la repubblica romana, avendone scarsità, le ricomprava.

Appunto per avidità di questo guadagno io ho veduto sulla piazza di San Francesco a Ripa tre individui gettarsi, come cani su un osso, sopra un proiettile appena caduto. Mentre se lo contendevano esso scoppiò mandando a pezzi quei tre poveri diavoli.

Mi venne in quei giorni assicurato che, dopo che furono da noi perdute le breccie delle mura nella notte del 21 giugno, circa duemila popolani si riunissero armati di coltello in piazza del Popolo, decisi di andare essi a riprendere le posizioni perdute. Si disse i francesi, certo per gli effetti politici più che per quelli militari, pur questi non insignificanti, aver assai questo temuto; aver i reggitori della repubblica impedito agli ultimi romani di compiere un fatto pari agli antichi.

Dopo il 21 caddero non pochi dei nostri eroi. Fra questi Manara. Cadde Aguyar «il moro di Garibaldi», che i trasteverini avean

---

1. Gerolamo Induno (1827-1890), di Milano, pittore e combattente come il Costa, prese poi parte alla guerra di Crimea e seguì Garibaldi nel '59. Nei suoi quadri celebrò dapprima episodi e figure del Risorgimento, poi sull'esempio del fratello Domenico dipinse paesaggi e ritrasse scene della vita borghese e popolare.

battezzato Andrea. Per questa morte io ho veduto il Generale piangere.

Nella notte avea Aguyar preso al *lazo* e strangolati tre francesi, e di questi tuttora portava in spalla i tre fucili. Uscendo egli da Santa Maria in Trastevere, ove avea tenuto a battesimo il bambino di una povera trasteverina, spargeva dolci e danari; una bomba esplose in aria, una scheggia colpì Aguyar-Andrea alla testa e lo fece morto.

La difesa di Roma contro i francesi dovea essere la sanguinosa affermazione della volontà e del diritto degli italiani a risorgere a nazione libera ed indipendente. E tale scopo venne magnificamente raggiunto. Il fiore della gioventù italiana, combattendo e morendo alle mura di Roma, consacrò tale volontà e tal diritto. Giammai, in tutte le successive guerre per l'indipendenza, la gioventù italiana combatté con maggior valore. L'eroismo, in quella disperata estrema difesa di Roma, era divenuto per tutti comune abitudine.

Questo riconosceva Garibaldi stesso. Più tardi nel suo ritiro di Caprera, riandando col dott. Scipione Francati le sue gesta di guerra, dicevagli:

— Ho sempre avuto sotto il mio comando dei bravi ragazzi; ma nessun ha raggiunto in valore quelli che furono con me nel '48 e nel '49.

v (xvi)

ESTREMA DIFESA DI ROMA<br>LA CAPITOLAZIONE E L'ENTRATA DEI FRANCESI

I francesi si afforzavano su le posizioni conquistate il 21 giugno. Ed anche da parte nostra si muniva il meglio possibile la nuova linea. Quegli ultimi giorni della difesa della città, pur non essendovi più la menoma speranza, tutti raddoppiammo di ardore.

Fu appunto in quei giorni che a me toccò un caso che dimostra da quale arcana sorte, specie in guerra, sia governato il destino della vita umana.

Faceva parte della nostra prima linea di difesa una collina con sopra una casetta, la quale si estendeva da Roma verso i francesi.

Noi avevamo diligentemente fortificato questa posizione avanzata con fossati e con alti e spessi mucchi di sacchi di sabbia.

Una notte io montavo come sentinella morta al di fuori della linea dei sacchi. Ricordo che c'era gran buio. Bisognava, quindi, star con gli occhi bene aperti e le orecchie intente. Ma bisognava, pure, tenere le narici ben turate a cagione di un cavallo morto, che da qualche giorno andava putrefacendosi poco lungi dalla posizione.

Ci fu, quella notte, un tale che mi pregò che gli cedessi il mio turno di fazione avendo egli gran necessità di restituirsi ad una data ora a casa. Accettai di buon grado; me ne andai a far la mia solita ispezione negli ospedali. Tornato che fui per riprendere il mio turno di fazione, trovai la collina in possesso del nemico e quel tale, che aveva voluto montar la fazione in mia vece, strangolato e gettato a far compagnia al cavallo in putrefazione.

Si voleva, prevedendo imminente la entrata dei francesi nella città, continuare a combattere per le vie. Si innalzarono parecchie barricate. E a questi preparativi per la resistenza nella città soprintendeva Enrico Cernuschi, avendo al lato lo scultore livornese Temistocle Guerrazzi[1] ed il giovane ingegnere romano Leonardi.

Cernuschi volle rinnovare, per la difesa nelle vie, specie contro la cavalleria, i «triboli» di Cesare; i quali erano arnesi a molte acuminate punte, che lanciati, da qualunque parte posassero in terra, molte punte rimanevano sempre volte in aria. Datine i modelli, pubblicò che la repubblica ne avrebbe comprati quanti gliene fossero stati presentati. I fabbri romani in breve ne fabbricarono in quantità esuberante. Cernuschi, allora, fece affigger questo manifesto che assai, in quei gravi giorni, si prestò ai motteggi:

«Fabbri ferrai!
Cessate di far triboli. La Patria ne ha abbastanza.»

---

1. Enrico Cernuschi (1821-1896), organizzatore delle Cinque giornate accanto al Cattaneo, era repubblicano federalista di grande intransigenza e perciò in dissidio col Mazzini anche a Roma, dove fu membro dell'Assemblea costituente. Alla caduta della repubblica sofferse vari mesi di prigionia, e con questo chiuse la sua carriera politica. Andò esule a Parigi, dove si diede agli affari, divenne un grande banchiere e si naturalizzò francese. — Temistocle Guerrazzi era un fratello minore di Francesco Domenico.

I reggitori, però, come si sa, decidevano che non dovesse esercitarsi la estrema difesa di Roma sulle barricate nelle vie.

Il governo repubblicano non volle trattar esso, con i francesi, la resa della città. Per questa interamente se ne rimise al municipio.

Io, del municipio facendo parte, non mancai di trovarmi al mio posto quando venne il côrso Filippi, capitano di artiglieria, che fu il primo dei francesi entrati in città. Egli parlò molto scioltamente in italiano. E, fra tante cose, disse che l'artiglieria francese non vedeva il momento di abbracciare ed onorare l'eroica artiglieria romana.

E, dicendo «eroica» all'artiglieria romana, non può dirsi davvero che egli esprimesse un vacuo complimento.

Non appena la resa di Roma fu nota alla plebe, questa subito si gettò su le barricate a rubarne il legname. Oscenamente le donne festeggiavano i francesi gridando:

— Evviva, evviva, adesso torneranno i nostri padroni!

Andato al quartiere della Guardia civica in Santa Maria in Trastevere, trovai la Guardia che faceva la parata allo sfilar delle soldatesche nemiche. Ne era alla testa un sergente con la medaglia di Vicenza. Gliela strappai dal petto; e comandando «fianco destro per fila destra» mandai i militi in quartiere. Qui vi era l'aiutante maggiore, che indispettito mi si volse domandandomi:

— Comanda lei?

— Per tutt'oggi io, — risposi — domani voi.

Me ne andai poi al Corso. Nel portone di palazzo Sciarra trovai un prete sventrato con le budella avvolte attorno al collo. Al Caffè delle Belle Arti, sotto palazzo Fiano, mentre sfilavano i francesi vidi il dott. Diomede Pantaleoni. Il popolo sfilava ed urlava contro di quelli; pare che il dott. Pantaleoni, invece, si mostrasse contento dell'entrata dei francesi o che so io. Non compresi bene, perché io mi trovavo dall'altra parte della strada e fra me e lui sfilavano i francesi. Ma vidi bene che ad un tratto, il popolo, voltata la schiena a questi, assaliva inveendo un uomo, ed era questo il dott. Pantaleoni. Che, piccolo e snello, cavato fuori lo stocco dal bastone, con lo stesso difendendosi, poté salvarsi saltando su una vettura che passava.[1]

1. Questo particolare è riferito anche dal Farini (v. a p. 585).

Sfilavano tuttora i francesi quando giunsi per il Corso al Caffè Nuovo, che era al mezzanino di palazzo Ruspoli. Non vi era dentro più un tavolino, tutto al passaggio delle truppe straniere avean gettato dalla finestra.

Mentre entravano in Roma i francesi, Garibaldi radunava sulla piazza di San Giovanni in Laterano tutti quei volontari che volevano seguirlo in nuove imprese. Ne raccolse alcune migliaia, con i quali uscì da Roma per destinazione ignota. Sono sicuro che così facendo Garibaldi non ebbe altro in animo che vuotare Roma, in momenti in cui non c'era governo, di elementi pericolosissimi. Questo non mi disse chiaramente, ma me lo fece intendere. Nei casi più gravi e disperati ancor più rifulge in tutta la sublimità sua la grande anima dell'eroe. Quel che fece e quel che ebbe a soffrire dopo aver lasciato Roma narra la storia.

La sera dell'entrata dei francesi in Roma finalmente mi coricai nel mio letto per dormire. Non mi svegliai se non alle due e mezza del giorno appresso.

Che era nel frattempo accaduto?

Quelli di mia famiglia se ne erano tornati nel palazzetto comune di San Francesco a Ripa; e vi avean dato alloggio ad alcuni ufficiali dello stato maggiore francese. Difatti, destatomi, sentivo parlare nel cortile in lingua francese. Fattomi alla finestra vidi mia sorella Angela, con in mano un « pelone »[1] della Guardia, discorrere con un ufficiale nemico. Essa mi avea più volte detto di voler sposare il primo francese che fosse entrato in Roma. A tal vista imbracciai il fucile; ma venni trattenuto e disarmato da un vecchio domestico di famiglia.

Cessato questo primo mio impeto, lasciai la casa paterna per mai più ritornarvi.

1. *pelone*: forse il *colback*, che era peloso.

# GIUSEPPE CESARE ABBA

# PROFILO BIOGRAFICO

Nel settembre del 1908, per un comitato di amici che vollero festeggiare il suo settantesimo compleanno, GIUSEPPE CESARE ABBA dettò i seguenti cenni autobiografici:

«Nacque in Cairo Montenotte il 6 ottobre 1838, e visse, come tutti i ragazzi di quei tempi, fino agli otto o nove anni, con poco tormento di scuola. A dodici anni, preparato, come si soleva allora, alla lesta, perché il corpo era già abbastanza saldo, entrò dagli scolopi di Carcare, in quel collegio dove gli entusiasmi del 1848 erano ancora vivissimi, specie nel padre Atanasio Canata, grande svegliatore di ingegni e di cuori, come erano stati tra gli scolopi di Savona i padri Pizzorno e Faà di Bruno. Svegliavano all'amore delle lettere, dell'arte e della patria, cui molti degli alunni offersero il braccio nel 1859. Tra questi fu G. C. Abba che andò volontario in Aosta Cavalleria, e che l'anno appresso trovò tre, di quei suoi compagni di scuola, nei Mille.

«Finita la guerra del 1860, G. C. Abba se ne andò a stare in Pisa per vaghezza di studi e per vivere coi giovani amici, già compagni d'armi e tornati studenti in quell'università, gioconda e pensosa; dove anch'egli ascoltò le lezioni dei grandi maestri, memori d'essere stati a Curtatone e a Montanara, lieti di insegnare ai giovani che avevano già provata la guerra e che studiando pensavano a quella o a quelle ancora da farsi. Erano anni di gran vita. Allora G. C. Abba scriveva un suo poemetto romantico intitolato *Arrigo: Da Quarto al Volturno*, che stampò nella primavera del 1866 più per contentar gli amici che per lusinga di far leggere cose sue. Gli dicevano che dalla guerra imminente non era certo di tornare, e che non sarebbe stato inutile lasciare di sé quel lavoro.

«G. C. Abba partì con la scolaresca pisana per la guerra del 1866, e nel combattimento di Bezzecca meritò la medaglia d'argento al valor militare, *"per aver con pochi animosi seguita la bandiera, salvando inoltre due pezzi d'artiglieria"*. Dice così il brevetto che accompagna la medaglia.

«Gli anni dal 1867 al 1880 furono per G. C. Abba di solitudine e di raccoglimento nel paese natio, cui dedicò tuttavia molte delle sue energie per promuovere l'istruzione, l'igiene, la vita. Allora egli pensava che se tutti coloro che avevano viste in azione le grandi cose della rivoluzione italiana, avessero portato il pensiero e l'opera loro nel luogo natio per piccolo che questo fosse, la patria grande avrebbe rimesso rapidamente il tempo che cause d'ogni sorte le avevano fatto perdere nel mondo. In quel raccoglimento scrisse il romanzo *Le rive della Bormida* di scuola manzoniana, in cui narra storie della sua valle, all'apparirvi dei francesi nel 1794, raccolte dai vecchi che le avevano vedute. Più tardi entrò nell'insegnamento, e cominciò dal liceo di Faenza, dove stette quattro anni tra quei romagnoli amatissimo. Poi, per antico amore a Brescia, concorse al posto di professore nell'istituto tecnico di quella nobile città, da dove non si mosse più, e vi sta ora preside dell'istituto.

« Le opere sue, dopo il poemetto di Pisa e *Le rive della Bormida*, sono le *Noterelle d'uno dei Mille*, ch'egli trasse, dopo venti anni, dal proprio taccuino del 1860, incuorato a ciò dal Carducci; le *Cose vedute* (prose); *Romagna* (versi); *Uomini e soldati*, libro d'educazione per l'esercito e per il popolo; *Le Alpi nostre*, scritto per le scuole elementari superiori; la *Vita di Nino Bixio*; la *Storia dei Mille*, premiata dall'Istituto lombardo di scienze e lettere, benché l'autore non avesse concorso, come si legge nella relazione della commissione scritta dal prof. Michele Scherillo; *Cose garibaldine*, raccolta di fatti e di figure; discorsi per solennità patriottiche, come quello per l'inaugurazione del monumento a Garibaldi in Brescia (1889); quello per il cinquantenario dei martiri di Belfiore, detto in Mantova il 3 maggio 1903; e quello pel cinquantenario della nascita di Garibaldi detto in Roma nella sala Capitolina alla presenza di S. M. il re d'Italia.

« Non molto forse per una vita di 70 anni, ma insomma quanto basta per mostrare che G. C. Abba fece quanto poté umilmente, senza pretensioni, senza ambizioni e senza guadagni. »

Aggiungeremo solamente che nel giugno del 1910 l'Abba fu nominato senatore « pei servigi resi alla patria », e che il 6 novembre dello stesso anno egli morì improvvisamente a Brescia.

Come la campagna dei Mille, che in questi cenni autobiografici egli appena appena nomina, fu invece il fatto più importante e dominante della sua vita, così le *Noterelle* che la raccontano, benché le altre opere sue siano variamente pregevoli e significative, riuscirono l'opera sua più bella e più tipica, quella che gli diede la fama. Il Carducci le giudicò « un piccolo capolavoro », e dalla loro prima edizione a oggi esse hanno sempre goduto la simpatia e il fa-

vore dei lettori e della critica. Nel coro dei consensi c'è stata
una sola eccezione: l'aspro giudizio del Croce. Il quale, tuttavia,
è presumibile che non volesse negar loro ogni valore; ma che intendesse solo attenuare una valutazione, che egli stimava esagerata.

In realtà, a conoscere quel clima sentimentale, quel senso della
vita che ormai par che si possa dire garibaldino — quello che dopo
la sua rossa aurora del Vascello e di Porta San Pancrazio, attinse
il suo glorioso meriggio a Calatafimi e a Milazzo, e diede i suoi
ultimi bagliori a Bezzecca a Monterotondo e a Mentana —, le *Noterelle* da sé sole non bastano. Opera salutare, pertanto, è stata
quella di coloro — principalmente il Croce, il Pancrazi, lo Stuparich — i quali hanno riproposto all'attenzione dei lettori opere
ingiustamente trascurate come quelle del Checchi, del Barrili, del
Guerzoni, del Costa, dell'Adamoli, e soprattutto *I Mille* del Bandi.
Sono questi, e insieme con essi anche l'Abba, scrittori diversissimi di preparazione, d'animo e di stile; ma sono tutti, malgrado i
loro svariati tentativi, scrittori di un solo libro (disse bene Pancrazi, che Garibaldi portò bene agli scrittori che andarono con
lui), e in quel libro hanno tutti qualche cosa che li accomuna. La
piena armonia dell'epopea garibaldina nessuno di essi seppe darla
intera; ma ognuno ne diede certi aspetti, certe vibrazioni. Sono
scrittori che nella mente del lettore vanno integrati l'uno con
l'altro, non, s'intende bene, per i fatti materiali che essi narrano,
ma per l'interpretazione che essi ne danno, per il senso o addirittura per la sensazione che essi riescono a comunicare di quell'e-
sperienza, di quella vita, di quell'avventura spirituale unica e irri-
petibile.

Il torto della critica precedente è stato non tanto di avere eccessivamente valutato le *Noterelle*, quanto piuttosto di averle iso-
late dalla restante letteratura garibaldina, considerandole come il
libro esemplare e l'espressione più veridica di quella letteratura e
battezzandole per così dire come l'unico vangelo autentico fra vari
altri apocrifi. Questa preferenza fu dettata certo da motivi d'arte,
perché infatti le *Noterelle* si distinguono dalle altre opere dei garibaldini per la loro tormentata elaborazione, per essere il frutto
alquanto prezioso di un lungo lavoro di pulitura e di rifinitura.
Alla loro levigatezza *ad unguem*, che allora si apprezzava di più,
oggi si può preferire quel senso di maggiore immediatezza e verità
umana che si trova nel Bandi, il quale in certe sue pagine raggiunge

un'efficacia che si può senz'altro giudicare superiore a quella dell'Abba. Ma solo in certe pagine, perché il libro del Bandi, notevolissimo, è artisticamente disuguale e piuttosto rapsodico. Ma a parte questo, troviamo nel Bandi un'interpretazione della vita garibaldina che può integrare, ma non può escludere quella dell'Abba, e tanto meno sostituirsi ad essa.

Il *labor limae* delle *Noterelle* derivava dall'educazione letteraria del loro autore, la quale fioriva romanticamente, ma nelle sue premesse e nella sua struttura era classica, e lo induceva alla ricerca dell'espressione schietta e incisiva. In questa ricerca si attuava, senza tuttavia dispardersi, il calore iniziale dell'impressione viva, e i fatti e le figure tendevano a staccarsi dal fondo e a fermarsi in atti scultorei, smarrendo, sì, gran parte della loro mobilità, ma non della loro vita. Questa infatti è nel sentimento dello scrittore, il quale sentimento lega le immagini staccate, e circola dappertutto, risolvendosi in una interpretazione generale e unitaria di tutta la vicenda. L'originalità, o almeno la caratteristica delle *Noterelle* è nel campire l'epopea garibaldina in una diffusa luminosità virgiliana, in cui non pure le pause idilliche, ma il tumulto e le crudezze stesse della guerra sono riscattate dalla loro immediata violenza e brutalità, e tutto quel piccolo mondo aspira a trasfigurarsi in affettuosa gentilezza e umiltà, a respirare in un cielo mite e virgineo.

★

Le *Noterelle* ebbero una lunga gestazione, e anche quando furono stampate esse si vennero via via arricchendo nelle tre seguenti edizioni pubblicate tutte dallo Zanichelli di Bologna:

1. *Noterelle d'uno dei Mille edite dopo vent'anni*, 1880 (l'ultima noterella ha la data del 21 giugno);

2. *Da Quarto al Faro. Noterelle d'uno dei Mille edite dopo vent'anni*, 1882 (arriva fino al 20 agosto);

3. *Da Quarto al Volturno. Noterelle d'uno dei Mille*, 1891 (che è l'edizione definitiva quale si stampa anche oggi).

La formazione esterna delle *Noterelle* è stata ampiamente documentata da GINO BANDINI nel suo volumetto *Maggio 1860. Pagine di un «taccuino» inedito di G. C. A.*, Milano, Mondadori, 1933. Per la loro genesi interna cfr. G. C. A., *Versi e prose*, a cura di D. BULFERETTI, Torino, Paravia, 1924, e il capitolo che a questo argomento si trova dedicato in LUIGI RUSSO, *Abba e la letteratura garibaldina ecc.*, già citato.

Manca una compiuta biografia dell'Abba; ma nel «profilo» di ENRICO

BOTTINI, *G. C. A.*, Roma, Formiggini, 1915, c'è una buona illustrazione di lui come maestro ed educatore.

Gli scritti critici sull'Abba e sulle *Noterelle* non sono molti. L'opera più importante rimane sempre quella già citata di Luigi Russo. Ma si vedano anche P. BOSELLI, *Discorso* pronunziato nell'occasione dello scoprimento del busto nella villetta Di Negro a G. C. A., Genova 1912; M. PRATESI, *G. C. A.* (prefazione a *Cose vedute*); D. MANTOVANI, *G. C. A.*, *scrittore*, nel «Resto del Carlino», 13 dicembre 1912; G. CASTELLINI, *G. C. A.*, nella «Nuova Antologia» del 16 marzo 1912; G. A. BORGESE, *Abba e Garibaldi*, nel vol. *Studi di letterature moderne*, Milano 1915; EMILIO CECCHI, *Noterelle di G. C. A.*, nel «Secolo», 23 gennaio 1925; PIETRO PANCRAZI, *La nascita di un capolavoro*, nel «Corriere della Sera», 11 dicembre 1932.

Il giudizio del CROCE si trova nel saggio *Letteratura garibaldina* (vol. VI della *Letteratura della nuova Italia*).

Il testo delle *Noterelle* è qui dato per intero.

# DA QUARTO AL VOLTURNO

## (NOTERELLE D'UNO DEI MILLE)

*Parma, 3 maggio 1860. Notte.*

Le ciance saranno finite. Se ne intesero tante che parevano persino accuse. — Tutta Sicilia è in armi; il Piemonte non si può movere; ma Garibaldi? — Trentamila insorti accerchiano Palermo: non aspettano che un capo, Lui! Ed Egli se ne sta chiuso in Caprera? — No, è in Genova. — E allora perché non parte? — Ma Nizza ceduta? — dicevano alcuni. E altri più generosi: — Che Nizza? Partirà col cuore afflitto, ma Garibaldi non lascerà la Sicilia senza aiuto.

I più generosi hanno indovinato. Garibaldi partirà, ed io sarò nel numero dei fortunati che lo seguiranno.

Poco fa, parlavo di quest'impresa coll'avvocato Petitbon. Egli che l'anno scorso, nella caserma dei cavalleggieri d'Aosta, pregava con noi che nascesse la rivoluzione nel Pontificio o nel Napoletano, dacché Villafranca aveva troncata la guerra in Lombardia, non potrà venire con noi, e si affligge. Ha la madre ammalata. Ci lasciammo colla promessa di rivederci domani, e se ne andò lento e scorato, per via dei Genovesi. Mentre io stavo a guardarlo, mi venivano di lontano, per la notte, rumori d'ascie e di martelli. E gli odo ancora. Ma i cittadini non si lagneranno della molestia, perché la fretta è molta. Si lavora anche di notte a piantare abetelle, a formar palchi, a curvar archi trionfali, per la venuta di re Vittorio.[1] Verrà dunque il re desiderato fra questo popolo, che, ora sei anni, vide cadere Carlo terzo duca,[2] pugnalato in mezzo alla via. Io era allora scolaro di quattordici anni, e ricordo il racconto che dell'orribile caso ci fece il padre maestro scolopio.[3] Frate raro, biasimava l'uccisore ma non lodava l'ucciso.

Che Carlo terzo fosse quel duca, che, prima del quarantotto, fu in Piemonte ufficiale di cavalleria? Se fu, vi lasciò tristo nome.

1. Vittorio Emanuele II visitava i Ducati dopo la loro annessione, che era avvenuta coi plebisciti del marzo. A Parma egli giunse il 6 maggio. 2. *Carlo terzo* duca di Parma, figlio di quel Carlo Lodovico di cui si parla nella *Cronaca* del Giusti, era stato assassinato il 26 marzo 1854. 3. Del padre Atanasio Canata, che era stato suo maestro a Carcare, l'Abba serbò sempre affettuoso ricordo, e nel suo romanzo *Le rive della Bormida* lo ritrasse nel personaggio di don Marco.

Intesi narrare che una notte, in Torino, due ufficiali burloni, di gran casato, amici suoi, lo affrontarono per celia, mentre discendeva da visitare un'amica. Pare che ne restasse così atterrito, che i due dovettero palesarsi, tanto che non morisse dalla paura. E allora egli minacciò che guai a loro, se un dì fossero capitati a passare per i suoi stati. — Se mai, — rispose uno dei due — pianteremo gli sproni ne' fianchi ai cavalli, e salteremo di là da' tuoi stati senza toccarli. — Povero duca! Ora ne' suoi stati viene Vittorio. Gran fortunato questo principe! Chi vuol fare qualcosa per la patria, sia pure non amico di re, deve contentarsi di dar gloria a lui. Parma gli farà grandi accoglienze, e noi non saremo più qui.

*Parma, 4 maggio. Alla stazione.*

Gli ho contati. Partiamo in diciassette, studenti i più, qualcuno operaio, tre medici. Di questi uno, il Soncini, è vecchio, della repubblica romana. Dicono che nel treno di Romagna troveremo altri amici, fiore di gente. Ne verranno da tutte le parti.

Si fanno grandi misteri su questa partenza. A sentire qualcuno, neanco l'aria deve saperla. Ci hanno fatto delle serie raccomandazioni; ma intanto tutti sanno che Garibaldi è a Genova, e che andrà in Sicilia. Attraversando la città, abbiamo dato e pigliato delle grandi strette di mano, e avuto dei caldi auguri.

*4 maggio. In viaggio.*

Non so per che guasti, il treno s'è fermato. Siamo vicini a Montebello. Che gaie colline, e che esultanza di ville sui dossi verdi! Ho cercato coll'occhio per tutta la campagna. È appena passato un anno, e non un segno di quel che avvenne qui.[1] Il sole tramonta laggiù. In fondo ai solchi lunghi, un contadino parla ai suoi bovi. Essi aggiogati all'aratro tirano avanti con lui. Forse egli vide e sa dove fu il forte della battaglia? Ho negli occhi la visione di cavalli, di cavalieri, di lance, di sciabole cavate fuori da trecento guaine, a uno squillo di tromba; tutto come narrava quel povero caporale dei cavalleggieri di Novara, tornato dal campo due giorni dopo il fatto. Affollato da tutta la caserma, colla sciabola sul braccio, col mantello arrotolato a tracolla, coi panni che gli si erano sciupati addosso, lo veggo ancora piantato là in mezzo a noi, fiero, ma niente spavaldo.

1. Lo scontro di Montebello era avvenuto il 20 maggio 1859.

— Dunque, e Novara?

— Novara la bella non c'è più! Siamo rimasti mezzi per quei campi ...

E narrò di Morelli di Popolo, colonnello dei cavalleggieri di Monferrato morto, di Scassi morto, di Govone morto, e di tanti altri, lungo e mesto racconto.

— E i francesi?

— Coraggiosi! — rispondeva egli — ma bisognava sentirli come i loro ufficiali parlavano di noi!

Io lo avrei baciato, tanto diceva con garbo.

Povero provinciale di quei di Crimea, richiamato per la guerra, aveva a casa moglie, figliuoli e miseria. Non amava i volontari: gli pareva che se fossero rimasti alle loro case in Lombardia, egli non si sarebbe trovato lì, con trent'anni sul dorso e padre, a dolersi della pelle messa in giuoco un'altra volta. Del resto non si vantava di capire molto le cose: ciò che piaceva ai superiori, piaceva a lui: tutto per Vittorio e pazienza. Avessimo due o tre centinaia d'uomini come lui, buoni a cavallo e a menar le mani, quando saremo laggiù!

*Nella stazione di Novi.*

Si conoscono all'aspetto. Non sono viaggiatori d'ogni giorno; hanno nella faccia un'aria d'allegrezza, ma si vede che l'animo è raccolto. Si sa. Tutti hanno lasciato qualche persona cara; molti si dorranno di essere partiti di nascosto.

La compagnia cresce e migliora.

Vi sono dei soldati di fanteria che aspettano non so che treno. Un sottotenente mi si avvicinò e mi disse:

— Vorrebbe telegrafarmi da Genova l'ora che partiranno?

Io, né sì né no, rimasi lì muto. Che dire? Non ci hanno raccomandato di tacere? L'ufficiale mi guardò negli occhi, capì e sorridendo soggiunse:

— Serbi pure il segreto, ma creda, non l'ho pregata con cattivo fine.

E si allontanò. Voleva chiamarlo, ma ero tanto mortificato dall'aria dolce di rimprovero con cui mi lasciò! È un bel giovane, uscito, mi pare da poco, da qualche collegio militare; alla parlata, piemontese. Non so il suo nome e non ne chiederò. Innominato, mi resterà più caro e desiderato nella memoria.

*Genova, 5 maggio. Mattino.*

Ho riveduto Genova, dopo cinque anni dalla prima volta che vi fui lasciato solo. Ricorderò sempre lo sgomento che allora mi colse, all'avvicinarsi della notte. Quando vidi accendere i lampioni per le vie, mi si schiantò il cuore. Fermai un cittadino che passava frettoloso, per chiedergli se con un buon cavallo, galoppando tutta la notte, uno avrebbe potuto giungere prima dell'alba a C..., al mio villaggio. Colui mi rispose stizzito, che manco per sogno. Quella notte fu lunga e dolorosa; e ora come posso dormire tranquillo, benché lontano dai miei e a questi passi?

Ieri sera arrivammo ad ora tarda, e non ci riusciva di trovar posto negli alberghi, zeppi di gioventù venuta di fuori. Sorte che, lungo i portici bui di Sottoripa, ci si fece vicino un giovane, che indovinando, senza tanti discorsi, ci condusse in questo albergo. La gran sala era tutta occupata. Si mangiava, si beveva, si chiacchierava in tutti i vernacoli d'Italia. Però si sentiva che quei giovani, i più, erano lombardi. Fogge di vestire eleganti, geniali, strane; facce baldanzose; persone nate fatte per faticare in guerra, e corpi esili di giovanetti, che si romperanno forse alle prime marcie. Ecco ciò che vidi in una guardata. Entravamo in famiglia. E seppi sùbito che quel giovane che ci mise dentro si chiama Cariolato,[1] che nacque a Vicenza, che da dieci anni è esule, che ha combattuto a Roma nel quarantanove, e in Lombardia l'anno passato. Gli altri mi parvero, la maggior parte, gente provata.

*Più sul tardi.*

Stamane il primo passo lo feci da C... al quale farò conoscere i dottori di Parma, che a lui, studente di medicina, sarebbero cari, se potesse venire con noi.

— Tu vai in Sicilia! — esclamò appena mi vide.

— Grazie! Tu non mi hai detto mai parole più degne.

— È una grande fortuna! — soggiunse pensoso: e dopo lunghi discorsi prese la lettera che gli diedi per casa mia. Egli la porterà soltanto quando si sappia che noi saremo sbarcati in Sicilia. Se si dovesse fallire, voglio che la mia famiglia ignori la mia fine. Mi aspetteranno ogni giorno, invecchiando colla speranza di rivedermi.

1. Su Domenico Cariolato (1836-1910), che poi combatté anche a Bezzecca, cfr. i *Ritratti e profili* dell'Abba a pp. 109 sgg.

Mi abbattei nel signor senatore, che mi conobbe giovinetto.

Egli mi ha detto che in Genova si è radunata una mano di faziosi, i quali oggi o domani vogliono partire, per andare a far guerra contro Sua Maestà il re di Napoli. Non sa più in che mondo viva: e se il governo di qui non mette la mano sopra quegli sfaccendati perturbatori ... Basta, spera ancora! Scaricava così la collera che gli bolliva; ma a un tratto si piantò, domandandomi se per avventura fossi anch'io della partita. Io non risposi. Allora, certo d'aver colto nel segno, cominciò colle meraviglie, poi colle esortazioni. Come? Poteva essere che il mondo si fosse girato tanto, da trovarsi a simili fatti un giovane, uscito dal fondo d'una valle ignota, allevato da buoni frati, figlio di gente quieta, adorato dalla madre ...? Poi passò alle minacce. Avrebbe scritto, si sarebbe fatto aiutare da quanti del mio paese sono qui; mi avrebbe affrontato all'imbarco, per trattenermi ... Ed io nulla. Ultima prova, quasi piangendo e colle mani giunte proruppe: — Ma che cosa vi ha fatto il re di Napoli a voi, che non lo conoscete e andate a fargli guerra? Briganti!

Eppure un suo figlio verrà con noi.

Desinammo in quattro, né allegri né mesti, e restammo a tavola pensando ognuno lontano, secondo il proprio cuore. Tacevamo. A un tratto il dottor Bandini, che m'era di faccia, si levò ritto, cogli occhi nella parete sopra di me. V'era un ritratto. Pisacane! Io lessi alto una strofa stampata a piè dell'immagine di quel precursore, una delle strofe della *Spigolatrice di Sapri*. Al ritornello, il dottor Bandini mi fu sopra colla sua voce potente e lesse lui:

*Eran trecento, eran giovani e forti*
*e sono morti!*

Tornò il silenzio di prima. Ed io pensai alla notte che si fece sulle due Sicilie, dopo l'eccidio di Sapri. Oh! allora, come deve essere parsa fuori d'ogni speranza una ripresa d'armi, a quella povera gente laggiù. Ai profughi si affacciò il sepolcro in terra straniera, e il Regno fu tutto un carcere.

*Quarto, presso la villa Spinola.*
*5 maggio, a un'ora di notte.*

Ho bevuto l'ultimo sorso.

Strana coincidenza di date! Partiremo stasera. Chi fra quanti siamo qui non ripensa che oggi è l'anniversario della morte di Napoleone?

> *In mare. Dal piroscafo il* Lombardo.
> *6 maggio mattino.*

Navigheremo di conserva, ma intanto quelli che montarono sul *Piemonte* furono più fortunati. Hanno Garibaldi. I due legni si chiamano *Piemonte* e *Lombardo*; e con questi nomi di due province libere, navighiamo a portare la libertà alle province schiave.

Noi del *Lombardo* siamo un bel numero. Se ce ne sono tanti sul *Piemonte*, arriveremo al migliaio. Chi potesse vedere nel cuore di tutti, ciò che sa ognuno della nostra impresa e della Sicilia! A nominarla, sento un mondo dell'antichità. Quei siracusani che, solo a sentirli cantare i cori greci, mandarono liberi i prigionieri di Nicia,[1] mi parvero sempre una delle più grandi gentilezze che siano state sulla terra. Quel che oggi sia l'isola non lo so. La vedo laggiù in una profondità misteriosa e sola. E Trapani?

Mi vibrano bene nella mente, in questi momenti, le parole di quel volontario che fu in Crimea. — Appoggiammo a Trapani, raccolta laggiù su d'una punta squallida, città colma di mestizia fin sopra i tetti. Venivano, sulle barche, dei poveri straccioni a venderci frutta, girando stupefatti attorno alla nostra nave.

«Che cosa siete?» ci chiedevano.

«Piemontesi.»

«E dove andate?»

«In Crimea, alla guerra.»

«In Crimea, alla guerra!» ripetevano chinando il capo, e se ne andavano pieni di compassione.

Vedremo Palermo? Vedremo la piazza dove fu fatto l'auto da fé[2] di fra Romualdo e di suor Gertrude? Il padre Canata ce lo lesse nel Colletta in iscuola; e leggendo pareva che schiaffeggiasse la plebe e i grandi, che banchettarono cogli occhi sul rogo.

Ricordo più dolce, mio padre narrava che l'anno della fame, 1811, essendo egli fanciullo, la gente si nutriva di certe mandorle grosse come un pollice, portate di lontano . . . di lontano . . . dalla

---

1. L'episodio è narrato da Plutarco nella Vita di Nicia. Plutarco fu tra gli scrittori antichi quello su cui aspirarono a modellarsi i democratici del Risorgimento. 2. *auto da fé*: «atto di fede» consistente in un pubblico bruciamento di eretici. L'episodio è nella *Storia* del Colletta, I, 9.

Sicilia. — E che cosa è la Sicilia? — domandavamo noi fanciulli.
E lui: — Una terra che brucia in mezzo al mare.

Nell'anno 1857, l'anno d'Orsini, d'Agesilao,[1] di Pisacane, su
per le colonne di via Po in Torino, lessi scritto col carbone: «Sicilia
è insorta, all'armi, fratelli.» Chi sa da qual mano furono scritte
quelle parole? E se le scrisse un esule come sarà felice se per avventura è con noi.

Genova nelle ore supreme fu ammirabile. Nessun chiasso: silenzio, raccoglimento e consenso. Alla Porta Pila, v'erano delle
donne del popolo che, a vederci passare, piangevano. Di là a
Quarto, di tanto in tanto, un po' di folla muta. A piè della collina
d'Albaro alzai gli occhi, per vedere ancora una volta la villa, dove
Byron stette gli ultimi giorni, prima di partire per la Grecia: e
il grido di Aroldo a Roma[2] mi risonò nelle viscere. Se vivesse,
sarebbe là sul *Piemonte*, a fianco di Garibaldi inspiratore.

— Questo villaggio è Quarto? — Sì. — Dov'è la villa Spinola?—
Più avanti.

Tirai avanti. Ecco la villa.

Biancheggiava una casina di là da un gran cancello, in un bosco
oscuro, nella cui profondità, pei viali, si movevano uomini affaccendati. Dinanzi, sullo stradale che ha il mare lì sotto, v'era gran
gente e un bisbiglio e un caldo che infocava il sangue. La folla
oscillava: — Eccolo! No, non ancora! — Invece di Garibaldi usciva
dal cancello qualcuno che scendeva al mare, o spariva per la via
che mena a Genova. Verso le dieci la folla fece largo più agitata,
tacquero tutti; era Lui!

Attraversò la strada e per un vano del muricciolo rimpetto al
cancello della villa, seguìto da pochi, discese franco giù per gli
scogli. Allora cominciarono i commiati. Ed io che non aveva lì
nessuno, mi sentii negli occhi le lagrime. Avviandomi per discendere, mi abbattei in Dapino, mio condiscepolo di sei anni or sono.
Aveva la carabina sulla spalla. Fui lì per abbracciarlo; ma gli vidi

1. Più esattamente, il fatto di Agesilao Milano, un soldato calabrese
che durante una rivista attentò alla vita di Ferdinando II, era avvenuto l'8
dicembre 1856; il famoso attentato di Felice Orsini contro Napoleone III
avvenne il 14 gennaio 1858. Ma quel che importa rilevare, è piuttosto questa manifestazione di sentimenti mazziniani e democratici, che si manterrà
costante in tutte le *Noterelle*. 2. «O Roma, o mia poesia! o città dell'anima!» ecc., nel *Viaggio del giovane Aroldo*, IV, 78.

a fianco suo padre e un suo fratello, e mi cadde l'animo. Temei d'assistere ad una scena dolorosa, perché mi pareva che quel padre, che io so tanto amoroso, fosse venuto per trattenere il figliuolo; e due passi più sotto v'erano le barche, e una turba silenziosa come di ombre sfilava giù in quel fondo. Invece ecco il padre e il fratello abbracciare l'amico mio, e . . . mi si fa un nodo alla gola.

Qui accanto dicono d'un altro che non conosco. Sono veneti, giovani belli e di maniere signorili.

— Sapete che la madre di Luzzatto venne a cercarlo?

— Da Udine?

— O da Milano, non so. Corse di qua, di là, da Genova alla Foce, dalla Foce a Quarto, chiedendo, pregando, e tanto fece che lo trovò.

— E lui?

— E lui la supplicò di non dirgli di tornare indietro; perché sarebbe partito lo stesso, col rimorso d'averla disobbedita.

— E la mamma?

— Se n'andò sola.

Non si vede più terra.

La barca sulla quale ieri sera mi toccò montare, dondolava stracarica. I barcaiuoli per farci stare che non si capovolgesse, ci pregavano di guardare, verso Genova, certe luci verdi e rosse che splendevano nella notte. Come fossimo bambini! Verso le undici da una barca già in alto, udimmo una voce limpida e bella chiamare: — La Masa! —[1] E un'altra voce rispose: — Generale! — Poi non s'udì più nulla.

Intanto le ore passavano; eravamo cullati dall'onda e mi addormentai. All'alba fui destato, e vidi due navi maestose, lì ferme dinanzi a noi. Tutte le barche furono spinte verso quelle. Mi volsi addietro. Genova e la riviera apparivano laggiù incerte, in un velo vaporoso: ma là oltre, i miei monti esultavano alti e puri, dominando la scena!

1. Giuseppe La Masa (1819-1881), di Trabia, era stato tra i più arditi nella rivoluzione siciliana del '48, e a villa Spinola tra quelli che più spronarono Garibaldi a intraprendere la spedizione. In Sicilia egli seppe rapidamente arruolare e mettere a disposizione di Garibaldi circa quattromila «picciotti». Fu poi deputato al parlamento. Il suo contributo all'impresa dei Mille, aspramente discusso, fu certo positivo e fu apprezzato da Garibaldi.

Una brezzolina increspava le acque; sulle navi si faceva un gran vociare; era una tempesta di chiamate, di apostrofi e anche di sagrati, che lasciavano il segno nell'aria come saette. Fu una mezz'ora di gran furia a chi facesse più presto a imbarcarsi; e anch'io potei finalmente agguantare una gomena e salire. Ho sempre negli occhi un giovane, che in quel momento vidi convulso dibattersi in fondo ad una delle barche, tenuto a stento da tre compagni. Che fosse pentito o il mal di mare l'avesse ridotto in quello stato?

Si odono tutti i dialetti dell'alta Italia, però i genovesi e i lombardi devono essere i più. All'aspetto, ai modi e anche ai discorsi la maggior parte sono gente colta. Vi sono alcuni che indossano divise da soldato: in generale veggo facce fresche, capelli biondi o neri, gioventù e vigore. Teste grigie ve ne sono parecchie; ne vidi anche cinque o sei affatto canute; ho notato sin da stamane qualche mutilato. Certo sono vecchi patriotti, stati a tutti i moti da trent'anni in qua.

— Anche tu sei qui? — esclamava uno abbracciando un amico — non eri a Parigi?

— Arrivai ieri sera.

— A tempo per venir con noi?

— E avreste voluto fare senza di me?

Mi parve una vantazione che stesse male: ma l'aria del giovinotto elegante era tanto semplice e sicura! Non domando mai d'uno chi sia, poi me ne pento. Fino ad ora non conosco che Airenta,[1] dei nuovi. Egli, mentre scrivo, dorme lungo disteso, colla testa appoggiata alla sua sacca, vicino ai miei piedi. È un giovane d'oro. Ci conoscemmo ieri, ci trovammo qui, ci siamo promessi di star sempre insieme. I suoi maestri del seminario arcivescovile di Genova, quando sapranno il passo che ha fatto!

Che? Un uomo in mare?

Fu un quarto d'ora d'angoscia. — Indietro alla macchina! — urlava il capitano, e il legno si fermò sbuffando. Ma l'uomo caduto in mare era già lontano; appariva, spariva e lottava. Fu presto calata una lancia: la spingemmo cogli occhi, coi gesti, coll'anima, tutti.

1. Girolamo Airenta (1842-1875), di Sampierdarena, sarà ricordato più volte dall'Abba, che lo chiamava familiarmente Giomo.

Il caduto fu raggiunto, agguantato, salvato. Dicono che sia un genovese.

Mi si era fitto in mente che questo capitano del *Lombardo* fosse un francese. L'aria, gli atti, il tono suo di comandare, lo mostrano uomo che in sé ne ha per dieci. A capo scoperto, scamiciato, iracondo, sta sul castello come schiacciasse un nemico. L'occhio fulmina per tutto. Si vede che sa far tutto da sé. Fosse in mezzo all'oceano, abbandonato su questa nave, lui solo, basterebbe a cavarsela. Il suo profilo taglia come una sciabolata; se aggrotta le ciglia, ognuno cerca di farsi piccino; visto di fronte non si regge al suo sguardo. Eppure, a tratti, gli si esprime in faccia una grande bontà. Che capriccio fu quello di chiamarlo Nino? — Bixio![1] Ecco il nome che gli sta! Almeno rende qualcosa come un guizzo di folgore.

Si fa notte: il *Piemonte* tira innanzi più veloce di noi. A quest'ora in casa mia si accende il lume, torna mio padre da fuori, la cena fuma sulla mensa; ma la famiglia tarda a sedersi ... qualcuno manca.

*In mare, 7 maggio.*

Fu fatto fare silenzio. Da poppa a prora tacemmo tutti, e la voce potente d'uno che leggeva un foglio suonò alta come una tromba. L'ordine del giorno ci ribattezza Cacciatori delle Alpi, con certe espressioni che vanno dritte al cuore. Non ambizioni, non cupidigie; la grande patria sovra ogni cosa, spirito di sagrificio e buona volontà.

Conosco un altro ordine del giorno, che fu letto non so bene se nella ritirata da Roma del 1849, o l'anno scorso ai volontari, prima che passassero il Ticino. Si sente sempre lo stesso spirito. Anche in quello, il Generale diceva di offrire non gradi né onori, ma fa-

---

1. Nino Bixio (1821-1873), di Genova, aveva già fatto parlare di sé, sia per l'avventurosa giovinezza trascorsa tutta sul mare, sia per la temeraria bravura di cui aveva dato prova nel '49 all'assedio di Roma. Ma la sua vera fama egli la conseguì con la partecipazione a questa impresa, nella quale egli fu veramente «il secondo dei Mille». Poi entrò nell'esercito regio col grado di tenente generale, combatté a Custoza, e nel '70 fu con le truppe che entrarono a Roma. Ripreso dalla nostalgia della vita attiva e indipendente, ritornò ai commerci marittimi e morì di colera a Sumatra nel 1873. Quattro anni dopo, le sue ceneri furono deposte a Staglieno. Fra le tante biografie del Bixio cfr. quelle dell'Abba e del Guerzoni.

tiche, pericoli, battaglie e poi . . . per tenda il cielo, per letto la terra, per testimonio Iddio.

*Talamone, 7 maggio.*

Vedevamo lontano un villaggio, una torre svelta, sottile, lanciata al cielo; una bandiera su quella agitata dal vento. Bandiera italiana, villaggio toscano. Era questo di Talamone, sulle coste maremmane. Quando fummo vicini a terra, una barca venne a gran forza di remi verso di noi, portando il comandante di questo castelluccio. Il valentuomo era mezzo sepolto sotto due spalline enormi, e aveva in capo una lanterna tutta galloni.

Che paese di povera gente! Carbonai e pescatori. La nostra discesa gli ha rallegrati.

— Come si chiama quel monte là in faccia?

— Monte Argentaro.

— E quelle case bianche, mezzo tuffate in mare?

— Porto San Stefano.

— Con una veduta come questa sempre dinanzi agli occhi, dovete fare una bella vita!

— Sì, se si mangiasse cogli occhi. Ma . . . basta . . . finché si campa!

Così mi diceva un giovane carbonaio, mentre seguitava a discorrere, per farmi dire a sua volta chi siamo, e dove andiamo; io pendeva, proprio pendeva, dalle sue labbra, bevendo il dolce della sua lingua e pensando al mio dialetto aspro.

Lo rividi disceso a terra. Lento e sorridente se ne veniva su per la salita, vestito da generale dell'esercito piemontese. I lunghi capelli e la barba intera combinavano male con quei panni. Il capitano Montanari,[1] che pare suo grande amico, gli veniva a fianco celiando, e gli diceva: — Così vestito mi sembrate un leone in gabbia. — Il Generale sorrideva.

Son voluto entrare in chiesa. Una piccola chiesa disadorna e tranquilla, fatta proprio per pregarvi e null'altro. Mi sono seduto tra le panche, per respirare un po' di quell'aria fresca che era là dentro, e invece mi si riempì l'animo di malinconia. Uscito, ho sùbito

1. Francesco Montanari (1822-1860), di Mirandola, ingegnere, vecchio cospiratore, combattente del '48 e del '59, cadrà a Calatafimi.

scritto a casa mia, confessando d'esser qui, e dicendo con chi e dove vado.

Mi sono tuffato in mare con una voluttà indicibile. Le acque erano tiepide, per tutta la riva una festa di nuotatori, sui poggi, a brigate, si vedevano i nostri godere il fresco dell'erba. Lungo la strada che mena ad Orbetello un gran viavai.

Ma che cosa facciamo qui? Che cosa si aspetta? Stanotte dormiremo a terra, e i nostri legni staranno all'àncora. Dicono che furono menati via dal porto di Genova per sorpresa. Che colpo, se venisse una nave da guerra a ripigliarceli! Il meglio sarebbe tirar via. Ma forse il Generale attende notizie, o altra gente, o armi. Appunto, sino ad ora non abbiamo armi. Soltanto alcuni se ne vanno attorno, con certe carabine che si tengono care come spose. Le hanno sempre in ispalla. Sono genovesi, tutti tiratori da lunga mano, preparati a questi tempi con fede ed amore. Quell'uomo dai capelli grigi, non vecchio ancora ma neanche più giovane, è un professore di lettere, amico di Mazzini, uscito di carcere l'anno scorso. V'era stato chiuso pei fatti di Genova del 1857. Si chiama Savi. Ho inteso dire che nel 1856, quando fu formata la Società Nazionale, e Garibaldi vi si scrisse uno dei primi, il Savi l'abbia rimproverato d'aver accettato l'iniziativa monarchica, lui capo militare del partito repubblicano uscito da Roma. Ma ora per l'Italia è venuto anche lui. Se ne sta in disparte modesto e taciturno; ma si vede che è amato e cercato. Chi non sa chi sia, gli passa vicino rispettoso e lo saluta.[1]

Ci siamo provati in quattro a mettere insieme un po' di erudizione. Uno disse che i Galli Gesati,[2] armati di spiedi, e incamminati alla volta di Roma, devono essere stati più qua e più là a campo, nella pianura verso Orbetello, quando furono colti e distrutti dai Romani, sbarcati qui tornando dalla Sardegna. E qui Mario ap-

1. Francesco Bartolomeo Savi era stato arrestato nel 1857 in seguito al fallimento di un moto insurrezionale mazziniano in connessione con la spedizione di Pisacane. Seguì poi Garibaldi anche ad Aspromonte. Nel 1864, sfiduciato di tutto, si uccise. — La *Società Nazionale*, fondata nel 1856, col suo programma di unità e di indipendenza poté guadagnarsi l'adesione di molti vecchi repubblicani, tra i quali, oltre Garibaldi, anche Daniele Manin. 2. I Galli Gesati (da *gaesum*, «spiedo o giavellotto») furono decimati dai Romani a Talamone nel 225 a.C.

prodò furtivo, reduce dall'esilio d'Africa, coll'anima traboccante
degli odi, nati nella palude di Minturno e inaspriti dagli ossequi
concessi a Silla.[1] Qui, sul finire del secolo scorso, le schiere napoletane del conte di Damas[2] videro per la prima volta le insegne
dei repubblicani di Francia. E i posteri aggiungeranno che qui
discese Garibaldi coi suoi, navigando verso Sicilia.

*Talamone, 8 maggio.*

Le compagnie sono formate, otto in tutto. Io co' miei amici siamo
scritti alla sesta. La comanda Giacinto Carini,[3] siciliano, che mi
pare di trentacinque anni. Dicono che nel quarantotto fu colonnello di cavalleria; che stette coll'armi alla mano sino all'ultima
caduta della rivoluzione; e che da quei tempi visse in Francia,
sperando e scrivendo. Siamo lieti d'aver per capo un siciliano, che
ha fama di prode: eppoi è un così bel tipo di soldato! Affabile,
gentile, parla e innamora. E siciliani sono anche gli altri ufficiali
della compagnia, salvo un modenese, che deve saper bene il mestiere, ed essere anch'egli uomo ardito e di franco coraggio.

Bixio, La Masa, Anfossi, Cairoli,[4] ed altri bei nomi della nostra

1. Dopo la vittoria di Silla, Caio Mario si era nascosto nelle paludi di
Minturno presso Gaeta, e si era rifugiato poi nella Numidia. Nell'87 a.
C., mentre Silla era in Oriente, sbarcò a Talamone, e arruolata una banda di
quattromila schiavi entrò in Roma a sfogarvi i suoi odii.  2. Il conte Ruggero Damas (1765-1823), fuoruscito francese, comandava una colonna di
quell'esercito che nel 1798 fu mandato da Ferdinando IV a liberare Roma
e lo Stato pontificio. Il Damas, mentre il resto dell'esercito era volto in fuga, si scontrò valorosamente con le forze di Kellermann, e rinchiusosi a
Orbetello poté arrendersi a patti onorevoli. Cfr. Colletta, III, 3.  3. Giacinto Carini (1821-1885), dopo aver partecipato, come qui riferisce l'Abba,
alla rivoluzione siciliana del '48, aveva diretto in esilio il «Courrier franco-
italien» al quale collaborarono anche il Crispi, l'Amari e Rosolino Pilo.
Nel '59 si era arruolato nei Cacciatori delle Alpi. In questa spedizione dei
Mille fu ferito a Palermo, come vedremo. Poi prese parte alla guerra del '66
con l'esercito regio, ebbe il grado di tenente generale e fu deputato per
varie legislature.  4. Francesco Anfossi, fratello di Augusto caduto nelle
Cinque giornate di Milano, non diede buona prova. A Palermo, quando
l'impresa sembrava disperata, ricorse al console francese per farsi rimpa-
triare come francese di Nizza. Il suo nome fu cancellato dall'elenco dei
Mille. — Benedetto Cairoli (1825-1889), di Pavia, combattente nel '48 e nel
'49, volontario garibaldino nel '59, partì coi Mille e fu ferito a Palermo.
Nel '66 fu capo del Quartiere generale di Garibaldi. Deputato di sinistra
fin dal '60, fu presidente del consiglio con breve interruzione dal 1878 al
1881. Sopravvisse unico ai suoi quattro fratelli, dei quali Ernesto cadde
combattendo nel '59, Luigi morì di tifo a Napoli nel '60, Enrico e Giovanni furono i notissimi eroi di Villa Glori.

storia, comandano ognuno una compagnia: tutti gli ufficiali hanno
qualche bella pagina di valore: parecchi sono ancora di quei d'America, ne ho visti tre che hanno un braccio solo. Primo aiutante del
Generale è il colonnello Türr[1] ungherese, e Sirtori[2] è il capo dello
stato maggiore. Abbiamo con noi il figlio di Daniele Manin;[3] e
ho inteso parlare d'un poeta gentile che canterà le nostre battaglie.
Si chiama Ippolito Nievo.[4]

Tutti i genovesi che hanno carabina, forse quaranta, formano
un corpo di carabinieri. Il loro capitano Antonio Mosto,[5] chi lo
volesse dipingere, è una bella testa di filosofo antico. Di modi e di
fisonomia austero, pare uno che abbia fatto penitenza sino ad oggi,
per affrettare la resurrezione d'Italia. È conosciuto per coraggiosissimo; e infatti come potrebbe non esserlo, se quei giovani lo
tengono per primo?

Ho riveduto quei due signori che hanno viaggiato con me da Parma
a Genova. Sono qui anche loro; soldati nella prima compagnia.
Il più giovane, piemontese, si chiama Giovanni Pittaluga.[6] È un
fuoco. A Piacenza, per aver veduto alcuni soldati francesi andare a

---

1. Stefano Türr (1825-1908), già ufficiale dell'esercito austriaco, che
abbandonò nel '48, fortissimo soldato ma poco esperto capitano, ferito
nel '59 a Treponti, ebbe in Sicilia da Garibaldi il grado di generale. Dopo
l'impresa dei Mille sposò una Bonaparte. Fu così in buone relazioni con
vari sovrani europei e si diede a svolgere, sebbene non fosse nella carriera,
una vasta attività diplomatica. Morì in Ungheria, a Budapest, dove era rientrato nel 1867.   2. Giuseppe Sirtori (1813-1874), di Casate Vecchio in
Brianza, ex sacerdote, aveva combattuto a Parigi nella rivoluzione del '48,
e poi alla difesa di Venezia. Repubblicano unitario, dopo il '59 si venne
orientando verso la monarchia. In questa impresa dei Mille aveva l'altissima carica di capo di stato maggiore, e nella battaglia del Volturno il suo
intervento fu decisivo per la vittoria. Nel 1862 passò nell'esercito regolare
col grado di tenente generale.   3. Giorgio Manin (1831-1882) fu ferito,
come vedremo, a Calatafimi e al Ponte dell'Ammiraglio. Fu poi a Custoza col Sirtori, e dopo l'annessione si ritirò a Venezia.   4. Sulla partecipazione del Nievo all'impresa dei Mille si veda il vol. 57 di questa Collezione, a lui dedicato.   5. Antonio Mosto aveva militato nel '59 fra i
Cacciatori delle Alpi. Il suo corpo di carabinieri si distinse per il suo eroico
valore in tutta la campagna dei Mille, e a Milazzo lo stesso Mosto fu ferito.
Militò ancora nel '66, e fu di nuovo ferito nel '67 a Monterotondo. Svolse sempre attività politica mazziniana e si spense cinquantenne nel 1880.
6. Giovanni Pittaluga, di Acqui, fu assegnato alla spedizione diversiva
dello Zambianchi, dopo il fallimento della quale poté riunirsi ai Mille in
Sicilia e combatté al Volturno guadagnandosi il grado di sottotenente.
Passò poi nell'esercito regolare e morì nel 1902 col grado di maggiore
generale.

zonzo vicino alla stazione, si tirò dentro gridando se quelli stranieri non se ne andranno mai più. E il più vecchio, che si chiama Spangaro[1] ed è veneziano, e deve essere un uomo di conto, a vedere com'è rispettato qui, disse con molto senno, che avremo grazia se ci riuscirà di vederli andarsene colle buone. L'altro fremeva. Ora avranno agio di continuare la loro disputa sull'efficacia dei modi spicci che il giovane vorrebbe adoperati, a farla finita coi nemici d'Italia. Nella sua fisonomia vi è del Saint-Just.[2] Guai a quel povero prete o frate che gli venisse a cascare fra le mani.

Il povero Sartori[3] era seduto sul ciglio di quello scoglio, col mare là sotto a picco. Si querelava tra sé, ma udì il mio passo e si tacque. Gli chiesi che cosa avesse. Mi rispose che era stato lì lì per buttarsi da quell'altezza, offeso nel vivo da un capitano che gli impose di levarsi di capo il berretto da ufficiale, portato nell'esercito dell'Emilia. Deve essere stato un battibecco fiero. Sartori obbedì, ma ha giurato di far parlare di sé.

Allegro che scoppiava nei panni, montato a bisdosso su d'un asinello, uno dei nostri cavalcava su per l'erta, tra le risa de' suoi amici. La povera bestia cadde, e il giovane andò giù ruzzoloni, rimanendo malconcio. Fu messo a letto nell'osteria, e vi rimarrà chi sa quanto. Poveretto, quando noi ripartiremo!

Una mano dei nostri si staccheranno tra poco da noi. Passeranno il confine romano condotti da Zambianchi,[4] uno sterminatore di

1. Pietro Spangaro, nato nel 1813, nel '48 aveva abbandonato l'esercito austriaco per unirsi agli insorti. Esule in Egitto, aveva poi seguito Garibaldi nel '59. Si arruolò nei Mille come semplice volontario, benché avesse il grado di maggiore. Dopo Calatafimi fu chiamato allo stato maggiore, assunse il comando di una brigata e al termine della campagna fu licenziato col grado di maggior generale. 2. Luigi di Saint-Just (1767-1794), famoso convenzionale e membro del Comitato di salute pubblica, era stato uno dei più fedeli e intransigenti collaboratori di Robespierre, insieme col quale fu ghigliottinato. 3. Eugenio Sartori (1830-1860), di Sacile, era stato ufficiale nell'esercito dell'Emilia creato dal dittatore C. L. Farini. Arruolatosi tra i Mille ebbe il grado di sergente. Cadde, come vedremo, a Calatafimi. 4. Callimaco Zambianchi, di Forlì, durante l'assedio di Roma aveva fatto trucidare tre preti. Garibaldi non ebbe la mano felice quando gli affidò il comando di questa spedizione diversiva, la quale, passando attraverso la Toscana, avrebbe dovuto invadere lo Stato pontificio. Lo Zambianchi vi dimostrò, per non dire altro, tutta la sua inettitudine. Poi, fallito il tentativo, fu arrestato a Genova, e accettò dietro compenso di espatriare in Argentina. Morì di malattia durante la traversata.

49

monaci sanguinario. Mi duole pei tre medici di Parma destinati a seguirlo. Diverse venture, comunque la meta sia una. Noi non ci siamo detti addio.

E mi hanno detto che sono partiti, o stanno per partire, non so quanti, che non vogliono più seguire il Generale, perché al grido di guerra ha mescolato il nome di Vittorio Emanuele. Se ne parla, se ne giudica, ma non se ne sente dir male.

*9 maggio. Dal* Lombardo *in faccia a San Stefano.*

Ieri sera c'imbarcammo che il mare pareva volersi mettere a burrasca. Gli abitanti di Talamone ci salutarono dalla riva, accompagnandoci con auguri pietosi.

Sono venuti a bordo del *Lombardo* tre bersaglieri fuggiti da Orbetello. Uno ve n'era già sin da Genova, Pilade Tagliapietre trevisano. Se al Lamarmora, che creò questa sorte di soldati, e li condusse da Goito in Crimea, invincibili sempre, avessero predetto che un giorno quattro giovani vestiti de' suoi panni guarderebbero dalla tolda di un bastimento alla Sicilia in rivolta, chi sa che rigonfiamento di cuore n'avrebbe avuto, e che sorta di esclamazioni avrebbe tartagliato. Oh la vecchia Sicilia di Vittorio Amedeo![1]

Ci deve essere gran fretta di partire, perché Bixio grida ai barcaiuoli che vanno e vengono portando acqua: — Venti franchi ogni barile, se me li portate prima delle undici! — I barcaiuoli fanno forza di braccia e le barche volano.

Intanto che si aspetta l'acqua, fanno la distribuzione delle armi. Ne ho avuta una anch'io, uno schioppo rugginoso che, Dio mio! E m'hanno dato un cinturino che pare d'un birro, una giberna, una baionetta e venti cartucce. Ma non si diceva a Genova che avremmo avuto delle carabine nuovissime? C'è di peggio. Il colonnello Türr fu ieri ad Orbetello, e tornò con tre cannoni e una colubrina lunga come la fame; roba che deve essere dei tempi quando quel lembo di terra là si chiamava lo Stato dei Presidî. Come faremo, tanto male armati laggiù?

L'acqua è arrivata, si salpa l'àncora. Santo Stefano, addio. Girato quel promontorio, saremo di nuovo nel grande mare, e che Dio ci aiuti.

---

1. Il duca Vittorio Amedeo II di Savoia fu re di Sicilia dal 1713 al 1720, quando dovette scambiarla con la Sardegna.

*9 maggio. Sera.*

Non una vela sull'orizzonte. Oltrepassata l'isoletta del Giglio, cominciò una delizia di venticello che ristorava le vene. Il cielo è purissimo. Neppur più uno di quei tanti smerghi che ci seguivano, librandosi alti, precipitando fulminei a tuffarsi, quasi per farci festa. Vedemmo molti delfini balzare allegri sull'acqua e tenerci dietro un pezzo.

Fra poco sarà notte. Una voce armoniosa e robusta canta da poppa una canzone, che udiranno i nostri compagni del *Piemonte*. È il volo dell'anima alla donna del cuore. Adesso la canzone si muta in un coro di voci poderose... «Si vola d'un salto nel mondo di là!» Oh se fossimo presi in mare!

*10 maggio.*

Dall'alba fino ad ora fu un vero splendore. Si navigò che pareva di andare al trionfo tranquilli, colla pace del mare e col cielo che pareva nostro. Ma venne il momento dell'angoscia. Uno dei nostri si è gettato in mare. Si dice che sia lo stesso dell'altra volta. Dunque allora non è caduto per disgrazia? Quando il legno si fermò, vedevamo lontana la testa del naufrago, e misuravamo spasimando la corsa della barca che volava a salvarlo. E vi riuscirono. Riportato a bordo, Bixio lo rimproverò aspramente, poi si commosse e lo fece mettere in una cabina, dove è custodito. Gli hanno levato di dosso i panni fracidi, l'hanno vestito d'una tunica da ufficiale, e ora giace là dentro, fulminando cogli occhi attorno come un pazzo furioso.

Il *Piemonte* ci precede di molte miglia. Quella nave corre superba, come avesse coscienza della fortuna e dell'uomo che porta. Si vede come un punto nero laggiù; anzi non è più che il suo fumo, lasciato addietro come la coda d'una cometa. Se si abbattesse nella crociera napoletana! Ormai siamo nelle acque del nemico. Gli ordini sono più severi. Alcuni hanno indossate camicie rosse. Bixio grida, li chiama mussulmani, vuole che stiano rannicchiati. Nessuna vela sull'orizzonte. Sempre noi soli, fin dove la vista può giungere.

Il caporale Plona si lasciò sfuggire non so che brutte parole, e Bixio giù! gli scaraventò un piatto in faccia. Ne venne un po' di subbuglio. Come un razzo Bixio fu sul castello gridando: — Tutti a poppa, tutti a poppa! — E tutti ad affollarsi a poppa rivolti a lui, ritto lassù che pareva lì per annientarci. E parlò:

— Io sono giovane, ho trentasette anni ed ho fatto il giro del mondo. Sono stato naufrago e prigioniero, ma sono qui, e qui comando io! Qui io sono tutto, lo czar, il sultano, il papa, sono Nino Bixio! Dovete obbedirmi tutti; guai chi osasse un'alzata di spalla, guai chi pensasse di ammutinarsi! Uscirei con il mio uniforme, colla mia sciabola, con le mie decorazioni e vi ucciderei tutti! Il Generale mi ha lasciato, comandandomi di sbarcarvi in Sicilia. Vi sbarcherò. Là mi impiccherete al primo albero che troveremo; ma — e misurò collo sguardo lento la calca — ma in Sicilia, ve lo giuro, vi sbarcheremo!

— Viva Nino Bixio! viva, viva, viva! — E mille braccia si alzarono a lui, che stette lassù fiero un poco; ma poi impallidì, gli balenarono gli occhi e ci volse le spalle. Dall'alto dell'alberatura i marinai applaudivano. Allora di mezzo a noi si udì la voce quasi fioca d'uno, che ritto su d'una botte, coi capelli e la barba di un biondo scialbo, con una faccia fine e soave, non più giovane né gagliardo, arringava, annaspando nell'aria colle braccia, parlando di Garibaldi e di Bixio con grandi lodi. Stiamo a vedere, pensai, che Bixio gli scarica addosso una pistolettata. Mi volsi, proprio temendo, ma Bixio non era più sul castello. L'oratore tirò innanzi un altro poco, poi dové discendere senza concluder nulla. Niuno badava a lui, perché le parole di Bixio avevano fatto sugli animi come il vento sulle acque. Tutti erano agitatissimi, ognuno avrebbe data per Bixio la vita. Ho chiesto il nome di quell'oratore che ha viso dolce di Galileo, e mi hanno detto che è La Masa.

*Di sul* Lombardo, *11 maggio. Mattino.*

Ieri, dopo il tramonto, i marinai dalle antenne vedevano ancora come un'ombra del *Piemonte*. A prora, un giovane che pare nato alle grandi avventure, accendeva fiocchi di stoppa incatramata, e sempre per un verso li buttava in mare. Che fossero segnali? Il bagliore di quelle fiamme rossicce, dava a tratti uno strano risalto alla faccia d'adolescente di quel giovane, e la sua fronte pareva fuggisse sotto i ricci biondi. Io guardava le sue mani ben fatte, il suo petto ampio, il suo collo robusto e bello, cinto di un fazzoletto di seta ricadente giù per le spalle; e pensava ai mari d'oriente e al Corsaro di Byron.

Mi rannicchiai in un angolo, con un visibilio nel capo, e mi addormentai come un morto.

— Su! su! — mi disse Airenta, scuotendomi forte, non so a che ora.

Balzai. Tutti quelli che erano sul ponte stavano ginocchioni, curvi, sporgendo le facce a sinistra. Non si udiva che un sussurro; le baionette luccicavano inastate.

— Ma che c'è?

E Airenta a me: — Una nave viene a furia verso di noi.

— Borbonica?

— Ha già suonato la campana, e Bixio ha comandato di non rispondere.

La nave veniva dritta sul nostro fianco, e il rumore delle sue ruote era concitato e rabbioso. Mi pare che il suo camino gettasse fiamme. Bixio piantato sul castello la investiva cogli occhi. Certo si preparava a qualche tragedia; magari a far saltar in aria sé, noi e la nave che ci era ormai quasi addosso. Non ho potuto capir bene quel che seguì, per un po' di confusione che mi nacque vicino: solo intesi Bixio gridare: — Generale! — E poi fu una grande allegria.

Quella nave era il *Piemonte*. Il Generale che ci aveva preceduti, scoperta la crociera borbonica, tornò indietro in cerca di noi; ci trovò, si parlarono con Bixio, e ci riponemmo in via, mutando rotta.

Credo che ora siamo più vicini all'Africa che alla Sicilia.


Si torna a navigare verso Sicilia.

A poppa, i lombardi cantano le canzoni dei loro laghi. Non sono meste come quelle dei miei monti, non rendono le pene delle generazioni nate a patire all'ombra dei castelli, che ora, rovine senza gloria, coronano i poggi sopra i villaggi delle mie vallate; ma qualcosa di patetico vi è anche in esse, e toccano il cuore profondamente.

Ho qui vicino un ungherese, che veggo da ieri girare in mezzo a noi. Non sa dire una parola, salvo un brutto lazzo veneziano. Mi guarda con quei suoi occhi piccini, aggrottati, verdi. Ha i capelli a lucignoli sulla fronte stretta, e il naso da unno. Cuoce meditabondo e cupo, sdraiato a questo sole; e forse sta pensando alla sua patria, mentre viene a morir per la mia.

Gran bella veduta d'isolette! Sembrano emerse ora dal mare. C'è del verde di tutti i toni; c'è della roccia splendente, c'è un'aria azzurra che avvolge tutto; e le isole hanno una zona d'argento ai piedi.

Sento che in quelle isole vi sono prigioni orribili. Il re di Napoli vi tiene chiusi i prigionieri di Stato; e le famiglie che ve ne hanno qualcuno, dicono: — Meglio i morti!

La Sicilia! La Sicilia! Pareva qualcosa di vaporoso laggiù nell'azzurro tra mare e cielo, ma era l'isola santa! Abbiamo a sinistra le Egadi, lontano in faccia il monte Erice che ha il culmine nelle nubi. Un siciliano che era meco sulla tolda, mi narrava le avventure di Erice figlio di Venere, ucciso da Ercole su quelle vette. Erano ameni gli antichi, ma quant'è pure ameno l'amico mio, che trova ora tempo di parlare di mitologia! Ei mi disse che su quel monte c'è un villaggio che si chiama San Giuliano, dove nascono le più belle donne della Sicilia.

Come si conoscono gli esuli siciliani! Eccoli là a prora tutti affollati. In questo momento non vivono che cogli occhi. Saranno una ventina, di tutte le età. Miracolo se il colonnello Carini sbarcherà vivo, se non gli si romperà il cuore dall'allegrezza.

Il dottor Marchetti che ride sempre quando mi vede scrivere, non sa che ora scrivo del suo figliuolo.[1] Compagno d'esiglio, l'ha voluto seco sin qui. Il giovinetto può avere dodici anni; eppure è di piglio sì ardito! Fortunato lui, che ha un mattino così splendido nella sua vita! Se la morte non lo coglierà, sarà un uomo levatosi per tempo nella sua giornata. Che c'è? Tutti guardano da poppa...

Due navi corrono a vista dietro di noi!

Si è messo un po' di vento in poppa. Tutte le vele sono spiegate, i marinai lavorano che sembrano uccelli. Bixio comanda, ubbidito a puntino. Ha gridato che chi gli sbaglia una manovra, lo farà impiccare all'albero di maestra! Voliamo.

Un piccolo legno veniva da terra. Bandiera inglese. Bixio prese un foglio, vi scrisse sopra qualcosa, fece fendere un pane e nel fesso

1. Luigi Marchetti (1816-1875), di Chioggia, aveva portato con sé il figlio Giuseppe, il più giovane dei Mille.

mise il foglio. Poi quando il legno passò quasi rasente a noi, gettò il pane che cadde in mare. — Allora — gridò facendo tromba colle mani — dite a Genova che il generale Garibaldi è sbarcato a Marsala, oggi a un'ora pomeridiana!

Sul piccolo legno fu un levar di mani, un battere di applausi, uno sventolare di fazzoletti, evviva, viva, viva!

Eccola lì Marsala, le sue mura, le sue case bianche, il verde de' suoi giardini, il bel declivio che ha dinanzi. Nel porto poco naviglio; una nave da guerra sta alla bocca e si è tutta pavesata.

— Pronti, figliuoli — grida Bixio, tutto per noi; e se avesse la forza ci lancerebbe in un colpo alla riva. Ma siamo certi di sbarcare, sebbene le due navi ci inseguano sempre. Hanno guadagnato un bel tratto. Vengono sbuffando.

*Marsala, 11 maggio.*

Siedo sopra un sasso, dinanzi al fascio di armi della mia compagnia, in questa piazzetta squallida, solitaria, paurosa. Capitano Ciaccio[1] da Palermo, piange come un bambino dall'allegrezza: io faccio le viste di non vederlo. La compagnia chi qua, chi là, mezzi a cercar da mangiare. Ma al primo squillo, non ne mancherà uno. Dal porto, tirano cannonate a furia, contro la città. Su molte case sventolano bandiere d'altre nazioni. Le più sono inglesi. Che vuol dir questo?

Il *Lombardo* è quasi sommerso. Il *Piemonte* galleggia maestoso sull'acqua. Le fregate che ci inseguivano arrivarono a tiro che noi eravamo quasi tutti sul molo. La terra ci mareggiava sotto i piedi; stentavamo a tenerci ritti. La città non aveva ancora capito nulla; ma la ragazzaglia era già lì, venuta giù a turba. Alcuni frati bianchi ci salutavano coi loro grandi cappelli: ci spalancavano le enormi tabacchiere: e stringendoci le mani, ci domandavano:

— Siete reduci, emigrati, svizzeri?

Alle porte della città, comparvero degli ufficiali di marina, in calzoni bianchi; e venivano giù al porto, verso la nave inglese, discutendo agitati. Noi intanto ci stavamo ordinando. A un tratto s'ode un colpo di cannone. Che è? — Un saluto! — dice sorridendo il

1. Alessandro Ciaccio (1818-1897), luogotenente del Carini, comandava la sesta compagnia, di cui faceva parte l'Abba.

colonnello Carini, vestito d'una tunica rossa, con un gran cappello a falda, piumato, in capo. A un secondo colpo, una grossa palla passa, rombando balzelloni, tra noi e la settima compagnia, e caccia in aria l'arena. I monelli si gettano a terra; i frati fuggono come possono con quei gran corpi, camminando dentro i fossati. Una terza palla sfascia il tetto d'una casetta di guardie, lì presso; una granata cade in mezzo alla mia compagnia, e fuma per iscoppiare. Beffagna da Padova vi corre addosso e ne cava la miccia. Bravo! Ma egli non sente o non bada.

E poi giù i colpi che non si contarono più. Quale furore! Ora la città è nostra. Dal porto alle mura corremmo bersagliati di fianco. Nessun male. Il popolo applaudiva per le vie; frati d'ogni colore si squarciavano la gola gridando: donne e fanciulle dai balconi ammiravano. — Beddi! Beddi! — si sentiva dire da tutte le parti. Io ho bevuto all'anfora d'una giovinetta popolana che tornava dalla fonte. Rebecca![1]

E quell'arco della porta per la quale entrammo in città, come l'ho innanzi agli occhi! Mi parve l'ingresso d'una città araba; e un po' mi parve anche di essere alle porte del mio villaggio, che hanno un arco come questo. Mi fermai a dare un'occhiata verso il porto. Venivano su correndo gli ultimi manipoli dei nostri: le due navi borboniche balenavano avvolte nel fumo; e quel nostro *Lombardo*, adagiato su d'un fianco, mi fece pietà. Dicono che Bixio l'abbia voluto sommergere. Costui dove passa lascia il segno.

*Di guardia sull'antico porto di Marsala. Sera.*

Noi di qui non vediamo che cosa avvenga dall'altra parte, dove siamo sbarcati; ma senza dubbio quel fuoco da cacciatori è fatto dai carabinieri genovesi. Forse le navi hanno gente da sbarco a bordo e tentano di metterla a terra. Purché non vi riescano nella notte, e non colgano i nostri rimasti in città, alla sprovveduta o peggio! Vi è un certo vino traditore, e si è stati tanti giorni a digiuno! Ma i capi vi hanno pensato, e quasi tutte le compagnie son fuori. La mia è qui tutta intera. Vediamo una gran curva di lidi, e laggiù all'orizzonte un promontorio nero. Forse è Trapani. Quelle barchette che si staccano colà e pigliano il largo, sono cariche di gente che fugge. Intanto il fuoco dalle navi continua.

1. Cfr. *Genesi*, 24-25.

*Marsala, 12 maggio. 3 ore ant.*

Ieri sera alle dieci, il caporale Plona mi piantò laggiù a piè d'uno scoglio, sentinella ultima della nostra fila, e mi ci lasciò cinque ore. Feci dei versi alle stelle. Fu la mia veglia d'arme.

*Mercoledì. Durante il «grand'alt».*

Alla punta del giorno venne uno a cavallo, parlò col capitano, pigliammo gli schioppi, e rientrammo in città. Per una via sonnacchiosa, passando innanzi a certe casuccie, dove la miseria si ridestava nelle stanze terrene semiaperte e schifose, riuscimmo alla campagna dal lato opposto. Là erano tutti i nostri già ordinati e pronti; là un'allegrezza intera e sana che alzava il cuore. In alto mare, le due navi napoletane di ieri filavano di lunga, menandosi a rimorchio il *Piemonte*. Bella consolazione! Il *Lombardo* era sempre al suo posto; e quando spuntò il sole, la parte della sua carena che era fuori dell'acqua, parve incendiarsi dallo splendore, per salutarci e augurarci fortuna.

Nell'aria era un profumo delizioso: ma quel campo lì fuori le mura di Marsala, coi suoi grandi massi nerastri sparsi qua e là, con quei fiori gialli che lo coprivano a tratti, cominciava a darmi non so che senso di cose morte. Passò Bixio a cavallo. Fiero come già sul cassero del *Lombardo*, diede un'occhiata burbera laggiù a quel povero legno, accennò brusco come a dire: «Siamo intesi!» e tirò innanzi trottando. Dopo di lui vennero alcune Guide, gente che ha navigato sul *Piemonte*, bei cavalli, bei cavalieri, coll'uniforme leggiadra che avevano l'anno passato in Lombardia. Nullo[1] caracollava bizzarro e sciolto; torso da Perseo,[2] faccia aquilina, il più bell'uomo della spedizione. Pare uno dei tredici che han combattuto a Barletta. Missori[3] da Milano, vestito d'una tunichetta rossa che gli cresce l'aspetto di gran signore, ha in capo un grazioso berretto rosso, gallonato d'oro, e comanda le Guide. Dolce

1. Francesco Nullo (1826-1863), di Bergamo, commerciante, vecchio combattente delle Cinque giornate, della difesa di Roma e del '59, durante la campagna dei Mille raggiunse il grado di tenente colonnello. Carissimo a Garibaldi, lo seguì poi ad Aspromonte. Cadde a Krzykavoka presso Olkusz combattendo per la libertà della Polonia. 2. Allude alla statua del Cellini. 3. Giuseppe Missori (1829-1912), di Milano (ma in realtà era nato a Mosca), anch'egli combattente del '48 e del '59, in questa campagna, in cui si batté sempre con non comune valore, fu l'eroe di Milazzo. Seguì poi Garibaldi nel '62, nel '66 e a Mentana.

ma tutt'animo; lui e Nullo, Eurialo e Niso.[1] Quell'altro, semplice
Guida, colla faccia imbronciata e piena di bontà, è il più vecchio
del drappello. Avrà quarant'anni? È Nuvolari da Mantova, un
ricco campagnuolo che ha cospirato e combattuto, umile e costante; tipo di puritano dei tempi di Cromwell. Gli altri tutti fior
di giovani; carissimo un Manci da Trento, che mi fa pensare alla
Fiorina del Grossi,[2] tanto ha l'aria di fanciulla innocente.

Sempre sorridente e colla buona novella in fronte, arrivò ultimo
Garibaldi collo stato maggiore. Cavalcava un baio da Gran Visir,
su di una sella bellissima, colle staffe a trafori. Indossava camicia
rossa e calzoni grigi, aveva in capo un cappello di foggia ungherese
e al collo un fazzoletto di seta, che, quando il sole fu alto, si tirò su
a far ombra al viso. Scoppiò un gran saluto affettuoso; ed Egli,
guardandoci con aria paterna, si spinse fin in capo alla colonna.
Poi le trombe suonarono e ci ponemmo in marcia.

Fatto un bel tratto della via consolare, si pigliò la campagna, per
una straduccia incerta e difficile tra i vigneti. I nostri cannoni venivano dietro a stento, su certi carri dipinti d'immagini sacre, tirati
da stalloni focosi, che spandevano nell'aria la grande allegria delle
loro sonagliere. Ci siamo fermati a questa fattoria; una casa bianca
e un pozzo, in mezzo a un oliveto. Che gioia un poco d'ombra, e
che sapore il po' di pane che ci han dato! E il Generale seduto a piè
di un olivo, mangia anche lui pane e cacio, affettandone con un
suo coltello, e discorrendo alla buona con quelli che ha intorno. Io
lo guardo e ho il senso della grandezza antica.

*Dal Feudo di Rampagallo. Sera.*

Ripresa la via, dopo una buona ora di sosta, ci rimettemmo per
l'immensa campagna. Non più vigneti né olivi, ma di tratto in
tratto ancora qualche campicello di fave, poi più nessuna coltura.
Il sole ci pioveva addosso liquefatto, per la interminabile landa
ondulata, dove l'erba nasce e muore come nei cimiteri. E mai una
vena d'acqua, mai un rigagnolo, mai all'orizzonte un profilo di
villaggio: — Ma che siamo nelle Pampas? — sclamava Pagani, il
quale da giovane fu in America.

---

1. *Eurialo e Niso*: sono i protagonisti del notissimo episodio del nono
libro dell'*Eneide*. Questi ricordi storici, biblici e classici cominciano a esser troppi. Ma osserva con quanto candore essi siano suggeriti.    2. Nel-
l'*Ildegonda*.

Quelle solitudini dove l'occhio non trovava confine, a larghe distanze, erano appena animate da qualche capanna di pastori, o da branchi di cavalli sciolti, nella loro selvaggia libertà. A vederci, galoppavano lontano, cacciati dallo spavento, e talvolta si arrestavano corvettando dall'allegrezza. Dopo mezzodì, sul margine del nostro sentiero, trovammo un vecchio pastore. Vestiva pelli di capra, e la sua testa, fiera e quasi da selvaggio, era coperta da un enorme berretto di lana. Teneva le mani appoggiate sulle spalle di un giovinetto, che poteva avere quindici anni, ed osservava muto il nostro passaggio. Quando arrivò a lui la mia compagnia, egli si rivolse al capitano gridando con voce sicura: — Principe Carini, reboldate la cabedale! — E spinse il giovinetto in mezzo a noi. Poi si asciugò gli occhi, e volte le spalle, si allontanò per quel deserto. Lontano lontano, all'orizzonte, vedevamo una capanna, forse la sua.

— Che è principe il nostro capitano? — chiesi al tenente Bracco palermitano anche lui.

— No . . . Un principe Carini esiste, ma borbonico che ci avvelenerebbe l'aria.

Questo gran casone bieco è un antico feudo. Arrivammo che il sole andava sotto, e ci ponemmo qui sul pendio, sdraioni sull'erba soffice e lussureggiante. Fui mandato ad attinger acqua. Su d'un rialzo vicino al casone, stavano in crocchio alcuni dei nostri capi. Mentre passavamo uno di essi diceva: — Avete badato a quel deserto, tutt'oggi? Si direbbe che siamo venuti per aiutare i siciliani a liberare la loro terra dall'ozio!

Del nemico non si sente dir nulla.

*13 maggio. Salemi.*
*Da un balcone di convento, in faccia alla gloria del sole.*

Stamane suonava la diana, e Bixio già in sella veniva da chi sa dove. Se invece di quella uniforme di fanteria, vestisse un costume del cinquecento, ecco Giovanni delle Bande Nere.

Nella notte sono arrivati a squadre molti insorti, armati di doppiette da caccia e di picche bizzarre. Parecchi vestono pelli di pecora sopra gli altri panni, tutti paiono gente risoluta, e si sono messi con noi.

Quando movemmo dal campo di Rampagallo, eravamo aggranchiti per aver dormito là senza tende, senza coperte, come capitammo, colla gran guazza che viene giù queste notti. Ma ci liberammo dal freddo assai presto, e dopo mezz'ora di marcia si desiderava già l'acqua. Passammo vicino a parecchie fonti, bevevamo cogli occhi; ma Bixio era sempre là inesorabile a far guardia, e non ci lasciava nemmen bagnar le labbra. Ha fatto bene. Uno dei nostri che riuscì a bere, cadde a mezzo della gran salita che mena quassù. Lo vidi dibattersi per dolori atroci, fra gli amici addolorati; un medico gli teneva il polso e tentennava il capo. Speriamo che non sia morto.

Quella salita scomunicata ci ha fatto rompere il petto, ma pazienza. Arrivando, fummo accolti da una folla d'uomini, di donne, di fanciulli strilloni; quasi non si sentiva la banda che ci suonava il trionfo.

Una donna, con un panno nero giù sulla faccia, mi stese la mano, borbottando.

— Che cosa? — dissi io.

— Staio morendo de fame, Eccellenza!

— Che ci si canzona qui? — esclamai: e allora un signore diede alla donna un urtone, e mi offerse da bere, in un gran boccale di terra. Fui lì per darglielo in faccia; ma accostai le labbra per creanza, poi piantai lui per raggiungere quella donna. Non mi riuscì di trovarla. Ma subito una giovane dagli occhi grandi, soavi, e smunta, malata, mi porse un cedro colla destra, e colla sinistra tesa mi disse: — Signorino! — Un cencio di gonnella le dava a mezzo stinco, e aveva i piedi ignudi. Le posi in mano due prubbiche, monetuccie di qui che paiono farfalle; essa le prese e corse via. La veggo ancora, colle gambe scarne, battute dai brandelli della veste lurida e corta, fuggire non so se lieta o vergognosa.

Quando giunse il Generale, fu proprio un delirio. La banda si arrabbiava a suonare; non si vedevano che braccia alzate e armi brandite; chi giurava, chi s'inginocchiava, chi benediceva: la piazza, le vie, i vicoli erano stipati; ci volle del bello prima che gli facessero un po' di largo. Ed egli, paziente e lieto, salutava ed aspettava sorridendo.

C'è qui un ufficiale vestito dell'uniforme piemontese, che mi pare tutto quello del caso di Novi. Farò di parlargli, e, se è lui, mi scuserò di non avergli voluto dire quel che mi chiese. Dicono che sia disertore, che si chiami De Amicis, che sia di Novara.

Ho fatto un giro per la città. L'hanno piantata quassù che una casa si regge sull'altra, e tutte paiono incamminate per discendere giù da oggi a domani. Avessero pur voglia di sbarcare i saraceni, Salemi era al sicuro! Vasta, popolosa, sudicia, le sue vie somigliano colatoi. Si pena a tenersi ritti; si cerca un'osteria e si trova una tana. Ma i frati, oh! i frati gli avevano belli i conventi, e questo dov'è la mia compagnia è anche netto. Essi se ne sono andati.

Gli abitanti, non scortesi, sembrano impacciati se facciamo loro qualche domanda. Non sanno nulla, si stringono nelle spalle, o rispondono a cenni, a smorfie, chi capisce è bravo.

Entrai stanco in una taverna, profonda quattro o cinque scalini dalla via. V'era una brigata di amici, che mangiavano allegramente i maccheroni in certe ciotole di legno che . . . Eppure ne mangiai anch'io. E bevemmo, e chiacchierammo, e c'eravamo quasi dimenticati d'essere qui a questi passi, quando venne Bruzzesi[1] delle Guide, il quale ci disse che un grosso corpo di napoletani è a poche miglia da noi. — Meglio! — sclamò Gatti — bisognerà vedere che cera ci faranno!

*Salemi, 14 maggio.*

Il Generale ha percorsa la città a cavallo. Il popolo vede lui e piglia fuoco: magìa dell'aspetto o del nome, non si conosce che lui.

Il Generale ha assunta la dittatura in nome d'Italia e Vittorio Emanuele. Se ne parla, e non tutti sono contenti. Ma questo sarà il nostro grido. Alle cantonate si legge un proclama del Dittatore. Egli si rivolge ai buoni preti di Sicilia. Un rètore ha notato che, preti buoni, sarebbe stato meglio detto.

Le squadre arrivano da ogni parte, a cavallo, a piedi, a centinaia, una diavoleria. E hanno bande che suonano d'un gusto! Ho veduto dei montanari armati fino ai denti, con certe facce sgherre, e certi occhi che paiono bocche di pistole. Tutta questa gente è condotta da gentiluomini, ai quali ubbidisce devota.

Piove dirotto. Del nemico notizie diverse o contraddittorie. Sono quattromila; no, diecimila, con cavalli e cannoni. Si fortificano

1. Giacinto Bruzzesi (1822-1900), nato a Cerveteri, mercante e incisore di cammei, cospiratore mazziniano e combattente, era uno dei quattro decorati di medaglia d'oro alla difesa di Roma. Capitano dei Cacciatori nel '59, partecipò valorosamente a tutta la campagna dei Mille. Seguì poi Garibaldi ad Aspromonte, e nel '66 a Montesuello si guadagnò un'altra medaglia d'oro e un alto elogio di Garibaldi.

sui tali monti: no, sui tali altri: si avanzano, si ritirano rapidamente. Questa notte staremo ancora qui: e intanto finiranno d'allestire i carri per la nostra artiglieria.

Grazioso! Ieri l'altro, appena sbarcati, alcuni dei nostri occuparono il telegrafo. L'ufficiale, fuggendo, aveva lasciato lì un foglio, sul quale era scritto: «Due vapori sardi sbarcano gente.» Era un dispaccio mandato al Comandante militare di Trapani. E da Trapani appunto: «Quanti sono? Che cosa vogliono?» Allora i nostri: «Perdonate, mi sono ingannato, i legni sbarcano zolfo.» Da Trapani secco secco: «Imbecille!»

Poi un taglio dei nostri al filo telegrafico e silenzio.

*Salemi, 15 maggio. 5 ore ant.*

Ho spalancato le finestre di questa cella di monaco, e ho dato un'occhiata alla campagna, sonnacchiosa sotto i fumacchi che si levano dalle valli. Chi sa che via piglieremo, e in quale dei punti cui arriva la mia vista, saremo affrontati dai napoletani? Chi sa per che via marciano a noi, o in qual gola stanno ad attenderci?

Margarita e Bozzani lunghi e distesi lì su d'un tappeto verde, avuto non so da chi, dormono ancora. Raccuglia, il buon vecchietto palermitano che non parla mai, si allaccia la calzatura, al lume della mia candela. Torna dall'esilio in nostra compagnia, come un popolano fuoruscito del medioevo.

— Sergente Raccuglia, che tempo avremo oggi?

— Bisognerà vedere il Generale in faccia; ma sarà bello, perché vedete là? Gatti si ravvia i capelli. Sempre lindo e attillato, lui!

Lì, fuori della porta, due milanesi stavano ragionando dei fatti nostri, uno più dottore dell'altro, a dimostrare che sono seri assai. «Acqua da tutte le parti, nemico numeroso, provveduto di tutto: noi armi pessime, munizioni poche, un quindici cartucce per ciascuno, gli insorti peggio armati di noi.»

— Ehi? — tuonò un vocione dal corridoio — che ci siete venuti per fare codesti conti?

I due si tacquero.

Suona la sveglia. E Simonetta[1] viene a dirci che si parte.

Gran giovane Simonetta! Non si cura di nulla per sé, non vive

1. Antonio Simonetta, milanese, già garibaldino nel '59, cadrà, diciannovenne, a Palermo.

che per gli altri. V'è una guardia da fare? Simonetta si offre. Un servizio faticoso? Eccolo pronto lui, gracile e gentile. Si distribuisce il pane? Egli si presenta l'ultimo a pigliare il suo.

Ha lasciato a Milano il padre vedovo e solo.

Fra minuti si parte.

Il nemico è davvero a nove miglia. Abbiamo riposato due giorni e due notti su quest'altura, tra questa gente povera e rozza. Chi sa dove dormiremo stasera? I carri per l'artiglieria sono fatti; la colubrina allunga la sua gola; il corpo dei cannonieri è formato. Sono quasi tutti ingegneri.

*15 maggio, 11 ore ant.*
*Sui colli del Pianto Romano.*

Un pensiero a casa, poiché tutto è pronto. I nostri cannoni sono laggiù, piantati sulla strada consolare a sinistra. Eccolo là il nemico. La montagna rimpetto a noi ne è gremita; saranno circa 5000 uomini. Noi siamo scaglionati per compagnie. Il Generale da quella punta osserva le mosse dei nemici. Fra le nostre posizioni e le loro, è una pianura non vasta ed incolta. La bandiera sventola sul poggio più alto, in mezzo a noi. Il sottotenente che la porta, mandò me dal Generale, e il Generale mi mandò a lui comandando:

— Ditegli che si porti sul poggio più alto, colla bandiera, e che la faccia sventolare! — Dio, con qual voce me lo disse!

Al colonnello Carini si è impennato il cavallo. Egli è caduto. Non fa nulla. Rieccolo in sella. Dianzi vidi cadere anche il La Masa, che si deve essere fatto male. Mi sentii come se avessi battuto del capo io stesso, contro quelle pietre.

I cacciatori napoletani discendono dalle alture. Che calma! . . . Che sicurezza nei loro movimenti! Fra poco . . . Ma le loro trombe, che suoni lugubri!

*16 maggio.*
*Dal convento di San Vito sopra Calatafimi.*

Sarà bello, se camperò, rileggere fra molti anni questi sgorbi. Avessi avuto tempo, da ieri mattina ne avrei fatto cento pagine!

Tutta Salemi era fuori a salutarci. — Benedetti! benedetti! — E quando da piè della discesa mi volsi a guardare in su, tesi le braccia alla città e a quella gente, che avrei voluto stringere al petto tutta. Venivano giù le nostre compagnie di passo allegro e cantando. Ga-

ribaldi ad una svolta della via, veduto dal basso, grandeggiava
sul suo cavallo nel cielo; in un cielo di gloria, da cui pioveva una
luce calda, che insieme al profumo della vallata ci inebriava. E
con noi, giù dal monte venivano le squadre dei siciliani; una processione che non vidi finire, perché la mia compagnia si inoltrò per
la campagna, bella, sempre più bella, sino al villaggio di Vita,
dove c'incontrammo colle nostre Guide che venivano indietro di
mezzo trotto. Avevano scoperto il nemico. Non v'era che da salire
il colle là presso, e l'avremmo avuto in faccia.

Intanto la gente di Vita fuggiva. Fuggivano portando le masserizie, trascinando i vecchi e i fanciulli, un pianto. Attraversammo
il villaggio attristati, e quella povera gente ci guardava, ci faceva
cenni di compassione, ci diceva: — Meschini!

Dopo breve tratto sostammo. E allora vidi la nostra bella bandiera portata al centro della settima,[1] quel centinaio e mezzo di
giovani quasi tutti dell'Università di Pavia, fior di lombardi e di
veneti, la compagnia più numerosa e più bella.

### A GIUSEPPE GARIBALDI
#### GLI ITALIANI RESIDENTI IN VALPARAISO
#### 1855

Lessi queste parole, trapunte a caratteri grandi d'oro su d'un
lato della bandiera. Sull'altro trionfava l'Italia, figurata in una
donna augusta, che, rotte le catene, sorge ritta su d'un trofeo,
cannoni, schioppi, tutt'oro e argento.

Io contemplava la bandiera, pensando che in quelle terre lontane dove fu fatta, tra quei patriotti donatori, vive un fratello del
padre mio; e intanto vedeva un gran correre di ufficiali e di Guide.
Poi comparve il Generale, le trombe squillarono, lasciammo la
strada consolare, ci mettemmo pei campi e su per la collina brulla,
una compagnia incalzando l'altra. Di lassù scoprimmo il nemico.
Il colle in faccia sfolgorava tutto armi, pareva coperto di diecimila soldati.

— Come? Calzoni rossi? I napoletani hanno già i francesi con
loro? — sclamarono alcuni sdegnati, vedendo il rosso nelle file nemiche: ma i siciliani che udirono li quetarono, rispondendo che
anche gli ufficiali napoletani portano calzoni rossi.

---

1. La comandava Benedetto Cairoli.

Ci ponemmo a giacere, ed erano quasi le undici. Mi parve che fossimo stati a guardarci coi regi pochi minuti, eppure la prima schioppettata non fu tratta che all'una e mezza dopo mezzodì. I cacciatori napoletani scesi lunghi lunghi, giù per quelle filiere di fichi d'India, tirarono primi. Garibaldi gli aveva osservati a lungo da una balza, con Türr, Tüköry,[1] Sirtori ed altri molti che gli stavano intorno. Io lo vidi malinconico e pensoso. Credo che a quel primo incontro sperasse... sperasse in una ispirazione che ai napoletani non venne. Eppure la nostra bandiera sventolava lassù nella luce!...

— Non rispondete, non rispondete al fuoco! — gridavano i capitani; ma le palle dei cacciatori passavano sopra di noi con un gnaulìo così provocante, che non si poteva star fermi. Si udì un colpo, un altro, un altro; poi fu suonata la diana, poi il passo di corsa: era il trombetta del Generale.

Ci levammo, ci serrammo, e precipitammo in un lampo al piano. Là ci copersero di piombo. Piovevano le palle come gragnuola, e due cannoni dal monte già tutto fumo, cominciarono a trarci addosso furiosamente. La pianura fu presto attraversata, la prima linea di nemici rotta; ma alle falde del colle chi guardava in su!...

Là vidi Garibaldi a piedi, colla spada inguainata sulla spalla destra, andare innanzi lento e tenendo d'occhio tutta l'azione. Cadevano intorno a lui i nostri, e più quelli che indossavano camicia rossa. Bixio corse di galoppo a fargli riparo col suo cavallo, e tirandoselo dietro alla groppa, gli gridava:

— Generale, così volete morire?

— Come potrei morire meglio che pel mio paese? — rispose il Generale, e scioltosi dalla mano di Bixio, tirò innanzi severo. Bixio lo seguì rispettoso.

«Goro da Montebenichi e Ferruccio a Gavinana!»[2] pensai tra me, rallegrandomi del ricordo; ma subito mi tremò il core; credei

---

1. Luigi Tüköry (1828-1860), ungherese, era già tenente colonnello. Aveva combattuto in patria nel '48-'49, e poi in Turchia contro i Russi. Nel '59 era venuto in Italia per combattere contro l'Austria.  2. Narra il Varchi (*Storia fiorentina*, XI, 118-124) che nella battaglia di Gavinana (1530) il capitano Goro da Montebenichi, visto in gran pericolo Francesco Ferruccio, «volle pararglisi dinanzi per fargli scudo di se medesimo; ma egli borbottando lo tirò irosamente indietro e sgridollo». Queste vecchie memorie erano state allora rinfrescate dall'*Assedio di Firenze* del Guerrazzi.

di indovinare che al Generale paresse impossibile il vincere, e cercasse di morire.

In quel momento uno dei nostri cannoni tuonò dalla strada. Un grido di gioia da tutti salutò quel colpo, perché ci parve di ricevere l'aiuto di mille braccia. — Avanti, avanti, avanti! — non si udiva più che un urlo; e quella tromba che non aveva più cessato di suonare il passo di corsa, squillava con angoscia come la voce della patria pericolante.

Il primo, il secondo, il terzo terrazzo, su pel colle, furono investiti alla baionetta e superati: ma i morti e i feriti, che raccapriccio! Man mano che cedevano, i battaglioni regi si tiravano più in alto, si raccoglievano, crescevano di forza. All'ultimo parve impossibile affrontarli più. Erano tutti sulla vetta, e noi intorno al ciglio, stanchi, affranti, scemati. Vi fu un istante di sosta; non ci vedevamo quasi tra le due parti: essi raccolti là sopra, noi tutti a terra. S'udiva qua e là qualche schioppettata: i regi rotolavano massi, scagliavano sassate, e si disse che persino il Generale ne abbia toccata una.

A quell'ora mancavano già dei nostri molti, che intesi piangere dai loro amici: e vidi là presso, tra i fichi d'India, un giovane bello, ferito a morte, sorretto da due compagni. Mi pareva che si volesse lanciare innanzi ancora; ma udii che pregava i due fossero generosi coi regi, perché anch'essi italiani. Mi sentii negli occhi le lagrime.

Già tutta l'erta era ingombra di caduti, ma non si udiva un lamento. Vicino a me il Missori, comandante delle Guide, coll'occhio sinistro tutto pesto e insanguinato, pareva porgesse l'orecchio ai rumori che venivano dalla vetta, donde si udivano i battaglioni moversi pesanti, e mille voci, come fiotti di mare in tempesta, urlare a tratti: — Viva lo Re!

Frattanto i nostri arrivavano a ingrossarci, rinascevano le forze. I capitani si aggiravano tra noi, confortandoci. Sirtori e Bixio erano venuti a cavallo fin lassù.

Sirtori vestito di nero, con un po' di camicia rossa che gli usciva dal bavero, aveva nei panni parecchi strappi fatti dalle palle, ma nessuna ferita. Impassibile, colla frusta in mano, pareva non si sentisse presente a quello sbaraglio; eppure sulla sua faccia pallida e smunta io lessi qualcosa, come la voluttà di morire per tutti noi.

Bixio compariva da ogni parte, come si fosse fatto in cento, braccio di ferro del Generale. Lassù lo rividi vicino a lui un altro istante.

— Riposate, figliuoli, riposate un altro poco; — diceva il Generale — ancora uno sforzo e sarà finita! — E Bixio lo seguiva per le file.

In quella il sottotenente Bandi[1] veniva a salutarlo, lì per cadere sfinito. Non ne poteva più. Aveva toccate parecchie ferite, ma un'ultima palla gli si era ficcata sopra la mammella sinistra, e il sangue gli colava giù a rivi. «Prima che passi mezz'ora sarà morto», pensai: ma quando le compagnie si lanciarono all'ultimo assalto, contro quella siepe di baionette che abbagliavano, stridevano, sì che pareva di averle già tutte nel petto, tornai a vedere quell'ufficiale fra i primi. — Quante anime hai? — gli gridò uno, che deve essergli amico. Egli sorrise beato.

Il grande, supremo cozzo, avvenne mentre la bandiera di Valparaiso, passata da mano a mano a Schiaffino,[2] fu vista agitata alcuni istanti, di qua di là, in una mischia stretta e terribile e poi sparire. Ma Giovan Maria Damiani[3] delle Guide poté afferrarne uno dei nastri e strapparlo; gruppo michelangiolesco lui e il suo cavallo impennato, su quel viluppo di nemici e di nostri. Mi rimarrà dinanzi agli occhi fin che avrò vita.

In quel momento i regi tiravano l'ultima cannonata, fracellando quasi a bruciapelo un Sacchi pavese; e fu da quella parte un urlo di gioia, perché il cannone era preso. Poi corse voce che il Generale era morto; e Menotti[4] ferito nella destra correva gridando e chiedendo di lui. Elia[5] giaceva ferito a morte; Schiaffino, il Dante da

1. Giuseppe Bandi, l'autore de I Mille, di cui riportiamo molte pagine in questo volume. 2. Simone Deodato Schiaffino era nato a Camogli nel 1835. Capitano di lungo corso, era intimo di Menotti e di Augusto Elia. L'anno innanzi aveva militato valorosamente con Garibaldi, che lo amava molto. 3. Giovan Maria Damiani (1832-1908), di Piacenza, a sedici anni aveva già combattuto a Novara. Fu tra i più valorosi dei Mille e seguì ancora Garibaldi nel '66 e nel '67. Poi si ritrasse nel silenzio. Fu economo nell'Ateneo bolognese e amico del Carducci. 4. Menotti, figlio di Garibaldi e di Anita, era nato il 16 settembre 1840 a Mostardas presso San Simon (Rio Grande do Sul). Questa dei Mille fu la sua prima impresa militare, e fin da allora si mostrò degno del padre. Fece poi tutte le campagne garibaldine fino a quella dei Vosgi raggiungendo il grado di generale. Intrepido soldato, non era atto alla vita politica; pertanto, chiusosi il periodo delle armi, benché fosse sempre eletto deputato al parlamento, preferì farsi agricoltore. Si spense a Roma il 22 agosto 1903. 5. Augusto Elia, nato nel 1829 in Ancona, marinaio fin dai primi anni, era stato con Garibaldi

Castiglione[1] di questa guerra, era morto, e copriva la terra sanguinosa colla sua grande persona.

Quasi sulla vetta, vicino alla casina, mentre io passava, riconobbi ai panni più che al viso il povero Sartori. Certo era morto
fulminato, perché cinque minuti prima lo avevo visto salire, e mi
aveva salutato a nome. Giaceva sul lato sinistro, tutto attrappito
e coi pugni chiusi. Era stato ferito nel petto. Caddi sopra di lui, lo
baciai e gli dissi addio. Povero morto! Negli occhi spalancati, nella
fisonomia spenta, gli era rimasto come un desiderio di respirare
un'ultima fiatata di quell'aria di guerra. Mantenne da prode la
sua parola di Talamone, e quanti conoscemmo Eugenio Sartori da
Sacile, parleremo a lungo di lui.

I napoletani morti, che pietà a vederli! Morti di baionetta
molti; quelli che giacevano sul ciglio del colle quasi tutti erano stati
colti nel capo. Là un mostricciattolo, che ai panni mi parve un
villano di queste parti, inferociva su d'uno di quei morti. — Ucci-
dete l'infame! — urlò Bixio, e spronò su di lui colla sciabola in alto.
Ma il feroce scivolò fra le rocce e disparve, più bestia che uomo.

Macchiette nel quadro grande, veggo quei francescani che combattevano per noi. Uno d'essi caricava un trombone con manate
di palle e di pietre, poi si arrampicava e scaricava a rovina. Corto,
magro, sudicio, veduto di sotto in su a lacerarsi gli stinchi ignudi
contro gli sterpi che esalavano un odore nauseabondo di cimitero,
strappava le risa e gli applausi. Valorosi quei monaci, tutti fino
all'ultimo che vidi, ferito in una coscia, cavarsi la palla dalle carni
e tornare a far fuoco.

Durante la battaglia, sulle alte rupi che sorgevano intorno a noi,
si vedevano turbe di paesani intenti al fiero spettacolo. Di tanto
in tanto, mandavano urli, che mettevano spavento ai comuni nemici.

Quando questi cominciarono a ritirarsi protetti dai loro cacciatori, rividi il Generale che li guardava e gioiva. Gli inseguimmo
un tratto; disparvero in una fondura; riapparvero fuori di tiro,
nella montagna, in faccia, seguiti da un centinaio di loro cavalli,

---

nel '59. Di questa ferita alla bocca, toccata a Calatafimi, si riebbe poi a
stento, dopo molti interventi chirurgici. Fu ancora con Garibaldi nel '66
e nel '67. Deputato al parlamento, fu fedele al Depretis. Nel 1900 pubblicò una autobiografia.   1. *Dante da Castiglione*: un'altra figura dell'*Assedio* guerrazziano, uno dei più strenui difensori della città.

che stati in agguato sino a quel momento, li raggiunsero a briglia sciolta. Dal campo, stemmo a vedere la lunga colonna salire a Calatafimi, grigia lassù a mezza costa del monte grigio, e perdersi nella città. Ci pareva miracolo aver vinto. Si mise un vento freddo gelato. Ci coricammo. Era un silenzio mestissimo. Si fece notte in un momento, ed io con Airenta e Bozzani ci addormentammo in un campicello di grano, accarezzati dalle spighe curve sui nostri corpi.

Stamane, quando suonarono la sveglia, rompeva appena l'alba, ma qualche allodola cantava già alta nell'aria. Credeva che si dovesse marciare all'assalto della città, perché ieri sera intesi il Generale parlarne con Bixio. Ma nella notte era venuta gente da Calatafimi, ad annunziare che i regi partivano alla volta di Palermo. Allora volli fare un giro pel campo.

Ritrovai Sartori là ancora dov'era caduto. Nessuno lo aveva toccato, ma pareva morto da tre giorni. Le sue guance erano divenute smunte, i suoi capelli tesi, la pelle d'un giallo che non si poteva guardare. Mi si strinse il cuore, e non ebbi forza di dargli l'ultimo bacio. Egli lo avrebbe fatto, egli mi avrebbe seppellito colle sue mani!

Ora, di qui, io veggo il colle quieto e deserto. Ieri fin le pietre parevano là vive ad aiutarci! I nostri morti che giacciono su quei dossi, sono più di trenta. Gli ho quasi tutti dinanzi agli occhi, come erano due giorni or sono, baldi, confidenti, allegri. Ma un d'essi mi mette non so che sgomento nell'anima, quell'ufficiale che vidi a Novi, che rividi a Salemi, e non rivedrò mai più. Anche De Amicis è morto, è rimasto là nella gloria con nome non suo.[1]

Meno da rimpiangere i morti, perché i poveri feriti, raccolti in quel misero villaggio di Vita, soffrono Dio sa come, soli, senza cure, senz'altra difesa che la loro impotenza. E se vi capitasse una colonna di questi soldati feroci, che hanno l'ordine di non dar quartiere?

Tramonta il sole. Giù nella città le bande empiono l'aria di suoni. Mi narrano che vi fu cerimonia per la benedizione del Dittatore, fatta da un frate che ci segue fin da Salemi. Io non discenderò più di qui: non mi staccherò da questa bella veduta, finché non sia notte. In quel fitto di boschetti laggiù veggo Alcamo; di qua a là

---

1. «Il vero nome di quell'ufficiale era Pagani Costantino da Borgomanero. Aveva 23 anni, e veniva con finto nome, perché aveva disertato dall'esercito piemontese» (Abba).

una Tempe.[1] Il golfo di Castellamare chiude la scena e par che sfumi nel cielo, nel cielo libero al desiderio che vi si sprofonda. Quell'acque lontane hanno un sorriso di promessa, in cui l'anima si confonde, come negli occhi di una cara fanciulla. Un po' di spiaggia, un po' di spiaggia! Mi sembra che là sapremo qualcosa di noi e del mondo, che a quest'ora ci ha giudicati.

Stasera leggerò alla compagnia l'ordine del giorno. L'ho trascritto nella cancelleria municipale di Calatafimi, dove il capitano Cenni[2] tempestava rabbioso, non so perché. Leggerò:

«Soldati della libertà italiana, con compagni come voi io posso tentare ogni cosa.» Che grido quando la compagnia udirà quest'altro passo: «Le vostre madri, le vostre amanti, usciranno sulla via, superbe di voi, colla fronte alta e radiante!»

Veggo su per l'erta il colonnello Carini, che se ne viene a cavallo di passo allegro. Che si parta?

*Alcamo, 17 maggio.*
*Sulla soglia d'una chiesetta, quasi in riva al mare.*

Da Calatafimi a qui fu una camminata allegra, per campagne fiorenti. Ma dappertutto vi era traccia della sconfitta che facemmo toccare ai regi: zaini, berretti, bende insanguinate buttate lungo la via. All'alba partendo si cantava; poi, tra per quella vista e per il sole che si alzò a schiacciarci, si tacque e si tirò innanzi come ombre. Verso le dieci, ci abbattemmo in certe belle carrozze, mandate ad incontrarci come gran signori. Alcamo era vicina. Nelle carrozze v'erano gentiluomini lindi e lucenti, che fecero le accoglienze al Generale; mentre, allo sbocco dei sentieri, si affollavano dai campi molte donne campagnuole, confidenti e senza paura di noi. Alcune si segnavano devotamente; una ne vidi con due bambini sulle braccia inginocchiarsi quando il Generale passò; e uno dei nostri ricordò le trasteverine, d'undici anni or sono, che lo chiamavano il Nazzareno.

Entrammo in Alcamo alle undici. È bella questa città, sebbene mesta; e all'ombra delle sue vie par di sentirsi investiti da un'aria moresca. Le palme inspiratrici si spandono dalle mura dei suoi

---

1. L'amenità della valle di Tempe nella Tessaglia è un luogo comune della poesia greca e romana.  2. Guglielmo Cenni (1817-1885), di Comacchio, veterano del '48 e del '49, membro dell'Assemblea romana, aveva militato nello stato maggiore dei Cacciatori delle Alpi. Poi fu colonnello brigadiere nell'esercito regolare.

giardini; ogni casa pare un monastero; un paio d'occhi balenano dagli alti balconi; ti fermi, guardi, la visione è sparita.

Prima che noi giungessimo, si diceva che i regi erano sbarcati numerosi e furibondi a Castellamare, ma che subito erano tornati a imbarcarsi. Non si parla più di questa mossa, ma si vedono laggiù in alto due navi. Potrebbero essere da guerra.

Fummo in cinque da un signore che ci volle a forza in casa sua, e vi desinammo. Che gentilezza d'uomo in quest'isola solitaria: ma che ingenua ignoranza delle cose d'Italia! Egli non ci tenne nascoste le sue figliuole, che ci guardavano ansiose e ci parlavano come a conoscenti antichi.

— Di dove siete? — chiedeva il loro babbo a Delucchi.

— Genovese.

— E voi? — volgendosi a Castellani.

— Da Milano.

— Ed io da Como — rispondeva senza aspettare d'essere interrogato Rienti, che ha la testa come uno di quegli angeloni ricciuti e paffuti, che si veggono scolpiti, coll'ali aperte, ai corni degli altari.

— Che bei paesi devono essere i vostri! Ma perché siete vestiti così da paesani? Via, dite la verità, siete soldati piemontesi. No? E allora come avete fatto a vincere tanti napoletani? Passarono di qui che era una pietà a vederli. Non arriveranno a Palermo la metà.

Poi il discorso cadde sulla guerra dell'anno scorso. Quel signore pareva nato ieri. Credeva appena che Vittorio Emanuele fosse davvero al mondo. Intanto s'era bevuto, e qualcuno menzionò Ciullo d'Alcamo, e la dolce canzone,[1] e si parlò anche di Bari, di Puglia, e della sfida di Barletta. L'ospite trasecolava a sentirci parlare di tante cose: non ci voleva più lasciar uscire; e quando potemmo andarcene senza disgustarlo, le sue figliuole ci porsero la mano. Baciammo rispettosi e timidi, e ce ne venimmo via con un po' di scompiglio nel cuore.

Il tuono brontolava cupo di là dai monti; tutti si affollavano giù al mare, credendo che fosse il rombo del cannone. «Palermo è in-

---

1. La «dolce canzone» di Ciullo d'Alcamo, poeta giullare della prima metà del Duecento, è il contrasto «Rosa fresca aulentissima».

sorta, corriamo a Palermo!» Ma poi sovra i monti si levarono certi nuvoloni scuri, un temporale che svanì.

Si diceva misteriosamente, dall'uno all'altro, che il Generale ha perduto la speranza di riuscire contro i trentamila soldati che il Borbone ha nell'isola; che la nostra colonna sarà disciolta; che ognuno sarà lasciato libero di cavarsi come potrà da questo passo. L'annunzio fu un lutto. Ma era una falsa voce, o forse un gioco che ci viene dal nemico.

Quel frate che ci segue sin da Salemi, vuole spandere un'aura di religiosità sopra di noi. Lo vidi poco fa a cavallo, partirsi per tornare a Calatafimi. — Colonnello Carini, — disse passando al mio comandante — domani dirò messa sovra un avello tricolorato! Dopo tornerò con voi.

Alcuni che rimasero addietro, per ferite leggère toccate a Calatafimi, ci raggiunsero qui. Narrano le sofferenze dei nostri compagni ricoverati a Vita. Non si sa come, le piaghe ingangreniscono; i medici si struggono intorno ai sofferenti, ma la morte li toglie loro di mano. Francesco Montanari da Mirandola, quell'amico del Generale che celiava con lui a Talamone, è morto dei primi.

E se è vero, capisco le parole che disse il frate partendo per Calatafimi, fa un'ora. Mi fu detto che i nostri morti giacciono ancora insepolti sui colli del Pianto Romano!

*18 maggio. Tra Partinico e Burgeto.*

Era meglio rompersi il petto, ma varcare la montagna, scansare Partinico.

Si saliva l'erta su cui sorge il villaggio, e il po' di vento che rinfrescava l'aria ci portava già a ondate un fetore insopportabile. Appena in cima, ci affacciammo alla vista della città, arsa gran parte e fumante ancora dalle rovine. La colonna da noi battuta a Calatafimi s'azzuffò cogli insorti di Partinico, gente eroica davvero. Incendiato il villaggio, i borbonici fecero strage di donne e di inermi d'ogni età. Cadaveri di soldati e di paesani, cavalli e cani morti e squarciati fra quelli. Al nostro arrivo, le campane suonavano non so se a gloria o a furia; le case fumavano ancora; il popolo esultava tra quelle ruine; preti e frati urlavano frenetici evviva. Le donne si torcevano le braccia furenti; e intorno a sette od otto morti, rigonfi e bruciacchiati, molte fanciulle danzavano come forsennate a cerchio, tenendosi per le mani e cantando. Quei morti erano soldati. Il Generale spronò tirando via e calandosi il cappello sugli occhi. Noi tutti dietro lui, assordati e scontenti. Ora siamo lontani, ma le campane suonano ancora. Sono le quattro e mezzo. Vorrei che stanotte si stesse qui, tra questi oliveti. Non vorrei perdere di vista il golfo di Castellamare, che, mentre il sole andrà sotto, dovrà parere chi sa che Paradiso di colori.

*19 maggio. Passo di Renna.*

Ieri Burgeto mi parve un agguato. Dalle case bieche, mezzo nascoste tra gli olivi giganti, i paesani ci guardavano muti, come una processione di spettri. Ho notato una cosa. Se un popolo ci accoglie con gioia, l'altro che troviamo subito dopo ci sta contegnoso e freddo.

Passammo.

Per una via scavata nella montagna arida, traversammo una gola, dove ci fu sopra il vento freddo del crepuscolo, a minacciarci una brutta nottata. Sul tardi riposammo su questa montagna. Un vero anfiteatro. Quando si giunse eravamo stanchi, stanchi assai. Da Alcamo a questo, che si chiama Passo di Renna, corrono molte miglia. Ma noi le abbiamo percorse senza contarle, anzi si cantò sino a Partinico. Là cessarono i canti e l'allegrezza.

Non ho più dormito come stanotte, da quando lasciai le panche della scuola. La testa sulla sacca, la sacca sovra una pietra, il corpo supino lungo il margine della via. Ma stamane che gioia! Alla punta del giorno, la banda di non so che villaggio vicino venne a svegliarci, suonando un'aria dei *Vespri siciliani*.[1] Io balzai, corsi sulla rupe più alta, questa dove scrivo, e il mio sguardo si perdé nella Conca d'oro. Palermo! Era laggiù incerta tra la nebbia e il mare. Si vedevano le navi lungo la rada, tante come se vi si fossero date convegno tutte le marinerie d'Europa, per vederci il giorno in cui piomberemo improvvisi sulla città. O Cacciatori dell'Alpi benedetti!

Tutti corrono ad una grande cisterna là in fondo, e si lavano i panni e le persone. Come una scena della Bibbia, nelle valli della Giudea.

1. Di Giuseppe Verdi. Quest'opera era stata rappresentata la prima volta a Parigi nel 1855 inaugurandosi l'Esposizione universale.

Dimenticavo che ieri sera verso le dieci, mentre ci eravamo appena accampati e accendevamo i fuochi, alcuni signori palermitani, venuti traverso a chi sa quanti pericoli, capitarono quassù. Io li vidi, quando si incontrarono col colonnello Carini. Egli che torna in patria, coll'armi in pugno, dopo dieci anni d'esiglio, e quei signori amici suoi d'antico, si abbracciarono d'affetto, dicendosi cogli occhi e coi singhiozzi un mondo di cose. Poi intesi da loro che in Palermo tutto è pronto, che appena saremo alle porte, la cittadinanza irromperà dalle case, a sopraffare i ventimila soldati che tengono la città. E narrarono ancora che la polizia vuol dar a credere al popolo che noi siamo saccheggiatori, l'ira di Dio, come si dice qui. Parlavano dei birri. Ah! i birri di Palermo debbono essere una gran laidezza. A sentire quei signori, i birri si vantano che uno di questi giorni dovranno far un eccidio di patriotti; e le trecce delle dame palermitane, dicono di volerle a far cuscini per le loro mogli.

Dei soldati si sa che portarono da Calatafimi un'impressione profonda. Ne sono ancora sbalorditi, ma si tengono compatti e fedeli al re. Di noi, del continente, di quel che fuori dell'isola si sa sulle operazioni nostre, sulla nostra vittoria, nulla.

Prima di partirsi da noi, quei signori ci vollero baciare, e ci diedero convegno a Palermo, nelle loro case. Benedini dottore tirò fuori il taccuino, e alla luce del fuoco ne volle scrivere gli indirizzi.

— Che fate? — esclamò uno di loro afferrandogli la mano — quelle cose lì si tengono a memoria!

Previdenti i siciliani, ed esperti nelle cospirazioni!

Nessuno di noi avrebbe pensato al pericolo in cui uno può essere posto, per un indirizzo trovato indosso ad un altro. Terremo a memoria quello di quei signori e li cercheremo; purché nel ritorno non siano caduti in mano dei regi.

Il tenente colonnello Tüköry cavalca su e giù per la strada, esercitando un morello, che non tocca la terra da tanto che è vispo. Giovanissimo per il suo grado, quest'ufficiale mi parve l'immagine viva dell'Ungheria, sorella nostra nella servitù. La sua faccia, d'un pallido scuro, è fina di lineamenti e illuminata da un par d'occhi fulminei e mesti. Egli era a quelle battaglie di dieci anni or sono, i cui nomi strani ponevano a me fanciullo uno sgomento indicibile in cuore. Vide i reggimenti italiani al servizio dell'Austria dare il colpo di grazia alla patria sua. Ma l'amore di quella generosa nazione per noi sopravvisse. Soltanto non sappiamo quanto la nostra guerra fortunata dell'anno scorso, le sia stata funesta.[1] Essa ha qui due rappresentanti degni, Tüköry e Türr, oltre a due gregari; quel selvaggio che vidi a bordo e il sergente Goldberg della mia compagnia, soldato vecchio, taciturno, ombroso, ma cuore ardito e saldo. Lo vedemmo a Calatafimi!

Ho saputo di Tüköry che fu aiutante del generale Bem, che è un vero ingegno militare e che ha menato vita d'esule a Costantinopoli, dal quarantanove in qua, onoranda come quella di tutti i nostri fuorusciti del ventuno, primavera sacra d'Italia.

Tra poco saremo alla pioggia. — Fortunato chi potrà avere un cantuccio laggiù, nel Ministero della guerra! — disse Giusti,[2] un astigiano sempre gaio d'umore, come gli corresse pel sangue il vino de' suoi colli. Il Ministero della guerra poi, è una carrozza mezzo sconquassata, che ci viene dietro menando l'Intendenza, le carte e il tesoro militare, a quel che intesi un trentamila franchi. Ma in quella carrozza ve n'hanno due dei tesori; il cuore di Acerbi[3] e l'intelletto di Ippolito Nievo. Nievo è un poeta veneto, che a ventott'anni ha scritto romanzi, ballate, tragedie. Sarà il poeta soldato della nostra impresa. Lo vidi rannicchiato in fondo alla carrozza, profilo tagliente, occhio soave, gli sfolgora l'ingegno in fronte: di persona dev'essere prestante. Un bel soldato.

E là cinque grandi botti di vino, e sigari a ceste, e un monte di ferraioli, mandati da non so che Municipio, per coprirci e scaldarci. Carità!

1. *funesta*: perché l'interruzione della guerra a Villafranca rese impossibile la nuova insurrezione ungherese che si progettava. 2. Esattamente Giuseppe Giusta (1832-1880). 3. Giovanni Acerbi (1825-1869), di Castelgoffredo, combattente del '49 a Venezia e del '59 nei Cacciatori, nella spedizione dei Mille ebbe l'incarico di dirigere il servizio dell'intendenza. Tale incarico esercitò anche nella guerra del '66. L'anno seguente, nella campagna dell'Agro romano, capitanò una colonna di volontari e promosse il plebiscito per l'unione di Viterbo col regno d'Italia.

*20 maggio. Passo di Renna.*

Cadde acqua tutta la notte. Raccolti attorno a un gran fuoco, ci riparavamo alla meglio, ascoltando i racconti dei siciliani, su questo luogo di mala fama. Un ammazzatoio. Chi arriva ad uno degli imbocchi del Passo di Renna, prima di avventurarvisi si segni e pensi mesto a casa sua. La testa d'un masnadiero potrebbe apparire tra qualcuna di queste rocce irte, e tra le foglie dei fichi d'India balenare spianata una carabina. Sovente i malfattori fanno brigata, si piantano qui; e allora chi capita si raccomandi a Dio. Quelli sono giorni di grasso; l'oro non basta, vogliono il sangue.

Il colonnello Carini che parla con tanto garbo, narrava anch'egli le storie dei masnadieri cavallereschi, che tennero passo in questa Conca. Io mi forzava per tenere gli occhi aperti, sebbene non potessi reggere dal gran sonno, ma i più si addormentarono. Quando se ne avvide, Carini si tirò il mantello sul capo e sorridendo disse: — Come Mazzeppa, nell'ultimo verso del poema di Byron.[1]

Odo dire che su d'un certo monte, di cui non mi riesce scrivere il nome, si adunano a migliaia i siciliani, sotto il La Masa. Fosse vero! Perché sino ad ora siam pochi, e ancora mancano i buoni che abbiam perduti a Calatafimi.

*21 maggio.*
*Sopra il villaggio di Pioppo.*

Grande allegrezza ieri sera verso il tramonto!

Ci fecero levare il campo all'improvviso, e si susurrò che si andava a Palermo. Discendendo per la via che serpeggia, con isvolte strette, sin laggiù dove comincia la Conca d'oro, femmo la più gaia camminata che sia mai stata. Doveva venire una notte così piena d'avventure! A un tratto ci fermammo. — Che c'è? — Nulla. Si ha a dormire qui. — Come si chiamano queste quattro casupole? — Pioppo. — E seguitando per questa via, dove si va? — Prima a Monreale, poi a Palermo. — Tanto valeva restare al Passo

1. Nel poemetto del Byron si dice che Mazeppa, vecchio e prode guerriero al seguito di Carlo XII re di Svezia, dopo la sconfitta di Poltava, per conciliare il riposo al re stanco e sofferente, prende a fargli il racconto della sua vita avventurosa. Quand'egli termina la sua narrazione, «era un'ora che il re dormendo stava»; e si acconcia anche lui al riposo.

di Renna — mugolò Gaffini, che trova sempre a ridire su tutto. Ma entrò anche lui colla compagnia sotto quel gran portico, dove fummo chiusi come una greggia. Ci coricammo e zitti.

Prima dell'alba, eravamo già su, colle armi in ispalla. Un'alba così bella, che uno avrebbe voluto disfarsi per andar confuso in quei colori di cielo e in quelle fragranze.

Alla nostra sinistra, avanti, verso Monreale, sui colli di San Martino, si udiva una moschetteria fitta, crescere, avvicinarsi; poi vedemmo il fumo, e i nostri combattere indietreggiando pei greppi. I borbonici usciti da Monreale gli avevano assaliti, e tentavano di girare la nostra sinistra, spingersi per i monti al Passo di Renna.

Riuscendo ci avrebbero schiacciati.

— Che oggi si debba avere la peggio? — dicevamo noi.

Passarono alcune Guide di galoppo, tornando di verso Monreale. — Che c'è di brutto? — Nulla.

Passò il Generale collo stato maggiore di mezzo trotto; e la moschetteria lassù continuava. Quelli che si ritiravano pel monte, lenti, ostinati, erano i carabinieri genovesi. Ma più in là, anche oltre il colle, dove essi facevano quella bella resistenza, si combatteva. Chi era là? Qualche nostra compagnia staccata? O qualche squadra d'insorti? Non si sapeva nulla.

Intanto il sole era già alto e cocente, e noi un po' avanti, un po' indietro, sostando, movendo, collo spettacolo negli occhi di una fila di muli tardi che portavano le barelle per i feriti, durammo un'ora in quel passo, finché tornammo qui allo sbocco del Passo di Renna, senza aver avuto molestia. Schioppettate non se ne sentono più. Due dei nostri cannoni, piantati là sul ciglio, guardano Pioppo e il campo che i regi hanno messo laggiù negli orti, numerosi e ordinati.

Di qui veggo Palermo e la mole immensa, verde, di Monte Pellegrino. Quelle linee bianche, sfumate su per quei dossi, devono essere muricciuoli di riparo a qualche via che mena sul culmine. Vi è una pace in tutto quel che appare laggiù, un silenzio così profondo in tutta quella vita, che si indovina a guardare! Eppure siamo aspettati.

Eccolo tornato il frate che partiva da Alcamo, per andare a dir la messa sul campo di Calatafimi. Cavalca una vecchia giumenta, sicuro in sella, come uno che sotto la tonaca, vestisse da soldato:

è lieto, è giovane, si chiama fra Pantaleo da Castelvetrano.[1] Anche un frate non è di troppo tra noi; dà risalto al nostro piccolo campo. Salvator Rosa[2] avrebbe pagati un occhio que' sette, che combatterono a Calatafimi. Forse, buttata la tonaca, sono ancor qui.

Dianzi, mentre me ne andava giù, cantando un'arietta da cacciatori, a portare un ordine del mio capitano, incontrai un *picciotto* armato, che mi fermò gridando: — Qui si canta e lassù si muore! — E mi narrò, che nel combattimento di poche ore prima, era morto Rosolino Pilo[3] lassù; e mi additava i colli sopra Monreale. Morto d'una palla nel capo, mentre scriveva due righe per Garibaldi. Quel povero picciotto piangeva, narrandomi il fatto; e come capì alla parlata che io non sono siciliano, mi chiese mille perdoni per avermi fermato. Mi pregò di alcune cartucce, ma io, delle undici che mi rimangono, non ne volli donare, e lo lasciai là incerto e mortificato.

*21 maggio. Parco.*

Mentre i miei panni stanno asciugando al fuoco, scrivo colla testa intronata dalla gran fatica di questa notte. La padrona di casa, buona vecchierella, che ci accolse compassionandoci con atti e voci da madre, cuoce un po' di maccheroni per noi, sfiniti dalla fame.

Ieri, sino a sera, un tempo di Dio, bello e tranquillo: ma quando ripigliammo le armi, il cielo parve corrucciarsi. Il sole era tramontato. Si partì. — Almeno questa volta si andrà davvero a Palermo! — No, si va a San Giuseppe. — E dov'è San Giuseppe? — Qui a destra, oltre i monti parecchie miglia.

Fatti pochi passi per la strada militare, si arrivò ad una casetta

---

1. Fra Giovanni Pantaleo (1832-1879), di Castelvetrano, dei padri riformatori, predicatore e soldato, seguì tutta questa spedizione, e fu poi con Garibaldi ad Aspromonte e al Varignano. Gettata la tonaca, si battè a Bezzecca col grado di sottotenente e fece la campagna dell'Agro romano. Nel '70 fu capitano nello stato maggiore dell'armata dei Vosgi. 2. Salvator Rosa (1615-1673) fu, oltre che poeta, famoso pittore di battaglie. 3. Rosolino Pilo, dei conti di Capece, era nato nel 1820 ed era stato tra i più attivi nella rivoluzione siciliana del '48. Il 25 marzo 1860, uscito appena dalle carceri di Bologna, insieme con Giovanni Corrao e con cinque marinai era sbarcato presso Messina per far divampare in Sicilia un moto insurrezionale atto a decidere l'intervento di Garibaldi. Il 21 maggio, mentre con le sue squadre dominava Palermo da Monreale e tentava di collegarsi con Garibaldi, cadde colpito alla fronte.

solitaria, scura, mezzo ruinata, casa da ladri. Là ci si faceva uscir
dalla strada, a misura che si arrivava, e infilavamo un sentiero
angusto e sassoso. Dinanzi alla casetta, due uomini si sbracciavano
a cavar pani da grossi cestoni, e ne davano tre a ciascuno di noi che
passava. Era come a ricevere tre punte nel cuore. Dunque dovremo camminare i monti deserti per tre giorni? E questi pani come
portarli? Inastammo le baionette, e gli infilzammo l'uno sull'altro.
Lo schioppo, così squilibrato, rompeva le spalle.

In quel momento, mi toccò il dolore di vedere Delucchi da
Genova seduto su d'una pietra, abbracciandosi le ginocchia, tormentato da un malore che gli toglieva le forze. — Torna addietro
ai nostri carri, — gli dissi — in qualche luogo ti meneranno. Che vuoi
fare qui? Noi non ti si può portare; fra mezz'ora saranno passati
tutti, verrà la notte e rimarrai solo. — Lo aiutai a levarsi, e lento
s'avviò verso la coda della colonna, guardando noi che pareva gli
portassimo via il cuore. A pensare che potrebbe essere caduto in
mano ai regi . . . ! Ma spero che avrà raggiunto i carri e che sarà
in salvo.

Colla prima oscurità, cominciò la pioggia a darci nel viso i suoi
goccioloni grossi e impetuosi: parevano chicchi di grandine che
ci si spezzasse sulle guance. Il vento era freddo; dinanzi a noi, la
terra e l'aria furono presto come a entrare in gola a un lupo. Tuttavia il tenente Rovighi camminava a cavallo da disperato. Ma a un
tratto una schioppettata, scaricatasi per disgrazia a uno della mia
compagnia, lo fece rotolare a terra. La toccò appena come un
gatto, e si rizzò, balzando su senza dire parola. Era illeso. Ma la
sua povera bestia aveva una gamba spezzata. Passammo, lasciando
Rovighi a dolersi sull'animale che strepitava nell'oscurità.

Ci avanzammo alla meglio, tastando la terra cogli schioppi, come
una processione di ciechi. Il buio non poteva più crescere; il sentiero veniva mancando; camminavamo da due ore, non si era
fatto un miglio: e non uno che potesse dire di non aver ruzzolato
in quel macereto.

— Animo! Issa! Da bravi!

Così sentimmo susurrare, arrivando a un punto, dove un viluppo d'uomini si affaccendava con corde e stanghe. Volevano
tirar su da un pantano quella colubrinaccia sciagurata che portammo da Orbetello. «O lasciatela a giacere lì per sempre, che
tanto, se capita di scaricarla, scoppia e ci ammazza mezzi!» Così

stava per gridare in un impeto di buon umore, ma la parola mi rientrò. In quel gruppo v'era il Generale, vi era Orsini,[1] vi era Castiglia, occupati a far portare a dorso d'uomini tutta la nostra artiglieria. Udii il Generale incaricare Castiglia di provvedere al trasporto di quella roba, a qualunque maniera; poi il gruppo si diradò, e tornammo a camminare per quelle tenebre.

Volgendoci a guardare addietro, vedevamo i fuochi del campo di Renna, vivi come se ancora vi fossimo stati noi a goderli: sulla nostra sinistra, giù nella profondità, splendevano altri fuochi allineati, il campo nemico presso Pioppo: dinanzi a noi, lontano, lontano, un gran disco di luce immobile, come un occhio sovrannaturale che ci guardasse, splendeva, forse acceso a posta per dare la direzione alla nostra marcia.

E la pioggia non cessava. Eravamo fracidi fino alla pelle: e il vento colle sue buffe portava dalla testa della colonna un nitrito, che pareva uno scherno. Verso mezzanotte si udì un colpo d'arma da fuoco, che scosse tutti sino all'ultimo della fila: — Ah! almeno sarà finita! — sclamò qualcuno, immaginando che la vanguardia si fosse imbattuta nei nemici. Sarebbe stata una sventura, in quel buio, così malconci. Ma va, va, tira innanzi, non si udì più nulla; si cadeva, si tornava ritti, e nessuno si lagnava. Che cosa era stato quel colpo? Trovammo un cavallo disteso morto sul margine del sentiero, e si disse che era di Bixio: il quale irato, perché coi nitriti poteva scoprirci al nemico, gli aveva scaricata nel cranio la sua pistola. Byron, sempre Byron! Lara[2] l'avrebbe fatto anche lui.

Verso l'alba passammo vicino a quel disco di luce, che era la bocca di una fornace. Dinanzi a quella bocca, una figura alta e nera stava a guardarci. Forse era un inconscio attizzatore; ma mi piace di immaginarmi che fosse uno messo a posta, a tenerci viva quella fiamma, come la colonna di fuoco[3] agli Ebrei del deserto.

Alla prima luce la pioggia cessò. E vedevamo Palermo lì in-

1. Vincenzo Giordano Orsini (1817-1889), di Palermo, già ufficiale nell'artiglieria borbonica, mazziniano, si era distinto nella rivoluzione siciliana e poi era vissuto esule negli eserciti della Turchia, salendo al grado di colonnello. A Calatafimi i cannoncini dell'Orsini fecero meraviglie. Poi seguì Garibaldi anche nel Trentino e nell'Agro romano.    2. *Lara*: personaggio del Byron tra i più romantici, cavalleresco e risoluto, sprezzante di lodi e pronto alla violenza.    3. Una colonna di nube durante il giorno, di fuoco durante la notte, guidava nel deserto la marcia di Mosè e degli Ebrei verso la Terra promessa.

nanzi, e Monreale appena lontano quanto è larga la Conca d'oro. Guardandoci tra noi, avevamo facce di spettri: i panni laceri e fangosi: molti erano quasi a piedi nudi. Stanchi, sfiniti, se ci fosse capitata addosso una compagnia ci avrebbe disfatti.

Discendemmo a questo piccolo villaggio che si chiama Parco.

I carabinieri genovesi, instancabili, si sacrificano e vegliano fuori negli orti, perché noi si riposi tranquilli. Per la piazza ampia, pare un incendio o un inferno. Tutti asciugano i loro panni stando mezzo nudi. Non una finestra aperta.

Non si sa dove sia il Generale, ma Egli veglia per tutti.

*22 maggio. Ancora a Parco.*

Mi son fatto un amico. Ha ventisette anni, ne mostra quaranta: è monaco e si chiama padre Carmelo.[1] Sedevamo a mezza costa del colle, che figura il Calvario colle tre croci, sopra questo borgo, presso il cimitero. Avevamo in faccia Monreale, sdraiata in quella sua lussuria di giardini; l'ora era mesta, e parlavamo della rivoluzione. L'anima di padre Carmelo strideva.

Vorrebbe essere uno di noi, per lanciarsi nell'avventura col suo gran cuore, ma qualcosa lo rattiene dal farlo.

— Venite con noi, vi vorranno tutti bene.

— Non posso.

— Forse perché siete frate? Ce n'abbiamo già uno. Eppoi altri monaci hanno combattuto in nostra compagnia, senza paura del sangue.

— Verrei, se sapessi che farete qualche cosa di grande davvero: ma ho parlato con molti dei vostri, e non mi hanno saputo dir altro che volete unire l'Italia.

— Certo; per farne un grande e solo popolo.

— Un solo territorio . . . ! In quanto al popolo, solo o diviso, se soffre, soffre; ed io non so che vogliate farlo felice.

— Felice! Il popolo avrà libertà e scuole.

— E nient'altro! — interruppe il frate — perché la libertà non

---

1. *padre Carmelo.* La temperie spirituale dei Mille, tutta fatta di baldanza giovanile e di entusiasmo patriottico, era la meno adatta alle riflessioni sulle condizioni sociali dell'isola. È perciò tanto più degno di nota questo turbato soffermarsi dell'Abba sul suo colloquio con padre Carmelo. E se ne ricordò ancora trent'anni dopo, all'epoca dei fasci siciliani, quando, scrivendo la *Storia dei Mille*, ritornò ancora su questo fugacissimo episodio della sua giovinezza e meglio ne comprese l'intima e amara verità.

è pane, e la scuola nemmeno. Queste cose basteranno forse per voi piemontesi: per noi qui no.

— Dunque che ci vorrebbe per voi?

— Una guerra non contro i Borboni, ma degli oppressi contro gli oppressori grandi e piccoli, che non sono soltanto a Corte, ma in ogni città, in ogni villa.

— Allora anche contro di voi frati, che avete conventi e terre dovunque sono case e campagne!

— Anche contro di noi; anzi prima che contro d'ogni altro! Ma col vangelo in mano e colla croce. Allora verrei. Così è troppo poco. Se io fossi Garibaldi, non mi troverei, a quest'ora, quasi ancora con voi soli.

— Ma le squadre?

— E chi vi dice che non aspettino qualche cosa di più?

Non seppi più che rispondere e mi alzai. Egli mi abbracciò, mi volle baciare, e tenendomi strette le mani, mi disse che non ridessi, che mi raccomandava a Dio, e che domani mattina dirà la messa per me. Mi sentiva una gran passione nel cuore, e avrei voluto restare ancora con lui. Ma egli si mosse, salì il colle, si volse ancora a guardarmi di lassù, poi disparve.

È sera, e ancora non pare che il nemico sappia che sia stato di noi. Deve esservi gran confusione nel campo borbonico. Ci hanno perduti di vista, e nessuno dice loro dove siamo. Gloria a questo popolo; non ha dato ai nemici una spia!

*23 maggio. Sopra Parco. Dopo mezzodì.*

Alla fine l'han saputo dove eravamo, e nella notte i borbonici si sono avvicinati. All'alba, in fretta in furia, fummo messi in movimento e salimmo quassù. Un buon braccio potrebbe scagliare una pietra di qui sui tetti di Parco. Abbiamo sotto di noi il Calvario e il cimitero a mezza costa; veggo le pietre sulle quali sedemmo ieri, con frate Carmelo. Quel monaco mi ha lasciato un non so che turbamento; vorrei rivederlo.

Staremo a campo qui, tutto il giorno, e forse anche domani. Che cosa si attende? Che significa questo aggirarsi intorno a Palermo, come farfalle al lume?

Maestose le rupi che abbiamo a ridosso e a destra. Indescrivibile la vista di faccia. Chi nasce qui non si lagni d'essere povero al mondo, che anche con una manata d'erba è un bel vivere, se si hanno occhi per vedere e cuore per sentire.

È giunto un giovane gentiluomo palermitano, che all'aspetto credei fratello del colonnello Carini. Alto, biondo, robusto come lui. Si chiama Narciso Cozzo. Venne ben armato e ci seguirà, mettendosi nella mia compagnia. Anch'egli parla della città impaziente e pronta ad insorgere. Se la gioventù di Palermo è del suo sentire, non v'ha dubbio che non ci attenda il trionfo.

Coi cannocchiali si scoprono grossi drappelli di soldati, accampati sotto le mura di Palermo. A vederli muoversi in quel silenzio laggiù, uno dice:
— Ma non verranno essi un dì o l'altro ad assalirci?

Una colonna di regi si avanza cauta, per la pianura sino alle falde del monte che abbiamo a destra, diviso da noi solo dal letto asciutto d'un torrentello gramo. Dall'altissima vetta della montagna si udì uno straziante grido d'allarmi, e un gran fumo montò nero dal culmine nell'aria pura e calda del tramonto. Noi pigliammo le armi. Ed ecco laggiù laggiù, dove la pianura finisce, cominciarono le schioppettate.

Una squadra d'insorti, appiattati tra le rocce, faceva testa ai regi, che tentavano guadagnare la falda del monte. Garibaldi stette un po' a guardare, poi fece discendere Bixio colla sua compagnia fino al cimitero lì sotto a noi; e comandò a Carini di occupare la vetta di questo colle, che, disse, sarebbe luogo di grande combattimento. Noi eravamo pronti; la scaramuccia laggiù si faceva via via più viva; sulla rupe lassù quel fumo si alzava ancora, ma sottile e bianco.

Le schioppettate a un tratto si diradarono, e la colonna che voleva forzare quella squadra di insorti indietreggiò per i campi; poi disparve nel fitto di aranci e di olivi che si stende fino a Palermo.

Si fa notte. Sovra ogni vetta di questo immenso semicerchio, si accendono fuochi fino a Monte Pellegrino; tanti, che pare la notte di san Giovanni. E Palermo li vede, e forse spera che questa sia l'ultima notte della sua servitù.

*24 maggio. Piana dei Greci.*

Sulla porta d'un convento, come un mendico! La città sembra desolata dalla pestilenza. Qualche cencioso gironza per le vie e chiede l'elemosina a noi. Il nostro campo è là fuori, ma oggi non allegro come gli altri giorni.

Stamane mi destai che tutti si alzavano, e in quella luce crepuscolare, pareva la risurrezione dei morti.

In fondo all'orizzonte quietava il mare plumbeo: Palermo accennava appena d'essere, contro la massa scura di Monte Pellegrino; e in faccia a noi una nebbiolina bianca da Palermo al Pioppo. Quando spuntò il sole alle nostre spalle, rovesciando lunghe per il pendìo del monte l'ombre dei nostri corpi, tutto parve provasse un fremito, e ci abbracciavamo tra noi.

La nebbia sfumò. Allora si vide uscire di Monreale una colonna di soldati; avanzare densa e sicura per la via che mena a Pioppo; occuparla tutta quanta è lunga. E non finiva mai, sebbene la testa fosse già entrata nei boschi, per venire a Parco.

— A questa volta verranno davvero! — si diceva; e intanto i nostri del genio cominciarono a lavorare frettolosi, per costruire una batteria. Le compagnie furono schierate sulla strada.

Si aspettava in silenzio, e pareva di sentire il passo di quella schiera infinita, lontana.

La moschetteria cominciò laggiù sotto Parco. Sostennero il primo urto i carabinieri genovesi: ma mentre tutto pareva preparato per tener fermo là dove eravamo, passò il Generale collo stato maggiore, colle Guide, di galoppo, un turbine; e noi subito dietro di loro a passo di corsa.

Si camminava così a rotta un tratto, poi si rallentava un poco, poi si ripigliava. Vidi molti per l'affanno buttarsi a terra disperati; altri piangevano dal dolore: qualcuno narrava che i borbonici, incendiato Parco, e rotti i carabinieri genovesi, ci venivano alle spalle furiosi colla cavalleria, e che presto ci sarebbero stati addosso. S'aggiungeva che il nerbo di quella colonna sono bavaresi, mercenari briachi, che vogliono farla finita. La ritirata era un lutto, e quasi pareva una fuga.

La strada che da Parco conduce qui alla Piana dei Greci, serpeggia lungo tratto in mezzo a montagne scoscese. Divorammo quel tratto sin dove, cessando di salire, la strada porta piana a scoprire questa città in seno alla valle. Trafelati, sfiniti dal digiuno, arsi dal sole, riposammo cogli occhi in questo fondo; ma a un punto stavano tre Guide a cavallo, piantate in mezzo alla via, e arrivando là ci fecero pigliare a destra il monte grigio, squallido, a petto. Altre Guide appostate su per i greppi, gridavano, per animarci, che il Generale era in pericolo: e noi a salire, a salire verso la vetta, donde s'udiva una tromba suonare la diana con angoscia.

Arrivammo a cinque, a dieci, come si poteva: il Generale era lassù da un pezzo. In faccia, su d'un altro monte, quello che sovrasta al nostro campo di ieri, i cacciatori napoletani schierati sparavano contro di noi, e i loro proiettili ci fischiavano sopra come serpenti. Alcuni carabinieri genovesi rispondevano a quel fuoco; noi, coi nostri schioppi inutili, stavamo a guardare.

Durò quel gioco di schioppettate forse un'ora; poi i cacciatori napoletani cominciarono a ritirarsi, e sparirono di là dalla cresta della montagna.

Allora ci ritirammo noi pure, per la stessa via fatta a salire, augurando a monte Campanaro che possa sprofondare tanto giù nell'abisso, quanto sorge alto e sfacciato nell'aria.

Si dice che il generale nemico avesse ideato di varcare i due monti, sperando di far a tempo, occupare Piana dei Greci prima che noi vi arrivassimo, e di qui ributtarci, perseguitandoci fino a Palermo. Ma Garibaldi lo prevenne con miracolosa prontezza. Ora si pensa che smessa l'idea, ci verrà dietro, per la strada militare, percorsa da noi quasi fuggendo.

Ho inteso che alcuni dei nostri rimasero prigionieri al Parco, e che uno d'essi è Carlo Mosto, fratello del comandante dei carabinieri. Pare che sia anche ferito, e si teme che tutti saranno fucilati![1]

*Marineo, 25 maggio.*

I frati della Piana dei Greci furono cortesi. Ci diedero pane, cacio, vino e sigari, ne avessimo voluto. E ci fecero visitare il convento, e le sale dove i loro morti se ne stanno addossati alle pareti, come gente che dorma, o preghi sprofondata nei pensieri dell'altra vita. Da quei luoghi lugubri udimmo suonare a raccolta, e volando fummo al campo. Le compagnie erano già in fila, e l'artiglieria si era mossa la prima. — Arrivano i regi, saranno diecimila! — Così si

1. Carlo Mosto fu infatti ucciso dai borbonici. Era nato nel 1837, e già era stato sottotenente dei Cacciatori nel '59.

diceva dall'uno all'altro, e si capiva che la nostra ritirata era decisa di nuovo. Dove si finirà?

— Ma... forse a Corleone dove ci porterà la strada percorsa dall'artiglieria. — Con questi discorsi ci ponemmo in marcia che il sole andava sotto.

Era già quasi notte, quando, abbandonata la strada militare, ci posero per sentieri angusti, in mezzo a un bosco, zitti, umiliati, pieni di malinconia. Verso le dieci fummo fermati, e ci si comandò di coricarsi ognuno dove si trovava; vietato il fumare, il parlare, il muoversi. Mi coricai accanto ad Airenta, guardando un gran fuoco che brillava lontano nei monti; e quella vista mi ridestò la memoria dei fuochi, che s'accendono nelle mie valli, la vigilia delle sagre. Provai una passione dolcissima, e in essa mi addormentai.

Quando mi destai era l'alba. Le compagnie si ordinavano silenziose. Seppi che nella notte i regi che c'inseguono, passarono poco discosti, per la strada militare, e che le nostre sentinelle gli hanno veduti.[1] Vanno innanzi sicuri e fidenti di raggiungerci, e ci hanno alle spalle. Ora si comincia a capire la nostra ritirata di ieri e l'allegrezza rinasce.[2]

Ebbi la fortuna d'un polizzino d'alloggio. Quando mi presentai, la vecchierella che doveva essere mia ospite tremava come una foglia di pioppo. Io per non farle paura me ne tornavo rassegnato, e allora si impietosì, e quasi piangendo mi pregò d'entrare in una cameruccia, dove non era che una sedia e un canile. Di là dell'assito grugniva il maiale.

---

1. «Così scrisse l'Autore il 25 maggio in Marineo, per aver sentito dire, ma la voce era falsa. I regi, nella notte dal 24 al 25, stettero a Parco. Importa questa rettificazione alla Noterella per l'interesse storico-militare del fatto» (Abba).    2. «Come curiosità è bello a leggersi nella *Storia documentata della Diplom. in Italia* (Nicomede Bianchi, vol. 8) un Dispaccio del cardinale Antonelli che si riferisce alla ritirata di Garibaldi dal Parco. Eccolo: "*A mons. Delegato Pesaro, Ancona, Macerata*. Roma, 28 maggio 1860. Si ha da Napoli quanto segue: Il 25 le RR. Truppe riportarono una segnalata vittoria. Garibaldi, battuto per la seconda volta al Parco, perduto un cannone e sconfitto alla Piana dei Greci, fuggiva inseguito dalla milizia verso Corleone. Gravi dissensi fra i ribelli. Firmato: *Cardinale* Antonelli". E già aveva dato notizie del fatto d'arme di Calatafimi (15 maggio) con quest'altro dispaccio, agli stessi mons. Delegati. "Roma, 19 maggio 1860. Le bande di Garibaldi, energicamente attaccate alla baionetta dalle RR. Truppe presso Calatafimi, sono state messe in piena rotta, lasciando sul campo di battaglia le loro bandiere e gran numero di morti e di feriti, fra i quali uno dei capi che le comandavano. Firmato: *Cardinale* Antonelli"» (Abba).

— Perché tremate?

— Signorino, tengo una picciotta!

— Ebbene? Ho madre e sorelle anch'io.

— Voi madre e sorelle? E dove sono?

— Lontane, lontane più di cento miglia.

— Meschine!

E prese tanta confidenza a discorrere, che dovei pregarla di lasciarmi solo. Stava per gettarmi sul giaciglio quando intesi un cinguettio sommesso. Corsi alla porta, curioso di vedere la giovinetta. Era una fanciulla sbocciata appena.

— In quella camera io non ci dormo più! — diceva risoluta a sua madre. Allora io pigliai lo schioppo e la sacca, e me ne venni via senza dir nulla.

Mezzo nudo e mezzo coperto di pelli come un selvaggio, smunto, colla fame nelle guance e colla passione negli occhi, il povero giovinetto ci moriva addosso di voglia stando a guardarci schierati fuori del sobborgo.

— Come ti chiami?

— Cicio.

— Che cosa fai qui?

— Sono venuto con voi dalla Piana dei Greci.

— E dove vai?

— Con voi.

— Così scalzo e malandato?

Si mise a sedere e non rispose. Gli trovammo da coprirsi e da calzarsi, e così rifatto lo pigliammo con noi. Allora, allegro che parve un altro, avrebbe voluto uno schioppo; dopo mezz'ora conosceva già tutta la compagnia e ci chiamava a nome.

— T'insegneremo a leggere e a scrivere.

— Oh!... signorino, non ne sono degno.

*25 maggio. Sui monti di Gibilrossa.*

Questo nome di Gibilrossa mi si accozza alla mente con quello di Gelboe,[1] mi fa parere tragico tutto quanto veggo d'intorno. Vorrei

---

1. *Gelboe:* montagna della Palestina, dove Saul, sconfitto dai Filistei, si uccise. A vendicarne la morte, David imprecò che non vi cadesse mai pioggia né rugiada (Samuele, II, I, 21).

avere una Bibbia, per leggere quel canto dove è pregato, che mai più rugiada bagni i colli di Gelboe maledetti.

Malinconie fuori di luogo, perché le nostre venture volgono a bene, e queste alture dovremmo benedirle. Tuttavia sarà prudenza non istarvi a lungo. Ci finiremmo tutti o disseccati dal sole, o pazzi. Pare d'avere il capo in una cuffia di fuoco.

Dov'è andato il venticello fresco di ieri sera? Partimmo da Marineo all'improvviso che erano le sei. Sulla montagna suonavano le voci dei pastori, che raccoglievano le capre.

Eravamo fuori del borgo ad aspettare di essere messi in marcia. Passò il Generale a cavallo, e il capitano Ciaccio comandò di presentare le armi. Il Generale fece un atto di stizza, come a far capire che non era tempo di cerimonie.

Pigliammo la via che scende da Marineo nella valle profonda. Si camminava lenti e quetamente; alcuni gruppi cantavano a mezza voce. Solo un friulano, confuso nella settima compagnia, cantava alto con una voce d'argento, quattro versi d'un'aria affettuosa e dolente, che andavano al cuore.

> La rosade da la sere
> bagna el flor del sentiment,
> la rosade da mattine
> bagna el flor del pentiment.

Uscii dalle file e mi avanzai fino a quel cantore, immaginandomi che dovesse essere un Osterman da Gemona, amico mio dell'anno scorso. Invece era uno studente di matematica, che si chiama Bertossi da Pordenone.[1]

— Bertossi! Era a San Martino in un reggimento piemontese?

— Sì — mi rispose il compagno che interrogai.

— Allora deve essere quello, che pel suo valore fu fatto ufficiale sul campo di battaglia?

— È quello, ma non lo dire; perché se lo sapesse se ne avrebbe a male.

— Perché?

— Perché è fatto così!

Guardai quel giovane che ha vent'anni, e, alla barba nera e piena, pare di trenta. Stentava a credere che con quella fisonomia

---

1. Giovanni Battista Bertossi, nato nel 1839, morì nel 1865. L'Abba gli dedicò il suo poemetto *Arrigo*.

severa fosse stato lui a cantare, ma i versi del canto non erano indegni di lui.

Che tesori di giovani in quella settima compagnia!

A un tratto, mentre era già buio da un pezzo, la colonna si fermò. Eravamo nel punto più basso della valle; si bisbigliò che la vanguardia aveva incontrato il nemico; ma per fortuna non era vero, che se mai eravamo schiacciati. Ripresa la via, uscimmo presto dalle sinuosità paurose di quel terreno, e innanzi a noi, in alto, vedemmo una miriade di luci. Era Missilmeri illuminato, a quell'ora, per farci festa. A mezzanotte vi entrammo. Non vi era casa che non avesse un lume ad ogni finestra, ma gente per le vie poca. Si seppe di La Masa e delle squadre da lui raccolte quassù numerose, e ci parve di poter riposare tranquilli.

All'alba ci raccogliemmo, e ci fu detto che entro un'ora si sarebbe pigliata la montagna, per venire qui a campo.

Entrai in un bugigattolo per bere una tazza di caffè, e vi trovai Bixio d'un umore sì nero, a vederlo, che me ne tornai indietro. E andai sulla piazza, dov'era un acquaiolo che andava dondolando la sua botticella come una campana, e vendeva bevande ai nostri che gli affollavano il banco. Egli guardava quei che bevevano con certi occhi, con certo riso, che mi pareva volesse avvelenare i bicchieri. M'allontanai anche di là, e incontrai il giovanetto, che conducemmo con noi da Marineo, trionfante con una scodella di latte per me. Mi porse quel latte, colle mani che gli tremavano dal piacere di avermelo trovato.

Uno squillo di tromba fece saltar fuori da ogni banda i nostri, dispersi per le case; ci mettemmo in marcia e si venne qui. Si vede a destra un formicolìo di gente: sono le squadre di La Masa. A dar un'occhiata intorno, scopriamo tutti i luoghi visitati dacché partimmo dal Passo di Renna, un giro che par nulla e che ci è costato tanta fatica. Marineo è là, e la sua rupe, a vederla di qui, pare più minacciosa che da vicino. Se si staccasse dal monte rotolerebbe giù sul borgo, sventrandolo come un mostro.

Alfine sappiamo che il mondo esiste ancora! Eravamo nel Limbo[1] da quindici giorni, e un po' di notizie ci parvero luce.

Dunque il governo di Napoli ci ha battezzati Filibustieri; le

---

1. *nel Limbo*: quasi a dire fuori del mondo; «tra color che son sospesi», dice Dante: né dannati né beati.

sue gazzette hanno scritto che fummo battuti a Calatafimi; che uno dei nostri capi è stato ucciso; che siamo dispersi e inseguiti, affinché non ci possiamo buttare alle strade ad assassinare.

Queste notizie ce le hanno portate alcuni ufficiali delle navi americane e inglesi ancorate nel porto di Palermo. Un atto di amicizia che ci ha fatto gran bene. Hanno parlato col Generale, poi si sono messi a girare pel campo. Che strette di mano franche e fraterne!

Uno di loro, giovanissimo, con un par d'occhi d'azzurro marino e due mani rosee di fanciulla, schizzò alla lesta tre o quattro figure dei nostri e quella del colonnello Carini. Aveva già nell'album un capo-squadra di Partinico, che io conobbi e che mi parve un modello da farne uno Spartaco.[1] Gli altri si mescolarono a noi raccogliendo e dando notizie. E si mostravano lieti d'averci trovati gente civile e colta.

Gli abbiamo caricati di lettere, di foglietti strappati qua e là e scritti a matita; saluti, gridi d'affetto, che essi faranno capitare alle nostre famiglie, col primo legno che salperà da Palermo. Si trattennero un'ora. Dissero che la città è una caserma, ma ci hanno fatto sperare nella buona riuscita. Si sa che hanno portato al Generale la pianta di Palermo, co' segni dove sono barricate o posti di regi. Ora che se ne sono andati, il Generale sta a consiglio coi comandanti delle compagnie.

Non più a Castrogiovanni, per attendere rinforzi dal continente: pochi o assai, fra mezz'ora si partirà per Palermo. Bixio lo ha detto: — O a Palermo o all'inferno!

Il colonnello Carini ha parlato alla compagnia. Ha detto che domani l'alba sarà gloriosa, ma ci raccomandò di non romperci se saremo caricati dalla cavalleria. Intanto tutte le altre compagnie erano raccolte a circolo, intorno ai loro capitani. Si sciolsero rallegrandosi con alte grida.

Di qui al campo delle squadre, che è più innanzi, un andirivieni di cavalieri continuo. Si dice che i siciliani hanno chiesto d'essere fatti marciare i primi.

---

1. Negli anni che precedettero la stesura delle *Noterelle* l'Abba si arrovellò intorno a una tragedia *Spartaco*, di cui riuscì a scrivere solo il primo atto.

Tre giorni durò la bufera infernale, che scatenammo sopra Palermo; più di tre giorni! Chi non fu nella lotta deve essersi sentito al punto di venir pazzo. E noi eravamo partiti da Gibilrossa allegri, come ci fossimo incamminati a portar qui una festa!

Ho riveduto, da Porta Sant'Antonino, la montagna da cui scendemmo la sera del 26: e a un dipresso seppi dire il punto dove sostammo, per aspettare la notte. Fu un'attesa solenne. L'allegrezza si era mutata in raccoglimento; pareva che sopra di noi soffiasse uno spirito dall'infinito. Io mi era coricato tra due rocce calde ancora della grande arsura del giorno; e mi sentiva nelle membra un tepore così dolce, che, stando in quella specie di bara, colla faccia rivolta là dove il sole se n'era andato, mi colse un malinconico desiderio d'essere bell'e morto. Poi mi invase una gioia fanciullesca e soave, a pensare che l'indomani doveva essere il giorno della Pentecoste; e mi tornò a mente, confuso ricordo di cose lette da giovinetto, che i normanni assalirono Palermo appunto la vigilia di quella festa. Gli immaginai giganti coperti di ferro, scintillanti nella tenebrosa antichità, pronti a marciare come eravamo noi, pochi, fidenti, condotti bene; deliziosa mezz'ora di fantasticherie.

Potevano essere le sette pomeridiane, quando ci riponemmo in via, e a notte chiusa, uno dietro l'altro, ci trovammo a scendere giù per un sentiero, appena tracciato di balza in balza. Poco prima, avevamo gridato: — O a Palermo o all'inferno! — e quella ne pareva senz'altro la via. Il cielo era sereno e quieto; vietato il parlare; si aveva fame e sonno. Qualcuno, scivolando, precipitava sul compagno che aveva di sotto, questi sopra un altro, e via, tanto che, otto o dieci, ci trovammo talvolta in un fondo; e fortuna se non ci offendevamo colle nostre armi. Dopo la mezza notte eravamo nella pianura, lontano poche miglia da Palermo. I cani latravano dai casali sparsi per la campagna, e sulla nostra destra sentivamo il rumore del mare. Alcuni lumi apparivano oltre il fitto d'olivi antichi, che spandevano i rami contorti come provassero tormenti; forse erano lumi di pescatori. A sinistra, sulle alture di Monreale, splendevano fuochi innumerevoli; dinanzi a noi, nell'oscurità, udivo il passo pesante della colonna che ci precedeva. — Chi sarà all'avanguardia? — ci domandavamo a vicenda; e pregavamo che fossero i migliori tra noi, i più rotti alla guerra, affinché potessero giungere improvvisi sui primi posti del nemico e sopraffarli.

A un tratto la colonna lì, dov'era io, si commove. Si grida: — La cavalleria! — Infatti il suolo ghiaioso ripercuote un galoppo di cavalli. Ci risovvenimmo delle raccomandazioni fatteci nel partire dal campo; ma sì . . . ! uno, due, tre si sgomentano: balenammo, rompemmo le file, e ognuno si gettò come poté nei campi, a ridosso dei muriccioli che facevano riparo alla via, o rimase cavalcioni su quelli. E nella confusione furono sparate alcune schioppettate contro un cavallo bianco, che veniva verso di noi come un fantasma. Povera bestia! portava il capitano Bovi, il quale si fece riconoscere alle grida! Cessammo quello scompiglio; ci rimproverammo tra noi, tremando che quei colpi fossero per mandare guasta ogni cosa; e tirammo innanzi vergognosi del silenzio severo del colonnello Carini.

Per quei colpi i latrati dei cani crebbero vicini, lontani, infiniti.

Passammo presso un casone immenso, addormentato o deserto; e, di là a pochi passi, entrammo nella strada grande che mena a Palermo. L'aria cominciava a rinfrescarsi per l'alba imminente.

Dai gruppi di case man mano più frequenti, si affacciava la gente paurosa, guatando il nostro passaggio. Ci fu comandato di camminare a quattro a quattro; di tenerci a destra rasente i muri degli orti; poi accelerammo il passo . . . dalla testa della colonna s'udì una schioppettata, e un *all'armi!* gridato con disperazione: e allora fu un urlo terribile, un fuoco improvviso; un corri corri: — Avanti! Avanti! — entravamo nel combattimento.

Urtammo in una calca di picciotti: li rovesciammo parte negli orti, e parte li trascinammo con noi. Uno di questi, signore, forse capo squadra, accusava quelli furente, e veniva via agitando la spada. Ma in quell'ira urlò: — Dio! — girò sopra se stesso, fece tre o quattro passi di fianco come un ubbriaco, e cadde là nel fossato, a piè di due pioppi altissimi, vicino a un cacciatore napoletano morto; forse la prima sentinella sorpresa dai nostri. Li vedo ancora. E odo quel genovese, che in quel punto dove il piombo grandinava, gridò nel suo dialetto: — Come si passa qui? — Gli rispose una palla, cogliendolo in fronte e stendendolo là col cranio spezzato.

Si guadagnò un bel tratto rapidamente, ma al ponte dell'Ammiraglio[1] trovammo una resistenza quasi feroce.

Sulla via, sugli archi, sotto il ponte e negli orti circostanti, strage alla baionetta. L'alba spuntava, tutti si aveva non so che di selvaggio nel volto. Padroni del ponte vi fummo trattenuti da un fuoco terribile, fulminato da un muro, sul quale, nel fumo, biancheggiavano i budrieri[2] incrociati d'una lunga fila di fanteria. Lì un cacciatore ferito dava del capo contro al muricciolo del ponte per fracellarselo: ma Airenta pietoso lo tirò discosto, poi, colla sua calma che non cambia mai, continuò a sparare contro a quella fila. La quale, assalita forse di fianco, spariva; mentre un po' di cavalleria caricava i nostri a sinistra e n'era respinta e ricacciata per la campagna. Faustino Tanara,[3] quell'ufficiale dei bersaglieri, pallido, ardito e bello, veniva tempestando con un manipolo da quella parte; con lui, incalzati, incalzando, ci addensammo al crocicchio di Porta Termini, spazzato dalle cannonate d'una nave che tirava a rotta, e dal fuoco d'una barricata di fronte a noi. Come turbine lo avevano già attraversato i più audaci dei nostri, sotto gli occhi di Garibaldi, che vidi là a cavallo, mirabile di sicurezza e di pace in faccia. Gli stava accanto Türr. Tüköry era caduto poco prima ferito; ed io lo aveva udito dir con dolcezza a due che volevano trasportarlo in salvo: — Andate, andate avanti, fate che il nemico non venga a pigliarmi qui. — Nullo era già dentro con una mano di bergamaschi, balzato di là dalla barricata col suo cavallo poderoso tra i regi fuggenti; a Porta Sant'Antonino l'assalto riusciva pure: ma noi più fortunati fummo d'un lancio alla Fieravecchia. Allora una campana cominciò a suonare a stormo, e fu salutata con alte grida di gioia, come una promessa tenuta.

— Ma che cosa fanno i palermitani, che non se ne vede? — chiesi ad un popolano che sbucò da una porta armato di daga.

— Eh, signorino, già tre o quattro volte, all'alba, la polizia fece rumore e schioppettate, gridando viva l'Italia, viva Garibaldi. Chi era pronto veniva giù, e i birri lo pigliavano senza misericordia.

1. *ponte dell'Ammiraglio*: è chiamato così perché fu fatto costruire al principio del sec. XII da Giorgio di Antiochia, grande ammiraglio di Ruggero II. 2. *budrieri*: correggioni. 3. Faustino Tanara (1833-1876), di Langhirano in quel di Parma, fu poi con Garibaldi a Bezzecca e a Mentana; e nell'armata dei Vosgi ebbe il comando della legione dei volontari italiani.

— Oh!... E i palermitani ora han paura d'un nuovo tranello?...

Con quel popolano demmo entro pei vicoli sino a via Maqueda. Là, solitudine e cannonate dall'un dei capi, tirate forse contro un giovinotto che si sfogava a calpestare un'insegna reale strappata giù dal portone d'un gran palazzo. Passammo in un altro vicolo... Dio, che visione!

Aggrappate colle mani che parevano gigli, a una inferriata poco alta ma ampia, sopra un archivolto cupo, tre fanciulle vestite di bianco e bellissime ci guardavano mute.

Ci arrestammo ammirando.

— Chi siete?

— Italiani. E voi?

— Monacelle.

— Oh poverette!

— Viva Santa Rosalìa!

— Viva l'Italia!

Ed esse a gridare: — Viva l'Italia! — con quelle voci soavi da salmo, e ad augurarci vittoria. Le vedrò sempre così come gli angeli dipinti dal Beato di Fiesole,[1] e se avremo pace, uno di questi giorni visiterò il monastero a cercarle.

Entrammo in piazza Bologni, già occupata da un centinaio dei nostri. Il Generale, sulla gradinata d'un palazzo, stava interrogando due prigionieri, che piangevano come fanciulli.

— Volete tornare coi vostri? Tornate pure!... — diceva loro il Generale: ed uno fece atto d'andarsene, l'altro restò. Quello tentennò un poco, poi volle rimanere anche lui. Erano calabresi, giovani; parevano stupiti di non essere stati fatti a brani.

Appena Garibaldi sedé nell'atrio del palazzo, rimbombò là dentro una pistolettata. — L'hanno assassinato! — urlammo noi dalla piazza, e ci affollammo alla porta. Non era nulla. Gli si era scaricato un colpo della pistola che portava a cintura, e la palla gli avea sforacchiato i calzoni, sopra il collo del piede. Ci rassicurammo. In quel momento arrivò Bixio.

Lo avevo visto poco prima lanciarsi tempestando addosso ad uno che, vedendolo ferito, aveva osato pregarlo di ritirarsi: e buon per colui che trovò una porta da ripararvisi. Era fuoco in faccia,

1. Fra Giovanni da Fiesole detto il Beato Angelico (1387-1455) dava alle sue figure una grazia mistica ed estatica.

impugnava un mozzicone di sciabola, si piantò dinanzi a noi e:
— Su! venti uomini di buona volontà . . . tanto tra mezz'ora saremo
tutti morti; andiamo al Palazzo Reale! — E contò i venti che già
partivano con lui. Senonché fu chiamato dal Generale, obbedì, ed
entrò nell'atrio a consiglio. V'erano già alcuni signori palermitani e
un prete; la città cominciava a scuotersi, a ruggire sordamente;
da Castellamare si udì uno scoppio; la prima bomba rombò nel-
l'aria e cadde, e fu una imprecazione che parve riempire il cielo.

Da quel momento campane a stormo per tutto, e una bomba
lanciata ogni cinque minuti, pausa funebre e crudele. Verso le
tre pomeridiane, i cittadini cominciavano a rovesciarsi per le
vie! Noi, un po' scorati nelle prime ore, pigliavamo animo. Sorgevano le barricate: uomini e donne lavoravano arditamente; cadeva una bomba, tutti a terra; scoppiava: — Viva Santa Rosalìa! —
e tutti su a lavorare da capo. Così venne notte. Il castello cessò di
tirare: i regi occupavano la parte alta della città; noi il resto; a
Palazzo Pretorio s'era piantato il quartiere generale; i donzelli
del municipio, colle giubbe rosse, si affaccendavano, giovani e
vecchi, per il Dittatore. Intanto nuove squadre entravano da Porta
Termini, ne vennero tutta la notte; e noi la invocavamo lunga, per
riposarci e prepararci all'evento.

*Segue, 31 maggio.*

Ma l'alba arrivò che l'ore parvero minuti, e la sveglia del secondo
giorno fu data dai regi di Castellamare, che ricominciarono colle
bombe. Le lanciavano misurate sul Palazzo Pretorio, sperando
forse di schiacciarvi il quartiere generale. Ma le bombe piom-
bavano sul convento di Santa Caterina, a un angolo della piazza.
E il Generale se ne stava a piè d'una delle statue della gran fontana, dinanzi al palazzo. Lì riceveva le notizie dai punti combattuti della città; di lì partivano i suoi ordini: lì lo vedevamo noi di
tanto in tanto, passando sbalestrati ora da una parte ora dall'altra,
dove ci chiamava il bisogno.

In uno di quei momenti che non ne potevamo più dalla sete,
Bozzani ed io traversavamo una piazza. — Vediamo se in questa
casa ci danno un sorso d'acqua? — dissi io: e battei a un gran portone sul quale era scritto: «*Domicilio inglese*». Fu scostato un bat-
tente, e vedemmo nel cortile una folla costernata. Entrammo. Ci
venne incontro un signore che non sapeva quale accoglienza farci;

ma pareva lì lì per pregarci di tornare indietro. Però sentendoci parlare, subito si mostrò cortese, ci tirò in mezzo a quella folla, fece portar acqua e vino. Bevemmo, ringraziammo e volevamo partire. Ma tutta quella gente, signore e signorine, ci furono attorno, ci prendevano le mani, ci pregavano di star lì a proteggerle; alcune piangevano dalla compassione per noi. Vollero i nostri nomi, e noi li scrivemmo su d'un foglietto; gran meraviglia per loro, che due soldati sapessero far tanto. Ci tempestavano di domande; e per la città che c'è? e chi vince? e quanto durerà? Santa Rosalìa che spavento! — Perdonate se non vi ho fatto subito buon viso, — ci diceva il signore venutoci incontro — avevano detto che eravate mostri feroci, che bevevate il sangue dei bambini, che scannavate i vecchi ... Invece siete gentili.

E noi a ridere. E le donne: — E Garibaldi dov'è? È giovane, è bello, come è vestito? — Rispondevamo in quella confusione amorevole; e intanto i giovinotti ci pigliavano di mano gli schioppi, discorrevano tra loro, si accendevano in faccia, ci invidiavano; ma il vecchio con un'occhiata li teneva a segno.

Uscimmo di là colla promessa di tornare, e appena fuori vedemmo una turba alla porta d'un fornaio. — Il forno dei *Promessi sposi*! — dissi a Bozzani — bisogna correre che non lo saccheggino. — E corremmo. Ma quella gente non faceva tumulto; pigliava i pani, pagava e se ne andava, facendo posto ad altra gente che sopravveniva. Un signore ci disse che dal giorno innanzi la sua famiglia non aveva mangiato, colta dalla rivoluzione senza provviste in casa. E soggiungeva: — Siete arrivati così di sorpresa!

— Però siete contenti? — gli chiesi.

— Santo Diavolo; siete i nostri liberatori!

Ce n'andammo, avviandoci ai benedettini, dove era la nostra compagnia e ci abbattemmo nel cavallo del capitano Bovi, steso sotto un androne; quel povero cavallo che già aveva rischiato d'essere ucciso, la notte della discesa da Gibilrossa.

— Questo è il cavallo, che quello sia il padrone? — disse Bozzani, inoltrandosi verso un morto che giaceva più in là. — Oh ... vedi ... vedi ... è quel povero ragazzo che nella prima marcia da Marsala, fu messo in mezzo a noi da quel vecchio ...!

Doveva essere proprio quel giovinetto. Io non lo avevo più riveduto da quella prima volta, e a trovarlo là mi si mescolò il sangue con disgusto indicibile. Avessi potuto volare sulla capanna di quel vecchio, che in quel momento vidi nella pace lontana dell'orizzonte, a sentire se il cuore non gli diceva nulla!

— Senti? — disse Bozzani, tendendo l'orecchio, e ci ponemmo di corsa verso un urlìo di donne. — Al sorcio, al sorcio! — gridavano, — sorcio è! — Non arrivammo in tempo. Dieci o dodici furie avevano già fatto in pezzi un povero birro. Gli avevano fatta la posta sin dal dì innanzi, egli si era alfine rischiato d'uscire vestito da donna; ma esse lo avevano riconosciuto, colto, ridotto che non si può descrivere.

Fuggimmo inorriditi, ma ci consolammo subito, capitando a fare la scorta a certe suore di un monastero che andava in fiamme.

Venivano condotte a un altro monastero da pochi dei nostri, esterrefatte per lo scompiglio che vedevano per tutto, e forse paurose di tutti quei picciotti che andavano attorno armati e minacciosi. Camminando in fila, si serravano a noi colla persona, ci investivano di non so che casto profumo, rimettendosi in noi confidenti; e ci dicevano dei ringraziamenti affettuosi come a persone conosciute da molto tempo. Una di esse, giovanissima e bella, guardandomi con due occhi imbambolati, mi diede un reliquiario di filigrana, con entro un ossicino di santa Rosalìa, raccomandandomi di portarlo sul petto, che mi avrebbe scampato da morte. Non ebbi cuore di ridere a tanta certezza di farmi del bene, e mi posi addosso il reliquiario. Tra quelle monache ne vidi due, che parevano fatte di cartapecora, da tanto che erano vecchie. Esse sole non provavano paura, ci guardavano con cera sdegnosa, e si lasciavano portare da due bergamaschi come due cose.

— Chi sono quelle due suore? — chiesi alla monacella del reliquiario. — Sono due duchesse e sorelle. Ci fanno tribolare tutto l'anno! — Arrivammo al monastero.

In quel viluppo di far entrare le monache nel loro rifugio, mi scompagnai da Bozzani e me ne andai solo ai benedettini. In un solaio lassù sopra la chiesa, illuminato da un finestrello che dava su d'un orto, trovai una squadra della mia compagnia che faceva le schioppettate da quell'apertura. Mi posi anch'io nella fila, e arrivato al finestrello sparai, affacciandomi per veder là sotto i nemici. Cavallini, impaziente, mi tirò via, per fare il suo colpo, ma non aveva messo lo schioppo alla mira che una palla entrò scalcinando il muro, gli ruppe la tempia destra, ed egli stramazzò morto senza dir ahi! Si era imbarcato a Porto Santo Stefano sul

*Lombardo*; fu scritto alla mia compagnia; a Missilmeri la sera del
25 mi aveva detto che era felice. Popolano modesto, sentiva altamente l'onore di questa impresa. Gli coprimmo la faccia con una
pezzuola. Per lui la felicità, la patria, tutto era finito; anche la
nostra pietà, perché subito badammo a certe pedate che si sentirono sul tetto lì sopra. Credemmo che fossero i regi; ma erano
carabinieri genovesi venuti lassù per tirare più a loro agio. Alcuni
si calarono dal tetto fin sui cornicioni, e, mentre sparavano, gli
udivamo discorrere allegri e pacati.

Così correvano le ore, veniva notte, la seconda notte! Per comando del Dittatore, a tutte le finestre d'ogni casa, povera o ricca,
fu acceso un lume.

Per le vie pareva giorno pieno. Le notizie che venivano di
bocca in bocca, da tutte le parti della città, ci consolavano; i regi
erano respinti sempre su tutti i punti. Le barricate, moltiplicate
in ogni via, rendevano loro impossibile di rompere e tornare dentro. Sulle gronde, sui balconi, erano ammonticchiati tegoli, sassi,
suppellettili d'ogni sorta; al punto in cui si era non rimaneva al
nemico che incenerir la città, o lasciarla libera a noi.

Si diceva, il mattino del ventinove, che il Corpo consolare avesse
protestato, e che le navi da guerra raccolte nella rada minacciassero di mandare in aria Castellamare, se il barbaro lanciar di
bombe non fosse cessato. Chiacchiere. Il castello tirava più rabbioso che mai, e già centinaia di case erano ruinate, seppellendo
gente chi sa quanta. Sarà lungo il pianto che terrà dietro alla
febbre di questi giorni! I regi hanno fatto cose da selvaggi. Quel
giorno, verso le undici antimeridiane, Margarita ed io abbiamo
trovato, in un vicolo che mette alla piazzetta della Nutrice, il
cadavere d'una giovinetta che poteva avere quindici anni. Certo
era stata bella. Lo era ancora, morta. Nulla mi strinse mai tanto
il cuore come la vista di quel cadavere. Giaceva piagata in più
parti del corpo delicatissimo, ed un colpo di baionetta che le tra-
passava il collo, era stato quello che l'aveva liberata da tanti strazi.
Noi pensammo di portare quel cadavere in luogo sicuro; forse una
madre avrebbe potuto cercare di quella povera morta. Già la reg-
gevamo, quando gli urli improvvisi dei nemici, che sboccavano
dalla breccia di una casa vicina, e una scarica a trenta passi, ci
costrinsero a ritirarci di là. Erano molti, e noi due soli. Ripie-

gammo a Porta Montalto, dove stava a guardia il colonnello Carini. Quel bastione l'avea preso d'assalto Sirtori, con pochi della sesta e della settima compagnia: e i regi giacenti là attorno morti erano tanti, che ancora non so capire chi gli abbia potuti uccidere.

Il Carini mi mandò al Palazzo Pretorio per munizioni. Vi trovai il Sirtori. Munizioni non ve ne dovevano essere, perché egli mi disse di rispondere al Carini, che il bastione si doveva conservarlo difendendolo all'arma bianca.

A Palazzo Pretorio mi parve regnasse un po' di sconforto. Chi sa che notizie v'erano? Eppure la città oramai era tutta sollevata e risoluta a ogni estremo, piuttosto che a rivedere nel proprio seno il nemico. Me ne tornai al Carini colle mani vuote: egli capì e tacque. Più tardi mi rimandò. In piazza Pretoria v'era tal folla che, come dice il Manzoni, un granello di miglio non sarebbe caduto a terra. Il Dittatore dal balcone a sinistra, quasi sull'angolo di via Maqueda, finiva un discorso di cui colsi le ultime parole: — ... Il nemico mi ha fatto delle proposte che io credei ingiuriose per te, o popolo di Palermo; ed io sapendoti pronto a farti seppellire sotto le ruine della tua città, le ho rifiutate!

Non vi può essere paragone che basti a dare un'idea di quel che divenne la folla, a quelle parole. I capelli mi si rizzarono in capo, la pelle mi si raggrinzò tutta, all'urlo spaventevole e grande che proruppe dalla piazza. Si abbracciavano, si baciavano, si soffocavano tra loro furiosi; le donne più degli uomini mostravano il disperato proposito di sottoporsi a ogni strazio. — Grazie! Grazie! — gridavano levando le mani al Generale; e dal fondo della piazza gli mandai anch'io un bacio. Credo che non sia mai stato visto sfolgorante come in quel momento da quel balcone: l'anima di quel popolo pareva tutta trasfusa in lui.

Ma alla sera, verso le dieci, lo rividi cupo, agitato, lì a piè di quella statua dove passava le notti. Mi aveva chiamato il tenente Rovighi, per mandarmi a portare un ordine. Il Generale mi pose colle proprie mani un foglietto, tra la canna e la bacchetta dello schioppo, mi comandò di farlo leggere a tutti i capi-posto che avrei trovati sino a Porta Montalto, e che giunto là lo lasciassi al colonnello Carini. Mi avviai col cuore stretto. Il primo capoposto che trovai fu Vigo Pelizzari.[1] Gli porsi il biglietto. Egli lo

1. Francesco Vigo Pellizzari (1836-1867), da Vimercate, era luogotenente del Cairoli; seguì poi Garibaldi ad Aspromonte comandando il battaglione

lesse, si turbò un poco, me lo ridiede; ma senza dir nulla a' suoi che gli si affollarono intorno. Tirai innanzi, bruciando dal desiderio di conoscere il contenuto di quel foglio: potevo leggerlo, non osai. Dal colonnello Carini cui lo rimisi per ultimo, seppi poi che v'era scritto: « Dicesi che siano sbarcati ottocento tedeschi, ultima speranza del tiranno. In caso d'attacco da forze soverchianti, ritiratevi al Palazzo Pretorio. » Carini non si mostrò guari commosso per la notizia; mi rimandò colla ricevuta del foglio; ed io me ne rivenni pensando con dolore, come una mano di stranieri potessero mettere in forse le sorti della città e nostre. Ma, arrivando al Palazzo Pretorio, trovai il Generale già mutato d'umore. Discorreva con Rovighi dicendo che sperava di farla finita l'indomani; che al Palazzo Reale i regi non avevano più munizioni da bocca, che non potevano più comunicare né col castello né colla marina.

Mi rallegrai fino in fondo all'anima, e stanco morto mi rannicchiai là vicino, col picchetto di guardia.

Ieri finalmente, verso mezzodì, ricevemmo a Porta Montalto l'ordine di cessare il fuoco. Subito corsi al Palazzo Pretorio, dove trovai che l'armistizio era concluso per ventiquattr'ore, tanto che si potessero seppellire i morti. Era bell'e sottoscritto il foglio, quando capitò un prete, che mi parve quello venuto sin dal mattino del giorno 27 in piazza Bologni. Gridava al tradimento, annunziando che i bavaresi entravano da Porta Termini. — Che bavaresi? — gridavamo noi. — Quelli di Bosco, che tornano da Corleone![1]

Ci rovesciammo a quella volta quanti eravamo là attorno, e arrivammo a Porta Termini che già i bavaresi avevano oltrepassata una barricata. Si arrestarono vedendo un parlamentario avviarsi a loro; cessarono il fuoco; ma uno dei loro ultimi colpi sciagurati colse nel braccio sinistro, presso la spalla, il colonnello Carini. Egli cadde e fu trasportato al Palazzo Pretorio come in trionfo.

dei « Superstiti dei Mille », e combatté nella campagna del '66. Cadde a Mentana.  1. Ferdinando Beneventano Del Bosco (1813-1881), di Palermo, fu tra gli ufficiali borbonici più noti per il coraggio personale e per l'incrollabile fedeltà alla dinastia. Egli si era già guadagnato il grado di maggiore nella repressione borbonica del '48-'49; ma il suo nome resta legato alla battaglia di Milazzo, dopo la quale, malgrado l'esito, Francesco II lo nominò generale di brigata. Fu a Gaeta col re, e lo seguì anche a Roma, collaborando attivamente alla organizzazione del brigantaggio. Infine, perduta ogni speranza di restaurazione borbonica, si ritirò a Napoli.

Laggiù, in fondo alla via, in mezzo a quelle facce torve di stranieri, si vedeva il colonnello Bosco aggirarsi furioso, come uno scorpione nel cerchio di fuoco. Oh s'egli avesse potuto giungere mezz'ora prima! Entrava difilato, e se ne veniva al Palazzo Pretorio quasi di sorpresa, con tutta quella gente, che aveva la rabbia in corpo della marcia a Corleone, fatta dietro le nostre ombre. Chi sa che fortuna sfuggiva di mano a questo siciliano, giovane, ardito e ricco d'ingegno?

Nel tornare a Porta Montalto, passai con Erba dalla piazzetta della Nutrice, per vedere se vi fosse ancora quella povera morta di ieri l'altro. Non v'era più. Mentre ne parlavo ad Erba, un colombo venne a posarsi pettoruto su d'una gronda lì sopra.

— Gli tiro?

— Tira pure . . .

Meraviglioso! Il colombo venne giù senza testa, come un cencio. — Bravo! — sentimmo gridare, e vedemmo cinque ufficiali napoletani che venivano verso di noi. — Bravo tiratore! — dicevano stringendo la mano ad Erba e a me, mortificato del tiro felice. Ma Erba: — Oh! non è nulla, noi codesti tiri li facciamo a volo . . .

— Anche a volo! — esclamavano gli ufficiali — ma allora siete davvero bersaglieri piemontesi?

— Che bersaglieri! — rispondemmo noi, e sempre tempestati di domande, ci lasciammo tirare da quei cinque a visitare la piazza del Palazzo Reale.

Vedemmo non so quante migliaia di soldati accampati sulla piazza. Mangiavano lattuga a manate come pecore, e ci guardavano da ammazzarci cogli occhi. Credo che se non fossimo stati così bene accompagnati, il pezzo più grosso che poteva avanzare di noi era l'orecchio. Ci inoltrammo in mezzo ad un nugolo d'ufficiali. Un vecchio colonnello, con certa barba sulle guance che pareva cotone appiccicato, rubizzo, adusto, bell'uomo, ci accolse cortese. Anch'egli voleva a forza farci confessare per soldati di Vittorio Emanuele.

— Eh! — diceva — farebbe meglio il vostro re, se pensasse a' casi suoi. Non avrà sempre, come l'anno scorso, i francesi!

— Oh! meglio certamente, mille volte meglio se vi eravate voi; — disse pronto Erba — gli austriaci li avremmo fatti andar via anche dalla Venezia.

— Che Venezia! che austriaci! — sclamava il colonnello guardandosi attorno, accendendosi e non volendo parere.

— E se un altr'anno e voi e noi uniti riprenderemo la partita contro l'Austria, vedrete . . .

Il colonnello parve uno che sia lì per isdrucciolare e cerchi d'agguantarsi . . .

— Vedrete . . . vedrete voi, che domani sarete tutti morti! — troncò bruscamente. — Meritereste miglior fortuna, ma vi siete cacciati in questa Palermo che vi lascerà schiacciare . . .

— Però sino ad oggi dobbiamo lodarcene di Palermo . . .

— Bene, bene, lodatevene pure! — E come vide che i soldati si affollavano, temendo forse per noi, si mosse e ci fece accompagnar via.

*31 maggio.*

Eravamo pronti. Solenne ora questo mezzodì! Ma l'armistizio fu prolungato. Fino all'alba del tre giugno potremo riposare, lavorare, prepararci, e se sarà per soccombere, la città lascerà una pagina che commoverà tutto il mondo per il bene d'Italia.

Il Generale ha fatto un giro per la città, dove ha potuto passare a cavallo. La gente si inginocchiava, gli toccavano le staffe, gli baciavano le mani. Vidi alzare i bimbi verso di lui come a un santo. Egli è contento. Ha veduto delle barricate alte fino ai primi piani delle case; otto o dieci ogni cento metri di via. Ora sì che possiam dire d'aver tutto il popolo dalla nostra! Siamo perduti in mezzo a questa moltitudine infinita che ci onora, ci dà retta, ci scalda d'amore.

Non v'è più dubbio. Simonetta è morto. Abbiamo incontrato un picciotto con una camicia a riquadri rossi e bianchi . . . Margarita lo fermò.

— Dove hai preso codesta camicia?

— L'ho levata ad un morto.

— Dove?

— Ai benedettini.

— Vieni con noi!

Un buco nella camicia mostrava che il povero amico nostro fu colpito al cuore. Morì quel candido e forte giovane, senza uno di noi vicino, da dirgli: — Ne parlerai a mio padre!

Corremmo ai benedettini, cercammo: nulla. Non si sa nemmeno dove l'abbiano sepolto!

Mancano tanti altri di tutte le compagnie, che non sappiamo se siano morti, o feriti in qualche casa. Giuseppe Naccari, quel giovane alto con quella faccia da dipingere, che in marcia era la delizia della mia squadra, ha combattuto sino all'ultimo, senza andar a vedere i suoi, che l'aspettavano dall'esilio, qui in Palermo, chi sa da quanto. E ieri l'altro una palla lo colpì di sotto in su, mentre faceva fuoco da un campanile; gli entrò in un fianco, gli traversò dentro il petto, gli uscì da una spalla. Dicono che ne morrà. È venuto a cadere sulla soglia di casa sua.

*2 giugno.*

Di quei bavaresi ricondotti da Bosco, ne sono passati già molti dalla nostra parte. Narrano che in quella marcia del ventiquattro, erano certi di raggiungerci e di finirci. Ma quando si accorsero di averci lasciati addietro, e seppero che eravamo entrati in Palermo, Bosco fu per impazzire. Li cacciò a marce forzate sin qui, promettendo sacco e fuoco, non badando a chi cadeva sfinito per via. — Oh! — dicono — se non si arrivava troppo tardi! — E fanno certe facce che sembrano gatti, quando si leccano le labbra dinanzi a una ghiottoneria. Gente torva questi mercenari! Li chiamano bavaresi; ma sono svizzeri, tedeschi e perfino italiani. Promettono di battersi contro i loro commilitoni, con millanteria disgustosa.

*3 giugno, mattina.*

Immensa gioia! Non si pensa più alle case cadute, alle centinaia di cittadini sepolti sotto. I regi se ne andranno, la capitolazione è come fatta. Incrociamo le braccia sul petto e diamoci uno sguardo attorno. Ma si è potuto far tanto? Mi par di sentire qualche cosa nell'aria, come il canto trionfale del passaggio del Mar Rosso.

Sono andato al monastero, e ho potuto ottenere che quella monaca del reliquiario venisse all'inferriata del parlatorio. Quando mi vide si fece come se fosse stata d'alabastro, e le si fosse accesa dentro una fiamma. Ringraziò santa Rosalìa, esclamando. Io osai accostare la mano all'inferriata; le nostre dita si toccarono; essa chinò gli occhi e rimanemmo muti . . .

*6 giugno.*

Questi marinari della squadra inglese ci fanno cera più che i nostri del *Govèrnolo* e della *Maria Adelaide*. Verso sera quando andiamo barcheggiando, i francesi, gli austriaci, gli spagnuoli, i russi, persino i turchi ci sono! tutti ci guardano curiosi, ma zitti. Invece gli inglesi ci chiamano, ci tirano su a occhiate sulle loro navi, e noi si sale, accolti come ammiragli. Non hanno bottiglia che non vuotino con noi; non han gingillo che non ci offrano; non c'è angolo della loro nave che non ci facciano vedere. Stiamo con essi dell'ore; belli o brutti ci vogliono ritrarre a matita; e non ci lasciano venir via senza essersi fatto dare il nome da ognun di noi, scritto di nostra mano. M'è nato un sospetto. La Sicilia è bella, è ricca, è un mondo. Oramai tra tutti l'abbiamo, o quasi, staccata dal regno... Se non si riuscisse a fare l'unità, gioco che la mano per pigliarsi l'isola sarebbero visi di stenderla gli inglesi... — Non ci han qui nel porto la nave ammiraglia che si chiama *Hannibal*?...

*7 giugno.*

Nella gran sala della Trinacria si desinava una allegra brigata, a festeggiare un drappello d'animosi venuti da Malta, su d'una barca peschereccia. Scesero a Scoglietti, e camminando a furia di sproni e di oro vennero difilati a Palermo. Lo sciampagna fiottava dai bicchieri e dal cuore la gioia; gioia della vostra, o anime lombarde! Siete leggiadri e prodi.

*9 giugno.*

Gli abbiamo visti partire. Sfilarono dinanzi a noi alla marina, per imbarcarsi, una colonna che non finiva mai, fanti, cavalli, carri. A noi pare sogno, ma a loro!... Passavano umiliati, o baldanzosi. Superbi i cacciatori dell'ottavo battaglione che combatterono a Calatafimi e qui, lasciando qualche morto in ogni punto della città! Certo li comandava un valoroso.

Se ne vadano, e che ci si possa rivedere amici! Ma di qui a Napoli come è lunga la via!

*10 giugno.*

Tüköry è morto. Non in faccia al sole, non sotto gli occhi nostri nella battaglia, l'anima sua non è volata via sulle grida dei vincitori.

Egli si è spento a poco a poco, in letto, vedendo la morte venire lenta, egli che soleva andarle incontro, galoppando baldo colla spada nel pugno. Gli avevano tagliata la gamba, rottagli da una palla al ponte dell'Ammiraglio; si diceva che l'avremmo visto ancora a cavallo dinanzi a noi; ma venne la cancrena e lo uccise. Goldberg, il mio vecchio sergente ungherese, che giace per due ferite toccate la mattina del 27, quando seppe morto il suo Loyos[1] si tirò le lenzuola sulla faccia e non disse parola. Così coperto pareva anch'egli morto; ma forse pensava al dì che i proscritti magiari torneranno in Ungheria senza quel bello e sapiente Cavaliere, venuto pel mondo così prodigo dell'anima sua. O forse lo vedeva col pensiero galoppare in Armenia, fra gli arabi del sultano contro i drusi ribelli; dove chi sa quante occhiate bieche avrà date alla spada non fatta per servire i tiranni. Ma di quel dolore Tüköry si pagò poi nel sangue dei russi, quando dai bastioni di Kars poté fulminare l'odio suo, contro quella gente che aveva aiutato l'Austria a rovinargli la patria ...

*11 giugno.*

Per la via che facemmo da Marsala al Pioppo, e poi essi dal Pioppo in una volata, sono giunti qua sessanta giovani condotti da Carmelo Agnetta. Navigarono da Genova a Marsala, su d'un guscio che si chiama *L'Utile*, dove avran dovuto stare pigiati peggio che i negri menati schiavi. Che senso quando sbarcarono a Marsala, dopo essere stati col cuore a un filo per tanti giorni; e poi quando passarono vicino ai nostri colli di Calatafimi! Avranno pensato ai morti che vi lasciammo, con la malinconia di non averli conosciuti vivi. Ma quando arrivarono a questa Palermo mezza rovinata, debbono aver sentito l'animo crescere irato, e avranno tesa la mano ognuno guardando innanzi e dicendo a qualcuno laggiù:
— Ci vedremo!
Hanno portato due migliaia tra schioppi e schioppacci, e munizioni da guerra e i loro cuori. C'è Odoardo Fenoglio veneto da Oderzo amico mio, sfolgorante ufficiale della brigata Pavia, che ho visto e abbracciato ai quattro Cantoni; c'è Cavalieri, c'è Frigerio, tutti valenti e gentili e colti, arrivati in tempo per onorare la salma di Tüköry che oggi porteremo a seppellire.

---

1. Esattamente *Lajos*: Luigi, era il nome del Tüköry.

C'eravamo tutti, fino i feriti che hanno potuto venir fuori dalle case, dagli spedali, tutti! Türr, figura tagliata nel ferro, non fatta a mostrar dolore, camminava alla testa del corteo, dimesso, accorato, parea condotto a morire. Dalle finestre piovevano fiori sul feretro, su noi; e dai fiori e dalle foglie di lauro veniva un odore che mi faceva il senso di un soave morire. Si aggiungevano il silenzio della folla, e gli atti delle donne bianche, inginocchiate sui balconi e piangenti. Era uno sgomento che pareva avesse pigliato fin le pietre. Vidi certi dei nostri, duri e invecchiati a ogni sorta di prove, andar innanzi con faccia sbigottita, spenta. Rodi e Bovi, due mutilati antichi, parevano sonnambuli. Maestri, che ebbe un braccio troncato a Novara, e che pur da Novara corse a Roma dov'ebbe il moncherino spezzato un'altra volta da una scheggia francese, il povero mio Maestri da Spotorno, semplice e prode come i popolani delle nostre marine liguri, piangeva. E piangevo anch'io. Un momento che mi si strinse più il core, mi pregai con certa voluttà acre, non mai provata, mi pregai d'essere chiuso in quel feretro abbracciato col morto. Oh! star nella bara con tanto ancora di vita da sentirsi portato lentamente, indovinando le vie, le finestre sotto cui si passa, le facce di quei che guardano e accompagnano fin dove possono con gli occhi e poi col pensiero! La folla fa ala . . . parlano a voce bassa . . . che diranno? cade qualcosa . . . saranno fiori.

Ma la marcia funebre prorompe alta nell'aria, e vien sin fra i quattro assi, con certi acuti stridori di trombe, con certi gemiti di flauti che si mutano in lacrime. E si scende, si scende nelle tenebre, nella terra; fra il pianto degli uomini reso dall'arte divina, e il pianto delle cose che le nostre forme investe d'avanzi umani un po' più antichi dei nostri . . .

Anche Adolfo Azzi[1] morì son sette giorni! Come stava là sul *Lombardo* nelle ultime ore del mare, colle braccia potenti al timone, con gli occhi in Bixio che di sul cassero fulminava l'anima tra Marsala vicina e le navi che ci inseguivano nere come leonesse nel deserto! Lo veggo ancora e lo vedrò finché io viva, con quella faccia sfidatrice e quieta, con quelle spalle ampie, scamiciato ed erto i pettorali fatti per ricevervi la morte da eroe. Invece fu colto in una coscia. Gli entrò la palla e ruppe, e in cinque giorni il povero Azzi morì!

1. Adolfo Azzi, nato a Tarcento (Udine) nel 1837, era stato con lo Schiaffino timoniere del *Lombardo*.

*Notte.*

Non nelle notti travagliate dei combattimenti, ma ora che abbiamo una certa quiete, pensando alle barricate ho sentito venir su dal core un'onda della malinconia rimastami da quella sera del quarantotto; una sera di marzo che noi fanciulli, tutti raccolti a sentir la novella da nostra madre, stavamo al focherello allegro che pareva anch'esso uno della famiglia. Suonò un'ora di notte e il *Deprofundis* dal campanile. Nostra madre ci fece pregare pei morti. Ma i soliti rintocchi si mutarono in un di quei doppi, che lassù da noi annunziano pel domani la commemorazione di qualche morto degli anni andati. Nostra madre alzò i suoi grandi occhi in su, forse a cercare di qual morto de' suoi ricordi cadesse l'anniversario; e noi muti ad aspettare che ripigliasse il racconto. A un tratto entrò da fuori nostro padre, e venne malinconico a sedersi al fuoco.

— Che c'è? — gli chiese nostra madre.

— Nulla!

— Giusto! Han suonato a funerale; chi sa per chi?

— Pei defunti delle barricate di Milano.

Guardai nostro padre tremando. Defunti, barricate, Milano, tre schianti al mio core di nove anni, mi parevano tre parole sonanti da un altro mondo. Quella notte non dormii: da quella notte mi rimase nell'anima una tristezza cara, che di quando in quando assaporai, venendo su cogli anni, senza poterle dare un nome fin che non ebbi trovato nel Sant'Ambrogio del Giusti quello *sgomento di lontano esiglio* . . .

*12 giugno.*

Aveva detto ad Airenta: — tu, Giomo, una di queste notti ti trovano ammazzato in qualche vicolo, chi sa dove.

E Giomo, rosso fin nei capelli, fu per andare in collera; ma poi a poco a poco si aperse e mi narrò che la mattina dell'entrata, quando ci perdemmo d'occhio tra noi alla Fieravecchia, salì con uno della compagnia Cairoli, mandato da Bixio a movere la gente d'una casa, che buttassero giù roba a quelli che sbarravano la via.

— In quella casa — diceva Giomo — tutti dovevano essersi destati alle nostre grida; perché andavano di qua di là come pazzi, piangendo, esclamando: «Pigliate tutto, lasciateci la vita! chi siete?» E noi: «Garibaldini.» Allora uomini e donne ad aiutarci: e giù quel che veniva veniva; si sarebbero lasciati precipitare con le loro masserizie. Entrammo in una camera dov'erano due giovinette. In un lancio levammo le materasse dal letto tepide, e appunto m'accorsi che le fanciulle n'erano appena uscite! Ma noi non avevamo badato, ed esse neppur un atto per nascondersi, per coprirsi; anzi ci aiutarono a mandar giù quella roba gridando: «Santa Rosalìa», e «viva l'Italia». Tirai via il compagno giù per le scale; dalla via mi volsi a guardare in su: esse, spenzolate quasi dalla finestra, battevano le mani alla rivoluzione, trasfigurate da quelle capigliature sulle spalle nude . . . Notai la casa, ci sono tornato, mi riconobbero . . .

Povero Giomo! Le ho viste anch'io quelle fanciulle, e con una si amano. Non glie l'ho detto, ma se io fossi in lui, a quella madre che nelle notti del campo, parlandone sempre, ei mi faceva vedere là in una villa turrita, solitaria, mezzo sepolta nella verdura, fuor di Genova; a quella madre santa io menerei dalla guerra questa nuora di sedici anni. E andando, per fare stizza alla sposa mia, chiederei a tutte l'ore: «quella mattina non avesti paura?» . . . Essa arrossirebbe chinando la fronte sul mio petto, ed io, baciandole i capelli, benedirei il ricordo di quell'incontro casto ed eroico.

*Nel convento della Trinità. 13 giugno.*

Per le streghe di Macbeth che cosa ho visto! Traversando giù il porticato mezzo buio, ho inciampato, e balzelloni annaspando colle braccia a tenermi ritto, poco meno che non ho dato del ceffo nel muro. Mi volsi. Una mano usciva di sotto quella terra; una mano d'un nero che si sentiva. Forse si moveva o mi pareva minacciosa. Chiamai, scavammo. Giacevano mal composti sotto mezzo braccio di terra tre cacciatori napoletani, quasi vestiti ancora delle loro divise turchine . . . A tutto ho potuto stare, ma quando fu scoperta la faccia di uno di quei morti fuggii . . . Oh si fa bene a coprirci la faccia appena morti!

*Tornando da Monreale, 14.*

Deve essere stato un gran vivere nei tempi che su questo ceppo della Sicilia venivano a innestarsi i saraceni, i normanni e poi quegli altri d'alta ventura, che portavano l'aquila sveva sul pugno!

Pìgliati colla fantasia in quell'età una parte, guerriero, rimatore o fraticello, ed entra; ecco la Cattedrale famosa. Tant'è, s'ha bel disporsi, ma noi sentiamo che non si riesce a star nelle chiese come quella là, con animo che risponda! Disse un di noi: — Biso-gnerebbe non osar d'entrarvi calzati ... — Fu tutta l'espressione della sua maraviglia! Un altro, quando ebbe guardato un poco attorno le colonne e laggiù il gran mosaico, si lasciò andar ginoc-chioni con gli occhi in su, facendo colle braccia e a mani giunte un arco sopra la testa, verso quelle volte; e l'atto gli parve pre-ghiera.

E s'esce di là che uno si sentirebbe potente a far qualche cosa degna; ma no, quello che per capirci chiamiamo coda del diavolo, gli si ficca tra piedi. Noi, per esempio, appena fuori avemmo una mezza rissa.

Benedini da Mantova, nostro medico, tutta la via aveva bronto-lato che a Monreale ci andava di malavoglia, perché sapeva esservi stato detto di noi, che siamo venuti a mangiarci l'isola, e che bi-sognerebbe sonarci le campane addosso.

E noi a dirgli: — Chétati, son cose da celia ... — non ci sognan-do che cosa gli frullasse. Ma lui? In chiesa s'era stizzito di più; e uscendo, al primo che gli capitò di vedere con aria non di suo genio: — Sei tu che ci vuoi fare i vespri?

Colui che pur non era uno zotico, tra il capire e il no, sembrò viso di voler dir di sì. E Benedini gli menò. Oh che guaio! Se non capitava pronto un prete, addio!

Venendo via, ne dicemmo a Benedini ... ! Ma egli, tranquillo, gli pareva d'aver fatto l'obbligo suo.

*Convento della Trinità, 15.*

Ho visitato il colonnello Carini in una cameretta lassù dell'albergo alla Trinacria. Dove se n'è andata tutta quella floridezza di carni? Tenendomi per la mano mi chiese del Dittatore, della compagnia, degli amici; poi d'improvviso: — C'eravate ai funerali di Tüköry?

— Colonnello sì. — Egli guardò intorno e mi strinse più forte la mano.

Due giovinetti gli stanno in camera senza lasciarlo mai, tutti lui negli occhi brillanti di lagrime, rattenute appena mentre egli m'a-veva chiesto se ero stato ai funerali. Quando egli partì esule nel quarantanove, quei suoi figliuoli dovean essere bambini affatto. Vennero da Messina coll'agonia di abbracciarlo, di trionfare con lui vincitore, e lo trovarono inchiodato da quella maledetta palla bavarese.

Per le stanze va lenta, mesta, una signora che deve aver molto sofferto. E quando s'incontra con gli occhi negli occhi del colonnello, pare che la pigli il singhiozzo, stenta a non farsi scorgere. In verità egli è molto giù della vita. Oh che storie, che lutti, che vedovanze del core!

Venni via afflitto. E per contrasto trovai che correva su quel frullino del figliuolo di Ragusa, sempre nelle nostre gambe vispo, felice. Suo padre, che conduce l'albergo da gran signore, ne' giorni del bombardamento tenne corte bandita per noi, chi avesse voluto passar da lui a ristorarsi. Ma c'era ben altro da fare, e pochi vi possono essere capitati: tuttavia ce ne furono, ed io so d'uno che ci deve aver fatto la figura di Margutte.[1]

Curvetto, piccino, tarchiato, passo da marinaio, capelli bianchi e lunghi, barba fatta, indovinata per parere quella del Generale; Gusmaroli,[2] il vecchio parroco mantovano, può dare un'idea di quel che sarà Garibaldi fra una ventina d'anni.

L'ho ben guardato, è proprio così. Ed egli che sa di somigliargli un poco, ne gode e si riscalduccia in tale compiacenza; egli nei tre giorni si atteggiava. I picciotti che lo vedevano comparire sulle barricate qua e là, gli gridavano: — Evviva Garibaldi! — E sotto gli occhi di lui combattevano e morivano volentieri, credendolo il Dittatore.

*19 giugno.*

Ippolito Nievo va solitario sempre guardando innanzi, lontano, come volesse allargare a occhiate l'orizzonte. Chi lo conosce, viene in mente di cercare collo sguardo dov'ei si fissa, se si cogliesse nell'aria qualche forma, qualche vista di paese della sua fantasia. Di solito s'accompagna a qualcuno delle Guide: Missori, Nullo, Zasio, Tranquillini; ed oggi era con Manci, a cui veggo negli occhi i laghi del Tirolo verde, ov'ei nacque. Quando incontro costoro, vestiti ora d'un uniforme di garbo un po' ungherese, bello, già illustrato nel quarantanove dalla cavalleria di Masina[3] in Roma, io

1. «la figura dello sbafatore». Margutte è il bizzarro personaggio del *Morgante* di Luigi Pulci. 2. Luigi Gusmaroli era nato nel 1811 ed era addetto al quartiere generale di Garibaldi. Morì alla Maddalena nel 1872. 3. Angelo Masina (1815-1849), uno dei più intrepidi combattenti fin dal '31, fu nella difesa di Roma il braccio destro di Garibaldi. Cadde il 3 giugno al casino dei Quattro Venti. Il Carducci nel suo discorso in morte di Garibaldi lo paragonò a Patroclo, l'amico di Achille.

mi sento nascere di dire: «Uno di voi mi vorrete in groppa quando galopperete per i campi nella battaglia?» Vorrei provare a un di quei cuori il mio. E sceglierei Manci, che mi pare un cavaliero non ancora vissuto in nessun poema. Non è l'Eurialo di Virgilio, non quell'altro[1] dell'Ariosto; è un non so che di moderno, nemmeno: è una gentilezza dell'avvenire. Si vorrebbe essere una donna, e amarlo e non amata morire per lui.

Con Manci veggo sovente quel Damiani, che, se fossi scultore, getterei in bronzo, lui e il suo cavallo, alti, piombati sopra un viluppo di teste e di braccia, quale mi rimase impresso a Calatafimi nel momento della bandiera. In Palermo, nel secondo giorno del bombardamento, lo vidi appoggiato a uno stipite d'un gran portone del palazzo Serra di Falco in piazza Pretoria, forse là pronto pel Generale, perché nel portico scalpitava il suo cavallo sellato. — Quella era la faccia di Calatafimi. Mentre che io passai, egli parlava tra sé. E mi parve che guardasse ora il palazzo dov'era il Dittatore, ora il convento di Santa Caterina lì allato, che ardeva dal tetto e vi cadevano le bombe. Forse pensava come avrebbe potuto salvare Garibaldi, se uno di quei mostri fosse piombato pochi passi più oltre . . .

*17 giugno.*

Ci sono andato ogni giorno dalla monacella divina, chiusa in quella tomba della Pietà; ed essa sempre con la sua melodia di voce: — Quando ritornerete? — La vecchia monaca che stava a badarci, ha indovinato da un pezzo che io non sono parente della giovine professa, ma taceva e pareva godesse di noi.

Oggi non le dissi addio, eppure c'era andato apposta. Povera suor * * * ! Dové avermi indovinato negli occhi la partenza, perché mi guardava in modo che io mi sentii nelle braccia la rabbia di agguantar le sbarre dell'inferriata e a squassi schiantarle, per dire a quell'anima: — Vieni via da coteste tenebre e vivi! — Essa avvicinò la faccia alla grata; io baciai, baciammo quel ferro freddo e bevvi l'alito suo.

E me ne venni via fantasticando una camicia rossa e dei veli bianchi, nel polverio di una marcia, al gran sole, e l'ignoto: ed essa intanto è là dentro, dove domani e dopo e poi m'aspetterà . . .

1. *quell'altro*: Medoro.

*Patriotti patriotti*
*vogliam vincere o morir,* . . .
*foco sopra foco* . . .

e canti e suoni e febbre, ricchi e poveri, tutti in processione a Castellamare, per buttar giù le muraglie chi con pali di ferro ciclo-
pici, e chi con un martellino a polverizzare un pezzetto di calci-
naccio, come le signore della più fina nobiltà. Durammo giorni e
notti; ora il castello è là smantellato. Giace come un gigante di
poema eroicomico, lasciato supino, squarciato nel ventre, ai cani
che passano. Fiutano, fanno l'attaccio e via . . .

Ma quel Giusti astigiano che capo ameno! È venuto dentro che
si dormiva su questo caldo del mezzodì, e, con quella sua faccia
di mascherone, si piantò nella sala in mezzo ai quaranta letti, gridando: — Figliuoli!

Tutti su come alla voce del colonnello.

— Ho notizie dal Piemonte. Vittorio Emanuele ha fondato l'Ordine dello sbarco, e ci ha creati tutti cavalieri!

Uno scoppio di risa.

E lui: — Zitti! Ad ognuno di noi sarà dato uno dei feudi che
trovammo nelle nostre marce . . . Io non dico di accettare il mio,
ma l'idea reale non mi dispiace. Addio.

E investito da un uragano d'urli, fuggì buttando i passi come i
giullari, e sghignazzando ancora che era già nella piazza.

Giusti è arguto, e gioco che ha voluto mordere qualcuno di noi.

*Palermo, 17 giugno.*

Non gli ho visti, ma so che da giorni sono venuti dalla Favignana
sei o sette di quei di Pisacane, scampati all'eccidio di Sapri. Dunque erano in quelle Egadi, che pareano scoppiate su dal mare im-
provvise a festeggiarci? Erano nelle prigioni sottomarine. Che fremito, se, per uno di quei sensi misteriosi, che talora si rivelano in
noi come guizzi d'una vita di natura diversa dall'umana, avranno
indovinato che là fuori, sull'onda che rumoreggiava spruzzando
le loro inferriate, passava Garibaldi e la libertà!

O precursori nostri, quante lacrime, quanto fantasticare dopo il
vostro infortunio, dopo Sapri, più bello, più glorioso della nostra
Marsala! Tre anni! pareva un secolo; e di lassù dalle Alpi era un
volo dell'anima sitibonda verso queste terre delle Due Sicilie, che

sin col nome invogliavano e coi mari e coi cieli e coll'istoria loro
e con quel canto della *Spigolatrice* messa dal poeta sull'orme
vostre, a veder gli occhi azzurri e le chiome d'oro[1] di Pisacane!
Dopo i Bandiera, Corradino, Manfredi,[2] biondi tutti e belli e di
gentile aspetto, lui. Ed ora ecco qua Garibaldi, bello e biondo
anch'esso, ma fortunato lui solo.

Fortunato e amato da queste donzelle brune, che ignorano la
vita di fuor dell'isola e il mondo che egli è venuto a rivelare. Ed
io ne intesi che l'adoravano in crocchio, parlando sottovoce di lui
visto a cavallo per la città. Adoravano guatandosi tra loro ardenti
negli occhi, che avevan dei lampi come quelli di santa Teresa.

Mi dice Antonio Semenza, che tra le carte del Palazzo Reale fu
trovato l'ordine dato da Napoli alla flotta, se ci avesse incontrati.
«Colarli a fondo salvando le apparenze.» Sarà vero? Infatti saremmo stati troppi alle forche e agli ergastoli; ma che nella marineria napoletana ci sarebbe stato un cuore da obbedire e annientarci?

*18 giugno.*

E colui dalla faccia tagliente, d'occhi e d'atti che pare il falco
reale; grigio, castagno, grinzoso, fresco, che ha tutte le età, chi è,
quanti anni porta in quelle sue ossa d'atleta, in quelle sue carni
segaligne? L'ho sempre veduto da Marsala in qua e osservato con
certa reverenza. E ho immaginato che debba essere qualcosa come
zio o fratello maggiore di Nullo. Ma oggi ne chiesi. E noto perché
mi sia d'insegnamento, che Alessandro Fasola da Novara ha sessant'anni fatti; che dal 1821 ne ha spesi quaranta a lavorare, a
sperare, a combattere; che sempre da Santorre Santarosa a Garibaldi fu visto comparire alla chiamata, giovane, ardente e sicuro.[3]

1. «Con gli occhi azzurri e coi capelli d'oro — un giovin camminava
innanzi a loro», così fu raffigurato Carlo Pisacane dal poeta Luigi Mer-
cantini (1821-1872), nella sua allora popolarissima *Spigolatrice di Sapri*.
2. Pisacane e i Bandiera richiamano alla memoria dello scrittore le figure di Corradino e di Manfredi, anch'essi morti per il regno meridionale.
Manfredi era particolarmente noto per l'episodio dantesco al quale le parole dell'Abba esplicitamente si riferiscono; ma la loro memoria era stata
peraltro ravvivata dalla letteratura contemporanea: Corradino dal *Monte
Circello* dell'Aleardi, e Manfredi dalla *Battaglia di Benevento* del Guerrazzi. 3. «Alessandro Fasola era nato nel 1799 e morì il 22 aprile del 1881.
Uno dei giorni che precedettero la spedizione di Garibaldi capitò in una
stazione del Novarese, dov'era sindaco di non so qual borgo. Vide da una

Anche i carabinieri genovesi come sono usciti belli nelle loro divise! Un farsetto e un berretto d'un azzurro delicato che rialza la espressione di quelle facce signorili, non so se sciupate o abbellite dal bronzeo che dan questi soli penetranti nel sangue.

Tutti vorrebbero farsi carabinieri, ma non tutti si è genovesi. Si capisce. V'è una certa aristocrazia del valore, e quelli là che se la sentono nel cuore, e degnamente, vorrebbero star soli. E non ho inteso un della mia compagnia, e non dei migliori, dire che il Dittatore dovrebbe tenerci tutti senza che altri potesse mescolarsi con noi di Marsala; e mandarci sempre avanti, avanti, avanti, finché uno ne fosse vivo?

*18 giugno.*

Partire non condotti dal Dittatore! Eppure egli ha sulle braccia la rivoluzione, la guerra, tutto, anche gli arruffapopoli, e deve star qui. Con lui lavora Francesco Crispi, un ometto che quando lo veggo mi fa pensare a Pier delle Vigne potente.[1] Ma lontani da Garibaldi saremo ancora con lui. — Andate di buon animo, — ci disse — andate, figliuoli, che vi ho dato Türr. Se avrò bisogno di voi, egli vi condurrà volando a me. — Eppoi, messosi a parlare genovese con alcuni di noi liguri, parve pigliasse un piacere fanciullesco in quel dialetto che parlano Bixio e i carabinieri.

*21 giugno.*

Medici[2] è arrivato con un reggimento fatto e vestito. Entrò da Porta Nuova sotto una pioggia di fiori. Quaranta ufficiali, coll'uniforme dell'esercito piemontese, formavano la vanguardia.

vettura del treno che arrivava affacciarsi Nullo, già suo compagno nelle Guide del 1859, e seppe da lui che tornava da far gente pel Generale, pronto in Genova a partire per la Sicilia. "Ah sì?" disse Fasola a Nullo; e piantato legno e cavallo che aveva lì fuori, tal quale si trovava, con una grossa somma riscossa poco prima, montò con Nullo, egli sessagenario, ma d'impeto e giovane quanto i più giovani di quei tempi» (Abba). 1. Francesco Crispi (1819-1901) era prezioso consigliere e ministro di Garibaldi, come Pier della Vigna dell'imperatore Federico II. 2. Giacomo Medici (1817-1882) era fin dagli anni di Montevideo il più caro confidente di Garibaldi, e durante l'assedio di Roma aveva dato prova di un eroismo leggendario difendendo il Vascello. Nel '60 non era partito coi Mille, ma condusse a Garibaldi la seconda spedizione di volontari, e non inferiori alle giornate del '49 furono le prove da lui date a Milazzo, a Messina e al Volturno. Partecipò alla guerra del '66 come generale comandante di divisione dell'esercito regolare. Poi fu deputato, senatore, ed ebbe il titolo di marchese del Vascello.

La mia brigata è partita per l'interno dell'isola, condotta da Türr. Noi della spedizione dispersi nell'onda dei sopravvenienti, porteremo con noi le memorie dei venticinque giorni vissuti come nella solitudine, faticando, combattendo e credendo. E tireremo innanzi visitando l'isola, facendo gente e pellegrinando, finché ci arresti il nemico e si torni al sangue, o si finisca fondendoci tutti nelle sorti e nell'onore d'Italia.

*Da Palermo a Missilmeri, 22 giugno.*

Due cavalli bianchi e baliosi che starebbero bene tra le gambe di due dragoni, ci portano via, tirando questa carrozza da prìncipi. Romeo Turola sonnecchia, io noto.

Ho riveduto Porta Sant'Antonino, il convento e quella muraglia che all'alba del 27 maggio, quando venimmo, balenava e tuonava come una nuvola tempestosa. I due grandi pioppi, a piè dei quali quel mattino vidi il primo napoletano morto, tremolavano sino all'ultima foglia con un sussurro allegro quasi consapevole. Passandovi sotto, pensai raccapricciando a quel morto, a quella povera montanara della Calabria o dell'Abruzzo che si farà sulla soglia della capanna, con una paura confusa della guerra che c'è pel mondo, dove forse crede ancora di avere il suo figliuolo soldato. E pensai anche ai prìncipi di Casa Borbone, che sino ad ora non se n'è visto uno a cavar la spada.

Mi volgo indietro. Palermo è laggiù, laggiù come la vedevamo da Gibilrossa, dal Parco, dal Passo di Renna, ma ora libera nella sua gloria fra le sue rovine, di giorno e di notte tutta un festino. Partendo, ho inteso che già sono arrivati certi armeggioni a guastare. Ve ne erano forse fino dai primi giorni della capitolazione. Quella sera che ci raccolsero in fretta e in furia, e ci tennero sotto l'armi delle ore, in via Maqueda, che cosa era stato? Mi disse Rovighi che si parlava d'una alzata di La Masa, per togliere a Garibaldi la Dittatura e assumerla lui gridato dal popolo. Era una calunnia: ma il fine?

*Missilmeri, 22 giugno.*

Questo popolo che ci ha fatta la luminara la notte del 25 maggio, quando eravamo pochi e con poche speranze, adesso non ci riconosce più. Ma che cosa abbiamo fatto? Non lo dicono e non si può indovinarlo. Parlano, sorridono, sono gai; discorrono con noi, ma a gesti impercettibili se la intendono tra loro. Che abbiano dentro parecchie anime?

Fra Pantaleo ha messo il dito sulla piaga, lui! Questa gente ci si è fatta nemica per la coscrizione decretata dal Dittatore. Ed egli in chiesa: — Che volete? La coscrizione è necessaria, ma è cosa presto scansata. Padri, madri, avete figli? Mandateli volontari per la nazione, e non saranno coscritti. Eppoi, non si vuol mica levar ai vecchi il sostegno, alle spose i mariti. C'è un'altra furberia. Fatevi Guardie nazionali, e allora coscrizione addio. — E giù, il frate mago, un crocione trinciato largo quanto la chiesa; e il popolo a benedirlo persuaso.

Ora si va pigliando davvero un bel fare da soldati. Il gruppo d'ufficiali che ho visto in piazza sarebbero l'onore del primo esercito del mondo. Tutti nel bello dai venti ai trent'anni, persone salde, facce che vi si legge il coraggio semplice e franco; medici, ingegneri, avvocati, artisti. Ma se fossero tutti come Daniele Piccinini![1] Che addio deve essere stato quando si partì dal padre suo! Immagino il vecchio austero sulla porta della sua Pradalunga, intento a guardare il figlio che gli ha dato le spalle, e se ne viene giù verso Bergamo, con passo da Clefta.[2] Non l'hanno guasto né l'ozio né i vizii costui: la storia della sua giovinezza l'ha in fronte; forse più che cacce e corse su in alpe non ebbe altri spassi. A Calatafimi fu visto coprire il Generale mettendoglisi dinanzi, perché, come indossava camicia rossa, era fatto segno alle schioppettate. E in uno dei momenti che la battaglia parea volgere a male, egli tenne alto l'animo dei suoi vicini, gridando parole potenti come d'arcangelo.

*Missilmeri, 23 giugno.*

Il generale Türr gli si è riaperta la ferita, e ha dato sangue dalla bocca. Da quando entrammo in Palermo, quest'uomo ha fatto

1. Daniele Piccinini (1830-1889), di Pradalunga in Valseriana (Bergamo), a Calatafimi in un momento di pericolo coprì il Generale; ad Aspromonte, fatto prigioniero, spezzò la spada per non consegnarla intera; e poiché aveva giurato di non portar spada mai più, nel '66 fece la guerra da semplice milite.    2. Erano detti *clefti* («briganti») i montanari greci, che guidati da Marco Botzaris insorsero contro i Turchi (1821-1828).

tanto che si è ridotto un'ombra. La brigata è afflitta, perché si teme che egli debba lasciarci. Lo vidi un istante, smunto, pesto negli occhi, le labbra pallide, il petto che pare schiacciato. Ma che sia davvero quel sottotenente degli ungheresi passati nel mio villaggio l'anno quarantanove, dopo la battaglia di Novara? Li ricordo come li vedessi ora. Erano forse cento bei giovani, che portavano una gran bandiera tricolore; le loro persone alte s'avanzavano mezzo nascoste nel polverìo della strada al sole di marzo, e quando imboccarono il ponte gridarono: — Elien! Elien! —[1] alla gente corsa ad incontrarli. Quel sottotenente in mezzo a quei soldati mi pareva tanto allegro, e tuttavia mi si stringeva il cuore sentendo dir da mio padre: — Sono ungheresi, gente che l'Austria fa patire!

*Villafrati, 24 giugno.*

Passavano baldi su certi stalloni neri, carboni accesi gli occhi, le criniere che davano sui petti. Tenevano alte le teste guardandoci appena, avevano gli schioppi a tracolla, pistole e pugnali a cintola, nastri essi ai cappelli e all'arnese delle cavalcature. Il capo che camminava innanzi non mi tornava nuovo. I villafratesi che discorrevano con noi li guardavano incerti tra il salutarli e non badarli; ma mi accorsi che qualcuno ammiccò, qualche altro scambiò con essi quei certi cenni, raggrinzamenti della fronte, d'una guancia, del mento, diavolerie che a costoro bastano per un discorso.

— Chi sono quei sette? — chiesi ad un signore.

— Patriotti, signorino, non avete visto? Hanno i tre colori.

Un altro lo guardò bieco: un lampo.

Intanto quei sette giunti in capo al borgo misero i cavalli a trotto serrato.

Ma dal quartiere del Generale uscì fuori un tenente spronando dietro di loro, e presto lo vedemmo tornare con quei sette disinvolti, beffardi, accigliati. Il tenente gli aveva presi colla pistola alle tempie del capoccia, pronto se non avessero obbedito ...

Ci affollammo in quella casa dov'era già un gran brusìo, e potemmo udire la voce del generale Türr corrucciato pronunciare il nome di Santo Mele.

— Santo Mele? — dissi io — ma costui è quel birbante che ave-

1. *Éljen*: «Viva».

vamo prigioniero al Passo di Renna, e che gli riuscì fuggire. Berrebbe il sangue, ladro, assassino!

A quest'antifona il signore che aveva detto bene di quei sette sparì senza neanche dirmi: Bacio la mano.

Udimmo bisbigliare: — Consiglio di guerra subitaneo —; e comparve il maggiore Spangaro, un uomo d'età seria, già brizzolato capelli e barba, ufficiale nella difesa di Venezia. Presiederà il consiglio.

*Villafrati, 26 giugno.*

Ho visto partire in gran fretta il battaglione Bassini. A Prizzi, che deve essere un villaggio poco lontano, vi è gente che si è messa a far sangue e roba, come se non vi fosse più nessuno a comandare. Il padre Carmelo sapeva quel che diceva quando ci parlammo al Parco. Quaggiù vi sono beni grandi, ma goduti da pochi e male. Pane, pane! Non ho mai sentito mendicarlo con un linguaggio come questo della poveraglia di qui.

Bassini si è messo in marcia, ma non dell'umore suo di quando odora il pericolo. Questo brontolone gaio, senza gingilli, di corteccia grossa, ha un cuore che parla dalla faccia burbera e bonaria. Agita la testa rasa, grigia, nocchiosa come una mazza d'armi da picchiare sul nemico. Avrà forse un mezzo secolo ormai, eppure è più giovane di noi, e a Calatafimi tenne la sua compagnia come a una festa. I suoi ufficiali, tutti signori di Lombardia, gli stanno sotto come a un padre. Se in Prizzi gli occorrerà di dover parlare di legge, ha nel battaglione i dottori a dozzine; se vorrà fare un'arringa, i letterati gli stanno attorno; ma egli breve e tagliente, parlerà colla spada. Chi laggiù ha le mani lorde badi ai fatti suoi.

*Villafrati, 26 giugno.*

E non ci è stato verso di trovar uno che abbia voluto dire la verità! Il testimonio che abbia detto più male di Santo Mele, dinanzi al consiglio di guerra, fu Santo Mele.

— Io brigante? Eccellenza! Ho combattuto contro i borbonici, ho dato fuoco alle case dei realisti, ho ammazzato birri e spie, dai primi d'aprile servo la rivoluzione: ecco le mie carte!

E ne buttò là un fascio, bollate dai Municipi dov'è passato, tutte che ne dicono gloria come fosse Garibaldi. Ma il consiglio non lo

mandò libero. Costui puzza troppo di sangue, e a Palermo, dove
sarà condotto, qualcuno gli farà empire il cranio di piombo.[1]

*Villafrati, 27 giugno.*

È arrivato il colonnello Eber,[2] d'aria tra soldato e poeta. Si sa che
è ungherese, e che il 26 maggio, venuto da Palermo a Gibilrossa
per veder Garibaldi, volle essere dei nostri a tornar a Palermo,
quel bello e terribile mattino del 27. — Viaggiatore di gran lena,
egli ha corso l'Asia per ogni verso, scrivendo pel «Times». Ora eccolo nostro comandante, perché Türr se ne va malato rifinito.

*Rocca Palomba, 28 giugno.*

Che veglia deliziosa a piè del Maniero di Morgana! Stanchi della
camminata d'otto ore, i soldati dormivano, pei campi, in un silenzio che mi parea d'esser solo.

Queste campagne come hanno fatto a diventar deserte?

Si va delle ore senza vedere una casa. Contadini? Non ve ne
sono. I coltivatori stanno nei villaggi, grandi come da noi le città;
vi stanno in certe tane gli uni sugli altri, con l'asino e le altre bestie
men degne. Che tanfo e che colpe! All'alba movono pei campi
lontani, vi arrivano, si mettono all'opera che quasi è l'ora di tornare; povera gente, che vita!

Rocca Palomba è come tutti gli altri borghi, ma a vederla da
lungi adagiata su questo fianco del monte, mezzo nascosta nei
boschi di mandorli, con quella strada che si curva dolce per farvi
arrivare la gente senza fatica, promette di più. Trovammo gli abitanti in festa. Avevano mandato ad incontrarci un nugolo di cavalieri, che vennero innanzi drappellando bandiere, levando grida,
salute fratelli! Parevano gente del medioevo rimasta viva proprio
per aspettarci. Quei signori ci fecero gli onori del paese, con modi
non da persone accostumate a vivere così solitarie. Ma certe gentilezze s'hanno nel sangue. Però sempre quella storia! Se un borgo
ci accoglie bene, quello che viene dopo ci tiene il broncio, poi

1. Infatti il Consiglio di guerra di Palermo lo fece fucilare.   2. Ferdinando Éber (1825-1885), di Budapest, era stato compagno del Türr nelle
guerre d'Ungheria. Capitato a Palermo come corrispondente del «Times»,
si incorporò nei garibaldini, distinguendosi nella battaglia del Volturno.
Nel '67 tornò in Ungheria, dove svolse varia attività nella politica e negli
affari.

l'altro appresso torna a farci festa. Qui c'erano i preti e il Municipio alle porte; la banda suonava l'inno; sulle alture ardevano fuochi di gioia, i signori si contendevano gli ufficiali; i soldati ebbero pane, cacio, vino, carezze, il paese in capo, se l'avessero voluto.

Io poi càpito sempre in casa di preti. Questo ch'è qui mi ha voluto far toccare il vangelo. Ma io, aperto il volume, lessi due versetti e glieli voltai tradotti lì lì. Allora il prete mi si buttò al collo, e fece correre tutta la famiglia a conoscere il gran cristiano che aveva in casa. Desinai con loro. Vi erano delle donne, delle fanciulle, dei bambini, dei vecchi e dei giovani, una tribù. Pareva il dì del Natale. Mi lasciarono venir in camera a malincuore; in questa camera allegra dove è un letto che pare di gigli. E tu coi tuoi peccati, oseresti andare fra quelle lenzuola?

Bassini ci ha raggiunti, mortificato lui, gli ufficiali e i soldati. Furono accolti a Prizzi come prìncipi. Luminare, cene, balli e le belle donne che gridavano ancora da lungi — benedetti! beddi!

*Alia, 29 giugno.*

Da Rocca Palomba ad Alia una marcia breve, attraverso una ricchezza che va dal piano sino in cima ai colli, dorati ancora da messi che si curvavano, quasi a riverire la nostra rosseggiante colonna.

*30 giugno, 4 ore antim.*

Si parte. Ah! questa volta la marcia sarà lunga, e pare che il cielo si vorrà fare di fuoco. I soldati vanno e vengono per le vie sudicie, cittadini se ne veggono pochi, scamiciati, indifferenti, alle finestre. Passano due preti salutando; se ne andranno in chiesa. Ecco la tromba. Chi l'avrà trovata questa bella diana dei bersaglieri piemontesi? Certo un musico d'animo allegro e ardito: c'è un pensiero così sano! Forse è del colonnello Lamarmora. Scuote di dosso il sonno e la pigrizia, fa correre pei nervi un gran bisogno di fare. La intesero gli austriaci tante volte, la intesero i russi in Crimea, noi l'abbiamo portata qui nell'isola vecchia di Vittorio Amedeo, dove già i monelli la cantano come cosa loro.

*Valle lunga, 30 giugno pom.*

Ci hanno raggiunti parecchi amici da Palermo, e dicono che vi arriva gente da' porti di Liguria e di Toscana ogni giorno. Vi furono quasi dei guai per certa fretta messa ai palermitani di darsi al Piemonte; ma il Dittatore tiene a segno tutti.

Scrivo in una cameretta dove mi par d'essere un grillo in gabbia. Ma se mi affaccio, veggo tutta la via grande, e un'allegria di soldati rossi, e gli ufficiali che fumano e bevono seduti innanzi al casino di compagnia. Come si fa presto a pigliar l'aria di questi signori, che forse stanno lì tutto l'anno a tirar giù dal cielo il tempo e la noia, a ridere e a giuocare! E mentre che la terra frutta, essi fanno idilii e tragedie per donne. Ho intese di bellissime storie verseggiate dal popolo che qui è tutto poeti; storie d'amore e di sangue versato per gelosie tremende.

*Santa Caterina, 1º luglio.*

Eber sa condurre una colonna senza affaticarla. Divide la marcia in due, nelle ore di sera si va, si accampa dopo un bel tratto, si riprende la via prima dell'alba e si arriva dove si deve nel bello della mattinata, quando il sole non s'è ancora avventato. Così la notte scorsa ci riposammo nei campi della Cascina Postale, con un tempo dolce, con un sereno che mi parea di vedere mille volte più lunghi nelle profondità del cielo.

Stamane mentre il sole spuntava camminavamo già da un par d'ore. Le compagnie cantavano canzoni popolari lombarde e toscane; i siciliani gareggiavano con un loro canto d'aria che cercava il core.

*La palombella bianca*
*si mangia la racina.*

Ma a tratti quella melodia scoppiava in versi di odio al Borbone, di spregio alla regina Sofia, donna.

Alla testa della colonna i genovesi cantavano l'inno alato di Mameli. A un tratto ruppero il canto, e lo cessavano tutti man mano che arrivavano a un certo punto della via. Quando v'arrivai anch'io capii. Da quell'apparita si vedeva laggiù, laggiù, nero sterminato, crescente all'occhio e alla fantasia, l'Etna, che coll'ombra sua si protendeva su mezza l'isola e sul mare.

Nella piazza di Santa Caterina sorgono due tende, e sopra la più bella pende la bandiera di Francia. Passando ho veduta là dentro una donna, una fanciulla, non so, una bellissima con gli occhi scintillanti. Vicino ad essa giaceva su di un tappeto vivo vivo di colori, Alessandro Dumas.[1] Il sangue mi fece un cavallone. Viver così, così nel deserto, con la monacella di Palermo, guardando dall'apertura d'una tenda i larghi, i profondi orizzonti, le palme, la fila dei camelli che passa laggiù laggiù; e sorridere sempre in due per i silenzi sterminati!

Dunque sotto quella capigliatura da creolo[2] hanno vissuto la loro avventura i Tre Moschettieri? Mi hanno raccontato che Dumas ha nel porto di Palermo una goletta chiamata l'*Emma*, dal nome della giovine donna che ho veduta. Egli è venuto in Sicilia a pigliarsi la vendetta della prigionia fatta patir dai Borboni vecchi al padre suo, generale di Francia portato dalla tempesta sulle coste di Puglia, mentre tornava ammalato dalla spedizione d'Egitto. Dicono che sia grande amico del Dittatore e del colonnello Eber, col quale si saranno conosciuti in Asia. — Custodisce la donna sua gelosissimo; non ha che un servo vestito da marinaio: quest'oggi desinerà cogli ufficiali; e sarà bello sentirlo. Ha visto e immaginato mondi di cose!

Il povero maggiore Bassini l'hanno pigliato pel giustiziere. Egli dovrà partire di nuovo per un villaggio chiamato Resotano, dove alcuni tristi fanno tremare la gente.

In gran segreto ho saputo che stanotte moveremo alla volta di Caltanisetta, dove potremmo essere accolti a schioppettate.

Alessandro Dumas ha fatto levare le tende e se ne torna a Palermo. Si dice che egli se ne va per aver avuto non so che urto con alcuni dei nostri, che gli troncarono un discorso poco reverente al nome italiano.

*Caltanisetta, 2 luglio.*

Si calunniano tra loro borghi e città come godessero gli uni del mal degli altri. A sentire, qui dovevano essere schioppettate. Invece trovammo tutto un parato di bandiere e di verde. Ci toccò passare sotto un arco trionfale noi, le autorità, la Guardia nazionale venuta ad incontrarci. I giovinetti volevano ad ogni costo lo

1. Alessandro Dumas padre (1803-1870) pubblicò l'anno appresso un volume sulla spedizione, *Les garibaldiens*, e fu più tardi il primo editore dei *Mémoires de Garibaldi*. 2. *capigliatura da creolo*: folta e crespa.

schioppo dai nostri soldati, tanto per alleggerirli l'ultimo tratto: ma i soldati rifiutavano la cortesia. Forse qualcuno si ricordò di quando eravamo pei campi nei primi giorni dopo lo sbarco, che si dormiva collo schioppo tra le braccia e le gambe incrociate, e alcuni se lo legavano al corpo, dalla paura di svegliarsi disarmati. Sicuro! Allora v'erano dei contadini che per avere un'arma si arrischiavano nei bivacchi a rubarla.

*3 luglio.*

Che quella festosa accoglienza di ieri fosse una lustra? Oggi la città è silenziosa; pare che noi non ci siamo più; la gente attende alle cose sue come dicesse: Ho fatto il dover mio e basta.

Quei di Bassini sono tornati, rotti dalla marcia di quattro giorni, per vie da lasciarvi le polpe. Narrano che capitati a Resotano intorno alla mezzanotte, vi trovarono il popolo in armi risoluto a non lasciarli entrare. Bassini, uomo da dar dentro a baionetta calata, procedé cogli accorgimenti, e poté mettere le mani addosso a undici scellerati, rei di mille prepotenze e di sangue. Uno riuscì a fuggire, ma un siciliano come un demonio, lo cacciò, lo arrivò e l'uccise.

*5 luglio.*

Fatti i conti, dei siciliani che ci seguirono da Palermo in qua, un mezzo centinaio se ne sono già andati, alcuni portando via anche le armi. Sono contadini che si accendono come paglia e presto si stancano. Il consiglio di guerra li condanna a morte; si appiccano le sentenze come lenzuola alle cantonate, ma si lascia che i condannati se ne vadano alla loro ventura, purché lontano. I buoni sono quelli delle città e i palermitani, giovani colti, amorosi, pieni di rispetto. Malveduti sono alcuni ufficiali che paiono chierici. Quando le compagnie vanno agli esercizi, le accompagnano portando le spade come torcetti, poi si tirano in disparte e par loro d'essere sciupati nel dover assistere a quelle bassezze dell'imparare come si maneggia un'arma, come si muova ordinati. Se fossero stati l'anno scorso in Piemonte! Giovani dei migliori di tutta Italia si lasciavano strapazzare da quei caporaloni grigi che parlavano di Goito, di Novara, della Crimea, e insegnando lanciavano insolenze peggio delle guanciate. Pur d'imparare, sopportavano tutto quei giovani. Ricordo d'un conte veneto che caricava su d'una carretta lo strame della scuderia. Passò il caporal Ragni con la gamella in mano.

— Bestie tutte come voi nel vostro paese? Chi v'ha insegnato a maneggiare il bidente?

Il conte rispose sorridendo non so che, in italiano.

— Ah! siete un volontario? Allora che cosa è questa?

— Una gamella.

— La patria! — urlò beffardo il caporale, battendo le nocche su quell'arnese di latta. Il conte sorrise ancora. E il caporale:

— Stasera farete il sacco, e passerete a ridere in prigione.

— Sissignore.

*Caltanisetta, 7 luglio.*

Feste da fate. I viali del giardino parevano di fuoco; il verde degli alberi e delle spalliere luccicava di splendori metallici; le donne di Caltanisetta coi mariti, coi fratelli, con noi, parevano una famiglia innumerevole che si rallegrasse là dentro di qualche lieta avventura. Rinfreschi, vini e dolciumi, tanto da satollare per una settimana tutti i poveri della città; si ballò, si conversò, si dissero cose di libertà e d'amore; già! fra noi vi sono dei lombardi che sembrano semidei.

*Castrogiovanni, 10 luglio.*

Ma perché ci hanno fatti camminare traverso i monti, per sentieri che è miracolo se nessuno vi lasciò la vita? Vero è che abbiamo veduta la pingue campagna, una coppa d'oro. Quei bovi che pascolavano per le praterie, fiutavano nell'aria il nostro passaggio, e la fila interminabile di rosso dava loro negli occhi spaventati. Un toro inseguì due dei nostri sbrancati e vaganti forse in cerca d'acqua. Li vedemmo correre su per un'erta, colla formidabile testa del furioso animale due passi dalle reni. Un d'essi poté arrampicarsi a un albero, l'altro tirava sempre a correre su d'una ripa dove il toro lo avrebbe arrivato. Senonché un boaro, galoppando curvo che la sua testa era tutta nella criniera del cavallo, giunse coll'asta calata e vibrò nel fianco alla bestia come un lanciere. Il toro fuggì muggendo, lanciando zolle, flagellando l'aria colla coda rabbiosamente.

Io pensava che quando eravamo a Gibilrossa, ora un mese e mezzo, furono messi i partiti d'assaltare Palermo o di ritirarsi qui su quest'amba, per ordinarvi la rivoluzione, farsi forti e ripigliare la guerra. Quasi tutti i capitani propendevano per questo, ma Garibaldi no. Volle Palermo. Forse indovinava che ritirati quassù avremmo avuto tempo a languire un po' ogni giorno, finché la rivoluzione si sarebbe spenta, e noi con essa.

Mentre aspettavamo nella via, per menare le compagnie nei quartieri, le gelosie del monastero di faccia volavano all'aria rotte. Dalle inferriate le monacelle battevano le mani gridando: e il nome di Garibaldi, che da Marsala intesi storpiato in mille guise, esse lo mutavano in quel di Sinibaldo, che fu il padre di santa Rosalìa, vissuta nel romitaggio su monte Pellegrino. Chi sa che nelle fantasie di quelle ingenue che parevano i gruppi d'angeli messi dai nostri pittori tra le nuvole d'oro a portare Maria Vergine in cielo, chi sa che Garibaldi non sia creduto il re, padre della Santa, resuscitato? Tutto può passare per vero in quest'isola di fantasiosi. A Palermo una signora mi domandava, ma di fede, se avessi mai visto l'angelo che coll'ali para le schioppettate a Garibaldi. Risposi: — non lo vidi. — Volevo rispondere: lo veggo, lo bacierei in questo momento. Ma fu galanteria che non mi poté venir detta, perché in quella domanda c'era tanta devozione, quella signora era tant'alta d'animo!

Le vecchie suore facevano le viste di voler tirar via dalle finestre le giovinette bianche, ma si deliziavano anch'esse a guardarci là sotto, baldi, polverosi e belli.

Scrivo a piè d'un castello che un tempo dominava la città. Ora è carcere dove fu chiuso un sergente della compagnia di Agesilao Milano, che n'uscì cavato dalla rivoluzione, ma canuto, curvo, spento, senza la forza nemmeno di potersi rallegrare del suo paese. Così mi hanno narrato ed io noto. E noto che veggo il lago Pergusa a un cinque miglia da qui. Pare un pezzo di cielo caduto in mezzo a praterie fiorite: *Circa lacus lucique sunt plurimi et laetissimi flores omni tempore anni*: dice Cicerone parlando d'Enna, l'antica città ch'oggi è Castrogiovanni. Lo lessi, saran sei anni, nelle Verrine.[1] Chi m'avrebbe detto allora: Vedrai quei luoghi?

1. Nel *De signis*, cap. 48.

In faccia a Castrogiovanni, Calascibetta sicura, cupa, sul monte che par tutto basalti, rotto d'anfratti, fulminato.

Nella valle il fondaco della Misericordia, lugubre nome che fa luccicare lame di pugnali agitate nella notte da masnadieri.

Veggo laggiù la nostra artiglieria, i carri, le sentinelle e un brusìo di soldati rossi. Non vi deve essere un alito. Quassù invece una brezzolina che sfiora la guancia, soave come sarebbe un soffio di quelle monachelle di stamane.

Notizie di Bixio. Conduce la sua brigata per l'isola sulla nostra destra. Ha riveduto il Parco, la Piana dei Greci, Corleone; prosegue alla volta di Girgenti. Là i compagni nostri vedranno le ruine dei templi che piacquero a Byron, nella squallida landa sotto cui dorme un gran popolo. Il mandriano guarda indifferente quelle file di colonne silenziose, e il navigante si inchina ad esse da lontano.

*Leonforte, 11 luglio.*

Il capitano Faustino Tanara solo, ritto su d'un poggiolo, guardava co' suoi piccoli occhi l'orizzonte largo; pareva un aquilotto che stesse cercando una direzione per provarsi a volare. Sulla sua faccia ride l'anima franca e ardita, ma non v'è mai allegrezza piena. Eppure la certezza d'essere amato da tutti dovrebbe fargli gettare sprazzi di luce dal core. Che dolce natura! Il più meschino soldato gli è carissimo, persin Mangiaracina, un siciliano di non so che borgo dell'Etna, testone che pare un maglio in una parrucca fatta di pelle d'orso, e ha gli occhi sotto certe grotte, da dove guardano come due malandrini appostati. Un dì vidi Tanara in collera, stanco di Mangiaracina che butta le gambe come un ippopotamo e fa rompere il passo alla compagnia. Gli prese l'orecchio e pizzicando gli disse: — Ma tu perché ci sei venuto con noi; e l'Italia che se ne deve fare della carnaccia tua? — Mangiaracina gli si empirono gli occhi di lagrime, e guardando il suo capitano come fosse stata la Madonna, umile e dolce rispose: — Cabedano, ci aggio 'no core anch'io. — Tanara gli strinse la mano.

Egli ha trent'anni. In battaglia si trasforma. La sua persona nervosa guizza, scatta, squarcia come saetta nelle nubi. Allora tutti lo ammirano; si teme di vederlo l'ultima volta: dopo si rincantuccia malinconico; non gli si può cavare una parola.

*San Filippo d'Argiro, 12 luglio.*

Partimmo da Leonforte col fresco delle due dopo la mezzanotte e camminammo lenti sino alla levata del sole. Allora ognuno diede una scossa come fanno gli uccelli, e volò coll'anima per gli orizzonti dell'isola. Le solite vedute. Boschi di mandorli come da noi i castagneti; terreni che dovrebbero gettar oro; qua e là gruppi di contadini che ci guardavano accidiosi e pensando chi sa che cosa di noi.

San Filippo è una cittadetta gaia, e ci si dice che di qua al mare sia la più bella parte dell'isola. Arrivammo che una processione rientrava in chiesa da non so che giro fatto per chieder pioggia. Ne vedemmo la coda passar lenta lenta cantando, una coda quasi tutta di preti che sfilavano sotto gli occhi nostri, in cotta e stola, troppi davvero. Come fanno a nutrirli questi poveri siciliani?

Corre voce che una colonna di regi usciti da Siracusa ci attendono verso Catania. Dev'essere vero perché si partirà fra poche ore. Una battaglia là dove pugnarono gli ateniesi di Nicia; o a' piedi dell'Etna dove si svolsero tanti drammi delle guerre servili? E Garibaldi non è con noi! Ma se nel forte del combattere arrivasse da Girgenti Bixio, come un uragano?

*Regalbuto, 13 luglio.*

Una trentina di monaci agostiniani, lisci nelle loro tonache nere, qualcuno bisunto, al vedere lieti d'averci a mensa, ci hanno fatto gli onori del convento, appartato, cheto come l'olio, luogo da impinguarvisi, come piante in un orto che beva tutta la grassura del borgo.

Il dottor Zen, che oggi non aveva il capo a ridere, seduto nel pulpito in fondo al refettorio, faceva le letture delle vite dei Santi Padri, tutte malinconie, macerazioni, digiuni. Mentre che noi mangiavamo, chiacchierando sottovoce coi frati, il priore teneva d'occhio i novizi che non si lasciassero tirare dalle nostre tentazioni, temendo forse di svegliarsi domattina coll'orto ingombro di tonache gettate alle ortiche. Ma cortese sino all'ultimo, ci diede certo vino che pareva di quando fu re in Sicilia Vittorio Amedeo. A poco a poco l'aria del refettorio si accese, le teste andarono in visibilio, noi e i frati si cominciò a dire tanti spropositi che Zen discese e se n'andò fuori.

Uscimmo tutti. Nel piazzale vidi Nuvolari, ufficiale delle Guide, più fosco del solito. Ci guardava muto e forse in cuor suo si lagnava di noi.

*Adernò, 14 luglio. Pomeriggio.*

Ho fatto tutta la marcia con Telesforo Catoni che sin da Marsala desideravo d'aver amico. Egli era della compagnia Cairoli e studiava leggi a Pavia. Ha nella persona qualche cosa che attrista; non si sa perché, ma si sente certa compassione di lui. Una capigliatura nera lussureggiante; un par d'occhi che saettano, grandi, eloquenti; una testa che potrebbe essere piantata su d'un atleta; e invece una esilità di membra, un torso tenue che a un soffio dovrebbe piegare. Eppure non è stato addietro un passo, mai. Gli si legge in faccia una castità di fanciulla; non gli esce mai una parola volgare; sta quasi sempre solo; adora Foscolo e il carme dei *Sepolcri* che sa a memoria, e se ne pasce come d'un cibo leonino. Camminando meco recitava i versi di Maratona, che detti da lui, nella notte, in mezzo alla colonna che marciava, mi parvero i più belli, i più forti da Dante in qua. Catoni ha molto del foscoliano, e chi ponesse il suo ritratto per frontespizio nell'*Ortis*, ognuno direbbe che certo il povero Jacopo fu così. Ha diciannove anni, la testa piena di disegni d'opere, è religioso, prega, aborre i preti. Però a Palermo fece anch'egli la guardia ai frati che il popolo voleva malmenare. È mantovano come Nuvolari, come Gatti, come Boldrini, tutta gente bizzarra e valente, che hanno un po' del Sordello.[1]

Passeggiando con Catoni vidi una bellissima donna affacciata a un balcone di casa signorile. Con gli occhi nell'aria infocata delle due pomeridiane, essa cercava chi sa che cara lontananza, o forse fantasticava di noi. Mi parve una donna infelice.

— Vedi lassù la Pia de' Tolomei?[2]

Catoni guardò, gli balenò negli occhi qualcosa per quella beltà di Dea, poi chinò il capo dicendo: — Non guardare; siamo in paesi dove la donna è cara più della vita, più della libertà.

E uscimmo dalla campagna verso Catania. Ci pareva di non essere più in Sicilia, o che non fosse stata Sicilia la parte dell'isola

---

1. Piuttosto che al Sordello di Dante, pare che lo scrittore voglia alludere al Sordello della storia, che fu prode e avventuroso cavaliere. 2. L'allusione va diritta, non all'episodio dantesco, ma al romanticizzamento che ne aveva fatto Bartolomeo Sestini.

già veduta, salvo la Conca d'oro. Non più quello scoppio di vita quasi selvatico, ma una coltura sapiente: e se non fossero le immani corna di bove che sorgono contro i malefìci sui fumaioli, sui comignoli, fin sui pagliai; uno crederebbe di essere nel più bello della bella Toscana.

*Paternò, 14 luglio.*

Da Adernò a Paternò, una camminata in faccia all'Etna, che da Santa Caterina non si è più perso di vista. Per la falda che par si rigonfi infinita, trionfano boschi di verde cupo, dai quali si libera e si lancia il gran monte, brullo fino alla cima, bianco di neve, alto che il fumo del cratere vi galla sopra accidioso, come se non potesse salir di più. Dorme il gigante che conta gli anni dalle sue furie e dai popoli che ha disfatti! Sono tanti, e che storie! Eppure spesseggiano nelle macchie i villaggi, lasciando indovinare da lungi la gente felice che deve abitarli.

*Catania, 15 luglio.*

Credeva d'entrare in una città di Ciclopi, ma appena oltre la porta minacciosa per i massi di cui è formata, ecco la via lunga fino al mare, ampia, lavata, fresca come vi dovesse passare la processione del Corpus Domini. Eravamo un drappello che precedemmo la brigata, e i primi fiori gli avemmo noi. In piazza dell'Elefante una sentinella chiamò la guardia, dieci o dodici giovinotti balzarono a schierarsi, presentarono l'armi facendo le facce fiere. Sono gente del paese intorno, raccolta da Nicola Fabrizi.[1]

Entrò la brigata. Eber cavalcava alla testa, le compagnie camminavano franche, con gli schioppi che uno non passava l'altro, con una cadenza di passo da vecchi soldati; davano piacere a vederle.

Staremo qua riposando alcuni giorni. I borbonici di Siracusa e d'Agosta non si sono mossi; ma bisognerà vegliare perché siamo in mezzo ad essi e a quei di Messina.

---

1. Nicola Fabrizi (1804-1885), di Modena, esule a Marsiglia dopo il moto del '31, vi si era fatto intimo del Mazzini, col quale partecipò alla spedizione di Savoia. Poi si era ritirato a Malta fondando una legione destinata a promuovere la guerriglia in Italia. Partecipò attivamente alla rivoluzione del '48, alla guerra del '59, alla spedizione dei Mille e alla guerra del '66. Deputato al parlamento, fu sempre all'opposizione di sinistra.

*17 luglio.*

Ho bell'e visto; questi per noi sono gli ozi di Capua. Catania ha dei profumi che addormentano. Siede come Venere nella conchiglia, spossata dal godimento d'un cielo, d'una campagna, d'un mare, che sembrano fondersi insieme in una sola vita per farle delizia. Si sente una soavità d'aura anacreontica; su, vino e rose! Lampeggiano gli occhi delle donne uscenti dai templi come Dee, colle vesti bianche, i manti neri di seta fluttuanti dalle trecce per le spalle, sui fianchi superbi. E noi guardiamo, noi beviamo l'incanto ammirando.

*20 luglio.*

Stamane prima dell'alba fummo alla marina. Mi tremava il cuore. Due uomini dovevano essere messi a morte, l'uno volontario siciliano che per gelosia uccise un compagno; l'altro uno scellerato che strozzò la vecchia madre e i propri figliuoli, per sgombrare il tugurio e riprender moglie. E questi urlò dalle carceri al luogo del supplizio, quello fumava baldo e sorridendo. Là nella luce crepuscolare, mentre il mare e la terra parevano sciogliersi dagli abbracciamenti notturni, dodici schioppettate lanciarono quei due nell'altro mondo.

I benedettini di Catania, tutti gentiluomini dei primi di Sicilia, vivono nell'anticamera del paradiso. Dissi questa piacevolezza ad uno di essi; egli aperse le braccia, alzò gli occhi e rispose: — Da poveri monaci! — Non l'avrà mica detto per canzonare Iddio? Ah! quella storia del camello e della cruna d'ago!
    Gustammo le pesche degli orti del convento, tuffate nei calici di vin di Xeres. I monaci attenti non ci lasciavano bere il vino così, come essi dicevano, guastato; ma ce ne mescevano dell'altro, ambra purissima e odorosa.[1]

*22 luglio.*

Torniamo alla leggenda? Fra i siciliani che ingrossarono le nostre compagnie man mano che venimmo per l'isola, furono scoperte parecchie giovinette. Indossavano disinvolte la camicia rossa, nes-

---

1. Una magistrale pittura di questi monaci e dell'arrivo dei garibaldini è nel bel romanzo *I Viceré* di Federico De Roberto.

suno sapeva nulla fuorché i loro dami. Tirate fuori con ogni rispetto, saranno rimandate alle loro case.

In via Etnea ho incontrato Pittaluga. Non lo aveva più riveduto da Talamone in qua; né sapeva ch'egli fu dei sessanta mandati col Zambianchi nel Pontificio. Episodi da steppa. La prima sera accampano sul confine: manca uno, Stoppani da Terracina. Dov'è? Verso le undici la sentinella sente nel buio un galoppo. — Alt! Alt! — Zitto, son io! — Ed ecco Stoppani balza da cavallo sghignazzando. — Che è stato? — E Stoppani: — Sapevo che i dragoni del papa han cavalli bellissimi; il padrone di questo, se non è morto, agonizza laggiù. — Tre o quattro corsero a cercare il morente, ma non trovarono che macchie di sangue. Forse il dragone si era trascinato via da sé, o i compagni suoi erano venuti a salvarlo. Ma l'indomani piombarono di sorpresa, uno squadrone, sui nostri, che colti per le vie di Grotte combatterono gagliardamente. Si liberarono, ma c'è del fosco. Quel Zambianchi . . . ! E sì che aveva dei giovani del più alto merito, Guerzoni, Leardi, Soncini, Bandini, Fochi, Ferrari, Ughi, Pittaluga, tutti! Chi ne sa? Arrivarono poi i granatieri di Vittorio Emanuele, che fecero prigioniera la compagnia. Questi giovani furono condotti a Genova, dove tornarono a imbarcarsi con Clemente Corte; ma colti in mare dalle navi borboniche, stettero un mese a Gaeta; da dove liberati, dovevano salpare, non per Sicilia, ma per Genova, lunga Odissea. Eppure non si stancarono. Ostinati a venire, qua o là ci hanno raggiunti tutti!

Dov'è, che cosa è Milazzo? Sono corso a vedere la carta; eccolo tra Cefalù e il Faro, una lingua sottile, che si inoltra e par che guizzi nel mare.

D'oggi in là quel po' di terra scura, col castello di cui sento parlare, non mi verrà mai vista con la fantasia tra l'acque azzurre, senza che la visione si mescoli di file rosse correnti come rivi di sangue in mezzo al verde dei fichi d'India, pei canneti, nel letto secco dei torrenti, sulla riva del mare torrida e bianca. Medici, Cosenz,[1] Fabrizi, profili austeri balenarono qua e là: non li cono-

1. Enrico Cosenz (1822-1898), di Gaeta, ex ufficiale dell'esercito borbonico, aveva combattuto alla difesa di Venezia, e nel '59 aveva comandato il 1° reggimento dei Cacciatori. In Sicilia giunse il 7 luglio con la terza spedi-

sco, ma ormai gli eroi so immaginarli, so come Garibaldi li fa. E vedrò passare, quasi fuga di forsennati in mezzo ai nostri, un gruppo di cavalli napoletani. Che vogliono, dove vanno? Intorno al Dittatore appiedato si fa un cerchio di quei cavalli, un arco di spade, di lance turbina su di lui, suona fino ai più lontani del campo un urlo di gioia, di ferocia borbonica; ah quello può essere il momento che salvi la corona a Sofia![1] Ma Missori e Statella[2] sentono che nel gran poema questo sarà il loro canto: e dalla pistola girante del lombardo gentile, dalla spada del siracusano cavalleresco, esce la morte maravigliosa. Fuggite, o lancieri! Il vostro capitano vi condusse da Messina promettendo la testa del Leone; ma non lo vedrete più. Cadde dal suo cavallo colla gola tagliata dal Dittatore. Egli è nella polvere. E Garibaldi dal *Veloce*[3] che venne fulminando per l'alto mare ad offrirsi, torna a mettersi nella battaglia colle sue grandi ispirazioni di marinaio.

Il canto del poema finirà narrando del vecchio castello, dei fuggenti a ricoverarvisi, di Bosco, inutile prode, che avrà per grazia del Dittatore spada e cavallo, mentre che ne uscirà patteggiato. E al *Veloce* sopraggiunto, come fosse stata l'anima del morto magiaro, si darà il nome di Tüköry, l'eroe di Porta Termini.

*Catania, 24 luglio.*

Parte la compagnia straniera di Volf. La conduce verso Taormina il capitano Giulio Adamoli,[4] un giovinotto lombardo tutto deli-

zione di volontari. Fu poi generale e capo di stato maggiore dell'esercito italiano, deputato e senatore. 1. Maria Sofia di Baviera, regina di Napoli. 2. Il conte Vincenzo Statella (1825-1866), di Spaccaforno, in quel di Siracusa, benché di famiglia borbonica, si batté nel '48, e l'anno seguente accorse alla difesa di Roma, dove fu aiutante di campo di Garibaldi e decorato con medaglia d'argento. Fu poi nello stato maggiore dei Mille, e a Milazzo concorse a salvare la vita del Dittatore. Cadde nel '66 a Custoza. — Per l'episodio del pericolo corso da Garibaldi cfr. la biografia del Guerzoni, vol. II, p. 141. 3. *Veloce.* Il 22 luglio il capitano della marina borbonica Anguissola era passato a Garibaldi con la regia corvetta da lui comandata, la *Veloce.* Con questa nave, ribattezzata col nome di Tüköry, Garibaldi era accorso da Palermo a Milazzo. 4. Giulio Adamoli (1840-1926), nato a Besozzo in prov. di Como, aveva combattuto a S. Martino, e nel '60, dimessosi dall'esercito regolare, raggiunse i Mille a Palermo. Si batté poi al Volturno, e fu ancora con Garibaldi ad Aspromonte, nel Trentino e a Mentana. Dopo quest'epoca intraprese vari viaggi scientifici in Asia e nell'Africa settentrionale. Deputato nel '74, fu fatto senatore nel 1898. Morì al Cairo. Oltre alcune relazioni dei suoi viaggi, scrisse un bel libro di memorie, *Da San Martino a Mentana* (Milano 1892, 2ª ed.), che fa di lui uno dei più apprezzati scrittori della letteratura garibaldina.

catezza e bravura. Vanno a vedere se da Messina si è mossa gente
borbonica per affrontarci, e domani partirà la brigata.

*27 luglio.*

Arrivarono polverosi, ma abbaglianti; la banda in testa suonava
una marcia guerriera. Bixio, su d'uno stallone pece che gli brillava
sotto leggero come una rondine, la faccia bruna incorniciata dal
capperuccio candido, pareva un Emiro che tornasse da una spedizione misteriosa nel deserto. Volteggiò spigliato cogli ufficiali
che aveva dietro, si piantò in un punto della piazza in faccia al-
l'elefante di pietra che sta là sonnolento: a un suo comando la fila
si spezzò, i battaglioni piegarono, voltarono rapidi, giusti, attelati,[1]
e si fermarono in un bell'ordine di colonna che parea fatto di soldati messi là uno alla volta. Questo è un reggimento da presentargli
le armi i più vecchi del mestiere. Ne parlai con gli amici, e mi
hanno detto che attraverso l'isola Bixio non gli ha lasciati riposare
un istante. I soldati per le marce forzate, furono più d'una volta
sul punto d'ammutinarsi: ma sì! chi oserebbe essere il primo con
quest'uomo che non mangia, non dorme, non resta mai?

Non saprei perché, ma egli entrando in Catania non pareva
guari contento. Anzi gli cresceva quella minaccia che ha sempre
tra ciglio e ciglio.

Chi sa come vada d'accordo con quel capitano che gli vidi a
lato e che dev'essere suo capo di stato maggiore? Colui sta a cavallo colle gambe spenzolate come fossero di cenci, ma nella vita
pare corazzato. Ha i capelli a lucignoli scialbi come la pelle, guarda
che pare lì per addormentarsi. Ma sotto i mustacchi, uno più lungo
dell'altro e cadente, la bocca ride sempre d'un riso sprezzatore,
mentre l'orecchio pare teso ad ascoltare rumori misteriosi, lontani.
Mi dicono che sia un alto ingegno venuto su dall'esercito piemontese. V'era sottotenente dei bersaglieri sin dal quarantotto; ma
per non so che sdegno patriottico ne uscì, quando avvennero i
fatti di Milano nel cinquantatre.[2] Tutti mi hanno l'aria di star in
guardia da lui; buon compagno d'armi, ma derisore che dove tocca
scotta o leva il brano. Prenderebbe in canzonatura magari il Ditta-

---

1. *attelati*: in perfetta ordinanza.  2. Un moto insurrezionale che fu represso sul nascere. Si veda nel vol. 70 di questa Collezione il racconto che
ne fa il Mazzini nelle sue *Note autobiografiche.*

tore; ed io lo chiamo Mefistofele in camicia rossa. È Giovanni Turbiglio.

*Giardini, 28 luglio.*

Aci Reale, Giarre, Giardini, tre cittadette che il mare le vuole e l'Etna le tira a' suoi piedi come tre schiave. Si va, si va e sempre questo monte che non finisce mai di mutare aspetti, sempre quelle sue falde fresche d'ombre che uno le gode con gli occhi, tirando innanzi a camminare divorato dal sole, nella strada gialla, polverosa di lava, sulla quale danza un calore che a stender la mano par di palparlo, rete di metallo infocato.

A destra, fin dove può l'occhio, un azzurro di mare che non somiglia punto a quel di Liguria, né a quello là di Marsala. È il nostro bel mare per tutto, ma qui ha trasparenze profonde, lontane, direi successive come i cieli di Dante. Forse ha senso di godimento sotto questo sole che gli penetra sin nel fondo; perché in quest'ora di mezzodì ha quasi un'aria di infinita bontà. Mi fiderei di dire che vi si può camminare sopra a piedi asciutti, e a guardarlo m'entra nell'anima la soavità squisita di cose intese da fanciullo, i cieli, i laghi, le buone genti di Galilea.

Ma là, oltre quell'ultima linea che altrove par finire in un balzo pauroso alla fantasia, s'indovinano terre come queste e più deliziose. La Grecia non poté, non potrebbe essere che laggiù. Par di sentire un profumo d'antico e un suono da quella parte venuto in qua nell'aria, nell'acque; dolce oggi come allora quando Virgilio cantava gli amori dell'Alfeo con l'Aretusa.[1]

E Sant'Alessio è un fortino lì sulla via, fatto anticamente per dar da ridere ai barbareschi. Non v'è una guardia, ma quel vecchio cannone da quella balestriera come parea che ammiccasse! Raveggi, passando meco a piè del forte, mi disse: — Ecco il mio sogno! Aver quarant'anni e più ed essere messo qui con quattro veterani slombati. Me ne starei sdraiato ora su d'uno spalto ora su d'un altro, guardando il mare attento attento, invecchiando adagio adagio, bevendo a sorsi la vita, il vino e le fantasticherie della mia testa.

1. La ninfa Aretusa, per sfuggire all'innamorato Alfeo, riparò a Siracusa dove fu convertita in fonte. Alfeo, divenuto fiume, la raggiunse dalla Grecia passando sotto il mare, e confuse le sue acque con quelle di lei (Virgilio, *Aen.*, III, 692 sgg.).

*In riva al mare.*

Comincio a vedere chiara l'ultima punta di Spartivento. Quando da giovanetti dicevamo in versi: Dall'Alpe a Spartivento! io questi azzurri gli aveva indovinati, veduti, respirati. Ma ora non mi proverei neanche a descriverlo il digradarsi di tinte turchine, tante sfumature quanti sonvi piccoli promontori sin laggiù dove troveremo Messina. E quelle linee là oltre lo stretto che paiono guizzi nell'aria, tutti monti della favolosa Calabria, dove chi pose piede coll'armi in pugno sempre morì?

Silenziose, gravi, fumose come avessero pensieri tristi, le navi napolitane vanno e vengono per lo stretto. Passare all'altra riva, ecco il problema. Ma il Dittatore vive.

*Messina, 28 luglio.*

Sul piano di Terranova, tra la città e la cittadella, stanno due file di sentinelle, borboniche e nostre. Tra le due file una ventina di passi, terreno neutrale. Le sentinelle si guardano, appiccano discorso, tirano innanzi un pezzo, poi o si fanno il broncio, o qualcuna dalla parte borbonica piglia la corsa e si rifugia di qua, gridando viva l'Italia, gettando berretto, budrieri, ogni cosa; mentre una turba di fruttaiole e di pescivendoli si fanno addosso al disertore per divorarselo a baci. Ma alle volte i nostri tentano gli altri invano, e scappa detta qualche impertinenza. Allora uno, due, tre borbonici lasciano andare la schioppettata, i nostri rispondono; ed ecco un allarme generale, un suon di tamburi e di trombe da noi e nella cittadella. Sui bastioni spuntano le teste dei cannonieri, le micce fumano. Ma corre un ufficiale di stato maggiore, nostro, uno borbonico esce dalla cittadella; si incontrano, si parlano, si stringono la mano, poi danno di volta e tutto è finito. Commediole che fanno ridere, ma che a qualcuno costano care. Stamane la cittadella tirò persino una cannonata. La palla enorme sforò netto un casotto da doganieri, e andò rotolando lontano lungo il molo. I nostri corsero furiosi da tutte le parti, e vidi un mutilato giovane saltellare colla sua gamba di legno per tener piede ai più pronti. Agitava uno schioppo colla baionetta inastata, e gridava che era tempo di dar l'assalto.

*Messina, 28 luglio.*
*Tornando da Torre del Faro.*

Sino a Torre del Faro è una deliziosa passeggiata. Per un tratto villaggi puliti anche assai; dopo, una landa sabbiosa via via fin dove balza la Torre bianca su da un mucchio di casupole grame. Poco verde là intorno; ma splende nel fondo il mare, poi la lontananza dove non si vede più che colla fantasia, chi n'ha.

In faccia a Torre del Faro, di là dallo stretto, tira l'occhio una riga di verde cupo, a' piè delle montagne, che paiono incalzarsi e venir giù rovinando, per colmare i fondi del mare tra le due terre. Qua e là quel verde è interrotto da villaggi biancheggianti; sulla spiaggia move gente; file di armati luccicano di continuo di su di giù per una strada che deve menare a Reggio. In mare, le navi della crociera, che guardano qua dove si lavora di zappa e di badile, a piantare certi cannoni! Riconobbi tra quei ferravecchi la colubrina che portammo da Orbetello. La civettona sta là in batteria, allunga il collo verde fuori della gabbionata, un bel dì farà la rota come una tacchina. Ha una storia essa! Ma se i cannonieri che le fanno la guardia e la lisciano, sapessero le eresie che ci ha fatto dire da Marsala a Piana dei Greci, la butterebbero in mare.

Il Dittatore se ne sta chiuso in una cameruccia a tetto là nella Torre, e intorno a quella accampano i carabinieri genovesi. Non sono più i quarantasette di Calatafimi, drappello insuperabile per coscienza, ardimenti, virtù militare. Ma quelli hanno formato il quadro d'un battaglione che a Milazzo corse il campo come un uragano, e lo tenne dovunque apparve. Né sono più tutti liguri. Le loro file si sono aperte a giovani d'ogni parte d'Italia; e quei cinque o sei sopravvissuti all'eccidio di Sapri, che appena liberati dalle fosse della Favignana vollero vestirne l'uniforme, portarono nel battaglione un alito della grande anima di Pisacane.

*Fiumara della Guardia, 9 agosto.*

Ieri sera quando fu ben buio, venti barche si staccarono dalla riva di Torre del Faro, la prora diritta alla Calabria. Portavano ognuna dieci o dodici uomini armati, sull'ultima, ritto, gli accompagnava il Dittatore. Si innoltrarono nel silenzio dello stretto e presto furono perdute di vista. Le navi da guerra borboniche erano state sino a sera incrociando là in faccia; alcune si erano poi andate a porre dietro il promontorio di Sicilia, in quell'ombra vaporosa che, di giorno, veduta di qui, mi pare un sogno sereno avuto da fanciullo. Ma due erano rimaste nel bel mezzo del canale. I nostri in folla alla riva, stettero coll'agonia di sentire fra momenti l'urlo dei compagni sommersi: o forse qua e là per lo stretto sarebbero scoppiati gli incendi delle navi nemiche. Ma verso le undici il forte di Scilla balenò, una cannonata destò tutti i campi delle due sponde; poi si intesero delle schioppettate là nell'oscurità lontana; dopo, un silenzio come quando è calato il coperchio d'una sepoltura.

Ora si sa quel che avvenne. A mezzo lo stretto, il Dittatore, accertato che le barche non avevano più nulla a temere delle navi borboniche, lasciò che andassero innanzi, designandone per guida una dalla vela latina. E tornò di qua. Su quelle barche navigavano Alberto Mario,[1] Missori, Nullo, Curzio, Salomone, il fiore dei nostri con un dugento volontari scelti, comandati dal capitano Racchetti della brigata Sacchi; capo dell'impresa Musolino da Pizzo.[2]

Due barcaiuoli che v'erano mi narrarono, e narrando tremavano ancora, che quando si avvidero del passo cui i nostri si andavano a mettere, essi non volevano più remare. Ma costretti, piangendo, pregando Maria e i santi, tirarono innanzi con quei demonii. Nel buio alcune barche si staccarono dal gruppo e si smarrirono verso Scilla. I napoletani dal forte avendole scoperte tirarono quella maledetta cannonata, appunto mentre il resto della spedizione toccava il punto designato, vicino all'altro forte di Torre Cavallo, e sbarcava scale, corde, arnesi d'ogni fatta per darvi la scalata.

---

1. Alberto Mario (1825-1883), fierissimo repubblicano e mazziniano, aveva partecipato alla rivoluzione del '48. Nel '60 sbarcò in Sicilia insieme con la moglie Jessie White, che aveva sposata in Inghilterra, e prese parte alle imprese più arrischiate. Poi ritornò in Inghilterra rifiutando la medaglia, come rinunziò alla sua elezione a deputato. Fu con Garibaldi ancora nel '66 e nel '67. Notevole è il suo libro sull'epopea garibaldina: *La Camicia Rossa.* 2. Benedetto Musolino (1807-1885), di Pizzo di Calabria, cospiratore a Napoli insieme col Settembrini, fu deputato nel '48, e dopo il 15 maggio uno dei capi della sollevazione calabrese. Poi accorse alla difesa di Roma. Esule a Londra e a Parigi, nel '60 raggiunse Garibaldi in Sicilia e si batté al Volturno. Dal 1861 al 1880 fu deputato di sinistra. Nel 1881 fu fatto senatore.

Nacque un po' di confusione; le barche pigliarono il largo veloci, lasciando i nostri sull'altra sponda, nelle tenebre, senza guide, e alle prese colle pattuglie napoletane uscite dal forte.

La nostra brigata era venuta qui per essere trasportata in Calabria se l'operazione di ieri notte riusciva. Occupiamo il greto d'un torrente, allo sbocco d'una vallicella allegra e ben coltivata. Nessuno ha mosso una pietra; non si vedono quei lavoretti che fanno i soldati per accomodarsi il campo dove sanno d'aver a stare: tutti si tengono come uccelli sul ramo pronti a volar via.

*Fiumara della Guardia, 10 agosto.*

Fra noi e i trecento nostri, il mare, le navi e i borbonici dell'altra sponda!

Sono là in faccia, su quella costa di monte in quel verde pallido, sopra Villa San Giovanni, ma lontani, in alto. Vediamo del fumo che cresce, si allarga, si fa fitto; si sentono le schioppettate sorde. S'indovina col cuore che i nostri assaliti si difendono, superbi di combattere, trecento al cospetto di tutti i reggimenti accampati di qua, da Messina al Faro!

Ebbi un lampo nell'anima. Il desiderio di questa Sicilia che mi tirava a sé da tanto tempo, empiendomi la fantasia di delizie e il core di pene misteriose; quella certezza che aveva di trovare nell'isola, non sapeva chi, ma qualcuno conosciuto, caro, un amico; tutto mi veniva dall'aver letto, anni sono, il *Dottor Antonio* di Giovanni Ruffini. Me ne sono avveduto dianzi udendo rammentare questo libro, che mi tenne sull'ali tanti giorni dopo che l'ebbi letto. E fui lì per inginocchiarmi sull'arena, a ringraziare a mani giunte lo scrittore che dall'Inghilterra rivelò all'Italia questa parte delle sue terre, questo popolo qual è, o qual sarà, non importa.

*11 agosto.*

Una sfilata d'ufficiali. Quel colonnello quadrato, che camminando tentenna la testa grigia come minacciasse qualcuno dinanzi a sé, è un inglese che colla carabina coglie dove vuole. Si chiama Peard. Non ha un comando, ma tiene sempre dietro al corpo più vicino al nemico. Porta i suoi cinquant'anni come noi i nostri venti, fa la guerra da invaghito, tira in campo come a una caccia di tigri, ed

ama l'Italia. L'altro che gli somiglia un po' è il maggiore Specchi.[1]
Artista e soldato, ha sparso del proprio sangue dovunque si è
combattuto per la libertà, in Italia e fuori. Non è mai stato al fuoco
che non abbia toccata una ferita. L'ultima l'ebbe a Milazzo. Il
Dittatore gli vuol bene come a un fratello; perché hanno vissuto
insieme pel mondo, dopo la caduta della repubblica romana, ado-
rando e sperando. Quello con gran barba, un po' curvo, vestito di
scuro, era De Flotte. Camminava a lato di Specchi, e come vecchi
amici parlavano tra loro. De Flotte è una di quelle persone la vita
delle quali si indovina alla mestizia serena, che hanno in tutto
l'essere: e la fantasia vede la croce sotto il cui peso camminano
stentando. Egli, rappresentante del popolo quando il colpo di
Stato si gettò sopra Parigi, stette fino all'ultimo della resistenza,
poi esulò. Credo che fosse ufficiale di marina. Qui non è che un
uomo di buona volontà che rispose alla chiamata d'Italia come i
polacchi, gli ungheresi, tutti i generosi d'altre patrie, che ci hanno
portato le loro spade gloriose.

Vidi Nicola Fabrizi, una figura da condottiero biblico. Se
quest'uomo fosse comparso in un congresso di re, a domandare
giustizia per l'Italia, i re si sarebbero alzati a riverire in lui il popolo che può dare un cittadino della sua sorte. Semplice, non mai
accigliato, pare che spanda intorno un'aura di benevolenza; passa,
e si vorrebbe mettersi a camminargli dietro, sicuri d'andar con lui
a buona meta. Se un fanciullo gli si abbracciasse alle ginocchia in
un momento che per Fabrizi fosse di vita o di morte, egli si chi-
nerebbe a carezzarlo. Dai tempi di Ciro Menotti, va innanzi costui!
Ha creduto, gli è cresciuta la fede ogni dì; non si è mai volto addietro; gli anni non gli han fatto cadere le penne, ed ebbe sempre
certezza di vedere il gran giorno d'Italia. Ora che si comincia a
sapere come il Dittatore poté lanciarsi a questa impresa, si sa che
Fabrizi da Malta, Crispi e Bixio in Genova, gli hanno messo nella
coscienza che l'Italia si deve farla in quest'anno o forse mai più.

Ho riveduto il maggiore Vincenzo Statella con un taglio di traverso nel naso, che rialza la fierezza impressa sulla sua faccia. Un
ufficiale ungherese trottava da Torre del Faro, portando non so
che ordini del Dittatore. A un certo segno si fermò a piè d'una

1. *Specchi*: Speeche, anch'esso inglese.

batteria, chiedendo qualcosa a Statella che era lassù. Statella, o
non badasse o non capisse, l'ungherese gridò, Statella rispose
stizzito. Quattro e quattr'otto, fu combinato lì per lì, di scambiare
due colpi di sciabola; Statella ne toccò, l'ungherese tirò avanti al
suo destino.

Questo figlio di prìncipi, che ha il padre generale borbonico
dei più vecchi e dei più devoti, capitò anelando a Palermo ad abbracciare il Dittatore, il suo vecchio capitano del 1849, venuto a
liberargli l'isola. Chi l'avrebbe sognato? È di Siracusa. La sua
nobiltà l'ha scritta in fronte; ma il suo coraggio! . . . Ne parleranno
i lancieri borbonici potuti scampare a Milazzo da Missori e da lui.

*15 agosto.*

Il *Veloce* che nel 1848 era un legno da guerra della rivoluzione
siciliana, preso poi dai Borboni, fu ricondotto alla rivoluzione da
un Anguissola, e ribattezzato col nome di *Tüköry*. A Milazzo
lavorò da buono; e l'altra notte il Piola, ufficiale della marina
sarda, lo condusse a un'impresa che se riusciva! . . . Si voleva
spingersi a Castellamare, impadronirsi del *Monarca*, vascello borbonico da ottanta cannoni, e a rimorchio menarlo qui, per pian-
tarlo al Faro come una fortezza. Il *Tüköry* arrivò a Castellamare
senza incontri. Era mezzanotte: il *Monarca* giganteggiava nero
sull'acque. Pareva cosa fatta. Alcuni dei nostri bersaglieri del battaglione Bonnet, si calarono nelle lance per tagliare le gomene del
*Monarca*; altri davano già la scalata; ma ecco l'allarme, le trombe, i
tamburi, tutta la guarnigione di Castellamare corsa a far fuoco;
e cannonate, e schioppettate a grandine. Fu forza rinunciare alla
presa. Il comandante del *Tüköry* stimò inutile stare a farsi cogliere
e si ritirò; ma lento come Aiace,[1] a suo agio, lasciando i napoletani
a mitragliare le tenebre.

Spira un'aria di mistero che pare venga fuori da non so che antro.
Non si è più visto il Dittatore da parecchi giorni, e chi dice che è
via, chi vuole che se ne stia chiuso nella Torre del Faro. Come il
Corrado di Byron, se ci fosse Gulnara![2] — Gulnara? Ho veduto
un ufficiale delle Guide camminare lesto lesto lungo la spiaggia,

1. Nell'XI dell'*Iliade*, Aiace, cedendo al soverchiante numero dei nemici,
si ritira lento e minaccioso. 2. Nel *Corsaro* di Byron, Corrado salva
Gulnara e le sue schiave da un incendio.

senza sciabola, proprio una donna, fianchi e seno. Bella, faceva
l'aria da bambina, ma si guardava dietro con una coda d'occhio
così serpentina! . . . Gli ufficiali della brigata ne chiacchieravano;
il colonnello Bassini scotendo la testa e il frustino, brontolava
sordamente dietro quella figura. È una contessa piemontese.[1]

Ho voluto dare una corsa fino a Giardini. Quella costa, quelle cittadette mi erano rimaste tanto nel cuore! Trovai per via molti amici
della brigata Bixio, che tutti hanno ormai qualcosa di lui nel fare,
nel dire, sin nella guardatura. Questo generale pare fatto per
tempi come questi e per noi. Piglia la gente, la rimpasta, la rifà:
con lui o fare, o rimanere spezzati in mezzo alla via. Uno sguardo,
una parola; non basta? gli scatta via magari una sciabolata: e
questa è la sola deformità del suo essere. Se ne lagnano tutti;
ogni poco i suoi volontari vorrebbero abbandonarlo. È violento,
è insopportabile! — Ebbene? Sotto chi preferireste servire? Sentiamo. — Ma! . . . eh! . . . sotto Bixio! — Infatti non ci sono in Italia trenta come lui. Se una palla lo toglie di mezzo, sarebbe come
ad avere le nostre forze scemate a un tratto un bel poco; e se il
Borbone avesse un ufficiale come Bixio, forse . . . ma no, non voglio scrivere questo pensiero. Dicono che Bosco vale lui? Eresia!
    Bixio in pochi giorni ha lasciato mezzo il suo cuore a brani, su
per i villaggi dell'Etna scoppiati a tumulti scellerati. Fu visto qua
e là, apparizione terribile. A Bronte,[2] divisione di beni, incendi,
vendette, orgie da oscurare il sole, e per giunta viva a Garibaldi.
Bixio piglia con sé un battaglione, due; a cavallo, in carrozza, su
carri, arrivi chi arriverà lassù, ma via. Camminando era un incontro continuo di gente scampata alle stragi. Supplicavano, tendevano
le mani a lui, agli ufficiali, qualcuno gridando: — Oh non andate,
ammazzeranno anche voi! — Ma Bixio avanti per due giorni, coprendo la via de' suoi che non ne potevano più, arriva con pochi:
bastano alla vista di cose da cavarsi gli occhi per l'orrore! Case
incendiate coi padroni dentro; gente sgozzata per le vie; nei semi-
nari i giovanetti trucidati a piè del vecchio Rettore; uno dell'orda
è là che lacera coi denti il seno di una fanciulla uccisa. — Caricateli
alla baionetta! — Quei feroci sono presi, legati, tanti che bisogna

---

1. Era la contessa Martini Salasco.  2. Questo sanguinoso episodio è stato
potentemente ritratto dal Verga in una delle sue «Novelle rusticane»: *La
libertà*.

faticare per ridursi a sceglier i più tristi, un centinaio. Poi un proclama di Bixio è lanciato come lingua di fuoco: «Bronte colpevole di lesa umanità è dichiarato in istato d'assedio: consegna delle armi o morte: disciolti Municipio, Guardia nazionale, tutto: imposta una tassa di guerra per ogni ora sin che l'ordine sia ristabilito.» E i rei sono giudicati da un consiglio di guerra. Sei vanno a morte, fucilati nel dorso con l'avvocato Lombardi, un vecchio di sessant'anni, capo della tregenda infame. Fra gli esecutori della sentenza v'erano dei giovani dolci e gentili, medici, artisti in camicia rossa. Che dolore! Bixio assisteva cogli occhi pieni di lagrime.

Dopo Bronte, Randazzo, Castiglione, Regalbuto, Centorbi, ed altri villaggi lo videro, sentirono la stretta della sua mano possente, gli gridarono dietro: — Belva! — ma niuno osò più muoversi. Sia pur lontano quanto ci porterà la guerra, il terrore di rivederlo nella sua collera, che quando si desta prorompe da lui come un uragano, basterà a tenere quieta la gente dell'Etna. Se no, ecco quello che ha scritto: «Con noi poche parole; o voi restate tranquilli, o noi, in nome della giustizia e della patria nostra, vi struggiamo come nemici dell'umanità.»

Vive chi ricorda d'una sommossa avvenuta per quei paesi lassù, sono quarant'anni. Un generale Costa v'andò con tremila soldati e quattro cannoni, ma dové dare di volta senza aver fatto nulla.

E sul finire del secolo passato, il titolo di duca di Bronte fu dato a Nelson. Bixio che titolo gli daremo? Non questo che fu di chi strozzò Caracciolo![1]

*Messina, 18 agosto.*

Il Dittatore non è più a Torre del Faro, né a Messina, né in Sicilia: si sente da tutti come qualcosa che sia venuto meno nell'aria, nella natura, in noi: ma nessuno osa dire né chiedere che sia stato di lui. Pare che ognuno temerebbe di sentirselo galoppare addosso gridando: «Tu che vuoi sapere?»

Intanto s'odono dei discorsi cozzanti come sciabole. C'entra l'imperatore di Francia, c'entra Vittorio Emanuele, e una lettera

---

1. Per averlo validamente aiutato a schiacciare la repubblica partenopea, Ferdinando IV compensò l'ammiraglio Orazio Nelson (1758-1805) col titolo di duca di Bronte e l'appannaggio di diciottomila ducati di rendita. Qui lo scrittore ricorda l'atto più odioso del Nelson, la morte dell'ammiraglio napoletano Francesco Caracciolo, che egli fece prendere a tradimento e impiccare, ordinando che se ne gettasse in mare il cadavere.

che si dice egli abbia scritta al Dittatore, per intimargli di astenersi d'ora in poi da qualunque passo contro il re di Napoli.

— Lustre per tener a bada l'Europa! — dice uno.

— Scrivano e leggano, — dice un altro — noi intanto una di queste notti passeremo lo stretto.

Ma quelli che vorrebbero andare più alla lesta, dicono addirittura che Vittorio farebbe meglio a mandar Persano,[1] col *Govèrnolo* e colla *Maria Adelaide,* a piantarsi in mezzo al canale per farci far largo.

*20 agosto, mattino.*

Cannonate laggiù in mare verso il Capo dell'Armi! Che poesia di nomi! Ma che sgomento pensar che ogni colpo spegne la vita a tanti, tra i quali può essere qualche amico che non vedremo mai più! Gente che viene da Catania dice che nella notte arrivarono a Giardini due vapori, che tutti quei di Bixio vi montarono, ma non sanno altro . . .

Bixio è in Calabria, Bixio! Col Dittatore! Dunque è ricomparso improvviso un'altra volta su la spiaggia nemica, quest'uomo che un po' pare appena vivo, un po' si trasforma arcangelo che spiega l'ali e rota la spada come un raggio di sole! Marsala e Melito, due nomi, due sbarchi; Garibaldi e Bixio due volte nello stesso cielo di gloria; e noi qui che si vorrebbe tutti gettarsi in mare e nuotando arrivar di là. Non ho mai sentito com'ora l'avidità fusa da Virgilio nell'ombre del sesto canto:

> *. . . Stavan pregando*
> *e le mani tendean pel gran desio*
> *dell'altra sponda . . .*

E poiché tanto romanticismo portato da Garibaldi nell'arte della guerra, non fa dimenticare la gentilezza classica di Virgilio; io, immaginando la Corte di Napoli quale deve essere all'annunzio del Dittatore in Calabria, al rumor d'armi crescente, odo ancora la nota malinconica dell'*Eneide*[2] che mescola di lutti diversi la reg-

1. L'ammiraglio Carlo Pellion di Persano (1806-1883), che poi si rese tristemente famoso per la sconfitta di Lissa, attendeva invece a incoraggiare una sollevazione antiborbonica che potesse permettere l'annessione di Napoli prima che vi arrivasse Garibaldi. 2. Libro II, 486-489, e anche l. IV, 665-668.

gia. Oh quella regina, che pianti! Si capisce come il generale Bosco bello e prode, preso da tanto dolore si sia tutto votato ad essa dopo Milazzo. Ma Garibaldi indovino l'ha vincolato a non tornare in campo prima di sei mesi.[1] E Francesco secondo perché non monta a cavallo e non viene a piantarsi ai passi di Monteleone? Eccolo! Perire là; o ricacciandoci, affogarci tutti in questo mare, che di notte o di giorno vogliam passare.

*22 agosto 1860. Al Faro.*

E ora mi pare di aver più profondo, più intero, anche il sentimento di quei versi del Manzoni: *Dolente per sempre* chi *Dovrà dir sospirando*: *io non v'era!* È un patimento, un dolore squisito, che non somiglia a nessun altro dolore. I nostri sono di là, hanno combattuto, e noi non c'eravamo!

O frate calasanziano maestro mio; cosa fai, in questo momento, nella tua cella, donde, in quello scoppio del quarantotto che noi sentimmo appena da fanciulli, l'anima tua di trovatore si lanciò fuori ebra di patria? E quasi voleva andarsene dalla terra, quel giorno del quarantanove orrendo, quando dalla cattedra dicesti ai tuoi scolari: — Fummo vinti a Novara!

Ci narravano i più grandi, che il padre maestro, dicendo così, era caduto sfinito: e noi mirandolo per i corridoi del collegio, rapido, sempre agitato, fronte alta, capelli bianchi all'aria, e l'occhio in un mondo ch'egli solo vedeva; ci sentivamo mancar le ginocchia e pensavamo a Sordello di cui, leggendoci Dante, ci voleva infondere la gentilezza, la forza e lo sdegno.

Fu lui, gran frate, che del cinquantatre ci lesse, nella scuola, l'ode: *Soffermati sull'arida sponda.* Non disse il nome dell'autore, ma promise il primo posto a chi lo avesse indovinato. Indovinammo tutti! Non avevamo già letto il Coro del *Carmagnola*?

Ora di quell'ode mi torna l'ultima strofe e l'accento con cui il padre leggeva: *Dovrà dir sospirando*: *io non v'era!* E a lui, in questo momento, ritornano forse le immaginazioni di noi sette od otto suoi scolari che siam qui; forse ricorda come ci faceva raggiar di collera quando ci leggeva nel Colletta la morte del Caracciolo, o gli eccidi dei napoletani del novantanove; forse dice che alle guerre di Sicilia ci preparò egli stesso.

1. Questo patto gli fu imposto da Garibaldi nella capitolazione di Milazzo.

*25 d'agosto. Spiaggia del Faro.*

A Bagnara, là in faccia, sulla sponda calabrese, gran lutto. Ieri, mentre sbarcavano quelli del Cosenz, fucilati dai napoletani del general Briganti, cadde morto La Flotte nella sua camicia rossa di colonnello garibaldino. Narrano che mentre s'imbarcavano qui al Faro, il maggiore Specchi volle dargli una rivoltella, e ch'egli sorridendo e ringraziando avrebbe voluto non accettarla; perché, disse, al primo colpo che avesse tirato contro un uomo, un altro avrebbe ucciso lui. Dunque voleva andar tra i nemici come il vecchio eroe dell'*Henriade*,[1] che si cacciava nella mischia, sempre esposto a morire senza ammazzare mai? — La Flotte morì. Ma il Dittatore lo fa vivere per la gloria della Francia e dell'umanità, gridandolo nell'ordine del giorno con parole che valgono ben più d'ogni vita.

Dormirà La Flotte nella poetica terra di Calabria, che tanto ora è sua più che nostra: lo nomineremo noi, tutta la guerra, perché dicono che da lui sarà chiamata la compagnia di quei dugencinquanta francesi, venuti a portarci il fiore del loro coraggio.

*26 d'agosto.*

A segno di stella!

Il campo era così. Giù nelle bassure, e sulla riva del mare la brigata del general Briganti; su in alto come spettatori sulle gradinate d'un teatro antico, i nostri. Ma se i napoletani non si arrenderanno, tutta quella nostra gente rovinerà loro addosso e li affogherà nel mare. Si aspetta; è notte, Garibaldi li vuole prima dell'alba; è agli avamposti.

— Tenente, avete orologio?

— Generale, no.

— Non fa nulla! Coricatevi qui, così: guardate quella stella, quella più lucente, là: e guardate anche quell'albero. Quando la punta di esso vi nasconderà la stella, saranno le due. Allora su, e all'armi!

Così, con la semplicità d'un re pastore, con l'eleganza d'un eroe senofonteo, meglio ancora! così come egli stesso nelle foreste vergini riograndesi de' suoi giovani anni, Garibaldi diede l'ora a segno di stella.

1. Poema epico in cui Voltaire celebrò Enrico IV di Navarra.

55

Ma d'assalto non ce ne fu bisogno. Dicono che il general Briganti si vide col Dittatore, e che patteggiò la sospensione dell'armi. Me l'hanno descritto. Che spettacolo tutta quella brigata ridotta a nulla, quei soldati mandati sciolti! Non li vidi, ne godo; devono essere cose da rompere il cuore.

*27 d'agosto.*

Altre nuove! Pare il marzo, quando i ghiacci si rompono, e vanno via a grandi pezzi portati dalla corrente. Il generale Melendez, con un'altra brigata, circondato dai nostri, la sciolse e se n'andò. I comandanti borbonici si lavano le mani di tutto l'uno su l'altro, da grado a grado; non c'è più disciplina, tutto si squaglia. Gli è che la reggia è piena d'imbelli; e la rivoluzione avvolse l'esercito come di un'aria che non si può respirare.

Ma si dice che, ier l'altro, il general Briganti se ne andava solo soletto a cavallo, verso chi sa dove, per far chi sa che cosa, e che arrivato a Mileto si imbatté nel quindicesimo reggimento napoletano, accampato, tra gli urli: — Al traditore! — Allora egli smontò e, a piedi, si avanzò in mezzo ai soldati. La sua maestà di vecchio e la calma del volto potevano vincere; ma un tamburo maggiore gli si avventò con una puntata del suo bastone, e lo passò fuori fuori a morte. Altri dicono che fu ucciso con una schioppettata a bruciapelo.

Quando traverseremo quella campagna tragica, mi parrà che l'aria tremi ancora del truce fatto. Tutte tragiche queste rupi della Calabria! Là presso devono essere stati uccisi i Romeo; non lontano di là dev'essere il passo dell'Angitola dove, del quarantotto, caddero i calabresi e la gente dei Musolino.[1] Passo passo c'è tutta la storia dei francesi di re Giuseppe e di re Gioacchino . . . ;[2] e non sorge re Gioacchino stesso, tragica ombra su quel Pizzo laggiù?

Ma di quel povero general Briganti non me ne posso dar pace! Ho inteso dire che in Palermo, quel giorno che Garibaldi c'entrò

1. I fratelli Giandomenico e Gianandrea Romeo sollevarono nel 1847 la città di Reggio, e furono sopraffatti a Staiti (Aspromonte). — L'eccidio del passo dell'Angìtola è un episodio della repressione di quei moti che erano scoppiati in Calabria in seguito alla politica reazionaria che Ferdinando II aveva inaugurata il 15 maggio 1848. 2. Anche durante la dominazione francese vi furono in Calabria episodi sanguinosi, e il brigantaggio alimentato dai Borboni.

da Porta Termini, egli comandava nel forte di Castellamare, e che non sapeva risolversi a dar l'ordine di bombardare la città. Susurrano pure che allora, tra gli ufficiali, ci avesse un figlio, ma di tutt'altro cuore. Che misteri sotto le tuniche dei soldati, quando sul trono v'è Nerone o Augustolo, e di mezzo fra trono e soldati c'è la patria che geme!

*30 d'agosto.*

Viaggiamo sul *Carmel*, vapore postale francese che viene dai porti della Siria, e ci pigliò a Messina, un centinaio, quasi tutti feriti o malati che se ne vanno a casa un po' di giorni. C'è il Medici di Bergamo, furioso per nostalgia, che vorrebbe uccidere il comandante, perché gli pare che il vapore non voli come bramerebbe lui. Sul castello di poppa vi sono delle signore che ci fanno un'aria di primavera soave. Bellissime due giovinette catanesi che paiono fatte di sogni.

Tutta gente felice, tranne quella bella donna francese, alta, grigia, che forse avrà quarant'anni. Dice un capitano di fanteria francese ch'essa fu nella Siria, donde torna anche lui, e che vi fu a cercar il sepolcro di un suo figliuolo, sottotenente, che vi morì. Il capitano parla dei cristiani del Libano e delle armi di Francia laggiù: par sin che gli dolga della nostra guerra, perché non lascia badare alle cose di quella parte così bella e così poetica della terra. Ma quei di Calabria e di tutto il regno non sono cristiani che gemono peggio che sotto i turchi?

*Nel porto di Napoli. 31 d'agosto.*

Il cielo, il golfo, l'isola, il Vesuvio che esulta nell'azzurro ardente, e tutta la campagna che si ammanta di colori fini, sempre più fini, via via sin laggiù dove sfuma nell'aria; nulla, sa nulla di quel che avviene? Ma! l'immensa città che sgomenta a vederla, bolle di passione che si indovina. Quella è la reggia. Dunque da quei balconi, mostrando loro i galeotti nel bagno, Ferdinando secondo diceva ai figli suoi che quelle catene erano l'alfabeto dei giovani principi?

Lontano, lungo una via a mare, si vede una colonna di soldati che vanno, vanno, vanno. Chi sa cosa sarà di loro tra pochi giorni? Guardo il mare qui attorno. Forse il *Carmel* galleggia nel punto dove, improvviso, venne su dall'acqua il cadavere del Caracciolo, son sessant'anni. Tra questi vecchi barcaroli che vengono intorno al *Carmel*, vi potrebbe essere chi lo vide: eppure a noi il fatto dà un senso di antichità buia buia. Le barche della polizia ci rondeggiano intorno, ma dei signori napoletani son venuti a bordo lo stesso, e si son lasciati vedere a parlare con noi. Garibaldi, Garibaldi; è il loro spasimato desiderio, la loro agonia. Quando verrà?

Un signore nostro compagno di viaggio che fece un giro per la città, torna e dice che vi si parla d'una gran cosa avvenuta in Calabria. A Soveria Mannelli, Garibaldi avrebbe fatto deporre le armi ai quindicimila soldati del general Ghio! Ma allora che farà il re di Napoli? Si stenta a non lasciarsi prendere da un certo sentimento di compassione.

*Salpando da Civitavecchia, 1º settembre 1860.*

Il capitano Lavarello, vecchio lupo di mare, livornese, ci chiamò in disparte e ci disse una bella cosa. — Ecco là. Quella goletta da guerra pontificia è l'*Immacolata*. Chi ci sta a un bel colpo da corsari? Tutti? Allora si aspetta un altro poco, si dice a tutti questi garibaldini di badare a noi, si salta sul comandante del *Carmel* e sui suoi, si mettono giù sotto coperta senza toccar loro un capello, ma chi si muove guai! Un po' di voi si calano dal vapore con una gomena, balzano sulla goletta del papa, spazzano nella stiva quei pochi mozzi che vi sono sopra, poi si legano a noi, io prendo il comando del *Carmel* e a tutto vapore rimorchio via l'*Immacolata*. Quando ne avranno accese le macchine, vi monto su io, lasciamo che il *Carmel* se ne vada al suo destino, e noi navighiamo verso la Calabria, a far della goletta un presente a Garibaldi.

Pareva cosa fatta. E si pregustava già non so che gioia, come a leggere Byron. Chi sa che strida le signore, chi sa il capitano francese che abbiam con noi, e il soldato francese che era là in sentinella sulla punta del molo! E poi chi sa che fuga giù pel mare, e che pericoli, e che misteri! Ma a un tratto il *Carmel* si mise a salpar l'àncora e addio. Mentre ci allontaniamo, guardo laggiù i monti del Lazio. Da quest'acque, Garibaldi giovinetto pensò la prima volta a Roma.

*2 settembre.*

Cuore di madre.

Quella bella signora francese di quarant'anni, con quei suoi occhi che devono mandar luce al cielo, si beveva con essi da tre giorni un nostro ferito di Milazzo, bello anche lui, e di un sentimento che mi fa pensare al Baldovino del Pulci,[1] perché sa d'esser figlio d'uno che fu spia dell'Austria. Io me n'ero accorto fin dal primo giorno e desideravo che nessun altro badasse, perché mi sarebbe dispiaciuto veder derisa questa donna che non si sa quanto dolore porti in sé. Ma si è troppo facili a pensar male, e ora scrivo quasi piangendo. Dianzi la signora mi s'accostò e mi disse: — Conoscete quel soldato là che ha un braccio al collo? Volete pregarlo di lasciarsi dire una parola? — I suoi occhi dicevano il resto, ond'io le domandai se il suo figliuolo morto in Siria somigliava molto a quel garibaldino. — Da tre giorni — rispose — mi par di essere sempre lì per rivederlo, ma quel mio povero morto è laggiù nella terra santa del Libano. Voi come lo sapete? — Non istetti a dirle che me l'aveva detto il capitano francese, e corsi a prua dov'era il soldato. Gli parlai. Egli mi squadrò ben bene, poi disse: — Andiamo. — E là in mezzo alla gente, sotto il bel cielo che pareva posato sulle alture dell'Argentaro e dell'Elba, quel giovane e quella signora s'incontrarono senza curarsi dei curiosi che li stavano a guardare. Io poi li lasciai e me ne andai in disparte a pensare. Che ricordo mi viene in questo momento! Una volta udii una madre del mio paese dir al suo figliuolo tornato dalla Crimea: — Sarei venuta a trovarti tra i malati, i feriti, i morti! — E se fossi stato sepolto? — diceva lui. Ed essa: — Ti avrei riconosciuto all'ossa!

E ora mi disdico. Non è vero che siam così cattivi come ci par d'essere. Quando quella signora si strinse al collo di quel giovane e lo baciò come fuor di sé, non si vide un ghigno, tutti compresero, qualcuno pianse. Ma la più giovanetta delle due catanesi guatava, guatava. Che bella cosa chi fosse re da tempi antichi, pigliarla per una mano, condurla a porgliela in quella di quel ferito bello e forte e buono, dicendo loro: — Andate sposi, vi faccio conti, vi faccio duchi, amatevi, e fate il paradiso!

*Napoli, 14 settembre 1860.*

Dieci o dodici giorni sono, quando vidi Napoli dal porto, mi sarei lanciato giù dal *Carmel* per arrivarvi a nuoto. Ora che ci sono, non mi par più ... Forse è stordimento. Grande, immensa, varia da perdervisi, e fastosa fin nello sfoggio della miseria. Non vidi mai

---

1. *Baldovino*: personaggio del *Morgante*, devoto a Orlando, ma figlio del traditore Gano.

sudiciume portato in mostra così! Ho dàto una corsa pei quartieri poveri; c'è qualcosa che dà al cervello come a traversare un padule. La gente vi brulica, bisogna farsi piccini per passare, e si vien via assordati. Ma su tutte quelle facce si vede l'effusione di un'anima che si è destata e aspetta . . . Chi sa cosa vogliono, cosa sperano, chi sa? E se una notte si scatenassero, a furia, urlando Viva chi sa che santo, che sarebbe di noi, che cosa del Dittatore? Eppure egli se ne sta sicuro nel palazzo d'Angri. Dubitosi siam noi piccini e di poca fede: egli ne ha da movere le montagne, e si sente dentro l'anima di tutto il popolo. Forse che non fece tutto quello che volle? E cosa avremmo potuto noi poche migliaia se alla testa non avessimo avuto lui? E messi tutti in un solo con tutte le loro virtù, avrebbero potuto quel che egli poté tutti i generali d'Italia? Bisognava il suo cuore, e forse quella sua testa, quella sua faccia che fa pensare a Mosè, a un Gesù guerriero, a Carlomagno. E chi lo vede è vinto.

*14 settembre. Nei Granili di Napoli.*

Ritrovo la mia brigata. Nulla, nulla! Il senso che dà questo sentirsi assorbito nella vita d'un gran corpo di giovinezza, d'amore e valore, non c'è nulla che lo possa dare! Li ho riveduti tutti! Catanzaro, Tiriolo, Soveria, Rogliano, Cosenza, la brigata Eber camminò per tutto quel tratto della Calabria, *tenda il cielo*, *letto la terra*, ma senza tirare una schioppettata. Mi descrive tutto Daniele Piccinini, il più bel capitano della brigata.

A Cosenza si trovarono quasi tutti i Corpi delle nostre divisioni, a un tempo, come se ci si fosse data la posta. Fu un pensiero di Bixio? Schierate sul terreno, dove sedici anni sono caddero fucilati i Bandiera, le divisioni fecero una commemorazione eroica. Bixio incendiò l'aria così: — Soldati della rivoluzione italiana, soldati della rivoluzione europea; noi che non ci scopriamo se non dinanzi a Dio, ci inchiniamo alla tomba dei Bandiera che sono i nostri santi! — E le divisioni ascoltavano mute il discorso breve, vibrato e tempestoso come il mare su cui Bixio visse mezza la vita. Dice Piccinini che se ad ognuno fosse stato detto: Vorresti essere uno di quei morti? ognuno avrebbe risposto che sì, che sì. Perché Bixio li fece passar vivi e trionfanti dinanzi a tutti, sì che la loro morte parve più bella delle nostre vittorie. Certo il martirio ha molto più di divino che il trionfo.

E mentre la cerimonia si compiva nel Vallo di Crati, il Dittatore entrava in Napoli quasi solo, salutato dalle milizie lasciate qui da Francesco secondo; acclamato da un popolo che dev'essere parso quello di Gerusalemme il dì delle Palme. Cose da dar le vertigini, da far allungar la mano per pigliar la corona... Ma Garibaldi passò, sorrise, e alla reggia non diede nemmeno uno sguardo.

*Napoli, 15 settembre.*

Per Caserta, a furia! Ieri i regi uscirono di Capua... chi sa? Si sente che da Capua a qui c'è un passo, e di mezzo quasi nulla, poche camicie rosse. Cosa sarebbe un improvviso ritorno! Ruffo, Fra Diavolo, l'orgia del novantanove![1]

*Caserta, 15 settembre.*

Quella dei borbonici di ieri non fu che una ricognizione, ma grossa. Gli ungheresi della legione, dove si piantano, nessuno li può muovere più. Ebbe un bel caricarli, la cavalleria napoletana; si ruppe contro i loro gruppi come onda contro gli scogli. Allora venne avanti la fanteria. Ma i bersaglieri del Tanara con quei del Corrao[2] le si avventarono alla baionetta, e via, via, la fecero voltare, dandole poi dietro quasi fin sotto le mura della cittadella. A tornare fu un guaio. L'artiglieria dei bastioni li fulminava.

Bravissimo e mite il generale Türr. Non si crederebbe a mirare quella sua faccia fiera. Egli a soffocar le reazioni, poco o punto sangue. Non ne versò in Avellino, non in Ariano, dove fu quasi solo e mise la pace. Ieri l'altro spacciò il maggior Cattabene a Marcianise, grosso borgo poco lontano di qui, dov'era scoppiata la reazione al vecchio grido borbonico di — Viva Maria! — Cattabene è tornato, dopo aver quetato tutto, con due soli morti di quattordici che n'aveva condannati. — Ma vogliamo tutti morti, anche gli altri dodici! — grida la gente di Marcianise, e viene una deputazione a domandar a Türr questa grazia. No, no, dice Türr, perdóno, oblìo, concordia: noi non siamo qui per le vostre piccole vendette.

1. Cfr. in questo volume le note 1 a p. 615 e 1 a p. 616.   2. Giovanni Corrao, come abbiamo detto a nota 3, p. 798, era sbarcato in Sicilia con Rosolino Pilo. Salì al grado di colonnello nella brigata La Masa, e nel '62 fu generale di brigata.

*16 settembre.*

Non venisse a saperlo nemmeno l'aria! Garibaldi parte per la
Sicilia, chi sa che cosa avviene colà? Ma chi sa cosa potrebbe accadere qui, se i borbonici di Capua venissero a sapere ch'egli non
c'è?

*20 settembre.*

Ieri grande dimostrazione contro Capua, dicono per dar agio ad
altri nostri di prendere Caiazzo che è una grossa terra di là dal
Volturno. Dicono ancora che fu per conoscere una buona volta
tutto il nemico, quanto n'è rimasto fedele al re fuggitivo. Ma si
sprecò del gran sangue! Troppo ardore negli ufficiali, troppo nei
soldati.

Si cominciò dall'estrema sinistra, poi fu l'inferno su tutta la linea.
Noi d'Eber, sulla via di Sant'Angelo, fummo i meno combattuti.
Ma abbiamo ben visto cacciatori e fanteria e artiglieria volerci venir
addosso, se una parte dei nostri, con due cannoni, non cominciava.
Il loro fuoco fu così ben diretto e nutrito che quella colonna, non
osando avanzarsi, ripiegò. Allora fu inseguita, e i cannoni furono
tratti fino in faccia alla fortezza. Là, sfidando quaranta pezzi, fecero fuoco fin che vi fu un artigliere in piedi; poi come si vide che
i cacciatori volevano venirseli a pigliare, corsero i bersaglieri della
brigata Milano e li trasportarono in salvo.

Appunto in quel momento s'udì gridare dalla nostra destra:—Egli
è qui, egli viene, il Dittatore, il Generale! — E apparve dalla parte
di Sant'Angelo Garibaldi bello e raggiante. Noi, sotto i suoi occhi,
fummo fatti piegar a sinistra, per rintuzzare un nuovo assalto
di borbonici usciti freschi da Capua. Piombammo sul fianco di
quella colonna, una cosa che mi parvé un lampo, e quella sparì.
Ma ne caddero dei nostri! Il capitano Marani di Adria giaceva là
tra gli altri con un braccio spezzato; bel biondo, chi sa come rimarrà mutilato!

Ora si dicono le glorie dei morti. Non conobbi il colonnello
Puppi, che fu sventrato dalla mitraglia quasi sulla porta di Capua. Mi piglia una gran tristezza, mi par quasi un torto di non
averlo visto mai.

E il povero capitano Blanc da Belluno? Lasciò il suo grado
d'ufficiale dei granatieri e se ne venne a perder qui una gamba.

Ma Cozzo, Narciso Cozzo, quel barone palermitano, che pareva un gentiluomo degli Altavilla rimasto vivo per saggio della stirpe? Ebbene, cadde di palla tra i carabinieri genovesi, quei gloriosi veliti che si son fatti un obbligo di essere sempre i primi.

*28 settembre.*

Da cinque giorni, ogni mattina, ci si mette sotto l'armi, e ci stiamo dell'ore. Così s'esercita il cuore. Perché è una gran prova quella di prepararsi a morire, e poi no, sentir dire che non è ancor tempo, tornarsene e pensare: sarà per domani. Ma qualcosa di tragico si avvicina. C'è nell'aria un gran gonfiore di tempesta. L'ordine del giorno di alcune sere sono, parlava vagamente di assalti serii, e diceva dei *se mai* che facevano tremar le viscere. Non di paura, no, di sgomento patriottico. *Se mai concentrarsi tutti a Maddaloni.* E poi? Poi, verrebbe a dire che tutto sarebbe perduto, e che là si dovrebbe finir tutti.

Pazienza noi, ma qui in Caserta c'è della gente che patisce innocente! Son donne, spose e figlie di ufficiali borbonici chiusi in Capua. Forse non si vide mai, in guerra, una cosa più tragica di questa. Di sera molte di queste donne, bisognose di pane, tendono la mano ai nostri, . . . e, bisogna dirlo, non tutti son tanto gentili e cavallereschi da dare e voltar le spalle. L'indomani poi ve ne saranno di quelli che non avendo rispettato la sventura, andranno agli avamposti, e forse s'incontreranno a combattere con quei mariti, con quei padri. Così con la fame e col resto si aggiunge terzo il sangue.

*30 settembre. Sera.*
*Quartiere di Falciano presso Caserta.*

Il cannone di Capua si è fatto sentire tutto questo pomeriggio; ora con l'avemaria tace. Non v'è più dubbio; i napoletani usciranno e saranno molti. I loro scorridori tentano qua e là i nostri lungo tutta la linea del Volturno, e stamane si provarono a passarlo alla scafa[1] di Triflisco. Ma quei di Spangaro li hanno respinti.

So che il Generale è stato con Bixio, qua oltre, nella gola di Maddaloni: so che si son detti delle parole solenni e che Bixio

---

1. *scafa*: traghetto, o piuttosto «guado».

sentì Leonida in sé. — Fin che sarò vivo, nessuno passerà! — Lo disse, e sarà vangelo.

1 ottobre, 3 antimeridiane.

Che malinconia dopo il primo sussulto del cuore! Un galoppo, una Guida: — Colonnello Bassini! Colonnello Cossovich! — E poi le trombe. Come è rauca quella della guardia, e di malaugurio! Ma questa che si mette a suonar la sveglia nel nostro cortile, con trilli di allodola montanina, questa è di Viscovo, e sveglierebbe i morti. Egli sa mettere l'anima sua nel suo strumento, e quando l'ha imboccato, egli non c'è più, se ne va tutto in note. Pare che dica: «Morire, morir così!» Povero trovatello, raccolto da noi sulla gran via della patria, non so in qual punto della Sicilia, venne con quell'ombra di corpicciuolo a sedici anni; ma cosa, cosa venne cercando? Più che la morte no. Tale dové essere nel pensiero di Virgilio Miseno l'eolide,[1] di cui niuno fu più potente a spingere colla tromba i prodi.

1 ottobre. Caserta.<br>Nella piazza del Palazzo Reale.

Eccoci qui di riserva, quasi tutta la divisione Türr. La battaglia infuria, su d'una tratta, che a segnarla ci vuole tutto il gesto del braccio largo quanto si può farlo. Noi qui non si muore ancora, ma si provano delle angosce come a essere nel Limbo. Veggo delle facce d'un pallore mortale, ne veggo d'allegre, di pensose, di fatue; chi sa come è la mia?

In un canto della piazza v'è un battaglione di Savoia, ora brigata Re. I soldati stanno sotto le tende, e gli ufficiali si aggirano intorno ad esse, forse temendo che qualcuno ne sgusci via e venga con noi. Ma ci guardano, e c'invidiano: noi da un momento all'altro possiam essere chiamati, essi no. No? Ma allora cosa ci son venuti a fare? Vedo un capitano, savoiardo vero, certamente ancor di quelli del quarantotto. Volge verso noi i suoi occhi chiari, nei quali par la visione dei suoi compatriotti passati alla Francia. Forse gli piange il cuore, perché pensa che erano dei migliori; e che alla guerra quando si griderà: — Savoia! —, Savoia non vi sarà più.

---

1. *Aen.*, VI, 164 sgg.

Ed ecco un altro capitano dell'esercito di Vittorio, ma dell'artiglieria. Giovane quanto me e già capitano, io lo credeva uno dei nostri, di quei vanesii che per pompa si fanno far la divisa. Ma dietro lui venivano stretti degli artiglieri, proprio di quei di lassù, qualcuno colla medaglia della Crimea. Vengono da Napoli, vanno in cerca di Garibaldi, vogliono darsi col loro capitano che si chiama Savio, nobile piemontese. — Cosa ci vengono a fare? — ha detto un ufficiale dei nostri: — poi vorranno aver fatto tutto loro, aver gli onori e tutto . . . ? — Ahi, amico, diamo loro dei cannoni e poi lasciali andare . . . Vedrai che Garibaldi non dirà come te.

Una carrozza da Santa Maria, una donna dentro, viso di fuoco, capelli di fuoco, gesti di fuoco, è un angelo, è una Furia, che cos'è? Parla con un colonnello ungherese, si mette le mani alle tempie, deve dire cose orrende; o che i feriti e i morti sono già a centinaia, o che di Capua vien fuori la nostra rovina. Ohimè! perché non è italiana? Si chiama Miss White,[1] è moglie del Mario, uno dei nostri migliori, forse la più bella testa che possa essere spezzata oggi da una misera palla di soldato ignorante.

E da Maddaloni una Guida volando . . . — Dov'è, dov'è il generale Türr? — Bixio domanda aiuto! Aiuto Bixio? Dunque dev'essere agli estremi. O sole che vedesti tante cose orrende nel mondo, o Dio, non lasciate perir l'Italia, oggi . . . qui . . .

— Primo battaglione, prima e seconda compagnia, pigliate l'armi, fianco destr, via. — Tocca a noi. Portiamo a Bixio questi quattro petti; sgriccioli che andiamo in aiuto dell'avvoltoio.

*1 ottobre. Ore 2 pom.*

E poi venimmo salendo il monte, volgendoci sgomenti a guardare dietro di noi Caserta, e più lontano Santa Maria e la campagna, tutto fumo e scompiglio. Dal di là dei monti Tifatini venivano dei rimbombi che parevano echi ed erano battaglia. E ben presto, sul versante opposto a quello per cui salivamo, avremmo scoperto il campo di Bixio. Al tuonar dei cannoni pareva ch'egli indietreg-

---

1. Jessie White (1832-1906) fu ardente ed efficace fautrice della causa mazziniana e garibaldina, di cui il marito Alberto Mario fu un apostolo. Dei libri che ella scrisse, si legge ancora la *Vita di Mazzini* (Milano 1896).

giasse. Ma arrivati alfine in cima, allora che vista! Giù giù per i pendii a sinistra, sul gran ponte, sotto ed oltre, un formicolìo di rosso fra nembi di fumo e delle grida che parevano di centomila. Più basso, delle tinte nere che s'allontanavano; borbonici vinti, passi amari di fuga. Nello stradone, fuor del tiro dei nostri più avanzati, stava serrato un grosso squadrone di cavalli; due cannoni da lontano lanciavano ancora delle granate qua e là, contro di noi; tiri da Parti.

Bixio tornava indietro e il suo sguardo diceva: vittoria!

— Cosa siete voi? — domandò al capitano Novaria. E Novaria:

— Gente della brigata Eber. — Correte per di là su Valle, e fate presto: mettetevi agli ordini del colonnello Dezza.[1]

*1 ottobre. 3 pomeridiane.*

La mia dolce terra delle Langhe, quasi sconosciuta all'Italia, l'ho sentita, vista, goduta un momento, qui, così lontano, su questi greppi di Monte Calvo.

Passavo attraverso quelle vepraie lassù, per quel sentieruolo dove non passò forse mai persona buona ad altro che a patire, sudare e pregare. E mi saltò fuori come di sottoterra un ufficiale tutto sanguinante in faccia e lacero la camicia, con un mozzicone di sciabola in mano. Mi chiamò: — O tu, dove vai? — Alla mia compagnia sopra Valle. — E da dove vieni? — Dal quartier generale. — E Bixio? — Trionfa! — Con queste e poche altre parole, mi parve di parlare con uno delle mie parti. — E tu, chi sei? — domandai già pieno di gioia per quell'incontro con un mio compatriotta, in camicia rossa: — Io sono Sclavo di Lesegno. — Ed io il tale. — E allora ci abbracciammo, ci baciammo. Non ho mai compreso il paese natio come in quel momento. Le nostre Bormide, il nostro Tanaro, le nostre belle montagne, quei borghi, quelle terricciole, dove c'è della gente così modesta, buona, contenta di poco, e semplice! Poi mi narrò come si trovasse là, così solo e maltrattato. Poche ore prima, in uno degli ultimi assalti, rimasto in mano dei bavaresi, questi se lo trascinavano via caricandolo di oltraggi; ma gli era riuscito di liberarsi, e se ne tornava a quel modo per imbattersi

1. Giuseppe Dezza (1830-1898), di Melegnano, battutosi già nel '48 e nel '59, era ufficiale nell'esercito regolare e ne uscì per partire coi Mille, fra i quali salì al grado di colonnello. Ritornò poi nell'esercito e si batté a Custoza. Fu poi deputato e senatore.

in me suo paesano. Eppure forse non gli passò per la mente che io potrò dir le sue lodi, nelle nostre vallate.

*Verso sera.*

Si principia ad aver delle notizie, ma vaghe. Non si ode più il cannone. A Santa Maria, a Sant'Angelo, a San Leucio, su tutta la linea, vittoria, dopo dieci ore di battaglia. Qua, a sinistra, tra quelle gole di Castel Morrone, il maggior Bronzetti,[1] con un mezzo battaglione, tenne la stretta contro i borbonici, sei volte più numerosi dei suoi. Morì, morirono, ma il nemico non poté passare. — Ora come si devono sentire uomini quelli che hanno fatto tanto, e si mettono a giacere per un po' di riposo! Ma chi sa dove sono andate l'anime dei nostri morti? Come si farebbe a credere che esse non siano più, più, assolutamente più? Vero è che sul campo la morte non par nemmeno morte! — Qui è proprio un trapasso.

*Sopra Valle. 2 ottobre. Mattino.*

«Ma finita la battaglia, allora avresti veduto quanta audacia e quanta forza d'animo...»[2] A chi faremo l'onore delle parole di Sallustio? Ci sono dei bavaresi saliti a morire fin sulla vetta di Monte Caro, in mezzo ai nostri; vi sono dei garibaldini che rovinarono, inseguendo a farsi ammazzare, fin quasi laggiù alle case di Valle. Questi morti bavaresi che giacciono nelle loro divise grigie, sono ancora pieni di ferocia nelle facce mute. Omaccioni quadrati, non più giovanissimi, alcuni con delle grinze. Le loro fiaschette, chi le tocca, sono ancora mezze d'acquavite. Dovevano aver mangiato e bevuto bene, poche ore prima di venir alla battaglia, contro i nostri quasi digiuni. Lassù, proprio sul cocuzzolo di Monte Caro, un d'essi trovò un piccolo recinto, fatto d'un muricciuolo a secco, forse per gioco, da pastorelli. Egli vi si mise dentro e non ci fu più verso a scacciarlo, neppur quando, fuggiti i suoi, rimase solo. Lo dovettero finire come una belva in rabbia, perché di là dentro avventava baionettate tremende. Nel suo libretto si trovò ch'egli si chiamava Stolz, di non so qual paesello della Baviera. Chi sa? Egli si sarà creduto di salvare, su quel co-

1. Pilade Bronzetti (1832-1860), nato a Mantova, ma trentino di origine, si era già battuto nel '48, nel '49, nel '59 e a Milazzo. Il suo eroismo, come qui dice l'Abba, fu decisivo per le sorti della giornata. 2. È l'inizio famoso dell'ultimo capitolo del *Bellum catilinarium*.

cuzzolo eccelso, il trono della bella Sofia, figlia dei suoi re, venuta dal suo paese a regnar qui nella dolce terra d'Italia. Tranquillo com'uno che ha compito tutti i suoi doveri, ora giace sulla parte del cuore e par che dorma, o guati di sottecchi e ascolti. A vederlo c'è una processione. Ebbene, è ancora una gran fortuna finir così, piuttosto che di vecchiaia in un letto, forse sulla paglia, dopo aver fatto patir chi sa quanti! E piace vedere che tutti lo guardano con rispetto, dolendosi soltanto di tanto valore sprecato.

Ma stanotte, in sentinella a quattro passi dal morto, un siciliano di Bivona, quasi fanciullo ancora, nobile di non so che grado, chiamava ogni tanto: — Caporale! — faceva una voce che pareva gli uscisse dal recesso di tutti i dolori. E il caporale correva. Cos'era? Nulla. Ma un'ultima volta il caporale comprese, perché il giovinetto tremava e guardava quel morto là a quattro passi. — Ah! Hai paura di lui? — Caporale, sì.

Fantasia!


Ieri visitai ad uno ad uno i piccolissimi altipiani che si digradano giù pel monte, dove un centinaio e mezzo d'uomini del Boldrini[1] contesero il passo ai due battaglioni di bavaresi che assalivano da Valle. E li trattennero tanto che poterono arrivare, ma un pugno, quei di Menotti. Non bastavano. Boldrini era ferito, feriti e morti molti ufficiali; dunque si doveva perdere una posizione così forte? Avanti Menotti, avanti Taddei! Colonnello Dezza, guai se il nemico spunta quest'ala! Si caccia tra Villa Gualtieri e Caserta, in un'ora è nel piano, e getta per tutta la Terra di Lavoro il grido della riscossa borbonica, alle spalle dei nostri che combattono sul Volturno, e in faccia a Napoli che da lungi aspetta... Chi sa? Oggi può rimorir l'Italia!

Che gloria di picciotti, in quel momento! Due mesi fa erano riottosi a imbarcarsi pel continente: pareva che non avessero idea d'altra Italia, fuori del triangolo della loro isola: ma marciando per la Calabria trovarono i loro cuori, qui si son fatti ammirare. Caricarono come veterani!

Giù sugli altipiani, tra i pochi alberi tristi che non possono sboz-

1. Cesare Boldrini (1816-1860), di Mantova, medico, aveva preso le armi nel '48, era corso a Roma nel '49, nel '59 era stato nel corpo sanitario; arruolatosi nei Mille come sanitario, preferì il comando di un battaglione. Gravemente ferito a Maddaloni, morì come è detto poco più avanti.

zacchire in queste sassaie, quante camicie rosse che non si mossero più! Ne contai una ventina qua e là, qualcuno si riconosceva ai tratti mezzo moreschi, per volontario del Vallo di Mazzara, dove Bixio passò e raccolse gente. Ma vi sono delle testine bionde di settentrionali che paiono di fanciulle. Mi fermai vicino a un morto che avrà avuto sedici anni, e parlando per lui e per me, gli dissi delle cose che se le sapessi scrivere sarebbero un capolavoro. Dalla bisaccia gli usciva un pezzo di biscotto. Aver saputo chi era, pigliar quel tozzo, portarlo un dì alla giovinetta che l'avrà amato e dirle: questo fu l'ultimo suo pane, serbalo per tutta la vita!

Odo dire che i perduti furono molti, e che gli ufficiali, tra feriti e morti, passarono la ventina, solo qui, su così poco spazio, e con sì pochi soldati. O allora a Villa Gualtieri, al Ponte, al Molino, e via poi sulla lunghissima linea, sino all'ultima sinistra nostra, fronte di tante miglia, curva strana così che Maddaloni è l'estrema destra e insieme stava alle spalle di quei che combattevano sul Volturno? — Quando se ne saprà il numero vero sarà un pianto.

*2 ottobre verso le 11 antim.*

Gran caccia da re, veduta da questo cocuzzolo di Monte Caro! Un nugolo di borbonici, forse quelli che ieri dovettero passare sul petto di Bronzetti, si vanno aggirando di qua di là, di su di giù, per quelle alture di Caserta Vecchia, e pare che non sappiano dove andare a dar del capo. Ma da tutte le parti spunta il rosso dei nostri e fa cerchio. Quelli si raccolgono, forse vogliono piantarsi e difendersi tra quelle rovine che danno al paesaggio quel tono lamentoso di grandezza morta e di desiderio. Cosa valgono quelle schioppettate? Tra momenti ci arriva anche Bixio. Se ne vede di qui la fila lunga su pel monte, e la testa tocca già l'altipiano. Partendo di qui disse ai suoi: — Non mangerete finché coloro là non saran presi. — Pare che i borbonici si siano accorti di lui: c'è un poco di scompiglio ... un loro cavallo parte; corre, torna; ora hanno la via rotta anche alle spalle. Si movono, vanno verso Sant'Angelo: retrocedono ... ora discendono verso Caserta nuova; no, rimontano ... Bandiera bianca! Che senso quest'urlo che riempie tutta l'aria colà! Pare un fremito della terra, tutto si muove ... i nostri corrono da tutte le parti ... Un gran silenzio ...

Si sono arresi!

*3 ottobre.*

Aspetta e aspetta, i vinti di ieri l'altro non son più tornati. Così avessimo avuto della cavalleria da lanciar sulle loro code, che si poteva farlo senza crudeltà. Erano tutti stranieri del soldo. Ma quei di ieri presi a Caserta Vecchia erano italiani, proprio della colonna che s'azzuffò con Bronzetti a Castel Morrone e non poté passare. Guai se riusciva!

*4 ottobre.*

Ieri Telesforo che vive divorando tutto con l'anima, forse perché sente d'aver la morte dentro, venne da Santa Maria a trovarmi qui e mi disse: — Vieni? — Dove? — A veder cosa c'è *In co del ponte*[1] *presso a Benevento.* — Andiamo pure.

Era quasi notte. Discesi da Monte Caro, passammo per quella bicocca di Valle, dieci casacce che parevano vecchie cenciose. Ma ieri l'altro, mentre i borbonici venivano alla battaglia, le donne di quelle case urlavano dalle finestre come Furie: — Viva lo Re, e morte ... —, si sa, a noi. Dice che si udivano sin da mezzo il monte, e che le loro grida facevano più senso che l'avanzarsi dei battaglioni.

Via per la strada grande andammo, andammo, andammo. Ma insomma dov'è questo ponte? Sempre un po' fanciulli, si crede che tutto sia lì a due passi; ma Benevento era molto lontano. Non incontrammo anima viva; solo a tratti, nei campi lungo la via, si vedevano dei morti, forse soldati feriti ieri l'altro, poi spirati tra via e gettati dai carri.

Il ponte non si trovava. — Pure andando ancora, più qua, più là si dovrebbe udir l'acqua ... Vorrei vederla passare, al lume delle stelle, sentir il ponte sotto i nostri piedi, lasciar cadere una pietra dalla spalletta di esso, e immaginarmi d'essere un soldato angioino, e che là sotto giacesse Manfredi. Per me l'antico, quel che non è più è tutto. Quello che vive è nulla. Io stesso mi sento nulla; e se Garibaldi non fosse un'antichità non lo avrei seguito. — Così diceva Telesforo e m'attristava.

In quel momento udimmo un trotto di cavalli che venivano dal Volturno. Ci siamo! Saranno scopritori borbonici, discendiamo nei campi. Passarono veloci tre cavalieri, e allora venne anche a me

1. *del ponte*: sul fiume Calore, dove, come disse Dante (*Purg.*, III, 128), Manfredi ebbe la sua sepoltura dopo la battaglia.

il soffio dell'antichità. Mi corsero per la mente quelli mandati da Carlo d'Angiò, sulle peste di Manfredi, creduto fuggitivo dalla battaglia: ma i vivi erano delle nostre Guide, gioventù ardita, fin temeraria. Andarono parlando allegramente lombardo. E noi, tornati sulla strada, tirammo avanti ancora un bel tratto fantasticando. — Manfredi? Carlo d'Angiò? — seguitava Telesforo. — Il re d'ora sì, è un re da fuga! Ieri l'altro Francesco era in mezzo ai suoi trentamila soldati: poteva mettersi alla testa di un migliaio di cavalli, tentar un punto della nostra linea, rompere, passare, galoppare a Napoli, trionfarvi! O così, o rimaner ammazzato, passato fuor fuori da uno dei più valorosi nostri, per esempio da Nullo. Non seppe fare né l'una né l'altra cosa, e così è finito. Quanto a Carlo d'Angiò, ora viene Vittorio Emanuele. Seicento anni tra loro: e invece d'un papa che dica: «Va, pìgliati il regno», v'è Garibaldi che dice: «Venite!» Vorrei vederli quando s'incontreranno, Dittatore e Re.

Tornammo ragionando come due frati; ma ogni tanto Telesforo tossiva e diceva d'aver freddo. Con quel suo mantelluccio si stringeva le spalle, e se ne teneva i lembi nelle mani sul petto. Quando ci trovammo tra le nostre sentinelle pareva già l'alba. Dei focherelli morivano su pei greppi di Monte Caro e della Villa Gualtieri; le camicie rosse nel grigio delle sassaie, nel verde ferrigno degli olivi mettevano un rilievo, una vita, quasi dei sentimenti. Sul ponte del Vanvitelli[1] passavano delle file rosse, quete quete allora, andando forse a cambiar le guardie; ma lassù a un certo momento della battaglia s'erano incontrati i bavaresi e i nostri e da quell'altezza n'eran caduti. Dio! fa raccapriccio dirlo. E pensare che ieri l'altro, a quell'ora, il mio caro Traverso si svegliava baldo, e baldi come lui si svegliavano l'altro Traverso e lo Stella, tutti e tre di Marsala, e che prima del mezzodì eran morti e nell'eternità, già antichi come i più antichi defunti!

*Caserta, 7 ottobre 1860.*

Dissi all'amico Sclavo:[2] — Tu, quello che vedesti ai Ponti della Valle, me l'hai da scrivere qui, tra le mie note. — Egli prese il taccuino e scrisse.

1. Luigi Vanvitelli (1700-1773) fu l'architetto della reggia di Caserta.
2. Francesco Sclavo (1836-1913), valoroso garibaldino e poi colonnello nell'esercito regolare, fu in seguito benevolo intermediario fra l'Abba e il Carducci per la pubblicazione di queste *Noterelle*.

«Garibaldi, tre o quattro giorni prima del fatto d'armi, era venuto a trovar Bixio e gli aveva detto: — Mi fido a voi; queste sono le nostre Termopili.

«Tale fu la consegna: tutti sapevano che là si doveva stare o morire. Aspettavamo.

«Il mattino del 1º d'ottobre, eccoti la divisione von Mechel, otto o nove mila uomini, avanzarsi da Ducenta, mirando al passo dei Ponti della Valle per Maddaloni. La testa della colonna era formata da uno squadrone di dragoni con elmo e rivolte rosse; seguivano due cannoni e un battaglione di cacciatori. Giunta a Valle quella testa di colonna spiegò i cacciatori sulla sua destra, e questi cominciarono a tentar l'altura dov'ero con la mia compagnia. Tiravano da settecento metri, lentamente, con quelle loro buone carabine, alle quali noi non potevamo rispondere. Intanto il grosso della colonna continuava a marciare accennando ai Ponti, centro della nostra linea.

«Mandai subito certo Calogero messinese, che avevo meco per guida, avvisando con un biglietto il maggior Boldrini che eravamo assaliti. Ebbi in risposta che badassi bene a non prendere lucciole per lanterne. E male ce ne incolse, perché quel battaglione di cacciatori già invadeva il bosco a sinistra e cominciava ad avvolgerci incalzando con fuoco ben nutrito.

«Allora il maggiore Boldrini volò a noi con due compagnie, e senz'altro dove vide spuntar le canne dei fucili, tra gli alberi fitti, là si slanciò, gridando: — Alla baionetta, viva l'Italia!

«Non aveva ancor detto che già una palla entrata nel petto gli usciva per la scapola destra. Cercai di sorreggerlo e di tirarlo via, giacché il nemico irrompeva dal bosco e dovevamo ritirarci, ma egli non volle, mi respinse. — Lasciatemi, che ormai sono un uomo inutile! — Disse così, e dove cadde rimase. Noi indietreggiammo sopraffatti, e poi tornammo rinforzati da una cinquantina di bersaglieri Menotti. Guardai; il povero maggior Boldrini non v'era più. Seppi poi che i bavaresi lo avevano trascinato testa e piedi giù per i dirupi, sino a Valle, dove lo abbandonarono, e fu poi raccolto morente dai nostri, dopo la vittoria.

«Caddero in quel nostro ritorno molti dei nostri, morti e feriti, tra gli altri Evangelisti e Carbone, genovesi dei vostri di Marsala. Ma non era ancor nulla, eravamo appena al principio. Sai come il tempo vola. Continuavano gli assalti. Verso le undici, o poco dopo, ecco i bavaresi sulla posizione di Menotti. Cominciavano ad avvolgere il poggio della Siepe, contrafforte di Monte Caro. Quivi li ricevevano a schioppettate e a baionettate, e li rintuzzavano le compagnie di Bedeschini e di Meneghetti, dirette da Dezza e da Menotti e da altri ufficiali che in quel momento facevano da capi e da soldati.

« Intanto altri bavaresi apparivano sulla vetta del Monte Calvo e vi si piantavano, e si vedeva che volevano postarvi due cannoni da montagna, per coprir di granate e di mitraglia noi più bassi e da quella posizione spingere forse qualche colonna alle spalle di Bixio. Sarebbe bastata ben poca gente a tagliargli le comunicazioni col quartier generale di Caserta, e a portar l'incendio borbonico nella Terra di Lavoro! Era un momento angoscioso. Tutti, anche i meno esperti, indovinavano il gran pericolo.

« Ma ecco spuntare lassù un battaglione: Son nostri? — Son nostri! — Improvviso, dritto, marcia verso il cocuzzolo di Monte Calvo. Maraviglioso! Il comandante si vedeva dinanzi a tutti, col berretto in cima alla spada, e pareva di sentirlo gridare; gli altri correvano dietro lui, per quell'erta, a gran passi, serrati.

« Era Taddei! [1]

« Quel fare, quell'affronto, impone ai bavaresi che oscillano un momento, ma si difendono, resistono, uccidono: poi si rompono, abbandonano la posizione, i morti, i feriti e fuggono in rotta.

« Noi, combattendo giù, vedevamo e ammiravamo quei vincitori lassù, e guardavamo pure l'attacco che in quel momento faceva la grossa, serrata colonna borbonica del centro, ai Ponti della Valle, dov'era Bixio coi picciotti. Era una cosa da far tremare. Se rompono, dicevamo noi, se passano sul corpo di Bixio, quelli stasera entrano in Napoli, e ricomincia l'orgia del 1799. Li vedevamo a mezza falda tra il piano e i muriccioli a secco della via trasversale che si allinea con l'acquedotto; e dietro quei muriccioli rosseggiavano i nostri quatti quatti, senza far fuoco, incantati. Noi pativamo, fremevamo; udii sin bestemmiare: — Cosa fanno? — Ma quando i borbonici arrivarono quasi al ciglio di quei muriccioli, allora quelle camicie rosse scoppiarono, e su quella testa di colonna si rovesciò un torrente, un uragano ... urla feroci, baionettate. Si gelava, si infuocava il sangue a vedere. I borbonici non ebbero

1. Raniero Taddei, già capitano dell'esercito dell'Emilia, fu salutato dal Bixio tra gli eroi di Maddaloni. Morì nel '66 a Custoza.

agio né spazio di spiegarsi, e si volsero in fuga una sezione sull'altra, via, via, rovinando, e tutta la colonna scompigliata fuggiva alla meglio verso Valle.

«Di dove eravamo noi si dominava lo spettacolo, e si capiva che l'anima di tutta quella massa eroica di picciotti era l'anima di Bixio. Dunque Bixio e Taddei, eroi!

«La sera, ne contammo di morti! Ma le più gravi perdite le soffèrse il mio battaglione. Morì Innocenzo Stella, colpito nella testa da una palla, furono feriti Herter, anch'egli, come Stella, vostro di Marsala, e Rambosio e Rugerone. Povero Rugerone! Colpito nel ventre da una scheggia di granata che gli uscì per la schiena, lo trovarono la sera in un burrone, lo trasportarono a Villa Gualtieri, dolorò diciotto ore, e alla fine la morte lo liberò. Antonio Traverso, della mia compagnia, andò a morire, non si sa come, nel boschetto, presso il battaglione Menotti, dove io lo trovai l'indomani mattina, trapassato il petto da una palla, con un fazzoletto bianco alla bocca, tutto insanguinato. Delle tre compagnie Boldrini, soltanto una ventina d'uomini col tenente Baroni di Lovere, ferito nel capo, si unirono alla sera a Menotti, e servirono a riformare il battaglione disfatto.»

Ecco quel che l'amico scrisse.

*Caserta, 8 d'ottobre.*

I nomi non li scriverei neanche se li sapessi. E non ne domando. Li ricorderanno pur troppo quelli che videro, e per tutta la vita li udiranno nell'anima, come furono detti dalla voce tremenda del Dittatore.

Nel primo cortile a sinistra di chi entra nel palazzo reale, i battaglioni di Taddei, Piva, Spinazzi, Menotti, Boldrini col resto della divisione Bixio, aspettavano Garibaldi, che voleva salutarli per la loro vittoria di Maddaloni. Quattro schiere, davano le fronti ciascuna a un lato del cortile.

— Microscopica Divisione, fronte indietro! — gridò Bixio ai battaglioni, e non è mica uomo da aver detto per celia. Quei battaglioni si chiamavano Divisione prima del combattimento, così, forse per far la voce grossa, ma non erano neppur una brigata: ora si potrebbero dir compagnie.

Entrava allora Garibaldi. Teneva in mano il cappello all'ungherese, e appena fu in mezzo al quadrato, parlò:

— Eroi della diciottesima Divisione, in nome dell'Italia io vi ringrazio!

Poche altre cose, orazion piccola, come sa far lui, poi subito i nomi di quelli che si segnalarono nel combattimento. Pareva che là dentro l'aria lampeggiasse di gloria. Ma poi il volto di Garibaldi si oscurò, e la sua voce divenne fiotto di tempesta.

— Ora che ho ricompensato i valorosi, punirò i vili!

Fu un fremito. Tre ufficiali, chiamati a nome in mezzo a quel quadrato, uscirono dalle file, trovarono la forza di far quei pochi passi senza cader fulminati; e là, sotto gli occhi di Lui, furono spogliati delle loro insegne da un aiutante maggiore. E non morirono! Finito quello strazio, il Generale, continuando come uno che dà un addio a gente morta, disse:

— Andate, inginocchiatevi davanti al vostro comandante, pregando di darvi uno schioppo, e al primo incontro morite!

*Nel convento di Santa Lucia.*
*9 d'ottobre.*

— A Napoli? C'è troppa gente che briga. Non andare a farti levar la poesia; sta qui, filibustiere; per noi son buone queste celle di frati; cosa vuoi di più?

Io do molta retta al capitano Piccinini, sebbene abbia soltanto otto o nove anni più di me: anzi gli sto sotto come se fosse il gran Nicolò[1] in persona. Ieri l'altro lo trovai sotto quell'ulivo, allegro e raggiante tanto, che mi parve d'indovinare la visione che aveva dinanzi agli occhi. Egli leggeva una lettera a mezza voce, e appena mi vide mi venne incontro dicendo: — Le mie montagne ridono, mio padre le riempie della sua gioia. Sa che suo figliuolo Daniele è capitano!

E allora la voce gli si fece soavissima, e negli occhi lucenti gli si disfecero due lacrime. Poi mi abbracciò. E contro quel petto mi sentii come un'ombra. Che respiro largo e che colpi di cuore! Per essere puri e prodi come lui, bisognerebbe avere quel petto. E poi la sua modestia! Che seccature, per lui, certe cose! Ieri, a Caserta, era da Garibaldi, mentre alcuni ufficiali della marineria americana entravano a visitare il Washington d'Italia. — Ecco il modello de' miei ufficiali — disse il Generale, mostrando il Picci-

1. *il gran Nicolò*: è il celebre condottiero Nicolò Piccinino di Perugia (1375-1444).

nini a quei marinai. Non si darebbe la vita per una mezza parola di queste, detta da Lui? Eppure il Piccinini quasi quasi usciva mortificato. Ma già; egli non sa d'essere quello che tra tutti somiglia di più a Garibaldi. Semplice come Lui, bello, buono e fiero come Lui: saprebbe anch'egli vivere nel deserto, crearsi un mondo, e dimenticare questo degli uomini. Mi pare già di vederlo. Quando tutto sarà finito, in quattro o cinque passi, egli tornerà alle sue Alpi, nella solitudine della sua Pradalunga. E se gli diranno: «Ebbene?» Egli risponderà come se venisse da far una passeggiata. Ma a suo padre, oh! a suo padre narrerà tutto.

*13 d'ottobre.*

Nullo, Zasio, Mario, Caldesi,[1] con una diecina di Guide comandate dal nostro Candiani, ieri partirono alla testa d'un battaglione, per luoghi lontani, che son di là dal Volturno, chi sa quanto, dov'è il Sannio, il tremendo Sannio. Nullo il braccio, Zasio la bellezza, Mario il pensiero, Caldesi la bontà. C'è tutto. Ma cosa vanno a fare? Chi dice che a incontrar Vittorio Emanuele, chi che a sedar una rivolta. A me par gente che va nel buio.

*14 d'ottobre.*

Ora sono proprio contento. Ho veduto l'uomo che per la semplice vita è forse ancor più intero di Garibaldi. Faccia quasi giovanile a settant'anni, persona quadrata che né fatiche, né stenti, né rovine d'ogni sorta non poterono fiaccare: berretto, soprabito, calzoni, tutto nero e assai vecchio, nulla di soldatesco. Ecco il general Avezzana. Tale fu forse il Vicario di Wakefield.[2] È di quella tribù d'uomini che vanno avanti, con lo sguardo sempre fisso in certi punti lontani, che il mondo non vedrà mai. Eppure per essi quell'ideale lassù lassù, è realtà di vita interiore. Quanto all'esteriore e presente, sono come il Figlio dell'uomo che non sapeva dove posar

---

1. Emilio Zasio (1831-1869), da Pralboino (Brescia), amico di Alberto Mario, che gli dedicò la sua *Camicia Rossa*. Lasciò un volume di ricordi, *Da Marsala al Volturno*, Padova 1868. — Vincenzo Caldesi (1817-1870), di Faenza, cospiratore, esule nel '43 e nel '49, dalla difesa di Vicenza a Monterotondo partecipò a quasi tutte le campagne del risorgimento. Gran patriota, caro a Mazzini, a Garibaldi e ad Alberto Mario, alla sua morte il Carducci scrisse l'epodo *Per Vincenzo Caldesi*.  2. *Il Vicario di Wakefield*: titolo e protagonista di un romanzo allora popolare dell'irlandese Oliviero Goldsmith (1728-1774).

il capo per dormire. Da mangiare n'avranno domani anch'essi,
poiché n'hanno gli uccelli dell'aria. Per oggi basta fare il bene.
E così ogni giorno. Sui laghi di Galilea, quando vi fiorivano le
parabole di Gesù, gli uomini dovevano essere tutti come Avezzana. Vederlo con qual noncuranza cinge quella spada d'onore
che gli fu data, chi sa per qual gloria delle tante sue d'America!
Dicono che arrivò appunto di là, in tempo per correre a Caserta,
incontrar Garibaldi nel momento più vivo della battaglia sul Volturno, salutarlo e entrar a combattere. Aver cercato continenti e
mari, andando randagi, dalla giovinezza alla vecchiezza; aver amato,
creduto, giurato di far l'Italia prima di morire; essersi raggiunti in
un giorno di battaglia come quella del Volturno, l'uno già ministro della guerra in Roma, l'altro allora sotto di lui e ora Dittatore qui; cosa mi parlano della vecchia Cavalleria? Questa è storia
romana, ma di quella antica, antica ... [1]

*15 d'ottobre.*

Stamattina s'ebbe un gran fatto. Per la prima volta, i soldati di
Vittorio Emanuele combatterono davvero a canto dei volontari
di Garibaldi. Dico davvero, perché già il due d'ottobre quel battaglione della brigata Re che avevamo lasciato nella piazza del palazzo reale il giorno avanti, fu adoperato con pochi bersaglieri a
far prigioniera quella tal colonna borbonica di Caserta Vecchia.
Ma quello fu un fatto senza poesia. Invece, stamattina, i borbonici
uscirono da Capua baldanzosi, marciando verso Sant'Angelo, dove
trovarono i bersaglieri e la fanteria regolare che li soffiarono via
come pagliuzze. Gareggiarono con essi i volontari del colonnello
Corte, a chi facesse meglio; così la voglia d'uscir di Capua i borbonici potranno averla; ma l'ardimento forse mai più.

*20 d'ottobre.*

Pettorano, Carpinone, Isernia, meritereste che su voi non venisse
più né pioggia né rugiada, fin che durerà la memoria dei nostri,

1. Giuseppe Avezzana (1789-1879), di Chieri, a sedici anni fu soldato di
Napoleone, poi capitano nell'esercito sardo ed esule dopo il '21. Si batté
eroicamente in Spagna e al Messico. Nel '49, sessantenne, comandò la
Guardia nazionale di Genova e fu poi ministro della repubblica romana.
Ancora esule, accorse nel '60 a Napoli in tempo per prender parte alla
battaglia del Volturno. Quasi ottantenne, accorse ancora alle armi nella
guerra del '66.

ingannati e messi in caccia e uccisi pei vostri campi e pei vostri boschi!

Tornano gli avanzi della colonna di Nullo; non si regge ai loro racconti; non sanno dire che morti, morti, morti! Par loro d'avere ancora intorno l'orgia di villani, di soldati, di frati che uccidevano al grido di Viva Francesco secondo e Viva Maria.

Povero Bettoni! La sua Soresina non lo vedrà più. Se ne veniva indietro ferito su d'una carrozza; cavalcavano a' suoi lati Lavagnolo e Moro, pensando di poterlo porre in salvo a Boiano, e tornar poi a spron battuto dove Nullo combatteva, e i nostri morivano qua, là, a gruppi, da soli, sbigottiti dalle grida selvagge, dalla furia delle donne cagne scatenate, più che dalla moltitudine degli armati che innumerevole si avventava. Poveri cavalieri! Il giorno appresso il tenente Candiani li trovò morti, nudi, oltraggiati sulla via. Ah! quel Sannio, quel Sannio! Mi sento passar sul viso un soffio gelato come quel giorno che la spedizione partì: sin d'allora mi suonò nella memoria il nome delle Forche Caudine.

*25 d'ottobre.*

Sopra queste contrade deve essere passato non so che spirito. Gli abitanti ingrandiscono o impiccoliscono le cose per vezzo di dire. Il *Volturnus celer* è ancora sonante come nei versi di Lucano,[1] una maestà d'acque verdi, che s'incalzano clamorose. Eppure a un guado di esso fu dato il nome di Scafa di Formicola. Quando vi passammo si rise del nomicino strano; sebbene si mettesse il piede sul ponte di barche che il Dittatore fe' gettare dal colonnello Bordone in quel luogo; e sentirsi oscillar sotto, crescere, scemare quelle tavole mal connesse, desse sgomento. Eravamo noi di Eber, quei di Bixio, quei di Medici, la brigata Milano; e vengono pure gl'inglesi della legione, gente bella, vestita come noi; camicia rossa, divise verdi, ma di panno finissimo, cinture lucide come se tornassero dall'India.

Il giorno è nefasto.

Cadde il cavallo del generale Bixio, e l'eroe, rotta la testa e una gamba, si lasciò trasportare a Napoli, guardandoci con invidia. Non è che un uomo, ma senza lui, par che manchi qualcosa nell'aria.

1. *Pharsalia*, II, 423.

Ci siamo accampati sull'orlo d'un bosco in cui potrebbe cavalcare
Angelica fuggente; eppure lo chiamano Caianello, come se fosse un
cesto di granetto fatto nascere per ornare il Presepio.
Intanto, che ci siamo venuti a fare? Là c'è Capua. I calabresi
che abbiamo trovato qui, ci dicono che i borbonici fanno delle
apparizioni in quei fondi laggiù. A destra, lontano, abbiamo Gaeta.
Quelli devono essere i monti di cui mi parlava il vecchio Colombo,
quando raccontava d'esservi stato nell'ottocentocinque, all'assedio
fatto da Massena.[1] E mentre io penso a lui che fu pure soldato della
legione di Garibaldi in America, egli parla forse di questi luoghi
con mio padre, che glie ne domanderà, chi sa con qual cuore.
Oh! io vorrei essere quel falco, gettarmi da un capo all'altro
del cielo, mandando strida per l'aria che imbruna! Ora a quella
campana . . . ! Di dove suona? «Era già l'ora che volge il desio . . .»

Chi dice che siam qui per dare l'ultima battaglia, e che mentre
combatteremo contro i cinquantamila borbonici che ancor tengono
per Francesco secondo, arriveranno i soldati di Vittorio Emanuele
con lui in persona, discendendo dall'Abruzzo per la via di Venafro.
Chi ribatte che da Venafro potrebbero venire delle buone anfore
di vino, di quello antico che piaceva a Orazio, ma che battaglie
di campo, dopo quella del primo d'ottobre, non se ne possono più
avere. Allora si marcerà per incontrare il Re!

*26 d'ottobre.*

Non lo dimenticherò, vivessi mille anni, ma non saprò mai ridirlo
preciso e lucido, come mi guizzò nella mente, il pensiero che già
ebbe Catoni, conversando con me, quella notte là, vagabondi, per
la campagna oltre Maddaloni. Sono quasi seicento anni, Carlo
d'Angiò veniva in qua da Roma segnato e benedetto dal papa, e si
pigliava la corona di Manfredi, tra i morti di Benevento. Il papa
gliela aveva data, purché se la fosse venuta a prendere. Ma oggi un
popolano, valoroso come . . . cos'importa dirlo? un popolano generoso come non sarà mai nessuno, semplice come Curio Dentato,
delicato come Sertorio, anche fantastico come lui e sprezzatore

1. Il generale Andrea Massena (1756-1817) nel 1805-1806 assediò e prese Gaeta, e scacciò gli inglesi dalla Calabria assicurando il trono a Giuseppe Bonaparte.

come Scipione,[1] in nome del popolo strappa quella corona al re di Napoli e dice a Vittorio Emanuele: — È tua!

Ho quasi il capogiro. Sono ancora pieno di quel che ho veduto, scrivo . . . Una casa bianca a un gran bivio, dei cavalieri rossi e dei neri mescolati insieme, il Dittatore a piedi; delle pioppe già pallide che lasciavano venir giù le foglie morte, sopra i reggimenti regolari che marciavano verso Teano, i vivi sotto gli occhi, e nella mente i grandi morti, i romani della seconda guerra civile, Silla, Sertorio, che si incontrarono appunto qui, figure gigantesche come quei monti del Sannio là, e che forse non erano nulla più di qualcuna di quelle che vedo vive. Cosa ci vorrebbe a fare lo scoppio d'una guerra civile?

A un tratto, non da lontano, un rullo di tamburi, poi la fanfara reale del Piemonte, e tutti a cavallo! In quel momento, un contadino, mezzo vestito di pelli, si volse ai monti di Venafro, e con la mano alle sopracciglia, fissò l'occhio forse a legger l'ora in qualche ombra di rupi lontane. Ed ecco un rimescolio nel polverone che si alzava laggiù, poi un galoppo, dei comandi, e poi: — Viva! Viva! Il Re! Il Re!

Mi venne quasi buio per un istante; ma potei vedere Garibaldi e Vittorio darsi la mano, e udire il saluto immortale: — Salute al re d'Italia! — Eravamo a mezza mattinata. Il Dittatore parlava a fronte scoperta, il Re stazzonava il collo del suo bellissimo storno, che si piegava a quelle carezze come una sultana. Forse nella mente del Generale passava un pensiero mesto. E mesto davvero mi pareva quando il Re spronò via, ed Egli si mise alla sinistra di lui, e dietro di loro la diversa e numerosa cavalcata. Ma Seid, il suo cavallo che lo portò nella guerra, sentiva forse in groppa meno forte il leone, e sbuffava, e si lanciava di lato, come avesse voluto portarlo nel deserto, nelle Pampas, lontano da quel trionfo di grandi.

1. *Curio Dentato*: vinse i Sanniti e Pirro, e fu proverbiale per la sua semplicità e il suo disinteresse. — *Sertorio*: partigiano di Mario, alla dittatura di Silla si rifugiò nella Spagna, costituendola in uno stato indipendente e difendendola valorosamente, finché nel 73 a. C. fu assassinato. Ebbe spirito nobile e cavalleresco. — *Scipione* l'Africano, il conquistatore delle Spagne e il vincitore di Annibale, sprezzò sempre di difendersi dagli intrighi e dalle accuse degli avversari.

*Sparanise, 27 ottobre.*

Ma allora, se così fosse come si susurra, ogni cosa sarebbe spiegata! Re Vittorio fu freddo nell'incontro con Garibaldi? Gli è che Francesco secondo è suo cugino, e che egli lo aveva invitato alla gran guerra contro i nemici d'Italia, ammonendolo. Anche si aggiunge che esista una lettera Francesco non volle o non poté dargli ascolto. Fortuna d'Italia! Ostinato e impotente continuò la storia di suo padre, e ora paga per lui.

Dunque certo contegno di Vittorio Emanuele nell'incontrarsi col Dittatore sarebbe stato un delicato riserbo? O han ragione quelli che pensano che allora egli meditasse le strane sorti dei re? Però noto che questi sono discorsi: passano come venticelli che non lascian nulla. Non si sente che la grandezza di Garibaldi, sinora! non si conosce che vi sia chi mira il sole nascente.

Ieri il Dittatore non andò a colazione col Re. Disse d'averla già fatta. Ma poi mangiò pane e cacio conversando nel portico d'una chiesetta, circondato dai suoi amici, mesto, raccolto, rassegnato. A che rassegnato? Ora si ripasserà il Volturno, si ritornerà nei nostri campi o chi sa dove; certo non saremo più alla testa, ci metteranno alla coda. Dicono che il Generale lo disse a Mario. E questa deve essere la spina del suo gran cuore che voleva un milione di fucili da dare all'Italia, e l'Italia non diede che ventimila volontari a lui.

*Napoli, 2 novembre.*

Tuona lontano il cannone. Bombardano Capua, e noi non vi siamo più. Gli artiglieri di Vittorio Emanuele non avranno gran da fare, perché la guarnigione non aspetta che un motivo onesto, per arrendersi. Già il Griziotti, colonnello nostro, lo aveva detto: — Generale, lasciatemi lanciar due bombe sulla cittadella, e si arrenderà. — No, se un fanciullo, una donna, un vecchio morisse per una bomba lanciata dal nostro campo, non avrei più pace! — disse Garibaldi. — E Griziotti: — Ma i nostri giovani si consumano di febbri in questo assedio: ogni giorno si assottigliano, muoiono. — E Garibaldi a lui: — Ci siamo venuti anche a morire. — Arriveranno i piemontesi, Generale; essi non avranno riguardi; con poche bombe faranno arrendersi la città, poi diranno che tutto quello che facemmo sino ad ora, senza di loro non avrebbe contato nulla. — Garibaldi allora: — Lasciate che dicano; non siamo mica venuti per la gloria!...

*Napoli, 3 novembre.*

Il giorno dei Santi, poi quello dei Morti, poi quello delle medaglie a noi, terza festa nella malinconia della stagione.

Là in faccia alla reggia, dove tutto dice che i Borboni non torneranno più, la piazza di San Francesco di Paola era parata di bandiere. In mezzo, un seggio, delle dame, dei generali, dei grandi intorno al Dittatore che ancora aveva il cappello di Marsala. Vidi il Carini, ora generale, balioso, ringiovanito, col braccio al collo, pareva felice. La legione ungherese faceva scorta d'onore, e vi erano i granatieri schierati che facevano scorta anch'essi. Noi davamo le spalle alla reggia, aspettando. A un certo punto il Dittatore si alza, e venne verso noi dicendo con la sua voce limpida ed alta: — Soldati dell'indipendenza italiana, veterani benché giovani dell'esercito liberatore, vi consegno le medaglie che il Municipio di Palermo decretò per voi. Cominceremo dai morti, i nostri morti...

E allora un ufficiale cominciò a chiamare a nome i morti che rispondevano in noi, con l'improvviso ritorno della loro visione. Ma passato questo giorno non saranno ricordati solennemente mai più? Furono da cento nomi d'umili ignoti o d'illustri, e a ogni nome un fremito correva tutta la nostra fila. Meglio morti o vivi? Si diffondeva una malinconia cupa che pur pareva entusiasmo.

Quando toccò a noi, si andò chiamati ad uno ad uno dinanzi al seggio, dove una giovinetta, alzandosi sulla punta dei piedi, ci metteva la medaglia sul petto, e intanto guardava di sotto in su con due grandi occhi gioiosi. Chi fosse non so, né chiesi di lei. Che giova il nome? Udii il Generale che volgendosi a una dama vicino a lui, diceva: — Vede? Quelle facce le conosco tutte, le vedrò finché vivrò.

Intanto le bande suonavano, e quella dei granatieri pareva dicesse: Basta, ora basta, andate!

*Caserta, 9 novembre. Sera.*

Oggi il Palazzo reale guatava il viale che gli si protende dinanzi lontano lontano, e pare che voglia arrivare sino a Napoli; guatava

le file dei battaglioni rossi distese sotto i grandi alberi immobili e
cupi sotto il cielo basso. Doveva venire il re a passare in rassegna
tutto l'esercito garibaldino, un dodicimila che stavamo con l'armi
al piede, in ordine di parata. Si aspettava! Il re sarebbe arrivato
verso le due, lo avrebbe annunziato il cannone. E intanto nelle
file si parlava, e passavano delle novelle bizzarre, motti, arguzie,
cose da poema e da commedia. Udii persino delle volgarità. Ma
non v'era allegrezza. Anche le nuvole, calando sempre più, mettevano non so che freddo, e l'ora, passando, portava stanchezza.
Certi veneti del mio battaglione dicevano sottovoce che quando
fosse passato il re, sarebbe stato bello circondarlo, pigliarselo,
menarlo nei monti, e di là fargli dichiarar la guerra per Roma e
Venezia. Che fossero visi da farlo? Alcuni sì; i più dicevano per
dire. Ma nel più vivo di quei discorsi s'udirono le trombe dalla
destra della lunga linea. Attenti . . . il Re!

I battaglioni si composero, si allinearono, i cuori battevano, chi
amava, chi no. Poi venne in giù una cavalleria trottando . . . Ah!
quello che cavalcava alla testa non era il re: era Lui col cappello
ungherese, col mantello americano, e insieme a Lui tutte camicie
rosse. Quel cappello calcato giù sulle sopracciglia segnava tempesta.
Vennero, passarono, lasciando un grande sgomento, arrivarono in
fondo al viale, diedero di volta, ripassarono come un turbine, sparirono. E poco appresso i battaglioni furono messi in colonna di
plotoni . . . , pareva che si dovesse marciare a qualche sbaraglio,
tutti si era pronti . . . Così si andò verso il Palazzo reale, a sfilare
dinnanzi al Dittatore piantato là sulla gran porta, come un monumento. E si sentiva che quella era l'ultima ora del suo comando.
Veniva la voglia di andarsi a gettar a' suoi piedi gridando: — Generale, perché non ci conducete tutti a morire? La via di Roma è là,
seminatela delle nostre ossa! — Ma la guerra civile? Ma la Francia? . . . L'anno scorso fummo così amici con la Francia!

Il Generale, pallido come forse non fu visto mai, ci guardava.
S'indovinava che il pianto gli si rivolgeva indietro e gli allagava
il cuore. Non so neppur uno di quelli che stavano vicino a lui.
Che cosa contavano in quel momento? Lui, Lui solo: non vidi
nulla. Ora odo dire che il Generale parte, che se ne va a Caprera,
a vivere come in un altro pianeta; e mi par che cominci a tirar un
vento di discordie tremende. Guardo gli amici. Questo vento ci
piglierà tutti, ci mulinerà un pezzo come foglie, andremo a cadere

ciascuno sulla porta di casa nostra. Fossimo come foglie davvero, ma di quelle della Sibilla;[1] portasse ciascuna una parola: potessimo ancora raccoglierci a formar qualcosa che avesse senso, un dì; povera carta!... rimani pur bianca... Finiremo poi.

---

1. «Così la neve al sol si disigilla, — così al vento nelle foglie lievi — si perdea la sentenza di Sibilla» (*Paradiso*, XXXIII, 64-66).

# GIUSEPPE BANDI

# PROFILO BIOGRAFICO

GIUSEPPE BANDI nacque il 15 luglio 1834 a Gavorrano in provincia di Grosseto. Compiuti gli studi secondari ad Arezzo e a Lucca, passò all'università di Siena, dove si addottorò in legge. Ma più che le pandette, le passioni della sua gioventù furono la poesia e la patria. Ventenne egli appariva bello e aitante della persona, il volto aperto e leale, l'animo franco e disposto ad ogni azione generosa. Collaborava a «L'Arte», un giornaletto fiorentino diretto da Federigo Leoni, e nel 1857 pubblicò le sue poesie in un volumetto che fu stampato dalla tipografia di Giuseppe Mariani e al quale egli diede il titolo significativo di *Versi italiani*. Ardente mazziniano, fu segretario del comitato fiorentino della Giovine Italia e prese parte all'organizzazione del tentativo insurrezionale del 1857. Vigilato continuamente dalla polizia granducale, che lo «fermò» la prima volta in seguito al fallito moto livornese del '57 e lo arrestò per pochi giorni nel marzo del '58, fu nuovamente arrestato nel luglio dello stesso anno, condannato a un anno di reclusione e rinchiuso nel Forte Falcone di Portoferraio.

Il 28 aprile 1859, in seguito alla rivoluzione pacifica di Firenze e alla partenza del Granduca, il Bandi fu scarcerato e si arruolò volontario, senza tuttavia poter partecipare ad alcuna azione di guerra. Dopo Villafranca, militando come sottotenente nella divisione toscana dell'esercito dell'Italia centrale, fu notato da Garibaldi, che lo volle suo ufficiale di ordinanza. Cessata col plebiscito la missione di quell'esercito, il Bandi raggiunse la sua guarnigione ad Alessandria, dove, l'anno seguente, ricevette la chiamata di Garibaldi, che stava preparando la spedizione dei Mille. Accorse immediatamente a Villa Spìnola e seguì il Generale da Quarto a Capua. Ferito più volte a Calatafimi, promosso capitano e poi maggiore, assegnato alla brigata Medici, tornò a battersi strenuamente a Milazzo guadagnandosi la lode del Generale («Bandi, siete un eroe!») e al Volturno.

Terminata la campagna dei Mille, il Bandi ritornò nell'esercito regolare, ottenendo che gli fosse riconosciuto e conservato il suo grado di maggiore, e al comando del suo battaglione si distinse nella battaglia di Custoza e fu decorato con la croce dell'ordine dei SS. Maurizio e Lazzaro. Ma le relazioni del Bandi, che conservava il temperamento del volontario garibaldino, coi suoi superiori, vecchi ufficiali di carriera, non erano mai state le più felici. Nel '67 fu a un pelo, come egli stesso narrò, dal condurre il suo battaglione a Garibaldi. Perciò nel febbraio del 1870, cresciuti i motivi di attrito, egli fu costretto a lasciare l'esercito.

Si dedicò allora al giornalismo e collaborò alla «Nazione» di Firenze. Nel 1872 ebbe la direzione della «Gazzetta livornese» della quale nel 1876 poté acquistare la proprietà, e l'anno seguente fondò anche «Il telegrafo», giornale della sera, il cui primo numero uscì il 29 aprile. La sua vita di giornalista fu attiva, operosa e tranquilla fino al 1889, quando, avendo egli preso energicamente posizione contro gli anarchici, una bomba fu fatta esplodere il 1° gennaio nella direzione dei due giornali. Nel 1893 gli anarchici posero un'altra bomba, per errore, nella palazzina accanto. L'anno seguente, in seguito agli articoli nei quali deplorava fortemente l'uccisione di Sadi Carnot, presidente della Repubblica francese, il 1° luglio anch'egli cadde vittima del pugnale anarchico.

Il Bandi fu una delle più simpatiche e delle più benvolute figure del giornalismo italiano dopo l'unità. Fu giornalista di sinistra; ma quando la Sinistra era già al potere; e fu perciò giornalista ministeriale. Ma seppe conservare la sua indipendenza, la quale gli era garantita dalla proprietà personale dei suoi due fogli. È notevole, infatti, che in occasione dei fasci siciliani egli riconoscesse apertamente che quei tumulti sanguinosi erano «il frutto di odii accumulati da generazioni di uomini ridotti allo stato di vita bestiale, contro generazioni di sfruttatori che per stolto egoismo, riducendo alla disperazione i loro sottoposti, stanno per trarre il paese, se stessi ed altrui alla completa rovina»; e che al Crispi, tornato allora al potere, rivolgesse questo significativo ammonimento: «Che gioverebbe, che prometterebbe mai di buono il riuscire a far regnar l'ordine in Varsavia, quando restasser vive e più che mai fiere in Varsavia le cause del disordine?»

Negli articoli che egli scrisse a iosa per i suoi e per altri giornali si occupò, si può dire, di tutto: di politica, di letteratura, d'arte, di musica, di problemi militari, di problemi cittadini e d'altro. E scrisse anche romanzi, sull'esempio del Guerrazzi, storici (*Pietro Carnesecchi*, *La Rossina*, *Caterina Pitti* ecc.), ricorrendo a documenti e a vecchi scritti, egli che aveva, oltre la versatilità dell'intelligenza e il dono della parola espressiva, anche un così vivo senso del reale. Più interessanti riescono quegli scritti, che si ricollegano alla sua esperienza e ai sentimenti più suoi,

*Da Custoza in Croazia. Memorie di un prigioniero*, Prato 1866 (notevole per le memorie della battaglia di Custoza, non per le memorie della prigionia, ché il Bandi non fu mai prigioniero) e *Anita Garibaldi*, Livorno 1889. Ma l'opera a cui rimane sicuramente affidata la fama del Bandi, è la rievocazione della campagna de *I Mille*, che egli pubblicò a puntate nel «Telegrafo». Da allora a oggi questo libro è sempre più venuto crescendo nella estimazione dei lettori, e si è messo alla pari con quello che sembrava il corollario unico dell'epopea garibaldina, le *Noterelle* dell'Abba. Anzi c'è chi lo pone al di sopra, e a questo giudizio inclinava anche Benedetto Croce. In realtà lo stile dell'Abba appare non di rado troppo pulito e piuttosto ricercato e distaccato; mentre i ricordi del Bandi hanno il sapore del frutto maturo appena colto e ci portano nel vivo di quella vita, in quei luoghi, tra quegli uomini. Il che può voler dire solamente che esse sono due opere diverse, belle l'una e l'altra, e che la preferenza, come in tanti altri casi simili, può esser dettata più dal gusto personale ed estroso del lettore, che non obiettivamente dal valore delle singole opere criticamente ragionato.

Quando il Bandi prese in mano la penna per questi ricordi, gli anni, come per una qualche magia, gli cadder di dosso, ed egli ritornò quel sottotenente bello e aitante che un giorno, lasciato senza dir nulla il reggimento, si imbarcò per la più strana e forse un poco assurda, ma a ogni modo per la più strepitosa avventura della sua vita. E intorno a lui tutto tornò a vivere com'era allora: quei tipi di tutte le età, così diversi strambi ed eroici; e quei fatti, l'uno accanto all'altro, commoventi spassosi ridicoli solenni ed epici; e anche il paesaggio siciliano, quell'aria, quel senso, che così vivido e vero si trova solo nel Verga di *Mastro-don Gesualdo*. E perfino il Generale, che era già morto, scese dalla nube, e ripresi i suoi cinquantasei anni, col mezzo sigaro in bocca, la sciabola impugnata per la punta e appoggiata alla spalla, marciò, malgrado l'artrite, come un caro babbo alla testa dei suoi figliuoli.

Il segreto di questo libro, che malgrado le sue disuguaglianze e le sue cadute rimane sempre un gran bel libro, è in questo senso di vita schietta e immediatamente vissuta, e nel fondo, forse dissimulato anche allo stesso autore, quell'indistinto sentore di favola, di giovinezza ritrovata, di avventura incredibile e miracolosa.

★

Le memorie garibaldine del Bandi furono scritte nel 1886 per le appendici
del «Messaggero» di Roma e del «Telegrafo» di Livorno, dove apparvero
a puntate e distinte in tre serie successive: I - *Da Genova a Marsala*;
II - *Da Marsala a Palermo*; III - *Da Palermo a Capua*. Nel 1902 l'editore
Salani di Firenze ne apprestò la prima edizione in volume col titolo:
*I Mille - Da Genova a Capua*. Presso lo stesso editore seguirono poi altre
ristampe, fra le quali una del 1912 con illustrazioni di ALBERTO DELLA VAL-
LE. Di recente quest'opera è stata ripubblicata da G. STUPARICH nei suoi
*Scrittori garibaldini*; ma con molti tagli che falsano il tono generale del-
l'opera.

Per notizie biografiche cfr. BICCHIERAI, *Beppe Bandi*, Montevarchi 1904,
e ALCESTE CRISTOFANINI, *Giuseppe Bandi, vita aneddotica*, Firenze 1934.

Questo libro ha avuto sempre carattere di lettura popolare; la sua fortuna nella critica letteraria è molto recente. Cfr. BENEDETTO CROCE, *Letteratura garibaldina* (nel cit. VI vol. della *Letteratura della nuova Italia*);
PIETRO PANCRAZI nei citati *Racconti e novelle dell'Ottocento*; e l'introduzione di GIANI STUPARICH agli *Scrittori garibaldini* già citati.

# DA «I MILLE»

## I

### [LO SBARCO A MARSALA]

Era terminata la sinfonia, e s'entrava davvero sul palcoscenico per dar principio al primo atto. Ci inoltravamo, infatti, nel mare aperto, con pericolo grande d'essere scoperti e combattuti dalle crociere nemiche, non potendosi supporre saviamente che la corte di Napoli ignorasse, a quell'ora, la nostra partenza da Genova e non avesse prese le sue buone cautele per tentar di coglierci lungo il cammino e far di noi giustizia senza carità, avendo per unici testimoni il cielo ed il mare. Furono, dunque, messe le vedette in cima agli alberi, dove s'erano legate, per dar loro un po' d'agio, certe assicelle; poi si concertarono i segnali notturni tra i due legni, acciò non avvenisse il caso di smarrirsi o di cambiar gli amici per nemici o questi per quelli. Poi, si cominciò a improvvisar fucine, e si fondettero palle, e si diè mano a far cartucce, e si costrussero fornelli coi mattoni per le marmitte del rancio, e a bordo non fu più nessuno che rimanesse ozioso. Era uno spettacolo amenissimo a vedersi. In quella gran baraonda c'era di tutto un po'; ma si trattava d'una baraonda di genere del tutto nuovo, giacché presiedevano ad essa l'ordine e il silenzio. Dico: ordine e silenzio, perché quando ne' primi momenti del viaggio da Santo Stefano in là, si cominciò ad udire a bordo un po' di baccano, e non bastò a tenere a segno i chiassoni l'autorità degli ufficiali, Garibaldi si mostrò sul ponte, e salito sulla passarella, tenne una brevissima arringa, la conclusione della quale fu questa:

— Qui sul mio bordo non deve udirsi altra voce che la mia; e il primo che ardisse di disobbedirmi, si prepari ad esser buttato in mare.

*Conticuere omnes*, direbbe Virgilio Marone, da Mantova.[1] Bastò questo brevissimo squarcio d'eloquenza a metter giudizio a' più impronti, e il nostro legno parve trasformato in una vera Certosa.

Non così accadde a bordo al *Lombardo*, dove Nino Bixio dovette, per farsi intendere, ricorrere non di rado alle mani, e spesso si trovò sul punto di far con ragione ciò che quattro mesi dopo fece

---

1. *Aen.*, II, 1. Mantenendo il tono scherzoso della citazione, si potrebbe tradurre: «ammutolirono tutti».

con suo gran torto nella rada di Paola, sul vapore *Elettrico*, dove tribbiando col calcio d'una carabina le zucche di certi volontari ungheresi e tedeschi che, in barba al suo divieto, sonnecchiavano distesi in coperta, uno ne mandò al Creatore ed altri tre o quattro li fe' dolorosi per parecchio tempo.

Certi amici miei che navigavano allora sul *Lombardo*, mi raccontarono, a suo tempo, parecchi stupendi casi delle furie di Nino Bixio e i brani principali delle sue prediche, una delle quali terminò col seguente mansueto *memento*: — Rammentatevi, e se non lo sapeste prima d'ora, ve lo dico adesso, che qui a bordo vengo io, prima del Padre Eterno, e voglio essere obbedito a qualunque patto, e saprò farmi obbedire. Quando poi saremo a terra, appiccatemi, se vi sarà possibile, al primo albero che troveremo, ma qui comando io, io, io!...

Bixio non era Garibaldi, e basta ciò per mettere in sodo che egli fece miracoli, se riescì a farsi obbedire in mezzo alle varie (se non orribili) favelle che gli suonavano intorno, e in mezzo a quegli ardenti spiriti, che l'angustia dello spazio e la novità dell'avventura e la impazienza e cento altre cause rendevano indocili e difficilissimi a tenersi in cristi.

Chi disse essere stato Bixio il *secondo dei Mille*, non disse bugia.

Sulle ventiquattro, scendemmo giù nel cenacolo del generale per rifocillarci. Le provviste, fatte a Santo Stefano, avevano messo in grado il nostro cuoco di pascolarci assai bene; i fiaschetti di vino nero e le bottiglie di riminese del gonfaloniere Arus e d'un brav'uomo delle vicinanze d'Orbetello, ci resero degni d'invidia a Lucullo.

Non ricordo bene chi cenasse, in quella sera con noi; ma rammento benissimo che Garibaldi, tra un boccone e l'altro, entrò a discorrere del putiferio accaduto a Talamone per causa della bandiera sabauda, e disse ira di Dio contro Mazzini e i suoi ciechi seguaci. E siccome ci fu qualcuno che volle, pulitamente e bene, dargli sulla voce, e' si alzò d'improvviso e disse (parmi sentirle adesso) queste precise parole:

— Sono io pure repubblicano; ma quando i re sono come Vittorio Emanuele si debbono tollerare.

Nel profferire queste parole, Garibaldi guardò fisso me, che nell'anno innanzi avevo spesso avuto refe da dipanare con lui, per difendere Mazzini; ma io sostenni impavido il suo sguardo, ed egli (che in quel momento s'era alzato da tavola) passò oltre sorridendo.

Ventisei anni sono scorsi, ma ho tuttora vivo dinanzi agli occhi lo spettacolo della bella e buona compagnia, nella quale il mio destino mi aveva spinto. Cominciando dalla gran palandra nera e dal cappello a cilindro del Sirtori,[1] e andando giù giù sino alle fogge di vestire a uso Ernani, tutti i modelli del figurino, vecchio e nuovo, v'erano rappresentati. Crispi con uno *sprònchete* stretto stretto, che mostrava le corde; Carini col berretto da viaggio all'inglese e un soprabituccio spelacchiato e corto corto; Calona,[2] vecchio siciliano dai capelli bianchi con uno sgargiante abito rosso e un gran cappello nero alla Rubens, con una lunga, ondeggiante penna di struzzo. Poi, il canonico Bianchi, mezzo vestito da canonico, e parecchi bei giovani di Lombardia, vestiti all'ultima moda; e uniformi di linea e dei Cacciatori delle Alpi, e costumi da marinaio e una gran folla di camicie rosse, che formavano, con la loro massa vivace, il fondo del quadro. Tutta questa gente, divisa in crocchi, secondo l'età, le amicizie ed i gusti, ragionava, novellava, specolava l'etra, la marina e il suolo, come fece (se dee credersi al più gran poeta[3] del nostro secolo) Simonide poeta cieco;[4] ma, tratto tratto, il mal di mare assottigliava quei crocchi, perché gente dal muso bianco e dagli occhioni in fuori spariva velocemente o s'accasciava sulle dure tavole del ponte, o s'affacciava per dare al mare ciò che non era del mare.

La moglie del Crispi (di poi non più moglie),[5] vestita in dimessi panni, giuocava a *scopa* coll'antico parroco Gusmaroli, vecchio dai capelli lunghi e bianchissimi, dal volto rubizzo e dagli occhi di gatto, del quale Garibaldi soleva dire di aver veduto rare volte in sua vita uomo più valoroso.

Parrà incredibile, ma pure è vero, che di tutto si parlava, fuori

---

1. Sul Sirtori e su altri garibaldini che il Bandi nominerà in seguito cfr. le *Noterelle* dell'Abba. 2. Ignazio Calona (1795-1864), di Palermo, vecchio rivoluzionario, era capitano nello stato maggiore generale di Garibaldi. 3. Il Leopardi nella canzone *All'Italia*. 4. *cieco*. O è un errore di stampa, o è un *lapsus* del Bandi, il quale voleva dir certamente *Simonide di Ceo*. 5. Rosalia Montmasson di Annecy in Savoia era l'unica donna che navigasse coi Mille. Francesco Crispi l'aveva sposata a Malta allo spirare del 1854, ma il rito era stato celebrato con una semplice benedizione e perciò non era un vincolo valido. Nel 1878, essendo egli ministro dell'interno e avendo sposato civilmente Lina Barbagallo, alla quale era già unito da tempo col rito religioso, fu clamorosamente accusato di bigamia e dovette dimettersi.

che della faccenda, in quel momento, per noi più seria; una fiducia pienissima e quasi cieca nella buona stella e nella virtù del condottiere facea sì che la gran parte dei Mille non pensasse ai pericoli di quel viaggio, più che non s'avrebbe dato pensiero d'una corsa a vapore sul lago di Como o d'Iseo. I vecchi poi, o quelli più maturi per senno e più riflessivi, se parlarono dei tanti casi, belli o brutti, che poteano accadere in quella corsa, ne parlarono tranquillamente e senza esagerare e colorir con troppo lusso di scuri le fantasime, che disegnava su quella gran tela il giudizio. In fin dei conti, voglio far capire a chi legge che, in quei giorni, dovette aver maggiori spine nel cuore chi ci vedea da lungi coll'occhio della trepidazione, che non il più timido e spericolato uomo o ragazzo che fosse a bordo dei due vapori. Tante volte a me ed agli altri più intimi del generale si dimandava: — O dove sbarcheremo?

Questo era il gran segreto, questo era l'indovinello che tutti avrebbero voluto sciogliere, massime i siciliani che con noi erano, i quali avevano opinioni assai diverse in proposito dell'opportunità del luogo dello sbarco, e spesso intavolavano questioni lunghe e discretamente noiose.

E per vero, nessuno sapeva il luogo destinato allo sbarco; chi dicea diversamente, dandosi aria di essere informatissimo (come dicono oggi certi gazzettieri), argomentava di propria testa e correa dietro ai farfalloni.

Mi ricordo però d'aver sentito spesso il generale rammentare il porto di Marsala, e il capitano Castiglia[1] assicurargli che quella città era in potere degli insorti siciliani; oltre a ciò avevo veduto tra le molte carte che seco aveva «il nostro babbo» una carta idrografica di quei paraggi. Ma chi poteva asserire che Marsala fosse il luogo precisamente scelto per lo sbarco, e non un dei luoghi da sceglersi fra parecchi altri, secondo l'occasione?

La curiosità era grande, ma nessuno ebbe cuore di muovere a Garibaldi una domanda che potea sembrargli indiscreta e fruttare all'audace interrogante una di quelle risposte a secco, colle quali e' sapeva spesso tappar la bocca ai temerari ciarloni.

1. Salvatore Castiglia (1819-1895), di Palermo, espertissimo capitano di lungo corso, nella rivoluzione del '48 aveva avuto il comando della marina siciliana. Nel '60 fu tra quelli che si impadronirono dei due piroscafi. Si batté valorosamente a Calatafimi, poi organizzò il trasporto dei volontari in Calabria e fu nominato contrammiraglio della flotta sicula. Alla fine di questa spedizione abbracciò la carriera consolare.

Il capitano Andrea Rossi,[1] nostro timoniere, interrogato da me circa il luogo dello sbarco, mi disse, in quel giorno:

— E come vuoi sapere dove sbarcheremo, se io che sono al timone, non so nemmen dove andiamo?

— E come non lo sai?

— Non lo so davvero. La rotta che mi ha dato il generale non conduce, per adesso, in Sicilia. Abbiamo la prua sulla Sardegna.

Capii che si voleva fare un giro ben largo e correre il mare per vie disusate, nelle quali fosse agevole lo schivare qualunque incontro importuno.

Allora, argomentando dalla rotta che si faceva, ci fu anche chi pensò essere intendimento di Garibaldi di portarci sulle coste dell'Africa, e quivi stare studiando e aspettando il momento opportuno per avventarsi a golfo lanciato sulla Sicilia.

Insomma, le proposizioni, le ipotesi, i discorsi si succedevano, si affastellavano senza posa; ma tutti, dopo aver lavorato ben bene col cervello e colla lingua, chiudevano il libro dei sogni, e guardavano Garibaldi, bello, sereno, raggiante di speranza sublime, e in lui si affidavano, unico nostro faro, unica nostra stella.

Scorse senza alcun notevole caso la notte, durante la quale navigarono i due legni con placido mare, vegliando Garibaldi continuamente a tutto, e facendosi spesso a riveder le bucce al timoniere, che aveva il carico di dover capirlo per aria. Qualche volta che il timoniere mostrava di non aver capito a puntino quanto si voleva da lui, Garibaldi dava subito nelle furie e tirava giù co' rimbrotti, senz'ombra di misericordia.

In quella notte non vedemmo alcun lume. Sorse l'alba e non vedemmo terra né vela. Il *Lombardo* ci teneva dietro, secondo la forza de' suoi cavalli, e noi ci fermavamo, di quando in quando, acciò non restasse soverchiamente discosto. Il tempo era quieto, il vento caldo; l'acqua cominciava a venir giù dalle nuvole in sottilissime fila.

Continuò il lavoro delle cartucce; si legarono i cannoni, due

1. Andrea Rossi (1814-1911), di Diano Marina, esperto marinaio, aveva combattuto insieme con Garibaldi per l'indipendenza dell'Uruguay, ed era stato con lui anche nel '59. Nel '60 si imbarcò coi Mille come timoniere del *Piemonte* e fu al fianco di Garibaldi al Volturno, e poi anche ad Aspromonte. In seguito fu colonnello nelle capitanerie di porto.

per ciascun legno, presso i boccaporti di prua; i capitani facevan l'appello alle compagnie, davano qualche istruzione a quei loro uomini, che riescivano a tenersi in gambe; non sapevamo quando avremmo sbarcato, né dove, ma ognun di noi sentiva in sé che il momento di menar le mani non era lontano gran fatto.

Dopo mezzogiorno, veniva giù la pioggia tanto lietamente, che fu un piacere a sentirla. Il generale era sceso da basso, dopo aver rinnovate certe sue raccomandazioni al capitano Castiglia. Ad un tratto, mentre stavo chiacchierando con certi scolari dell'università di Padova, il generale si affaccia, e mi dice:

— Bandi, venite giù.

Lo trovai tutto ilare in volto. Aveva sul naso gli occhiali, ed un pezzo di foglio in mano.

— Ecco, — cominciò — mi sono accorto che fra tanti poeti che siete, non ce n'è uno che abbia voglia di mettere insieme quattro versi, per cantarli nel primo combattimento che avremo. Si direbbe che le vostre muse patiscono il mal di mare; è toccato dunque a me, — soggiunse — a tirar giù qualche verso; vogliate però compatirmi, perché fui sempre, e sono oggi più che mai, un cattivo poeta.

E mi lesse i seguenti versi, che furono scritti sopra un pezzetto di carta ingiallita, e sulla quale, poiché l'ho qui sott'occhio, si scorge una macchia, che può benissimo giudicarsi essere macchia di sangue:

*Lo stranier la mia terra calpesta*
*il mio gregge macella — il mio onor*
*vuol strapparmi — ma un ferro mi resta,*
*un acciar per ferirlo nel cuor.*
*Non sei stanco di giogo, d'oltraggi,*
*di codarde lusinghe, d'inganni?*
*Questa terra — servili e tiranni*
*solo porta — ma prodi non più!*
*Lo stranier, ecc.*

La poesia era breve, ma prometteva di continuare.

Come capirà facilmente il lettore, io avevo tutt'altra voglia che quella di mettermi a fare il critico; ma Garibaldi, per buona sorte, non mi pose in caso di dichiarare se i suoi versi mi piacevano o no; perché consegnandomi il foglio, soggiunse subito:

— Io vorrei che a questi versi s'adattasse qualche musica; ma vorrei una musica vivace, buona a mettere il fuoco addosso alla gente, al pari della *Marsigliese*; in una parola, una musica che desse idea di un attacco alla baionetta ...

— Generale, mi piace tanto la musica; — risposi — ma, per mia disgrazia e vostra, l'arte dei capperi[1] non l'ho imparata.

— E che importa? Avrete sentito molte opere, m'immagino; adattate a questi versi la musica di qualche coro guerresco ...

Mi provai a cantar que' versi sull'aria del coro di guerra dell'*Ernani*, ma al generale non piacque; provai due o tre altre arie, ma ebbero la stessa sorte. Allora, pensai un momento, e percorsi colla celerità della folgore tutte le opere che avevo udite negli anni lieti in cui piacciono a tutti la musica e le ragazze; mi parve avere sciolto finalmente il gran nodo, e dissi tutto allegro:

— Senta, generale, senta se a questi versi andasse bene la musica del coro della *Norma*, il coro che dice: «Guerra, guerra ...»

E spiegato nuovamente il foglio, cominciai a cantare.

Garibaldi me lo fe' ripetere due o tre volte, e si provò anch'egli a cantarlo, e soggiunse:

— Ora tornate su, scegliete gente che abbia buon orecchio e buona voce, insegnatele cotesta musica; e quando vi paia tempo, manderete ad avvisarmi e vi verrò a sentire.

Salito che fui sul ponte, chiamai Enrico Cairoli e tanti altri, e lessi loro le strofe, e dissi che il generale voleva che imparassero a cantarle sull'aria del coro della *Norma*. In un baleno fu fatto intorno a me un bel cerchio, e cominciai a concertare, battendo il tempo, come l'orecchio mi suggeriva. Quell'aria è bellissima e Wagner stesso le faceva tanto di cappello: ma la non è tale che possa imboccarsi lì per lì alle turbe profane da un maestro arciprofano, qual era ed è l'umile scrittore di questi capitoli. Per la qual cosa, per quanto battessi e ribattessi e cercassi tenere in tono e in misura i miei canarini, questi, trasformandosi in aquile, in falchi e in altri simili uccellacci, strillavano e urlavano come spiritati e non c'era modo di richiamarli al segno.

Era un diavoleto, un tumulto di stonazioni tale, da squarciar le orecchie; io avevo persa la pazienza, e cominciavo a sfoderare i moccoli del mio bel paese; più si provava, e più cresceva la cananèa. Il pubblico cominciava a ridere a più non posso, e ci avrebbe

---

1. *l'arte dei capperi*: la musica. È detta scherzosamente così perché le note sul pentagramma sembrano tanti capperi col loro picciòlo.

fischiati tutti, se non era la paura del generale. Finalmente Giacomo Griziotti da Pavia,[1] audacissimo fra tutti e incapace di tener lungamente in briglia l'umor balzano, facendosi a suon di spinte in mezzo a noi, cominciò a cantare ad alta voce *La bella Gigogin*,[2] e tutti i miei coristi e tutto il riverito pubblico a fargli coro, che parve un finimondo.

Durava da qualche istante, e cresceva gloriosamente quel baccano infernale, quando Garibaldi fece capolino.

Corsi subito da lui.

— Che musica è quella? — chiese. — L'avete inventata voi?

— Non io; — risposi — è quel matto di Griziotti, che non vuol sentire il coro della *Norma*, e manda a rotoli il mio concerto e ci fa fischiare...

— Eh diavolo!... — gridò il generale, e con un gran tonfo, si richiuse dentro.

Mentre a bordo al *Piemonte* si rideva a più non posso del tremendo fiasco del nuovo inno, il capitano Castiglia s'accorse che il *Lombardo* era fermo, e dette ordine di fare alto. In quel punto, il *Lombardo* era distante da noi un paio di miglia e anche più. Furono messi in opera i cannocchiali, e in quattro e quattr'otto vedemmo, con nostra infinita gioia, che quella sosta non dipendeva da alcuna deplorevole ragione. Si trattava di ripigliare un uomo caduto o saltato volontariamente in grembo a Teti; e quell'uomo lo vedemmo riprendere e tirar su; e poco dopo, quando il *Lombardo* si fu avvicinato a noi, il portavoce ci disse: — Si tratta di quel matto che già si buttò in mare nel primo giorno del viaggio.

Adesso, io debbo rifarmi un gran passo indietro e chieder venia a chi legge, se nella furia dello scrivere incappai, non volendo, in una imperdonabile dimenticanza.

Nel giorno stesso in cui eravamo partiti da Genova, due o tre ore innanzi notte, s'udì a bordo al *Piemonte* la voce del timoniere che gridò: — Un uomo in mare! — Fermata immediatamente la mac-

---

1. Giacomo Griziotti (1823-1872), da Corteolona, combattente nel '48 a Peschiera e l'anno dopo a Venezia, tra gli organizzatori del moto milanese del 1853, capitano di artiglieria nel '59, si imbarcò nel '60 coi Mille e fu ferito a Calatafimi, ma poté prender parte alla battaglia del Volturno. Fu con Garibaldi anche nel '66.    2. Questa famosa canzonetta in dialetto milanese, viva anche oggi, fu eseguita per la prima volta il 31 dicembre 1858 al teatro Carcano di Milano. Le si attribuivano allusioni antiaustriache e filopiemontesi.

china, fu calato giù un canotto, e quattro robusti giovani raggiunsero e ripescarono un uomo, che tratto a bordo si riconobbe per un volontario lombardo. Fu detto subito da chi lo conosceva che il disgraziato non aveva il cervello sano, e che già da qualche ora si lagnava di certe visioni che gli balenavano innanzi agli occhi, e diceva voler sfuggire e non aver cuore di vedersi tra nemici tanti.[1] Lo portarono sotto coperta, gli fecero vomitare tutta la grande acqua che avea nel buzzo, e fu detto che, appena si toccasse terra, fosse cura dei suoi compagni il pigliarselo a braccetto e farlo chiudere nello spedale. A Talamone, i suoi amici, o conoscenti che fossero, non si rammentarono di lui o non vollero occuparsene, e così avvenne che il matto continuò il viaggio, con la differenza però che invece di tornarsene sul *Piemonte*, salì sul *Lombardo*.

Ora, il secondo saggio di mattana che ci dette quel povero fratello nostro, fece mordere le mani al generale ed a tutti, come quello che ci costrinse a perdere parecchio tempo, e per poco non fu causa d'un gravissimo e quasi irreparabile danno, come vedremo tra non molto.

Voglio poi far sapere che il suddetto pazzacchione non fu contento di farci due brutti scherzi, ma ci volle regalare anche il terzo, e ce lo regalò nel terzo giorno da che eravamo in Sicilia, dando ragione a tutti coloro che credono sacro e fatale il numero tre e hanno per vangelo il vecchio motto: *omne trinum est perfectum.*

Ripescato, dunque, per la seconda volta il mattacchione, Garibaldi, avendo necessità di discorrere con Bixio, gli comandò d'avvicinarsi. Mentre costoro favellavano, i due legni correvano tanto vicini l'uno all'altro, che la gente non avvezza a certi ardimenti sull'acqua, non seppe vedere senza spavento la pericolosa vicinanza delle ruote che quasi si toccavano; e molte bocche si dettero a gridare: — Misericordia!

Cessato il colloquio, il *Piemonte* frustò i cavalli, e il *Lombardo* ripigliò il suo posto dietro a lui. Dico che il *Piemonte* frustò i cavalli, perché si dee credere che premesse molto al generale di

1. Notiamo una volta per tutte che lo stile del Bandi, pur nella sua spontaneità, ha una leggera patina letteraria, la cui origine risale probabilmente a influssi guerrazziani. Ma il tono delle sue allusioni è quasi sempre scherzoso. Qui la frase riecheggia Dante quando pensa ai fanti che uscivan di Caprona timorosi «veggendo sé tra nimici cotanti» (*Inferno*, XXI, 96).

scoprire, innanzi notte, le isolette prossime alla Sicilia, ed esplorare, verso quella parte, il mare, pel maggior tratto possibile.

Mentre il *Piemonte* correva a briglia sciolta, senza che paresse rincrescere a Garibaldi che il *Lombardo* restasse indietro più del solito, una frotta di delfini venne a saltabeccare intorno a noi, con infinita contentezza dei volontari, che, nella massima parte, vedevano per la prima volta quelli strani animali, e godevano nel farli bersaglio alle gallette e a quant'altra roba capitasse loro per le mani.

Il generale si divertiva assai nel vedere la gioia di quei curiosi, che stavano a bocca aperta a godersi i salti della greggia di Nettuno, quando io, vedendo il cielo farsi sempre più scuro, e accavallarsi sempre più grossi e torbidi i nuvoloni sull'orizzonte, gli dissi:

— Guardi, generale:

> *. . . i delfini fanno segno*
> *ai marinar coll'arco della schiena*
> *che s'argomentin di campar lor legno.*[1]

— Sì, è vero; — rispose il generale — però, Dante questa volta non dà nel segno, perché non è così vicino il cattivo tempo, come voi lo volete. Domani, vedrete che avremo tempo buono.

Intanto, i nuvoloni s'addensavano sempre più folti, e s'avvicinava la notte. Quando cominciò a far buio, il *Lombardo* era già distante da noi diverse miglia, e il generale, intento a specolare in lontananza, non parve darsene pensiero.

Appena però l'oscurità crescente gli impedì di continuare le sue esplorazioni, si volse per cercare il *Lombardo*, e si meravigliò che si fosse scostato tanto. Il capitano Castiglia gli disse:

— Ma è un pezzo che il *Lombardo* non si vede più; e quando Bixio vorrà che lo vediamo, ci farà segnale coi lumi.

Garibaldi avea disposto che in quella notte i due legni avrebbero navigato a lumi spenti ed a breve distanza l'uno dall'altro, avvertendo altresì che, in ogni caso, avrebbe servito di segnale un lume, che balenasse rapidamente da poppa a prua, e viceversa,

---

1. *Inferno*, XXII, 19-21.

per poi scomparire. Tutti gli occhi eran volti verso il punto nel quale era ragionevole supporre che si trovasse il *Lombardo*, ma il desiderato lume non si vedeva.

Il generale cominciò a parere inquieto, e diè ordine si caricassero i cannoni e si caricassero i fucili che innanzi sera s'avean distribuiti, ed erano, nel maggior numero, fucili vecchi, scavati da' fondacci dei magazzini, e non ad altro buoni che a servir da manichi alle baionette.

Era un silenzio di tomba. La voce del generale ordinò improvvisamente di fermar la macchina, e restammo fermi un bel tratto in mezzo all'oscurità, quasi completa.

Nessuno osava fiatare. Furon fatti, ripetute volte, col lume i segnali convenuti, ma dalla parte di dove s'aspettava il *Lombardo* nessun lume si vide, nessun segnale rispose. Si fece fischiar la macchina, si suonò a più riprese la campana, si dette nelle trombe, ma fu lo stesso che suonare e fischiare ai morti.

Fu un momento di terribile ansietà, e non lo ricordo senza sentire qualche brivido per le ossa. Fu quello il solo momento climaterico del nostro viaggio, del resto, lieto e felice; ma guai se quel momento fosse stato più lungo di quel che fu.

Udii Garibaldi dire a Castiglia:

— Non sarà mal fatto virar di bordo. Dove andiamo noi senza il *Lombardo*?

Mentre il generale così parlava, una immensa massa nera simile al vascello fantasma, passò di volo accanto a noi, e poi si volse e prese a girarci attorno. Si ripeterono i segni convenuti col lume, si fece di nuovo fischiar la macchina, si suonò la campana, ma senza frutto. Quello smisurato fantasma ci avvolgeva, in silenzio, con larghi giri, e sembrava cercare il momento per piombarci addosso. Era quello un legno da guerra napoletano, che ci dava la caccia? Lo sospettammo noi, lo sospettò Garibaldi, il quale temendo che non volesse investire colla prua il fianco del *Piemonte*, fece mettere in moto la macchina e cominciò a manovrare.

I cannonieri stavano colle micce accese accanto ai pezzi, le carabine eran pronte. Ci aspettavamo, da un istante all'altro, una scarica di mitraglia o un grande urto . . .

A un tratto, il temuto fantasma scomparve; poteva credersi che si fosse dileguato sulle schiume de' flutti, o si fosse sprofondato giù nei bruni gorghi per ritrovar le porte dell'inferno; ma non andò guari che riapparve improvviso e ci passò velocemente innanzi alla prua.

Garibaldi era muto; non tremava, ma pensava a quello strano giuoco, e mulinava qualche audace partito per rompere l'incantesimo. Ma questa volta il rimedio venne donde meno si aspettava. Un livornese, che stava appollaiato sul bompresso, gridò:

— Capitano Bixio!

Tosto, la voce argentina di Bixio ci rispose:

— Ehi?...

Un grido di gioia proruppe a bordo del *Piemonte*; un lungo:

— Viva Garibaldi! — suonò sul *Lombardo*. Quelle acclamazioni in mezzo al silenzio notturno de' mari furono veramente solenni.

Cessato il clamore, si udì la voce di Garibaldi:

— E dove andavate, Bixio?...

— In Africa! — rispose Bixio. — Vi avevo scambiato per un incrociatore.

— Navigate vicino a me — soggiunse Garibaldi; e si fe', di bel nuovo, silenzio.

La buona fortuna d'Italia aveva stornata dai nostri capi una sperpetua[1] tremenda, la quale avrebbe di leggieri sconvolti e mandati irremissibilmente all'aria i sagaci propositi di Garibaldi. Che restava, infatti, a quell'uomo, se mai il *Lombardo* avesse filato davvero verso l'Africa, e si fosse riparato nel porto di Malta, lasciandoci soli e togliendoci il meglio delle forze e della speranza? Ben difficile è davvero il poter dire a qual partito avrebbe dovuto appigliarsi, in quegli estremi, com'è difficilissimo farsi un'idea dei guai che ci sarebbero piovuti addosso.

Navigammo tranquilli tutto il resto della notte, avvicinandoci alle coste africane e precisamente al Capo Bon, a distanza di una trentina di miglia. Non sapemmo dove si andava, e molto meno ci accorgemmo che, dopo aver fatto punta verso il Capo Bon, girammo largo per accostarci dritti dritti alla Sicilia.

L'aurora di quel memorando giorno che fu l'undecimo di maggio, sorse raggiante e serena. Il generale avea ben detto, nel giorno innanzi, che i delfini ci porterebbero buon tempo e non tempesta. Ed io, nel dargli il buon giorno, esclamai:

1. *sperpetua*: disdetta.

— Generale, avete fatto bugiardi Dante e delfini.

— Così sien bugiardi — rispose — anche coloro che ci vogliono male.

Alle cinque e mezzo, coll'aiuto del cannocchiale, si distinse chiara l'isoletta che si chiama Maretimo ed è una delle Egadi. Fatto il calcolo della distanza, Garibaldi e Castiglia dissero che ci volevano ancora sei ore e più per giungere alle coste della Sicilia.

Tutti volevan vedere la Sicilia, e tutti aguzzavan gli occhi, cercandola nell'estrema linea dell'azzurro orizzonte; ma la Sicilia si faceva desiderare.

Ma anche se la Sicilia fosse comparsa così di buon'ora ai nostri occhi, chi ci diceva che sbarcheremmo in giornata? A buon conto, eravamo a poche ore di distanza dall'isola, ma lo stesso Garibaldi non aveva scelto per anche il luogo dello sbarco. Però, egli vide indispensabile il risolversi e chiamò seco a consulta, oltre il capitano Castiglia, i fuorusciti siciliani più autorevoli, facendo loro capire che era prudente il toccar terra più presto che fosse possibile.

Udendo discorrere di uno sbarco immediato, parecchi siciliani autorevoli e spiccioli rammentarono che quel giorno era giorno di venerdì, e cominciarono a taroccare, lagnandosi che un'impresa tanto audace, com'era quella della liberazione dell'isola, s'avesse a inaugurare in un giorno, nel quale è destino che tutte le ciambelle riescano senza buco. Ai siciliani fecero tosto eco diversi napolitani e calabresi, egualmente superstiziosi e taccagni; sicché in un attimo il generale si trovò in mezzo a una folla di piagnoni, che per il bene suo e di tutti lo scongiuravano caldamente, e poco meno che colle lacrime, a guardarsi dalla *iettatura* del venerdì.

Garibaldi sulle prime sorrise, ma poi vedendo costoro incaponirsi nello sciocco pregiudizio, e venendogli fastidioso quell'assedio, gridò:

— E che venerdì, e non venerdì? Tutti i giorni della settimana son buoni, per chi vuol combattere per una causa giusta!

Udendo queste parole del generale, i piagnoni alzarono gli occhi al cielo, e noialtri che non credevamo nella *iettatura*, ci mettemmo a ridere a più non posso, e a dar la baia ai piagnoni.

Tolto che fu di sulla scena questo comico episodio, fu ripresa la consulta intorno al luogo dello sbarco.

Volevano alcuni che si pigliasse terra nel piccolo porto di Palo, verso Menfi, e per poco un tal partito non prevalse. Però non appena fu chiarito Garibaldi della bassezza delle acque di quello scalo (asserita dai pratici in onta alle indicazioni delle carte) mutò subito parere; premendogli assai di non mandare a male le sue navi, e di mantenerle a galla e rimandarle, appena vuote, verso Genova a pigliar nuovi soccorsi di uomini e d'armi.

Venne allora in ballo Marsala, porto che, per quanto angusto e fatto riempir di rena da don Giovanni d'Austria, dopo la battaglia di Lepanto,[1] offriva approdo sicuro alle navi e comoda sosta agli uomini in una città popolosa e già venuta (come dicevasi) nelle mani degli insorti. Dopo alquanto discutere, Garibaldi fissò che saremmo sbarcati a Marsala, e che lo sbarco si farebbe più sollecitamente che si potesse, se pure la crociera borbonica non comparisse improvvisa a frastornare i suoi disegni.

Ci riunimmo in famiglia per la colazione, che venne anticipata di quasi due ore, secondo il vecchio ed aureo proverbio che dice: «Chi ha tempo non aspetti tempo.» Eravamo a tavola da pochi minuti, quando la vedetta appollaiata sull'albero maestro del nostro legno accennò la terra.

Un grido festoso salutò quell'annunzio: fu un abbracciarsi, un agitar di berretti, un'ebrezza indescrivibile. Ben potea dirsi col Tasso:

> *Ecco da mille voci unitamente*
> *Gerusalemme salutar si sente.*

Il generale, sollecito, lasciò subito la tavola, prese il comando della nave, e fattosi recare un cannocchiale, lungo e grosso quanto un cannone da campagna, si pose a guardare per ogni parte, cercando qualche cosa che nessuno vedeva, ma ch'egli aveva in animo che non dovesse tardar molto a vedersi.

Per il lungo cammino di que' giorni, non una vela s'era mostrata allo sguardo dei Mille; pareva che il nostro condottiero avesse scelto una via disusata e sola, per giungere più improvviso che potesse alle spiagge di Sicilia.

Passato l'isolotto del Maretimo, vogammo non lungi da Favi-

---

1. Il porto di Marsala fu colmato nel 1575 per difendere la città dalle incursioni dei Turchi e dei pirati. Don Giovanni d'Austria (1545-1578), il vincitore di Lepanto (1571), comandava allora la flotta spagnola del Mediterraneo.

gnana, isola infame pel martirio di tanti patriotti, che furono sepolti nell'ergastolo della sua ròcca.

— Lassù sta il povero Nicotera[1] — esclamò Garibaldi, asciugan-
dosi una lacrima.

E Nicotera ebbe a dirci, indi a pochi giorni, d'aver provato un
fausto ed indicibile presentimento, osservando di tra le sbarre del
carcere i due legni misteriosi.

Oltrepassata Favignana, apparsa bella e ridente la spiaggia di
Sicilia, e raggiunto il capo Provvidenza, il capitano Castiglia additò a Garibaldi il porto di Marsala, che biancheggiava da lungi.
Ma un altro spettacolo apparve intanto al vigile sguardo del
prode nizzardo. Due legni a vapore ed una grossa fregata a vela
ci venivano incontro a golfo lanciato, tentando tagliarci fuori dalla
costa e pigliarci in mezzo. Ammutolimmo a tal vista, ed un lugubre
silenzio successe alle esclamazioni di gioia, suscitate dall'aspetto
dell'isola vicina. Garibaldi guardò attentamente quei legni; quindi,
volgendo l'occhio sul porto di Marsala, depose il cannocchiale,
esclamando con un allegro sorriso:

— Oggi le fregate napoletane rimarranno con tanto di naso.

E volto poi al timoniere, gridò in dialetto genovese:

— Rossi, appoggiate a Marsala!

Era un'ora prima di mezzogiorno. Si gareggiava adesso tra le
nostre e le navi borboniche a chi prima toccherebbe il porto. Venti
minuti più o meno decidevano della vittoria e dell'unità della
patria. Invano alcuni siciliani proposero al generale di girar di
bordo e tentar lo sbarco colà o in altra parte, durante la notte. Egli
li respinse con un *no!* così tondo, che non trovarono più fiato per
parlare.

Aveva seguìta la prima ispirazione, ed era per lui un augurio
certissimo di successo. Non lo avrebbero mosso dal suo proposito
tutti i Mille uniti insieme.

Eravamo tutti sul ponte con le armi in pugno ed impazienti di
sentir coi piedi la terra, quando il Castiglia accennò due navi da

1. Giovanni Nicotera (1828-1894), di Sambiase (Catanzaro), cospiratore
ed esule, si era battuto a Roma nel '49. Nel 1857 aveva preso parte alla
spedizione di Sapri, e più volte ferito, era stato catturato, condannato a
morte e poi graziato e relegato a Favignana. Fu liberato dai garibaldini, ai
quali si unì. Poi fu con Garibaldi anche nella guerra del '66, comandante
del reggimento in cui militava il Checchi. Dopo l'avvento della Sinistra
al potere (1876) fu due volte ministro dell'interno.

guerra ancorate presso Marsala. La più lontana fu senza difficoltà conosciuta alla struttura siccome inglese; l'altra (ché nessuna delle due issavano bandiera) non riuscì poter chiarire a qual nazione appartenesse.

Si sospettò, e quasi s'ebbe certezza, potesse essere un legno da guerra borbonico, ancorato a guardia del porto.

Non si perdé d'animo Garibaldi, non ostante che i nostri legni non fossero tali da resistere alle cannonate; ma ordinato si recassero sovra coverta le scuri e i ramponi, si preparava all'arrembaggio, gridando con volto sereno:

— Ebbene! invece di aver due vapori, ne avrò tre!

Un lungo evviva fece eco alle animose parole, e tosto tutti si disposero, secondo i suoi cenni, in ordine di battaglia, schierandosi gli ufficiali armati di *revolver* intorno a lui ed a Giorgio Manin, che spiegava la bandiera, donata dalla città di Valparaiso.

In quel mentre, ci vedemmo vicino ad un *brick* inglese, che uscito dal porto di Marsala vogava con buon vento in direzione opposta alla nostra. Garibaldi, a cui premeva aver notizie sicure sui due legni ancorati, gli mosse incontro col *Piemonte* e volle quasi rasentarlo passando, per aver agio di cambiar qualche parola col capitano. Era questi un bel giovine biondo con due grandi basette, e vestito d'una bianca camicia se ne stava dolcemente adagiato, fumando sulla poppa. Garibaldi salutò agitando il cappello; l'inglese rispose al saluto.

— Quali legni da guerra sono a Marsala? — gridò in lingua d'Albione un giovane messinese, per commissione avutane da Garibaldi.

— *Legno inglese* — rispose il capitano, e passò via col suo *brick* che filava come un pesce.

La risposta ci lasciava nella stessa incertezza di prima: domandammo di due legni, non ci fu risposto che per un solo.

Era dunque borbonico quell'*avviso* che stava ancorato in rada, a tre miglia dal porto?... Gli volgemmo addosso la prua, e via a tutta macchina.

La crociera nemica veniva intanto avvicinandosi, e due vapori muovevano alla nostra volta, vogando a tutta furia, seguìti dalla *Partenope*, tutta coperta di vele e scortata da due altri legni a vapore, uno dei quali la traeva a rimorchio.

— Non potremmo — saltò su il Castiglia — impadronirci di quel barcone peschereccio che corre verso l'Africa?

— A maraviglia! — rispose Garibaldi, puntando il cannocchiale sopra una grossa paranza, che a tutte vele passava un miglio forse da noi. — Sarà buona per lo sbarco, e v'entreranno cinquant'uomini almeno.

Detto fatto. Si chiamò la paranza col portavoce, le si fecero cenni con la bandiera, ma fu come dire al muro.

Allora il *Piemonte* le si spinse sopra ed in un *fiat* l'avemmo raggiunta. V'erano a bordo otto uomini, impauriti e mezzo morti, quasi fossero capitati fra le ugne di Kaireddin Barbarossa.[1]

Gridavano pietà e misericordia, e non senza un diluvio di preghiere e di minacce riuscimmo a quietare il piagnisteo e far salire a bordo il padrone. Pareva costui un tonno, tanto era corto e panciuto, ed aveva la faccia di cuor contento. Tratto che fu sul nostro ponte, cominciò il generale ad interrogarlo; ma la paura l'aveva ammutolito, e la voce rompeva in singhiozzi e in miagolamenti ch'era un vero carnevale a sentirlo. Alla fine, incoraggiato dai molti siciliani, che gli parlavano il latino di casa sua, e fatto capace da un bicchier di buon vino e da laute promesse, rispose ciò che sapeva, cioè non sapeva nulla, e pareva venisse dal mondo della luna. Era tempo perduto e non ci curammo più di lui, contentissimi d'aver acchiappato un barcone opportuno per lo sbarco, e seguitammo pei fatti nostri.

Le campane di Marsala suonavano il mezzogiorno, quando giungemmo vicini ai due legni ancorati che, al nostro apparire, alzarono la bandiera inglese e ci tolsero una spina dal cuore. Non restava adesso che infilare nel porto e mettere a terra la gente prima chè si avvicinassero gl'incrociatori nemici, uno dei quali ci seguiva a quattro miglia forse di distanza. Ed era questo lo *Stromboli*, pirocorvetta della regia marina napoletana.

Garibaldi, chiamato a sé il colonnello Türr, gli impose che non appena sostato in porto il *Piemonte*, scendesse con le guide e i carabinieri genovesi sul barcone, e pigliata terra, si affacciasse in città, nel mentre che Andrea Rossi, Schiaffino ed altri correrebbero

---

1. Khaireddin Barbarossa (1465-1546), terribile corsaro della Barberia e famoso per innumerevoli gesta di pirateria, fu poi esperto ammiraglio della flotta ottomana.

su' canotti a pigliare le barche dei pescatori e dei bastimenti ancorati.

A Bixio, poi, comandò col portavoce serrasse sotto al *Piemonte* e seguisse la sua manovra.

Il *Piemonte* entrò difilato nel porto, rimorchiando la paranzella; e riuscito ad imboccare il canale (unico sito navigabile di quel povero scalo) gittò felicemente l'àncora dirimpetto alla fabbrica di vini dell'Ingham e al consolato inglese, dove sventolava la temuta bandiera dei tre regni. In un batter d'occhio, Türr co' suoi cinquanta uomini fu a terra, ed occupata la piccola torre del molo, corse alla porta della città, nel mentre che la più parte della gente, congregata per l'arrivo dei due vapori, se la dava a gambe per lo spavento.

Nel tempo istesso, approdavano i canotti e le lance con quanti uomini vi potettero capir dentro, e incontanente si pose mano alle barche dei pescatori e dei legni ancorati per accelerare lo sbarco. Non toccò egual fortuna al *Lombardo*, che rimase arrenato sulla bocca del porto, e in tal posizione che, per la lontananza, non era così agevole sbarcare con pari sollecitudine la sua gente. Di ciò accortosi Garibaldi si diè a gridare mandassero barche in tutta fretta al legno incagliato, tanto più che uno dei vapori della crociera appariva già quasi a tiro di cannone.

Entrando nel porto, la prima cosa che ci diè nell'occhio si fu uno scappavia che conduceva due ufficiali dei legni da guerra inglesi, e parea si divertissero alla pesca o a bordeggiare con quel bel venticello che spirava.

— Ecco là, — esclama Garibaldi — ecco là gente che pagherebbero cento sterline per godersi due volte questa scena.

E costoro, infatti, ridevano sgangheratamente giacché due legni con bandiera sarda e zeppi di uomini armati che si cacciavano in quel porto a tutta furia, non lasciavano, per certo, dubbio alcuno su quanto fosse per accadere.

La presenza delle navi inglesi dinanzi a Marsala è stata subietto di varie interpretazioni. Alcuni sostengono essersi trovate lì *non sine quare*, e per un accordo segreto tra Cavour e l'ammiraglio Fanshawe. Altri giurano invece che vi furono per motivi affatto diversi e senza veruna voluta intesa.

L'opinione più da seguirsi si è questa: che i due legni inglesi ancorassero presso Marsala per proteggere gl'interessi dei loro

connazionali, vessati più volte dalle angherie poliziesche, specialmente nell'ultimo disarmo, eseguito con tanto rigore e senza rispetto per chicchessia. C'è in Marsala una vera e propria colonia inglese, essendosi gl'indigeni (per quella benedetta voglia di non voler
far niente, tanto rimproverata a tutti noi) lasciato scappar di mano
anche il commercio dei loro vini, che sono i meglio riputati di tutta Italia.[1] Ora è ben ragionevole che quella potenza, e inimicissima
ai Borboni, non lasciasse indifeso uno dei migliori emporî del suo
commercio e sì gran numero dei suoi cittadini, in un momento in
cui il governo della sciabola malmenava a chius'occhi l'isola intiera.

Aggiungi, che i due legni inglesi erano ancorati a tanta distanza
dal porto ed in tale posizione che non impedirono alla crociera
borbonica veruna manovra, né diedero a vedere che volessero mescolarsi né punto né poco nelle faccende degli altri. Che gl'inglesi
odiassero di gran cuore casa Borbone, e vedessero volentieri, anche
per certi loro fini speciali, andare a fascio quell'immanissimo regno,
lo concedo, e lo concedono tutti; come pure confesso che costoro,
soli fra gli esteri, favorirono apertamente in seguito la spedizione
e la rivolta. Ma il prospero esito dello sbarco a Marsala non è
dovuto che ad un contrattempo felice, all'ardire del condottiero, e
alla inesplicabile indecisione de' capitani della crociera napoletana.

Una parola mi sia permessa su quanto alcuni sostennero per
iscritto e a viso aperto, cioè, che la spedizione dei Mille giunse a
buon porto, solo perché l'ammiraglio Persano la vigilò col meglio
delle sue forze, per i segreti suggerimenti del conte di Cavour.[2]

Che questi suggerimenti venissero, che Persano sorvegliasse
da lungi i due legni di Garibaldi, nessuno vorrà impugnarlo;
ma che a questa scorta misteriosa vada debitrice del successo l'impresa, nessuno vorrà concederlo, che abbia fior di senno: sebbene
Nicomede Bianchi[3] lo affermi, e questa affermazione gli abbia fruttato una medaglia d'oro e gran nomèa di sagacia.

---

1. In realtà lo stabilimento dell'inglese B. Ingham era stato fondato nel
1806, quando la Sicilia, dove Ferdinando si era rifugiato, era sotto la protezione dell'Inghilterra; ma già nel 1832 era sorto a Marsala per iniziativa
di V. Florio il primo grande stabilimento italiano.   2. Veramente il Cavour
aveva disposto che il Persano (sul quale cfr. nota 1 a p. 863) non ostaco-
lasse la spedizione, ma la arrestasse solo nel caso che essa toccasse qualche
porto sardo.   3. Nicomede Bianchi (1816-1886), di Reggio Emilia, patriotta del '48, si dedicò poi a studi di storia italiana e pubblicò molti lavori, fra i quali una *Storia documentata della diplomazia europea in Italia
dal 1814 al 1861*, Torino 1863-1872.

La crociera borbonica non s'aspettò mai che la spedizione venisse giù difilata, con tanto ardimento, da Genova; prova ne sia che al punto in cui comparve Garibaldi sotto Favignana, le navi nemiche correvano verso il canale di Malta, essendo più ragionevole attenderci di là, dove quell'isola, soggetta al dominio inglese, poteva servirle di sosta ed anco di rifugio, nella cattiva fortuna. Era mestieri che la crociera napoletana avesse fatto prova di cogliere la spedizione in alto mare, per supporre ragionevolmente che avesse potuto il Persano farsi scudo ai due legni condotti con tanta buona fortuna ed oculatezza da Garibaldi.

Poca gente ci venne incontro sul porto di Marsala. Quando Türr coi suoi cinquanta toccò la riva, alcuni marsalesi furono pronti a darsela a gambe, come se si fossero avvicinati a loro tanti diavoli; ma non andò guari che diversi giovani, usciti allora allora dalla città, si fecero intorno ai nostri, e Garibaldi disse, nel vederli:

— Meno male! cominciano almeno i marsalesi a saper chi siamo.

In quel punto, io stavo accanto a lui, sulla passarella, e gli reggevo il gran cannocchiale, ch'ei mi chiedeva, di quando in quando, per vedere il fatto suo, cioè per guardare i legni del Borbone che s'andavano avvicinando sempre più. Mentre egli guardava sul mare, io volsi gli occhi a terra, e non scorgendo segno di rivoluzione, né alcun indizio della padronanza dei famosi insorti, mi accorsi subito che se Dio e le nostre mani non ci aiutavano, potevamo chiamarci fritti.

Il generale fe' tosto scendere rapidamente i volontari sulle lance, che in un baleno s'affollavano intorno al *Piemonte*, e diceva a' barcaiuoli siciliani:

— Andate e tornate subito; avete già guadagnato una buona giornata.

Sbarcati gli uomini, si pensò a mettere giù le artiglierie e le altre robe, cosa che riuscì sollecita, perché eravamo lontani da terra di pochissimo tratto.

Mentre questo accadeva sul *Piemonte*, Garibaldi cominciò a impensierirsi non mediocremente per il *Lombardo*, che essendo arrenato, come dissi, sull'entrata del porto, era in risico di venir malconcio dalle artiglierie nemiche, prima assai che avesse posta a terra la molta gente che aveva a bordo. Perciò non cessava di gridare che mandassero e rimandassero barche al *Lombardo*, e s'impazientiva se non v'andavano sollecite e nel numero che avrebbe voluto.

Un vapore napoletano era vicinissimo al *Lombardo*. Guardando col cannocchiale, distinsi i cannonieri che puntavano il pezzo di prua, e distinsi gli ufficiali che ci guardavano com'io guardava loro.

— Generale, — dissi — o non sarebbe bene che scendeste giù?

— E perché dovrei scendere?

— Perché là su quel vapore vedo puntare un cannone e se que' cani mirano diritto . . .

— Lasciate che facciano — rispose sorridendo il generale. — Anche se tirano, non ci colgono.

Eravamo allora ritti ambedue sul tamburo della ruota sinistra del *Piemonte*, e per non vederci i napoletani avrebbero dovuto esser ciechi.

Io tremavo per il *Lombardo*, e anche Garibaldi stava sulle spine. Gli stessi ufficiali inglesi, che si godettero lo spettacolo del nostro sbarco, scrissero di poi che i napoletani avrebbero potuto spazzare agevolmente il ponte del *Lombardo*, se si fossero risoluti a tirare, e tirar subito.

Il legno nemico mise in mare una scialuppa; la scialuppa vogò, per tre o quattro minuti, verso noi; ma tosto mutò parere e viaggio, e andossene verso la maggiore delle navi inglesi, ancorate a poca distanza. Guardavo, e riferivo a Garibaldi tutto quel che vedevo, non senza aspettare da un momento all'altro una gran cannonata, che portasse in aria il tamburo della ruota, il duce dei Mille, e me, poveretto, che scrivo adesso questi ricordi.

Bixio facea scendere rapidamente i suoi uomini e ne caricava le barche; dal vapore nemico stavano intenti a guardare, e si sarebbe detto che non avean polvere.

Quando Garibaldi vide scaricato completamente e felicemente il *Lombardo*, esclamò:

— Va bene!

Quindi, scese giù dal tamburo e disse a me, ad Andrea Rossi ed al capitano Castiglia:

— Montiamo su quella lancia.

Una lancia stava aspettando con due marinai, a piè della scaletta. Montati che fummo, i marinai vogarono verso terra; ma avevamo percorsi pochi metri, quando il generale s'alzò, e battendosi colla mano la fronte, disse:

— M'ero scordato il meglio. Torniamo sul *Piemonte*.

Con quattro o sei remate, fummo sotto il *Piemonte*; montammo.

Non indovinai quale scopo potesse avere quella tornata. Garibaldi scese sotto coperta, e vidi che, aiutato dai due compagni, aperse i rubinetti della macchina. Ciò fatto, tornammo sulla barca; e Garibaldi gridò:

— Al *Lombardo*!

Andammo verso il *Lombardo*, che era vicinissimo alla corvetta napoletana, e mi parve che andassimo proprio in bocca al lupo. E dicevo tra me: «O quest'uomo si crede fatato, o vuol morire innanzi sera.»

Salì Garibaldi sul *Lombardo* con Rossi e Castiglia, dicendo a me:

— Voi non siete del mestiere, aspettateci.

Aspettai in barca, e agguantai un remo.

Dopo alcuni istanti, tornò il generale coi due compagni e con Augusto Elia, che era rimasto ancora sul *Lombardo*.

— A terra! — ordinò Garibaldi.

Vogammo con quanta se ne aveva nelle braccia.

— Peccato! — diceva Augusto Elia. — I nostri vapori son perduti.

— Perdiamo due *carcasse*, — rispose Garibaldi — e prendiamo la Sicilia. Chi ci perde in questo baratto?

M'accòrsi che i due vapori non s'erano sprofondati gran che; il *Piemonte* era colato giù, ma non tanto quanto avremmo voluto noi, per impedire che i borbonici ce lo portassero via; il *Lombardo*, che aveva la chiglia già confitta per metà della lunghezza nella sabbia, si sommerse un po' a poppa, e si piegò sul fianco.

Intanto, eravamo giunti al piccolo molo che chiude il porto di Marsala, e dove sorge una torre. I Mille stavano schierati in bell'ordine, mentre Türr co' suoi cinquanta correva, esplorando per la città.

Appena il generale pose piede a terra, Giorgio Manin spiegò la bandiera. Un lungo grido di gioia accolse l'audace e fortunato condottiero, il quale, come ci ebbe confortati a procedere ordinati e con passo tranquillo, avvertendo che gl'inglesi ci guardavano, si avviò lentamente sul molo, appoggiando sulla spalla destra la sciabola, impugnata dalla parte della punta, e colla cintola penzoloni.

Intanto, un altro legno borbonico a vapore era giunto a mezzo tiro dal molo; un altro s'avvicinava a tutta corsa, rimorchiando la grossa e panciuta *Partenope*. Avevamo fissi gli occhi su que' visitatori pericolosi, e non sapevamo che cosa pensare del loro inesplicabile silenzio, quando, a un tratto, dalla prua del più vicino sfolgorò un lampo, e bum! una gran botta, e una granata passò ronzando sulla testa del generale, e cadde, lontano pochi passi. Un gran: — Viva l'Italia! — rispose da cento e cento bocche a quel primo segno di battaglia; e un volontario, fattosi sulla granata, la prese in mano e la recò al generale dicendo:

— Ho l'onore di presentarle il primo fuoco.

Tosto a quel primo colpo ne seguì un secondo, e poi un terzo; e non andò molto che i colpi divennero innumerevoli, aggiungendovisi quelli della *Partenope* che lanciò intiere bordate.

Come Dio volle, tutti que' tiri caddero a vuoto, sia perché le granate, vecchie e guaste, raramente scoppiavano, sia perché difficile era l'assestarli da' legni ondeggianti, su quella spiaggia, bassa e quasi a livello dell'acqua.

Procedevamo a quattro a quattro e cantando, quand'ecco una botta di mitraglia flagellar le onde, a cinquanta braccia forse dal generale.

Questi, veduto il pericolo, gridò:

— Sparpagliatevi tutti!

Ubbidimmo. Giunti che fummo su d'una vasta spianata (che è opera delle arene che affluiscono in quel porto) la tempesta delle palle divenne così fitta, che il generale ordinò più volte:

— Ventre a terra!

Grosse bombe frullavano per l'aria e rimbalzavano per terra, scoppiando poi con indicibile frastuono. Una di queste bombe cadde presso a noi, in una gran pozzanghera, e quivi si spense irrorandoci di spruzzi. Un'altra scoppiò non lungi dalla porta, e uccise un cane, vittima unica e innocentissima di quel giorno memorabile.

Eravamo sempre lontani dalla porta della città, quando Garibaldi mi disse:

— Voi andate subito a cercare il console sardo, e ditegli in mio nome che dichiari proprietà nazionale i nostri due vapori, e convochi il corpo consolare.

Mi parve di non aver capito bene, e aprivo bocca per pregarlo che si spiegasse; ma egli mi prevenne col dirmi:

— Sì, dite al console che se i borbonici pigliano o tentano pigliare i due vapori, protesti, e faccia «appoggiare» la sua protesta dagli altri consoli.

Trovai la pretesa un po' singolare, ma non era quello il tempo di discutere.

Mentre cercavo qualcuno che mi guidasse in città, comparve solo, in mezzo al rombo delle granate e delle bombe, un frate; era un fratone vecchio, ma ben pasciuto e ben portante, che col cappello in mano ci venne incontro, e ci diè i benvenuti.

Qualche voce gridò:

— Che vieni tu a rompere gli zebedei, o frate? Accidenti ai frati!...

Ma Garibaldi alzò la mano per imporre silenzio, e disse:

— Fratino, che cercate voi? Non sentite come fischiano queste palle?...

E il frate a lui:

— Le palle non mi fanno paura; sono servo di san Francesco poverello, e sono figlio d'Italia.

— Siete, dunque, col popolo? — domandò il generale.

— Col popolo, col popolo — rispose il frate.

Mi parve aver trovato il fatto mio.

— Dove sta — dimandai — il console sardo?

Il frate mi disse il nome di una certa strada, ma era lo stesso che portarmi di peso sulla porta della città di Siviglia, e dirmi: «Vanne e troverai il numero quindici, a mano manca... dove ha la sua bottega Figaro.»

Era capitato in quel punto un giovine marsalese, che, fatto capace del caso mio, s'offerse di condurmi dove cercavo esser condotto; e toltomi a braccetto, mi mostrò un lungo viale, che, se ben mi ricordo, era fiancheggiato da grossi alberi. In fondo a quel viale c'era una delle porte della città, e non lungi da quella porta la casa del console sardo, che si chiamava don Gennaro, o Raffaello, Lipari.

Mentre, dunque, Garibaldi s'avviava per entrare in Marsala per la porta che s'apre in faccia alla marina, io dovea entrarvi per la porta che guarda la terra, dal lato di levante.

Lo stradone era diritto e non faceva gomito, se non un pezzo innanzi. Appena fui incamminato sullo stradone, cominciarono le granate a fischiarmi agli orecchi e a rimbalzare vicino a me, in tanta abbondanza, da farmi credere che non senza un gran miracolo del mio santo, sarei giunto sano e salvo alla casa dell'onorevole viceconsole di sua maestà il re di Sardegna in Marsala.

Il mio giovane compagno, del quale mi rincresce aver dimenticato il nome, pareva un eroe; e senza darsi ombra di pensiero, mi domandava di Cavour, del re Vittorio, di Solferino e di Magenta, e mi chiedeva se quello che avea veduto parlar col frate fosse veramente Garibaldi.

E poi, tratti dalle tasche alcuni fogli, pigliò a leggermi una certa poesia, perché argomentassi da quella che cuor d'italiano si fosse il suo.

Appena fui entrato in città, qualche curioso mi si fe' incontro, che udendomi gridare: — Viva l'Italia! — ed acclamare Vittorio Emanuele, spalancò tanto d'occhi e tanto di bocca, e poi tirò di lungo. Le strade eran quasi deserte; finestre ed usci cominciavano a serrarsi in gran fretta, come suole nei momenti di scompiglio, quando la gente perde la tramontana.

Tre o quattro poveracci mi si accostarono stendendo la mano e chiamandomi eccellenza, non altrimenti che io fossi giunto in città per mio diporto ed avessi la borsa piena per le opere di misericordia. Si sarebbe detto che quella gente, còlta così per sorpresa, non avesse capito un'acca del grande avvenimento che si compiva in quel giorno.

Il mio compagno, giunti che fummo dinanzi a un gran casone, mi disse:

— Là sta il console.

E soggiungendo che avea fretta d'andarsene presso la sua famiglia, per non tenerla in pena tanto a lungo, s'accomiatò da me, assicurando che lo avrei riveduto tra non molto, e che sarebbe stato con noi per la vita e per la morte.

Rimasto solo dinanzi alla casa, alzai gli occhi e vidi lo stemma reale di Sardegna e accanto a quello un altro stemma, che non mi curai di conoscere se della China o della Turchia o di qualche stato europeo. Entrai dunque nel cortile, e fattomisi innanzi un ragazzo che mi guardava con una cert'aria tra la meraviglia e la paura, gli dissi:

— Dov'è il console?

Il ragazzo accennò col dito verso la parte sinistra del cortile, e fuggì.

In quel punto, un uomo comparve in cima ad una scala che scendea giù ripida quanto quella di Giacobbe, e quell'uomo era vestito con una uniforme, la quale, unita ad un bel cappello a lucerna che gli cuopriva il capo, giudicai essere né più né meno che l'uniforme d'un console.

Credetti aver trovato il fatto mio, e gridai:

— Signor console, ben trovato . . . Cercavo lei, e lei mi viene incontro.

Il supposto console sardo scese a salti la scala, e salutandomi con infinita garbatezza, mi porse la mano. Gliela strinsi di tutto cuore, ma senza rispondere ai gran complimenti che mi faceva, entrai subito nell'argomento che mi premeva, e dissi:

— Signor console, io sono un ufficiale del generale Garibaldi; ella deve sapere che il detto generale è sbarcato qui in Marsala per ordine e comandamento di re Vittorio Emanuele, a far la guerra al Borbone e a liberare la Sicilia.

Sua signoria mi dette una nuova stretta di mano, e fece colla testa un segno, il quale parve volesse dirmi: «So tutto, e non mi narrate cose nuove.»

Mi sentii consolare. Non eravamo, dunque, sbarcati in Marsala a casaccio; il console di sua maestà sarda era stato avvertito del nostro arrivo, e forse aveva disposto qualche cosa per darci, all'occorrenza, un tantin di rincalzo. Questo pensiero mi rincorò tutto e poco stette ch'io non baciassi sulle gote quella fenice di console, che era un omacciotto su' quarantacinque anni, né alto, né basso, ma grosso e panciuto come un carnevale, e con una testa che pareva un cocomero, e con un sorriso sulle labbra che non si sarebbe scambiato tanto facilmente per quello d'un uomo furbo. Più lo guardavo e più mi pareva aver dinanzi il *Sindaco Babbeo*; e se non era la troppa ciccia che teneva indosso, gli avrei chiesto volentieri se avevo l'onore di discorrere col console di sua maestà sarda o pure col celebre caratterista Taddei, venuto a bella posta in Marsala per farmi prendere un *qui pro quo*.

Comunque fosse, io non avevo tempo da perdere, né voglia di dilungarmi in discorsi; sicché, tagliando corto, lo pigliai sottobraccio e mi avviai seco verso la porta di strada, dicendo:

— Bravo il nostro console! Or dunque venga fuori, e si metta in giro e convochi tutti i consoli delle potenze, i quali si trovano in Marsala, e invochi la loro assistenza per far sì che i due nostri vapori vengano rispettati dalla squadra borbonica.

La pretesa era un tantino esorbitante, ma io non avevo facoltà di discuterla, né di lasciare che il console la discutesse. Per la qual cosa, quando lo vidi inarcar le ciglia e levare al cielo le braccia come se s'avesse udito comandare di volar in cielo senz'ali, gli gridai:

— Eh via! Avreste paura di farvi vivo, mentre la vostra qualità di console vi rende inviolabile più del papa e invulnerabile più d'Achille? Venite con me, e badate bene, perché con Garibaldi non si scherza.

— Aspettate, aspettate un momento — disse il malcapitato. — Pensate bene che qui in Marsala non è facile il riunire i consoli così su due piedi, perché uno sta a ponente e l'altro a levante; e poi, e . . . poi, io sono console d'una potenza di second'ordine, e ci vorrebbe, ci vorrebbe . . .

— Che discorsi son questi? — interruppi. — Andiamo via, e se avete qualche ragione, la direte a Garibaldi. Egli vuol vedervi subito, e io debbo condurvi da lui. Venite colle buone, o per la croce di Dio . . .

Eravamo in un piccolo cortile. Caso volle che, mentre io parlavo in quella guisa, passasse fischiando, molto alta però, sul nostro capo, una maledetta granata.

Il console dette un urlo, che parve d'uno spiritato; e a quell'urlo accorse la moglie (una mora con due occhi in fronte che bucavano senza punte) la quale, gridando come un'aquila, m'avvinse colle braccia accusandomi che volessi ammazzare il marito suo.

Non sapevo come svincolarmi dalle strette della indiavolata, senza sbatacchiarla nel muro, e far cosa che avrebbe ripugnato a qualunque galantuomo; laonde mi raumiliai tutto, e feci la bocca ridente, e chiesi alla madre Siena i più soavi accenti, per far persuasa la consolessa che non ero un turco, né un tartaro, né avevo voglia di succhiare il sangue o calpestare il cadavere del marito suo.

Mentre il console si spassionava e la moglie mi andava sballottando per la corte, eccoti tre o quattro figliuoli, e due o tre donne, a rinforzare la musica. Credevo davvero che mi si volesse ammazzare con gli urli; e vuotato il sacco delle buone parole e delle persuasioni, mi liberai con una vigorosa stretta, e sentito che mi ebbi libero, dissi al console:

— Insomma, volete venir con me, o non volete? Ve lo chiedo per l'ultima volta, e vi dico che, disobbedendo al generale Garibaldi, farete cosa della quale avrete a pentirvi più assai che di tutti i vostri peccati.

Vedendo che dicevo da senno e facevo atto d'andarmene adirato, mosse qualche passo verso di me, guardandomi con certi occhi che accennavano una gran voglia di smezzarsi in due; ma la moglie, i figliuoli e le figliuole gli furono addosso precipitevolissimevolmente, e lo vollero tutto loro e lo trassero a volo in casa e chiusero a gran furia la porta.

Che potevo io fare? Escii e ripigliai soletto la strada già fatta per tornarmene al porto. Appena infilato il solito stradone, i napoletani, che forse stavano co' cannocchiali puntati, mi salutarono con dieci o dodici granate, di taluna delle quali sentii il vento.

Sul porto cercai invano il generale, ma vidi parecchi de' nostri uomini, che caricavano su' barrocci le munizioni, ed altri che tentavano tirare dentro la porta della città le artiglierie.

I primi adempirono felicemente al loro compito; i secondi, frastornati dalle cannonate che tirava la *Partenope*, dovettero lasciare le artiglierie dietro certi mucchi di terra che erano lungo la marina, e tornarsene a mani vuote.

Passando allora dinanzi a certe case, notai che vi si erano appostati dentro i carabinieri genovesi, e mi fermai a parlare con loro. In quel tempo giunse un inglese della fabbrica dei vini d'Ingham, il quale ci disse:

— Il nostro console ha mandato il cancelliere a bordo della fregata napoletana, per dire che non tirino vicino alla bandiera di sua maestà britannica.

I napoletani avevano avuta l'audacia di far volare qualche granata sei o sette metri al di sopra dei tegoli del tetto della fabbrica Ingham su cui era inalberata la bandiera britannica.

Entrato che fui in città, chiesi di Garibaldi. Mi dissero che era nel palazzo del municipio, e due poveri mi vi condussero. Gli resi conto della mia infelice missione al console di sua maestà sarda, e conclusi giurando che con un console di quella risma non si sarebbe tolto un grillo dal buco, neanche nel giorno dell'Ascensione, che è festa solenne pe' grilli fiorentini.

Udendo questo, Garibaldi si turbò forte, e tutto adirato esclamò:

— Tornate da lui, e fate che venga qua colle buone o colle cattive!

Udite queste parole, che non comportavano replica, feci cenno
a tre o quattro de' nostri, dicendo:

— Venite meco per eseguire gli ordini del generale.

Non se lo fecero dire due volte; e in loro compagnia mi ac-
cinsi a fare una nuova visita al console.

Giungemmo in quattro salti alla solita casa, dove avevo lasciato
il supposto console sardo.

Questa volta, invece di ritrovarci il mio uomo, trovai in mezzo
del cortile un signore di mezz'età, asciutto e bassotto della persona, e col giudizio dipinto sul viso, il quale mi si fe' incontro
chiedendomi se cercassi il console sardo.

— Lo cerco davvero, — risposi — e questa volta non mi scappa,
perché queste son funi...

Lo sconosciuto sorrise, e disse:

— Ma, signor ufficiale, guardate bene: il console sardo sono io,
io Gennaro Lipari...

— Oh bella!... quanti consoli sardi ci sono in Marsala! —
esclamai, tutto sorpreso.

— Ce n'è uno, e quell'uno son io... Ho saputo che poc'anzi
foste qui, e che invece di discorrere col console sardo, parlaste col
console del...

— Davvero?

— Sull'onor mio. Don Raffaele, console di... —, soggiunse
ridendo il vero console sardo — abita qui al primo piano, e vi era
venuto incontro per semplice curiosità, ed anche per darsi importanza... Il poveretto dev'essere mezzo morto dalla paura...
è un bell'originale, sapete, quel nostro don Raffaele; ma spero
che questo caso che gli è capitato, gli leverà per un pezzo la smania di star sempre coll'uniforme indosso e di voler chiacchierare
con tutti.

Rimasi come quello; e mentre cercavo di rimettermi in palla
per ragionare col vero console e intendermi seco su ciò che andava fatto, ecco comparire il colonnello Türr.

Quel brav'uomo del generale, sempre buono, sempre alieno da
qualunque atto che potesse sapere di soperchieria, pentito d'avermi
detto che gli conducessi il console sardo colle buone o colle cattive,
e convinto che avrei saputo obbedirlo puntualmente, avea mandato
Türr a tenermi le mani e a menare il buon per la pace.

— Dov'è, — disse il colonnello — dov'è questo signor console,

59

che non vuol escir di casa, quando sventola nel porto di Marsala la bandiera sarda? . . .

Il signor Lipari si fece innanzi per spiegare il mio granciporro, ma non gliene lasciai il tempo, e dissi subito:
— Colonnello, le funi eran buone per il falso console; ma per quello vero non ce n'è bisogno.

Türr rise dell'accaduto, e accompagnatosi col signor Lipari, si avviò per raggiungere Garibaldi, il quale seppe più tardi che il console sardo in Marsala era in cattivissimo odore presso la polizia borbonica, e che pochi giorni innanzi era stato anche in procinto d'esser preso dai birri e messo in gattabuia, come sospetto d'avere avuto relazioni amichevoli cogl'insorti e d'avere incoraggiata qualche dimostrazione liberale. Perciò fu deciso di lasciare in pace il corpo consolare e non si pensò più a dichiarare proprietà nazionale sarda i due nostri vapori, che stavano soli ed inermi nel porto ad aspettare chi li pigliasse.

Marsala, come avvertii poco sopra, era quasi deserta. Mentre però c'incamminavamo verso il castello, un centinaio di persone ci fu d'intorno, pregandoci si mostrasse loro Garibaldi. Lo mostravamo a dito, ed egli si volgea loro e salutava con grande affabilità; ma quella gente scuoteva il capo e ci diceva, in sua africanissima favella: — Come? è quello Garibaldi? . . . Oh! non lo crediamo! non può essere!

Era inutile confondersi: non poteva entrare in quelle zucche che un uomo senza giubba lunga, senz'oro in dosso, senza un gran cappel piumato sulla testa e senza croci né cordoni, potesse essere l'uomo famoso, il cui nome s'andava ripetendo in prosa e in musica da un capo all'altro della terra.

Il castello, dove era una specie d'ergastolo, e dov'era anche l'ufficio del telegrafo, non aveva più guardiani. I guardiani se l'erano data a gambe, portando via le chiavi; laonde, quando giungemmo, ci fu necessario aspettare che con alti picchi de' mazzapicchi (come direbbe il Redi)[1] si scassinasse la porta. Mentre i mazzapicchi facevano sul duro rovere l'opera loro, una voce lamentevole si fece udire da una finestra guarnita di grosse sbarre, nel fondo oscuro della quale si disegnava la testa

1. Nel *Bacco in Toscana*, 309-10.

*d'un vecchio bianco per antico pelo,*

che, riconosciuto tra noi il palermitano Oddo, diceva:

— Signor Oddo, si rammenti di me; già da undici anni son chiuso in questa carcere . . . Rammentate che fummo buoni amici e compagni, e che ho tribolato tanto per amor della libertà.

— Poveretto! — fece Garibaldi. — Abbiate un po' di pazienza, e sarò da voi.

Il vecchio sporse le mani di tra le inferriate, e gridò:

— Benedetto voi, chiunque siate. Dio vi dia la gloria d'abbattere questi infami tiranni!

E io dissi subito:

— Vecchio, l'uomo che t'ha parlato è Giuseppe Garibaldi!

L'infelice allungò ancora le braccia, e aperse bocca, ma dalla sua bocca non uscì che un suono inarticolato, e si tacque.

Allora Garibaldi comandò ad Oddo che dimandasse a quell'uomo se potea dirci quanta gente e quale fosse rimasta nel castello.

Il prigioniero rispose che i guardiani e i gendarmi erano fuggiti tutti verso Trapani, e nel castello scontavano la pena alquanti galeotti. E soggiunse poi che tra quei galeotti pochi eran quelli che penavano per causa politica, e il maggior numero erano malandrini matricolati.

Mettendo il piede nell'interno del castello, dovemmo rompere ben anco la porta della stanza del custode, per aver le chiavi dell'ergastolo. Avute le chiavi, salimmo su di una terrazza, di dove ci affacciammo sul cortile, pieno di galeotti. Questi, veduto che ci ebbero, cominciarono a gridare a squarciagola: — Viva l'Italia, viva la libertà! —; ma il generale, imposto silenzio con un cenno, dichiarò non essere venuto in Sicilia per sferrare i bricconi, perciò s'acquietassero e rigassero diritto, e lasciassero i santi nomi della patria e della libertà alle bocche pulite.

Intanto, Guglielmo Cenni aveva presi i registri, e avendo chiarito che soli quattordici erano i detenuti per odio della tirannia, questi furono tolti dal branco e tratti fuori a respirare coi galantuomini.

Il bel vecchione, che era condannato a vita, condotto all'aria aperta, cadde svenuto, e ci volle il medico per richiamarlo in sentimento.

Richiuso ben bene l'ergastolo e messavi buona guardia, salimmo sul maschio dove era il telegrafo a braccia, che avea accennato alla squadra, che navigava nel canale di Malta, l'avvicinarsi di due vapori sospetti dal lato di ponente. I custodi, dopo aver fatto quel segnale, avean rovesciato il telegrafo ed eran fuggiti insieme coi birri. Da quell'altura, Garibaldi specolò per ampio tratto il paese designando *in primis* il luogo per gli avamposti, essendo prudente non solo, ma indispensabile per noi, il guardarci da qualunque inopinato assalto, così per mare come per terra, non ignorandosi che il presidio della vicina Trapani era forte di mille uomini e più.

Quindi, ei si recò all'ufficio del telegrafo elettrico, e il Pentasuglia, futuro direttore generale dei telegrafi in Sicilia, scambiò qualche motto cogl'impiegati dell'ufficio di Palermo. Questi, per qualche tempo (brevissimo tempo) credettero aver che fare con gli impiegati veri dell'ufficio di Marsala, che non avevano avuto neanche la degnazione di telegrafare: «Fuggiamo via»; ma fatti accorti ben presto dell'inganno, piantarono in asso il Pentasuglia e si tacquero.

Il generale rise della burla, e ordinò che si tagliassero i fili.

Nel rientrare in Marsala, c'imbattemmo nel colonnello Sirtori, il quale avvertì il generale che le compagnie di Cairoli e di Bixio si andavano già distendendo sulla linea degli avamposti, e che il porto era guardato tuttavia dai carabinieri genovesi. Ma non era a sperarsi che i trenta o trentadue bravi giovinetti (quanti erano allora) fossero da tanto da impedire uno sbarco da' legni borbonici, che si credeva imminente, e da far sì che si astenessero i comandanti di quei legni dal rubarci i vapori e i cannoni, che erano rimasti dove si avean lasciati quattr'ore innanzi.

Garibaldi nel sentir che i cannoni correvano pericolo d'esser presi, non lasciò a Sirtori campo di perorare più lungamente, e si avviò verso il porto, seguìto da me e da altri pochi, che in tutti non fummo venti.

Le navi borboniche non s'erano state dal tirare, ogni tratto, qualche cannonata, non so se per levarci la voglia (se l'avevamo) di tornar sul porto, o per invitarci ad andarcene via da Marsala al più presto possibile, dichiarandoci co' tonfi esser quello un malo albergo e non potervici dimorare senza star di continuo all'erta e con tanto d'occhi aperti.

Appena ci affacciammo fuori della porta, le cannonate, di rare che erano, divennero così fitte, da parerci peccato che si mettesse in sì gran rischio il generale, mentre noi soli potevamo avvicinarci alle artiglierie, e trascinarle (se i cannoni nemici lo concedessero) sin dentro le mura della città. Perciò lo pregammo che tornasse indietro, ma e' rispose, secco secco:

— Non v'incaricate di me; pensate invece a non star qui, tutti in un monte.

Ci dividemmo in brigatelle di tre o quattro, ed io non mi scostai dalle sue calcagna.

Fatti appena pochi passi, una granata rimbalzò così vicina a lui, che tutti ci guardammo in faccia, muti, atterriti, quasi volessimo dire: «Che farem noi, se quest'uomo ci muore?»

Garibaldi s'accorse di quel che volevamo dirci, e sorrise.

Intanto, le palle ci mugghiavano agli orecchi, sempre con maggior furia e in maggior quantità. Io tolsi Sirtori in disparte e lo scongiurai che pregasse il generale a pensare a noi, se non voleva pensare a se stesso, e non gli paresse duro il mettersi un po' al riparo da quella bufera infernale, mentre noi daremmo opera a mettergli in salvo i cannoni.

Sirtori fu uomo al quale non si levavano di bocca le parole, neanche col cavatappi: mi rispose con un cenno del capo, facendomi intendere che io avevo centomila ragioni, e s'avvicinò al generale, per dirgli colla bocca o co' cenni il fatto suo.

In quel momento, un'altra granata picchiò in terra ed esplose a pochi passi da noi. Garibaldi era rimasto ritto, aspettando tranquillamente lo scoppio, come se avesse in animo d'essere invulnerabile.

Eravamo vicini di poche braccia ad un ammasso di terra, che si sarebbe preso per una trincea. Io dissi a Türr:

— Colonnello, noi avremo sull'anima la vita di quell'eroe, e saremo i più dolorosi uomini di questo mondo.

E senza dar tempo a Türr che mi rispondesse, mi feci accanto a Garibaldi e dissi:

— Generale, faccia il sacrifizio d'accostarsi a quel riparo... Pensi a noi, se non vuol pensare per sé...

Garibaldi mi dette una grande occhiataccia, ma poi si fece anch'egli dietro il riparo, tenendo però sempre alta la testa e sollevata così, da vedere i fatti suoi, e da non perder d'occhio ciò che accadeva nel mare.

E fu veramente un miracolo che Garibaldi facesse quel sacrifizio, non tanto lieve per quell'audace natura d'uomo, che al disprezzo della vita accoppiava una meravigliosa fiducia nella sua stella e quasi parea esser certo che la palla che dovea coglierlo non dovesse per anco esser fusa. Dico che fu un miracolo, perché proprio in quel punto, una grandine di palle, lanciate dalla *Partenope*, ci passò sul capo.

I legni borbonici non stavano sulle àncore, ma volteggiavano in vicinanza della spiaggia, cercando evidentemente di disporsi in tal maniera da proteggere contro ogni assalto quattro grosse barche, cariche di soldati, che vogavano verso il porto. A quella vista, Garibaldi fece atto di levarsi in piedi, ma Türr e Sirtori lo trattennero.

Allora, ei gridò:

— Per Dio, non c'è tempo da perdere, salvate i cannoni, o ce li pigliano!

Poi soggiunse:

— Via, Bandi, voi che siete il più grosso, date il buon esempio.

Saltai su come una molla, e schizzai fuori del riparo. Gli altri, meno Sirtori e Türr, vennero tosto meco, e cominciammo a trascinare i cannoni, alle cui carrette stavano avvolte le corde, che avean servito ad assicurarli a bordo, perché il dondolìo non li scostasse dai boccaporti.

Era meco, a trascinare la colubrina di Orbetello, Giacomo Griziotti, già ufficiale di artiglieria ne' Cacciatori delle Alpi, del quale ebbi a parlare poco sopra, come il lettore rammenterà. Costui vedendo già vicinissima una barca, carica di borbonici, che precedeva le altre, mi disse:

— Che ti pare? Tiriamo a quei ladri una cannonata?

— Tiriamola.

Griziotti pigliò una miccia e l'accese, mentre i due altri compagni nostri, deposte le funi, puntavano la colubrina, ed io li aiutavo. C'era il caso di veder la barca andare alle ballodole¹ con tutto il suo poco reverendo carico e mi pareva avere il papa in tasca. Ma avevamo fatto i conti senza l'oste, perché Garibaldi, veduto quel che da noi si almanaccava, gridò:

— Griziotti, Bandi! Siete matti? Volete veder bombardata la città?

---

1. *andare alle ballodole*: perire, andare a fondo.

Mettemmo subito la coda tra le gambe e ripigliammo il nostro traino, ridendo a più non posso.

Mentre correvamo colle funi tese sulle spalle, capitò a tutta corsa un carabiniere genovese, che, scorto Garibaldi, gli disse da lontano:

— Antonio Mosto vuol sapere se può aprire il fuoco.

— Per Dio! — rispose Garibaldi — dite a Mosto che gli ordino di non lasciar tirare una fucilata.

E quasi non gli bastasse aver dato quell'ordine, ad alta e chiara voce, mandò subito Türr alle case che avevamo in faccia, perché tenesse le mani a Mosto e a' suoi impazienti compagni.

Mentre questo accadeva, le quattro barche entravano nel porto, e le fregate cessarono di tirare. I soldati borbonici gridavano *urrà!* come se muovessero all'assalto, e credevano acchiappar la luna, mettendo le ugne su quei poveri vapori del Rubattino, mezzo sprofondati e senza difesa.

Giunte che furono le barche ai nostri legni, i soldati montarono su, vociando come tanti turchi, e calaron giù la bandiera del *Lombardo*, che sventolava ancora, e spiegarono da trionfatori il loro borbonico cencio bianco. Poi si dettero a rubacchiare e a sgocciolar bottiglie, gridando sempre, come se avesser presa d'assalto la torre di Malacoffe.[1] Quindi tornati sulle barche, pigliarono a rimorchio il *Piemonte*, affondato soltanto di pochi piedi, e lo trassero fuori dal porto, lasciando in pace il *Lombardo* che non volle venire a galla né per Cristo né pe' santi.

Tutta questa comica scena, Garibaldi se la godette da cima a fondo, senz'ombra di dispetto; e quando i cannoni furon salvi in città, e quando sul porto fu finito lo spettacolo, se ne venne via placidamente e rientrò fra le mura, fumando il suo sigaro e dicendo, in tono di scherzo:

— Abbiamo bruciate le nostre navi!

---

1. L'assalto e la conquista della torre di Malakoff durante la guerra di Crimea determinarono, l'8 settembre 1855, la caduta di Sebastopoli.

## II

### [DA MARSALA A CALATAFIMI]

Eravamo giunti felicemente a Marsala, ed io mi era proposto di lasciartici, giacché, terminato il mio compito, mi sembrava ora di riposarmi e di trascorrere in panciolle, sotto la bell'ombra de' tendoni di queste liete spiagge livornesi, gli atroci giorni del sollione. Ma tu, amico caro, più allettatore dell'ozio, tu mi stacchi dall'ozio, e fai che io riempia di vino marsalese la vecchia borraccia, e mi metta in marcia cantando e novellando, e risuscitando col desiderio il grande e buon vecchio, che ahimé! non è più. Noi nol vedremo più mai, bello e raggiante, sul dorso dell'indomito puledro, in mezzo al tumulto e al polverio della battaglia; noi non udremo più quella voce, che pareva emula della tromba guerriera, e che spesso seppe volgere in sorriso il pianto de' moribondi ansanti sulle sanguinose zolle, e mutò in prodi i pusilli, e tutti i giovani d'Italia innamorò della gloria e di Giuseppe Garibaldi. Or ti prego che tu non voglia pretendere da me quel che pretenderesti da un pittore, che ricca avesse di vivaci tinte la tavolozza e mano infallibile nel disegnare e mente prontissima nel cogliere le attitudini più notevoli e degne di una figura, che tutti i posteri vorran conoscere, e che sarà tramandata a loro vivissima per ministero delle lettere e dei pennelli. Perché io, nel compiacerti col seguitare il mio viaggio, mi terrò modestamente al compito, che solo è adeguato alle mie povere forze, e narrerò le cose che vidi ed udii, con linguaggio semplice e piano e senza concedermi d'elevare lo stile oltre la misura che mi sarebbe possibile mantenerlo alto, senza cascar giù, al pari di Fetonte meschino. Calza, dunque, buone scarpe e avviati meco verso Palermo; dove io giuro che ti lascerò in asso, quand'anche ti venisse il ticchio di pregarmi e ripregarmi a seguire oltre, e tu venissi a Livorno a tentar di muovermi col solletico, che è il tormento mio e la mia paura. Ma anche nel condurti ch'io farò a Palermo, contentati della scorta che ti potrò fare, giacché non mi è dato condurtici dritto dritto e così speditamente, come da Genova ti condussi a Marsala, che i saracini, disprezzatori del buon vino, chiamaron Acqua di Dio (Mers-Allah).[1]

1. L'etimologia più sicura sembra *Marsà 'Alì*, porto di Alì.

Non ti dico adesso come mai e perché io farò qualche sosta, ma spiegherai facilmente il mio dire, quando sappi che sarai meco negli spedali di Vita, di Calatafimi e d'Alcamo, mentre Garibaldi battaglierà su pei monti pittoreschi che inghirlandano la Conca d'Oro, e si farà strada in Palermo.

Però, abbi certo che sarai in Palermo mentre le barricate saranno ritte tuttavia, e mentre i picciotti invocheranno Rosalia santa, e appiccicheranno la sua benedetta immagine sul cul dei cannoni; e assisterai a' parlamenti di Garibaldi coi generali borbonici, e vedrai le rovine fumanti e i cadaveri insepolti, e gl'incendi e le rapine degli svizzeri e de' bavaresi e le rappresaglie feroci del popolo, e Garibaldi seduto sugli scalini d'una fontana, specolare col sigaro in bocca le bombe che volavano fischiando, e accennarcele con amabile sorriso, dicendoci:

— Ve' che belle rondini!

Non ti dico di più, ma forse t'ho detto anche troppo. Tu piglia di buon animo quanto sarò capace di darti, e se i lettori si chiariranno annoiati dell'eterno parlatore toscano, tu di' loro che la mia loquacità va messa tutta sul tuo conto perché tu hai invitato il diavolo a ballare, e il diavolo t'obbedì.

Eravamo finalmente in Sicilia, nell'isola celebrata dai poeti leggiadri, che la vollero albergo prediletto ai numi e popolarono di Ninfe i suoi boschi e di Naiadi le sue fonti; eravamo nell'isola dei vulcani e delle grandi metropoli del tempo antico; nella culla della gentil filosofia e della italica lingua. Ogni suon di campana ci pareva un'eco della squilla de' Vespri; in ogni fiore cercavamo il profumo d'ambrosia che rivelava le dee; in ogni suono lontano e indistinto, un mormorìo delle cetre de' trovatori, che innamoravano le belle dagli occhi neri, alla corte di Federigo.

Lettori amici, io vi dirò che in quel tempo mi cantavano in cuore venticinque anni ed ero tutto poesia; e voi non riderete se io vi giuro che i miei occhi cercavano per le valli solinghe Giovanni da Procida,[1] pensoso e raccolto nel suo mantello bruno; e che il mio cuore era aperto a tutte le illusioni più vaghe e più

1. Questa raffigurazione di Giovanni da Procida viene diritta dalla tragedia di G. B. Niccolini come si recitava allora a teatro. La leggenda che faceva di lui il suscitatore della rivoluzione del *Vespro*, quando il Bandi scriveva era già stata sfatata dallo storico Michele Amari.

fantastiche, che mai sieno buone ad ammaliare l'anima di un innocente peccatore che sogna.

Adesso io misuro da quel che provai in quel giorno, ciò che gli altri miei compagni debbono aver provato; e dico che quel cielo ci parve più azzurro del cielo di Toscana e di Lombardia, e i venticelli ci parvero imbalsamati d'inebrianti profumi, e il sole ci sembrò più splendido, e più grati ci parvero l'odor dei fiori e il sorriso delle donne, cioè delle rarissime donne che si videro in quel paese di ombrosi e gelosi maschi.

Mi parve che le muse siciliane (*sicelides musae*) intonassero, a' miei orecchi, nuovi e armoniosi inni di guerra; mi sembrava che le loro bianche mani agitassero, dinanzi a noi, verdi ramoscelli d'alloro; tutti avevamo nell'anima presagi lietissimi, tutti eravamo innamorati della Sicilia, e ci pareva gran ventura il poter morire per lei!

Oh, chi non ha vissuto come vivemmo noi in que' giorni d'ansietà, d'entusiasmo, di santo amore per la patria, non può dire di aver provato quanto sia dolce e quanto sia bella, in certi momenti, la vita!

Eravamo pochi, e derelitti su quella spiaggia, ma avevamo tra noi un eroe che recava tra le pieghe della sua bandiera la fortuna d'Italia; avevamo duce un uomo, che aveva scritto sulla lama della sua spada: «Vittoria o morte!» I nostri amici, i nostri cari non ci dovevano rivedere se non vincitori; o dovevano benedire alla memoria nostra ed onorare ne' nostri nomi una gloriosa sventura...

Era alto il sole da tre ore e più quando lasciammo Marsala. Dopo breve tratto, si scoperse alla nostra veduta il mare, e contemplammo le navi borboniche, che si avvicinavano sicuramente alla città. Alcuni villani che incontrammo pei primi insieme a un frate, adusto e nero e barbuto, che cavalcava un somarello, ci chiesero se veramente ci fosse tra noi Garibaldi, e noi mostrammo loro chi cercavano. Tosto, i più svelti s'avvicinarono ad esso, e si dettero ad afferrargli le mani per baciarle, ma il nostro duce li respinse sdegnosamente, dicendo:

— E che, baciar le mani a un uomo che mangia, beve e...! — immagini il lettore il terzo verbo. — Lo vedete a che v'han ridotto i preti? Lo vedete come v'ha fatto abietti la tirannia?

E spalancando le braccia, soggiungeva:

— Su, baciatemi in volto, se volete!

E li baciava pel primo.

Aprivano la marcia le guide, comandate da Missori, tutte a piedi; in quei primi giorni il piccolo esercito aveva una cavalleria pedestre. Seguiva Mosto coi carabinieri genovesi; e quindi le compagnie per numero d'ordine, comandate da Bixio, Vincenzo Orsini, Stocco, La Masa, Anfossi, Carini e Cairoli. Il generale cavalcava, or qua, or là, seguìto da Sirtori e da Türr, e da Cenni, infaticabile nel recare i suoi ordini e nel regolare la marcia della colonna. Venivano in coda i nostri quattro cannoni, ruzzolanti sulle ruote mezzo rotte dei vecchi affusti da posizione, guasti dalle intemperie e dagli anni; quindi i carri colle munizioni e i fucili e le altre povere salmerie, cui erano scorta i marinai. Il vecchio e canuto Ripari[1] avea seco tre o quattro medici; l'Acerbi guidava quattro futuri intendenti e commissari ordinatori; Sponzilli conduceva i futuri capi del genio militare; pochi antichi artiglieri andavano colle artiglierie.

— Ecco, — diceva Garibaldi, contemplando con gioia quella scarsa brigata — tra pochi giorni ogni compagnia sarà battaglione, e poi reggimento.

Nell'udire quelle parole, mi si apriva il cuore, ma i miei occhi cercavano indarno gli innumerevoli insorti di cui era corsa fama che formicolassero le campagne siciliane. E tratto tratto, nell'essere in testa alla colonna, mentre salivamo qualche pendìo, mi volgevo a guardare, e fermando lo sguardo sul breve spazio occupato dalla nostra gente, dicevo tra me: «O che direbbero mai certi nostri buoni amici che fumano adesso e sbevazzano in santa pace pei caffè di Torino e di Firenze, se vedessero con qual poderoso esercito muove Garibaldi a rovesciare un regno?»

E per vero, non mancò in quei giorni chi ci chiamasse matti e tizzoni d'inferno, e censurasse il generale come uomo irrequieto e pronto sempre a metter legna sul fuoco e a crear sopraccapi al governo; e ci fu purtroppo chi s'augurò che con quella quintessenza

1. Pietro Ripari (1803-1885), da Solarolo Rainiero presso Cremona, cospiratore, combattente delle Cinque giornate, fu allo stesso tempo chirurgo e prode soldato nella campagna del '48 e alla difesa di Roma; e poi con Garibaldi nel '59, in questa campagna dei Mille, ad Aspromonte e nel Trentino. Dopo il 1870 si ritirò a Roma. Vecchio e canuto lo ricorda qui il Bandi; in realtà aveva allora cinquantasette anni, ma, a non tener conto del suo passato militare, molti anni aveva trascorso nelle carceri dell'Austria e del papa.

di chiassaiuoli rivoluzionari e di furibondi arruffoni sparisse felicemente, e per non tornar mai più, ogni germe di future perturbazioni e di guai.

Garibaldi, vedendo piene le tolde dei due vapori, avea escla-
mato nella rada di Genova: — Eh, quanta gente! — Ripensando a
quel beneaugurato motto, io mi consolavo nel profondo del cuore,
ma la consolazione veniva intorbidata subito da un tristissimo dubbio. Non avea acconsentito il generale a farsi capo della spedizione per la certezza che gli guarentirono, che troverebbe l'isola in
fiamme? Non potea darsi che i Mille, i quali gli sembrarono troppi
allora, sembrassero adesso a lui stesso troppo scarsi?

Non volevo mostrarmi scoraggiato, né uomo di poca fede, ma
mi premeva di chiarire qual fosse l'impressione suscitata nell'animo
di Garibaldi dalle prime accoglienze che ci avean fatto i siciliani.
E così, avvicinatomi a lui con non so qual pretesto, gli dissi:

— O dove sono, generale, que' magni insorti che promettevano
Roma e Toma? Mi pare che la gente ci guardi e passi, ed abbia una
voglia matta di starsene allegramente a vedere quel che accadrà.

Il generale rispose con la sua inalterabile tranquillità:

— Pazienza, pazienza; vedrete che tutto andrà bene. Perché la
gente si scuota e ci venga dietro, bisogna farle vedere che sappiamo picchiare. Il mondo è amico dei coraggiosi e dei fortunati.

Capii che diceva una cosa santa, e mi tacqui; ma, dopo poco
tornai a farmi vivo per dimandargli:

— O dov'è Rosolino Pilo? Dov'è Corrao? Non ci dissero a
Genova che eran padroni di mezza l'isola?

— Ce lo dissero . . . — soggiunse il generale — ma che volete?
Avranno fatto quel che poterono fare, e adesso saranno per la
montagna.

In quel mentre, arrivò Sirtori, e io mi fermai.

Mentre ero fermo per accendere un sigaro, vidi una bella carrozza a due cavalli, e dalla carrozza si affacciò il tenente De Amicis,
aiutante maggiore in uno dei reggimenti della brigata Reggio, venuto via, come me, senza dare neanche il buon giorno al colonnello.

— Ehi, — mi disse De Amicis — ti diverti ad andartene a piedi
con questo caldo e questo polverone? . . . Vedi, c'è posto finché
vuoi; monta su.

E ordinò al cocchiere che fermasse.

— E dove hai presa questa carrozza? — gli chiesi nel salir su.

— L'ho veduta nella rimessa d'un signore e me la son fatta mia
fino a stasera.

Ero rimasto in Marsala per ordine del generale,
a vigilare che i cannoni e i barrocci partissero in buona regola e
non rimanesse indietro alcuno strascico, e m'è parso duro il rag-
giungervi a piedi.

E poi, sdraiandosi voluttuosamente, soggiungeva:

— Che vuoi? Per questi ottant'anni che mi restano da campare,
voglio godermi un po' il mondo. Io ti giuro che il primo cannone
nemico che vedrò, quel cannone sarà mio ... è un'idea fissa che
ho in testa; voglio si dica che il primo cannone guadagnato da
Garibaldi in Sicilia, l'ha preso De Amicis.

Tale era davvero l'ambizione di quel bravo e caro giovane, i
cui occhi spiravano il coraggio; e quella nobile ambizione doveva
costargli, come vedremo tra poco, la vita.

Salii dunque in carrozza, e mi parve essere rinato, perché faceva caldo in quel giorno, come tra noi suol essere in agosto, ed
era un caldo afoso, che ci faceva sciogliere in sudori e ci mozzava
il respiro.

Seguitavamo ad inoltrarci in un paese ricco di vegetazione e
sorridente; i contadini, aggruppati dinanzi ai casolari, ci guardavano a bocca aperta, incerti se dovessero augurarci il buon viaggio o ringraziare Dio che passassimo e pregarlo a non farci tornare mai più.

Intanto, i volontari, che sul principiare della marcia aveano into-
nato allegre canzoni, e ripetevano lietamente il celebre ritornello:

*Dàghela avanti un passo ...*[1]

s'erano fatti muti, e andavano a gran disagio, e apparivano affa-
ticatissimi da quello smisurato calore e dal polverìo che regalava
loro la strada maestra.

Erano circa le due, quando la tromba suonò *alto*, e il capitano
Cenni annunziò una sosta di venti minuti. Appena udito il gradevole annunzio, i volontari ruppero le righe e si accoccolarono
sotto le siepi e sotto gli arboscelli che fiancheggiavano la strada,
o se n'andarono chi qua e chi là per cercare un po' d'acqua.

Io e De Amicis, che seguivamo la colonna a qualche distanza,
eravamo scesi di carrozza; vedemmo per la campagna, sulla destra

1. È il ritornello della *Bella Gigogin*.

della strada, un gruppo d'alberi, e ci volgemmo a quella volta. I nostri passi non furono perduti, giacché in mezzo a quegli alberi c'era una casetta bassa bassa, che sulle prime ci sembrò una stalla. L'uscio della casetta era mezz'aperto, e faceva capolino un uomo dal viso del colore della cioccolata, vestito d'un lungo camicione bianco, che ci guardava e sorrideva.

Guardando l'edifizio, il camicione dell'incognito abitatore e quel sorriso, mi venne in mente la scena del *Columella*, dove si vedono i pazzerelli, e cominciai a fischiare la sinfonia della *Semiramide*.

Mentre ci avvicinavamo a lento passo alla casetta, l'uomo dal camicione ci chiamò con la mano, e aggiunse a quel cenno un *psi*, che voleva dire: «Spicciatevi».

Ci accostammo senz'ombra di sospetto, ma pieni di curiosità. L'uomo dal camicione, quando gli fummo vicini, spalancò l'uscio, e ridendo sempre con un'aria di malizia sopraffine, ci disse nel suo barbaro linguaggio:

— Eccellenze, entrate, ma fate che nessuno vi veda entrare, se no, con tanta gente . . .

Capimmo subito che non si trattava di pazzerelli, ma di villani assai furbi, ai quali s'attagliava a capello il vecchio proverbio toscano: «Contadino, scarpe grosse e cervel fino».

Quel basso edifizio, infatti, non era se non la copertoia di una profonda e vasta cantina, tutta piena di grandissimi orci e di strumenti da fare il vino. C'era dentro un fresco delizioso ed una fragranza di vino di Marsala che innamorava.

Due altri villani vestiti alla stessa foggia ci furono tosto innanzi con due bicchieri, e tolto il coperchio a un orcio, ci invitarono a bere. Attingemmo colle nostre riverite mani, e bevemmo; bevemmo roba degna della mensa dei cardinali e degna della mensa di Lucullo. Non era il vino *fabbricato* dall'Ingham, ma era vino, fatto come insegnò a farlo Noè, e come usano tuttavia i possidenti della campagna marsalese. Vuotati i bicchieri, volevano i villani che facessimo il *bis*, ma io esclamai: — Troppa grazia, fratelli! — Allora ci fecero segno che empissimo le nostre borracce, ed in questo li compiacemmo volentieri, giacché non sapevamo quale albergo e qual cena ci avesse destinato la Provvidenza, dopo la lunga e penosa marcia.

Empito le borracce, ci accomiatammo dai camicioni bianchi, i

quali ci raccomandarono a tre voci e con un comico accompagnamento di cenni che non additassimo a nessuno dei compagni nostri
quel misterioso albergo della frescura e del nettare siculo.

Tornando ad avvicinarci alla strada maestra, udimmo un gran
baccano di voci, e tra quelle, altissima fin sopra i righi, la voce
di Nino Bixio. Che cos'era, che cosa non era? I volontari, oppressi
da quel caldo africano, stavan benissimo accoccolati all'ombra, e
qual di loro avea cominciato ad appisolarsi, quale s'asciugava il
sudore, e quale si sentiva tutt'altra voglia che quella di tornar
così presto sotto i raggi del sole ardente; insomma, non c'era verso
di farli sbucar fuori e ripigliar la marcia, per quanto i capitani e
gli altri ufficiali si spolmonassero a persuaderli.

Garibaldi, che era fermo a qualche distanza in un campo, non
s'era accorto che il suo ordine di andare innanzi trovava opposi-
tori inesorabili, i quali avrebbero voluto prolungar la sosta, e nessuno lo chiamò. Ma Nino Bixio e Sirtori, veduto che le raccomandazioni non bastavano, si dettero ad alzar la voce, ed anzi il primo,
secondo il suo solito, cominciava a far salterellare il cavallo vicino
a' calli de' dormiglioni e degli ostinati e minacciava bòtte bianche
e bòtte nere, quando improvviso comparve sulla strada il generale, e gridò con voce sonora:

— Avanti, ragazzi, non c'è tempo da perdere.

A queste parole, tutti i Mille saltarono su come un uomo solo
e ricomposero le file, e ripigliarono la faticosa marcia, e il lieto
ritornello:

*Dàghela avanti un passo,*
*delizia del mio cuore,*

al quale, una quarantina di voci toscane intrecciava allegramente
il ritornello livornese:

*Bravo, bimbo, bravo,*
*tallallera, lallera, lera . . .*

mentre Bixio, bestemmiando in tutti i dialetti d'Italia, tornava di
galoppo in testa alla sua compagnia.

Vedendo che i nostri compagni marciavano penosamente ed erano
tutti trafelati, dissi a De Amicis:

— Non è bene che andiamo in carrozza, bisogna dare il buon esempio.

De Amicis acconsentì ridendo, e pigliammo anche noi la strada coi cavalli di san Francesco.

Dopo pochi momenti, passò accanto a noi il commissario Bovi,[1] cavalcando una giumenta, e traeva per la briglia un cavallaccio, alto e secco, che parea fratello del cavallo della fame.

— Ehi, Bandi, — mi disse — questo cavallo è per te. Piglialo e va' dietro al generale ché gli puoi far comodo.

Quel povero cavallo aveva sulla groppa una sellaccia vecchia, senza staffe, e per briglie due pezzi di corda, che forse avean fatta girare, per lungo tempo, la carrucola d'un pozzo. Saltai su come potei, aiutato dal mio fedele orbetellano Becarelli,[2] il quale, nel darmi l'aire per quel bel volo, mi disse che i medici dell'ambulanza lo volevano con sé. Il pover uomo batteva ancora la febbre e mi parve che il mestier del pappino[3] fosse buonissimo pel fatto suo, e lo mandai con Dio e coi medici, dopo avergli ritolto il mio bel pugnale, che infilzai nella cintura, e la sacchetta delle mie robe, che legai alla sella.

Quindi, dopo avergli chiesta ed aver avuta da lui una bacchetta di salcio, frustai a più non posso il ronzinante, e il ronzinante si mosse col trotto che han le vacche, quando il pungolo del buttero le toglie di contemplazione.

Appena fui vicino a Garibaldi, questi si volse, e mi disse:

— Bene, bene; avete trovato un cavallo?

— Sì, — risposi — il cavallo dell'Apocalisse.

Si camminò un'altra mezz'ora in silenzio; quando, a una svolta della strada, vedemmo in lontananza diversi uomini a cavallo comparire in cima ad una collinetta.

Garibaldi fece fermare la colonna, e si volse, chiamandomi.

— Comandi — risposi.

— Prendete con voi questi sei carabinieri genovesi — e li ac-

---

1. Paolo Bovi (1814-1874), di Bologna, era stato tra i difensori di Roma e a Porta San Pancrazio una cannonata gli aveva portato via la mano destra. Nel '59 riprese le armi nello stato maggiore dei Cacciatori delle Alpi. Sbarcò a Marsala con Garibaldi e tenne le funzioni di Commissario generale dell'Intendenza dei Mille. Poi entrò nell'esercito regolare.    2. Era un bracciante che il Bandi aveva raccolto affamato a Talamone.    3. *pappino*: soldato di sanità, infermiere.

cennò col dito — e andate a vedere che razza di gente è quella che
si vede lassù, in capo alla collina. Vi aspetto qui.

M'avviavo, flagellando coi tacchi delle scarpe i duri fianchi della
mia cavalcatura, quando ei mi chiamò indietro per dirmi:

— Avete un binoccolo?

— No, generale.

— C'è nessuno che abbia un binoccolo da dare a Bandi?

— Io — rispose un bell'ometto, che era appunto il signor Calvino, e mi porse un binoccolo.

Dopo aver fatta un po' di strada conversando sempre coi sei
genovesi, il binoccolo del signor Calvino mi mostrò ben chiari i
signori sconosciuti che ci venivano incontro, i quali erano sette o
otto, tutti a cavallo, colle papaline in testa e cogli schioppi attraverso alla sella, come tanti beduini.

Affrettai con buone ed efficaci persuasioni il passo del ronzino,
ed agitai per aria il berretto. Gli sconosciuti misero al trotto i cavalli, ed agitando, alla loro volta, le papaline, cominciarono a gridare.

Capii a volo che erano amici e venivano dalla parte di Dio, ma
se tali non erano? La prudenza più volgare mi consigliava a starmene in guardia, e chiesi ai carabinieri se avessero ben cariche le
loro armi e dissi loro:

— Fermatevi e state attenti.

Quindi, flagellato anche una volta il mio sciagurato ronzino,
posi la mano al *revolver*, e mi spinsi innanzi.

Gli sconosciuti si fermarono anch'essi, ed uno di loro, che mi
parve il caporione, scese subito da cavallo, e mi si fece incontro,
gridando: — Viva l'Italia! viva Garibaldi!

Era uno dei baroni Sant'Anna di Alcamo, patriotta ardentissimo e grande odiatore dei Borboni.

Ci stringemmo la mano, e lo invitai a far venire innanzi i compagni; che ad un suo cenno accorsero di galoppo, e mi furono
intorno, assordandomi colle loro grida di — Viva Cicilia! viva la
Taglia! — (Viva Sicilia, viva l'Italia.)

Finalmente, si vedevano gl'insorti! Erano compagni di Rosolino
Pilo, che dalle montagne aveano udito il romore dei cannoni della
squadra borbonica, e mandati esploratori verso Marsala, aveano
avuto notizia del nostro sbarco.

Condussi il barone e i suoi arabi dal generale, che li accolse

60

con gran segni d'affetto, e si ristrinse con essi a parlamento, insieme a Sirtori e a Türr.

Quando Garibaldi ebbe saputo ciò che gli premea sapere, trasse la sua colonna fuori della strada maestra, e l'avviò per un sentiero che scendeva con lunghi giri in una valle verdeggiante, in fondo alla quale sorgea un colle, piuttosto alto, sormontato da un edifizio, molto simile a un castellaccio antico.

Avendomi il generale ordinato d'andare innanzi co' miei esploratori, ai quali aggiunse uno degli uomini del barone Sant'Anna, precedei di buon passo la colonna, interrogando con infinita curiosità il mio nuovo compagno, dal quale seppi come la rivoluzione fosse stata doma per tutta l'isola, e Pilo e Corrao errassero su pei monti con pochissima gente. Quando ebbi saputo da lui ciò che mi premeva sapere, e' cominciò ad interrogarmi, dimandandomi se Garibaldi era proprio Garibaldi, e se dietro Garibaldi c'era un re, e se dietro a quel re c'era una buona cassa.

A cui risposi:

— Fratello, Garibaldi è Garibaldi in carne e in ossa; dopo Garibaldi verrà, se occorre, anche un re; ma la cassa che tu cerchi, non ce l'abbiamo.

L'arabo si turbò, e mi disse:

— La cassa c'è a Palermo.

— Bravo! — risposi — e quella cassa la piglieremo noi, e staremo allegri come tanti papi. Però, non dimenticarti che le casse son sempre difese molto bene, e ci sarà mestieri combattere accanitamente se vogliam giungere a bomba.

Mentre così si parlava, ci venne incontro una comitiva di sei o sette cavalieri, che ci salutarono con alti evviva. Il capo della nuova cavalcata era il signor Mistretta di Salemi, il quale, avuta notizia che ci andavamo appressando al suo « feudo », veniva ad incontrare il generale e ad offrirgli tutto quanto per sé e per i suoi gli potesse occorrere.

Ordinai a un genovese di condurre al generale il signor Mistretta, insieme col suo corteo, e seguitando la mia strada, giunsi al feudo, che appunto era il castellaccio da me veduto, in distanza, nell'abbandonare la via maestra.

Mentre questo accadeva, il sole andava tramontando tra un ammasso di nuvoloni, che si tingevano nel color della porpora; l'aria cominciava a raffrescare, e un delizioso profumo si levava per la campagna, tutta verde e piena di rigogliose e folte pianticelle di fave.

Su que' campi girando gli occhi, Garibaldi esclamò tutto allegro:

— Meno male, con tanti baccelli che ci sono, potrò far la guerra senza bisogno di pensare ai viveri!

Ciò che parve consolare il generale, non consolò punto noi che non avevamo mangiato nulla in tutta la giornata, ed avevamo voglia di miglior cibo che non fossero i baccelli. E tutti ci guardavamo in faccia e ci chiedevamo a vicenda se il generale avesse inteso dir davvero e volesse condannarci a quel cibo da anacoreti, dopo tante miglia e dopo tanti sudori.

Ma il commissario Bovi, che giunse in quel momento, avvertì il nostro duce d'aver comprato quattordici pecore da un pastore che avea la greggia a pascolo in quelle vicinanze; e poco dopo, le quattordici vittime passarono belando dinanzi a noi, avviandosi al sacrifizio, che fu compiuto, da non so quali sacerdoti, sotto le mura del vecchio castello.

Il castello ha nome Rampegallo, e non è se non una meschina catapecchia, che, nei tempi delle prepotenze, fu albergo gradito a qualche barone nei mesi della caccia, o fu ricetto ai suoi sgherri per taglieggiare i poveri vicini e tenere in briglia i miseri vassalli. Nell'epoca in cui lo onorò d'una visita Garibaldi, Rampegallo non era se non una specie di masseria, abitata da un castaldo e da pochi uomini, occupati nel coltivar le vigne e spremere dai grappoli il delizioso sugo.

Entrando nel feudo, o castello che voglia dirsi, trovammo Stefano Türr, che si era disteso su d'un lettuccio e premeva sulle labbra un fazzoletto, macchiato di sangue. Gli chiesi che cosa avesse, e mi rispose che gli accadeva spesso di sputar sangue, ma non era solito farsene né qua né là. Gli toccai la fronte, scottava come un ferro caldo. Volli correre a chiamare un medico, ma egli me lo vietò, dicendo:

— Questo non è tempo da medici, né da medicine.

Il brav'uomo non aveva tempo per esser malato; ed infatti, la mattina dipoi era sano e vispo come un galletto.

Garibaldi, scrupolosissimo sempre nel pigliare le sue buone cautele per la difesa degli alloggiamenti, avea collocati gli avamposti, e avea spedito qualche squadra a scuoprir terreno. Quand'ebbe mangiato un po' di pane ed ebbe bevuto un po' di caffè nel gran salone del feudo, sulle cui pareti erano dipinti in terra verde diversi episodi di caccia, parve a Fruscianti[1] l'ora di preparargli il letto. Ma oltre il letto, bisognò preparargli anche la tenda, giacché ei volle dormire, ad ogni costo, all'aria aperta, sebbene gli facessimo notare che la guazza cadeva abbondante e non era buon per lui, tribolato dall'artrite, il succiarsi per tutta la notte l'umidità. Due delle coperte dei gesuiti di Marsala ci parvero un dono di Dio per fargli la tenda e il giaciglio: e in quattro e quattr'otto, il suo notturno albergo fu pronto e ce lo mettemmo dentro amorevolmente e lo aiutammo a spogliarsi, come se si fosse trattato del nostro babbo. Ma non avevamo ancora condotto a termine l'opera nostra, quando sopraggiunse il barone Sant'Anna e ci disse esser prudenza che Garibaldi consegnasse subito a due de' suoi uomini una spedizione, la quale dichiarasse che dava loro facoltà di levare gente per conto suo in certi villaggi non lontani; promettendo che i due uomini sarebbero tornati quanto prima, recandoci qualche buon aiuto. Ne parlai al generale e questi chiamò a sé il Sant'Anna e si fece spiegare per filo e per segno la faccenda, indi disse a me:

— Scrivete subito in mio nome una spedizione per i due uomini di Sant'Anna, acciò si sappia che la gente che arruoleranno sarà arruolata per me; e quando l'avrete scritta, firmerò.

Andai tosto da Basso,[2] che aveva la cassetta della segreteria, e avuto da lui quanto mi occorreva, scrissi la spedizione, intestandola (me ne rammento benissimo) con le parole seguenti: «Giuseppe Garibaldi, generale del popolo italiano, disceso in Sicilia per rendere alla nobile isola l'antica gloria e libertà, dà commissione» ecc.

Scritto che ebbi, portai il foglio al generale che lo lesse e lo firmò senza far motto. Noto questo fatto, perché non andrà molto che dovrò narrare a chi mi legge come quella mia maniera d'intestare ciò che in nome suo si scriveva, venisse messa all'indice e surrogata con una diversa formula.

Partiti i due nostri provveditori d'uomini, fabbricammo altre

1. Giovanni Froscianti (1811-1885), di Collescipoli presso Perugia, aveva preso parte alla difesa di Roma, e dal '49 al '67 fu segretario fidatissimo di Garibaldi a Caprera, e nelle sue imprese addetto allo stato maggiore col grado di capitano. 2. Giovanni Basso (1824-1884), di Nizza marittima, compagno di Garibaldi in America, tornò con lui in Italia nel '48 e gli rimase sempre al fianco in tutte le sue imprese e nei riposi di Caprera. Fu tra i suoi più intimi e fidi.

due tende, presso quella di Garibaldi, e mangiammo quel che ci capitava fra le mani, senza curarci d'aspettare la distribuzione della carne di pecora col relativo brodo, che venne fatta alle affamate turbe poco innanzi la mezzanotte.

Appena giorno, la voce del generale ci suonò la sveglia. Mezzo vestito com'ero, corsi nella sua tenda, e mentre altri dava fuoco allo spirito per fargli il caffè, gli offersi i panni perché si vestisse. M'accorsi che l'umidità gli aveva alquanto rattrappite le braccia e le mani, e m'arrisicai a dirgli:

— E perché mai voler dormire all'aperto quando si ha vicina una buona camera con un buon letto?

— Che volete? — rispose. — Son fatto così; e i vecchi non si riformano.

E si passarono, senza cose degne di menzione, le prime ore della mattina; nessuno sapeva quando ripiglieremmo la marcia e per dove, e se ci fossero nelle vicinanze truppe nemiche da combattere sollecitamente. Non vedendo fare alcun preparativo di partenza, supposi che Garibaldi volesse fermarsi alquanto in quel luogo per raccoglier gente che in gran numero gli si prometteva da La Masa e dagli altri reduci dall'esilio. Ma verso le nove, i nostri esploratori tornarono in gran fretta, accompagnando certi uomini a cavallo, che venivano da Salemi, per annunziare a Garibaldi che il generale Landi[1] marciava con una brigata per tagliargli la via di Palermo, mentre altre forze manovravano per terra e per mare, col disegno evidentissimo di pigliarlo in mezzo.

Fu dato in fretta e in furia l'ordine di levare il campo, e correre, più presto che si potesse, a Salemi.

Montato che fu a cavallo, il generale ordinò a Bixio che lo seguisse tosto con la sua compagnia e coi carabinieri genovesi e le guide, mentre il resto della gente si raccoglieva e si metteva in ordine. Bisognava camminare sei lunghe miglia per giungere a Sa-

1. Francesco Landi aveva preso parte in gioventù ai moti del 1820. Ora contava circa settant'anni, era stato da poco promosso generale, a stento montava a cavallo, e preferiva andare in carrozza. Nonostante l'età era in fama di discreto militare, e il disinganno sulla sua capacità fu durissimo a Napoli. Nella battaglia di Calatafimi egli si tenne sempre sulla difensiva preoccupandosi di aver libera la strada su Palermo, per potervi ritornare con la sua colonna. Quando si avvide che il lungo e aspro combattimento non faceva indietreggiare i garibaldini, decise di ritirarsi, considerando la ritirata, com'egli stesso ebbe a dire, «la migliore delle vittorie». Morì, ingiustamente accusato di tradimento, nel 1862.

lemi, che siede in vetta a un poggio assai scosceso, e si trattava di giungervi per sentieri aspri e fuori di mano.

Il mio cavallo del giorno innanzi era sparito e non c'era verso d'averne un altro, sicché io pure dovetti raccomandarmi alle gambe e corsi un bel pezzo, per tenermi vicino al generale, che aveva un diavolo per capello e non pareva dovesse aver quiete finché non fosse giunto in Salemi.

La campagna era popolata da qualche brigatella di contadini, che lavoravano pei campi, né si vedeva alcuna casa, essendo uso in que' luoghi che i campagnuoli abitino, per lo più, raccolti nei borghi e nei villaggi, anzi che nei poderi isolati, come è costume tra noi. Nessun pericolo prossimo ci minacciava, né era da credersi che i borbonici fossero pronti per assalirci, mentre c'incamminavamo a Salemi per una parte opposta a quella cui tendeva la loro fretta; pure, Basso ed io, non vedemmo senza inquietudine il generale spingersi innanzi e dilungarsi alquanto dalla sua scorta, seguito unicamente da Sant'Anna, da Nullo e da altri sette o otto a cavallo.

A un certo punto della faticosa via, noi l'avevam perduto di vista dietro una boscaglia; Bixio ci seguiva a due o trecento passi di distanza, e dietro a lui veniva un'altra compagnia, quando ci capitò la terza mala burla che volle farci il pazzarellone che per due volte s'era gittato nell'acqua, come tutti rammenteranno.

S'era cacciato costui, non so come, dietro a Garibaldi, e lo andava seguendo a saltelloni e con due grandi occhi da spiritato e col berretto in mano. Ecco che capitandogli vicino un vecchio ufficiale, che vestiva la divisa dello stato maggiore toscano, il pazzarellone lo scambia per un borbonico e gli si mette ai fianchi e lo guarda bieco, e di quando in quando prorompe in certe esclamazioni, che tutti credean rivolte al sole o alla luna, non essendoci chi potesse, in que' momenti, avere il capo alle parole che escivano di bocca al trafelato matto.

E dico adesso chi egli fu, perché allora nessun di noi se n'accorse.

Or bene; giunti che furono il matto e il suo innocente compagno al passo d'un torrentello, questi tolse in mano la sciabola per spiccare un salto, e già pigliava la rincorsa, quando lo scervellato, ghermitolo improvvisamente pel collo e sfoderato un coltellaccio, si diè ad urlare a tutta gola:

— Dàlli al traditore! dàlli alla spia! All'armi! all'armi!

Questa scena accadeva a pochi passi da noi, cioè da me, da Basso, da Stagnetti[1] e da De Amicis, i quali, udendo quelle strane grida, corremmo a vedere che cosa fosse, e giungemmo in tempo da toglier sano e salvo di tra le unghie del matto il buon Parodi di Parma, vecchio di sessant'anni e fior di patriotta. Ma lo scompiglio non finì lì, ché tutti quelli i quali venivano dietro a noi, udendo le grida che con voce stentorea mettea lo spiritato, temettero che il generale fosse caduto con sì debole scorta in un agguato, e si misero a correre colle armi a punto, e dettero l'allarme alle compagnie, e fu un correre e un anfanare senza fine.

La scena terminò, come ognun può credere, in risa, ma non fu bocca la quale non maledisse il pazzarellone, che giunto a Salemi venne consegnato al sindaco e chiuso nell'albergo che fu degno di lui.

Non era corso gran tempo da quella comica avventura, quando comparve una numerosa cavalcata di cittadini, i quali acclamarono da lungi il liberatore, facendogli segno che venisse innanzi, e accennandogli le bandiere tricolori che sventolavano sulle brune torri di Salemi.

Spronò Garibaldi il cavallo incontro ai benvenuti, e con essi salì di buon tratto verso la città, nella quale lo accolse la popolazione festosa con suoni di bande e di campane e con grida infinite, e con vere e solenni dimostrazioni d'affetto e di riverenza.

Era un fortunato e piacevole mutamento di scena; e noi che con un palmo di lingua fuori correvamo su per l'erta per tenerci, men che si potesse, lontani dal nostro gran capitano, udimmo con tanto di cuore l'eco di quelle grida e di quelle feste.

Cominciavamo allora ad accorgerci che, venendo in Sicilia, non eravamo venuti in una terra di codardi o di ingrati.

I primi abitanti di Salemi che incontrai su per l'erta, e che scendevano, dopo aver veduto Garibaldi, per vedere il suo esercito, mi salutarono (uomini e donne) agitando i fazzoletti e

---

1. Pietro Stagnetti (1823-1888), di Orvieto, aveva preso parte alle guerre del '48, alla difesa di Roma e alla campagna del '59. Tra i Mille fu capitano e poi maggiore di fanteria e di cavalleria, poi aiutante di campo del Dittatore, a fianco del quale entrò il 7 settembre a Napoli. Nel '66 si battè ancora valorosamente a Bezzecca. Poi entrò nella cavalleria dell'esercito italiano.

gridando: — Morte al Borbone! — (Avverta però chi legge, che e' gridavano *Barbone* e non Borbone, ma la buona intenzione era assai.)

Tosto, per farmi onore, una ragazza mi tolse di mano la mia sacchetta e mi porse un mazzolino; poi si fece innanzi un giovinotto, e s'offerse d'alleggerirmi pigliandomi la sciabola. Ma a questo dissi:

— Troppa grazia, fratello; le sciabole son da quanto le mogli: non si fidano a nessuno.

Il siciliano, forse, non mi capì, ma rise di tutto cuore indovinandomi agli occhi, e si contentò di venirmi appresso chiedendomi una infinità di cose, alle quali non rispondevo, o rispondevo coi monosillabi, perché la gran salita m'avea fatto corto il fiato e i miei polmoni ansavano come due mantici.

Ora narrerò come conobbi Fra Pantaleo, e come avvenne che il detto frate conobbe, in quel giorno, Giuseppe Garibaldi, e fu quindi con noi, mezzo soldato e mezzo cappellano, al pari di Fanfulla da Lodi.[1]

Ero giunto quasi in capo a quella bestial salita, e pigliavo fiato in una breve spianata, nella quale sorgeva un convento, simile su per giù a tutti i conventi dei frati di san Francesco, che paiono rassomigliarsi come tanti nidi di rondine. Dinanzi alla porta del convento sorgeva su d'un gran piedistallo di pietra una croce di legno, e accanto al piedistallo era ritto un frate, giovane, vispo e con due occhi pieni di fuoco, che indicavano in lui maggior dose di pepe che non comportasse, per regola, la fratesca proverbiale mansuetudine.

Il frate mi salutò, e io non lo salutai e tiravo oltre, come se nulla fosse. Ma il servo di san Francesco, fattosi innanzi due passi, mi disse:

— O trentaquattro, — avevo sul berretto il numero del mio reggimento, che fu il 34 — non usa rispondere al saluto?

— Fratino, — risposi, fermandomi — avevo il capo a tutt'altri che a te. Ma in fin de' conti, sappi che nei paesi nostri, tra soldati e frati non ci guardiamo che di traverso.

— Sta bene — ripigliò il frate. — Sarà così perché nei paesi tuoi

1. La figura di Fanfulla da Lodi, uomo d'arme nei primi decenni del Cinquecento, era allora popolare per la immaginosa rappresentazione che ne aveva fatto il D'Azeglio nei suoi romanzi.

i frati sono nemici della patria; ma qui in Sicilia, viva Dio, non siam tali.

— Me ne consolo — soggiunsi, ripigliando la mia strada. — Ma io debbo andarmene in città e non ho tempo di discorrere, quando anche ne avessi il fiato.

Il frate mi si cucì ai fianchi, e andammo insieme verso la città che era vicina pochi passi, e nell'andare tornò a dirmi:

— Trentaquattro, sei stato burbero con me, ma ti voglio bene, e saremo grandi amici. Se non sbaglio, tu se' toscano. Lo sento alla parlata. Fammi adesso una grazia, conducimi dal generale; l'ho veduto passare poco fa, e il mio cuore è con lui.

— Condurti dal generale? Credi forse che e' voglia dir messa e abbia bisogno del diacono o del suddiacono?

— No, trentaquattro, non stanno bene in bocca tua certi discorsi. Credi tu ch'io non sappia che Garibaldi ebbe seco una volta un animoso frate e che questo frate lo seguiva impavido nelle battaglie e seppe morire col Cristo in mano e col nome d'Italia sulle labbra?[1]

Il fratino, sebbene nel discorrere avesse un po' il tono del maestro di rettorica o del lettore di filosofia, cominciò a piacermi, e più mi piacque quando mi numerò ad uno ad uno i miracoli di cui eran capaci i frati di Sicilia, e si vantò d'appartenere alla stessa regola dei bellicosi frati del convento palermitano della Gancia.

— Che cosa credi? — proseguiva a dire. — In mezzo a questa gente superstiziosa e cieca, la croce e la parola d'un frate patriotta valgono per cento delle vostre sciabole. Conducimi dal generale, fa' ch'io parli con lui, e ti giuro che in ventiquattr'ore e anche in meno, questo povero fraticello, umile e solo, sarà divenuto legione.

Così discorrendo, giungemmo in una piazza, dov'era una casa con un'alta torre. La banda suonava dirimpetto alla casa, e la folla batteva le mani e gridava: — Evviva!

— Dov'è Garibaldi? — domandai.

Cento mani s'alzarono per accennarmelo su in cima alla torre, intento a specolare col suo gran cannocchiale le sottoposte vallate.

---

1. Allude a Ugo Bassi (1801-1849), da Cento, eroica figura di sacerdote e di patriota. Nel '48 si unì alle truppe del generale Durando in qualità di cappellano, e fu ferito a Treviso. Nel '49 fu cappellano e aiutante di Garibaldi alla difesa di Roma, e poi lo seguì nella ritirata; a Comacchio fu catturato dagli austriaci e l'8 agosto, dopo un giudizio sommario, fu fucilato.

Aspettai che scendesse, e quando fu sceso gli tenni dietro, sempre col mio bellicoso frate alle costole.

Fatti pochi passi, Garibaldi accomiatò la gente che lo accompagnava e salì con Fruscianti, Montanari, Gusmaroli e Stagnetti, nel palazzo del marchese di Torrealta.

Il frate sembrava avere le perette[1] a' fianchi, come i barberi e non reggeva alle mosse; ma io l'afferrai pel braccio e me lo trassi in un caffè, dove non mi parve vero di mettermi a sedere e chiedere da rinfrescare il becco. Mentre bevevo, il mio strano compagno continuò a discorrere rapido come un frullone, domandandomi centomila cose, e ripigliando di tanto in tanto le sue arringhe, con un linguaggio così ispirato e focoso, da farmi credere che in lui rivivesse il Savonarola.

Alla fine, quando mi parve tempo d'alzarmi, presi il frate sottobraccio ed escii con lui, cantandogli questo salmo:

— Senti, io ti conduco dal generale e dirò, se vuoi, qualche parola per raccomandarti; ma pensa bene a quel che sei per fare, e pensa che se un giorno t'avessi mai a mostrare un cerretano o un vigliacco, io sarei buono a tirarti il collo, come si fa ai galletti.

Il frate m'afferrò la mano e me la strinse forte ed esclamò:

— Uomo di poca fede, perché dubiti del tuo prossimo?

Salimmo le scale del palazzo del marchese di Torrealta, e i servi m'indicarono l'appartamento del generale.

Appena entrato col mio compagno nell'anticamera, Gusmaroli cominciò a soffiare come un gatto, e facendomisi vicino, disse:

— Che cosa vuole cotesto frate?

— Egli è un buon frate, — risposi — che vuol parlar col generale e chiedergli il permesso di esser de' nostri.

A queste mie parole, i quattro che eran nell'anticamera si dettero ad alzar le pugna e a digrignare i denti e a stralunar gli occhi, non altrimenti che avessi condotto in mezzo a loro Radetzki o Meternicche.

E Montanari gridò:

— Ecco qua, sempre alle solite; in casa del generale sempre preti, sempre frati!

E tutti furono addosso al misero Pantaleo; e quale lo graffiava,

---

1. *perette*: pallottole con punte di ferro che si mettono alla groppa dei barberi (cavalli che corrono il palio) perché corrano più veloci.

quale l'afferrava pel cappuccio, quale gli squadrava in viso le corna. Finalmente, Montanari, afferratolo di peso, s'avvicinò alla finestra . . .

Il frate, spaventato, si dette a gridare; io volevo difenderlo, ma il gran ridere me lo impediva . . . Quand'ecco s'apre un uscio in fondo all'anticamera, e Garibaldi domanda:

— Che cos'è questo chiasso?

Tutti rimasero come statue; io solo, soffocando le risa, risposi:

— Veda, ho condotto qui un buon frate che vuole essere de' nostri, e costoro me lo baciano coi denti . . .

— Eh diavolo! — ripigliò con voce severa il generale, squadrando da capo a piedi i quattro luterani.

E poi, rivolto a me, proseguì:

— Fate entrare il vostro frate.

Entrammo insieme, e io mi feci sollecito a dire:

— Ecco, signor generale, un frate che vuol essere una seconda edizione d'Ugo Bassi.

— Ugo Bassi! . . . — esclamò il generale, cedendo ad una improvvisa commozione. — Ma lo sapete bene, — ripigliò a dire, dopo lunga pausa — lo sapete voi chi fosse Ugo Bassi? . . .

Queste parole erano dirette al frate, e il frate rispose:

— Era un uomo che seppe seguirti nella battaglia e seppe morire da forte! . . .

— Sì, è vero, — ripigliò il generale — ma vi sentite voi il cuore di fare altrettanto se occorre?

Il frate cominciò allora a predicare ad alta voce, non altrimenti che fosse sul pulpito, e dandosi aria d'uomo ispirato e rapito tra le nuvole, parlava di Sansone e di Gedeone e dei Maccabei e di David e di Saul,[1] e dava a Garibaldi del tu, dicendogli:

— Giuseppe Garibaldi, non disprezzare questa mia tonacella, perché io ti dico, in verità, che sarà più salda della tua corazza; non disprezzare questa croce, perché vedrai che balenerà più terribile fra i nemici che la tua scimitarra! . . .

Udendo il principio di cotesta predica, cominciai quasi a pentirmi di essere stato l'introduttore di messer frate, e temere forte che quello scherzare col leone non avesse a procacciare qualche

1. Il frate paragona Garibaldi ai più famosi guerrieri della Bibbia, eroici difensori del popolo eletto.

brutto saluto all'incauto; e così cercavo di richiamarlo in briglia col fargli gli occhioni, e col tossire e col battere per terra la sciabola; ma fu lo stesso che dire al muro.

Per buona sorte, il generale era, in quel giorno, di buonissima luna, e non solo non uscì dai gangheri e non mandò in quel paese l'enfatico parlatore, ma anzi, se ne piacque, e lasciò campo libero alla sua lingua; come quegli che col suo meraviglioso intuito aveva capito per aria quanta dose di bontà e di risolutezza si nascondesse sotto le apparenze bizzarre e la strana corteccia del lettore di filosofia dei minori osservanti di Salemi.

E per vero, il buon Pantaleo giovò mirabilmente alle cose nostre, massime nel primo periodo di quella guerra, e non ebbe l'eguale nel sollevare i popoli e nello innamorarli della crociata contro la tirannia. Lodevolissimo poi deve dirsi, perché di quel bene che seppe fare in pro della buona causa, non ebbe, né chiese, in seguito, alcun premio, e morì in tanto povero stato, che ne' supremi momenti, la moglie e la sorella non ebbero di che comprare un arancio per inumidir le labbra al morente, e furono debitrici della pietà dei vecchi compagni d'arme, se la spoglia del caro morto fu chiusa in una bara e se i suoi figliuoli ebbero un po' di pane.

Ma tornando al racconto, dico che il nostro frate, quando uscì dalle stanze di Garibaldi, mostrava tutto lieto una lettera di lui, che gli dava incarico di correre le vicine terre per levar gente in suo nome; e mi disse partendo:

— Vedrai, o trentaquattro, che in meno di due giorni io sarò qua con cinquecento uomini, pronti, coll'aiuto di Dio, a combattere e a morire per l'Italia.

Tutto quel primo giorno di fermata in Salemi fu speso nel fare apparecchi; si tolsero due cannoni dai vecchi ed inutili affusti, per farne loro dei nuovi, ai quali si adattarono ruote da carrozza; si diè mano a fabbricare delle lance; si requisirono cavalli, e si aprirono gli arruolamenti pei villani, che in buon numero erano accorsi in città.

Questi s'affollavano intorno a noi e guardavano con occhi di meraviglia le nostre armi e specialmente le rivoltelle, delle quali volevano esaminare i congegni, parendo loro stupendissima cosa che una sola canna potesse esplodere sei colpi senz'essere ricaricata, e vaticinando che con que' portentosi argomenti avremmo facilmente vinto alla prima battuta e mandato a rotoli il *Barbone* co' suoi napoletani e co' suoi sguizzeri.

Nel vedere quella gran curiosità de' villani, io rammentavo i racconti di que' viaggiatori, che ci dipinsero i selvaggi, stupiti e trasecolati dinanzi a' coltelli e ai fucili e ai gingilli di vetro, che loro si mostravano per allettarli, e ne facevo gran festa.

A una cert'ora, essendo capitato nella maggior piazza della città, vidi uno stemma borbonico sulla porta d'una casa, e chiesi alla gente affollata:

— O siciliani, ... che si tarda a buttar giù quella vergognosa insegna?

La folla mi ascoltò in silenzio; nessuno voleva essere il primo a fare atto di ribellione o a dir bravo! a chi lo proponeva.

In quel mentre mi si fece dinanzi un uomo di belle forme e dall'aria risolutissima, che seppi essere un altro dei fratelli Sant'Anna.

Costui gridò:

— Sì, sì, abbasso quell'arme! — e avventò contro l'arme una grossa mazza che aveva in mano.

Allora io dissi:

— Datemi una scala.

La scala venne e fu appoggiata al muro, e io staccai l'arme e la precipitai giù sul lastrico, esclamando:

— Così cada e per sempre la mala signoria!

La gente rispose con un coro d'imprecazioni, e cominciava a calpestare rabbiosamente l'arme, quando il vecchio Gusmaroli, fattosi largo, mi gridò:

— *Briùsel, briùsel!* — (Brucialo, brucialo!)

In un baleno, comparve della stipa e fu accesa, e l'arme fatta in pezzi si bruciò, e quello fu il decreto di decadenza dell'esosa dinastia borbonica; decreto che fu benedetto da Dio, per quanto l'acqua che cominciò a venir giù dal cielo, minacciasse spegnere le nostre fiamme e mettere in contestazione il decreto.

Pranzammo, la sera, in casa del marchese di Torrealta, e fu commensale nostro il padre Pantaleo, il quale dichiarò a Garibaldi che sarebbe partito l'indomani, di buon mattino.

Fra un discorso e l'altro, il generale, posando gli occhi sul viso del frate, vi notò le tracce di un graffio, e disse:

— Padre Pantaleo, chi v'ha graffiato?

Pantaleo additò Gusmaroli, e Gusmaroli lo minacciò con una occhiata torva, quasi per dirgli: «Mi capiterai sotto un'altra volta!»

— Oibò! — soggiunse Garibaldi — lasciatemi stare questo buon frate, che farà il suo dovere e crescerà il numero dei sacerdoti per bene.

E in così dire, guardò Gusmaroli, che era stato prete, e parroco per giunta, sino ai quarantacinque anni, o giù di lì.

Gusmaroli, che a rammentargli la sacerdotale sua vita, inviperiva, si morse le labbra e attaccò un terribile pizzicotto a me, che gli ero accanto e ridevo.

Quindi, Garibaldi si mise a ragionare dei preti e de' frati dabbene, che avea conosciuto in vari tempi, e pose in capo di lista il mio vecchio amico don Giovanni Verità da Modigliana, che dopo la caduta della repubblica romana l'avea salvo, con suo gran pericolo, in mezzo ai tedeschi, sui gioghi dell'Appennino, e condotto tra gente amica in Toscana.[1]

Ora, mentre Garibaldi commendava con parole di viva gratitudine il generoso don Giovanni, lo scapigliato Montanari chinò la testa sul piatto e mugolò.

— Che cos'avete, Montanari? — dimandò Garibaldi, interrompendosi. — Vorreste dire che don Giovanni non è un buon prete?

— Auf! — rispose Montanari. — Volevo dire che quando s'azzecca un prete buono, bisogna ammazzarlo perché non abbia a diventar cattivo.

Pantaleo, udendo questa nuova eresia, non seppe tenersi al canapo, e cominciò a tempestare sul dannato un diluvio di versetti del Vangelo e di massime morali.

E il dannato, che forse in gioventù avea studiato teologia e n'era infarinato alquanto, si dette a ribatterlo con gran furia, e

---

1. Il Bandi raccontò ampiamente questo episodio nel suo opuscolo *Anita Garibaldi*. Don Giovanni Verità (1807-1885), prete nella nativa Modigliana, aveva organizzato una provvidenziale «trafila», di cui era stato anello anche il Bandi, attraverso la quale molte centinaia di patriotti poterono sfuggire alla polizia pontificia passando dalla Romagna, per Firenze e Pisa, in Piemonte. Egli militò poi coi volontari e fu cappellano militare. Rivide Garibaldi nel 1859, e fu in seguito chiamato dal Ricasoli a Torino, per impedire dissidi tra il Generale e Cavour.

così avvenne che la nostra tavola si mutò in un banco di ragion teologica; disputando da una parte un dottore della chiesa, e dall'altra un dottore dell'inferno.

La disputa cominciava a diventar noiosa per noi e pericolosa per il padre Pantaleo, quando, per buona sorte, il generale la sopì con una parola, che impose silenzio, ma non placò quegli esacerbati spiriti, tutt'altro che fraterni, i quali si guardarono in cagnesco per tutto il tempo del desinare, e si lasciarono neri, neri, per non rivedersi più mai.

In quella sera, il generale si coricò, secondo il solito, all'ora dei polli, dopo aver dato un'occhiata agli avamposti ed aver presa lingua dagli scorridori che aveano esplorato il terreno, parecchie miglia all'intorno. L'ordine che lasciò a noi, prima di spegnere il lume, recava che ci trovassimo in piedi innanzi l'alba e fossimo pronti a partire da Salemi quando a lui paresse buono.

Scesi dunque a governare il mio cavallo (giacché avevo avuto la sorte di provvedermene uno, *gratis*, s'intende, *et amore Dei*) e mentre accarezzavo la povera bestia e le facevo assaggiare, forse per la prima volta in sua vita, un poco di zucchero, mi capitò dinanzi il La Masa.

— Che buon vento ti porta qui? — gli chiesi.

Ed egli a me:

— Venivo appunto a cercarti e t'ho trovato senza salir le scale. Vuoi tu venire con me?

— Venir con te? E dove?

— Parto adesso per Santa Ninfa; farò un breve giro, e fra tre giorni o quattro raggiungerò Garibaldi con un esercito. Tu non sai ancora di che cosa sieno capaci i siciliani, ma li vedrai alla prova. Tu li avessi veduti, come io li vidi nel quarantotto!... Lo so, lo so purtroppo, là sul continente, siete avvezzi a metter tutti in un mazzo, siciliani e napoletani, ma tra questi e quelli ci corre tanto, quanto da un lombardo a un esquimese...

— Sarà benissimo, ma perché mai vorresti che venissi teco?

— Ti vorrei per aver meco qualcuno a modo mio, qualcuno che m'aiutasse...

Capii subito che avea messo gli occhi addosso a me sottoscritto per avere un reggicoda, e m'affrettai a dirgli:

— Senti, La Masa, non lascerei il nostro vecchio, nemmeno per diventare vicario generale del papa. Va' pure per le tue terre e sveglia e conduci teco i dormienti a migliaia, ma lascia in pace me, che ho trovato la mia nicchia.

La Masa non volle cedere così a buon prezzo, e cominciò a far passare dinanzi ai miei occhi le *guerrillas*, le legioni, i battaglioni de' picciotti, e a promettermi che sarei diventato Rinaldo o Brandimarte, e in compagnia sua avrei imparato a mangiare il ferro.

Dio mi volle bene, anche in quel punto, e non permise che io cedessi alle tentazioni.

La Masa, vedutomi duro come un masso, mi strinse la mano e se ne andò in pace, rammaricando che io respingessi a calci la buona fortuna, che m'era venuta incontro a braccia aperte.

Qualche mese più tardi, leggendo un vecchio numero del «Daily News», trovai una lettera dalla Sicilia, e precisamente da Marsala, nella quale si diceva tra le altre cose: «Oggi (13) è partito per l'interno dell'isola il colonnello La Masa, accompagnato dal luogotenente Bandi, suo aiutante di campo.»

Si vede proprio che il povero La Masa mi voleva bene, e gli son grato tuttavia della buona intenzione che ebbe.

Ei fu uomo pien di cuore ed anche bravo e migliore di molti altri, se vuolsi; ma bravissimo sarebbe parso, senza quel gran peccataccio della vanità, che gli procacciò tanta invidia e tanta dose d'antipatia, e lo mise in fregola di comandare mezzo mondo e di emulare Cesare nelle Gallie.

La mattina che seguì, fummo tutti in arme sopra una breve spianata, fuori della porta che da Salemi conduce a Trapani e a Calatafimi.

Garibaldi comparve in mezzo a noi a cavallo e si trattenne lungamente, finché certi esploratori, mandati fuori di Salemi, non tornarono recandogli le novelle che gli occorrevano. Avute queste novelle, volle vedere ad una ad una le compagnie, disse qualche parola per confortarci a sperar bene e per raccomandare la disciplina, e quindi rimandò tutti agli alloggiamenti.

Nel tornarcene in città, venne incontro a Garibaldi un bel signore, che cavalcava un morello assai brioso. Dietro al bel signore, che si chiamò il cavaliere Coppola, uomo animosissimo e assai stimato in Sicilia, venivano a due a due trecento villani, armati, in parte, delle loro *scoppette* ed in parte inermi o muniti di grossi bastoni. Erano i primi insorti che si vedevano, e Dio serbava loro l'onore di dividere con noi la gloria del primo fuoco. Quella gente ci parve una manna e le facemmo lietissima accoglienza. Non erano un esercito; ma, in quel momento, ogni pruno faceva siepe; e a chi si lagnò che fossero pochi, il generale rispose:

— Pigliamo quel che viene; verranno in più gran numero quando avran visto come sappiamo picchiare.

Parole sante, anzi santissime. La gente, salvo poche eccezioni alla regola, non si fece viva, se non quand'ebbe veduto, alla prova, di quel che fosse capace Garibaldi, quell'uomo senza boria, né ciondoli, né spennacchi, che andava in camicia e si copriva il capo con un cappello di feltro nero, poco dissimile da quello dei contadini e de' guardiani delle capre.

Tosto fu provveduto ad armare que' nuovi fratelli e a metterli insieme con un po' di garbo e a far conoscer loro le prime e più indispensabili norme del mestiere, inteso come l'intendeva Garibaldi, al quale più volte sentii dire:

— Insegnate al soldato a caricare e scaricare lo schioppo, insegnategli a volgere a destra e a sinistra e ad andare avanti; ma non gli insegnate mai, nemmen per esercizio, ad andare indietro.

Distribuiti, dunque, i fucili alle nuove *reclute*, si cominciò ad ammaestrarle nei primi elementi della bell'arte d'ammazzare l'amato prossimo, e a quest'ufficio vennero scelti alcuni dei Mille, tra i quali si mostrò volenteroso ed abile un certo Marchelli.

Ora, giacché ho rammentato questo Marchelli, non dispiacerà al lettore ch'io torni indietro parecchi passi, e dica per che modo e' fu con noi, e dica quale uomo fosse, prima che il suo angelo custode lo guidasse alla villa Spinola e io gli promettessi un posto tra i felici argonauti.

Un bel giorno (tre o quattro giorni innanzi la partenza) passeggiavo coll'amico Vecchi[1] presso il cancello più vicino alla villa, quando un giovine, alto di statura e vestito così così, ci chiamò, dicendo aver gran bisogno di parlarci. Ci avvicinammo al cancello, per sentire quel che volesse da noi, e sapemmo subito che egli

1. Candido Augusto Vecchi (1814-1869), di Fermo, fu nel '48 ufficiale nell'esercito di Carlo Alberto, e l'anno seguente deputato della repubblica romana e capitano nello stato maggiore di Garibaldi. Nel 1860 ospitò il Generale nella villa Spinola, e raggiuntolo poi in Sicilia fu suo aiutante di campo da Milazzo al Volturno. Nel 1866 fu capo di stato maggiore del generale Avezzana a Salò.

aveva gran voglia di venire in Sicilia, e ci scongiurava che lo pigliassimo «in nota».

— E chi v'ha detto — risposi — che qui s'arruola per la Sicilia?
— Chi me l'ha detto! Lo dicono per tutta Genova.
— V'hanno ingannato, caro mio, hanno voluto burlarvi ...
— Sì, hanno voluto burlarmi! ... Non lo dica neanche per scherzo. Garibaldi è in questa villa e partirà tra pochi giorni, e chiunque vuole arruolarsi deve far capo a lor signori ...

Questo modo di parlare mi dette ombra, tanto più che Vecchi guardava fisso fisso lo sconosciuto e arricciava il naso, e pareva volesse dirgli: «Maschera, ti conosco!»

Perciò tagliai corto, salutai e mi scostai dal cancello, e ripresi la mia passeggiata col Vecchi, il quale mi disse:

— Ho in testa d'aver veduto in qualche parte quell'uomo; non m'è faccia nuova costui. Non parla genovese, ma parmi averlo riveduto in Genova ... e ci scommetterei il collo.

— Vuoi saperla tutta? — soggiunsi. — Giuocherei la testa che è un delegato di questura o qualche amico del questore, che vien qua col proposito di grattarci la pancia.

— Può darsi, — ripigliò Vecchi — e se tale è, se lo porti il diavolo.

Seguitammo a passeggiare e non parlammo più di lui, né dei suoi morti.

Dopo due ore o così, volle il caso che tornassi verso il cancello. Lo sconosciuto era sempre lì, e tornò ancora a raccomandarsi come un'anima persa.

Lo mandai di bel nuovo in pace e salii su in casa per desinare. Tutt'a un tratto Vecchi batte allegramente palma a palma, colla stessa gioia che provò Archimede quando ebbe sciolto il problema, e mi dice:

— Indovina un po' chi sia quell'uomo, che poc'anzi era lì col muso tra i ferri del cancello e voleva che lo scrivessimo per la Sicilia? Cerca, cerca, l'ho trovato ... e non l'indovineresti alle mille; è un giuocoliere di bussolotti, e tempo fa lo vidi giuocare al biliardo col soffio ...

— Possibile?
— Certo.
— In fin de' conti, — notai — che c'è di male se quel povero diavolo si becca un po' di pane sollazzando il prossimo?

— Nessun male c'è, — rispose Vecchi — ma è curioso davvero a vedersi un giuocoliere di bussolotti ambir la gloria di mutarsi in argonauta.

La mattina seguente, passavo dinanzi al solito cancello, quand'ecco il solito uomo e la solita preghiera. Questa volta lo sconosciuto mi fece compassione, e non avendo cuore di lasciarlo usolare più a lungo tra ferro e ferro a mo' degli accattoni, lo feci entrare dentro e gli chiesi:

— Orbene, voi volete andare in Sicilia con Garibaldi... E che cosa sperate mai di guadagnare in questo viaggio?

— Nulla, signor tenente... Quello che sperano guadagnarsi gli altri.

— E se v'ammazzano?

— Avrò finito di tribolare...

— E di giuocare al biliardo col soffio! — interruppi io con uno scoppio di risa.

Il povero Marchelli diventò rosso come un pomodoro e soggiunse:

— Come? Lei sa?...

— Non ne abbiate rammarico, amico, perché ieri vi credetti qualcosa di peggio, vi credetti una spia.

Per farla corta, chiarita che ebbi la faccenda, volli contentare il giuocoliere, e datagli assicurazione che lo avrei condotto via, gli dissi:

— Venite qui ogni giorno a quest'ora; e il giorno che dovrem partire, farò che entriate qua dentro e non ne esciate che per imbarcarvi.

E così fu, e in tal modo il famoso giuocatore di biliardo senza stecca divenne un dei Mille di Marsala.

Torniamo adesso a Salemi. Trovandomi in mezzo a quei beduini, che il Marchelli e gli altri stavano scozzonando, m'accorsi che guardavano con vogliosissimi occhioni il *revolver* che luccicava al mio fianco, libero dalla fodera, che essendosi sdrucita, l'avevo data a un ciabattino, perché me la accomodasse. Venuto che fu il momento del riposo, quei villici curiosi mi si affollarono intorno; e alle guardate che davano, m'accorsi che morivano dalla voglia di veder da vicino il *revolver* e di sapere come lavorasse quel miracoloso ordigno. Bramoso di godermi la loro meraviglia, come Leonardo da Vinci (scusate il paragone) si smammolava contemplando le bocche aperte e gli spalancati occhioni de' contadini, attoniti nel veder volare gli uccelli di legno e i dragoni di fil di ferro, impugnai il *revolver* e mi posi a descriverlo, col tono che usano i cerretani quando spiegano il mondo nuovo. I miei uditori eran tutti in visibilio, ed uno tra loro, un bel ragazzone, bianco e rosso, con due occhi sgranati e con certi denti che parean fagioli, batteva le mani, esclamando, in sua africanissima lingua: — Bella cosa, bella cosa! Mi piacque quel ragazzone e pensai: «Questo bel figliuolo vo' tirarlo su a briciole di pane, e me ne farò uno scudiere coi fiocchi.» E gli chiesi:

— Come ti chiami?

— Nino Marchese.

— Di dove sei?

— Di Castel Vetrano.

— Quanti anni hai?

— Diciassette, eccellenza.

— Non mi dir mai eccellenza, perché da noi sono eccellenze gli asini. Dimmi piuttosto se vuoi star con me, e io ti vorrò bene, e se sarai fidato e coraggioso ti regalerò un *revolver* come questo e più bello ancora.

Nino Marchese fece, dalla grande allegrezza, due o tre salti. Io lo condussi meco in casa Torrealta, mutai il suo berretto a borsa di cotone nero in un berretto rosso alla turca, gli posi in dosso una camicia rossa, e gl'infilzai alla cintola il mio pugnale, e gli dissi:

— Qui mangerai e berrai; abbi occhio al mio cavallo, e non allontanarti, perché da un momento all'altro potrei aver bisogno di te.

Nino volea baciarmi la mano, ma io gli misurai un gran ceffone, e gli feci intendere che da allora in poi doveva aver quello strano modo di salutare i superiori in conto d'una laidissima civiltà.

E così, acconciato che l'ebbi al mio servizio, me ne andai altrove, lieto e contento d'avermi accaparrato un'anima fedele e riconoscente, la quale mi avrebbe seguìto a chius'occhi fin dentro la bocca dell'inferno. Fra poche pagine vedranno i lettori come io m'ingannassi ed avessi ragione d'esclamare con quel dottorone santo: «Male abbia l'uomo, che si fida nell'uomo.»

Quando uscii di casa, vidi una folla di gente incamminarsi per una strada che metteva ad un palazzone vecchio; lo chiamo palazzone, perché ho fisso nell'idea che fosse un edifizio d'una certa mole, ma non ricordo bene se fosse il palazzo municipale, dove ero entrato la mattina innanzi, per aspettare Garibaldi, che di sull'alta torre specolava il paese.

In quel palazzone, qualunque fosse, vidi una gran sala, e nella sala entrò quanta gente poté: preti, frati, galantuomini (come si chiamano colà i possidenti), insomma tutto il meglio del popolo di Salemi, perché il generale aveva invitato a parlamento quanti sentissero sdegno della tirannia borbonica e vedessero di buon occhio la bandiera recata da Genova.

Il gran capitano stava ritto in fondo alla sala, ed aveva accanto Francesco Crispi e tutti gli uomini sodi della spedizione: Sirtori, Stocco, Carini, Calvino, Calona, Bianchi ed altri, i cui nomi non occorre rammentare. Appena la sala fu piena, egli prese a narrare come e perché fosse venuto in Sicilia, e dichiarò scaduta la dinastia dei Borboni, e ricordò le passate e presenti miserie dell'isola, invitando il popolo a seguirlo in quella santa guerra contro gli oppressori.

Io non ricordo per intero ciò che disse Garibaldi, né voglio mettere in bocca a lui parole non sue; dico però che, in quel momento solenne, fu eloquente quanto poté essere, a' suoi tempi, Giovanni da Procida o qualunque altro odiator generoso di tiranni, innamorato della morte per il trionfo di una causa giusta. Mentre ei parlava, un fremito impaziente faceva eco alle sue parole, e trasfondeva nella folla, accalcata al di fuori, l'ira magnanima, che l'aspetto dell'eroe, e le lacrime che gli luccicavano negli occhi, e il fuoco de' suoi accenti accendevano in ogni petto. E quando nel chiudere il suo dire, si fe' innanzi verso l'uditorio, e levando le braccia, gridò: — Su, italiani, chi ha un ferro l'affili, e chi non ha un ferro, tolga un sasso o un bastone e mi segua, perché la campana dei Vespri è suonata —, a quel punto, tutte le braccia si alzarono, tutte le bocche dettero un urlo, che veniva dal cuore, e quell'urlo, ripetuto da mille e mille italiani, che ingombravano le vie e le piazze vicine, annunziò che la guerra santa cominciava.

In quel mentre pioveva come Dio sa mandarla; ma la piccola città, non ostante la pioggia, s'andava popolando sempre più, e numerose squadriglie venivano a noi chiedendo armi. Se ne dettero finché avemmo da darne, e quando le armi da regalare mancarono, Garibaldi ordinò che tanti volontari nostri per compagnia dessero ai siciliani i fucili e pigliassero le lance. Persuaso, com'egli era, che il fucile non fosse altro che il manico della baionetta, non gli parve dannoso alle faccende sue il dar fucili a gente del cui coraggio non aveva ancora certe prove, e lasciare con le pertiche munite d'un chiodo bene aguzzo i suoi Cacciatori. E in quanto a questo non s'ingannava, e i suoi volontari stessi gli dettero ragione, cedendo volentieri ai nuovi compagni gli schioppi e impugnando quelle rozze lance, alla cui fabbricazione presiedette il mio buon amico e futuro colonnello, Giacomo Griziotti.

Sull'ora del desinare, stavo avviandomi verso casa, quando il minore dei fratelli Sant'Anna mi chiese se volessi annunziarlo al generale.

— Volentieri, — risposi — vieni meco e ti annunzierò subito.

— Lo sai? — proseguì a dire il barone. — I napoletani ci vengono incontro...

— Da Trapani, forse?

— No, da Palermo, e vengono in gran numero. Credo che Garibaldi si getterà alla montagna...

— Per me, credo il contrario — soggiunsi. — Garibaldi andrà diritto ad incontrarli, anco se fossero tre contr'uno.

Il barone crollò il capo e salimmo insieme. Annunziai il barone che venne ricevuto immediatamente, e tornai nell'anticamera. Dopo una ventina di minuti la voce del generale mi chiamò.

— Dite al colonnello Sirtori che venga subito qua.

Corsi a chiamare Sirtori, e Sirtori venne. Parlarono un pezzo insieme, e poi Sirtori escì. In quel mentre, il cameriere del marchese di Torrealta venne a dirci che il desinare era pronto. Andai ad avvertire il generale, che stava guardando una gran carta geografica, e mi batté amichevolmente la mano sulla spalla, e venne via senza far parola.

Quel giorno, non essendoci a tavola il padre Pantaleo, non si ragionò di teologia né di frati, né di preti, ma si parlò allegramente del più e del meno, come se il nemico fosse da noi lontano mille miglia, e noi fossimo tranquillamente e sicuramente domiciliati nella buona ed eccelsa città di Salemi.

Avrei pagato volentieri le nove o dieci lire che avevo in tasca per sapere quali propositi mulinava il generale per il dì seguente, ma non c'era caso di trapelar nulla, perché Fruscianti stesso e

Gusmaroli e Montanari ne sapevano quanto ne sapevo io, e neanche un'acca di più.

Però, quando fu ora di andare a letto, cioè dopo la campana del *deprofundis* che annunzia la prima ora di notte, il generale mi chiese dove avessi dormito la notte scorsa.

— Nel convento dei gesuiti; — risposi — ma non ho chiuso un occhio, perché tra arabi e lombardi han fatto un vero diavoleto.

— Ebbene, stanotte dormirete qui da me, perché c'è il caso che da un momento all'altro vi debba chiamare.

Auguratagli la buona notte, collocai in una stanzetta vicina il mio Nino Marchese, e divisi coi soliti compagni i materassi, mi distesi sul pavimento nell'anticamera del generale, e tutti ci addormentammo con un pensiero in testa e con una domanda sulle labbra: dove anderemo domani?

La mattina del 15 di maggio, quinto giorno del nostro arrivo in Sicilia, Garibaldi si destò più presto del solito, e non erano ancor le tre, quando la sua voce si fe' sentire.

Fruscianti che era già in piedi ed attendeva a preparare il caffè, mi disse:

— Va' tu, e verrò io tra un minuto.

Entrai nella camera, e detti il buon giorno.

— Volete darmi una tazza di caffè? — chiese il generale.

— Un momento, generale; Fruscianti ve lo sta preparando.

— Piove?

— Deve aver piovuto alquanto, qualche ora fa, — risposi guardando dalla finestra — ma adesso vedo un gran bel sereno.

— Buon segno! — esclamò Garibaldi, scendendo da letto.

Gli cambiai addosso la camiciuola, gli porsi i suoi abiti, e andai pel caffè. Invece del caffè pronto, trovai Fruscianti che bestemmiava come un turco (o meglio come un toscano) perché la macchinetta del caffè gli si era rovesciata, e aveva dovuto ricominciar da capo l'operazione.

Il generale, che fu, nella vita casalinga, uomo amorevole e paziente e discreto quant'altri mai, non s'impazientì per la tardanza della sua prediletta bevanda; ma, infilati i calzoni, s'era dato a passeggiare in su e in giù per la camera, e me ne accorsi al rumore dei passi pesanti e al tintinnìo degli speroni.

Quando quel benedetto caffè fu in punto, Fruscianti ed io glielo

recammo. Lo bevette a lenti sorsi, e bevendo disse a Fruscianti:
— Andrete ad avvertire Sirtori che solleciti la partenza; e fate
che qualcuno vada a chiamarmi Türr.

Poi, gli dette qualche altra commissione che non ricordo.
Fruscianti, Gusmaroli, Montanari e Stagnetti escirono tutti ed
io rimasi solo.

Ad un tratto, udii Garibaldi cantare. Cantare a voce spiegata e
con bellissimo accento la cabaletta del baritono nell'opera *Gemma
di Vergy*:[1] la cabaletta che dice:

> *Quella soave immagine*
> *placa i miei spirti, e parmi*
> *veder sereno splendere*
> *il tempo che verrà,* ecc.

In quel momento un volontario mi recò la sciabola del generale,
che aveva pulita e fatta lustra come uno specchio, ed io entrai con
quella nella sua camera, dicendo:
— Buone nuove eh, generale?...
— Eh, che volete? — rispose Garibaldi, tutto ilare in volto —
quando le cose della patria vanno bene, bisogna essere allegri!

«Capperi!» dissi tra me «quest'uomo ha lo spirito della profezia, o ha paglia in becco.»

E stavo per dimandargli quali buone notizie avesse avuto in
sogno, o avesse in tasca fin dalla sera innanzi, ma me ne tenni, e
feci bene. Quell'uomo che era tutto amore per la gente che gli stava intorno, diveniva un basilisco quando accadeva che qualcuno
ciarlasse oltre il dovere o si mostrasse curioso.

Io mi rammento che un giorno capitò alla villa Spinola un tale,
per discorrere con lui. Era poco prima delle ventiquattro,[2] e Garibaldi stava affacciato ad una finestra, immerso, a quanto pareva,
in profondi pensieri.

Feci entrar subito il visitatore, un omiciattolo tutto voce e penne, e che, appena veduto il generale, cominciò a sfoderare una
parlantina così impronta e tediosa, che avrebbe fatto perdere la
pazienza a un santo. Quella specie di cinciallegra ebbe il fresco
cuore di dirgli:

---

1. È un'opera di Gaetano Donizetti (1797-1848), rappresentata la prima
volta alla Scala nella stagione 1834-1835.   2. *poco ... ventiquattro*: poco
prima del tramonto.

— Quali sono i vostri disegni? Vorrete, spero, palesarmeli, innanzi che io mi decida a partir con voi. Domani, se volete, tornerò da voi, e se vedrò che i vostri disegni saranno ragionevoli, sarò vostro cacciatore.

Garibaldi incrociò le braccia sul petto e si pose a guardar fisso il cicalone, senza rispondergli mai verbo, e quando se n'andò, non rispose al suo saluto, se non con un cenno della testa. E quando il molesto visitatore fu partito, il gran vecchio si volse a me e stette guardandomi un bel pezzo, e poi disse:

— Che ve ne pare eh? Avete sentito quanta lingua ha costui? Scommetto che dev'essere un gran vigliacco.

Orbene, mentre io pensavo quali fossero i motivi che inducevano in tanta allegria il nostro condottiero, un suono di lontana tromba s'udì per l'aere quieto: da principio furono accordi, ma poi fu una sveglia tanto ben composta e gentilmente lieta, che s'accordava a meraviglia col silenzio e colla romantica pace di quell'ora.

Sostò Garibaldi come incantato; e quando la tromba si tacque, esclamò:

— Che cara sveglia! Non è parso anche a voi di sentir nel cuore un non so che?... Un non so che di melanconico e d'allegro che non si può spiegare. Mi rammento di aver sentita questa sveglia un'altra volta, la mattina del giorno in cui vincemmo a Como... Correte a chiamarmi quel trombettiere...

Escii di corsa, accompagnato dal mio Nino Marchese, che mi guidò così al buio per certi scoscesi vicoli, pericolosissimi in causa delle pietre, bagnate ancora dalla notturna pioggia. Trovata una caserma dove alloggiavano i soldati di Bixio, trovai anche il desiderato trombettiere (un bel giovine bergamasco, poi ufficiale nell'esercito) e lo condussi meco.

Garibaldi era seduto al tavolino e aveva scritti alcuni appunti. Quando vide il suonator di tromba, gli chiese:

— Siete voi che avete suonato la sveglia?

— Sono io, perché *son solo di trombe.*

Infatti, avevamo tra tutti un solo trombettiere e non più.

— E chi ve l'ha insegnata quella sveglia?

— La imparai, l'anno scorso, nei Cacciatori delle Alpi.

— Dunque la suonaste ancora nella mattina del giorno che ci battemmo a Como?...

— Sissignore...

— Bravo! Pigliate questo scudo e suonate sempre quella sveglia. Avete capito?... Non ve ne dimenticate.

Escito che fu il trombettiere, restammo soli. Garibaldi prese allora in mano alcuni fogli pieni d'appunti, che erano sul tavolino, e disse a me:

— Sedete e scrivete.

Presi la penna e aspettavo che dettasse. Ma egli m'avvertì che non avrebbe detto se non l'idea di quel che avrei dovuto scrivere; e perciò stessi attento e non scrivessi ancora.

Si trattava di mettere in buona forma certi decreti. Il primo doveva annunziare al popolo siciliano che Giuseppe Garibaldi s'era fatto dittatore; il secondo istituiva la guardia nazionale; il terzo dichiarava aboliti parecchi ordini religiosi maligni o ricchi, cominciando da quello della compagnia di Gesù.

Quand'ebbi inteso ciò che dovevo fare, mi misi all'opera, mentre Garibaldi passeggiava la stanza per lungo e per largo.

Cominciai a scrivere il primo decreto, intestandolo colla formola da me inventata nell'accampamento dinanzi al Rampegallo, la quale diceva: «Giuseppe Garibaldi generale del popolo italiano, ecc. ecc.», come i lettori già sanno. Appena finito di scrivere il primo decreto, ne avvertii Garibaldi, il quale mi disse:

— Leggete.

Lessi. Quand'ebbi letto, ei mi venne vicino, e soggiunse:

— Cancellate quelle prime tre righe, che non vanno bene.

Lo guardai meravigliato, non sapendomi capacitare che quelle tre innocentissime righe non avessero a piacergli.

— Scrivete come io vi dico: — ripigliò il generale — «Italia e Vittorio Emanuele»; e poi seguitate, e va bene così.

Ricopiai il decreto, correggendolo come egli volle, e scrissi gli altri due.

Avevo terminato appena il mio lavoro, quando entrarono nella stanza Sirtori e Türr.

Il generale prese i tre decreti e li porse al suo capo di stato maggiore. Poi disse a me:

— Dite che mi sellino il cavallo, e fate che tutto sia pronto tra dieci minuti.

Escii e feci quel che dovevo fare; e poi, tratta dalla scuderia la mia nuova cavalcatura, salii su, e tenendomi vicino il ragazzone siciliano, aspettai che il generale scendesse.

A un'ora di giorno, o poco più, stavano schierati i Mille fuori di Salemi, quando comparve il generale e ordinò che si suonasse: «Avanti». Era una limpida e fresca mattinata di primavera, e le odorose piante del Mezzogiorno, stillanti ancora per la pioggia recente, imbalsamavano l'aria delle fragranze più care. La strada veniva inclinando con rapido pendìo, verso una spaziosa valle verdeggiante e fiorita, chiusa in fondo da una montagna altissima e bruna, accavallandosi, di quando in quando, sui monticelli che la frastagliavano coi loro fianchi.

Si procedeva lentamente e con cautela, come usa farsi in vicinanza del nemico, e con tutte le buone regole di guerra, marciando il generale coll'avanguardia, come quegli che, in certi casi, non era uso fidarsi che dei propri occhi. Cavalcava un morello piccolo e pien di brio, e lo seguiva la sua scarsa e improvvisata cavalleria, composta dei soliti suoi ufficiali, di Nullo, di Missori e di sette o otto siciliani. Venivano dietro a brevi intervalli le compagnie, divise in due battaglioni, comandati da Bixio e da Carini, ai quali seguivano due cannoni, montati, come ho già detto, su certi affusti, fatti per compenso co' migliori argomenti che poterono aversi in Salemi. Andavano ai fianchi della piccola colonna, percorrendo i campi, le squadre siciliane di Coppola e di Sant'Anna; chiudevano la marcia i carabinieri genovesi. Tutta questa gente sommava appena a quindici centinaia, contandovi diversi ragazzi e non pochi uomini di toga e vecchioni, venuti da Genova colla spedizione. V'erano armi e vesti d'ogni sorta; la lancia accanto alla carabina e alla sciabola irrugginita, la giubba e il *paletot* paesano in mezzo alle camicie rosse e alle varie uniformi dell'esercito regolare. La gente ci guardava stupita, e raro accadeva che qualche voce ci salutasse con un evviva, che non trovava eco, o la trovava fiochissima.

Garibaldi era sereno in volto, ma poco o punto vago di discorrere; si conosceva da lontano un miglio che andava mulinando qualche audace colpo, e si raccomandava alla fortuna, e al felice ed animoso ingegno, acciò riescisse non inferiore alla sua fama il primo fatto d'armi che inaugurerebbe quella guerra.

Dopo sei miglia di cammino, percorso lentamente, vedemmo biancheggiar tra gli alberi le casette del piccolo borgo di Vita, aggruppate in pittoresca foggia sul pendìo di una collinetta.

Garibaldi fermò la colonna e spedì Nullo con tre siciliani ad esplorare il paese, facendoli seguire a breve distanza da una mezza compagnia. Mentre Nullo esplorava, il barone di Sant'Anna che aveva marciato colla sua squadra sul fianco destro della colonna, condusse al generale certi contadini, dai quali seppe che un corpo di truppe napoletane era giunto, la sera innanzi, nella vicina città di Calatafimi, ma non seppero dirgli quanto numerosi fossero i nemici.

Quando i villani ebbero vuotato il sacco delle loro notizie, il generale dette alcuni ordini a Sirtori e a Türr; e poi, udito da Nullo, reduce dalla sua recognizione, che il villaggio era libero, s'avviò a quella volta con tutti noi.

Il paese di Vita non ci fe' accoglienza né buona né cattiva; perché rara fu la gente che vedemmo, e questa non si occupò di noi, più che non si sarebbe occupata di una comitiva di viandanti che andassero a qualche vicino mercato.

Giunti che fummo alle ultime case del villaggio, Garibaldi arrestò di nuovo la colonna, e si spinse innanzi con que' pochi che eravamo a cavallo, seguendoci, col miglior passo che poterono, i carabinieri genovesi e le guide. Andammo di buon trotto un bel pezzo, cioè fino al punto in cui la strada, incassata fra i poggi, s'allarga su d'un'altura che domina la valle sottoposta a Calatafimi, luogo adattissimo per scuoprire il nemico, caso mai s'avanzasse, e per vedere da qual punto avremmo potuto assalirlo noi, qualora avesse avuto in animo di guadagnar tempo a nostro rischio, e tenersi sulle difese, sinché per terra o per mare non gli giungessero i rinforzi. Colà ci lasciò nel mezzo della via, dicendo che l'aspettassimo e tornerebbe presto. E seguito da Missori e dai soliti otto o dieci siciliani, e da Basso che gli recava il suo gran cannocchiale, volse a man destra, inerpicandosi su d'un monticello coperto di fichi d'India e di olive.

Da quell'altura scoperse l'intiera ed angusta valle, che dovea essere il nostro campo di battaglia, chiusa, a mo' di conca, da una corona di poggi, fra i quali appariva altissimo il monte tagliato a cono, sulla cui cima sorge torreggiante Calatafimi coll'antica sua rocca.

Esplorò Garibaldi lungamente la valle e le alture senza scuoprire indizio del nemico, il quale avea appostate le sue scolte al coperto, e spiava con cautela i nostri andamenti, lusingandosi, forse, di poterci cogliere alla sprovvista. Lasciato poi il cannocchiale, fece ai siciliani parecchie dimande in proposito dei luoghi e delle distanze; quindi mandò ad ordinare a noi che spingessimo innanzi sul lato sinistro qualche squadra d'insorti e mandassimo a lui il colonnello Türr.

Mentre Garibaldi dava a Türr gli ultimi suoi ordini circa il modo di schierare i Mille in semicerchio su quel lato della valle, noi avevamo disposte prudentemente le nostre brave sentinelle sul fronte di battaglia, e stavamo novellando a crocchio, adagiati sulle larghe selle dei cavalli, che parevano poltrone. Si parlò, per qualche momento, della battaglia vicina, e del numero probabile dei soldati regi e del proposito che mostrava aver fatto Garibaldi, di menar le mani ad ogni costo ed a qualunque rischio, anzi che dar pessima mostra di sé e di noi ai siciliani buttandosi alla montagna in sembiante di fuggiasco.

Eravamo lì a crocchio da una mezz'ora buona, quando capitò Nino Bixio su d'un bel cavallo bianco, grande e feroce quanto quello turco, che ebbe sotto di sé Giovanni delle Bande Nere al passaggio dell'Adda.

— O che s'aspetta? — ci chiese Bixio, frenando a stento il cavallo, che dava a vedere d'aver molti grilli pel capo. — Dov'è il generale?

— Il generale è lassù — risposi io, insegnandogli il monticello a man destra.

Bixio si provò a volgere la sua bestia per andarsene dal generale, ma la bestia, avendo annasato tra le nostre cavalcature qualche femmina, cominciò ad inalberarsi e a nitrire in sì fiero metro, che una bestia selvaggia parve e non un cavallo. Erano due forsennati a combattere; il cavallo voleva levar la mano al cavaliere o toglierselo di sulla groppa, e faceva mulinello e saltava come un montone: il cavaliere, sguainata la sciabola, menava botte da disperato. Finalmente, il cavallo, sentito di non aver sulla groppa un uomo di stoppa, disperando di buttarlo giù, pigliò di gran galoppo la strada e tornossene a Vita, dove la gente riescì a fermarlo e ridurlo nei termini della discrezione. Intanto, mentre il destriero di Bixio facea il gallo, i nostri cominciarono a nitrire anch'essi e a saltabeccare come caproni; e Montanari, che forse avea sotto la bestia più indocile, e forse era fra i tanti cattivi cavallerizzi il peggiore, mancandogli improvvisamente le staffe, capitombolò a terra in mezzo a un nembo di polvere.

Sorse in piedi il pover uomo, che pareva un pesce infarinato per esser fritto; e tornando in sella, cominciò a raccomandarsi che gli dessimo un po' da bere. Montanari non era uomo da chiedere acqua, ma noi non avremmo avuto da dargli nemmen quella, perché le nostre borracce erano asciutte come quelle degli ebrei nel deserto prima che Moisè bucasse le rupi per farle piangere.

E Montanari, incredulo più di san Tommaso, disse:

— Le borracce son vuote, o ghiottacci, ma non mi si leva dalla testa che qualcuno di voi non abbia in tasca qualche riserva. Io vidi in una certa valigia del generale due bottiglie di cognac, che gli regalarono a Genova, e Bandi o Stagnetti debbono averle stappate stanotte per farsene una provvista . . .

Poi, occhiando la mia sacchetta di pelle che era molto gonfia, gridò:

— Bandi, tira fuori il cognac o ti strappo i baffi.

— Vieni, vieni — risposi. — Ho proprio qui dentro il cognac che ci vuol per te, vecchio demagogo; e te l'ho serbato apposta.

E aperta la sacchetta e tolte le brutte copie dei tre decreti, scritti qualche ora innanzi, lessi ad alta voce: « Italia e Vittorio Emanuele . . . »

— Oibò! E chi t'ha fatto scrivere quest'eresia? — chiese Montanari, stringendo il pugno.

— Credi che l'abbia inventata io? — risposi. — Me l'ha dettate il generale queste parole, e ha voluto che le mettessi in luogo di certe altre mie.

Io non m'arrischio a ripetere il gran sagrato modenese, che lanciò verso la Divina Onnipotenza il mio povero Montanari; ma ripeterò fedelmente le parole che tennero dietro al sagrato, e furono le seguenti:

— . . . Son fuggito in Svizzera, son fuggito in Francia, in Spagna, nel Belgio e fino tra i greci per non sentir rammentare la casa di Savoia; ed ecco che qui in Sicilia mi tocca a sentirla, in bocca di chi? . . . in bocca di Garibaldi. Dianzi, son caduto da cavallo, adesso sento rammentare Vittorio Emanuele; mi manca la terza disgrazia, e scommetto che verrà . . . Oggi, la prima palla è la mia.

L'infelice era presago purtroppo, e non passarono due ore che la sua profezia fu compiuta.

Adesso, chi legge queste pagine, spalanchi gli occhi e si prepari a sentir raccontare che uno dei Mille abbandonò il suo duce e i compagni per vendere l'uno e gli altri ai generali del Borbone. Ridevamo tutti della curiosa profezia e più dello strano paragone del Montanari, quando un volontario passò tramezzo a noi che occupavamo la strada quant'era larga, e fece per andare oltre.

— Ehi, giovinotto, — gli chiesi — dove ve n'andate?

— Vado avanti — rispose l'altro a muso duro, squadrandomi con certi occhi, che mi parvero d'una volpe.

— Andrai avanti quando sarà tempo, — soggiunsi — ora vattene indietro, e sta' co' tuoi compagni.

L'ostinato borbottò qualche parola tra i denti, e finse di non avermi inteso. Allora, io mossi il cavallo e gli passai innanzi, e gli dissi:

— Ti ordino che torni indietro.

— E chi sei tu che dài ordini?... — gridò il brutto ceffo.

— Son Cristo, se non ti piace ch'io sia un ufficiale d'ordinanza del generale. Torna indietro, dico, e non ripetere.

Il manigoldo allora cominciò a gridare a più non posso, giurando esser libero d'andare dove gli pareva e protestando che noi volevam tenerlo indietro per gelosia del suo gran coraggio, e mille altre cose che non poteano stare né in cielo né in terra.

A quelle grida accorsero Menotti Garibaldi, Elia e Schiaffino; tre compagni indivisibili, belli e animosi tutti e tre, e vestiti alla medesima foggia, tanto che sino dal giorno innanzi, avevo cominciato a chiamarli scherzosamente: «I tre moschettieri». Menotti, udito che ebbe di che cosa si trattava, disse al furfante:

— Torna alla tua compagnia, e se hai quel gran coraggio che vanti, aspetta a mostrarlo quando sarà tempo.

E il furfante, duro.

Allora si fece innanzi Elia e volle tentare persuaderlo e colle buone parole si provò a fargli intendere che in tempo di guerra, e dinanzi al nemico, non fu mai permesso ai soldati d'oltrepassare a loro capriccio la linea degli avamposti, ma colui alzò dispettosamente le spalle, e fece atto di passare innanzi.

Schiaffino, che era tutto fuoco, non seppe starsene alle mosse, e acchiappato l'impronto per le spalle, lo fe' girare come una trottola. L'impronto, appena fermo sulle proprie gambe, fe' cenno di metter mano alla baionetta, ma Elia, avvinghiatolo con ambe le braccia, lo scaraventò sopra un greppo che era a fianco della strada.

Il tristaccio s'alzò tutto confuso e minacciandoci degli sguardi, tornava indietro colla coda fra le gambe, in mezzo alle risate dei miei compagni. Ma a me il caso non parve così liscio, come agli altri pareva, e dissi a due volontari che erano lì presso:

— Seguite quell'uomo e vedete a qual compagnia appartiene, e dite in mio nome al suo capitano che non lo perda di veduta, perché e' deve essere o un matto o un briccone matricolato.

I due volontari si dovettero occupare assai poco di quanto io aveva detto, o poco se ne occupò il capitano della compagnia, perché il briccone (che tale era davvero) trovò maniera di battersela, e girando largo da noi, si presentò agli avamposti nemici, annunziandosi disertore e dicendo di aver gran cose da rivelare.

Infatti, un mese e mezzo di poi, essendo io nel palazzo pretorio di Palermo, e scartabellando un gran fascio di carte, lasciate, nel fuggire, dal famoso Manescalco, proconsole del re Bomba in Sicilia,[1] trovai e feci leggere a Garibaldi e a tutti una lettera che accompagnava al maresciallo Lanza[2] un disertore garibaldino, per nome C***. Questo C*** s'era messo spontaneo nelle mani dei borbonici, poco prima che il combattimento cominciasse presso Calatafimi, dicendo che con lusinghe e promesse l'avean condotto da Milano in Sicilia, e che era pentito d'aver ceduto alla tentazione,

---

1. *re Bomba*: Ferdinando II, così chiamato per i violenti bombardamenti con cui fu schiacciata nel '49 la rivoluzione siciliana. In quello stesso anno, Salvatore Maniscalco, per designazione del Filangieri, fu fatto direttore della polizia siciliana, che egli riorganizzò interamente, rivelando in questo ufficio notevole abilità e intelligenza. Fedelissimo alla dinastia, dopo la sua caduta si ritirò a Marsiglia, dove morì cinquantenne nel 1864, lungi da quella Sicilia di cui per undici anni era stato il personaggio più odiato e più temuto.    2. Il generale Ferdinando Lanza, di Palermo, pacifico comandante della piazza e della provincia di Napoli, dopo lo sbarco dei Mille fu mandato a Palermo in qualità di Commissario straordinario con pieni poteri civili e militari. Già vecchio di settantadue anni e senza notevoli precedenti militari, egli era la persona meno adatta a coprire questo ufficio. Ma il Filangieri, che lo propose al re, ebbe poi a dire che non c'era di meglio.

e faceva ammenda onorevole del suo fallo, implorando la misericordia del magnanimo re Francesco.

La lettera soggiungeva che il disertore sopradetto avea risposto
con grande apparenza di sincerità alle domande che gli erano
state fatte, e avea palesato il numero dei seguaci di Garibaldi e i
propositi che Garibaldi pareva aver fissi; dicendo ancora che nelle
file dei «filibustieri» regnava grande lo sgomento per non aver
trovato pronti nell'isola gli aiuti che speravano, e che non tarde-
rebbero, laddove il destro si offrisse, a piantare col buon giorno
e buon anno il loro condottiero, per ricovrarsi sotto le grandi ali
della clemenza di sua maestà.

Quand'ebbi letta quella lettera, mi rammentai subito di quanto
mi era accaduto presso il villaggio di Vita, e mettendo insieme i
fatti, argomentai con certissime prove che il C*** non era altri
se non quel furfante che avea tentato di compiere il suo tradimento, passando tra mezzo a noi, per la via maestra.

Più tardi, cioè nel mese di dicembre, quando l'esercito meridionale era in procinto di sciogliersi, e quando si dispensarono in
Napoli le medaglie ai Mille, Missori e Nullo mi chiamarono, un
bel giorno, per narrarmi che il famoso C*** aveva avuto il fresco
cuore e la freschissima faccia di presentarsi a loro e di chiedere
pulitamente e bene la medaglia dei Mille e il brevetto.

— Davvero! — esclamai meravigliato di tanta audacia. — E voi
che faceste?

— Io — rispose Missori — non fui in tempo a far niente, perché l'amico Nullo lo trattò come si meritava, e dopo averlo sma-
scherato in faccia alle molte persone che eran lì con noi, lo cacciò
fuor della porta a suon di calci.

Saranno state le dieci quando Garibaldi tornò giù tra noi e mi
disse:

— Andate un po' innanzi per la strada e cercate di scuoprire il
nemico. Abbiate cura di fermare tutta la gente che passa e d'inter-
rogarla e che nessuno passi innanzi a voi. Guardate però dove mettete i piedi, ché non v'abbiano a pigliar prigioniero.

Vennero con me dodici bergamaschi, tra i quali era un vecchietto
che poi seguì Francesco Nullo in Polonia, e raccolse sul campo
infelice l'ultimo sospiro di quell'anima generosa. Ma prima che
mi allontanassi, Garibaldi mi chiamò indietro, raccomandandomi

di non tirar fucilate se non in caso di assoluta necessità, e di guardare che pesci fossero certi uomini armati, che avea scorti col cannocchiale al di qua di Calatafimi.

— Può esser certo — risposi — che non sciuperemo cartucce; ma, in quanto al vedere, vedrò finché gli occhi mi aiutano.

Anche questa volta, il generale comandò un binoccolo per me, e il binoccolo me lo porse Francesco Crispi.

Presi, dunque, la strada coi miei bergamaschi e camminammo alquanto, guardando per ogni parte, e fermando e interrogando quanta gente s'incontrava. Le risposte che avemmo da tutti confermavano la voce già sparsa, che il nemico fosse numeroso assai ed agguerrito di alquante artiglierie, ma nessuno tra i passanti veniva da Calatafimi, né poteva dirci quali posizioni avessero scelte i borbonici.

Dopo un bel pezzo, notai in distanza, sopra un'altura che sorge dinanzi alla città, una banda di alquanti uomini; guardai attentamente e mi accorsi che erano vestiti alla borghese, su per giù come i più puliti tra i nostri insorti, e muovevano verso noi collo schioppo sulla spalla. Non vedendo per parecchio tratto all'intorno nessun soldato, pensai che quegli uomini fossero insorti che venivano a far causa comune con noi, e argomentai che se i regi eran mossi veramente da Palermo, non fossero ancor giunti in Calatafimi.

Comunicato questo mio pensiero al più vecchio dei bergamaschi, e trovato il senatore bergamasco del mio stesso parere, decisi farmi incontro ai creduti insorti, e avvicinarmi insieme con loro alla città. Per buona sorte, non avevo fatto ancora molti passi, quando un carrettiere che passava per recare certo grano a un mulino, mi avvertì che non andassi oltre se non volevo imbattermi nei *compagni d'armi.*

Capii a frullo che que' *compagni d'armi* non potevano essere buoni compagni miei; pure dimandai al carrettiere chi essi fossero, ed egli me li descrisse come seppe, perché la sua lingua pareva alle mie orecchie poco meno che turca.

Si trattava, dunque, d'aver vicini i birri della peggiore specie; cioè que' malanni che il governo borbonico assoldava nelle campagne per far guerra a' malandrini, ed erano i malandrini peggiori, perché servivano, nel tempo stesso, il diavolo e sant'Antonio; gente feroce e ingorda e nemicissima de' liberali e capace di qualunque scelleraggine per ingraziarsi coi padroni.

Era evidente che i signori *compagni d'armi* venivano a scuoprir terreno e precedevano i soldati, i quali veramente erano in città; e il buon carrettiere mi accertò che disegnavano assalirci nella giornata e millantavano voler condurre Garibaldi a Palermo, legato sopra un asino.

Stavo tuttavia ragionando col mio nuovo amico, allorché il calpestìo di un cavallo che trottava dietro di me, mi fece volgere. Era un siciliano che veniva per parte di Garibaldi ad avvisarmi che tornassi subito indietro. Costui, appena m'ebbe partecipato quell'ordine, soggiunse:

— E dove volevi andare, eccellenza? Volevi andartene coi pochi tuoi uomini a Calatafimi, dove stanno tante migliaia di soldati del *Barbone*?

Non ebbi tempo di rispondere al curioso ambasciatore, perché il carrettiere frustò vigorosamente la sua bestia, e m'additò un drappello di cavalleggieri, che passo passo se ne veniva esplorando lungo la strada. Guardai col binoccolo quei signori cavalieri; eran benissimo in arnese, e portavano in capo berrette nere colla nappa, simili nella forma al *fez* dei nostri bersaglieri.

La mia guida ci fece entrare nei campi a sinistra della strada, volgendo le spalle a Calatafimi, ed entrammo in una bella vallata, tutta verdeggiante di pianticelle di fave, e sparsa qua e là di alberi da frutto. Le alture che chiudevano in faccia a noi la vallata, erano piene di volontari; i poggi, che sorgevano dietro quelle alture, si cominciavano a coprire di numerose torme di villani, che colle loro bestie andavano a cercare ricovero lassù, e a godersi la battaglia imminente, e risolvere, secondo l'esito di questa, a gridar viva Garibaldi! o viva re Francesco!

Ad un tratto, una voce si udì per la valle silenziosa, ed era la voce di Garibaldi che mi chiamava.

— Bandi, fate presto — mi gridò due volte o tre.

Ed io, volgendomi dal lato opposto, vidi scintillare ai raggi del sole le armi de' soldati borbonici.

Il siciliano, che avea un buon cavallo, andò innanzi per conto suo; io frustavo a più non posso, ma la mia rozza voleva fare il suo comodo. I bergamaschi, arrabbiati dalla sete, sgranavano baccelli, giurando a me che se non era la spedizione di Sicilia, non avrebbero mai sognato che creature umane potessero mangiar crude le fave e trovarle buone.

Trovai Garibaldi seduto sopra un greppo, intorno al quale sorgevano diverse piante di fichi d'India e qualche arboscello. Pochi passi dietro a lui erano i cavalli, ed io misi il mio a far loro compagnia, dicendo a Nino Marchese, che mai non s'era scostato da me:

— Non occuparti del cavallo; stammi vicino e fa' quel che io farò.

Il generale vedendomi avvicinare al greppo dov'era seduto colle gambe penzoloni, mi chiese:

— Dunque? Ci sono soldati più a basso?

— Generale, — risposi — ci sono i cosidetti *compagni d'armi*; che io chiamerò birri di campagna; ho visto poi un drappello di cavalleria, che potrebbe esser benissimo una punta di avanguardia. Mentre così dicevo, Garibaldi tolse di mano a Basso il suo gran cannocchiale e lo puntò giù verso il basso. Guardando allora in direzione del suo cannocchiale, vidi la cavalleria nemica schierata sulla strada, dietro un monticello, che la divideva dalla valle.

— Ecco la *nostra* cavalleria — disse Garibaldi, e posò il cannocchiale.

In quel momento giunse il colonnello Türr, il quale annunziò al generale:

— La linea è pronta.

— Va bene — rispose Garibaldi, ed accese un sigaro.

Mi posi a sedere anch'io sulle erbose zolle e vidi le colonne nemiche escir fuori dalla città e avviarsi verso noi per le colline dove già le avea precedute l'avanguardia. A poco a poco mi accorsi che la mèta del loro cammino dovea essere il poggio che nascondeva sulla nostra sinistra la strada, e dietro il quale stava schierata la cavalleria. Da quel poggio volevano asserragliarci la strada, e magari girarci alle spalle, occupando, mentre combattevamo nella valle, il villaggio di Vita. I siciliani ci dissero chiamarsi quel poggio *Pianto Romano*, in memoria d'una gran batosta colà toccata, dai romani, dai soldati della città di Segesta, le cui rovine eran poco lontane da noi, tanto che si potea distinguere a occhio nudo l'antico tempio famoso, che sorge quasi intiero in mezzo alle vigne da cui si spreme il prelibatissimo *segestano*.

— Il nome di quel colle è un po' brutto, — dissi — ma dove piansero i romani, tiranni del mondo, è giusto che ridiamo noi, nemici dei tiranni.

Il generale approvò con un cenno della testa quel mio felice presagio, e riprese il suo magno cannocchiale per guardare due cannoni nemici, da montagna, che sulla schiena dei muli venivano verso noi colla prima delle due colonne in cui s'era diviso l'esercito regio.

L'ora del combattere si avvicinava. Montanari che, a dispetto dei suoi neri presentimenti, conservava buona dose del suo umor bizzarro e avea voglia più che mai di rinfrescarsi il becco per non combattere assetato, fattosi presso il generale, dimandò a voce alta:

— O quelle due bottiglie di cognac aspettiamo a beverle quando saremo morti?...

Garibaldi si volse sorridendo e disse:

— Date il cognac a Montanari, che se lo beva e sia contento.

Fruscianti obbedì, ma da buono e prudente custode delle robe del generale, invece delle due bottiglie, ne consegnò a Montanari una sola; ed egli presala in braccio, la carezzava come un bambino in fasce, e ne versò qualche goccia nelle nostre bocche, misurando le gocce come se si fosse trattato di laudano del Sydenham[1] o qualche altro pericoloso medicamento.

Vuotata la bottiglia, capimmo tutti che l'ora delle burle era passata, e che stava per cominciare un ballo terribile, nel quale non era per noi un terzo partito da scegliere oltre il vincere o morire.

Stavano alla nostra sinistra, dietro una spalliera di fichi d'India, i trentasei carabinieri genovesi, e accanto a loro le diciotto guide; poi, dallo stesso lato venivano alcune compagnie e due cannoni, che guardavano la strada per impedire che i regi ci girassero per quella parte. Alla nostra destra stavano schierate le altre compagnie, e così il piccolo esercito formava un semicerchio. Le guerriglie siciliane aveano incarico di vegliare alle estremità delle nostre ali.

I volontari avevano avuto ordine di starsene chiotti chiotti e di non fiatare. — Guai, — aveva detto Garibaldi — guai a chi farà fuoco prima del comando!

Ora, innanzi che io proceda oltre è necessario che narri un caso singolarissimo, pel quale si farà chiaro anche una volta, come non sia del tutto sciocca l'opinione di coloro, i quali hanno fede ne' presentimenti e ritengono che spesso una misteriosa voce ci ammonisca delle disgrazie che ci stanno per accadere.

Dissi già come Montanari, credendo che nello stesso giorno due

1. T. Sydenham (1624-1680) fu il medico inglese che per la prima volta preparò il laudano in forma liquida.

malanni lo avesser colto, giurasse aver per certo che un terzo ed irreparabile malanno lo coglierebbe innanzi sera, per far così il numero perfetto. Adesso dirò come Desiderato Pietri sentisse in cuore, poco innanzi il mezzogiorno, che di lì a poco sarebbe morto in battaglia, e bramasse farmi dono delle cose sue, *in articulo mortis*. Rammenterà il lettore che io parlai di costui, narrando il viaggio da Genova a Marsala, e commendai le carezze che mi fece e la gran cura ch'egli ebbe nel prevenire ogni mio desiderio, accomodandomi delle migliori robe che erano in sua balìa. Era il Pietri, come dissi, cameriere sul *Piemonte*; e, cammin facendo, si palesò tanto avido del guadagnare, che soventi volte fe' pagar anche l'acqua, e seppe fare tante e sì smaccate angherie, che poco andò che non lo accusassero al generale. Parecchie volte, essendo testimone delle sue riffe, io mi feci a rampognarlo, dichiarandogli che non avrei avuto cara da lui alcuna dimostrazione d'affetto, quando e' seguitasse a mostrarsi maligno e taccagno verso i poveri compagni nostri.

Alle quali parole, rispondeva, dicendo:

— Io voglio bene a te, che sei l'unico che fra tanta gente conosca, e fosti mio ufficiale al reggimento; con gli altri vo' contrattare a soldo e lira, perché io son qui per far il mestier mio e non per acchiappare il fumo.

E non c'era verso di renderlo un tantin più umano e di fargli intendere essere ignominioso per lui, giovane animosissimo e soldato, che volesse dare a credere d'essersi mescolato fra noi per fare il bottegaio e non per altro. Egli aveva in tasca un passaporto francese in piena regola, e diceva a muso duro che, appena *sbarcato il carico*, se ne tornerebbe allegramente a Genova, infischiandosi di chi fosse rimasto in Sicilia a correre dietro alle farfalle.

Batti oggi, batti domani, Desiderato Pietri venne a tanto, che lo pigliai in tasca, e nell'ultimo giorno del nostro viaggio cominciai a guardarlo torto e ad averlo in conto d'un mal arnese, che non meritasse neanche il saluto d'un galantuomo.

Scesi che fummo a Marsala, mi capitò fra' piedi, due volte o tre, ma io gli volsi bruscamente le spalle; e altrettanto feci in Salemi. Ora, mentre dinanzi a Calatafimi eravamo in procinto d'assaggiare il primo fuoco, e i nemici si venivano avanzando per assalirci, ecco Desiderato Pietri farmisi dinanzi e dirmi:

— Beppe, non mi vuoi più bene?

— Tornerò a volertene — risposi asciutto asciutto — quando ti vedrò fare il galantuomo e saprò che hai dimenticato di esser côrso, per essere italiano come me.

— Vedrai adesso, — ripigliò Desiderato — se io mi rammento d'essere italiano, e vedrai come saprà morire il tuo vecchio sergente.

E sciogliendosi d'intorno alla vita una ventriera di cuoio, me la pose tra le mani.

— Che negozio è questo? — dimandai. — Che cosa ho da farmi di questa roba?

— Vedi, — soggiunse il Pietri — ci son lì dentro sessanta napoleoni d'oro, parte guadagnati in terra e parte in viaggio. Piglia quel denaro per amor mio, e non volere che caschi tra le unghie di qualche ladro, perché tra un'ora io sarò morto.

— Tu sarai morto? — esclamai. — E chi t'ha messo in testa una tal corbelleria?

— Dico davvero — rispose il Pietri. — Sento che debbo morire e mi tengo già per un uomo in agonia . . .

Lo guardai fisso nel bianco degli occhi, e credetti che il sole gli avesse dato al cervello. Ma il poveretto mi guardava serio serio e co' più sani occhi del mondo.

— Via, — dissi — ripiglia la tua ventriera, perché non voglio roba d'altri, e perché non sono uomo da accettare certe eredità.

E il Pietri a raccomandarsi e a scongiurarmi che non ricusassi quell'offerta che veniva dal cuore, dicendo che tanta grazia non gli dovevo negare, né potevo negargliela, e dicendo tant'altre cose, che mi fecero strabiliare. Ma io tenni forte, risposi:

— Desiderato, vuo' tu ch'io mi metta in tasca la sperpetua? Vuo' tu vedermi morto? Non capisci, che, pigliando cotesti danari, segnerei la mia sentenza? . . . Va' e se l'oro ti dà cattivo augurio, buttalo.

Il Pietri, veduto che non c'era verso di smuovermi, si cinse nuovamente la ventriera e, guardandomi cogli occhi lacrimosi, ripigliò a dire:

— Allora, se non vuoi un ricordo da me, fa' ch'io abbia un regalo tuo, e muoia con quello indosso.

— Piglia, matto, — risposi, spalancando le braccia — tutto ciò che vedi, è roba tua.

Caso volle che io avessi annodato per la nappa all'impugnatura della sciabola un bel *fez* barbaresco, che avevo comprato a Genova. Desiderato Pietri pose la mano su quel *fez*, e disse:

— Me lo regali?

— Piglialo, se vuoi.

— Lo piglio, e verrà meco sotto terra, se non me lo rubano.

E sciolto d'intorno alla fronte un fazzoletto di cotone che vi tenea annodato, si pose in capo il mio fez, mi dette due gran baci, e sparì.

Pochi minuti prima del mezzogiorno, i soldati regi, giunti in tre colonne sulle colline più basse, dinanzi alla nostra, cominciarono a manovrare, spiegandosi e ripiegandosi, come se fossero sulla piazza d'arme, come se tentassero d'impaurire con una artifiziosa mostra di forza e di disciplina le turbe degli «scomunicati ladroni» cui non parea sembrar vero il fuggirsene senza pagar lo scotto.

Garibaldi, seduto sempre sul suo greppo, guardava tranquillamente quello spettacolo, esclamando di tratto in tratto:

— Per Dio! Come manovrano bene! Son belle truppe davvero!

Poi cominciarono a suonar le trombe, e suonavano ch'era meraviglia a sentirle. Erano le trombe dell'ottavo battaglione dei cacciatori.

Il generale stette un pezzo a sentir quella musica, fumando sempre il suo sigaro; e quando la musica tacque, si volse a noi e disse:

— Hanno buone trombe davvero! Facciamo che sentano un po' la nostra.

E soggiunse, volgendosi:

— Dov'è la mia tromba?

— Son qui — rispose il trombettiere Tironi, che sedeva, pochi passi indietro, sull'erba.

E Garibaldi a lui:

— Fate sentire a quella gente la mia sveglia.

Ci guardammo in faccia meravigliati, e credemmo che il generale burlasse; ma egli non facea segno di ridere, e il trombettiere intonò con chiara e sonante voce la stessa sveglia, che nelle prime ore di quella mattina gli avea procurato tanta lode e una bella moneta da cinque lire.

In quel momento, guardando col binoccolo i cacciatori nemici che cominciavano a spiegarsi a mo' di ventaglio, notammo che si fermarono all'improvviso, stupiti di quella singolar cantilena della nostra tromba, tutta dolcezza e serenità. La solennità dell'ora, il silenzio profondo della valle e la novità di quel suono debbono aver fatto credere ai napoletani, che qualche Fata si pigliasse giuoco dei fatti loro, o che noi togliessimo a canzonarli, rispondendo colle soavi modulazioni dell'idillio alle provocatrici note delle squille guerriere.

Dopo che il trombettiere ebbe ripetuta la sua cantilena, Garibaldi gli fe' cenno che tacesse, e disse a noi che gli eravamo accanto: — Adesso pensiamo a dar due buone bastonate a quei signori. Mentre egli così diceva, Desiderato Pietri saltò giù dal greppo, e col mio *fez* in testa e il suo bravo schioppo in mano, si diè a camminare contro il nemico, in mezzo alle folte pianticelle delle fave, che cuoprivano la campagna.

Tosto io dissi:

— Generale, debbo chiamarlo indietro quel matto?

— Lasciatelo fare — rispose il generale. — Ognuno ha la sua ispirazione.

Tacqui e seguitai a guardare. Il povero diavolo, tratto pei capelli dal suo destino, camminò ancora cento o dugento passi, e poi fece alto, e s'inginocchiò.

Garibaldi trasse fuori l'orologio e disse:

— Guarda, è mezzogiorno giusto.

Il cielo era sereno e tranquillo, e non si udiva per tutta la vallata lo stormire di una foglia.

I volontari erano distesi sull'erba, guardando il nemico.

Avevo in quel momento accant'a me due bersaglieri; tre o quattro passi indietro avevo Nino Marchese.

— Nino, — gli dissi — tra qualche minuto sentirai fischiar le palle. Sta' fermo e guarda me; e quando vedrai ch'io salto giù, seguimi senza paura e non fermarti sinché io non mi fermi.

Nino sorrise, e alzò il cane della carabina.

A quel rumore, il generale volse il capo, ed esclamò:

— Nessuno faccia fuoco senza mio ordine! Tirare da lontano è segno di paura.

In quel mentre le trombe napoletane suonarono *avanti*, e udimmo le voci dei capi-quadriglie ripetere i comandi. Poi, dopo alcuni istanti, udimmo uno strano coro d'impertinenze, che que' bravi cacciatori ci regalavano per antipasto, mentre venivano innanzi gobbi gobbi, come se andassero a caccia alle quaglie. Gridavano que' poveri soldatelli: — Mo venimme, mo venimme, straccioni, carognoni, malandrini.

Un altro squillo di tromba, e le palle cominciarono a fischiare sulle nostre teste.

I due bersaglieri che avevo alla mia sinistra mi guardarono con tanto d'occhi, e io accennai loro che stesser fermi. Infatti il generale che s'era accorto che i fischi delle palle e l'avanzarsi rapido de' cacciatori avean già messo l'argento vivo addosso ai volontari per tutta quanta la linea, si raccomandava più che mai, dicendo:

— Non tirate; fermi, ragazzi; lasciateli venir qui sotto, e poi li piglierete a legnate...

Ma il generale propone e il soldato dispone. Chi potea mai tenere più lungamente al canapo tanti puledri?

Nel tempo che il generale si raccomandava e tutti gli ufficiali ripetevano le sue parole, Carlo Mosto, fratello del capo dei carabinieri genovesi, gridò: — Indietro, canaglia!

A questa voce tenne dietro un colpo di carabina, a quel colpo ne seguirono altri due, tirati dai due bersaglieri, miei vicini... Tosto altri cento rimbombarono; e nel punto stesso, Francesco Nullo, sbucato a cavallo di dietro una macchia, si slanciò colla sciabola nuda per la valle, gridando:

— Avanti alla baionetta!

Strappai di mano al trombettiere lo schioppo e saltai giù dal greppo, e mi seguì Montanari con la sciabola in pugno.

Garibaldi gridava:

— Eh! per Dio! Non possono star fermi un momento!

Altre parole non potei udire di sua bocca, ma è certo che egli impedì, non senza grande difficoltà, che tutto il suo piccolo esercito non si precipitasse all'assalto.

Poco tratto avevamo corso, inseguendo i cacciatori napoletani che fuggivano a più non posso e solo si fermavano, di quando in quando, per mandarci un saluto all'usanza de' Parti, allorché vidi steso in mezzo ai solchi Desiderato Pietri.

— L'ha avuta! — dissi a Montanari.

E Montanari mi fe' un cenno, che volea dire: «Chi cerca, trova».

Procedendo innanzi, vidi un cacciatore, più indietro degli altri, che mi precedeva forse di centocinquanta passi. Volli bollarlo sulla schiena, ma lo schioppo mi fece cecca. Cambiai il cappellotto, e giù da capo; ma da capo cecca!...

Allora mi rammentai quel che Garibaldi ci avea detto, che il fucile non dev'essere se non il manico della baionetta, e mi contentai di correre, senza fare pel momento ulteriori tentativi per rendere atto a far fuoco quel meschino catenaccio.

Corremmo un bel pezzo, dando la caccia ai cacciatori fuggenti, che volgevano a frotte verso sinistra, cercando riparo sul poggio, che indicai col nome di *Pianto Romano*, sul qual poggio erano in batteria due cannoni, sostenuti da parecchie compagnie. Volgendo, dunque, a sinistra, incontrammo una casetta disabitata e diverse piante di fico, in fondo a un'erta assai ripida, che era necessario salire, in barba alle palle e alla mitraglia che cominciavano a tempestare. Non so quanti fossimo allora, ma eravamo pochissimi.

Appena principiammo a salire quell'erta, cadde Giorgio Manin. Volli rialzarlo, ma non fu buono a reggersi in piedi e ricadde. Passò in quel mentre Benedetto Cairoli colla sua compagnia, e ci salutammo, gridando: — Viva l'Italia! — Eran pavesi, per la maggior parte, e correvano colla miglior voglia del mondo. Ci unimmo a loro, ma dopo pochi passi, Francesco Montanari cadde bocconi.

— Che hai, Montanari?

— Una palla in un ginocchio . . .

Lo volemmo rialzare, ma fu lo stesso che alzare un cencio.

— Aspettami, — dissi — verranno a prenderti o ti prenderò io quando sarà tempo.

Il poveretto, mi par di vederlo ancora, alzò la mano tre volte o quattro finché io mi volsi a guardarlo, e parea dirmi: «Non ti scordar di me!»

Quando giungemmo sotto la spianata che sovrasta al poggio, eravamo trafelati. Fortuna volle che il ciglio della spianata venisse giù, in guisa di parapetto, un po' più che ad altezza d'uomo, e ci servisse di riparo, dal quale ci fu agevole il tener fermo alquanto il nemico, bersagliandolo colle carabine dei genovesi e con quegli schioppi della compagnia di Cairoli, che furono buoni a far fuoco.

Mentre stavano sopra il ciglio della spianata, due o tre volte i napoletani mossero correndo per venirci addosso, e altrettante volte si fermarono e tornarono a' fianchi de' cannoni. Noi li udivamo gridare: — Viva lo re! — ed una volta intonammo il nostro inno, ma per la gran fatica della corsa fatta, si rimase a mezza strofa.

Intanto, uno dei genovesi, che ebbe nome Profumo, bello e carissimo giovane, sollevandosi sul parapetto, fu colto da una palla e lasciato lì sul tiro. I compagni l'appoggiarono colle spalle al greppo e parea che dormisse. Lo baciai, e volli sentirgli il cuore; il cuore di quel martire batteva ancora.

— Che facciamo noi qui? — mi disse Benedetto Cairoli. — Montiamo sopra e finiamola.

— Montiamo — risposi, e in quanti eravamo, montammo su. Se invece di salire su quell'altipiano, fossimo scesi nella bocca d'inferno, credo che il fumo e il fuoco non sarebbero stati in tanta dose. Perduti quindici o venti compagni, le cui grida dolorose mi suonano ancora negli orecchi, tornammo giù sotto il ciglio, e fu ventura che i napoletani si fermassero a mezza la spianata e non avessero cuore di venire oltre.

Mi volsi per vedere se qualcuno venisse a soccorrerci, e vidi a metà dell'erta una compagnia. Fu riconosciuta per la compagnia dei bergamaschi, e tosto un grido di giubilo la salutò: — Viva Bergamo!

Incontanente, avuto questo rinforzo, ripetemmo l'assalto, e montammo su. Ma la prova fu infelice anche questa volta; e dopo aver lasciato per terra alquanti de' nostri, fra i quali il tenente De Amicis, che avendo veduti i cannoni, era corso a compiere il suo voto, tornammo dietro la provvidenziale trincea.

Pochi minuti eran corsi da quella seconda ritirata, quando alte grida che suonavano dietro di noi ci avvertirono che nuova gente veniva a soccorrerci.

Precedea quella gente Nino Bixio, a cavallo, il quale, chiamando a nome quanti di noi conosceva, cominciò ad invitarci ad un terzo assalto, e si mise a correre intorno alla spianata, agitando la bandiera di Garibaldi, che aveva nelle mani. Le gran schioppettate che ebbe quel demonio, quando fu alla destra della spianata, dove il ciglio era bassissimo e non offriva alcun riparo, sono impossibili a ridirsi; ma e' pareva fatato, e corse e ricorse e sventolò la bandiera sul viso ai nemici, senza che neanche lo stoppaccio d'uno schioppo lo cogliesse, per quanto i cacciatori lo tempestassero talvolta quasi a bruciapelo.

Giunto che fu il soccorso, Menotti Garibaldi tolse di mano a Bixio la bandiera, e seguìto da Schiaffino e da Elia, montò sulla spianata. Un minuto dopo, ne scesero tutti e tre, e Menotti porse la bandiera a Schiaffino.

Bixio e Menotti, gridavano, incoraggiando i soldati a salir di nuovo all'assalto; e l'assalto fu rinnovato ancora.

I regi erano stati ingrossati da parecchi rinforzi, noi eravamo il doppio più di prima. La zuffa ricominciò più accanita e feroce; le palle grandinavano da ogni parte; e di tanto in tanto si sentiva passare sulle nostre teste la mitraglia, flagellando l'aria come il vento che stormisce furioso tra le frondi.

Ora, io narrerò quel che vidi co' miei occhi, soltanto, lasciando agli altri la cura e la fatica di raccontare quel che videro con gli occhi loro.

A quel terzo assalto, chiamandomi Bixio a voce alta, seguii il suo cavallo, là dove si entrava sulla spianata quasi senza alzare il piede. In un baleno, il fumo mi ravvolse, e tra il fumo, che il vento dileguava a tratti, vidi che eravamo frammisti alla rinfusa, garibaldini e borbonici, e si combatteva a corpo a corpo, e con tutte le armi che venivano tra le mani, non esclusi i coltelli e non esclusi i sassi.

Era una pugna feroce, dolorosa unicamente perché fra italiani si combatteva.

Il gruppo dei garibaldini più vicino a me era formato da Menotti, da Elia e da Schiaffino che aveva la bandiera. I borbonici erano quasi sull'orlo del ciglio della spianata e menavano sante busse. Un drappello di costoro, veduta la ricca bandiera, si fe' vicino al terzetto, e cominciò a serrarglisi sopra. I *tre moschettieri*, belli e bravi quanto possono essere tre eroi da romanzo, tirarono colpi di carabina e di *revolver* finché ebbero cariche le armi, poi si avventarono colle baionette in resta contro gli assalitori.

Me ne rammento come in sogno, perché io pure aveva pane pe' miei denti. Il drappello dei cacciatori, che voleva conquistar la bandiera ad ogni costo, si spinse, gridando, addosso ai tre compagni. Due cacciatori afferrarono la bandiera e ne strapparono un lembo; Elia e Menotti li respinsero ancora.

Vedendo la bandiera in quel tremendo risico e quasi sola nel mezzo ai nemici, cominciai a gridare: — Salviamo la bandiera! — E tre o quattro che mi erano più vicini, mossero con me verso la bandiera. In quell'istante, cioè quando fummo distanti venti passi o poco più dal valoroso terzetto, sopraggiunsero sette o otto cacciatori, a capo dei quali era un sergente, alto della persona e rosso, e tutti insieme unitamente agli altri, avvilupparono i tre. Il fucile del sergente, appoggiato colla punta della baionetta al petto di Schiaffino, fece fuoco, e Schiaffino cadde indietro sollevando in alto, nel cadere, la bionda e lunga barba, e lasciò la bandiera, che in mezzo a grida di giubilo, sparì dai miei occhi. Nel tempo stesso che Schiaffino cadeva, Menotti era ferito in una mano, ed Elia riceveva una palla in bocca, che lo stese per morto.

Avevo messo un terzo cappellotto al mio fucile, dopo aver forato ben bene con uno spillo il focone; ma come non era ragionevole che mi fidassi del fucile, tirai tutti i sei colpi del mio *revolver* nel branco dei cacciatori, e non saprei dire in coscienza se i miei colpi colsero, o se andarono a vuoto. Dirò soltanto che il sergente rosso non lo ammazzai, né mi venne fatto di ferirlo; e noto questo perché non andò guari che ei fu lì lì per ammazzar me, come vedremo tra poco. Ma di quel diavolo di sergente riparlerò nel capitolo che segue, dicendo chi fosse e qual morte gli toccasse. Sparita la bandiera e spariti i più audaci dei cacciatori, sopraggiunse di bel nuovo Nino Bixio, gridando come un falco, e mi chiamò a nome più volte, e si cacciò in mezzo al fumo, che accecava gli occhi ed ammorbava col puzzo acre dello zolfo. Le palle non fischiavano più, ma miagolavano alle mie orecchie come tante gatte in amore. Mi cacciai correndo dietro quello spiritato, e dopo alquanti passi mi fermai, non avendo accanto se non un giovane siciliano, che ho riveduto in seguito, parecchie volte, e sempre mi ha rammentato quel fatale momento.

Stando fermo nel punto dove mi ero messo, vidi improvvisamente quel sergentone rosso, che avea ucciso Schiaffino, ricaricare, a pochi passi da me, il suo schioppo e guardarmi fisso con certi occhi, che, ripensandoci, mi paiono fossero due carboni accesi. Capii subito che se quel diavolo terminava di caricare il fucile, ero spacciato *per aeterna saecula*; laonde, spianai la baionetta, e gridando il nome di Garibaldi, mi slanciai sul sergente. Io non so dire se fu il sergente o se fu altri che mi tirò; ma sta il fatto che una gran bòtta mi colse sopra la mammella destra, e caddi per terra, non altrimenti che mi ci avesse spinto un vigoroso pugno.

Un urlo feroce salutò la mia caduta, e quell'urlo lo mandò il sergente e lo mandarono i suoi compagni, che avendomi vista indosso una divisa che si distingueva dalle altre, credettero che la fortunata palla avesse tolto dal mondo un qualche pezzo grosso, e non un poer'uomo qualunque, nato e destinato a far numero.

Mi riebbi quasi subito, e mi tirai indietro carponi, e così percorsi un tratto di quaranta o cinquanta passi, finché non vidi un gran numero dei nostri farsi innanzi, e non udii tante voci gridare:

— Salviamo il generale!

Alzai gli occhi e vidi allora Giuseppe Garibaldi nell'attitudine nella quale auguro che lo vegga in sogno lo scultore che, primo, dovrà modellare la statua dell'eroe; aveva il cappello sugli occhi, lo sguardo acceso, la bocca sorridente e un pezzo di sigaro in bocca, e stringeva colla destra la sciabola e stava dritto, come sta san Giorgio, effigiato da Donatello.

Veduto il generale, saltai su, ed e' mi vide subito e mi disse, vedendomi insanguinate le mani:

— Bandi, che cos'è stato?

— Nulla, — risposi — una pillola che mi è toccata, ma spero che la digerirò.

Tutti si serravano intorno a lui, e conobbi che il momento era terribile, e le palle fischiavano e miagolavano da tutti i lati. Sirtori giunse, proprio allora, galoppando su di un cavalluccio, e si fermò accanto a noi, chiamando con gran voce i soldati, che avea dietro, e che erano le ultime carte che si giuocavano in quella incerta partita, e chiese al generale:

— Generale, che dobbiamo fare?

Garibaldi guardò intorno, e con voce tonante gridò:

— Italiani, qui bisogna morire.

E per vero, la gente moriva e moriva volentieri; ma quella tempesta di palle, che ci sfolgorava per ogni parte, avea cominciato a dar da pensare a parecchi.

Adesso racconto un episodio doloroso, che ho sempre nella memoria, e che mi tien vivo un sentimento ineffabile di compassione.

Capitò accanto a me l'ungherese Tüköry, uomo valorosissimo, che doveva, indi a poco, essere ucciso sotto Palermo. Questo Tüköry, vedendo il gran pericolo che correva il generale, mi disse, accennandolo, essere un gran peccato che egli si tenesse così scoperto dinanzi al nemico, e in un punto dove le palle venivano da ogni parte. Infatti, le guerriglie siciliane schioppettavano su' nostri fianchi alla maledetta, facendo poca o punta attenzione alla via che pigliavano le loro palle, e una parte dei regi cominciava a girare la nostra diritta.

Queste cose me le fece notare parlando francese, ed io gli dissi nella stessa lingua, ma più piano che potei:

— Major, nous voilà entourés!

Tüköry accennò di sì; mentre ei si volgeva a Sirtori per dirgli non so che cosa, un bel giovane alto, con baffi neri, vestito colla camicia rossa e con un cappello nero di feltro sulla testa, si fece innanzi a Garibaldi, gridando:

— Generale, siamo presi in mezzo! — e accennava le compagnie dei regi, che facean mostra di girarci dietro davvero.

Quelle parole, proferite così a voce alta, eran tali da sgominare un esercito, non che la piccola banda dei poveri volontari, che combattevano facendo dei loro corpi scudo al generale; e il generale conobbe subito il gran rischio che si correva, perché sollevata la sciabola, fe' segno d'avventarsi sul malcauto lombardo, e gridò con voce terribile:

— Vigliacco! Una parola ancora, e vi taglio la faccia! ...

L'infelice, che non aveva avuto colpa se non di esser novizio innanzi alle fucilate, diventò come la bragia, alzò le mani come per raccomandarsi a Dio, e poi si cacciò di corsa in mezzo al fuoco, e là scomparve per sempre dai nostri occhi.

Garibaldi lo aveva chiamato vigliacco! ...

Ma è fama che in quel momento disperato, Nino Bixio dicesse a Garibaldi:

— Generale, ritiriamoci!

Ed è fama che Garibaldi rispondesse a Bixio:

— Ma dove ritirarci? ...

Quelle parole non giunsero a' miei orecchi, e io debbo registrarle sulla fede degli altri, senza però mettere in dubbio che fossero pronunziate veramente, perché così la domanda come la risposta mi paiono naturalissime ed adattate quanto mai alle strettezze angosciose di quell'ora.

Nino Bixio aveva ragione di dire a Garibaldi: — Ritiriamoci —, e Garibaldi aveva centomila ragioni per rispondere come gli rispose. Dove potevamo ritirarci? Non era chiaro che, volgendo noi le spalle su quel terreno quasi nudo, saremmo stati conci a quel biondo Dio, prima che avessimo riguadagnate le colline dirimpetto? E non c'era anche da aspettarsi che le turbe numerose dei siciliani che s'affollavano sulle cime dei più alti poggi, aspettando l'esito della battaglia, nel vederci rotti e fuggiaschi, ci si chiarissero nemiche?

Non c'era da scegliere. Era necessario farsi largo tra i nemici, o saper morire ripetendo il grido dei fratelli Bandiera:

*Chi per la patria muor,*
*vissuto è assai!*[1]

1. Sono versi della *Donna Caritea*, opera di Saverio Mercadante (1795-1870), rappresentata la prima volta a Venezia nel 1826.

Tutto quanto ho narrato nelle pagine che precedettero a questa, accadde nello spazio di pochi minuti, ma furon minuti che sembraron secoli.

— Su, ragazzi, due altri colpi ancora ed abbiam finito! — gridò Garibaldi.

E tutta quella schiera, rispondendo con alte voci al suo invito, si spinse innanzi.

Allora sentii un gran miagolìo, e il berretto mi volò via di testa. Una palla cortese me l'avea tolto, ma non senza strapparmi una bella striscia della cuticagna, e non senza inondarmi la fronte di sangue.

Rammento che Garibaldi mi guardò con un'occhiata piena d'inquietudine, ma non rammento altro, perché una palla mi colse sopra la scapola sinistra e mi cacciò supino per terra, dopo avermi fatto girar due volte intorno a me stesso, come fanno le trottole.

Mi pare che Bixio mi dicesse, vedendomi per terra:

— Bandi, alzati, i napoletani fuggono! . . .

Ma poi, veduto com'ero concio, gridò:

— Buttati di sotto!

Ed io ripreso sentimento, alla meglio, andai carponi fin sul ciglio della spianata e mi lasciai andar giù pian piano, e ruzzolai un bel pezzo, finché un grosso cespuglio non mi fermò.

Racconto queste cose perché l'esser ferito in battaglia è caso e non virtù, e perché mi è indispensabile raccontarle per proseguire esatta la mia narrazione.

Mentre me ne stavo accoccolato, aspettando che qualche anima cristiana pensasse a me, le palle fischiavano frequenti e spesso venivano a colpire in terra a tanta vicinanza dalla povera mia pelle, che fu miracolo se non ebbi il colpo di grazia e non rimasi lì ad aspettare il beccamorti. Parecchia gente mi passò vicino, ma siccome era gente vogliosa di menar le mani, non stetti neanche a dire: — ohi! — sapendo bene che chi ha voglia di far sul campo il dover suo, lascia i feriti alla provvidenza di Dio e all'ambulanza quando c'è.

Ora, la nostra piccola ambulanza se ne stava a Vita, cioè lontana un paio di miglia dal colle di *Pianto Romano*, e bisognava aspettare in pace che il combattimento avesse termine, e che venisse qualche compagno a raccogliermi. Ed io m'ero messo in buona pace, quando sentii singhiozzare vicino a me, e sentii una voce raccomandarsi a Dio e a san Gennaro e a diverse Madonne tutte sante e prodigiose, rompendo, ogni tanto, in un guaire così smiracolato da rammentarmi il pianto di Pulcinella, quando si spassiona in teatro.

Mi sollevai un tantino, sebben le ferite cominciassero a dolermi forte e il sangue venisse giù a fiotti per cinque buchi, e vidi un cacciatore napoletano disteso a pochi passi dal mio cespuglio, accanto ad un grosso sasso.

Il disgraziato aveva il viso tutto pieno di sangue, ed era spaventatissimo per le palle che spesso coglievano il sasso e vi rimbalzavano sopra con rumoroso schioppettìo.

Pensai che anche costui era di carne e di ossa, e per di più italiano come me; e pieno di compassione, gli dissi:

— Fratello, non gridar tanto; ché ti farà male; abbi pazienza come io l'ho.

Il napoletano, udendo la mia voce, cominciò a strillar più forte che mai. Quando poi m'ebbe visto, si diè a raccomandarsi per tutte le sue Madonne, scongiurandomi che non l'ammazzassi lì come un cane e senza il prete, e non c'era verso che si quietasse.

— O bue, — soggiunsi — non vedi che sono ferito anch'io, e tribolo forse più assai di te? . . . Credi tu d'aver vicina una bestia feroce? . . . Credi che noi siam gente ghiotta del sangue delle povere creature, come t'avran detto quegli asini de' tuoi ufficiali? . . .

A queste parole, il mio napoletano si confortò alquanto, e ripigliò a dire:

— Signor piemontese, salvatemi, mi raccomando a voi . . . avevo paura che foste siciliano e mi facevo morto . . .

Capii subito ciò che voleva dirmi, giacché sino dal 1848 avevo udito esser tanto fiero l'odio che correva tra i napoletani e i siciliani, che, quando venivano alle prese, non si dava quartiere, né si usava misericordia a chi fosse rimasto per le buche. Ma quello non era il tempo di far lunghi ragionamenti, né di mostrare al poveretto che si poteva essere italiani senz'essere piemontesi, e gli dimandai dove fosse stato ferito, qual fosse la sua patria, e tante altre cose che venivano opportune.

Mi rispose che aveva ventun anno, era nativo di Nola, e l'aveva ferito nel collo una palla, passandoglielo da parte a parte, mentre fuggiva inseguito da noi per rifugiarsi sul colle, accanto alle artiglierie. Poi soggiunse che i suoi ufficiali avean detto esser falso che fosse con noi Garibaldi, ma c'era invece un tristo bandito, per nome Garibaldi, il quale specolava sulla somiglianza del nome suo con quello del gran capitano, per far chiasso tra i siciliani e per rubare a man salva. Da lui seppi finalmente che i cacciatori eran venuti tutti baldi all'assalto della nostra posizione, credendo aver che fare coi «malandrini» e non con altri, ma che udita la tromba e veduto che combattevamo colle baionette ed eravamo, insomma, tanti piemontesi, avean detto tra sé e sé: «Che facciamo?»

Mentre stavo così ciarlando col cacciatore, certi siciliani vennero alla nostra volta, e sbirciato il vicino mio gli corsero addosso. Allora, io, sollevandomi quanto seppi e potei, mi detti a gridare a que' malanni che guardasser bene a ciò che farebbero. I siciliani si fermarono e parvero disposti ad ubbidirmi; ma io, vedendo passar da lontano tre o quattro dei nostri, ai quali il fuoco era parso forse troppo caldo e se ne venivano in giù al fresco, li chiamai a me, ordinando loro che pigliassero il napoletano e me lo mettessero accanto. Que' tali, che uno era il telegrafista Pentasuglia, due eran veneti e uno mi parve marchigiano, presero il ferito sulle braccia e me lo posero a fianco; ma sentendo le palle scoppiettare d'intorno e fare *tic tac* sul sasso, mi lasciarono un limone e se n'andarono via come il vento, promettendomi che presto sarebber tornati coll'ambulanza.

Il cacciatore m'afferrò subito la mano e vi fisse sopra le labbra, e parea me la volesse mangiare. E io dicevo, staccando dalla mia mano quella mignatta:

— Via sciocco, m'hai preso per il tuo curato o pel vescovo di Nola? Sta' su, e succhia questo mezzo limone che ti do, e non aver paura.

Intanto la battaglia continuava, e qualche fuggiasco che mi passò vicino, mi disse, scappando, qualche parola, che mi fece accapponare le carni.

«Che sarebbe di me» pensavo «se i nostri fossero rotti, ed io cadessi vivo nelle mani dei regi?...»

E spaventato da questo pensiero, provai ad alzarmi in piedi, ma ricaddi giù con grandissimo dolore.

Passai in quella triste condizione altri dieci minuti, in capo ai quali, il rumore delle fucilate si fe' men vivo, e quello delle artiglierie cessò affatto. Allora, i due veneti, che avevo veduti poco prima, ed erano due scolari di medicina nell'Università di Padova, tornarono a me, accompagnati da altri quattro o sei, e mi presero su alla meglio, insieme al napoletano, e con lunghi e penosi sforzi, ci trassero giù in fondo all'erta, dove era una casetta. In quella casetta erano quindici o venti insorti e c'era anche taluno dei nostri, ma né per preghiere, né per minacce ci fu maniera di persuaderli ad escir fuori e venirci in aiuto. Eravamo appena adagiati sul pavimento della casetta, quando parecchie voci gridarono in lontananza: — Vittoria! vittoria! — e i nostri due cannoni orbetellani fecero udire la loro voce di sulla strada maestra.

In un baleno, il grido di vittoria fu ripetuto con altissime voci per tutti i vicini poggi, le cui vette erano gremite, come dissi, di siciliani spettatori della battaglia, i quali, vedendo i borbonici fuggire, cominciarono a calar giù dalle alture in lunghe file, simili agli sciami delle formiche, e in un batter d'occhio ebbero invaso il campo.

S'era combattuto per tre ore e mezzo e con grande accanimento. Garibaldi attribuì in gran parte la vittoria ai cattivi fucili, che non essendo adatti a far fuoco costrinsero i suoi volontari ad entrar sotto colle baionette, rendendo così inutili gli schioppi dei regi, che tiravano stupendamente ed a grandi distanze. La vittoria gli fruttò un cannone, ma può dirsi che gli fruttasse assai più, giacché, da quel momento, tutta l'isola fu per lui.

I regi accusarono, non a torto, di quella rotta, la viltà dei loro ufficiali; e veramente, se gli ufficiali borbonici avessero avuto un po' più di cuore, o ci avrebbero impedito di vincere o avrebbero reso assai più sanguinoso il trionfo.

La zuffa, massime negli ultimi momenti, fu accanitissima, e si combatté finalmente a sassate; perché da queste non si astennero i napoletani nel difendere l'ultima posizione, nella quale s'erano ridotti nel retrocedere, tanto è vero che Garibaldi stesso ebbe da un artigliere una sassata sul petto, che lo fe' restare senza fiato per qualche minuto secondo.

Agli esempi di valore e di rabbia, che accennai poco sopra, aggiungerò il caso di un lombardo, che a testa bassa si lanciò solo contro i due cannoni che sputavano mitraglia, e giunse tant'oltre, che i cannonieri gli sfracellarono sul pezzo il cranio, coi calci delle carabine.

Questo fatto fu celebre lungo tempo presso i nemici, alcuni de' quali narrandomelo poi in Palermo, dicevano aver combattuto, presso Calatafimi, non contro soldati, ma contro bestie arrabbiate.

Scarsi di numero e stanchi, non inseguirono i volontari il nemico per lungo tratto; il qual nemico, piantate nuove artiglierie con truppe fresche presso la città, si dispose a tornarsene, nella notte, verso Palermo, atterrito dall'audacia di Garibaldi e dei suoi e dall'irrequieto aspetto dei popoli circostanti, che incominciavano a balenare.

Restò Garibaldi padrone del campo, su cui giacevano centodieci napoletani morti o feriti, e prese alcune munizioni e qualche diecina di prigionieri, tra i quali alcuni soldati del decimo reggimento di linea, di quello stesso che combatté così gloriosamente in Lombardia, a fianco dei toscani, nella battaglia di Montanara e Curtatone, nell'anno 1848.

Le perdite dei garibaldini furono eguali presso a poco a quelle dei borbonici, ma ognuno dei nostri morti valeva per dieci.

Cominciava a far sera, quando mi trasportarono su d'una barella, formata di rami d'albero, nella via maestra, dove passando il carretto d'un contadino, mi ci caricarono alla meglio. A pochi passi da Vita, incontrammo Garibaldi, che tornava in giù, insieme a Fruscianti ed a Bovi, che conducevano per le briglie alcuni cavalli.

Il generale, veduto un ferito giacere sulla carretta, chiese con premura chi ci fosse sopra.

Alzai la testa e dissi:

— Sono io, generale.

— Oh, bene, bene! — esclamò. — Vi rivedo con piacere, perché v'avevo fatto morto. Coraggio! Coraggio!

E volto a coloro che mi accompagnavano, soggiunse:

— Ve lo raccomando; è un mio aiutante di campo; non lo abbandonate.

La nostra ambulanza aveva piantato le sue tende in un meschino convento, dove non erano più di tre frati o quattro, come accadeva, in que' tempi, in Sicilia, dove ogni catapecchia s'onorava di possedere una frateria, la quale, mentre i peccatori dormivano o folleggiavano, orasse e vigilasse per loro.

La stanza che mi accolse avea un solo letto, su cui giaceva don Ciccio Sprovieri,[1] dipoi deputato al parlamento; io dovetti conten-

1. Francesco Saverio Sprovieri (1829-1900), di Acri, rivoluzionario del '48, si era battuto alla difesa di Venezia, e nella campagna del '59 era stato

tarmi d'un pagliericcio, steso per terra, ed ebbi accanto Giorgio Manin, il tenente Maldacea[1] e due altri che non rammento.

Don Ciccio, trafitto nel collo, parlava a voce alta, snocciolando in sua calabrese favella i moccoli più giocondi che potesse mai inventare un poeta sacrilego: Maldacea spasimava per un braccio crudelmente rotto; gli altri tacevano, ed io tacevo più di loro, sfinito com'ero dalla gran perdita del sangue.

Nel tempo della medicatura, m'ero accorto che pietose mani m'aveano alleggerito della sciabola, del *revolver*, della sacchetta da viaggio e del portamonete che conteneva poche lire; sicché, quando il cerusico Ripari e il suo compagno Boldrini m'ebbero sdrucita col bisturì la tunica e m'ebber tolta la camicia e le mutande, tutte inzuppe del mio sangue plebeo, rimasi nella condizione in cui mi trovai uscendo dal materno grembo, e dissi tra me: «Ecco, tutti i miei beni li ho meco.»

M'ero appena adagiato sul doloroso letto, che un mormorio di voci, unito al tintinnio d'un campanello, si venne avvicinando; e spalancatasi la porta della cameretta comparve un frate, col camice e col pallio indosso, e con roba in mano, che era roba del suo mestiere. Egli smise di mormorare il suo latino e disse ad alta voce:

— Fedeli cristiani, vengo a darvi i conforti della nostra santissima religione.

E alzando la roba che aveva in mano cominciava a benedirci.

A cui don Ciccio Sprovieri, afferrando una scarpa che aveva vicino, rispose:

— Va' via prete, lasciaci in pace, perché abbiam bisogno de' buoni brodi e non delle tue storie.

Il frate sparì in un lampo, né seppi se miglior fortuna ebbe nelle altre stanze dei feriti.

Poco prima che fosse buio del tutto, venne a visitarmi il mio carissimo Andrea Rossi, l'eterno timoniere del *Piemonte*, il quale

decorato con medaglia d'argento. Guarito di questa ferita a Calatafimi, combatté valorosamente a Milazzo e al Volturno. Tornato alle armi nel '66 ebbe un'altra medaglia. Poi si diede alla vita politica, fu deputato di Cosenza per cinque legislature, e nel 1891 fu fatto senatore.    1. Moisè Maldacea, nato nel 1822 a Foggia, era stato milite dell'esercito borbonico; poi si era battuto alla difesa di Venezia, ed era stato volontario garibaldino nel '59. In questa campagna dei Mille raggiunse il grado di maggiore, col quale passò poi nell'esercito regolare.

mi confermò il felicissimo esito del combattimento, e mi dette, da parte del generale, una camicia e dodici aranci.

Il generale aveva incaricato ancora un certo suo elemosiniere di consegnarmi venti lire, ma quel denaro non l'ebbi mai, ed accadde a me ciò che accadde, allora e poi, a molti altri.

Garibaldi, dopo aver serenato sul campo di battaglia, mandò gli esploratori a vigilare gli andamenti dei regi, e fu certo che i regi, sulle prime ore del mattino, lasciavano Calatafimi per tornarsene a Palermo, dove era destino che tornassero rotti e tartassati per tutta quanta la via, e dopo cinque giorni (come scrisse il giornale del governo borbonico) di «gloriosi combattimenti».

Avuta notizia della partenza di costoro, entrò il piccolo esercito nella città per riposarvi e non ne ripartì se non il giorno di poi, recandosi ad Alcamo, dove la sosta fu più lunga, e dove le guerriglie siciliane cominciarono a formarsi numerose e ad aiutare efficacemente i disegni del generale.

La mattina che seguì al giorno del combattimento, noi poveri feriti fummo oggetto della curiosità di tutti i popoli circostanti che accorrevano a vedere, come sarebbero accorsi a vedere l'orso o il lionfante. Una deputazione di cittadini di Salemi recò vino, cenci da far filacce, aranci e non so quali altre robe, e il caporione dei deputati, un vecchio allegro e animoso, pigliò a farci una bella e lunga predica, dicendo che col nostro modo di combattere a petto scoperto e colla nostra fretta di correr sotto al nemico, non faremmo mai altro, che tirarci addosso malanni.

Ascoltammo pazientemente quella predica, poco o punto persuasi della saviezza delle censure del degno vecchio; e verso una cert'ora, dovemmo dire al dottor Ripari che impedisse il gran viavai de' curiosi.

Taglierò corto a queste particolarità, noiose senza dubbio per chi mi legge, dicendo in brevi termini che sulla sera i nostri medici se ne andarono tutti per raggiungere Garibaldi e che la mattina seguente, quanti fra noi poterono essere trasportati, vennero tolti dal convento di Vita e condotti a Calatafimi nel convento di San Michele.

Adesso, prima che io conduca i miei lettori nella città di Calatafimi, debbo dir loro qualche parola in proposito di quel sergente borbonico alto e rosso, per mano del quale fu ucciso, come narrai, il valoroso Schiaffino, degno portabandiera dei Mille. L'avventura che sono per narrare può darsi che paia strana a più d'uno; ma io giuro che racconto la verità, e chi non vuol credere non creda. Però, chi vuol mostrarmisi incredulo, pensi quanti mai sono i casi che nel tempo di sua vita gli saranno accaduti dinanzi agli occhi, e che se volesse pigliare a narrarli altrui, sarebbero tenuti come inverosimili. E tornando poi al caso mio, gli dirò che dell'inverosimile non c'è neppur l'ombra, ma c'è soltanto una certa singolar novità di casi che ne' tempi in cui occorsero le faccende da me narrate, poté facilmente accadere e senza opera di miracolo.

Erano scorsi appena due mesi dal giorno in cui combattemmo a Calatafimi, ed io marciavo col mio bel battaglione che era il quinto della brigata Medici alla volta di Milazzo. Le mie ferite non erano rimarginate del tutto, ma le buone fasce, la gioventù e il desiderio di farmi onore mi tenean ritto sulla sella, e non avrei data quella sella per una poltrona in palazzo Pitti.

Ora accadde, in quei giorni, che mettendosi insieme nuovi battaglioni in Palermo ed altrove, e scarseggiando gli ufficiali, si pigliassero volentieri i disertori dell'esercito borbonico, tra' quali erano molti i sott'ufficiali, ambiziosi di guadagnarsi le spalline. Nel passare che facemmo per la città di Barcellona, trovai appunto uno di quei nuovi battaglioni, e questo ebbe il numero sei della nostra brigata, composta, sino allora, di tre battaglioni lombardi e due toscani. Comandava il nuovo battaglione un certo capitano Ferrandina, disertore borbonico, e disertori, come lui, erano quasi tutti gli ufficiali.

Fra questi ultimi me ne capitarono dinanzi due, che nel salutarmi fecero mostra di gran meraviglia, e si dettero quindi a pispigliare insieme, e cercarono tante volte occasione per passarmi vicino e per guardarmi fisso, non altrimenti che avessero una confusa ricordanza d'avermi veduto altra volta e Dio sa dove. Vedendo che quei due mi guardavano, entrai alquanto in curiosità, e mi posi a squadrarli dal capo a' piedi. L'uno di essi era di statura mezzana, né sottile né grosso, con capelli e baffi scuri e con occhi mobili e nerissimi; l'altro era alto, membruto e di pelo rosso e con due occhi grigi, piccoli, ma pieni di fuoco. Non mi fece caldo né freddo il vedere il bruno; ma più guardavo quel rosso dagli occhietti grigi, e più mi sentivo persuaso che la faccia di costui aveva balenato dinanzi a me in qualche sogno terribile, come se quella faccia fosse stata sulle spalle del diavolo o di qualche genio malefico.

Passammo tutto quel giorno a guardarci scambievolmente, e notai che più volte i due ufficiali si fermarono e fecero un passo innanzi per venirmi a parlare, ma poi si trattennero e finsero di avere sbagliato strada e sparirono discorrendo tra loro e facendo vista di guardare in alto o di chiamar qualcuno che passava, tanto per nascondere la tentazione che pativano e che parea loro temeraria.

Il dì seguente stavo montando a cavallo per accompagnare Garibaldi al convento di Santa Lucia, dove si recava per esplorare dall'alto i dintorni di Milazzo, quando la mia ordinanza mi disse:

— Sor maggiore, iersera m'hanno fermato due ufficiali del battaglione nuovo e mi hanno chiesto se lei era dei Mille e se fu ferito a Calatafimi. Io ho risposto di sì, e loro sono iti via, dicendo: «Ma è lui, è proprio lui!» Stamani poi, li ho rivisti di levata e m'hanno saputo dire che avrebbero tanta voglia di discorrer con lei, ma non si arrisicano . . .

Andai ad accompagnar Garibaldi, e dopo due ore tornavo all'alloggiamento, quando mi venne incontro il furier maggiore col libro degli ordini. Il brigadiere Medici, non volendo lasciare tutti ufficiali borbonici nel nuovo battaglione, aggiunto alla sua brigata, aveva voluto sparpagliarne qualcuno negli altri battaglioni, e uno di quegli ufficiali era toccato appunto a me. Il mio nuovo ufficiale si chiamava Caccavaio. Venne dunque il signor Caccavaio a farmi visita, e riconobbi subito in lui il compagno dell'ufficiale rosso. Fra un discorso e l'altro dissi al signor Caccavaio:

— Di qual corpo faceva ella parte nell'esercito borbonico?

— Dell'ottavo battaglione dei cacciatori.

— Ha ella qui un compagno, se non sbaglio? . . .

— Sissignore, c'è qui un sergente dello stesso battaglione, e si chiama Certosini.

— Hanno combattuto, dunque, lor signori a Calatafimi?

— Sicuro, — rispose l'ufficiale — anzi per una strana combinazione . . . Oh Dio! si sa bene . .

— Che cosa? — gli chiesi interrompendolo. — Parli pure francamente . . .

— Eh, io, per vero, non posso dire molte cose, ma c'è il mio compagno, che . . . che potrebbe rammentare al signor maggiore un certo fatto . . .

— Scusi — interruppi. — Dov'è il suo compagno?

— Giù da basso. Voleva salire anche lui, ma...

— Faccia il piacere; lo chiami, che venga su.

Due o tre minuti dopo, il sottotenente Certosini era dinanzi a me. Al primo guardarci egli divenne bianco come un morto, io cominciai a tremare e non sapevo perché.

— Certosini, — dissi — ella fu dunque a Calatafimi?...

— Sì, maggiore...

— Ella era sergente?...

— Sì... E mi pare ancora di vederla, in uniforme di ufficiale piemontese, avventarsi addosso a me colla baionetta spianata...

— Ed ella mi sparò contro il fucile?...

— Sì...

— E allora, fu Certosini, il sergente che uccise con un colpo sul petto il nostro portabandiera?...

— Sì, — rispose Certosini — toccò a me ad uccidere quel prode... e ora... ora son qui con voi.

Mi parve che una mano di ferro mi stringesse la gola, e per qualche secondo non fui buono ad aprir bocca. Ma tosto facendomi animo, e sforzandomi a sorridere, ripigliai:

— Va bene, Certosini, tra me e lei ci siamo misurati sul campo a viso aperto, e faremo quel che facevano i buoni cavalieri antichi. Ora, cerchi d'esser buon soldato per noi, come fu pel Borbone; e al primo fuoco che avremo, faccia qualcosa di magnanimo per compensarci, in parte, il gran danno che ci fece coll'ammazzare Schiaffino.

Due giorni dopo, combattevamo sotto Milazzo e la giornata era calda. Trovandomi con poca gente a dover tenere un punto che il nemico mi disputava con incredibile furia, mandai per soccorsi, e tra i soccorsi che vennero, c'era la compagnia del Certosini.

Appena veduto costui, dissi a certi amici ufficiali:

— Tenetemi d'occhio quel napoletano rosso, che se mi ciurla col manico e mi si mostra carogna, faccio voto a Dio di rendergli nella zucca la palla che mi diè nel petto a Calatafimi, e vendicherò Schiaffino.

Per tutto il tempo che durò ancora il combattimento, non lo persi di vista un istante; ma debbo dire che Certosini e il suo compagno Caccavaio parvero due leoni, e alla fin del salmo dovetti cantar gloria ad ambedue, abbracciandoli a più riprese, e accennandoli a Giacomo Medici siccome degni di ricompensa.

Quattro mesi trascorsero, e Certosini moriva della morte dei valorosi sotto le mura di Capua, colla fronte aperta da una scheggia di granata.

# EUGENIO CHECCHI

## PROFILO BIOGRAFICO

Nato a Livorno il 4 ottobre 1838, EUGENIO CHECCHI si considerò sempre fiorentino. Combatté nella guerra del 1866 come volontario garibaldino, e a Bezzecca fu ferito a una gamba. Insegnò poi nelle scuole medie di Roma e da ultimo nell'Istituto tecnico. Morì a Roma il 15 maggio 1932.

Egli appartenne a quel gruppo di giovani toscani — dal quale uscirono anche Renato Fucini e Ferdinando Martini — che non accettando né l'eredità del Guerrazzi né la guida del Carducci, e ripudiando anche gli allettamenti, ai quali cedevano gli *scapigliati* milanesi, delle forme letterarie francesi e massime vittorughiane, tendevano invece a una letteratura casalinga, toscana di fondo, con un linguaggio sciolto e bonario, derivato dal grande esempio del Manzoni. Con questi precedenti, e col suo ingegno, non profondo, ma vivace e arguto, il Checchi riuscì un giornalista dei migliori. Dalla antica «Gazzetta del popolo» al «Fanfulla della domenica», del quale, dopo il Capuana, assunse anche la direzione, egli collaborò per un sessantennio a quasi tutti i giornali e periodici italiani, dedicandosi particolarmente alla cronaca teatrale. Dal 1913 al 1926 fu collaboratore drammatico del «Giornale d'Italia», dove col pseudonimo di «Tom» succedette a Domenico Oliva. Del suo appassionato interesse per il teatro, oltre le centinaia e le migliaia dei suoi articoli, testimoniano anche le sue monografie: *Giuseppe Verdi*, Firenze 1887; *Rossini*, Firenze 1898; *Carlo Goldoni e il suo teatro*, Firenze 1907. E sulle orme dei «proverbi» del Martini scrisse anche alcune commedie in un atto, due delle quali, *Il piccolo Haydn* e *Mozart fanciullo*, raccolse in un volume edito dal Treves (Milano 1895) con un titolo, disse Bellonci, che è un giudizio: «Teatro di società». Come critico teatrale, specie di teatro musicale, ebbe spesso buon fiuto, e a suo tempo fece epoca il preannuncio che egli ebbe a dare del successo della *Cavalleria rusticana*: la mattina del 17 maggio 1890 il «Fanfulla» scriveva: «Il nome di Pietro Mascagni, ignoto fino a stamane come quello di Carneade per Don Abbondio, avrà stasera il saluto di un pubblico festante, otterrà il più ambito di tutti i battesimi: quello della fama che dura.» Col suo temperamento espansivo e gioviale, era amico di tutti i musicisti di allora, tra cui Catalani, Ponchielli, Mancinelli, Marchetti e Boito. Solo a Verdi non ebbe mai il

coraggio di farsi presentare, neanche dal comune amico Boito.
Essenzialmente giornalista, e cioè scrittore di vena facile, anche
se felice, fu il Checchi anche nei racconti e nei bozzetti, spesso
graziosi, che egli raccolse in vari volumi, tra cui *Racconti novelle
dialoghi* (Milano 1884), *Nostalgie marine* (Milano 1895), *Fra un
treno e l'altro, bizzarrie e vagabondaggi* (Firenze 1900). Ma nella
sua vita c'era stato un avvenimento di importanza capitale, c'era
stata la sua campagna garibaldina del '66. E il libro nel quale, incoraggiato da Aleardo Aleardi, da Andrea Maffei e da Giacomo
Zanella, sviluppò i rapidi appunti che da giornalista coscienzioso
aveva preso via via, riuscì qualche cosa di più, e di meglio, di un
intelligente «reportage» giornalistico. Non gli venne fatto tutto
interessante a un modo. Anzi i primi capitoli sono un poco stuc-
chevoli. Ma via via che la materia del racconto si arricchisce, anche
la mano dello scrittore si fa più esperta, e il suo occhio si apre più
nitido a cogliere il mondo che lo circonda, dai vari aspetti del
paesaggio alla condotta generale della guerra, ai compagni di fatica e di pericolo, agli stessi nemici. E tutto è visto e reso con
l'umanità semplice e affettuosa dello scrittore, il quale qui, come
egli stesso ebbe a dire, diede un lembo della sua vita.

Il ricordo di quella campagna non lo dimenticò più; garibaldino
egli rimase sempre nel suo cuore. E da quel suo sentimento furono
animati i libri nei quali egli con disinvolta e affettuosa agilità si
diede a narrare la storia del Risorgimento ai giovani della nuova
generazione: *L'Italia dal 1815 ad oggi* (Milano 1894), *Garibaldi*
(Milano 1907), *Come si è fatta l'Italia* (Bologna 1913). Ma quella
sua vena del '66 egli la ritrovò forse solo nel capitolo che trentasette anni dopo aggiunse al libro dei suoi ricordi garibaldini,
«ricordi belli e malinconici», con un ritorno pieno di accoramento
e di commozione «a quelli anni, a quelle vicende, a quelli arruffii,
che pure avevano una attrattiva nella loro spensieratezza geniale».

★

I ricordi del Checchi uscirono per la prima volta nella «Gazzetta del
popolo» e apparvero subito dopo in volume, ma anonimi, col titolo:
*Memorie alla casalinga di un garibaldino*, Livorno, Francesco Tellini, 1866.
Il libro fu poi ristampato col nome dell'autore, con una lettera di GIO-
VANNI RIZZI all'editore e col titolo abbreviato *Memorie di un garibaldino*,
Milano, Paolo Carrara, 1888. Noi seguiamo la quarta edizione, che fu ac-
curatamente riveduta dall'autore e deve considerarsi come definitiva. Essa

fu pubblicata nel 1903 sempre dal Carrara con la lettera del RIZZI, e il Checchi vi aggiunse una «Conclusione» col titolo *Trentasette anni dopo*. La ristampa più recente è quella dello STUPARICH nei suoi *Scrittori garibaldini*; ma il suo testo non è integro, e non segue quello della quarta edizione.

La letteratura critica sul Checchi è quanto mai sparuta. Alla noterella di P. PANCRAZI nei suoi citati *Racconti e novelle dell'Ottocento* (p. 267) e alle due pagine di B. CROCE nel citato VI vol. della *Letteratura della nuova Italia* (pp. 10-12) già ricordate dallo STUPARICH (e si vedano nel suo volume le pp. XXXIII-XXXVI e 1079-1080), possiamo aggiungere solo la «voce» dell'*Enciclopedia italiana* (APP. II) e il necrologio di GOFFREDO BELLONCI nel «Giornale d'Italia» del 17 maggio 1932.

# DALLE «MEMORIE DI UN GARIBALDINO»

## I (XXIX)

### IN BEZZECCA

Bezzecca è piccolo paese, uno dei meno simpatici fra quanti se n'è visti in Tirolo. È posto alle falde di due catene di poggi assai elevati, che s'innalzano a destra e a sinistra del paese. I poggi a destra erano gremiti di austriaci, quelli a sinistra erano occupati da tutto il quinto reggimento di garibaldini comandato dal colonnello Chiassi.[1] Bezzecca era giù in mezzo a due fuochi, e noi dovevamo occuparla a sostegno dei combattenti. Quando i tirolesi ci videro ed ebbero indovinata la nostra mossa, cominciarono a tirare contro di noi. Non rispondemmo subito, perché non potevamo arrivarli, ma con tutta la forza delle nostre gambe entrammo nelle vie anguste del paese, che per allora ci furono sufficiente baluardo.

I tirolesi si vedevano veramente bene, con que' loro cappotti bigi, con que' cappelli tradizionali. Chinandosi a terra cacciavano dentro la canna la cartuccia, poi con la bacchetta che tenevano attaccata ad una cintola la calcavano: qualcuno, per imprimere maggior forza alla carica, la batteva con una specie di piccolo mazzuolo. Poi si alzavano tranquillamente, puntavano la carabina non mica nei mucchi dei garibaldini, ma uomo per uomo dove li scorgevano separati, e raramente i colpi fallivano. I primi morti e i primi feriti furono quelli a cui brillavano sul berretto i galloni. Il povero colonnello Chiassi, alla testa del reggimento, mentre incorava i suoi a tener fermo e rispondere accanitamente al fuoco, venne colpito nel petto e stramazzò in terra. Corsero i suoi per soccorrerlo, altri ufficiali caddero in quel momento feriti: il colonnello era morto sul tiro.

---

1. Giovanni Chiassi, nato nel 1827 a Castiglione delle Stiviere, ingegnere, trascorse la sua breve esistenza tra le cospirazioni e le armi. Si batté nel '48 con i corpi franchi e nel '49 alla difesa di Roma, seguendo Garibaldi nella sua ritirata di San Marino. Esule in Svizzera e in Inghilterra, tornato in patria dopo l'amnistia del '57, combatté nel '59 coi carabinieri genovesi, e passò nell'esercito regolare col grado di capitano. Ma nel '60 raggiunse Garibaldi in Sicilia e si batté a Reggio guadagnandosi il grado di tenente colonnello. Era stato eletto deputato, quando, scoppiata la guerra del '66, accorse ancora una volta agli ordini di Garibaldi, e il 21 luglio a Bezzecca, come qui dice il Checchi, cadde colpito a morte.

La posizione del quinto reggimento non era cattiva, ma quella degli austriaci, al solito, si poteva dire molto migliore. Il poggio dove stavano i nostri era tutto sterile e nudo di qualsiasi pianta: dalla cima più alta fin presso alle falde che venivano a poca distanza dal paese, era tutto un brulichìo di camicie rosse, sparpagliate in catena, ferme al loro posto come soldati avvezzi, oppure giranti qua e là secondo che paresse che il fuoco sarebbe stato più efficace e micidiale. La distanza fino al monte opposto non era molta, per cui le palle dei nostri arrivavano, ma costassù i tirolesi s'ingegnavano a difendersi con le piante sparse sulle stradine del monte. Più che altro nei punti meglio coperti vedevamo canne di fucile brillare ai raggi del sole, poi sbruffi di fumo, e tiri maledettamente precisi.

Entrando noi in Bezzecca, tra il fumo ed il rumore delle fucilate, sentimmo avanti a noi un bisbiglio che cresceva, poi un applauso e un *urrà!*; poi vedemmo una carrozza tirata rapidamente da due cavalli, e nella carrozza il generale Garibaldi. Egli dirigeva la battaglia, e impedito dalla ferita[1] toccata il giorno tre di montare a cavallo, come avrebbe voluto, e spingersi con quel suo mirabile ardore, che decise sempre della vittoria, contro i nemici, era costretto a starsene sulla via maestra. Ma non stava inoperoso; e ritto sulla carrozza, con gli occhi che gli fiammeggiavano, con la fisonomia tutta animata di quella trepida commozione inseparabile da una battaglia, guardava da tutti i lati come procedessero le cose nostre, si spingeva con la carrozza più innanzi che fosse possibile, dava ordini a voce, scriveva anche su pezzetti di carta. Un nerbo di ufficiali e di guide gli stava intorno, armati tutti di revolver, e ad ogni momento due, tre di loro si staccavano dal gruppo, e fuggivano via in varie direzioni. Della presenza di Garibaldi si videro fin dal principio i buoni effetti. I battaglioni, le compagnie, i pelottoni si movevano ordinati; sapevano dove andare; costretti a ripiegare per la soverchia sproporzione del nemico che avevano in faccia, riuscivano facilmente a rannodarsi e tornare alle offese. In quel tempestoso e tumultuario disordine, che non si può scansare nei combattimenti dei volontari, v'era pur sempre in cotesto giorno qualcosa di ordinato e di preciso, che rivelava una mente avvezza a sopravvegliare, una previdenza, una tattica, una calma, insomma

1. Garibaldi era stato ferito al sommo di una coscia nella battaglia di Montesuello.

la presenza d'un uomo di guerra. Noi tutti lo sapevamo, e cotesto ci dava una maggiore sicurezza nel combattere, ci metteva addosso una smania di coraggio insolita, perché un elogio di Garibaldi, uno di quegli elogi come sa farli lui e come nessun altro li saprebbe fare, ci pareva cosa tanto preziosa e cara, che per meritarlo eravamo prontissimi a buttarci a qualunque sbaraglio.

In Bezzecca non era il più bello stare del mondo. Gli austriaci avevano qualche pezzo di cannone da montagna, e i loro tiri, dovendo passare al di sopra del nostro livello per andare a raggiungere i garibaldini del quinto reggimento, spessissimo erano troppo bassi, e trovando intoppo nei tetti, nelle cantonate e nelle pareti delle case, facevano un fracasso del diavolo, smantellando tegoli e pezzi di muro che ci piovevano addosso. Dall'altro canto i nostri avevano anche essi un paio di batterie, e dovendo fare in senso opposto la medesima strada, qualcuno dei tiri — però ben di rado — veniva esso pure a farci una incomoda visita.

Noi del sesto eravamo, come ho detto, sei compagnie. Su su, una dopo l'altra, traversammo il paese, e le prime cinque furono chiamate fuori ad occupare alcune posizioni. Vennero accolte da una salva micidiale di carabine e di racchette. Rispondevano come meglio potevano i nostri, quantunque alle posizioni da occupare ci s'andasse per una strada d'un'erta canina. Molti furono i colpiti, e barcollando tornavano ingiù a precipizio, poi arrivati in paese stramazzavano a terra. La mia compagnia, l'ultima del battaglione, rimase in capo della strada, e tirando pur qualche colpo, teneva in rispetto, insieme con l'altre, un buon numero di tuniche bianche della fanteria austriaca. Si combatteva dappertutto assai bene; e non ostante che molto sangue generoso fosse già sparso, e alcune nobilissime vite fossero già immolate o messe in forse di potere uscirne poi a salvamento, la voglia di menar le mani cresceva e si propagava in tutte le file. Compresi allora — mi si perdoni fra tanto tumulto una breve digressione — compresi che per avere un po' di coraggio in battaglia non ci vuol nulla. Basta si veggano le cose camminare ordinate, basta si vegga un principio, un'ombra di direzione, oculata, intelligente, amorosa; e il resto viene da sé. Quel sapere che dalla nostra condotta di quel giorno può venirne a noi riputazione o disdoro, e al paese che spera e che trema per noi una prospera fortuna o una disgrazia irreparabile, e veder poi quel moto continuo, quelle evoluzioni per cogliere in fallo il nemico, quei colpi che si succedono e si moltiplicano, e il fumo, le grida, la voluttà del sangue, tutto cotesto ci mette in corpo un ardore, un fremito, un'impazienza, che non lascia posto a un sentimento men nobile. Vediamo cadere vicino i compagni, sentiamo una palla, forse destinata per noi, rasentarci l'orecchio, colpire l'armamento, toglierci anche il berretto di capo: ebbene? non ci meravigliamo punto d'esser rimasti in piedi, piuttosto ci meraviglieremmo che a noi sani e vogliosi di battersi dovesse venire, come ai compagni più disgraziati, un impedimento fatale. Guai se entra in mente il sospetto — pure così naturale! — che da lì a un momento si può essere distesi in terra e stecchiti, con un'oncia di piombo nella testa! È finita: non siamo più buoni a nulla. Alla provvida spensieratezza, che si poteva sbagliare con il coraggio, succede un pànico, un terrore e una trepidazione, che nulla vale a superare: bisogna volgere le calcagna, e si salvi chi può.

Più forse che nella milizia regolare, l'esempio della paura è contagioso nei volontari, in specie se rimane confusa e misteriosa la causa di quella paura. Accadde cotesto durante la battaglia, dopo un po' di tempo che noi sostenevamo la nostra posizione di Bezzecca. Il quinto reggimento durava da un pezzo il fuoco contro i nemici, e le nude rocce dov'era schierato si popolavano di feriti e di morti. A un tratto alcuna delle schiere, la più esposta forse alle scariche, rallentò il fuoco, fu veduta titubare un momento, ritrarsi lentamente con la faccia rivolta agli opposti colli, poi scendere in fretta il poggio e venir giù correndo nella strada. I compagni credettero forse che sopraggiungessero rinforzi al nemico? che egli avesse già occupato alcune posizioni degli italiani? Non si sa; forse non lo seppero neanche loro. Ma rotto quel primo anello della catena che si distendeva in bell'ordine, la catena si sfasciò in poco tempo, e la ritirata di una parte del reggimento pose per un istante in forse l'esito della giornata.

Noi dal basso guardavamo accorati cotesta dolorosa scena; un mormorìo corse nelle nostre file; quando un ordine netto e reciso ci viene comunicato: s'impedisca la ritirata dei nostri, si adoperino, dove occorra, le baionette.

## II (xxx)

### LA BATTAGLIA

Quando ci si batte, gli ordini non bisogna discuterli mai, anche se per avventura ci paressero crudeli. Spiccato dunque l'ordine di ricacciare i garibaldini alla baionetta, ci mettemmo schierati sul fronte del paese e coi fucili spianati. I fuggenti non s'attendevano cotesta accoglienza, ma il terrore ond'erano presi li rendeva ciechi a quel nuovo pericolo. Noi saremo stati poco più di settanta. Non oserei affermare che qualcheduno non sia stato violentemente respinto. Stemmo lì un poco a ricevere l'urto poderoso dei sopravvegnenti, ma tenerceli in collo per molto tempo non era cosa fattibile. Dietro ai fuggitivi, scendendo passo passo dal monte, ordinate, serrate, compatte, venivano le muraglie bianche della fanteria austriaca, e a ducento passi forse ci fecero addosso una scarica terribile che mise in terra parecchi. Ci trovammo così involti insieme con quelli che se la battevano, e pure rispondendo al fuoco retrocedemmo disordinati e confusi in fondo al paese. Ma c'era là Garibaldi, terribile nell'aspetto, con la mano alzata contra di noi, sul punto forse di pronunziare una parola di giusto rimprovero . . . Oh, non sarà mai che si debba arrossire in faccia al nostro generale! Raccogliamoci, figliuoli; riprendiamo le file, torniamo al nostro posto. Avanti! avanti! Viva Garibaldi! Viva l'Italia!

Fu un supremo momento. I nemici erano lì lì per entrare in paese, nuove scariche piovevano sulla strada, quasi si pensassero di spazzare il terreno delle odiate camicie rosse . . . Non sarà mai! non sarà mai! Si levò un grido tonante che superò il rumore delle fucilate, agglomerati insieme ci avanzammo un'altra volta nella strada; eccoci in vetta al paese, eccoci daccapo in faccia al nemico, e lì una scarica generale di tutti i garibaldini. Il pericolo del terrore era vinto, e il cuore ci batteva per un sentimento di giustissimo orgoglio. L'amor proprio, per un istante offuscato, ripigliava ora il suo impero. Le sparpagliate compagnie del quinto reggimento, come erano state frettolose a discendere, con la medesima lena e con un più santo ardore si vendicavano ora splendidamente di quel primo insuccesso; e scaricate le armi, sdegnando soffermarsi a rinnovare la carica, si avanzavano correndo a baionetta spianata. Gli austriaci non se l'aspettavano: s'erano fatta sicura la vittoria. Meravigliati di quella nostra audacia — ché s'era in numero molto inferiore — rincularono essi alla loro volta, ripresero la via del monte, e i nostri dietro per un bel tratto. Così dunque la battaglia si ristorava, e noi fedeli alla consegna rimanemmo alla custodia del paese, intanto che il reggimento del Chiassi e le cinque compagnie del mio battaglione ripigliavano e sostenevano gagliardamente le posizioni.

— E quella laggiù che roba è? — dissi io al foriere, stendendo la mano verso un poggetto poco distante da Bezzecca (un terzo di miglia forse) sul quale vedevo formarsi lenta lenta una corona di soldati. Guardammo tutti da quella parte, e non si capiva bene se fossero tirolesi o bersaglieri garibaldini. Alcuni credevano di riconoscere il colore del vestito, e giuravano che erano nostri, altri invece spergiuravano che erano tirolesi nati e sputati. Era cosa molto importante che la disputa si risolvesse presto, perché da quel poggio, girando di fianco al quinto reggimento, ci potevano piombare addosso e cucinarci a quel Dio. A qualcheduno parve di scorgere che il modo di caricare il fucile li tradisse per tirolesi; e siccome in guerra non bisognava avere tanti riguardi, tre o quattro ci tirammo in disparte e scaricammo contro quel mucchio il fucile: sarà quel che sarà. La medicina fece l'effetto; il nostro dispaccio ebbe una pronta risposta a suon di palle. Non v'era più dubbio: avevamo a fare con truppe arrivate di fresco, le quali, appena ci videro, scaricati come in linea di avvertimento alcuni colpi, si mossero adagio adagio scendendo alla nostra volta.

Eravamo, come ho detto, una settantina, e più che all'assalto bisognava pensare alla difesa, perché i nemici dovevano essere strabocchevolmente superiori di numero. Cominciò allora un'animatissima e indisciplinata discussione: ognuno di noi voleva farla da strategico. — Bisogna raggiungere le altre compagnie, e attenderli di piè fermo appoggiati alle nostre posizioni. — Eh no! che non ci daranno tempo: è meglio fortificarsi nelle case e aspettarli in paese. — Sono troppi! non li vedete? arriveranno a un migliaio. Bisogna ritirarsi a Pieve di Ledro. — Chi parla di ritirarsi è un vigliacco! ricacciamo i tirolesi con la baionetta!

E fra questo frastuono di cozzanti proposte non si veniva a capo di nulla. Chi di qua e chi di là, la microscopica compagnia minacciata da così serio incontro accennava a sbandarsi senza provvedere alla sicurezza propria, perocché i nemici s'avanzavano e s'avanzavano sempre, tirando di tanto in tanto qualche colpo come preludio alle scariche che ci preparavano. Bisognava risolversi. O dentro o fuori: o una resistenza disperata, o una fuga vergognosa e poco proficua.

Il nostro capitano, bravissimo uomo e pieno di coraggio, ebbe un'idea singolare. Dopo avere gridato invano che ci raccogliessimo, vedendo che nessuno dava retta, con un vocione che superava le voci discordi di tutti, esclamò con accento risoluto: — Foriere, faccia l'appello: e chi non risponde, io gli prometto e lo giuro sul mio onore che lo farò fucilare. — Allora ci quetammo, e fu possibile rannodarci. Rispondeva il foriere: — Ma che dice davvero? vuole l'appello in questo momento? — Sicuro! — replicava quell'altro. E il foriere, intanto che in mucchio ci riunivamo dietro una casa, cavò di saccoccia la nota, e già apriva bocca per leggere il primo nome, ma una fucilata ben nutrita venne appunto a scantucciare gli angoli delle pareti, e le palle ci piovevano giù ai piedi come i confetti al corso di carnevale. Non si parlò più d'appello, e ognuno si dispose alla lotta. Il tenente, che continuerò a chiamare *Berebe*,[1] con una temerità inaudita, era corso per le stradine del paese a vedere un po' come le cose si mettessero, e nientemeno venne a dirci, dopo quella scarica inaspettata, che i tirolesi divisi in due gruppi erano a poca distanza da noi, che ci avrebbero presi in mezzo, che intanto un gran numero s'era affacciato all'estremità del paese e sarebbero venuti innanzi.

L'alternativa era semplicissima: o vincere rapidamente, o rimaner tutti quanti alla schiaccia. Non era il caso d'invocare soccorsi. Stava ancora, a breve distanza dal paese, il generale Garibaldi, ma non aveva truppe disponibili; e forse quel nostro piccolo nucleo doveva salvarlo, o venire involto con lui in una comune rovina. Corse voce in quel supremo frangente che il nono reggimento comandato da Menotti[2] avesse impegnata anch'esso battaglia, non molto discosto da noi; se dunque ci fosse bastato l'animo di sfondare il grosso dei nemici che s'avanzavano, forse avremmo

1. I volontari gli avevano affibbiato questo nomignolo perché «non sapeva stare al fiasco, e ogni poco che bevesse diventava subito mezzo brillo», cosa che gli capitava spesso. Ma «era un bravissimo uomo, e al fuoco ci sapeva stare» (cap. 19).   2. Su Menotti Garibaldi si veda la nota 4 a p. 787.

potuto ricongiungerci coi soldati di Menotti. Il quinto reggimento e le cinque compagnie del nostro battaglione erano occupate altrove. Non v'era dunque altro scampo.

Attenti agli ordini, col cane alzato, silenziosi e guardinghi, ci disponemmo a gruppi di sei o sette dietro le case, attendendo che i tirolesi fossero in paese. Stemmo così qualche minuto, potete immaginarvi con quale trepida aspettativa. Ci sentimmo per un istante ritornare uomini di questo mondo, e mentalmente, con quella lucidità di spirito che permettevano le circostanze, ricordammo le persone più care, inviammo un saluto al nostro paese, sentimmo in cuore come l'ultimo palpito dei nostri affetti. Indovino negli altri quello che succedeva in me; perché vi so dire che in quel momento l'idea di uscirne sani e salvi non passò per il capo a nessuno. Però la paura non venne, e non venne appunto perché in quel caso lì ci avrebbe fatti incappare in maggiori pericoli. Eravamo circondati.

La fucilata sostò per un poco. Allora qualcheduno dei più impazienti si affacciò sulla strada, e visto in capo al paese un gran mucchio di tedeschi, spianò il fucile e lasciò andare la botta. Pareva proprio che aspettassero cotesto segnale. Urlando certe parole che non si capivano punto, si mossero correndo contro di noi. Allora il capitano nostro gridò: — Tutti sulla strada! scaricate le armi! coraggio, e alla baionetta!

Dopo un mezzo minuto eravamo tutti schierati sulla via.

Innanzi a tutti, con la sciabola nella mano destra e nella sinistra il revolver, camminava il capitano e incitava coll'esempio e con la voce la compagnia a seguitarlo. Dopo di lui venivano quattro garibaldini, fra cui il bravo foriere, che s'era cacciata in tasca la lista dell'appello e impugnava una carabina, tolta a forza ad un tirolese nella giornata del sedici. Nella seconda fila, pure di quattro, mi c'ero cacciato anch'io: poi sempre per quattro il rimanente della compagnia.

Correndo a furia e gridando *Italia! Italia!* scaricammo le nostre armi. La distanza era brevissima, e molti fra i tirolesi caddero colpiti dal nostro piombo. — Avanti! avanti! — badava a gridare il capitano — non perdete tempo a ricaricare le armi! la baionetta! la baionetta! — Ma una formidabile scarica dei nemici scompaginò le nostre file, ferì il capitano, ferì i primi quattro. — Avanti! avanti! — ripetevamo tutti allora con quanta se n'avea nella strozza; e io, rimasto così in prima fila, vedevo una frotta di tirolesi che ci veniva addosso. Appena quaranta passi ci dividevano.

Raddoppiammo la corsa, e a baionetta spianata ci auguravamo di giungere in tempo prima che una seconda scarica colpisse anche noi. I tirolesi infatti sostarono un momento, incerti, titubanti, paurosi, già già qualcheduno s'era rivolto all'indietro e se la dava a gambe. La distanza spariva sempre di più, e dietro a noi sentivamo l'onda dei garibaldini che premeva e premeva, fiduciosi com'erano tutti di sgominare il nemico e ricacciarlo nei monti con le baionette alle reni. Nessuno di noi sospettava che una nuova scarica, a venti passi di distanza, poteva ammazzare una buona metà dei nostri; invece ciascuno studiava il luogo dove avrebbe dovuto cacciare la baionetta, e io per mio conto avevo già adocchiato un patatucco[1] lontano appena un quindici passi, quando mi sentii un gran colpo nella gamba, come d'un sasso che mi fosse scagliato con violenza. Non ci volevo badare, e tutto infervorato nel correre feci ancora due o tre passi, poi la gamba mi s'irrigidì e caddi ginocchioni per terra. Ero ferito sicuramente.

Mi ritrassi carpone in disparte con la rabbia nel cuore; altri tre, altri quattro caddero a pochi passi da me, ma il grosso della compagnia raggiunse i nemici, li attaccò alla baionetta, li respinse, ne sostenne l'urto quando rannodandosi tentavano di ritornare all'assalto; s'impegnò insomma una lotta accanitissima. Urli feroci assordavano l'aria, il cozzo delle baionette si mesceva al rumore delle fucilate, di qua e di là molti cadevano; più che una battaglia si poteva dire un duello sanguinoso, nel quale i miei compagni, forse tre volte inferiori di numero, dettero prove mirabili di valore. Ci fu un momento che i tirolesi, di cui una parte occupava i poggi più vicini, ebbero il sopravvento sui nostri, e già cominciavano a riconquistare l'insanguinato terreno ingombro di morti e di feriti; ma dal fondo della strada si sentì il noto rumore d'una carrozza, si vide Garibaldi seguito da poche guide e da suo figlio Menotti lanciarsi verso quei prodi, ravvivarne il coraggio con infiammate parole. — Avanti, figliuoli! — diceva il gran generale — se avete coraggio, la giornata è nostra. Le posizioni sono state riprese dal nono reggimento: dobbiamo avere vittoria su tutta la linea!

1. *patatucco*: propriamente «cappotto di panno grosso», si diceva anche di persona grossa e stupida.

Fu un sublime momento. I miei compagni si aggrupparono ancora, scemato il numero pareva che raddoppiasse in loro il coraggio, quasi volessero combattere anche per i caduti; eccoli nuovamente ordinati, eccoli sulle mosse, si slanciano, par che volino, sono addosso ai nemici con tale un impeto, che sfondate le file gli entrano in mezzo e con la baionetta ne fanno strage. Allora i tirolesi si volsero in vera e irreparabile fuga, si sparpagliarono sui poggi circostanti, e i nostri dietro gridando sempre *Italia! Garibaldi!* L'eco dei monti ripeteva lontano lontano quel grido, che andava a morire e confondersi col rumor delle fucilate e col rimbombo del cannone. Bezzecca rimaneva a noi, e ciò doveva senza alcun dubbio agevolare il successo della giornata.

Frattanto bisognava ch'io pensassi ai casi miei. La battaglia da cotesta parte era assicurata, ma non si poteva dire altrettanto dalla parte opposta del paese. Qualche centinaio fra garibaldini e tirolesi, disseminati sulla strada e sui poggi, erano, a dir così, l'avanguardia del combattimento, il quale continuava accanitissimo fra gli avanzi del quinto reggimento a cui s'era unito quasi tutto il nono, e le schiere degli austriaci che si rinnovavano sempre.

Io dunque, veduti allontanarsi i compagni, feci ogni sforzo per alzarmi su, e cangiato il fucile in gruccia mi recai zoppicando in fondo alla strada. V'era tornato Garibaldi con la sua carrozza, e di costì guardava con una contentezza manifesta la piega che prendevano le cose. Menotti mi scorse zoppicante a quel modo, e spintomi contro il cavallo: — Di dove vieni e che cosa fai? — disse con accento che palesava un tantino di diffidenza. — Colonnello, sono ferito e non posso più camminare — replicai io. — Ebbene vediamo questa ferita — soggiunse Menotti. Obbedii senza aggiunger verbo, ma un po' stizzito di cotesta supposizione oltraggiosa che io mendicassi pretesti per scapolarmela. Mostrai la gamba tutta intrisa di sangue: nella scarpa si può dire che ve ne fosse una pozza. A metà della gamba una palla avea lacerato le carni, e toccando sotto la parte offesa sentii che la palla era rimasta dentro. — Vi basta, colonnello? — dissi io guardando in viso Menotti. — Tu sei un bravo giovanotto; — replicò egli — va', ritirati lontano, finché non giungano i carri dell'ambulanza. — E siccome due garibaldini mi s'erano accostati per sostenermi, il colonnello disse a uno de' due:

— Tu va' a combattere: a reggere il ferito basta quell'altro.

Seppi più tardi che Menotti aveva dovuto rimandare in campo

alcuni fra i più sbuccioni,[1] i quali fingendosi feriti, mogi mogi si
allontanavano dalla battaglia.

Appoggiato al braccio del compagno mi trascinai fuor del paese
qualche trentina di passi, e mi posi sdraiato sur un ciglione della
strada un po' difeso da una folta siepe, in un luogo di dove si vedeva un bel tratto all'intorno. La battaglia era incominciata poco
dopo le sei del mattino, e ora dovevano essere circa le undici. I
nostri cannoni, mirabilmente diretti, avevano già fatto miracoli,
erano riusciti a spazzare i poggi meglio gremiti d'austriaci; ma i
cannoni erano pochi al bisogno, e quei maledetti ripullulavano e
salivano sempre su a torme come le formiche. Di dietro alla mia
siepe vedevo in alcuni punti compagnie intere di tuniche bianche
sbandarsi e fuggire per quell'ardue salite, e alle loro spalle spingersi a baionetta spianata i nostri. Ma in altri punti erano i tirolesi
che ricacciavano indietro i garibaldini, fulminandoli con terribili
fuochi di fila. La battaglia era venuta a quel punto, in cui la direzione suprema bisogna che sia supplita dal senno, dal coraggio,
dal sangue freddo dei comandanti. Era un perdere e un riconquistare terreno da tutt'e due le parti, e mentre il grosso della battaglia
durava con varia vicenda nell'alto, alcuni strascichi di combattimento, alcuni episodi minori si vedevano giù in basso, a pochissima
distanza dal mio improvvisato giaciglio. Più lontano poi, al di là
del paese, su quell'altra catena di poggi, continuava la fuga precipitosa dei tirolesi, e l'inseguimento vittorioso della mia brava
compagnia.

Intanto che aspettavo i carri dell'ambulanza, senza sentirmi
troppo sicuro di non dovere esser fatto prigioniero, fui spettatore
di un duello singolarissimo che per i suoi vari incidenti merita di
essere raccontato.

### III (XXXI)

#### DIETRO LA SIEPE, E SUL CARRO

Vidi dunque, standomene sdraiato e mezzo nascosto dietro la siepe,
vidi che più qua e più là, fra garibaldini e tirolesi sbandati s'era
impegnata una lotta corpo a corpo. A venti o trenta passi da me,
nel bel mezzo della strada, sbirciai un garibaldino, che dopo avere

1. *sbuccioni*: scansafatiche, «impiastri», «lavativi».

scaricato il fucile senza colpire nessuno, correva a baionetta spianata contro un tirolese. Questi era intento a cavare dalla giberna il
fulminante, o la capsula come si dice nel linguaggio dei militari,
ma l'altro non gli lasciò il tempo, e giuntogli addosso gli vibrò
un colpo di baionetta che lo avrebbe passato da parte a parte, se
quello con un rapido movimento a sinistra non schivava la punta
micidiale. Mi rizzai sul gomito per assistere a quel singolare duello.
Il garibaldino era un pezzo di giovanotto tanto fatto, in sui trent'anni, senza berretto in capo, e la camicia rossa lacerata in più punti.
Il tirolese pure era grosso e nerboruto, con una faccia turchesca e
un paio di baffi di capecchio insegato. Però, dovendo anche lui
incrociare la baionetta, mi accorsi che la sapeva maneggiare a dovere, e otteneva sull'avversario la superiorità d'un sangue freddo
ammirabile.

Non c'era verso: uno dei due bisognava che rimanesse sul terreno, sicché i movimenti dell'arme erano diretti piuttosto a ferire ed
uccidere che a difendersi, molto più che il fucile non è maneggge-
vole come una sciabola da schermitori. Durava da qualche minuto
la lotta, senza che una parola si mescesse al rumore secco delle
baionette, quando a un tratto il tirolese, misurata una finta al viso
dell'avversario, abbassò velocemente l'arme e poi la ritrasse insan-
guinata: avea ferito il garibaldino in una coscia. Questi allora, reso
cieco dal dolore, fece un gran passo in avanti appuntando la baionetta al petto del feritore, ma il feritore scostandosela violentemente con una mano poté coll'altra spingere la carabina nel braccio sinistro del più debole avversario, e passargliclo da parte a
parte come un crivello. Rinculò il misero giovane verso di me, e
io gridai: — Coraggio! — mentre mi sforzavo, sdraiato com'ero, a
caricare il fucile e con un bel colpo venire in aiuto al compagno.
Questi alla mia parola si fece animo, e benché tutto grondante di
sangue e urlando per il dolore, si disponeva a sostenere l'urto del
tirolese, che ridendo con una sua certa maniera curiosa gli veniva
incontro per finirlo. Avevo già raccapezzata una cartuccia, già l'ab-
boccavo sulla canna, quando vidi carpone un altro garibaldino
che si avanzava dietro al tirolese. Questi poteva essere a cinque
passi dalla vittima predestinata, ma l'altro garibaldino rizzandosi
con tutta la persona e gridando: — A me! a me! —, con un ultimo
slancio fu addosso al nemico e gl'infilzò la baionetta nella schiena. Non ebbe tempo di voltarsi, e con un sordo gemito stramazzò

giù per morto. Il garibaldino ferito, visto cessare il pericolo imminente, caricò in fretta il fucile, ma non poté più reggere in piedi e
cadde ginocchioni.— Su su! — badava a dirgli il compagno—questa
non è più aria per noi: c'è là in distanza una quantità di tedeschi:
bisogna andar via subito.—E con la mano aiutava il ferito a rialzarsi.
Ma che è che non è, quel maledetto tedesco, pallido come la morte
e tutto intriso di sangue, si alza sur un ginocchio, mette il fulminante sul cane, piglia la mira, e la palla viene a colpir nella nuca
l'infelice garibaldino poc'anzi sopravvenuto. Il tirolese strasci-
nandosi per terra come una lucertola badava ad allontanarsi; allora
anch'io piglio la mira, il primo ferito fa lo stesso, e partono insieme due colpi. Questa volta io o lui tirammo giusto, perché
l'ostinato tedesco cadde giù per davvero con la testa letteralmente
fracassata.

Quei due colpi attirarono l'attenzione dei nemici che ci sovrastavano da un poggio, e sentii venirmi intorno una grandinata
di palle. Chiamai i due garibaldini ma non mi rispondevano, e
sporgendo il capo fuor della siepe li vidi distesi per terra l'uno
accanto all'altro, forse svenuti, forse anche morti. Ma ferito anch'io
e bisognoso di aiuto, non era il caso di verificare se c'era bisogno di
soccorrerli. Presi il mio bravo fucile, e chiotto chiotto camminai
un bel pezzo nella via, fino a che non vidi un barroccio fermo che
pareva destinato a trasportare i feriti. Non ne potevo più: chiamai
il carrettiere che mi aiutasse a salire di sopra, e quegli dandomi una
mano diceva: — Andiamo via subito, perché qui non si sta punto
bene. — Infatti qualche palla si sentiva arrivare, e a due passi dal
barroccio scòrsi un povero garibaldino con la frusta in mano, ucciso pochi momenti innanzi mentre guidava il cavallo. E il cavallo pure era ferito in sulla groppa, e gli colava per le gambe un
sangue nero nero.

M'assettai alla meglio sul carro dove c'erano già due morti, o
meglio due garibaldini che mi parevano morti. Di lì a pochi minuti sopravvennero altri feriti ben più gravi di me, e dovetti
contentarmi di sedere sulla stanga del barroccio con le gambe che
mi penzolavano di fuori.

La strada non mi pareva punto sicura, e il barrocciaio, che la
pensava precisamente come me, badava a picchiare ben bene il
cavallo perché corresse, e io l'aiutavo battendolo con la bacchetta
del fucile. Ma la povera bestia ansava maledettamente, spasimava

e sbuffava per il dolore della ferita, poi a un tratto s'inalberava quando incontravamo sulla via qualche cavallo ucciso. A una certa voltata, sopra un rialto a venti passi da noi, quando meno ce l'aspettavamo, eccoti dieci o dodici tirolesi — spuntavano dappertutto come i funghi — col ginocchio a terra e formati in quadriglia coi fucili volti sopra di noi. — Tira via! tira via! — gridavano i feriti al barrocciaio. — Questi cani rinnegati non rispettano neanche i moribondi. — Ed era tanto vero, che più d'una palla venne a ronzarci nelle orecchie. Io teneva sempre nel saccapane la pistola carica — che avevo comprata in Lombardia — la cavai fuori, e profittando della poca distanza tirai un colpo. Il cavallo trottava come poteva meglio. Vidi uno dei nemici cadere, poi un secondo ed un terzo, e ci accorgemmo allora che un gruppo di garibaldini, appostati sur un altro poggio, ci vendicavano tirando colpi bellissimi.

In questo frattempo uno di que' due che trovai sul carro distesi e che parevano morti, fece un movimento con le labbra, poi fece sentire un lamento. Lo sciagurato aveva quattro larghe ferite nella testa: due palle, entrandogli da una parte dietro la nuca erano uscite dall'altra parte, e si può immaginare che cosa dovesse patire. Pur non ostante arrivò vivo nello spedale, e l'ebbi compagno qualche giorno in un letto accanto al mio. Quando fui trasportato altrove, lo lasciai in uno stato che faceva pietà. Si chiamava Frediani Adamo di Firenze, né ho saputo ancora se con un miracolo dell'arte sieno riusciti a salvarlo.

Intanto si camminava sempre, e voltandomi addietro mi pareva di scorgere che la battaglia non ci fosse propizia su tutti i punti, e che anzi la ci andasse più male che bene. Vedevo garibaldini scendere e ruzzolare dai monti, saltare rocce e far capriole, e questo voleva dire che si ritiravano, perché i volontari vanno bene avanti finché li serve il coraggio, ma ai primi suoni di ritirata perdono affatto la tramontana, e scappan via con le gambe in testa. Si sentivano ancora le fucilate, ma più distinto assai il rumor dei cannoni; e cotesto ci consolava perché eravamo stati testimoni di come lavorassero quei diavoli d'artiglieri. Tendendo bene l'orecchio, di tratto in tratto si sentiva pure in lontananza il noto grido di guerra: *Italia! Italia!* e questo significava che su qualche punto di quella sterminata scogliera di poggi i nostri andavano alla baionetta. La giornata adunque non era ancora decisa. Sarà stato allora il mezzogiorno; e quel cielo purissimo, e quel sole che illuminava splendidamente le pittoresche campagne, facevano brutto contrasto con le tracce di sangue che via via si trovavano, coi feriti che s'incontravano nella via, e che salivano sul carro fintantoché ci fu posto dove allogarli. Qua e là i poggi più acuminati che si vedevano, erano tutti gremiti di uniformi bianche e di cappotti bigi. Cotesta giornata insomma fu una vera battaglia, e una battaglia coi fiocchi.

## IV (XXXII)

### I FERITI

Un ferito, arrivato degli ultimi, venne a portarci la punto lieta notizia che i nostri andavano perdendo terreno sempre di più, e che uccisi già molti artiglieri, alcuni pezzi di cannone erano caduti in mano del nemico. Il reggimento di Menotti, comandato da questo degno figlio di Garibaldi, dava prove stupende di valore, aveva già ricacciato molte migliaia di nemici, ma ai fuggenti sottentravano truppe freschissime, e già settecento e più garibaldini del quinto reggimento erano stati fatti prigionieri. Se nessun aiuto veniva ai nostri, se i combattenti non si raggruppavano invece di scappare, la giornata bisognava considerarla come perduta, e i tedeschi sarebbero stati alla sera in Tiarno.

Queste cose ci diceva il ferito, e con che umore noi lo ascoltassimo si può facilmente indovinare. A un tratto davanti a noi, sulla strada che si apriva larga, lunga e diritta, vediamo sollevarsi un gran polverìo, ci par di vedere qualcosa che brilli al sole: ordiniamo al carrettiere di fermarsi. Saranno italiani? Saranno tedeschi? Il tremendo dubbio durò un cinque minuti. La polvere cresceva e si avvicinava: sentimmo il rumore di cavalli e di ruote, e quel trabalzìo che fanno i cannoni quando corrono rapidamente. Saranno i nostri? Appuntiamo lo sguardo, la polvere si dirada, vediamo correre innanzi a tutti, come un baleno, un ufficiale con le mostreggiature gialle, col kepì all'italiana . . . — Son nostri! son nostri! — gridiamo in coro, saltando dall'allegrezza e dimenticando le ferite. Ed erano nostri davvero, era una batteria chiamata in fretta da Tiarno, per venire in aiuto ai pezzi o perduti o vicini a cadere in mano ai nemici. Quelle pesanti ruote non correvano ma volavano, passando sopra ai mucchi delle provvigioni seminate sulla strada e abbandonate dai nostri, pareva che un demonio le trasportasse. Uno di quei carri passò tanto accosto al barroccio dei feriti, che avemmo tutti un gran traballone, e una delle nostre ruote scivolò in un fossatello che costeggiava la via. Ne sentimmo tutte le conseguenze. Alcuni gemevano lamentosamente, altri mugghiavano come tori per lo spasimo atroce, altri infine si chetavano e morivano. E se questo non fosse bastato, c'era la giunta di alcune palle inviateci dai tedeschi su in alto, che veduta la batteria ci vollero mandare l'ultimo saluto prima di rintanarsi al sicuro fra i loro monti. Ho sentito dire che in tutta la campagna nessun cannone venne mai così opportuno come quella batteria in quel preciso momento: tantoché furono cotesti sei pezzi, manovrati come va, che decisero della giornata. Onore dunque agli artiglieri italiani! Il prode generale Garibaldi, che è tanto grande da poter essere giusto e imparziale con tutti, non ha trascurata mai occasione per rendere giusta testimonianza di lode a que' bravi soldati dell'esercito italiano. Il nome del maggiore d'artiglieria Dogliotti,[1] che ebbe il comando delle batterie, rimarrà caro e venerato nella memoria di tutti i miei compagni d'arme, come vivrà immortale nelle cronache di questa memorabile guerra.

A quel modo che si poté meglio, tirammo fuori la ruota del barroccio e continuammo il viaggio. Si pativa tutti assai assai, tutti peggioravamo a vista d'occhio, e non era certo un bello spettacolo quel vederci, noi così malconci, in compagnia di tre o quattro cadaveri.

Quando Dio volle, la povera bestia mezzo moribonda ci condusse in un punto della strada, dove a destra, disposte in un pratello, si vedevano molte tende alla militare, rizzate come spedale provvisorio per i feriti. Ma noi gridammo che non ci volevamo stare, perché, incerti ancora dell'esito della battaglia, si temeva che da un momento all'altro scendesse giù un'orda di tirolesi e facesse una bella retata di prigionieri. Il condottiero adunque si rimesse in via per Tiarno di sotto, quel paese di dove ci eravamo mossi alla mattina pieni di speranza e di gagliardia, e dove ora tornavamo conciati pel dì delle feste. Ma non importa. Sentivamo l'orgoglio d'aver fatto il debito nostro, e vincitori o vinti ci bastava di non dovere arrossire.

1. Orazio Dogliotti (1832-1892) era maggiore d'artiglieria nell'esercito regolare, e gli era stato assegnato il compito di appoggiare l'opera dei volontari. Alla fine della guerra fu decorato di medaglia d'oro.

Di lì a poco vedemmo a breve distanza i tetti aguzzi delle case più alte di Tiarno; il cavallo boccheggiante fece un ultimo sforzo per giungere alla meta del suo doloroso calvario, ed entrammo in paese quando si sentivano dietro a noi i primi e fortunati colpi della batteria giunta di fresco.

In Tiarno era una confusione di gente che andava e veniva: garibaldini con la testa fasciata, che entravano estenuati dal lungo cammino a piedi: altri barrocci che portavano come il nostro un funesto carico di feriti e di morti: guide a cavallo che entravano in paese e ne riuscivano correndo sempre — ho dimenticato di dire che lungo la strada ne trovammo qualcuna stecchita in terra, uomo e cavallo — e poi anche garibaldini sani che fumando tranquillamente e con il fucile in ispalla venivano in paese stanchi di battersi. Cotesti, quando le guide si potevano accorgere che non erano feriti, venivano rimandati sui monti dove la battaglia durava ancora.

Si requisirono paesani per aiutare lo sgombro dei carri; e io vi so dire che a certe facce che facevano, a certi sgarbi un po' all'uso dei monatti, si dimostravano lontano un miglio poco propensi per noi. Seppi più tardi che cotesti paesi del Tirolo inviano all'esercito austriaco una riserva copiosa tutte le volte che scoppia la guerra, sicché era possibile che nella battaglia di quel giorno avessimo avuto contro di noi anche i tirolesi italiani. Del resto anche in Tiarno, come negli altri paesi del Tirolo, avemmo dalla cittadinanza più colta testimonianze di affetto così vive e sincere, che di meglio non potevamo desiderare.

Vennero alcuni paesani al nostro carro, e i morti li portavano verso il camposanto, e i feriti nella chiesa del paese ridotta a spedale. Due mi presero a braccia, ché dopo i balzelloni del viaggio la gamba ferita non me la sentivo quasi più, tanto ell'era intormentita. Innanzi a me due uomini portavano lentamente una barella con un ferito sopra. Passandogli accanto, mi parve di riconoscere il paziente, tuttoché sfigurato in viso e nero come il carbone. Era quel mio povero amico civitavecchiese, col quale mi trovai — chi sa se ve ne ricordate! — la prima notte degli avamposti sul lago di Garda. — Sei tu, Flaminio? — gli gridai facendo cenno agli uomini di fermarsi — e ferito tu pure, povero amico? — L'infelice si volse dalla mia parte, mi riconobbe, e tutto commosso mi strinse la mano, domandandomi se ero ferito grave. — Credo sia poca cosa, — gli replicai — ma tu, come ti senti? Sei ferito molto? — Eh, amico mio, sarà un miracolo se arriverò a domattina — rispose Flaminio con debolissima voce. E più coi gesti che con le parole, mi fece intendere che una palla gli aveva forato davanti la coperta, sfondato lo stomaco e la schiena, poi riuscita di dietro alla coperta. Egli era in una pozza di sangue, e larghe strisce segnavano la via per dove era passata la barella. Non ebbi cuore di fargli coraggio, e strettagli piangendo la mano — egli pure s'era molto rimescolato al vedermi — raccomandai ai portatori che andassero piano piano, e dissi a Flaminio che ci saremmo ritrovati nella chiesa. Povero diavolo! Io mi ricordo che la sera innanzi, in un crocchio d'amici, egli aveva detto: — Ho fatto la campagna del cinquantanove e del sessanta, e questa è la terza: se n'esco pulito, prendo il riposo con la licenza dei superiori, mi butto alla vita del vecchio, e mi ritiro con la mia povera madre in campagna, in una bella villetta sul mare vicino a Civitavecchia, dove verrete a trovarmi se Garibaldi vi porterà a Roma. — Ohimè! come potrà egli seguitare quella sua inclinazione, se i medici non gli daranno che pochi giorni, forse poche ore di vita?

Con questi tristi pensieri continuai il tristo cammino. Il paese offriva un miserabile spettacolo. Dappertutto erano feriti che s'avviavano alla chiesa; alcuni, perché le forze erano venute loro a mancare, si appoggiavano alle pareti delle case, e piegavano il capo in terra mezzo svenuti, mezzo morti. Qua e là, si vedevano pozze di sangue, dappertutto gente che si affaccendava a supplire a tutto quello che mancasse nello spedale, e mancava ogni cosa; e si sentiva un lamentìo confuso, un gridar disperato, un imprecare, un chiedere misericordia: uno di quelli spettacoli funesti che non si dimenticano più per tutta la vita. Il fuoco della battaglia, il clangore delle trombe, quel correre di qua e di là, la stessa barbara voluttà del ferire e dell'uccidere hanno per chi combatte una attrattiva terribile e pur bella; ma oh! di quanta pietà, di quanto terrore l'animo è invaso, quando, svampati cotesti entusiasmi, vediamo da vicino che cosa è una strage! Io ritengo per una favola che Napoleone III rimanesse così atterrito quando alla sera, dopo la battaglia di Solferino, visitò il campo insanguinato, che si affrettò a stipulare la pace; ma io vi confesso che in cotesto memorabile giorno del ventuno luglio ci ripensai, e mi parve che cotesta spiegazione del mistero di Villafranca potesse essere plausibile.

## V (XXXIII)

### NELLO SPEDALE

Quando Dio volle, giunsi anch'io alla chiesa di Tiarno, già popolata di feriti e di moribondi. Di letti o di pagliericci non c'era neppur da discorrerne; per chi sapeva adattarvisi, v'erano le panche dove le bigotte stanno a pregare; agli altri toccava sdraiarsi per terra. Fui di questi ancor io. Mi strisciai pian piano fino agli scalini dell'altar maggiore, e cotesto fu il mio capezzale, con la coperta attorcigliata che mi faceva da cuscino.

Dopo un buon paio d'ore mi s'avvicinò il medico: era il medico del paese, perché i chirurghi garibaldini li vedevo affaccendati a tagliare e fasciare i feriti più gravi. Io di costui, a dirvela, me ne fidavo poco, ma bisognava fare di necessità virtù. Mi scoperse la gamba ferita, e ghermiti certi suoi ferri gl'introdusse nelle carni, e vi sguazzava dentro come se la mia gamba fosse diventata un pezzo d'anatomia. Cacciavo degli urli tanto fatti, poi mordevo la camicia fino a strapparla. Dopo cinque minuti di quell'armeggìo, il brav'uomo capì che c'era dentro la palla. Che bella scoperta! Se io mettevo un dito alla parte inferiore della gamba, sentivo benone che la palla c'era, e guardando si vedeva sulla pelle il rialto ch'ella faceva.

Passò in quel punto un medico dei nostri, e parendomi alla faccia fiorentino come me, gli gridai: — Oh! sor dottore, venga un po' qua lei, e guardi che cosa mi può fare. — Il compiacente dottore venne subito, trasse alcuni ferri dall'astuccio che teneva legato alla vita con un cintolo, come i paratori da chiesa quando attaccano su le drapperìe, e si accinse all'operazione facendomi mettere bocconi. Con un suo coltellaccio, in pochi colpi tirati giù alla brava, praticò una larga apertura nella gamba dalla parte di sotto, e a furia di pinzette, di forbici, di bisturì e sopratutto con le mani, dopo avermi fatto patire l'inferno, dopo una diecina di minuti che mi parvero l'eternità, cavò fuori la maledetta palla. Era palla di stutzen tutta stiacciata e rotta, e siccome entrando doveva avere strappato non so che cosa nella gamba, uscendo contrastava violentemente con la carne. Il buon medico me la offrì in dono, e io lo ringraziai dell'operazione chiedendogli in quanto tempo sarei guarito. — Oh non dubitare, — mi rispose ridendo — fra un mese sarai in grado di marciare alla compagnia, e di beccartene un'altra. — Le due profezie fallirono, perché di lì a pochi giorni saltò fuori l'armistizio, e perché oggi, dopo tre mesi lunghi lunghi, ho appena posato le stampelle e cammino zoppicando come un invalido.

In chiesa continuavano ad arrivare feriti, e intorno a me era un andare e venire di paesani con barelle, e di garibaldini, che mi cascavano quasi addosso sullo scalino, rifiniti dalla fatica, dal dolore e dal sangue perduto. Io sentivo un frizzìo acuto, molesto, talvolta insopportabile nella ferita; e desideroso d'un po' di quiete, dissi a qualcheduno che mi trascinasse lì presso ad un confessionale, dove entrai con la testa e con le spalle, mentre il resto della persona rimaneva disteso in terra al di fuori. In quel momento avrei regalata tutta la gamba ferita per una tazza di brodo, ché da due giorni quasi non avevo mangiato più nulla. Ma chieder brodo a Tiarno non ci capivano neppure. Oppresso dunque dalla fatica e dagli strapazzi della giornata, e dalla fame che s'era mutata in languore di stomaco, m'addormentai a quel modo, con la testa incassata nel confessionale.

Dormii forse un'ora. Bisogna dire che fossi rimasto sempre immobile, perché aperti gli occhi e guardando trasognato lì intorno, sentii una voce che mi gridava: — To, to! o non sei morto? Ti s'era già fatto ito, a vederti in cotesta strana sepoltura. Se dormivi dell'altro, scommetto che ti portavano tale e quale al camposanto. — Chi parlava così era un caposcarico della mia compagnia, ferito come me in una gamba ma assai più grave, tantoché lo minacciavano di fargli l'amputazione. — Se me la tagliano — diceva scherzando quello sciagurato — mando subito la gamba con lo stivale e tutto alla mia dama, perché si ricordi di me e la conservi nello spirito di vino finché non torno.

La chiesa era tutta piena di gente, e offriva uno straziante spettacolo. I feriti giacevano per la maggior parte sul nudo terreno, e intorno a loro si vedevano medici, inservienti dell'ambulanza, paesani curiosi, e perfino qualche donna, ché dove c'è una parola affettuosa da dire, un dolore da mitigare, qualcuna di queste angeliche creature non manca mai all'appello. Ma ohimè! troppe parole sarebbero bisognate, di troppe cure faceva mestieri in quel recinto, dove erano accumulate tante cagioni di spasimo e d'affanno! All'affaccendarsi di coloro che andavano di su e di giù, si mescevano i lamenti e le grida degl'infelicissimi amputati, o di quegli altri a cui nessun refrigerio potevano offrire gli uomini dell'arte. Guardando io tutto smarrito all'intorno, dimenticavo il mio stato per compiangere i fratelli d'arme orribilmente malconci.

Ne vidi uno di cotesti sventurati, che girava urlando per la chiesa, e con le mani, nell'attitudine d'un forsennato, si reggeva la testa. Una palla lo avea colpito nel viso, e fracassandogli i denti gli avea distaccato il labbro inferiore, che spenzolava cinque o sei dita dalla bocca. Mi passò vicino più volte, e io chiudevo gli occhi raccapricciando. A un tratto si ferma, si butta in terra, manda tre o quattro urli che dominano tutte le altre grida, poi non dice più nulla. Gli si avvicinarono, ed egli già si dibatteva negli ultimi contorcimenti dell'agonia.

A un altro valoroso uffiziale che s'era battuto da eroe alla testa della compagnia, era toccata una palla nel ventre, e per lasciargli libera la ferita lo avevano nudato tutto. Gridava come un ossesso, e con voce terribile domandava: *Acqua! acqua!* Più beveva e più gli cresceva la voglia di bere, e dalla larga ferita gli colava un sangue rappreso di cui era bruttata tutta la persona. Vidi che un povero prete gli si avvicinò per raccomandargli l'anima, giacché i medici dicevano non esservi speranza; ma il moribondo gli fece cenno con la mano che si allontanasse. Le sue grida diventavano ad ogni momento più fioche; a un certo punto, siccome egli m'era vicino, gli sentii mormorare un nome di donna, e a quel nome gli si dipinse nel volto un accoramento disperato, quasi la fugace immagine d'un bene, d'una felicità che gli fuggiva per sempre. Portò una mano tutta sanguinosa alla bocca, se la cacciò fra i denti, e spirò.

Coteste e poi altre scene spaventose si succedettero in quel giorno. Via via che qualcheduno moriva, lo trasportavano fuori del recinto per far posto ai sopravvegnenti che ne arrivavano sempre, ed era un rinnovarsi di grida, di dolori atroci che dilaniavano l'anima.

Di fuori continuava il rombo del cannone, e gli ultimi venuti raccontavano che la giornata si volgeva favorevole ai nostri, che la batteria che avevamo incontrata sulla strada inseguiva le torme degli austriaci ricacciandole di là dei monti. Qualcuno raccontò di aver veduto il generale Garibaldi slanciarsi, solo, verso un cannone sul quale correvano i tirolesi per impadronirsene, e afferrato l'affusto volgerlo rapidamente indietro, fino a che sopraggiunti molti garibaldini il cannone poté essere salvato. Fu allora, in quella ressa del correre, che un milite, spingendosi addosso al generale per difenderlo con la sua persona, inciampò col piede nel piede ferito di Garibaldi, talché l'antica ferita si riaprì e lo fece poi spasimare per qualche mese.

In sulla sera il rumore della battaglia era cessato del tutto, e domandando al mio bravo foriere, giunto allora allora tutto trafelato dal campo, che mi desse notizie della compagnia, mi rispose che s'era condotta benissimo, che aveva inseguito per lungo tratto di cammino i nemici, e che la giornata era definitivamente guadagnata alle armi italiane. Ma a qual prezzo, mio Dio, avevamo ottenuto il guadagno! quanto sangue generoso s'era versato! quante vittime s'erano immolate inutilmente alla patria! inutilmente, sì, perché mentre l'Italia festeggiava il riscatto della Venezia, quei paesi del Trentino, illustrati da tante magnanime sventure, patria di tante migliaia di generosi che anelano di ricongiungersi alla madre, rimangono e rimarranno chi sa quanto tempo ancora nelle mani dell'Austria, di quell'Austria che pur dice di voler essere la nostra amica!

In sulla sera di cotesto giorno nefasto la chiesa di Tiarno si poteva dire stipata di feriti. Poco più spazio rimaneva per i medici e per il personale dell'ambulanza. V'erano pure alcune signore inglesi e alcuni medici francesi venuti spontaneamente ad offrirsi; ed è facile immaginare se il loro pietoso concorso fu con riconoscenza accettato. Vidi fra le altre una bella signora, assai giovane, con una bionda capigliatura luccicante come l'oro. Parlava assai bene l'italiano, ma all'accento la riconobbi inglese. Con le sue mani delicate e bianchissime non sdegnava prestarsi ai più umili servigi; e alle cure assidue che prodigava ai feriti sapea mescolare parole così affettuose, che molti di quegli infelici si acquetavano, stringendo con viva emozione le mani che ella porgeva con un talquale abbandono, più bello e più verecondo di qualsiasi delicato riserbo.

In un momento ch'ella mi passò vicino, la fermai dicendole: — Signora mia, le sarei tanto obbligato s'ella volesse portarmi un po' d'acqua, un po' di limone se fosse possibile. Non ho bevuto un sorso, saranno oramai venti ore; e mi sento morire di sete. — Quella gentile fe' cenno con la mano che andava subito, e tornata poco dipoi con due limoni e un recipiente pieno d'acqua, me li porse con un sorriso di dolcezza ineffabile. Chinandosi sopra di

me, fino a sfiorarmi il viso con una ciocca de' suoi bellissimi
capelli, mi domandò se pativo molto e se avevo bisogno di qualche
altra cosa. — La ferita mi duole assai ; — risposi accennando la gamba su cui il medico aveva buttato un panno fradicio — ma se guardo i miei poveri compagni che soffrono tanto più di me, devo dire
che non mi va troppo male. — E col braccio accennavo intorno a
me i gruppi più dolorosi.

Alzò gli occhi al cielo quella divina creatura, e giunte insieme le mani rimase immobile qualche momento, come assorta
in una tacita preghiera: pareva la statua della Carità, che in-
vocasse su quel luogo d'infinito squallore un'ora di calma e di
refrigerio. Poi vedendo entrare nella chiesa un altro funesto corteggio di feriti, mi lasciò, sollecita di correre dove ci fossero delle
lacrime da rasciugare, dei pazienti da sostenere in questa nuova
e terribile battaglia contro la morte.

Io vi giuro che fra mille e mille persone, in qualunque luogo m'intervenisse d'incontrarmi con quella donna, la riconoscerei
subito; così viva e scolpita me n'è rimasta nella mente la cara
immagine.

I nuovi venuti non erano tutti garibaldini. Mescolati alle camicie rosse, vidi alcuni bigi cappotti di tirolesi, feriti e fatti prigionieri nella battaglia. Le carabine nemiche avevano fatta strage
dei nostri, ma in quel giorno anche i fucili italiani a qualche
cosa avevano servito, perché in molti luoghi le fucilate si tiravano a brevissima distanza. Le nostre palle erano fatte a oliva,
vuote nell'interno e scannellate ad angoli acuti: appena uscite dalla
canna si spaccavano, e i frammenti taglienti a quel modo producevano ferite spaventevoli. Vicino a me, presso al confessionale,
un po' di posto era rimasto vuoto per la morte d'un garibaldino, e
ci portarono a braccia un tirolese. Aveva una larga ferita nel fe-
more destro poco sopra il ginocchio, e sentii il medico asserire che
il ginocchio era fratturato. Quell'accidente di tirolese pareva in
sul principio che non avesse nulla. Dopo un quarto d'ora mi provai
a interrogarlo; ma coi cenni mi rispondeva di non capire, poi toc-
candosi la gamba pareva volesse dire che gli doleva molto ma molto.
Però non urlava mai: quando lo spasimo diventava insopportabile,
stralunava tanto d'occhi, intirizziva le mani, e da un movimento
dei baffi capivo che pronunziava sottovoce qualche parola: pregava
forse, fors'anche bestemmiava. Que' tirolesi — ce ne poteva essere

una dozzina — erano tutti così: zitti zitti, lavoravano con gli occhi e con le mani; invece i nostri urlavano sempre come dannati.

Di lì a un'ora, un paio di chirurghi s'accostarono al povero tirolese mio vicino. Un medico francese che balbettava un po' di tedesco, gli fece intendere come meglio poté che bisognava tagliare la gamba ferita. Il tirolese accennò con la testa che facessero pure. L'operazione fu assai lunga, e dovette essere dolorosissima, perché il disgraziato badava a mordersi le mani e le vesti; e dagli occhi, che pareva dovessero schizzargli di capo, venivano giù lente lente grosse lacrime, che gli s'aggrumavano sui folti mustacchi. Non urlò mai. L'operazione finì, ed egli era svenuto.

Rimase svenuto fino a giorno: riebbe i sensi quando i primi raggi del sole illuminarono quel luogo di tante sventure; ma una febbre violentissima gl'inasprì l'infiammazione, lo fece peggiorare rapidamente. Domandò di un prete, lo vidi fervorosamente pregare con le mani giunte sul petto, chiese gli amministrassero gli ultimi sacramenti, poi voltosi dalla mia parte, con un sorriso di dolce mestizia sussurrò queste due parole: — Addio, italiano! — Un'ora dopo era morto.

Perché dovrei nasconderlo? M'intenerì quel saluto, mi commosse quello spettacolo di patimenti gagliardamente sofferti, e come già sulla morte di tanti miei compagni, piansi anche sul cadavere dello straniero che aveva combattuto da valoroso. Mi ricordai allora que' versi dell'immortale poeta:[1]

> *A dura vita, a dura disciplina,*
> *muti, derisi, solitari stanno,*
> *strumenti ciechi d'occhiuta rapina*
> *che lor non tocca, e che forse non sanno.*

Domandandone al medico francese, seppi che il povero defunto era nativo d'Innsbruck.

A me non garbava punto rimanere in quella chiesa e in quel paese, dove non era possibile ottenere niente da mangiare. Domandai in grazia che mi mettessero sur uno di que' tanti carri di feriti che andavano a Storo, e l'ottenni facilmente: ero un ingombro di meno in quel luogo così tristamente ingombrato. Vo-

---

1. Giuseppe Giusti, nel *Sant'Ambrogio*. «E tutto l'episodio ha qualche cosa dell'atmosfera del *Sant'Ambrogio*. Ma forse non si tratta se non d'un'atmosfera comune, quella del nostro Risorgimento, quando non ci si vergognava di 'sentimenti generosi'» (Stuparich).

levo portare con me il compagno fedele delle mie avventure, quel fucile a cui mi sentivo oramai affezionato, anche perché in guerra si prova l'ambizione di conservare fino in fondo l'armamento compiuto. Me lo negarono, dicendo che pensassi a guarire, e che i feriti non viaggiano con le armi. Sentii un vivo dolore come mi separassero da un amico, ma bisognava obbedire. Montai dunque sul carro, ed eravamo otto o nove, tutti con le nostre ferite scoperte, o a mala pena nascoste sotto un panno fradicio. Ci avevano provvisti d'acqua, e lungo il viaggio, sotto la sferza cocente del sole, badavamo a rinfrescare ogni momento le ferite.

Il carrettiere era un mascalzone briaco, e pareva lo facesse apposta di arrotare il barroccio nei muri o di cacciare una ruota nei fossati. Noi gli si mandavano imprecazioni solenni, e a quel dimenìo continuato, urtandoci gli uni con gli altri, erano bestemmie sicure. Dopo molte ore di un viaggio diabolico, non trovando che carri di feriti e garibaldini sbandati, arrivammo a Storo.

Costì lo spedale dovettero improvvisarlo in una grande casa di tre piani. Io fui condotto sur una barella all'ultimo piano, ed ebbi un po' di pagliericcio ma in comune con un altro ferito. Costui aveva una palla nella testa, e i medici non sapevano come fare a levargliela. Lo trovai che dormiva, e cotesto sonno durava ore e ore intere. Si destava a un tratto, senza pronunziare parola, faceva un mugolìo come di persona che soffra molto e non trovi la maniera di dirlo, poi si riaddormentava daccapo. Cotesto compagno di letto mi piaceva poco, e appena potei scorgere un pagliericcio libero, mi ci feci condurre, lasciando a quel disgraziato tutta la libertà di dormire. Il suo assopimento durava non interrotto cinque o sei ore. Una sera qualcheduno notò che il sonno gli si prolungava più del dovere, giacché non s'era più risentito fino dalla mattina. Gli si chinarono sul letto, lo scossero un po', e quello duro. Tirarono giù le lenzuola, si accorsero che era morto dormendo.

## VI (XXXIV)

### DA STORO A VESTONE

Incomincio a dubitare che questa lunga filastrocca di guai non abbia a recare fastidio ai miei leggitori. Non veggo l'ora anch'io di finirla, perché i dolori senza compenso e il soffrire senza gloria, ricordandoli anche dopo che sono passati, mettono nell'animo una infinita molestia. E tanto più volentieri io vi risparmio la storia del mio soggiorno nello spedale di Storo, perché volendo dir tutto, vi sarebbero gravi censure da muovere alla direzione suprema del servizio medico. Vi basti sapere (e siccome vi parrà incredibile, io lo giuro sulla mia parola d'onore) che dal giorno 20 fino al 24 di luglio non fu possibile che io potessi ottenere, non dico un po' di nutrimento a garbo, ma neppure una tazza di brodo, neppure una mezza galletta. Ai feriti più gravi, cioè agli amputati, davano due volte al giorno una magra zuppa di galletta: a noi che non si correva pericolo della vita non somministravano che acqua: acqua per cibo, acqua per medicamento alle ferite. Era ella una privazione necessaria di cui nessuno avesse colpa? Io per esempio non lo credo; credo bensì che mancasse la unità del comando, e mancassero uomini che fossero troppo disposti ad ubbidire. Tutti parevano acciaccinati,[1] ma pochi veramente facevano, e quei pochi non erano sufficienti al bisogno. Cotesta mancanza di una previdente amministrazione contribuì certo al peggioramento di molti infelici, a cui una custodia più vigilante avrebbe potuto salvare la vita o affrettare per lo meno la guarigione.

Chi appena appena, aiutato dalla forte complessione, si sentisse un po' meglio, si affrettava a salire sui carri per essere ricondotto in Lombardia, dove a quel che si sentiva dire i feriti venivano curati benissimo. La terza sera ch'io mi trovavo a Storo — digiuno ancora dalla vigilia della battaglia — accadde una scena che persuase anche me a svignarmela. I medici e i farmacisti avevano presa l'abitudine di andarsene appena fosse buio, lasciando lo spedale alla balìa di tre o quattro mascalzoni, paesani di Storo. Quella sera era già buio da un pezzo, e non vedevamo alcuno girar per le stanze. Un ferito, due, tre, avevano consumato la porzione dell'acqua destinata a bagnare le loro piaghe, e cominciarono a chiamare i guardiani. Nessuno rispondeva. Ci avevano abbandonati a noi stessi, padroni di andare, di stare, di morire a nostro bell'agio. Alla voce di que' tre che domandavano acqua si aggiunsero le grida di tutti i pazienti, sicché lo spedale pareva il finimondo. Passò dalla strada un garibaldino, e sentendo quel diavoleto salì di sopra dubitando che pigliasse fuoco la casa, e toccò a

---

1. *parevano acciaccinati*: pareva che si dessero da fare, muovendosi lesti.

lui di attingere acqua per tutti, di portarla via via ai feriti che ne abbisognavano, fino a che a notte inoltrata non giunsero i custodi avvinazzati e assonnati. Si noti che a Storo ci doveva essere il quartier generale dei medici!

Fatto giorno, non volli più saperne di quella tregenda. Al primo carro che sentii fermarsi all'uscio dello spedale, chiesi che mi portassero in istrada, e ottenni subito la grazia. Altri dieci o dodici seguirono il mio esempio.

Fu un disastroso viaggio. La strada difficile, e in molti punti tagliata sopra precipizi, ci costringeva spesso a chiudere gli occhi nell'aspettativa d'un gran capitombolo, perché il conduttore e il cavallo facevano a chi ne sapesse meno. Camminammo ore e ore che ci parvero l'eternità; vedemmo sparire il sole dietro le montagne, e nel buio della notte si andava a casaccio per la prima strada che s'incontrasse, e qualche volta eravamo costretti a sdrucciolare dal carro in terra, perché le ruote s'erano impigliate o nei massi del monte o nei rigagnoli o nei torrenti, e ci voleva del buono e del bello per ritirarle fuori. Cammina cammina, giungemmo a costeggiare il lago di Garda, passammo il ponte del Caffaro, rasentammo la Ròcca d'Anfo, entrammo finalmente in Vestone quando all'orologio della chiesa sonavano le due dopo la mezzanotte: in che stato di spirito e di corpo, è più facile immaginare che dire. Ma le nostre tribolazioni non erano finite ancora. Dovemmo starcene in mezzo di piazza per una buona mezz'ora, con una brezza acuta che inciprigniva le ferite e ci metteva addosso i brividi della febbre. Alla fine, per colmo di disgrazia, ci vennero a dire che nello spedale non c'era posto, e c'ingegnassimo da noi a trovare un ricovero. Così si cadeva dalla padella nella brace. Le bestemmie che uscirono da quel mucchio di garibaldini accatastati nel carro, il buon Dio del cielo deve aver fatto le viste di non sentirle: erano bestemmie di conio nuovissimo, e analoghe alla circostanza. Siccome però bestemmiando non si concludeva nulla, si pensò di mandare a chiamare il sindaco.

Il sindaco è per i volontari un essere rispettabilissimo. Egli ha sempre ai suoi comandi una bacchetta fatata, con la quale provvede alle più urgenti necessità; e in Tirolo avevamo imparato ad apprezzare il valore di cotesta carica, giacché, per quanto io mi ricordi, nessun sindaco si rifiutò mai alle cose che poteva ragionevolmente procacciare. — Venga dunque il sindaco di Vestone! —

gridavamo noi: — fuori il sindaco! viva il sindaco! — Il pover uomo destato di soprassalto accese in fretta il lume, si vestì in fretta,
e mezzo sonnacchioso venne giù in piazza. Esponemmo le nostre
ragioni che furono trovate attendibili, talché a uno per volta ci
fece portare nelle stanze del Municipio, ci accomodò alla meglio
sopra le seggiole e i tavolini, ordinò si accendesse il fuoco per
riscaldarci, insomma ebbe per noi quelle cure che eravamo in
diritto di attenderci allo spedale. La proverbiale ospitalità della
provincia bresciana non si smentì neppure in quella occasione;
e io mando ora a quel bravo magistrato civico di Vestone un affettuoso saluto di ringraziamento. Mercé sua potemmo passare una
discreta notte, la più tranquilla notte dacché eravamo in mezzo a
tante miserie e a tanti dolori.

A giorno fatto, per interposizione del sindaco, prepararono
un po' di posto anche per noi nello spedale, e ci fummo portati
a braccia.

## VII (XXXV)

### L'ADDIO

Anche a Vestone lo spedale era una chiesa: una magnifica chiesa
con pitture bellissime e con altari di lusso. Il modo col quale i
feriti venivano trattati era superiore ad ogni elogio: letti abbastanza soffici e puliti, nutrimento sano e abbondante, limoni e limo-
nate finché ne volessimo. Ogni tanto arrivavano dalla Direzione
generale delle ambulanze alcune casse di bottiglie, e dando retta ai
cartellini che vi si leggevano sopra, bisognava arguire che ci fosse
dentro Bordò squisito, vin santo, vino Broglio, ecc. Ma stappan-
dole, le trovavamo piene di limonata. Forse era una cautela dei
signori medici, a cui premeva che non ci scaldassimo troppo il
sangue con libagioni calorose.

Il direttore dello spedale era un ufficiale palermitano che si
arrapinava[1] moltissimo, e vigilava a tutto, e non stava mai fermo
una mezz'ora. Era un po' capo ameno, un po' focoso per indole, e
se qualcuno osava dirgli una parola di biasimo, rispondeva infu-
riato ch'egli aveva fatte le campagne del '48, del '59, del '60 e
del '66 (sempre negli spedali) e che si chiamava Denaro, e che era

---

1. *si arrapinava*: si affannava per fare andar bene ogni cosa.

di Sicilia, e che non aveva paura di nessuno. Una certa notte, per un litigio occorso la sera innanzi, il povero Denaro sentì arrivarsi nel groppone una bella scarpata, e potete figurarvi le sue escandescenze non sapendo chi avesse da ringraziare: voleva ammazzare bestie e cristiani, mandava a' quattro diavoli tutti i feriti, e correndo su e giù per lo spedale badava a dire che si mostrasse, se aveva cuore, il ribaldo che gli aveva tirata la scarpa. I più temperati gli si messero attorno per rabbonirlo, e tutto finì.

Scarpate e male parole toccavano anche a un povero prete, tutte le volte che voleva persuadere qualcuno, ridotto al lumicino, ad acconciare le cose dell'anima. Non c'era verso; i garibaldini avevano gusto a morire senza passaporto, e ne ho visto uno rimanere stecchito con le gambe nel letto e con la vita fuor della sponda, mentre voleva dare uno scapaccione al curato del luogo, il quale gli diceva: — Figliuolo mio, pensate all'anima, pensate che Dio è misericordioso. — Vi erano alcuni infelici amputati, e pur di cotesti ne morirono assai in que' giorni ch'io rimasi a Vestone.

Un mattino, mentre gl'inservienti facevano pulizia nella chiesa, si vede entrare a furia e tutto scalmanato un volontario, e annunzia una gran visita, una visita inaspettata: l'arrivo del generale Garibaldi.

— Garibaldi a Vestone? — gridò facendo un salto avanti il capitano Denaro, e già si slanciava alla porta per correre incontro all'illustre visitatore, quando la porta si apre, e accompagnato da due colonnelli vediamo entrare Garibaldi in persona. Un mormorìo si levò nello spedale, un mormorìo di lieta sorpresa, di ringraziamento, di commozione. Il direttore confuso, impacciato, si perdeva in inchini, voleva baciar la mano al Generale, e diceva come Don Abbondio: — O che degnazione! che degnazione! — Ho voluto salutare i miei valorosi compagni d'arme, — rispondeva il Generale — ed è per me uno de' più sacri doveri. Ma qui, in verità, i feriti ci devono stare benissimo. Non v'è odori cattivi, v'è pulizia grande, mi pare che nulla debba mancare. — E siccome il direttore s'inchinava quasi per dire: «Un po' di merito ce l'ho io»; Garibaldi che se ne accorse gli stese la mano, e lo ringraziò a nome di tante povere famiglie che avrebbero voluto poter assistere esse i loro cari.

Visitò letto per letto tutti i feriti; toccava a tutti la fronte, di tutti voleva esaminare la parte offesa, e sorridendo diceva che di medicina se ne intendeva un po' anche lui. Per i feriti più gravi aveva parole di commovente pietà, ma tutti li confortava, dicendo che il pensiero di aver fatto l'obbligo proprio dovea mitigare il dolore delle ferite.

— Ma è dunque vero, Generale, — mi arrisicai a domandare — che la guerra è finita?

— Caro mio, — rispose Garibaldi — per questa volta bisogna avere pazienza: c'è stato comandato di smettere, e bisogna bene ubbidire. Ubbidire è la più bella virtù del soldato.

— Ma avremo un giorno la rivincita, Generale?

— Chi sa? Lo spero.

— E lei come sta delle sue ferite? — così lo interpellò un altro.

— Ah! guarito, guarito! — rispondeva il Generale: ma l'aspetto suo dava indizio che dovesse soffrire ancora. Camminava adagio e zoppicando, appoggiato a un grosso e rozzo bastone, e nel viso si vedevano le tracce delle fatiche durate e degli strapazzi sofferti.

Prima di lasciar lo spedale, ci disse che aveva un cinquecento franchi da distribuire, e manifestassimo tutti che cosa volevamo: o denari o qualche oggetto. Alcuni chiesero una pipa e del tabacco, altri un portafoglio o un paio di scarpe; io domandai una camicia rossa, giacché l'altra non era più servibile. — Vuol dire che è stata adoperata bene: — rispose stringendomi la mano il Generale — avrai una bella camicia rossa.

E mi fece mettere in nota. Poi giunto presso la porta si tolse il cappello, salutò con una mano i suoi poveri commilitoni, dicendo — addio! arrivederci! — e uscì accompagnato dalle grida di tutti noi che lo acclamavamo. Il direttore Denaro piangeva come un bambino, e rideva e saltava come un matto. — Non avrei mai creduto — così ripeteva ogni due minuti — che nella mia quasi vecchiezza dovessi stringere la mano all'invitto Garibaldi.

In cotesto stesso giorno venne a farci visita il signor Giuseppe Dolfi, una bella faccia di galantuomo, un cuore di popolano tanto fatto.

Trascorsa una settimana, sorreggendomi sulle grucce potei alzarmi dal letto e passeggiare per lo spedale. Qualche giorno ancora, e mi fu concesso d'affacciarmi in sulla strada, e respirare un po' d'aria più libera, scaldarmi al sole di quel cielo lombardo così limpido, così azzurro, parlare coi buoni paesani di

Vestone, tornare insomma, dopo lo spettacolo di tante miserie, alla vita del mondo, alla letizia, alla speranza. Altri al pari di me andavano migliorando, sicché una bella mattina, fatti venire cinque carri, vi montammo sopra una piccola carovana di venticinque o trenta, e di là adagio adagio, dopo molte ore di cammino e una intera notte passata a cielo sereno, giungemmo nella graziosa ed elegante Brescia. Que' buoni bresciani lagrimavano nel vederci a quel modo sparuti, pallidi, mezzo stroppiati: ci abbracciavano e ci baciavano con una espansione che inteneriva, ci conducevano a braccia nello spedale civile che era il luogo assegnatoci. Di nuove cure fummo fatti segno là dentro, dove era un viavai di signore e di signori, che facevano a gara per esserci utili in qualche cosa. È così dolce nella sventura, o lettori, il conforto d'una parola affettuosa, che lì per lì si dimentica a un tratto quello che abbiamo patito.

Intanto io m'era procurata da Firenze qualche valida raccomandazione, e in que' pochi giorni che stetti in Brescia fui onorato da visite speciali di qualche egregia persona, fra cui mi piace ricordare il signor Prefetto della provincia, il cav. Zoppi, uomo di maniere affabili, antico e provato patriotta, a cui tutti i feriti debbono gratitudine per il modo col quale soprintendeva e invigilava. Ottenni facilmente un congedo di quaranta giorni — che diventò poi definitivo — e zoppo zoppo montai in vapore,[1] giunsi a Milano, a Bologna, a Pistoia, rividi finalmente — e il cuore mi balzò per l'allegrezza — la mia vecchia cupola di Brunellesco, le superbe torri di Giotto e d'Arnolfo, guardai con gli occhi un po' imbambolati dalle lacrime questa verdeggiante cintura di colline, che chiudono, come una gemma in un cerchio sfavillante d'oro, la mia bella Firenze, e rividi dopo tre mesi di tante avventure quella mia casetta di dove me n'ero fuggito a quel modo che in principio vi ho raccontato. Il figliuol prodigo non avea bisogno di essere perdonato, e sollevando in aria quelle povere grucce poté dire sicuro di dire la verità: — Contentatevi, o miei cari, che mi sia stato concesso di fare il mio dovere; e ora torno tranquillo a posare il capo sul guanciale di casa mia.

---

1. *in vapore*: in treno.

## CONCLUSIONE

### TRENTASETTE ANNI DOPO

Rivedere dopo tanto tempo le bozze della nuova edizione di un libro, che fu scritto negli anni della spensierata giovinezza felice, infonde nell'animo una dolcezza malinconica, che somiglia molto da vicino alle rimembranze nostalgiche della vita.

Perché un libro che esce spontaneo e di getto dalla penna, e vibrante ancora, mentre lo stiamo scrivendo, delle commozioni provate, dei ricordi tristi o giocondi, delle ansie e delle trepidazioni, degli accoramenti e delle speranze, che cosa altro è se non un lembo della vita dello scrittore?

Ecco qui: sono passati trentasette anni. Gli entusiasmi si spensero, tramontarono le illusioni, nella gelida realtà naufragarono e scomparvero le risoluzioni più ardite, allo stesso modo che dai miei occhi, allora giovani, avevo vedute scomparire a una a una le case aguzze e le vette acuminate del Tirolo italiano: vette e case che la insipiente diplomazia di quell'anno memorabile lasciò nelle mani dell'Austria. Il sangue generoso che aveva bagnate quelle balze, e s'era confuso con i vortici traditori del Chiese, era sangue prezioso della gioventù italiana; e si credette invece dovesse allora trionfare il proverbio, che acqua passata non macina più: come se il sangue fosse acqua!

Chi sa ridire gli sdegni, a forza repressi in que' giorni, nell'anima esulcerata di Giuseppe Garibaldi? e le irose lettere che i volontari tornati a casa si scambiavano gli uni con gli altri, e che finivano tutte con la balda speranza di ottenere ben presto una rivincita? Amare illusioni anche coteste: rimpianti e imprecazioni superflue. La pace era conclusa e stipulata; Venezia era nostra; il terribile quadrilatero, strumento di tirannia e di oppressione, diventava poco meno che inutile, ozioso arnese di archeologia strategica.[1]

Generali austriaci e italiani, seduti insieme attorno a un tappeto verde, fumavano fraternamente sigari virginia, davano e ricevevano le consegne. Venezia e tutte le città del Veneto si tappezzavano di bandiere tricolori e aspettavano ansiose, esultanti, commosse, la visita di Vittorio Emanuele. Sicché una bella mat-

1. Il quadrilatero, che era costituito dalle fortezze di Mantova, Peschiera, Verona e Legnago, era ormai tutto in territorio italiano.

tina, fatta un'allegra fiammata delle stampelle, corsi anch'io alla
stazione, e con la medesima spensierata noncuranza di sei mesi
prima — eravamo al 5 novembre del 1866 — salii nel treno in
compagnia di ministri, di deputati, di senatori, di giornalisti, di
curiosi: tutti diretti a Venezia.

Bisognava per forza passar da Milano, perché da Ferrara a
Padova la linea ferroviaria non era ancora finita. Meglio così:
la vista dei campi lombardi mi attirava; e passar vicino ai formi-
dabili spalti di Peschiera e di Verona, non più minaccianti rovine e
stragi, era se non altro la prova che le battaglie combattute a
qualche cosa giovarono.

Le liete conversazioni dei viaggiatori, smaniosi tutti di assistere alla solenne presa di possesso della incantevole città, e quel
rapido correre del treno, che non aveva nulla che vedere con gli
addormentati convogli dove i garibaldini si ammassavano come
sardine nei barilotti, poi la prospettiva delle feste imminenti, delle
grida patriottiche, degli applausi, degli entusiasmi, erano altrettanti motivi di allegrezza per me, dopo tre mesi di solitudine e
di convalescenza. Mi sentivo come rinascere alla vita; rigermoglia-
vano ancora una volta le speranze che parevano morte, e con
accorata passione guardavo quel «cielo di Lombardia, così bello
quand'è bello, così splendido, così in pace».[1]

Ma la mattina del sette novembre, giorno destinato all'ingresso
del re, Venezia era tutta ravvolta nella nebbia. Fu una delusione per
tutti. La piazza San Marco era rigurgitante di popolo, che guardava smaniando al dorato angiolo in vetta al campanile, al secolare
campanile oggi scomparso,[2] per indovinare, secondo la direzione
di quella banderuola aerea, il tempo che farebbe più tardi. Ma gli
occhi nulla vedevano: la punta del campanile era avvolta anche lei
nella nebbia, e a malapena emergevano dalla folta caligine le dorate cinque cupole bizantine della chiesa, e le colonne, i fregi, gli
intagli, le balaustre della più bella facciata del mondo.

Addio sole, addio riflessi dorati, addio luminosità e tremolii
iridescenti della laguna! Era sparita perfino l'isola di San Giorgio:
e la decantata Giudecca, col suo magico anfiteatro di rive, di *fondamenta*, di case, «laggiù presso al Redentor», si confondeva e

1. Manzoni, *Promessi sposi*, cap. XVII. 2. Il campanile di Venezia crollò
nel 1902, e cioè l'anno prima che il Checchi scrivesse questo capitolo.
Esso fu poi finito di ricostruire nel 1912.

dileguava in quell'oceano ora fluttuante ora immobile, ora più fitto ora squarciato in vari punti, in quell'oceano denso di nebbia, nel quale andavano a naufragare l'acqua morta della laguna, il cielo di piombo, le lontananze, gli orizzonti, le antenne e i fianchi panciuti delle navi: delle navi ancorate nel bacino, e che davano la immagine, quando mi avvicinavo con la gondola, di giganteschi addormentati mostri, che il mare avesse respinti alla spiaggia. «E questa è Venezia?» ripetevo mortificato dentro di me, «la città di lord Byron e di Giorgio Sand, la bella sultana adagiata e cullata sulle onde azzurre dell'Adriatico, che tutti i poeti cantarono, che gl'innamorati sognarono a occhi aperti? E che cosa ci sono venuto dunque a fare?»

Il gondoliere interruppe le mie lamentazioni, dicendo che era l'ora d'avviarsi alla stazione: il re Vittorio sarebbe arrivato fra un'ora. Vedevo infatti centinaia di gondole squarciare con i lucidi rostri l'umido lenzuolo di nebbia: e per il Canal Grande, col cadenzato batter dei remi, andare innanzi e innanzi.

C'erano nelle gondole le più belle signore veneziane, gli uomini più in vista del governo e del parlamento: ministri, deputati, senatori, patrizi. Saluto, passando, Andrea Maffei, Aleardo Aleardi, Giacomo Zanella, che avevo conosciuti a Firenze e che mi avevano incoraggiato a scrivere queste *Memorie*. Ecco il ponte dell'Accademia, il palazzo Foscari, il palazzo del Municipio, Rialto, il Fondaco dei Turchi, Cannaregio. La caligine si è un po' diradata: quantunque il sole già alto non abbia virtù di squarciarla, pure la assottiglia per modo, che le due sponde del Canale ora si vedono, e i palazzi si scoprono, e l'ondeggiamento delle rive si snoda, si allarga, si restringe. Arazzi e tappeti pendono inerti dai balconi: ma una sottile brezza agita lievemente le mille e mille bandiere tricolori che sporgono dalle finestre; e quelle bandiere, con i gioiosi sbattimenti, pare che palpitino anch'esse nell'ansiosa aspettativa dell'avvenimento memorabile.

Comincio allora a capire, un po' in confuso, Venezia; ne indovino le sovrumane bellezze, poi torno col pensiero all'indietro negli anni, e rivedo, fulgide nella storia del patriottismo italiano, le care immagini di Silvio Pellico, di Pietro Maroncelli, del conte Oroboni, di tutti gli altri martiri dello Spielberg, dei gloriosi morti sui patiboli austriaci. Li rievoco, li chiamo attorno a me, e dico loro piangendo: «esultate nelle vostre tombe, o magnanimi precursori della indipendenza della patria. Il vostro sangue non fu sparso invano, né invano soffriste le torture del carcere, perché Vittorio Emanuele primo re d'Italia entra oggi in Venezia fatta libera».

Un colpo di cannone: giunge il treno reale. Corre per tutta la vasta distesa del Gran Canale un mormorio, un sussulto, un fremito; quell'immenso pavimento di gondole, così aderenti le une alle altre che i remi non possono più toccar l'acqua, sussultante per una ignota forza, par che si voglia spingere anche più innanzi, a ridosso della Riva, là dove le bissone municipali fanno cerchio alle pavesate barche del corteggio reale.

Ed esce fuori il re, il re magnanimo, l'eroe di Palestro. Esce, e volge intorno gli occhi fulminei, ammirando. Chi può ridire l'urlo di gioia quasi selvaggia che si diffonde nell'aria, che si ripercote, che si propaga, che va giù fino alle più lontane rive gremite di popolo? Nelle gondole tutti balzano in piedi, acclamano, agitano cappelli e fazzoletti; poi a un tratto il mobile pavimento si rompe in due, il magnifico corteggio entra nel solco e si avvia, preceduto, accompagnato, seguìto da quell'immenso brulichìo d'imbarcazioni, nel fremito delle acque violentemente mosse, fra quelle due file di palazzi marmorei, che per una illusione degli occhi par che si muovano anche loro, e facciano scorta d'onore al gran Padre della patria.

Per un'abile manovra del barcaiuolo riesco con la gondola a collocarmi in mezzo a quel bailamme, a spingermi innanzi, a raggiungere le prime file e a percorrere il Canale a breve distanza dal re. E assisto così alla mirabile apoteosi di quell'irrefrenabile scoppio d'entusiasmo, che di minuto in minuto cresce d'intensità, che diventa febbrile, che si trasforma in delirio.

Centomila persone si pigiano, si urtano, si scavalcano, si sopravanzano, dappertutto dove l'acqua lascia il posto, alle rive, agli sbocchi delle *calli*, ai *campi*, ai *campielli*, alle fondamenta, ai traghetti. Due sterminate file di gondole, a destra e a sinistra del Canale, accolgono un'altra folla plaudente, e ancora una folla si affaccia, si spenzola, si agita dai balconi, dalle finestre, dagli abbaini, dai tetti, dai campanili, dalle gradinate. L'avresti detto un popolo sorpreso da un accesso di sublime follia.

Ma già la gondola reale è passata sotto il ponte dell'Accademia, si avanza verso la punta della Salute, si avvia verso il bacino di

San Marco. Sventola da tutte le navi la gala delle bandiere, i cannoni tuonano, gli equipaggi acclamano, siamo in prossimità della Piazzetta. Quand'ecco, a un tratto, sfavilla nell'aria un improvviso fulgore, rapido come baleno: altri fulgori gli succedono: l'aria tutt'all'intorno si muove, palpita, trema: i primi strati di nebbia si alzano; e il sole, penetrando a forza, rompe, squarcia, dilania quel funebre lenzuolo come all'aprirsi di uno scenario, e batte trionfante con i suoi raggi la facciata del palazzo Ducale. Il re balza in piedi, come rapito di meraviglia: e un formidabile, tonante grido di quell'altra folla che aspetta, risponde al grido che parte dalle migliaia di gondole, ora tutte inondate di sole; risponde a quella nuova gloria di luci e di splendori che tremola, scintilla, abbarbaglia. La caligine è vinta: gli sparpagliati strappi, ridotti in brandelli, fuggono impauriti e si dileguano, come le scompigliate file di un esercito in rotta; e di là dalla Riva degli Schiavoni, oltre l'Arsenale, oltre i Giardini, emergono dalle acque, diventate azzurre, la lontana striscia verdeggiante del Lido e l'isola di San Lazzaro.

Chi ha visto uno spettacolo simile, potrebbe campare cent'anni, ma non troverebbe mai le parole atte a descriverlo.

Furono otto giorni di pubbliche feste, di spettacoli, di ricevimenti, di conviti. Sorrideva finalmente anche alla regina sposa del mare la luna di miele della libertà. Oggi, dopo trentasette anni, tutte le volte che ritorno a Venezia, rivedo con la fantasia quella storica entrata del re, ripenso alle gioie, agli abbattimenti, alle speranze degli anni venuti dopo, e risaluto malinconicamente la gloriosa schiera dei trapassati: i fratelli Cairoli che bagnarono del proprio sangue la sacra terra di Roma nell'ottobre del 1867 a Villa Glori: e i martiri di Mentana: e Giuseppe Garibaldi a Digione: e Menotti Garibaldi, che muore per quell'ideale di risanamento della campagna romana, che fu l'ultimo sogno del padre morente. Quante tombe si schiusero! quanti nobili cuori si spensero! Benedetto Cairoli, Giovanni Fabrizi, Felice Cavallotti, Clemente Corte, Nino Bixio, Giuseppe Sirtori, Giovanni Nicotera ...

Rividi un giorno, mentre era ministro dell'interno, l'antico colonnello del sesto reggimento. Nell'intervallo fra due sedute della Camera, Sua Eccellenza era sceso, com'era suo costume, a far colazione nel Caffè Guardabassi, in piazza Montecitorio. Io me ne stavo tranquillamente seduto alla tavola del senatore Messedaglia, uno di quelli uomini privilegiati, la cui conversazione di un'ora insegna molte più cose di un libro.[1]

Alla tavola accanto sedette il Nicotera, e salutato cortesemente il suo avversario politico e amico personale, prese parte con quel suo pronto e facile eloquio alla nostra discussione. Non l'avevo più visto dal sessantasei in poi: la bella barba nera del colonnello garibaldino era diventata pepe e sale, colore adatto alla dignità e alla serietà di un ministro; ma la voce era sempre quella, una voce calda, penetrante, persuasiva, che anche quando spacciava frottole, come nella campagna del Tirolo italiano, riusciva pur sempre a dare ad intendere lucciole per lanterne, e otteneva il voluto effetto.

A un certo punto della conversazione, il senatore Messedaglia ebbe la infelice idea di presentarmi. Il Nicotera fece uno scatto: aggrottò i sopraccigli e mi fissò con quel suo sguardo imperioso, gravido di minacce, che esercitava un fascino pauroso sui garibaldini un po' cuccioli.

— Lei dunque — disse il fiero barone — ha scritte le *Memorie di un garibaldino*, e ha dette di me cose, che mi vennero sotto gli occhi troppo tardi, altrimenti...

E col pugno chiuso batté sul marmo del tavolino.[2]

Il povero Messedaglia, autore della imprudente presentazione, era impappinato come un pulcin nella stoppa e avrebbe dato non so che cosa per stornare il discorso. Ma lì per lì non trovò nulla, e con occhi smarriti guardava ora me, ora il Nicotera.

1. Angelo Messedaglia (1820-1901) era allora professore di economia politica nell'università di Roma. Liberale di destra, deputato dal 1866 e senatore dal 1884, era uomo di vasta cultura scientifica e letteraria.   2. Il Nicotera, sul quale cfr. la nostra nota a p. 915, era stato infatti assai punzecchiato dal Checchi. L'aneddoto a cui si accenna più sotto è il seguente. Un giorno il Nicotera passava in rivista i suoi volontari per controllarne il corredo. «Quando il colonnello fu in faccia a me aggrottò tanto di sopracciglia, perché invece della borraccia di munizione dove si conserva l'acqua, io m'era procacciato una bella fiaschetta di vetro. — E voi — disse il colonnello — che cosa avete fatto della vostra borraccia? — Quel *voi* troppo soldatesco mi fece saltare la mosca al naso, e risposi: — Oh bella! l'ho gettata nei campi, perché l'acqua dentro ci diventava cattiva. O stia a vedere che... — Ma il colonnello m'interruppe, e dando un passo addietro e incrociando le braccia al petto come Napoleone I (scusatemi il paragone), replicò in tuono grave e severo: — E che cosa dirò io al Governo, quando mi domanderà conto della vostra borraccia?»

Ero in ballo e bisognava ballare. Dare alla questione una veste troppo drammatica, dopo quasi un quarto di secolo, a dire la verità mi pareva non ne mettesse proprio il conto. Giocai dunque d'audacia, e dissi, con accento tra il burlesco ed il serio:

— Domando a Vostra Eccellenza di levarmi una curiosità. Come finì la faccenda fra lei e il governo, quando il governo le chiese conto della mia borraccia di munizione che avevo buttata nei campi?

Dirò qui, fra parentesi, che l'aneddoto della borraccia, raccontato nel capitolo XIX, fu ricopiato pari pari da Francesco Domenico Guerrazzi nell'ultimo suo libro *Il secolo che muore*, ed ebbe un grande successo d'ilarità.

Il Nicotera lo sapeva, se n'era anzi doluto con gli amici dell'antico tribuno livornese. E io, imprudente, andavo a stuzzicare quel vespaio!

Ma il Nicotera, che fra le doti innegabili da lui possedute aveva anche quella d'essere un uomo di spirito, dopo avermi squadrato un bel pezzo, sorrise, mi stese la mano, e delle *Memorie* non fu più detta una sillaba.

Il Messedaglia fece un gran sospirone, come gli avessero levata una màcina di sullo stomaco.

Ricordi belli e malinconici, ritorni pieni di accoramento e di commozione a quelli anni, a quelle vicende, a quelli arruffii, che pure avevano una attrattiva nella loro spensieratezza geniale. Io ci ripenso con una tal quale passione nostalgica, forse per quello che v'è d'inafferrabile in tutte le cose umane, o, come direbbe l'Otello di Arrigo Boito,

> *forse perché discendo*
> *nella valle degli anni.*

E questa, se io non piglio una cantonata, potrebbe essere tutta la morale del libro.

Novembre 1903.

ANTON GIULIO BARRILI

# PROFILO BIOGRAFICO

ANTON GIULIO BARRILI nacque a Savona il 14 dicembre 1836, e dopo i primi studi compiuti presso gli Scolopi, passò all'università di Genova e vi conseguì la laurea in lettere. Si dedicò prestissimo al giornalismo pubblicando prima un settimanale scritto tutto da lui, «L'occhialetto», e poi collaborando ai quotidiani genovesi «San Giorgio» e «La Nazione». Nel 1860 entrò nella redazione del «Movimento», il quale, quando poco più tardi fu diretto dal Barrili, divenne uno dei più autorevoli fogli della penisola e fu anche, per così dire, l'organo ufficiale di Garibaldi. Fedelissimo al Generale fu infatti per tutta la sua vita il Barrili, che nel '59 si era arruolato nell'esercito sardo, ma aveva poi seguito Garibaldi nella campagna del '66, combattendo a Condino e a Monte Suello, e aveva preso parte attiva a tutta la campagna del '67. E piuttosto garibaldino, impetuoso e generoso, appassionato e arguto, egli fu anche nel suo giornalismo militante, per il quale ebbe a sostenere parecchi duelli. Nel 1874 fondò «Il Caffaro», nelle cui appendici comparvero molti dei suoi romanzi più noti, quali *Il tesoro di Golconda*, *Val d'olivi*, *Come un sogno*. In questi, che erano gli anni della sua piena virilità, chi lo conobbe di persona lo dipinse «di vantaggiosa statura, di membra complesse, l'occhio aquilino, il naso cesareo, talvolta, e più spesso in pubblico, reggente fra la radice e l'occhiaia destra *la caramella*, la fronte lieta e vasta, la cassa forte del petto in cui il largo possente respiro parea porgere ansa a quello schietto e vigoroso dell'arte pura».

Nel 1876 entrò alla Camera come deputato di sinistra, ma tre anni dopo rinunciò al mandato: la vita parlamentare non si addiceva al giornalista romanziere, il quale del resto in quegli anni veniva politicamente orientandosi verso destra. Ceduta poi la direzione del «Caffaro» a Luigi Arnaldo Vassallo, si trasferì per qualche tempo a Roma, dove nel 1884 assunse la direzione della «Domenica letteraria», che l'anno seguente perì nel clamoroso naufragio del suo editore, il Sommaruga. Tornato a Genova, il Barrili insegnò storia marinaresca nella scuola superiore navale ed ebbe l'incarico della letteratura italiana all'università. Nel 1894, anche per interessamento del Carducci, il ministro Baccelli lo nominò regolarmente titolare di questa cattedra, e nel 1903 fu rettore dell'università. Egli fu inoltre membro della Società ligure di storia patria, per incarico della quale curò l'edizione degli *Scritti editi ed inediti* di Goffredo Mameli. L'ultima sua attività giornalistica il Barrili la svolse nel « Colombo », un quotidiano fondato per lui da un'accolta di commercianti e di armatori suoi amici, ma del quale egli non volle assumere la direzione. Allora la fama letteraria del Barrili era larghissima e pareva molto solida, tanto che nel 1907 per iniziativa dell'Associazione ligure dei giornalisti gli si celebrò una sorta di consacrazione ufficiale, alla quale parteciparono le più alte autorità dello Stato. L'anno appresso, il 15 agosto, dopo breve malattia egli si spense a Carcare.

Il Barrili, la cui fama è oggi del tutto spenta, può considerarsi come lo scrittore in cui si esaurisce quel singolare filone ligure della nostra letteratura ottocentesca, al quale aveva dato origine negli anni intorno al '30 il gruppo giovanile e combattivo di Mazzini e dei suoi amici, e che negli ultimi decenni del secolo fiorì in quella sorta di scapigliatura genovese, in cui primeggiò appunto il Barrili e che è stata fedelmente descritta da Ernesto Morando. La filiazione del secondo gruppo dal primo, al quale appartenne anche Goffredo Mameli, apparirà evidentissima, solo che accanto ai romanzi del Barrili si pongano quelli di Giovanni Ruffini, e segnatamente il *Lorenzo Benoni* e *Il dottor Antonio*. La differenza è nel nuovo e realizzatore spirito garibaldino, che la seconda generazione poté innestare sull'originario e indelebile spirito mazziniano. Cosicché mentre il Ruffini sembra nostalgicamente volto solo alle memorie del passato, c'è nel Barrili lo spirito dei tempi nuovi, più confidente e ottimista, c'è una più serena fede nel presente e nell'avvenire, una più calda seduzione dei sensi. E questo nuovo sentimento, questo soffio di romanticismo risorgimentale, avventuroso e aperto alle speranze umane, con quel fondo di idealità mazziniane, con quell'eco di squilla garibaldina, era certo l'elemento più positivo del contenuto barriliano. Tuttavia lo scrittore non seppe dargli espressione adeguata nei suoi romanzi, ma piuttosto nei pochi scritti nei quali egli più direttamente parlò di Garibaldi: l'elogio funebre pronunziato a Genova il 15 giugno 1882, e il volumetto *Con Garibaldi alle porte di Roma*, nel quale lo scrittore narrò la sua fuga da Genova e la sua partecipazione alla campagna garibaldina del 1867 nell'Agro romano. Da quest'opera, che non è neanche essa senza difetti, riportiamo qui le pagine sulla battaglia di Mentana e sulla fine della campagna, che rimangono certo fra le sue più solide e vive.

★

*Con Garibaldi alle porte di Roma* fu pubblicato la prima volta a Milano dal Treves nel 1895, e a questa seguì una seconda edizione nel 1926. Di recente è stato ristampato negli *Scrittori garibaldini* di G. STUPARICH, da cui deriva il nostro testo, che comprende i paragrafi XI-XV. Il discorso su *Garibaldi* fu pubblicato a Genova nel 1882 e poi a Roma dal Sommaruga nel 1884.

Sul Barrili scrittore si vedano le opere generali, segnatamente il saggio del CROCE nel I vol. della *Letteratura della nuova Italia*, e l'introduzione dello STUPARICH.

Per la conoscenza della sua figura umana, della sua vita di giornalista e di tutta la scapigliatura genovese di quegli anni riesce di molto interesse il libro di F. ERNESTO MORANDO, *Anton Giulio Barrili e i suoi tempi*, Napoli, Perrella, 1926.

# DA «CON GARIBALDI ALLE PORTE DI ROMA»

## I

### [SUL MONTE SACRO]

La sera del 30[1] siamo in marcia da capo, e giunti a Castel Giubileo abbiamo l'ordine di fermarci a bivacco. Parecchie squadre, comandate, vanno attorno per legna, di cui fanno cataste sulla fronte del campo, dalla parte di Roma. L'eterna città deve scorgere i nostri fuochi, allineati a sette chilometri dalle sue mura. Garibaldi vede il suo piccolo esercito dall'alto di una eminenza su cui è murato un edifizio nerastro che ha per l'appunto il nome di Castel Giubileo. La guida del Baedeker dice che la fabbrica si denomina da una famiglia Giubileo; ma in pari tempo nota che il castello fu edificato nel 1300 da Bonifazio VIII. Ecco due notizie diverse e mal maritate da un compilatore frettoloso. Se è il papa Caetani che ha fatto edificare il castello nel 1300, è chiaro che il nome di Giubileo deriva per l'appunto dalla grande solennità cattolica apostolica e romana di quell'anno, e la famiglia Giubileo non ci ha niente a vedere. La eminenza su cui il castello è murato era l'acropoli dell'antica Fidene; piccola acropoli di ottantun metri d'altezza, per una piccola città di poche migliaia d'abitanti.

Pensando che avrei dormito poco, sul ciglio della strada, e non avendo nessuno di noi un pizzico di tabacco per caricare la pipa del maggiore, la famosa pipa che faceva il giro della brigata come la coppa conviviale degli antichi, feci la salita del castello, per andare a chiedere un po' di limosina agli amici del quartiere generale. Garibaldi, fiore di cortesia, saputo il bisogno mio, volle regalarmi addirittura un mazzo di sigari di Nizza; i suoi prediletti, per ragione della terra natale, io credo, non già per la intima bontà della concia; sigari biondi chiari, con un sapore di foglia di castagno, a cui non seppi avvezzarmi. Gli amici li gustarono meglio: tanto che me li presero tutti. Ma io non portavo solamente sigari, da Castel Giubileo; portavo anche notizie e induzioni. Due guide borghesi erano annunziate e introdotte presso il Generale, mentre io stavo lassù. Non erano semplici guide, erano amici travestiti; uno di essi, il maggiore Guerzoni.[2] Venivano allora da Roma,

---

1. *La sera del* 30: ottobre 1867. 2. L'altro era Giulio Adamoli. Cfr. nota 4 a p. 852, e il cap. IX dell'opera dell'Adamoli.

donde avevano potuto uscire con un pretesto, in arnese da contadini. Recavano l'annunzio che tutto era pronto per una insurrezione
in città; ma che, per incominciare, si voleva aver Garibaldi alle
porte. Era facile d'indovinare la risposta del Generale, e facile
d'intendere che quella notte si sarebbe dormito poco.

L'ordine di marcia fu dato alle quattro del mattino. Splendevano ancora i nostri fuochi sulla fronte del campo, e il piccolo esercito, precedendolo i carabinieri genovesi, era in marcia per certe colline sulla sinistra della strada maestra. Quante
colline, o Dei immortali! Pareva che non volessero finir mai.
E tutte simili, ancora; basse, lunghe, ignude, frammezzate da
insenature, frangiate qua e là da un po' di macchia nana, il cui
verde cupo contrastava col verde tenero delle praterie, che in
quella penombra s'intravvedeva tinto di brina. Un odor di menta-
stro, abbastanza gradevole, ci giungeva alle nari, a mano a mano
(quasi sarebbe il caso di dire a piede a piede) che noi calpestavamo
l'erba di quei prati; i quali non volevano finir mai. Ne abbiamo
misurati sei chilometri almeno.

Cauti e spediti ad un tempo, silenziosi, con avanguardie e fiancheggiatori, osservando tutte le insenature, esplorando tutte le
piccole macchie, procedono i nostri due battaglioni. Sempre più
volgendo a sinistra, verso le otto del mattino vediamo il primo
segno d'uomini in quella solitudine; una casa sopra un rialzo
di terreno e un muro di cinta, che indica una fattoria. È il casale,
anzi l'osteria della Cecchina. C'è un oste, ma senza vino, bensì
con un pozzo in mezzo al cortile, e perciò con dell'acqua a volontà;
un'acqua che egli ci offre, o ci lascia prendere, rompendola con una
filza di sagrati. Par di sentire il locandiere di Rieti.

Riposiamo un tratto, bevendo acqua, e ci frughiamo nelle
tasche per ritrovare un'ultima crosta di pane. Improvvisamente,
si dà il comando di rimetterci in marcia. Si sono sentiti degli spari,
laggiù a mezzogiorno. Corriamo uscendo dal cortile, per una
carraia che va verso Roma. Che cos'era avvenuto? Garibaldi, uso a
muover sempre alla testa delle proprie avanguardie, aveva incontrato laggiù, a Casal de' Pazzi, una vedetta nemica; quattro o
cinque cavalieri pontificî, che avevano scaricate contro di lui le
loro pistole d'arcione, fuggendo tosto a galoppo, a carriera. Egli
era rimasto illeso; ferito appena, ma leggermente, uno de' suoi
ufficiali.

Ci avviciniamo anche noi a Casal de' Pazzi, dove abbiamo queste notizie. La fabbrica non è di casale che nella apparente rusticità dell'intonaco: nel complesso della membratura è un palazzo, e ci pare un castello murato tra il cinquecento e il seicento; rammodernato nell'ottocento, s'intende. Sarà quel che vorrà essere; io, curioso della campagna e della prospettiva, non sono entrato a vederlo. Mi par di ricordare che fosse un'abitazione abbastanza signorile; rammento di aver letto nei *Miei ricordi* di Massimo d'Azeglio che così l'avesse ridotta un cardinal Morozzo, suo zio, che non pare ne fosse lodato come savio nella scelta del luogo. Sicuramente c'erano parecchie comodità di cucina e buone provviste di dispensa, forse non potute portar via, per la nostra repentina apparizione. Tutte queste cose le ritrovarono alcuni dei nostri, che sotto la direzione dell'amico Ciccetta impastarono farina a gran furia e scaldarono un forno, per preparare il pane ai compagni.

Questo Casal de' Pazzi è piantato sull'estremo lembo di una collina lunga, che va con dolce declivio a finire sulla riva destra dell'Aniene, di contro all'ingresso del ponte Nomentano. La collina è fiancheggiata da due insenature; una a destra, assai poco sensibile, che la collega ad altre colline; l'altra a sinistra, che si avvalla alquanto di più, ricevendo le acque di un rigagnolo, e dando campo alla via Nomentana, che muove di lì risalendo a tramontana, verso Monticelli, Sant'Angelo e Palombara. Ma non ci occupiamo delle cose lontane; siamo sulla collina pianeggiante, solcata per lungo dalla carraia che congiunge l'osteria della Cecchina a Casal de' Pazzi. La carraia è orlata, sul margine di sinistra, da una rada piantata di pini, ancor giovani; a destra da motte di terra, da zolle, che fanno un po' di ciglione. I nostri uomini, per comando del Generale, si pongono a sedere lungo il ciglione, e ne rimangono coperti benissimo; riposando possono mangiare il loro pane, se ne hanno, e una fetta di carne che è stata loro distribuita poc'anzi. S'intende che è carne cruda, e debbono arrostirsela lì per lì. Le legna non mancano; ci sono le staccionate dei campi, per darne al bisogno, e più in là.

Garibaldi è là in piedi, sul colmo della collina, intento a guardare tutto intorno, con gli occhi leonini socchiusi, eppure sfolgoranti sotto le ciglia aggrottate. Non è di cattivo umore, per altro: se fosse, avrebbe il cappello tirato sugli occhi. Qua e là, solitari in contemplazione, o raccolti a crocchi, gli ufficiali del quartier generale, dello stato maggiore, e dei battaglioni genovesi; da quindici a venti persone. Sulla destra, in lunga fila appiattati, i due battaglioni che ho detto, un po' smilzi, cinquecento uomini in tutto, i cui avamposti arrivano laggiù, sotto il ciglio della collina, in vista del ponte Nomentano. L'insidia è tesa, se a qualcheduno venisse voglia di farsi avanti, attratto dall'esca di quelle quindici o venti persone in piedi sul poggio, e lontanamente visibili. Certo, di contro a forze considerevoli, quell'agguato di cinquecento uomini sarebbe povera cosa; ma c'è indietro dell'altro; c'è il grosso dell'esercito, dietro le colline donde noi siamo venuti; le colonne di Menotti e del Frigésy[1] hanno le loro avanguardie in certe piccole macchie, che si vedono a tramontana, forse quattrocento metri più indietro.

Lo spettacolo, intanto, è meraviglioso di lassù. Vedo davanti a me, oltre la linea serpeggiante dell'Aniene, distendersi una campagna arsiccia, in parte coltivata, sparsa di radi edifizi, orlata nel fondo da masse d'alberi e di non bene distinti edifizi, forse di ville signorili, o di abitazioni suburbane. Là dietro è Roma, l'eterna città, riconoscibile da pochi tratti monumentali e solenni: una fila d'archi, a sinistra, l'acquedotto di Claudio; poco lontana da quegli archi una gran mole quadra, listata di colonne, sormontata da statue, San Giovanni Laterano; più in là, sulla destra, una cupola immensa, coronata d'un globo dorato, San Pietro; finalmente, all'estrema sinistra, l'eminenza di monte Mario, con la sua piantata di cipressi, che dà l'immagine d'un manipolo di cavalieri in vedetta. La gran scena è tutta circonfusa di quella luce rosea, vaporosa e calda, che è una bellezza propria della campagna romana.

Mentre io sto contemplando quello spettacolo così nuovo per me, una mano mi si posa sulla spalla; e subito dopo una voce dolcissima, che ben riconosco, mi dice:

— Sapete dove siamo?

— No, Generale, vedo questi luoghi per la prima volta.

---

1. Su Menotti Garibaldi cfr. nota 4 a p. 787. — Gustavo Frigyesy, ungherese naturalizzato italiano, aveva combattuto con Garibaldi fin dal '59, e nel '60 si era segnalato a Milazzo. Nel '66 era stato capo-battaglione sotto Menotti, il quale in questa campagna dell'Agro romano gli affidò il comando di una colonna. Morì nel 1878 a Milano.

— Siamo sul monte Sacro.

— Ah! — esclamai. — Per monte, tuttavia, è un po' basso.

— Agli occhi del capo, ve lo concedo, — rispose Garibaldi — non già a quelli della storia. Qui il senatore Menenio Agrippa raccontò la sua favola dello stomaco e delle membra ribellate, persuadendo la plebe ammutinata a ritornare in città. Qui, secondo alcuni, e non sulla strada Latina, Marzio Coriolano si accampò coi suoi Volsci, e vinto dalle preghiere della madre Veturia levò l'assedio dalla sua patria.

— E noi, Generale, se la domanda è lecita, — osai dire — che cosa ci faremo?

— Una breve fermata, io spero — rispose il Generale. — Aspettiamo un segnale di là — soggiunse, dopo un istante di pausa, accennando davanti a sé, verso San Giovanni Laterano. — Appena il segnale sia dato, intenderemo che la insurrezione è scoppiata in città; passeremo l'Aniene, e ce la faremo a correre.

— Intendo — diss'io. — Ma non ci sono le mura, che ci tratterranno, così pochi come siamo?

— Le mura son rotte, laggiù — replicò egli, indicando l'acquedotto di Claudio. — Tra vigne e orti, si può entrare benissimo.

Avevo già indovinata la mossa fin dalla sera innanzi, a Castel Giubileo; e là, finalmente, ne avevo la conferma dalle labbra del grande capitano, fatto per onorare il monte Sacro assai più di Coriolano e di Menenio Agrippa; sia detto con buona pace di quegli antichissimi personaggi. Si aspettava dunque il segnale. Passò un'ora, ne passarono due, ma il segnale non venne. Vennero bensì due ricognizioni nemiche, simultaneamente, una da manca e l'altra da destra. La prima indicata da una sequela di punti grigi, nei quali non tardammo a riconoscere il reggimento degli zuavi pontificî, si stese oltre la via Nomentana, lentamente, con poca intenzione di avvilupparci, forse temendo di essere avviluppata. La seconda, tutta di punti neri, si avanzò guardinga, ma con più risolute intenzioni, sulle colline dalla parte di ponte Molle, venendo con le avanguardie in quadriglia fino al colmo di una eminenza, a duecento metri da noi. Riconoscemmo allora i cappottoni della legione d'Antibo.[1]

1. *legione d'Antibo*. Erano truppe francesi arruolate nell'esercito pontificio. I francesi dell'esercito imperiale, che accorrendo in difesa del papa erano da poco sbarcati a Civitavecchia, entreranno in azione a Mentana.

Le disposizioni di Garibaldi furono poche e semplicissime. Al reggimento degli zuavi non oppose alcun nerbo di forze, solo ordinando al maggiore Guerzoni di tener dietro ai loro movimenti, piantato un po' più in là, con un cannocchiale da campo. Alle ardite quadriglie antiboine volse la sua attenzione egli stesso. Si avanzavano sempre, si avanzarono fino a cento metri, non di più, dalla tranquillità nostra argomentando l'insidia. Per tastarci, incominciarono da quella distanza a tirare. I nostri avevano ordine di non muoversi, di tener bassi i fucili, di non far vedere neanche la punta delle baionette di sopra al ciglione.

— Li aspetteremo a venti passi; — diceva Garibaldi — e allora daremo dentro tutti quanti.

Le quadriglie antiboine non fecero un passo di più; parevano inchiodate al terreno. Solo davanti a loro, o per mezzo, si muoveva correndo un bel cane spagnuolo, evidentemente felice come tutti i cani in guerra, che partecipano con tanto ardore, e sto per dire più dei cavalli, alle forti commozioni della battaglia. Il fuoco era aperto, ma durava senza merito, poiché nessuno di noi rispondeva. Fischiavano e gnaulavano le palle; quasi tutte troppo alte, passando; alcune troppo basse, ficcandosi nel terreno davanti a noi, o daccanto; nessuna toccando il bersaglio, che in quindici o venti offrivamo. E certo gli antiboini avevano riconosciuto Garibaldi, poiché intorno a lui la gragnuola era più spessa. Un ufficiale di quella gente, da noi distinto benissimo, si fece dare da uno dei suoi soldati il fucile, puntò lungamente e sparò, anch'egli fallendo il colpo, e guadagnandosi un sorriso di commiserazione. Garibaldi, che era stato un pezzo guardando i tiratori col cannocchiale, si avanzò di alcuni passi fino alla linea dei pini, e gridò loro con voce stentorea:

— *Vous êtes des conscrits; vous ne savez pas tirer. Vous êtes des conscrits* — ripeté ancora parecchie volte, rinforzando la voce, forse con la speranza che il sarcasmo li ferisse, invitandoli a farsi sotto, dove egli avrebbe voluto.

Ma il sarcasmo non li ferì, o se li ferì non bastò a farli scattare. Continuavano a scattare, in quella vece, i loro fucili, con sempre inutili tiri; e la musica era già molto durata, quando si avanzò Stefano Canzio.[1]

1. Stefano Canzio (1837-1909) di Genova, genero di Garibaldi avendone sposata la figlia Teresita, dal '59 al '70 partecipò a tutte le imprese di

— Senta, Generale — diss'egli. — Vuol proprio che imparino tirando su lei? Venga qua, la prego, un pochino più indietro, al riparo di quel pagliaio. Per quello che vuol fare, se ci sarà da farlo, — soggiunse, con un'accorta restrizione che mostrava la sua poca fede in certe notizie — non è mica necessario che lei stia qui a far da bersaglio ai coscritti.

Sorrise il Generale, gradì la celia, ma non si volle muovere di là. Forse pensava che quello era il giorno del fato, e che biso-gnava commettersi al fato. Egli accettò in quella vece di sedersi e di far colazione, finalmente, alle due dopo il meriggio, mangiando un pezzo d'arrosto freddo, rilievo di pranzo o di cena del giorno antecedente, rinvoltato in una pagina del piccolo «Movimento» di Genova.

— Ne volete? — diss'egli a me. — Senza complimenti.

— No, grazie, Generale; non ho pane.

— Oh, già! — soggiunse egli, ridendo. — Volete sempre il pane, voi altri. In America non ne vedevamo quasi mai, e c'eravamo abi-tuati benissimo. Ogni legionario portava il suo spicchio di carne infilzato sulla baionetta, se lo arrostiva alla prima fermata, e se lo sgranava senza aiuto di pane.

— In America, sì — replicai. — Ma noi siamo in Italia, e nel Lazio.

— Che cosa vuol dire?

— Che Cerere è dea latina.

Egli mi aveva dato tre ore prima un cenno classico; io gliene davo un altro, che parve averlo vinto.

— Avete ragione — conchiuse.

E mangiò tuttavia senza pane il suo spicchio di carne rifredda. Cioè, intendiamoci, non lo mangiò tutto: ne lasciò mezzo, che rinvoltò nella pagina del giornale, e consegnò al suo attendente. Doveva essere la sua cena, quel povero avanzo. Di bere non si parlò neanche; forse gli bastava un sorso d'acqua, accettato al casale della Cecchina. Garibaldi, come sapete, non beveva mai vino. Solo dopo il '60 aveva fatta una piccola concessione al Mar-

Garibaldi, segnalandosi principalmente a Bezzecca, dove ebbe la medaglia d'oro, e in Francia, dove fu promosso colonnello brigadiere. Fu popola-rissimo a Genova e in tutta Italia, sia per le sue gesta militari, come per l'incorrotto repubblicanismo e i tratti caratteristici della sua figura. A lui il Barrili, che gli era molto amico, dedicò questo suo libretto.

sala, prendendone un dito, nelle occasioni solenni, certamente per grato animo ai sacri ricordi del suo sbarco in Sicilia.

Il fuoco antiboino continuava, sempre con lo stesso esito di vana molestia. E frattanto, nessun segnale da Roma. Il viso di Garibaldi cominciò a rabbruscarsi, la falda del suo cappello a calarsi sugli occhi.

— Che cos'hanno quei seccatori? — esclamò egli ad un tratto.

Noi prendemmo coraggio a domandargli il permesso di rispondere con qualche colpo.

— Purché sia bene assestato — rispose, assentendo col gesto.

— Trovate quattro o cinque buoni tiratori, e andate ad appostarli laggiù, verso la falda della collina.

Obbedimmo prontamente. Cinque tiratori, dei meglio armati, scelti nei due battaglioni, furono collocati dove il Generale aveva consigliato. Una piccola siepe di rovi li nascondeva al nemico. Presero essi a tirare, puntando con calma, e cinque colpi bene aggiustati mostrarono che nelle nostre file non erano coscritti. Le quadriglie balenarono, risposero ancora due o tre colpi, poi si ritrassero, portando i loro feriti; e l'ufficiale e il suo cane sparirono con esse dietro una ondulazione del terreno. Un quarto d'ora dopo, ad una insenatura della collina, vedemmo la legione tutta quanta ritirarsi nella direzione di ponte Molle. In pari tempo si ritirava dall'altra banda il reggimento degli zuavi. Eravamo rimasti padroni del campo: ma per che farne? Ahimè, niun segnale da Roma.

Si stette ancora un pezzo a passeggiare, a far capannelli, a discorrere, amici da anni, amici da un giorno, che ci vedevamo là, e forse, tolti di là, non ci saremmo veduti che a punti di luna, o mai più. Ricordo che un Galoppini, di Spezia, capitano nel primo battaglione genovese, m'insegnò a fumare senza tabacco, caricando la pipa col caffè: due o tre chicchi tostati, rotti tra le dita, si mettevano nel fondo della campana; tutto l'altro era caffè macinato; e ne usciva una fumata aromatica, eccellente, alla gloria di Roma. E ricordo ancora che la mia pipata destò l'invidia di un ufficiale spagnuolo, certo De Roa, venuto con altri suoi connazionali, esuli dalla patria, nel seguito di Garibaldi. Il simpatico giovane possedeva ancora un libriccino di *papel de fumo*;[1] ma gli era

---

1. *papel de fumo*: cartine da sigarette.

mancata la foglia, e sperava di averla da me. Lo disingannai, mostrandogli un involtino di caffè macinato, che mi aveva regalato il collega; ma anche lo resi felice, dandogliene tanto da farsi quattro o cinque involtate per i suoi *papelitos*.

Così fumò anch'egli, il bravo De Roa, bellissimo brunetto, cavalleresco e prode, che seppi poi ufficiale d'ordinanza del generale Prim, e morto più tardi nella guerra contro i Carlisti. Sia pace alla sua bell'anima: per intanto, egli fece nobilmente il suo dovere a Mentana. E non poteva capire come si potesse dare indietro altrimenti che al passo. Nella terza fase della battaglia, quando nessuno più valse, né Menotti, né Canzio, né Frigésy, a fermare certe giovani schiere che erano state colte da un panico strano, e mentre Garibaldi, fermo a cavallo sulla strada, fremeva di tanta codardia, mettendo lampi di sdegno dagli occhi fulminei, avvenne al De Roa di sciabolare un soldato che si era buttato a terra, contorcendosi nello spasimo della paura e gridando: — Chi me l'avesse mai detto! — E non voleva lasciare il fucile, quel pauroso, stringendolo forte tra le mani convulse, non sentendo le piattonate, non sentendo i rimbrotti. Garibaldi calò le pupille un istante, a guardare la triste scena; pensò, torse le labbra, poi levò la mano in atto solenne, dicendo al concittadino del Cid:

— Eh, lasciatelo stare!

Fu grazia della vita allo sciagurato, ma fu anche una sentenza peggior della morte, se quel convulsionario l'ha intesa. Che orrore per lui, se vive ancora e ne conserva memoria!

Ritorniamo al monte Sacro. Verso l'imbrunire fu deciso di dar volta a Castel Giubileo, donde la mattina eravamo partiti con tante speranze. Garibaldi aveva un messaggio da Roma: niente da sperare, là dentro, dove in quel medesimo giorno erano giunti i francesi a sostegno del poter temporale. Per questo fatto le cose prendevano una piega diversa. Bisognava far testa a Monterotondo, l'ultimo punto a cui giungesse la strada ferrata, donde potevamo aver munizioni e vettovaglie, dove, infine, si sarebbero presi i provvedimenti opportuni per proseguire la guerra. Il Generale ordinò che si facessero fuochi sul monte Sacro, per simulare un bivacco; noi dell'avanguardia, restando in retroguardia, dovevamo tenere la posizione fino a tanto il piccolo esercito non fosse tutto avviato, fuori da quel labirinto di colline. Per intanto rompevamo le staccionate dei prati, e facevamo cataste di legna intorno ai giovani pini che fiancheggiavano la carraia. A quelle cataste, essendo venuta la notte, appiccammo subito il fuoco: un'ora dopo avevamo l'avviso di poterci mettere in marcia. Un panico notturno, per lo scontro di due colonne, una delle quali aveva smarrito il sentiero e pareva venire dalla parte di ponte Molle, fece correre qualche fucilata. Ne seguì naturalmente un po' di scompiglio. Il maggiore Burlando,[1] giustamente interpetrando l'ordine che avevamo di proteggere la ritirata, pensò che la cosa non potesse farsi a dovere, se non ritornando tutti noi della retroguardia sui nostri passi. Fummo in mezz'ora al nostro accampamento del monte Sacro, tra le cataste che ardevano malinconicamente sole.

Io pensavo ai bei strategemmi dei fuochi notturni con cui s'ingannano gli eserciti moderni, come s'ingannavano gli antichi, e cercavo di ricomporre nella mia memoria il quadro dei sarmenti accesi a Casilino, nella guerra tra Cartaginesi e Romani. Ma chi li aveva accesi? Annibale, o Fabio Massimo? Lì per lì, non sapevo. Ma altri pensieri vennero a distornarmi piacevolmente da quella ricerca erudita ed infruttuosa. Pensai di fatti che la mia bella giornata l'avevo avuta, ed intiera. Le tenebre regnavano intorno a noi, tanto più fitte nello sfondo della scena, quanto più vivi sul primo piano rosseggiavano i fuochi. Ma la giornata era stata singolarmente luminosa: rivedevo la campagna pianeggiante di là dall'Aniene, seminata d'illustri rovine, l'acquedotto Claudio, San Giovanni Laterano con la sua ordinanza aerea di statue, la cupola di San Pietro col suo globo d'oro, monte Mario coi suoi negri lancieri in vedetta, tutta la prospettiva della eterna città, circonfusa d'una rosea luce vaporosa, traente all'oro, come nelle glorie dei quadri antichi. Giornata inutile ad altri, che misurano ogni cosa dagli effetti ottenuti; ma non inutile a me, che l'avevo goduta! E pensai che fosse stata fatta unicamente per me; ne fui grato a Garibaldi; gliene sarò grato fin ch'io viva, perché veramente fu la prima e sarà certamente l'ultima giornata bella della mia vita: con lui, davanti a lui, senza folle importune a levarmene la vista; vicino a lui nel pericolo lungo, nel pericolo

---

1. Antonio Burlando (1823-1895), ligure, si era già battuto nel '59 e nel '60. Rimasto, come qui dirà il Barrili, con pochi a Mentana, la mattina seguente dové capitolare. Con lui il Barrili era fuggito da Genova per battersi in questa campagna.

dimenticato tra i lieti ragionamenti, che mi parvero pregusta-
zione dei colloqui d'Eliso; vicino a lui nella speranza, infine,
e nel pieno gaudio dell'essere. Viva Garibaldi! E il monte Sacro abbia il più sacro dei miei ricordi per lui.

Sono le undici di sera: «tutto tace il bosco intorno»;[1] anzi, non
il bosco, poiché bosco non c'è, ma la macchia nana a ponente
della Cecchina. Ci mettiamo in cammino, silenziosi, marciando
tutta la notte, guidandoci come possiamo, col far mentalmente
alla rovescia quella sequela di giri e diagonali che avevamo già
percorsa nella notte antecedente. Fortunati abbastanza, vediamo
sull'alba l'eminenza di Castel Giubileo. Non isfuggirò l'occasione
d'un bisticcio, dicendovi che per conto mio ci arrivai giubilando.
Il maggiore, invece, era di cattivissimo umore, vedendo troppi
fucili abbandonati sulla strada, e non bastando i nostri uomini a
caricarseli tutti sulle spalle. Che diavolo era avvenuto? Sapemmo
più tardi che intiere compagnie, nel ritorno, facevano getto delle
armi, gridando di non voler più combattere per una bandiera regia.
Donde avessero cavata la notizia, che la bandiera fosse regia,
io veramente non so: bandiera, per verità, non ce n'era nessuna:
si voleva giungere a Roma, ecco tutto, e alla scelta della bandiera
ci pensasse poi il buon popolo quirite. Altri, per contro, anche
prima della marcia al monte Sacro, avevano lasciato il campo,
immaginando che la bandiera fosse rossa. Anche questi avevano il
torto; ma con una apparenza di ragione, argomentando dal fatto
che l'impresa di Garibaldi era stata sconfessata dal governo italiano, e più chiaramente, più solennemente, da un recentissimo proclama reale. Così noi, poveri reduci della vana dimostrazione armata, avevamo il male, il malanno e l'uscio addosso.

Alquanto più giù di Castel Giubileo, ritto a cavallo sul binario
della strada ferrata trovammo Garibaldi. Fu lieto di vederci, e volle
da noi le notizie del nostro esodo. Tutto bene, salvo un piccolo
incidente. La sera innanzi, alla prima partenza dal monte Sacro,
avevamo fatti avvertire i compagni che stavano dentro il Casal de'
Pazzi. Ci avevano risposto che sarebbero venuti tra poco, volendo
finire un'infornata di pane. Noi ci eravamo contentati della rispo-

1. «Forse, a orecchio, dall'aria de *I Puritani* di Bellini: "Vien, diletto,
è in ciel la luna — *tutto tace intorno intorno*" dove al primo *intorno* è stato
sostituito *il bosco*» (Stuparich).

sta; più tardi, ed al buio, credendo che fossero con noi, ci eravamo avviati senza di loro, avvedendoci solo al mattino della loro mancanza dalle file.

Mentre il Generale mostrava di addolorarsi del fatto, si sentirono grida in lontananza; e giù dalla collina, a gran furia, si videro calare tre uomini! Erano i tre nostri compagni; uno di essi il tenente Pozzo, che per tal modo ebbe la fortuna di dare al Generale i più freschi ragguagli, le più recenti notizie, che meglio non avrebbe potuto fare il telegrafo. I tre genovesi si erano dimenticati nella stanza del forno: solo un po' prima dell'alba li aveva turbati un suono di cannonate. Usciti all'aperto avevano veduto il campo vuoto, i fuochi già presso a spegnersi e presi di mira da una pioggia di granate, che venivano dalla campagna oltre l'Aniene. Non erano stati a pensarci più che tanto; avevano preso il largo, guidandosi a lume di naso, come noi altri, e via via più spediti, con l'ali alle calcagna, erano venuti a salvezza.

— Bravi! — disse Garibaldi. — E così, stando là dentro, con tanta farina, avrete fatti i taglierini.

— Eh, magari li avessimo fatti! capirà, Generale ...

— Capisco; — interruppe il Generale, ridendo — capisco che a voi altri, genovesi, ci vorrebbe un'osteria ogni mezzo chilometro.

Si rise tutti, ricevendo la nostra patente. Era una gentilezza, del resto; tale la faceva il tono bonario, tale la confermava il sorriso amorevole. Ma per verità, se in qualche altra campagna avevamo gradita la frasca, in quella, pur troppo, non c'era stato modo di gradirla, perché non s'era neanche veduta. Garibaldi, per contro, scherzava volentieri coi genovesi; e volentieri, nelle ore quiete, passando davanti al loro accampamento, accettava due cucchiaiate di minestrone. Era genovese anche lui: nato a Nizza, sì; ma la madre era di Loano, e originaria di Cogoleto; il padre di Chiavari, e i suoi vecchi erano stati genovesi e chiavaresi a vicenda, nel giro di parecchie generazioni, secondo portavano le ragioni del commercio, o i casi della repubblica. La Liguria è tutta Genova, a questo modo; e Genova, nel corso di otto secoli, si è sparpagliata un po' da per tutto, tra il Varo e la Magra.

Arrivati noi della retroguardia, non c'era da aspettar più nessuno. Il Generale fece togliere da un casotto della strada ferrata una botte di vino, che c'era stata messa in custodia, e ordinò che ne fosse spillato a tutti; liberalità molto opportuna, dalla quale argomentai che su quella strada, per allora, non si sarebbe più ritornati. Dopo di che, avanti ragazzi, e via, alla volta di Monterotondo. Il grosso dell'esercito era salito al paese; noi rimanemmo alla stazione, occupando un casolare abbandonato e stendendo subito i nostri accampamenti verso Fornonuovo.

Era il primo di novembre, il dì d'Ognissanti. Non avevamo viveri, né potevamo sperarne. Si scoperse una cavolaia: lavorandoci attorno per tagliarne, si vide che lasciavamo il meglio in terra; non erano cavoli semplici, ma cavoli rape. Allora si scavò, in cambio di tagliare, e fu portato in cucina tutto il raccolto del campo. Il Tevere diede l'acqua; un paiuolo dimenticato servì a far bollire quella verdura, in due o tre riprese. Ad ognuno toccò il suo tallo; poca cosa, ed insipida, poiché non avevamo sale da mettere in pentola. Ma non fu male che la porzione riuscisse scarsa, e lo sentimmo presto a certi dolori di stomaco; effetto del paiuolo di rame, che non era stagnato.

Noi eravamo in quelle bellezze, quando dall'avamposto fu dato un allarme. Accorremmo: niente di grave; anzi, una buona sorte per noi. Si avanzava, dopo aver passato il Tevere sulla barcaccia che era in quei pressi, una compagnia d'armati; volontari, e genovesi, che proprio cascavano a noi, come la manna agli ebrei nel deserto. Li comandava un capitano Valle, di Sestri Ponente, ed erano in gran parte doganieri, bella gente, e bene armata. Il maggiore Burlando offerse loro d'incorporarli: accettarono, formando la quarta compagnia del battaglione.

Una guida, frattanto, veniva da Monterotondo a cercare di noi. Menotti ci voleva alloggiati in paese, e proprio nel castello Piombino. Andammo subito; ma tanto cresciuti di numero, con tant'altra gente già allogata nelle vaste sale del palazzo barberiniano, ci sentivamo a disagio. Chiedemmo allora, e facilmente ottenemmo dal nostro buon colonnello, di andare ad alloggio nella nostra cascina Villerma. Il vecchio castaldo che la teneva ci rivide volentieri, sebbene non fossimo gli ospiti più desiderabili del mondo. Ma già, se non eravamo noi, potevano esser altri; meglio adunque noi altri, visi ed umori conosciuti, come di suoi figliuoli. Buon vecchierello sorridente! Non aveva nient'altro da darci che paglia; ma quella paglia, son per dire che gli veniva proprio dal cuore. E poi, quando c'è la salute, c'è tutto.

Ma ora, che si fa? Qualcheduno deve andare a prender lingua, a scrutare i cuori e le reni, se gli riesce. Vado io, esploratore e diplomatico da strapazzo; tanto, avrò occasione di vedere gli amici. Ne vedo moltissimi, al primo piano del castello, nell'anticamera di Garibaldi, e passo un'ora chiacchierando con tutti, mentre si aspetta il Generale, che è salito sulla torre del castello, a specolar la campagna. Egli non scende che sull'imbrunire; mi vede e mi invita a cena. Accetto col gesto, e accetterei con la voce, se il colonnello Basso,[1] segretario di Garibaldi, non mi facesse cenno con gli occhi e col capo. Non lo intendo, ma sto zitto; intanto il Generale si avvia, e l'amico Basso trova il modo di bisbigliarmi all'orecchio: — Vieni pure, ma non accettar di mangiare con lui: non ha che una frittata di due ova. — Seguo il consiglio del colonnello e i passi del Generale nella sala da pranzo; siedo a tavola, ma non per mangiare, avendo (oh generosa bugia!) pranzato dianzi alla cascina Villerma.

Anche a stomaco vuoto, è quella una deliziosa serata. Il Generale è di buon umore; ragiona di cento cose cogli amici che assistono al suo modestissimo pasto. Tra essi è il Negretti, il famoso ottico italiano, stabilito a Londra, ma venuto anche lui a fare la campagna dell'Agro romano. È uno dei pochi che abbiano la camicia rossa. Io, non lo dimentichiamo, ho da tre ore una sciabola, la mia Sitibonda del '66, che m'ha portata quel giorno un amico da Genova, insieme con la mia vecchia divisa grigia e la mantellina nera di carabiniere genovese.

Garibaldi è di buon umore, ho detto; confida ancora. Tre giorni prima aveva settemila uomini; non ne ha più che cinquemila, oggi; ma saranno tutti buoni? È il dubbio di parecchi, nella comitiva: il modo tumultuario con cui sono stati accettati e avviati dalle diverse città, la poca o nessuna conoscenza che hanno gli ufficiali di tanta gente nuova, raccolta a Terni e avviata in fretta al confine, ritorna spesso e volentieri sul tappeto, anzi sulla tovaglia. Si squaglieranno a poco a poco, dice un pessimista.

— Ebbene, — conchiuse Garibaldi — quando saremo in trecento, faremo come Leonìda.

Egli pronunziava Leonìda, con l'accento sulla penultima. L'ho già notato altrove,[2] ed ho anche soggiunto: «L'eroe di Sparta avrebbe amato udirsi chiamare in quella forma da lui. Chi sa? ora, nel regno delle ombre, o delle luci, ragionano insieme, dopo

1. Su Giovanni Basso si veda la nota 2 a p. 948.   2. *altrove*: nel suo discorso per la morte di Garibaldi.

uno di quei baci elisii, intravveduti dal genio di Dante.» Aggiungo ora, per confessione della nostra miseria, che se egli era capace di fare come Leonida, ci sarebbero voluti trecento Spartani, e risoluti al sacrifizio, per fargli compagnia. Ma la storia non si ripete. Del resto, quarantott'ore dopo, su poco più di duemila combattenti, furono cinquecento che gli caddero intorno a Mentana. Come lezione all'Italia di allora, non fu poi tanto male.

Quella sera, uscii tardi dal castello Piombino. Era buio pesto, nelle scale, tutte piene zeppe di soldati dormienti; ed io, nel discendere, incespicai una diecina di volte, urtando di qua e di là, facendo attaccar moccoli, che pur troppo non valsero a rischiararmi la discesa. Ma un cerino si accese improvvisamente nell'androne; a quella luce riconobbi un amico, celebre avvocato bolognese, già deputato alla Costituente romana, allora deputato di Forlì al parlamento italiano, Oreste Regnoli. Egli giungeva allora a Monterotondo, e si volgeva al quartier generale per aver notizie del campo dei genovesi, e ritrovarci un suo giovane amico. Non poteva capitar meglio; il suo valoroso amico diciottenne l'avevo io nella mia compagnia, vivo e sano.

— Venite con me, amico Regnoli — gli dissi. — Tra quindici minuti potrete vederlo.

Si uscì insieme a rivedere le stelle: passata la piccola spianata davanti al castello, e un certo portone di villa che mi ha sempre avuto l'aria di un arco di trionfo, entrammo in un vigneto; giungemmo al settimo filare, voltammo a sinistra, e trovato un sentiero campestre, ci avviammo diritti al piazzale della cascina Villerma. Anche là, nel portone e su per una scaletta che metteva al piano superiore della casa, pestammo piedi e stinchi allungati, facendo attaccar moccoli d'ogni misura. Ma questi erano di fabbrica paesana; accidenti in chiave di casa. Altri dovevo sentirne lassù, nel quartierino, dov'erano gli amici in molta libertà, più che in maniche di camicia, quando giunsi in mezzo a loro ed annunziai una visita, e di un deputato per giunta. Ma riconobbero il Regnoli, un amico, quasi un concittadino, e la mia imprudenza fu subito perdonata.

Gli amici avevano fatto un po' di baldoria; erano riusciti a rifarsi del cavol rapa. Fumavano, allora, avendo trovato non so più come una buetta[1] di tabacco; ma poc'anzi avevano cenato,

---

1. *buetta*: «era un pacchettino di circa 300 grammi di tabacco che allora si vendeva agli appalti» (Stuparich).

facendo perfino la minestra, gli epuloni! La zuppiera si vedeva ancora sul desco, ma vuota. Han sempre torto, gli assenti.

— Ma non avete dunque anima? — gridai.    .

— Chi se lo immaginava? — risposero. — Tu eri in *gaudeamus*, al quartier generale.

Avevano ragione a rider di me. La burla era feroce: la mandai giù per tutta cena. E così finì il primo giorno del mese di novembre. Il giorno due fu di calma per il corpo, d'ansietà per lo spirito. Che cosa si farà ora? Che cosa non si farà? Chi ne diceva una e chi un'altra. Si pensava ancora a tutti quelli che avevano ripresa la via del confine, quali per la bandiera che non era rossa, quali per il proclama reale che ci metteva al bando, o giù di lì, ma i più perché avevano fiutata la impossibilità del vincere e non gradivano la prospettiva di marce e contromarce, di stenti e di privazioni, in una guerra di bande. Quanto a noi, conchiudevamo filosoficamente tutti i nostri almanacchi: — Ci penserà il Generale; noi altri obbediremo, come si è fatto finora.

Ma che cosa pensava egli di fare, specie dopo il proclama accennato, che sicuramente sarebbe stato seguito da atti di polizia, che avrebbero tagliati i nervi ai comitati nostri e impedito ogni invio di munizioni al confine? Io non lo sapevo; né fo conto di metter qui le mie povere induzioni d'allora. Solo mi pareva d'intendere che egli, non avendo potuto penetrare in Roma senza il consenso armato della popolazione, non avendo potuto raccogliere sotto il proprio comando i due corpi lontani, dell'Acerbi[1] a Viterbo, del Nicotera a Valmontone, volesse aspettare in armi, per qualche settimana ancora, lo svolgersi degli eventi, facendo base in qualche altro luogo, non più a Monterotondo, ma a Tivoli, sulle montagne dell'Aquilano. L'accenno a Tivoli lo avevo avuto quella sera, difatti, udendo che un colonnello doveva andare con tre battaglioni tra Monticelli e Sant'Angelo, che erano per l'appunto sulla strada di Tivoli: mi confermava il sospetto l'invio d'un battaglione, con Marziano Ciotti, ad occupare l'incontro della strada di Tivoli con la Salaria: finalmente, ad ora tarda, seppi che a Tivoli doveva andare la mattina seguente il colonnello Pianciani, senza gente, per altro, coi due soli ufficiali, romano a romani.

---

1. Su Giovanni Acerbi cfr. nota 3 a p. 795.

— E andiamo a Tivoli; — pensai — vedrò la villa d'Orazio, o il luogo dov'era situata, poiché *etiam periere ruinae.* Peccato che non abbiamo più con noi Ludovico di Pietramellara. Vorrebbero esser odi a tutto spiano.

Venne la mattina del tre, e fu ordinata la marcia. Ma a me si ordinava anche di andar giudice al tribunale militare nel palazzo Piombino. A che pro' una seduta di tribunale, se si era tutti per muoverci? — Avrete tempo, — mi dissero allo stato maggiore — non si parte che alle undici. — E sia; eccoci in tribunale, anzi *pro tribunali.* Presiede questa volta il maggiore Guerzoni; è avvocato fiscale il maggiore Suliotti. Sbrighiamo le nostre faccende; i processi son chiari; si tratta di qualche prepotenza in casa di privati, e le condanne son pronte; come poi le faremo eseguire, non avendo sicurezza di mantenere un nostro sistema carcerario, non so. Alle undici abbiamo finito; va ognuno pei fatti suoi; io raggiungo il mio battaglione, uscito dalla cascina Villerma e già in ordine di marcia sulla spianata del castello.

## II

### [MENTANA]

Racconterò io la giornata di Mentana? No, davvero. Brevemente, a sommi capi, in iscorcio, io l'ho già fatto in altre pagine: distesamente non saprei, non potrei, non vorrei, dovendo lasciare un simile ufficio a narratori più autorevoli in materia, e meglio forniti di tutte le opportune notizie dei vari corpi impegnati. Ed anzi, volentieri mi fermerei qui, se non pensassi che le mie son note personali, di cose vedute, di sensazioni provate. In questa misura, adunque, e con queste restrizioni necessarie, accogliete il poco che io vi dirò, per compire la storia dei miei venti giorni di viaggio, che furono poi ventiquattro. Ma i rotti non contano, si dànno per il buon peso.

L'ordine del giorno porta che noi del secondo battaglione genovese marceremo in avanguardia, e il primo battaglione in fiancheggiatori. Con noi è un battaglione di milanesi, comandato dal colonnello Missori.[1] Così disposti ci mettiamo in cammino, e dopo

---

1. Su Giuseppe Missori cfr. nota 3 a p. 777.

forse mezz'ora giungiamo alle prime case di Mentana, accolti dall'inno: *Si schiudon le tombe* suonato dalla fanfara della colonna Frigésy. Quella musica piace poco; ad un illustre amico mio, che passa in quel punto a cavallo, non piace niente affatto. Per lui, essa è di mal augurio, non avendo avuto il battesimo del fuoco. Infatti, conosciuta dai volontari quando già era finita la campagna del '59, non fu suonata in Sicilia, né sul Volturno, né in Tirolo; non si è udita mai, se non nelle città, nei teatri, sulle piazze. Garibaldi, poi, ama meglio la *Marsigliese*, a cui vengon subito appresso, nelle sue simpatie, il *Fratelli d'Italia* e più un inno del Rossetti:[1] *Minaccioso l'arcangel di guerra* che i suoi legionari cantavano nel '49, a Roma e a Velletri. Ma basti di ciò; anche l'inno: *Si schiudon le tombe* ha avuto il suo battesimo a Mentana; triste, se vogliamo, ma solenne, e non è più il caso di tornarci su, poiché il sacramento è indelebile.

Io m'ero accostato a Mentana senza sospetto. L'andata pacifica del Pianciani a Tivoli mi prometteva una marcia tranquilla: né il mio ragionamento interiore poteva esser turbato dal fatto dei fiancheggiatori, essendo costume d'ogni esercito in marcia, sul terreno conteso, di aver fiancheggiatori e avanguardia. Noi, dopo tutto, facevamo una marcia di fianco, pericolosa sempre la parte sua, richiedente diligenza somma e celerità singolare. La diligenza si usava: la celerità veniva di costa. Ma le parole dell'amico, che mi era passato accanto, seguendo il Generale, mi avevano reso pensieroso. Esposi i miei dubbi al maggiore; e il maggiore si contentò di rispondermi:

— Ma che? credevi proprio che andassimo a nozze?

Eppure, guardate, l'aspetto della cosa era quello. Mentana era in festa, sul nostro passaggio, e tutto ci sorrideva dintorno. Già, per se stessa, Mentana è una borgata simpatica, con case basse e pulite, fiancheggianti una via romanamente lastricata, che va serpeggiando per una insenatura di monte. Sulla nostra sinistra, passata una chiesina campestre, il monte fa una conca dietro la fila delle case, abbastanza vasta per accogliere senza danno della prospettiva due o tre grossi pagliai, e per istendersi in una lunga prateria che va fuori del paese verso una piccola eminenza, su cui è murata una casa padronale, la casa della Vigna Santucci. Sulla

1. Su Gabriele Rossetti cfr. nota 2 a p. 606.

destra, e dietro all'altra fila di case, il monte si rompe in greppi, vallette e burroni, che portano al Tevere l'acqua di otto o dieci rigagnoli. In capo al paese e sulla sinistra, la fila delle case s'innesta in un vecchio castello con negri torrioni, tra i quali, dalla parte di Tivoli, si stende la cortina sormontata da un largo terrazzo, donde una frotta di donne sventola le pezzuole, i fazzoletti, gridando il buon viaggio a noi che passiamo spediti. Salutiamo le donne, salutiamo Mentana, salutiamo l'antica *Nomentum* di cui essa è l'erede, e tiriamo di lungo. Abbiamo fatto a mala pena un centinaio di passi, e vediamo accorrere verso di noi un biroccino, e sul biroccino una donna. Allarghiamo le file per lasciarla passare. È rossa in volto, ha negli occhi il terrore; e passa, gittandoci una frase:

— *Ce so' li papalini, ce so'!*

— Ah, davvero? — Il maggiore si volta a me, per darmi un'occhiata; e l'occhiata significa: «Che cosa ti dicevo io?»

Ancora un centinaio di passi, e sentiamo una fucilata. Si dubita di aver male inteso; ed eccone una seconda, che conferma la prima. I fiancheggiatori, sulla nostra diritta, hanno dunque incontrato il nemico? O il nemico ha tirato su Garibaldi, che cavalca sempre alla testa delle sue avanguardie? Affrettiamo il passo, ci mettiamo alla corsa. Ad una svolta della strada vediamo Garibaldi e il suo stato maggiore che salgono una collina, afferrando il colmo, dov'è la casa di Vigna Santucci. Noi, genovesi e milanesi, guidati dal Guerzoni che accorre con ordini del Generale, coroniamo un'eminenza a sinistra, facendo fronte ad un'altra, donde ci viene la fucilata, e che riusciamo ad occupare, ma senza poterla tenere lungamente, tanta è la forza che abbiamo di contro. Ci vien fatto nondimeno di sostenerci saldamente due ore sulla collina primamente occupata, stendendoci anche a coprire la Vigna Santucci; opponendo scarsi fuochi ma risoluti alla fitta grandinata onde ci bersaglia il nemico.

Ma lassù, tra Vigna Santucci e Romitorio (questo nome mi è rimasto nella mente accompagnato all'immagine della eminenza sulla nostra diritta) non siamo che tre battaglioni distesi in catena. La nostra linea, già interrotta dalla strada maestra, ha presto altre soluzioni di continuità, che non possono essere colmate. Le teste di colonna di Menotti e del Frigésy hanno da far fronte a sinistra, donde, procedendo coperti alla lontana, si sono avanzati altri battaglioni nemici, tentando di avvilupparci. E dura aspramente la

lotta; una lotta in cui Garibaldi, Menotti, Ricciotti,[1] Stefano Canzio, personalmente si impegnano contro zuavi, antiboini e cacciatori esteri. Intanto, sopra una collina di destra si è riusciti a portare
la nostra artiglieria: i due pezzi guadagnati a Monterotondo, che
sono un obice e un cannone rigato da otto, ma che avranno tra
tutt'e due a mala pena una trentina di cariche. Facendo volata
sul paesello, la nostra artiglieria incomincia a sfolgorare le colonne
nemiche irrompenti a sinistra. Di là quattro pezzi in batteria
prendono tosto a rispondere. Le riserve pontificie, girando la posizione, mirano a pigliarci di fianco; alcune eminenze importanti
son prese, perdute, riprese, perdute ancora. Nel paese di Mentana,
presso il castello, facciamo le barricate, lasciandoci il maggiore
Federico Salomone[2] con la sua gente e con mezza compagnia dei
nostri. Garibaldi stesso, che è da per tutto, accorre a vedere come
si tenga quel passo. Ricordo che in quel punto, volendo egli affacciarsi, gli si pianta davanti il capitano Carlino Nicotera, con la
mano al morso del cavallo, gridando: — Generale, fatemi fucilare,
ma non andrete più avanti. — E lui a sorridere: sulle prime pareva
disposto a contentarlo; indi proseguì allo scoperto, dove grandinava più fitto; stette un momento a dar ordini, poi voltò il cavallo e corse sulla sinistra, dove noi lo seguimmo, verso i pagliai.
Colà si era molto avanzato, troppo avanzato, il nemico.

La presenza del Generale rianima i suoi. Menotti, Canzio, Ricciotti, Bennici, Bezzi,[3] Missori e tanti altri hanno raccolto quanta
gente han potuto: con essa irrompono sulla prateria. Al grido:
«Garibaldi! Garibaldi!» è una maraviglia di carica vittoriosa, la
più bella che io abbia veduto mai. Paga per tutti il reggimento
degli zuavi, che si era fatto avanti il primo, e che è scompigliato,
sbarattato, disfatto dalla ondata irruente. Più in là, verso il colmo

1. Ricciotti, ultimo figlio di Garibaldi e di Anita, era nato a Montevideo
nel 1847, e si era battuto per la prima volta a Bezzecca con estrema audacia. A Mentana comandava un plotone di guide. Nel '70 fu nell'armata
dei Vosgi col comando di una brigata. Nel 1897 combatté ancora a Do-
mokos contro i Turchi.    2. Federico Salomone (1825-1884), di Chieti, già
milite nell'esercito borbonico, dal '48 al '67 prese parte a tutte le campagne del Risorgimento, e tra i Mille era stato maggiore di Stato maggiore.
In questa campagna aveva il comando di una colonna. Fu poi per molti
anni deputato.    3. Ergisto Bezzi, detto il Ferruccio trentino, era nato a
Cusiano nel 1835, e si era segnalato particolarmente nella campagna dei
Mille. Fu ferito a Bezzecca e a Mentana. Repubblicano intransigente, uno
dei più fedeli al Mazzini, rinunziò alle decorazioni e al mandato parlamentare. Morì a Torino nel 1920.

di una collina, vediamo fuggire a spron battuto uno stuolo di cavalieri luccicanti al sole; forse il generale nemico, che era venuto
innanzi col suo brillante stato maggiore, credendo vinta per lui
la giornata. Giuochi di fortuna! Che sia nostra davvero? Fu allora, per l'appunto, che un illustre amico, ritornando dalla sua carica vittoriosa, mi passò accanto col suo bel sorriso costante sul
labbro, e mi lasciò cadere questa frase:

— Ti ho detto tre ore fa che si cominciava male; vedrai che
finisce bene.

Ah, foss'egli stato profeta! Ma tutto diceva di sì, in quel
momento felice. Mentana era liberata; Vigna Santucci ripresa.
Per tutto il campo erano feriti sparsi, alcuni dei quali, al passar
dei soldati con le baionette spianate, gridavano: *Ne nous tuez
pas.*

Furono rispettati, lo affermo con giuramento. E poiché sono
a parlare di me, lasciatemi vantare: è la debolezza del soldato,
quando racconta. Di quei feriti ne raccolsi uno, i cui occhi si erano
fissati ne' miei, con una espressione dolorosa e supplichevole; e
lo feci trasportare sulle braccia di due commilitoni miei, all'ambulanza della vicina chiesuola. Era un caporale; così almeno mi parve,
da un nastro giallo che gli girava a staffa sul dosso della manica:
aveva delicati i lineamenti del volto, di tipo schiettamente francese,
quantunque i baffettini fossero neri, e neri i capelli, un po' radi
sulla fronte. Mi sorrise malinconico, in atto di ringraziamento, ed io
m'interessai vivamente a lui, accompagnandolo un tratto, fino al
pendìo della collina. Quanto gli sarà giovato il mio piccolo aiuto?
Aveva una palla in petto e il pallore della morte sul volto. Pensai
alla sua gioventù; pensai a sua madre. Ah, povere madri, se in
quei momenti un'idea non le sostenesse, e non le affidasse una
speranza lontana! Ed ancora pensai che insieme con soldati francesi, otto anni prima, avevamo fatta una guerra fortunata; che
con altri zuavi avevamo barattate fraternamente le spoglie, per
ballare insieme sulle piazze dei borghi di Lombardia, da Gorgon-
zola a Treviglio, da Coccaglio a Brescia, da Ponte San Marco a
Desenzano. Perché così mutati in otto anni gli spiriti? E ancora
non sapevo che dietro a questi francesi, arruolati nell'esercito
pontificio, venivano a masse compatte, girando largo dietro le
colline, i francesi dell'esercito imperiale, per entrare in azione sulla
nostra sinistra, mentre noi vittoriosi di un'ora, in quella vittoria

avendo messo tutte le forze nostre, non avremmo avuto più nulla da opporre, più nulla!

Fu quello che avvenne. Procedevano i nostri su Vigna Santucci, quando sulla sinistra, e quasi dietro a noi, cogliendoci di rovescio, apparvero nuovi battaglioni sui poggi; non avvertiti sulle prime, creduti amici alla riscossa. Ma qualche fucilata ci avvertì dell'esser loro; i cannocchiali, puntati da quella banda, non lasciarono più dubbio; si riconoscevano anzi, ai pantaloni rossi, i soldati dell'esercito imperiale. Fu allora necessario dar dietro, far conversione a sinistra, per opporci al nuovo pericolo, così perdendo i frutti della carica vittoriosa. Ma qui ben presto occorreva uno di quei fenomeni tanto frequenti in guerra, e presso tutti gli eserciti. Mentre le prime schiere, facendo fronte al nuovo nemico, resistevano virilmente, e già cominciavano a tenerlo in rispetto, le ultime schiere, ingrandendosi il pericolo, non vedendosi forse sostenute alle spalle, si lasciarono cogliere da un improvviso sgomento, si ritirarono a scompiglio verso la chiesuola dell'ambulanza, all'estremità del paese. Invano gli ufficiali con le sciabole in aria tentano di fermare quella valanga della paura. Invano il Generale, accorrendo, tenta di rianimare quel branco di fuggiaschi; invano li rimprovera con aspre parole. — Prima di scappare, voltatevi almeno a vedere chi v'insegue, vigliacchi! — grida egli furente. Ma invano, ho detto e ripetuto: costoro fuggono, fuggono, fuggono, lasciando tutto scoperto il terreno e con esso il lato sinistro del paese, con forse cinquecento uomini tagliati fuori nel suo abitato.

Tra la chiesuola dell'ambulanza e la collina di sinistra, donde i nostri pezzi senza munizioni son costretti a tacere, la strada verso Monterotondo si fa alquanto più stretta. Una carretta d'artiglieria, rimasta là a caso, fa un po' d'impedimento al passaggio. Garibaldi si è fermato là, col cavallo; non ci sarebbe dunque modo di passare. E nondimeno la fiumana dei fuggenti riesce a dilagare intorno a lui, scavalcando e magari rompendo le siepi. Ogni buon volere è impossibile, superato e travolto ogni ostacolo; grande fortuna se quella paura potrà rallentarsi più indietro, essere ravviata, trasformata ancora in eroismo. Garibaldi tenta ancora questo miracolo, mentre lo seguono i suoi ufficiali, in parte appiedati. Vedo Menotti, a cui è stato ucciso il cavallo, ferito egli stesso alla coscia, venire in giù, torbido nel viso, colla sua rivoltina nel pugno. Quello almeno va al passo, come piace al De Roa. Anch'egli dopo qualche istante si ferma, volendo opporre qualche manipolo di volenterosi all'avanzar del nemico. Si esce dalle siepi, si riprende la fucilata. Dalla parte nostra son due brandelli di compagnie: le altre due, o i brandelli delle altre due, rimasero al maggiore Burlando entro Mentana. Su noi il nemico vien lento, ma senza esitanza; facendo le quadriglie, fermandosi una a sparare, poi l'altra venendo innanzi a coprirla, e così via: regolarità di movimenti che ammazza!

E ancora bisogna indietreggiare. Oramai si fa il colpo di fuoco per l'onore, non più per la speranza di vincere. Ad un certo punto c'è da saltare una ripa; si casca gli uni sugli altri; io sotto a parecchi, e temo, al dolore acuto che provo, di essermi spezzata una gamba. Non è niente; sono un po' indolenzito, ed anche ferito, poiché sono caduto sul filo della sciabola, che tenevo impugnata colla sinistra, sotto la guardia. La mia Sitibonda si è abbeverata finalmente di sangue, e del mio. I commilitoni mi rialzano da terra: riconosco Ettore Dallera, Luigi Domenico Canessa, un Arduino. Essi mi sollevano, mi trasportano un po' sulle braccia fraterne, fino a tanto non mi cessa il dolore. Il Canessa s'incarica di portare anche la mia sciabola: gliel'ho poi regalata, come cinque ore prima avevo regalata la mia rivoltina al tenente Graffigna, che non aveva nulla, per insegna di comando, neanche un bastone. Fortuna diversa delle armi! La rivoltina passò ai pontificî, poiché l'amico Graffigna, rimasto in Mentana, fu fatto prigioniero la mattina seguente. La spada andò tre anni dopo in Francia, ma libera, in difesa di quella generosa nazione, nel piccolo e glorioso esercito dei Vosgi.

Seguitiamo a ritirarci, con le quadriglie francesi a cinquanta passi da noi, al fragore dei loro *chassepots* che fanno veramente prodigi.[1] Guai se quella gente dilaga, giungendo prima di noi a Monterotondo, che è in vista oramai! Ma no; ecco Garibaldi ancora, Garibaldi con un centinaio di uomini, alla riscossa. È gente nuova, o avanzo della vecchia, ch'egli è riuscito a rianimare pur ora? Mi par di sentire, giungendo ad afferrar la spianata, ch'egli ha trovate e prese con sé le due compagnie lasciate di guardia alle carceri. Chiunque siano, ben vengano. Si avanzano con le baionette spianate; un po' balenanti, mi pare, e Garibaldi non vuole

---

1. *chassepots*: erano fucili di nuovo modello, a retrocarica, così chiamati dal nome del loro inventore. Qui il Barrili allude a una frase, divenuta presto famosa, del rapporto ufficiale della spedizione: « Les chassepots ont fait des merveilles. »

trepidazioni in quel momento supremo. Lo vedo ancora, fiammeg-
giante cavaliere, nella luce sanguigna del tramonto; ritto in sella,
battendo a colpi ripetuti il fianco del suo cavallo alto e bianco, con
una striscia di cuoio, all'americana; risoluto di arrestare, ad ogni
costo, un nemico che la fortuna aveva fatto insolente. E percuoten-
do il cavallo, scendeva dalla spianata, gridando con voce vibrata:
    — Venite a morire con me! Venite a morire con me! Avete paura
di venire a morire con me?

Alcune parole genovesi, augurali, e non di fortuna, accompagnavano la frase italiana: ma la voce si abbassava di un tono, dicendole; mentre era scandito, accentato con fiera progressione il
«con me», ferma l'intonazione e accennante un disperato proposito. L'uomo era solenne, e solenne il momento. E tutti allora i
reduci sfiniti, i cadenti spettatori della scena terribile, si strinsero
ai fianchi di quel cavallo, confondendosi con quelle due compagnie, travolgendole, precipitandosi con lui nella strada. La carica
della disperazione ottiene l'intento; il nemico si arresta, si ritira,
facendo fuoco di dietro alle siepi. Garibaldi vorrebbe proseguire;
ma a qual pro? A che gli servirebbero, fin dove, quei dugento uomini che porta in mezzo alle schiere nemiche?

L'occhio vigile di Stefano Canzio ha precorso il pericolo. L'animoso ufficiale coglie il momento opportuno del nemico arrestato,
si gitta alla testa del cavallo e ne afferra le redini, gridando con
voce di amoroso rimprovero, ma donde trapelano tutte le collere
addensate da un'ora:
    — Per chi vuol farsi ammazzare, Generale? Per chi?

Ho veduto, ho sentito: il ripetuto «per chi?» fu quello che vinse
l'animo di Garibaldi, serbando il suo cuore, il suo braccio, il suo
nome, alla gloria di una sublime vendetta.


Non facilmente s'era piegato l'eroe. Aveva data in giro un'occhiata
leonina; aveva abbassate le ciglia, forse mormorando quel maraviglioso «avete ragione» in cui soleva sfolgorare la sua bella modestia, chiudendo molte discussioni e mostrando il lavoro interiore
che si faceva rapidamente nel suo nobile spirito; poi aveva dato
ancora uno sguardo lungo e profondo in quella penombra della
strada contornata di siepi, onde balenavano i lampi della moschetteria contro lui invulnerabile. Né, ritiratosi lentamente di là, avrebbe voluto cedere il campo. Non erano ancora di là da Mentana,

sulla strada di Tivoli, i tre battaglioni mandati la sera innanzi ad
occupare Sant'Angelo? Perché non si erano mossi? Perché non
erano accorsi al cannone? E perché, finalmente, non avrebbero
potuto attaccare nella notte, aiutando così a ripigliar l'offensiva?

Un giovane e bravo ufficiale, il capitano Giacomo Vivaldi Pasqua,
si offerse all'incarico di andarli ad avvertire. Aveva il miglior cavallo del piccolo esercito; per una via laterale nei campi, se ancora
non v'erano dilagati i nemici, poteva giungere in mezz'ora a
Sant'Angelo. Detto fatto, mise il cavallo a galoppo dietro la cascina Villerma: fortunato, passò sulla destra del nemico, salutato
dalle fucilate innocue d'una compagnia che il suo passaggio aveva
sorpresa: era giunto dal comandante dei tre battaglioni, sì, ma
trovando che quelle forze erano state divise, accantonate per compagnie nei casolari sparsi, non pure di Sant'Angelo, ma di Monticelli, e perfino di Palombara. Ci sarebbero volute ore ed ore, a
raccogliere quella gente; e neanche, dopo tanti esempi dolorosi,
era da sperare che si potesse venirne a capo.

La sera intanto è venuta; segue la notte, scura per il cielo nuvo-
loso, e dei tre battaglioni invocati non si ha nuova né canzone.
Ad ora tarda, dopo avere inutilmente specolato dalla torre del
castello Piombino, Garibaldi si arrende alla evidenza delle cose,
ai consigli di tutti i suoi ufficiali, e comanda la ritirata.

Ne avemmo notizia anche noi, avanzi dei due battaglioni genovesi, che ci eravamo raccapezzati alla meglio, nel trambusto del
momento, e stavamo pensando per l'appunto a mandare qualcheduno di noi per chiedere istruzioni al comando. Ci avviammo allora alla piazza maggiore del paese, dov'era tuttavia la carrozza del
Generale, che per aiuto nostro riuscì a passare da Porta Pia, allora
allora asserragliata di botti. Nella carrozza non era Garibaldi, per
altro; c'era Alberto Mario, sottocapo di stato maggiore,[1] il capitano
Adamoli e il padre di lui, vecchio patriota, venuto proprio quel
giorno ad abbracciare il figliuolo; finalmente ci avevo preso posto
io, per cortesia di Alberto. I miei commilitoni genovesi venivano
intorno; furono essi che disfecero la barricata, o almeno quel tanto
che fosse necessario per lasciar passare la carrozza.

La discesa fu triste; non parlava nessuno. Sulla pianura, oltrepassata di poco la stazione della strada ferrata, raggiungemmo

1. Per Alberto Mario cfr. nota 1 a p. 857.

una cavalcata ugualmente taciturna, avviata come noi al confine.

— Generale, siamo qua; — disse Alberto Mario, alzandosi in piedi — vuol salire?

— No, grazie; — rispose la voce di Garibaldi da quel gruppo di cavalieri ammantellati — andate pure, vi seguiamo.

La carrozza procedette più lenta, per non disgiungersi da lui, ed anche per non istancar troppo i soldati che seguivano a piedi, ma che, dopo tutto, il freddo della notte faceva più svelti alla corsa. Giunti a Passo Corese, smontammo ad una casetta alcuni passi distante dal confine. Bevetti colà poche gocce d'acqua; le prime, dopo tante ore di fatica. E passammo il ponte, accolti fraternamente dai granatieri del colonnello Caravà,[1] che ci offersero quanto avevano. Ringraziammo, non accettando nulla: tanto poteva più l'amarezza che la fame. Sapemmo allora che nella giornata i soldati dell'esercito regolare avevano disarmato via via duemila volontari, ripassanti il confine.

— A che ora? — domandai all'ufficiale che ci dava la notizia.

— Fra le due e le quattro — mi rispose.

Molte cose si spiegavano allora. Aveva ragione l'ufficiale pessimista, che due giorni innanzi, nel palazzo Piombino, alla tavola del Generale, aveva detta così crudamente la sua opinione su tanta parte delle nostre forze in campagna. Se quei duemila fossero rimasti nelle file, sarebbero giunti in azione al momento opportuno di slanciar le riserve. Erano alla coda, forse ancora a Monterotondo, udendo il fuoco d'inferno che si faceva a Mentana; avevano pensato ai casi loro, e risoluto di conservarsi per giorni migliori. Ottima gente! e non essi soltanto, che se n'erano andati, ma anche le molte migliaia che se n'erano rimaste a casa! Intesi allora anche meglio la forza di un ragionamento del mio amico Stefano Canzio. «Per chi vuol farsi ammazzare, Generale? Per chi?» Del resto, chi sa? forse è bene che le cose andassero allora così. Ci vuol filosofia, nelle cose del mondo: la filosofia insegna a sopportare molte noie; e si sopportano più facilmente le cose che non è dato cangiare.

> *Durum; sed levius fit patientia*
> *quidquid corrigere est nefas.*[2]

---

1. Giorgio Caravà, dalmata, nel '60 coi Mille aveva raggiunto il grado di tenente colonnello. Ora era nell'esercito regolare, dove fu poi generale.
2. Orazio, *Carm.*, I, 24.

Ah, ecco da capo Orazio? Ma sì, lettori umanissimi; e Orazio dovrebbe annunciarci vicino il Pietramellara. Il mio buon Ludovico era là, padrone della strada ferrata, facendo da capostazione. Mi vide, mi abbracciò, senza tanti discorsi mi condusse al marciapiede d'asfalto, e mi ficcò in un compartimento di prima classe, dove c'era già un ufficiale inferraiolato, in atteggiamento di riposo. Credetti che l'amico mi mettesse là dentro al caldo, perché schiacciassi un sonnellino; ma no, faceva dell'altro l'amico. Dopo due o tre minuti spesi a dar ordini, venne ancora a salutarmi, a darmi il buon viaggio; chiuse egli stesso lo sportello, accostò un fischietto alle labbra e ne cavò un suono acuto; la macchina rispose sbuffando, il treno si mosse crocchiando, e volò via in direzione di Terni. Com'era andata? Evidentemente, ero capitato là nel momento buono. Ad ogni modo, quella partenza improvvisata mi parve un prodigio; ed oggi ancora, quando ci penso, mi par di sognare.

Il mio compagno di viaggio, che riconobbi tosto al fioco lume della lampada, era Augusto Tironi, veneziano. Venezia e Genova, già fiere rivali (la solita storia che bisogna dire quando i due nomi si associano), viaggiarono di buon accordo fino a Terni. Ma si fecero poche parole, quella notte; l'amico era ferito al braccio, e quantunque la ferita non fosse grave, gli pizzicava un po' troppo: del resto non era momento da discorsi allegri. Gaio compagno in altri tempi, il Tironi; sempre ricco di belle fantasie, pronto sempre alla celia. Rammento di lui un aneddoto, e lo metto qui, in mancanza di una conversazione che tra noi in quel momento necessariamente languiva.

Un giorno, Garibaldi era in viaggio nel Veneto. A Lendinara, se ben ricordo, o in altro paese vicino, era stato accolto col suo seguito nella casa del sindaco. Da un pezzo erano là, e non si parlava mai di andare a pranzo, né si vedevano i segni precursori d'una chiamata a tavola. Gli ufficiali incominciavano a mormorare; qualcheduno accennava già di voler uscire, per andare a trovare un'osteria.

— Lasciate fare a me, — disse Augusto Tironi — parlo io al padron di casa; voglio esplorarne l'animo.

L'idea parve temeraria ai compagni. Il sindaco non aveva accennato di voler dare da pranzo; poteva benissimo non averci pensato e non aver provveduto; nel qual caso una domanda importuna poteva turbargli lo spirito.

— Ma con garbo, veh! — dissero dunque al Tironi. — Pensa
che siamo i suoi ospiti.

— Non dubitate, conosco le leggi. — E si mosse in traccia del
padrone di casa. Il sindaco, che andava e veniva per le stanze, fece
un sorriso amabile a quel gran giovanotto dalle spalle quadre,
dalla carnagione bianca e dai capelli rossi, che pareva balzato fuori
da un quadro di Paolo Veronese.

— Signor sindaco — incominciò allora il Tironi, rispondendo
alla muta interrogazione che gli faceva quell'altro con gli occhi,

> . . . e l'ora s'appressava
> che il cibo ne solea essere addotto,
> e per suo sogno ciascun dubitava.

— Oh, non dubiti, non dubiti! — si affrettò a rispondere il sindaco. — È stata colpa della cuoca, che non ha saputo calcolar
giusto, preparando per tanti; fra cinque minuti si dà in tavola.

Mi separai da quel simpatico ufficiale alla stazione di Terni,
avendo sentito che in un carro di merci, che doveva esser aggiunto
al treno, erano tre compagni genovesi, feriti a Monterotondo. Andato con loro nella paglia, ebbi la fortuna di esser utile, telegra-
fando ad un illustre chirurgo d'una grande città, per la quale dovevamo passare. L'insigne uomo venne infatti ad aspettarci alla
stazione; visitò i tre feriti, diede consigli da pari suo e conforto
di buone speranze.

A quella stazione erano accorsi anche due amici artisti, che mi
strapparono dal treno e mi condussero in città. D'uno tra essi in-
dossai gli abiti, lasciando per una sera le mie spoglie soldatesche;
e poco dopo, vedete stranezza! in una poltrona, a teatro, assistevo
alla rappresentazione di un'opera in musica. Mai l'arte dei suoni
mi parve più bella; mai ebbi dalle sette note una commozione
più viva.

In Francia, lo ha detto un francese, *tout finit par des chansons.*
Io, in Italia, finivo la mia piccola odissea con una orecchiata di
musica eccellente. La vita è piena di tali contrasti. Ed io vedevo
tanta gente allegra, a teatro, tante belle dame sorridenti nella
mezza luce dei palchetti ai cavalieri galanti, dai guanti grigi per-
lati e dai candidi petti di porcellana! Niente di nuovo, niente di
grave era accaduto in Italia. Per chi volevate farvi ammazzare,
Generale? Per chi?

GIUSEPPE GUERZONI

# PROFILO BIOGRAFICO

GIUSEPPE GUERZONI nacque a Mantova il 27 febbraio 1835 e studiò a Padova, dove, nel 1855, conseguì la laurea in filosofia. Ardente di patriottismo fin dai primi anni, la sua giovinezza trascorse fra le cospirazioni, l'insegnamento, il giornalismo e gli studi storici e letterari. Si recò più volte in Piemonte e visse a lungo anche a Milano, dove alla fine del 1858 fece rappresentare un suo dramma, *La vocazione*, che alla seconda recita fu proibito dalla polizia. Nel marzo del 1859 si arruolò nei Cacciatori delle Alpi e durante la campagna fu promosso ufficiale sul campo; ferito a una spalla nel combattimento di San Fermo, fu decorato con la medaglia d'argento. Terminata la guerra, continuò a militare agli ordini di Garibaldi nella Divisione toscana dell'esercito dell'Italia centrale. Poi si ritirò a Calcinato, presso la famiglia; ma nell'aprile del 1860 partì per Genova con cento bresciani, e imbarcatosi coi Mille, a Talamone gli fu ordinato di far parte del distaccamento che doveva tentare l'invasione dell'Umbria. Fallito questo tentativo, il Guerzoni raggiunse Garibaldi in Sicilia insieme col Medici, che gli diede il comando di una compagnia. Nella battaglia di Milazzo si guadagnò il grado di maggiore e un'altra medaglia d'argento. Nel marzo 1862 con l'assenso di Garibaldi accettò di essere segretario particolare di Agostino Depretis, allora ministro dei lavori pubblici; ma si dimise da questo ufficio quando, due mesi dopo, con gli arresti di Palazzolo e di Sarnico, il governo si rivelò improvvisamente ostile alla tentata irruzione di Garibaldi nel Trentino. Il Guerzoni seguì il Generale a Caprera e quindi nell'impresa che si concluse ad Aspromonte. Nel giugno 1863 fu inviato da Garibaldi a Costantinopoli per scandagliare il terreno sulle possibilità di un'invasione della Russia dal sud, operata congiuntamente da legioni italiane e polacche. Le possibilità risultarono inesistenti. Al ritorno da questa missione Garibaldi lo fece suo segretario, e in tale sua qualità il Guerzoni accompagnò nel 1864 il Generale nel suo viaggio a Londra. Ma nel luglio di quello stesso anno, in seguito a un malinteso, inerente a una progettata spedizione di Garibaldi nell'Europa orientale, il Guerzoni dovette lasciare il suo ufficio di segretario. L'equivoco fu presto chiarito, e Garibaldi gli mantenne tutta la sua benevolenza. Nel 1865 fu eletto deputato al Parlamento, schierandosi naturalmente a sinistra. L'anno seguente fu mandato da Garibaldi a Roma per organizzarvi l'insurrezione, e subito dopo il fallimento di questo tentativo raggiunse il Generale a Castel Giubileo, combatté a Mentana, e stese a Figline la protesta contro l'arresto di Garibaldi. Il 20 settembre 1870 entrò a Roma al seguito di Nino Bixio, chiudendo così la sua carriera di combattente.

Si dedicò allora con maggiore assiduità al giornalismo e all'attività politica e parlamentare, a proposito della quale è da notare che da qualche anno egli si era venuto staccando dai suoi amici del partito d'azione, avvicinandosi alla Destra. Nel 1874, poi, essendo stato nominato professore di letteratura italiana all'università di Palermo, si dimise da deputato, e questo segnò il suo definitivo volgersi dalla politica militante ai suoi lavori storici e letterari. Alla fine dello stesso anno pubblicò il suo corso universitario col titolo *Il terzo rinascimento* (Palermo 1874), e poco dopo uscì la *Vita di Nino Bixio* (Firenze 1875). Alcuni apprezzamenti piuttosto acerbi di questo libro sui «picciotti» e sul La Masa suscitarono un vespaio; poi la cosa si appianò, anche perché il Guerzoni nella seconda edizione si indusse a mitigare quei passi; ma era evidente che ormai a Palermo egli non ci stava più bene, e perciò ottenne dal Bonghi ministro dell'istruzione di essere trasferito alla cattedra di Padova, dove succedette a Giacomo Zanella.

A Padova egli visse i suoi anni più tranquilli. Pubblicò allora *Il teatro italiano nel secolo XVIII* (Milano 1876), *Il primo rinascimento* (Verona 1878), lavorò all'opera sua più meditata e più documentata, il *Garibaldi*, che uscì nel 1882, e nei due volumi dal titolo *Lettere ed armi* (Milano 1883) raccolse i suoi scritti minori più significativi, discorsi, conferenze e saggi storici. Ma già mentre attendeva a questi lavori si erano manifestati in lui i primi segni della tabe dorsale, che lo condusse lentamente alla morte. Si spense a Montichiari il 25 novembre 1886.

La produzione letteraria del Guerzoni fu abbondante, ma disuguale. Tentò il teatro, scrisse romanzi, trattò di problemi dell'educazione, schizzò saggi storici, si prodigò nel giornalismo; ma il meglio che si possa dire di gran parte dei suoi scritti è che egli trasfuse anche nelle lettere il suo spirito garibaldino, con i pregi dell'entusiasmo per la buona causa e con tutti i difetti dell'improvvisazione. Perciò era naturale che non tanto riuscissero persuasive le sue pagine scritte, quanto riuscissero affascinanti le sue lezioni e i suoi discorsi. Secondo la testimonianza del Crescini, e di tanti altri, le cose del Guerzoni, meglio che leggerle, bisognava sentirle recitate da lui: «allora gli esordi impetuosi, il *crescendo* incalzante de' pensieri e delle imagini, il cozzo vibrato delle antitesi, il rilievo scultorio delle figure e de' fatti, il ritmo dei periodi larghi, ripieni, sonanti, la ricchezza fulgente dei colori rapivano l'uditorio intero».

Piuttosto è da notare, che conformemente alla sua conversione politica, anche nelle lettere, da byroniano e guerrazziano che era in gioventù, si convertì poi al Manzoni, o meglio al moderatismo idealistico dei manzoniani; cosicché egli ebbe qualche punto di contatto anche col Fogazzaro. E significativa, meglio che ogni altra sua cosa, di questo nuovo orientamento fu la sua incauta *nota* alle *Nuove poesie di Enotrio Romano*, la quale, apparsa nella «Gazzetta ufficiale» del 12 dicembre 1873, provocò subito l'aspra ritorsione del Carducci. (Giova tuttavia ricordare che a quella data il Guerzoni non aveva ancora pubblicato né il *Bixio* né il *Garibaldi*.)

Ma la sua conversione letteraria, come forse anche quella politica, non fu né intera né definitiva. Si diffondeva in quegli anni in Italia la dottrina positivistica; e il Guerzoni rimase sempre sospeso fra il sentimentalismo romantico della sua gioventù e il nuovo culto per la positività della scienza che da ogni parte ormai lo circondava. C'erano in lui tendenze varie e contrastanti, le quali tuttavia egli riuscì a comporre armonicamente nei due libri suoi migliori, il *Bixio* e il *Garibaldi*. A taluni piace meglio il *Bixio*, che certo rimane un libro notevole. Ma non c'è dubbio che la vita di Garibaldi gli si presentasse come un tema assai più vasto, più complesso, più irto di problemi, più impegnativo. Non si può asserire che questo libro sia riuscito in tutto soddisfacente; ma esso, notevolissimo per l'epoca in cui fu scritto, mantiene anche oggi un suo valore. Consapevole di lasciare con questa la sua opera più significativa e più duratura, il Guerzoni vi si accinse con una preparazione accurata; e gli giovarono l'affetto profondo, la filiale devozione ch'egli nutriva per quell'uomo col quale era vissuto per anni in stretta consuetudine, e anche il suo spirito di indipendenza, che lo induceva non alla celebrazione, ma all'interpretazione, a un giudizio quanto più fosse possibile obiettivo e controllato, con la certezza che nulla avrebbe mai potuto né oscurare né diminuire la gloria di quell'uomo incomparabile. Anche la sua eloquenza, che altrove può dar fastidio, si fece in questo libro più concreta, più pensosa, e perciò anche più suggestiva, specialmente nelle pagine dell'epilogo, che qui riportiamo, e che il Guerzoni scrisse con commossa ispirazione poco dopo la morte del Generale.

★

*Garibaldi* di GIUSEPPE GUERZONI, vol. I (1807-1859), vol. II (1860-1882), Firenze, G. Barbèra editore, 1882: fu questa la prima edizione della sua opera principale; e nel 1889-1891 fu nuovamente edita dalla stessa casa Barbèra. Se ne fece più tardi una riduzione: *Garibaldi*, libro di lettura per il popolo italiano, ridotto da ROSOLINO GUASTALLA, premessevi alcune notizie intorno all'autore, Firenze, Barbèra, 1918.

Notizie della sua vita diede il Guerzoni stesso nel primo vol. di *Lettere ed armi*, Milano 1883. Per altre notizie biografiche cfr. la citata prefazione del GUASTALLA, e inoltre DE GUBERNATIS, *Dizionario biografico degli scrittori contemporanei*, Firenze 1879; A. BRUNIALTI, *Annuario biografico universale*, Torino 1886-1887; A. LUISA BIANCHI, *La giovinezza di G. G.*, ne «La Rassegna», 1926.

La risposta polemica del Carducci apparve nella «Voce del popolo» di Bologna, febbraio e marzo 1874. Più volte ristampata, vedila ora nell'Edizione Nazionale delle *Opere*, vol. XXIV, Bologna 1937.

Le pagine più equilibrate e nello stesso tempo più benevole sul Guerzoni rimangono sempre quelle di VINCENZO CRESCINI nella *Commemorazione del prof. G. G.* letta il 29 maggio 1887 nell'Aula magna della R. Università di Padova, Padova, Randi, 1887. Una monografia più ampia, bene informata e giustamente rispettosa dell'impostazione del Crescini è il volume di ANGELA LUISA BIANCHI, *Giuseppe Guerzoni*, Milano, Perrella, 1928, che contiene anche una compiuta bibliografia.

Sul Guerzoni si intrattenne benevolmente B. CROCE nel capitolo sulla *Letteratura garibaldina* col quale si apre il VI vol. della sua *Letteratura della nuova Italia*, Bari 1950 (3ª edizione).

# DA « GARIBALDI »

## I

### IL PATRIOTTA E L'UMANITARIO

Pura quanto quella del guerriero, incontestata più di quella del capitano è la gloria del patriotta. Se fra gli eroi della spada è difficile trovargli il simigliante, trovargli l'uguale nello stuolo degli eroi della patria lo è ancora più. E ciò perché quello che egli offerse in olocausto all'Italia supera in valore tutto quanto fino a lui, anche i più grandi cittadini, anche Washington, il grandissimo fra tutti, avevano offerto alla patria loro. Tutti come lui diedero alla loro terra natale il meglio di se stessi: il sangue, la vita, gli averi, le gioie del domestico focolare, persino, costosissimo fra i sacrifici, le palme più meritate della gloria ed i risentimenti più legittimi dell'ambizione; ma nessuno di loro le immolò, come lui, il tesoro più sacro del suo petto, la fede dell'anima sua.

La patria creata dal genio e dalla virtù di Washington fu quella vagheggiata da lui: fra il suo concetto politico e la volontà de' suoi concittadini nessun divario essenziale e nessun dissenso: il Virginiano diede alle Colonie da lui redente e federate le istituzioni pensate ed elaborate dalla sua mente, le suggellò, a dir così, dello stampo del suo spirito e ottenne un frutto e un premio dell'opera sua che nessun altro maggiore.

Di Garibaldi diverso il destino. Egli non sortì la mente pratica del grande Piantatore;[1] il genio della politica non era il suo e non v'è mestieri di riprova. Discernere tra la verità ideale e la realtà effettuale la distanza e la differenza non era da lui; veder ciò che nel suo paese ed anche nel suo tempo fosse fattibile era al disopra o al di sotto, secondo il punto da cui lo si consideri, del suo intelletto, e il solo trovarsi di fronte ad una questione pratica, se non era militare, lo confondeva e paralizzava.

Epperò il contrasto profondo tra quello che i suoi coetanei preferirono e quello ch'egli amò; tra gl'ideali del suo capo e quelli della sua patria. Il suo ideale religioso fu la Religione naturale

---

1. Giorgio Washington (1732-1799), il fondatore dell'indipendenza degli Stati Uniti, era nato a Bridges Creek nella Virginia, da una famiglia di piantatori.

o il Deismo filosofico, che dir si voglia, di Gian Giacomo;[1] e l'Italia è per due terzi cattolica, per l'altro terzo scettica o indifferente. Il suo ideale politico fu una specie di repubblica patriarcale con un dittatore temporaneo, assistito da un Consiglio di *probi viri*, «la repubblica della gente onesta»,[2] come egli la chiamava; e l'Italia è e vuol essere monarchica. Il suo ideale sociale è un quissimile di società pastorale, né colta, né barbara, vivente nella semplicità e nell'innocenza, retta da un regime che sarebbe un che di mezzo tra il comunismo sansimoniano, «a ciascuno secondo la sua capacità, a ciascuna capacità secondo il suo lavoro», e il nuovo socialismo della cattedra,[3] «governo largitore di tutti i beni e riparatore di tutti i mali»; e l'Italia si dibatte ancora contro gli avanzi del passato e non osa sbarbicare le ultime radici delle antiche caste e dei vieti privilegi. Quale abisso adunque tra l'anima di quell'uomo e le aspirazioni del suo paese; quanti conflitti dolorosi, quante tentazioni insidiose, o di sciogliere il litigio coi colpi di spada dei Cesari, dei Cromwell e dei napoleonidi, imponendo alla patria ignara e riluttante la legge della sua volontà, o di abbandonarla, come persona che si sprezza, alla meritata servitù!

Ora Garibaldi non seguì né l'uno, né l'altro consiglio, gettò sull'ara della patria i suoi amori e i suoi odii, le sue più care speranze, le sue più carezzate chimere, e senza chiederle alcun prezzo del suo sacrificio la servì e la salvò.

Nel 1848 proclamava, primo fra i repubblicani, la necessità di stringersi al re Carlo Alberto, e non dipese da lui se la sua spada, che poteva essere forse la salvezza d'Italia, fu ricacciata nel fodero.

Nel 1857 è ancora il primo a sottoscrivere con Daniele Manin e Giorgio Pallavicino[4] il patto d'unione dell'Italia con Casa di Sa-

---

1. Il parallelo fra Garibaldi e Rousseau, qui accennato, sarà sviluppato dal Guerzoni più innanzi.    2. «*Clelia*, ovvero *Il Governo del Monaco* (*Roma nel secolo XIX*), romanzo storico-politico di Giuseppe Garibaldi. Milano 1870, p. 210» (Guerzoni).    3. Il *comunismo sansimoniano*, col principio qui riferito dal G., era stato fondato dal filosofo Claudio Enrico Saint-Simon (1760-1825), e l'associazione dei suoi discepoli si era poi dovuta sciogliere nel 1833 in seguito alle persecuzioni subìte. Esso era passato in Italia mediante la dottrina del Mazzini, che nelle idee religiose e sociali era in gran parte sansimoniana. — Il *socialismo della cattedra* era una delle correnti socialiste che si erano formate dopo il '48, ed era stato promosso dai maggiori economisti tedeschi. Esso si costituì in gruppo nel 1872, e in virtù della sua formula, qui riferita dal G., si confuse col socialismo di stato.    4. Allude alla fondazione della *Società Nazionale* (1856), che fu diretta dal La Farina, e alla quale, per amore dell'indipendenza

voia ed a fondare con essi quel nuovo partito nazionale, che fu la base popolare dell'imminente risorgimento.

Nel 1859 non esita ad offrire il suo braccio al Re Galantuomo, e trascinata dietro al suo esempio tutta la gioventù più gagliarda ed attuosa d'Italia, suggella sui campi di battaglia l'unione auspicata della rivoluzione con la monarchia.

Nel 1860 infine, quando il nodo del problema italiano sembrava giunto a tale che la monarchia né poteva tagliarlo colla spada, senza compromettersi, né lasciarlo in balìa della rivoluzione, senza abdicare, né scioglierlo coll'artificio dei compromessi e delle transazioni, senza nuocere al suo principio vitale, Garibaldi ancora scioglie il nodo intricato e ponendosi a capo di un'impresa, che adempiva insieme ai fini della rivoluzione ed agli obblighi della monarchia, amplia il patto dei plebisciti e fonda sovra essi il nuovo regno.

Né a questo patto venne meno più. Aspromonte e Mentana furono certamente, il primo un grande errore, il secondo una grande temerità, entrambi una illegalità; ma astraendo anche da quel segreto viluppo di equivoci e di ambiguità, che in tanta parte li giustificarono, essi devono essere giudicati piuttosto un conato di insurrezione contro la politica d'un governo, che un atto di ribellione contro le istituzioni d'uno Stato.

Non si dimentichi mai che tanto sulla bandiera di Aspromonte, quanto su quella di Mentana, il motto era pur sempre quello di Marsala; e l'aspro dissidio insorto per questo fatto fra Garibaldi e mazziniani, ne indica meglio d'ogni altro argomento la capitale importanza.

Né bisogna credere che tutte le conseguenze di Aspromonte e di Mentana siano state malefiche. Non si scordi che l'Italia nel 1861 non era ancora che un simulacro; le mancavano Roma e Venezia, le veniva meno, cosa anche più triste, la speranza e l'ardire di presto acquistarle. Roma era serrata nel circolo vizioso dei voti della Camera e della Convenzione di settembre,[1] che ne rimettevano

e dell'unità, aderirono anche molti dei più vecchi e più noti repubblicani.
1. Il 15 settembre 1864 fu stipulata la convenzione per la quale la Francia s'impegnava a ritirare le sue truppe da Roma entro due anni e l'Italia si obbligava a non assalire né lasciare assalire lo Stato pontificio. In base a tale convenzione la capitale fu trasportata da Torino a Firenze, e la questione romana pareva che si potesse risolvere solo, come fu detto allora, coi «mezzi morali», e cioè d'accordo col papa. I democratici sostenevano invece la necessità dei mezzi violenti dell'insurrezione e della guerra.

la liberazione al doppio miracolo dei «mezzi morali» e del consenso della Francia; Venezia poteva, è vero, aspettare più fidente la fortuna d'una nuova alleanza; ma era sempre l'aspettazione del fato.

Ora un uomo che sorgesse protesta viva della volontà nazionale contro la lettera dei trattati e le ambagi della diplomazia; che fosse sempre pronto a spingere il governo, se si arrestava, a scuotere la nazione, se intorpidiva; che serrando insieme l'Italia e la Francia nel dilemma implacabile: «Roma o morte», rendesse sempre più accorti coloro che ci contendevano la nostra capitale, dei pericoli d'un più lungo rifiuto; un uomo simile non poteva mai dirsi senza un influsso benefico sui destini della patria sua, né egli stimare del tutto compiuta la sua missione.

Oltre di che, e sta in ciò l'importante, quella propaganda, quell'agitazione, anche quelle rivolte, non erano che uno sfogo ed una distrazione offerta alla parte rivoluzionaria, la quale, o abbandonata a se stessa, o caduta in potere d'altri capi, avrebbe assai probabilmente varcata quella barriera che il generale Garibaldi le impedì sempre d'oltrepassare.

E in ciò veramente si assomma l'opera benefica del grande patriotta negli estremi suoi anni. Egli gettò più volte in mezzo alla nazione parole terribili, che potevano essere pericolosissimi tizzoni d'incendio, ma quando li vide prossimi a divampare in fiamme minacciose al sacro edificio della patria, egli stesso accorse pel primo e sotto il suo piede li soffocò.

Egli fu, finché visse, come un Dio Termine sulla strada della rivoluzione, innanzi al quale anche i più esaltati e temerari de' suoi seguaci si sarebbero sempre arretrati. Tutto potevano dire, tutto potevano tentare, ma lui vivo il grido ultimo della discordia, il segnale irrevocabile della guerra civile non avrebbero osato darlo mai.

Il pensiero di Garibaldi è in questo rispetto limpidissimo. Prima l'unità, la concordia, la volontà d'Italia; poi, se vi sia posto, i sogni della sua mente. Si congiungano le parole che egli, reduce dal primo esiglio, indirizzava nel 1848 ai nizzardi: «Tutti quei che mi conoscono sanno se io sia mai stato favorevole alla causa dei re; ma questo fu solo perché i principi facevano il male d'Italia; ora invece io sono realista e vengo ad esibirmi coi miei al re di Sardegna, che s'è fatto il rigeneratore della nostra penisola»;

si congiungano con quelle ch'egli scriveva alla vigilia, staremmo
per dire, della sua morte: «La Casa di Savoia ha fatto molto per
la patria e merita rispetto. Ma quand'anche avesse fatto meno, ha
la grandissima maggioranza degl'Italiani per sé, e il sentimento
della maggioranza noi dobbiamo rispettarlo, perché è la continuazione dei plebisciti. Volerlo disconoscere e combattere sarebbe
accendere la guerra civile e quindi distruggere colle nostre stesse
mani l'opera nostra»; e nell'esordio e nella conclusione di questo
discorso, attraverso i contrasti, gli sviamenti, le alternative, che
sono il portato necessario di tutte le grandi lotte, avrete, riassunto da Garibaldi stesso, il suo testamento politico.

E ciò non ostante resterà sempre dubbio se più della patria
sua abbia amato le altrui. È questo il tratto più singolare e più
radioso della sua immagine. Il patriotta s'immedesimava talmente
in lui all'umanitario, che era difficile il discernere quale dei due
fosse il più vero e il più grande. Primo precetto della sua «Religione del Vero» egli stimava l'evangelico: «Non fare ad altri
quel che non vorresti fatto a te stesso»; e con questa norma nel
cuore, l'indipendenza, la libertà, la felicità che voleva per la
patria sua, le voleva per tutte le altre. Su questo proposito la
sua dottrina era di una semplicità biblica. Dio avea creato tutti
gli uomini uguali e tutti i popoli fratelli, dividendoli in tante
famiglie quanti i linguaggi, ed imponendo loro per dimora tante
regioni distinte, di cui la natura stessa aveva, con linee eterne di
mari e di monti, tracciati i confini. Soltanto la cupidigia e la
nequizia di pochi uomini, nequitosissimi, fra tutti, i preti, viola-
rono quei confini, tentarono confondere quelle lingue, falsarono
il disegno di Dio. Ad essi perciò guerra perpetua: *guerra anzi alla
guerra*, di cui essi pei primi gittarono il mal seme nel mondo. Sop-
primere gli eserciti stanziali, primi alimentatori e provocatori della
guerra, braccia sottratte al lavoro, sangue rapito alla vita economica delle società moderne, trasformandoli in una milizia vo-
lontaria, chiamata soltanto a difesa dei diritti e della libertà dei
popoli: fondare una Unione Europea delle Nazioni «con un rappresentante per ciascuna, uno Statuto fondamentale, il cui primo
articolo fosse: la guerra è impossibile, ed il secondo: ogni lite
delle nazioni sarà liquidata da un Congresso»: proclamare l'unità
dell'umana famiglia, cementandola, se fosse possibile, coll'unità

d'una sola *lingua mondiale*: ecco i sogni che l'Eroe incessantemente perseguiva e da cui era egli stesso perseguito, e talvolta anche nel tumulto delle sommosse e il fragor delle battaglie, ma che egli era sempre pronto non solo a bandire e predicare, ma a suggellare col sangue.

Non una causa umana cui fosse indifferente; non una giusta rivolta a cui, anco non potendo colla spada, non partecipasse colla voce e colla penna; non un appello d'oppressi a cui non abbia risposto: presente.

Nel mezzo secolo da lui vissuto nell'uno e l'altro mondo, congiurano, insorgono, combattono, quali per la libertà, quali per l'indipendenza, Brasiliani, Platensi, Spagnuoli, Portoghesi, Polacchi, Ungheresi, Serbi, Rumeni, Greci, Jugo-Slavi, da ultimo anco i Francesi, e non uno di questi popoli che non abbia ricevuto da lui, se non l'aiuto del suo braccio, un soccorso di armi, o di danari, un consiglio utile, una parola confortatrice ed amorosa, e spesso, inviati direttamente da lui, o mossi dall'influsso del suo apostolato, manipoli di valorosi che nelle più remote contrade propagano l'onore della camicia rossa e combattono e muoiono per la libertà dei popoli fratelli al grido di « Viva Garibaldi! »

Né la sola causa dei popoli l'interessava. Il problema sociale l'occupava anche più del politico. Convinto più che mai che le disuguaglianze sociali fossero non già l'effetto d'una legge naturale, irrevocabile e fatale, ma il prodotto della perversità di pochi uomini o furbi o prepotenti, era contro la società in uno stato di guerra aperta e continua.

E non era un filosofo che meditasse le cause e gli effetti, né uno statista che distinguesse i mali rimediabili dagl'irremediabili, e ne apprestasse i provvedimenti e le leggi: era un plebeo, un paria, un diseredato che giudicava della società matrigna in cui si trovava sbalestrato dietro le impressioni del momento, secondo l'effetto più sensibile e più, staremmo per dire, drammatico che ne riceveva; secondo i criteri assoluti di chi vive solitario nelle proprie idee ed ignora la realtà.

La vista, a mo' d'esempio, d'un signore in panciolle che passasse in carrozza dinanzi a un contadino sudante alla canicola, curvo sulla marra, gli strappava lo stesso gemito di rabbia, lo stesso gesto di minaccia che il contadino stesso lanciava alle spalle del superbo gaudente. Credeva la società una lega dei forti contro i deboli, de' furbi contro gl'ingenui, dei ricchi contro i poveri, e senza esitare un istante, in qualunque causa, stava istintivamente cogli ultimi.

Aveva per vangelo la onestà impeccabile dell'operaio, la bontà innocente del contadino, la brutalità feroce del padrone, la furberia rapace del mercante, la boria ignorante del nobile; e su questi criteri regolava i suoi giudizi. Credeva sul serio ai lauti stipendi della burocrazia, alle ricchezze ammassate dai ministri, ai sordidi traffici dei deputati, alle orgie sardanapalesche della Corte, a tutti i luoghi comuni della eloquenza tribunizia, con questa differenza tuttavia, che i tribuni le ripetevano per convenzione e per mestiere; egli con tutta la ingenuità della fede e la profondità del sentimento.

Aveva insomma della società il concetto pessimista di Gian Giacomo, e come Gian Giacomo avrebbe voluto rinnovarla da cima a fondo per mezzo d'una revisione del suo patto fondamentale, cominciando naturalmente la riforma da se stesso e dalla sua famiglia.

Come però queste idee non potevano essere accettate, od anche accettate in parte non potevano subito né tutte in una volta essere effettuate, e il mondo continuava a girare sul suo vecchio asse senza curarsi dei sognatori che l'avrebbero voluto far andare a modo loro, così ad ogni nuova disdetta che la realtà dava alle sue dottrine, ad ogni nuovo disinganno che la società in generale o l'Italia in particolare gli facevano patire, il suo umore si faceva acre, il suo pessimismo peggiorava, la sua misantropia filantropica (sentiamo il bisticcio, ma a Garibaldi, che abborriva gli uomini perché rifiutavano il bene che avrebbe voluto far loro, s'adatta a capello), la sua misantropia filantropica s'inaspriva, e, vero «burbero benefico», sfogava la sua atrabile sulle spalle di coloro che amava di più e per la cui felicità s'affannava da mezzo secolo, ed era pronto ad ogni istante a dare la vita.

## II

### L'UOMO PRIVATO

Questo, se non c'inganniamo, l'uomo pubblico; ma e l'uomo privato? L'uomo privato fu tale egli pure, che se anche non avesse compiuto alcuna delle azioni famose per cui diventò storico, sarebbe stato tuttavia un esemplare singolarissimo della specie umana, degno di tutto lo studio dello psicologo e dell'artista. Il biondo fanciullo che dipingemmo scorrazzante sulla riviera di Nizza; il bel Corsaro che vedemmo ammaliare la povera Anita alla fontana di Laguna; il trionfante Dittatore del 1860, che al suo apparire faceva squittire in coro le piccole siciliane: *Oh quant'è beddu!* aveva serbato fino agli ultimi anni la sua maschia bellezza, una bellezza però tutta sua, lontana dal tipo comune della bellezza eroica e guerriera; originale e novissima essa pure.

Perché Garibaldi non poteva dirsi un «bell'uomo» nel senso più usitato della parola. Era piccolo: aveva le gambe leggermente arcate dal di dentro all'infuori, e nemmeno il busto poteva dirsi una perfezione. Ma su quel corpo, non irregolare né sgraziato di certo, s'impostava una testa superba; una testa che aveva insieme, secondo l'istante in cui la si osservava e il sentimento che l'animava, del Giove Olimpico, del Cristo e del Leone, e di cui si potrebbe quasi affermare che nessuna madre partorì, nessun artista concepì mai l'eguale. E quante cose non diceva quella testa; quanto orizzonte di pensieri in quella fronte elevata e spaziosa, quanti lampi d'amore e di corruccio in quell'occhio piccolo, profondo, scintillante; che marchio insieme di forza e d'eleganza in quel profilo di naso greco, piccolo, muscoloso, diritto, formante colla fronte una sola linea scendente a perpendicolo sulla bocca; quanta grazia e quanta dolcezza nel sorriso di quella bocca, che era certo, anche più dello sguardo, il lume più radioso, il fascino più insidioso di quel viso, e che nessuno oramai il quale volesse serbare intera la libertà del proprio spirito, poteva impunemente mirar davvicino.

A questa singolar bellezza poi, che era già per sé sola una potenza, la natura, madre parzialissima a questo suo beniamino, aggiunse l'agilità e la forza; non veramente la forza muscolare dell'atleta, ma quella particolare forza nervosa che si rattempra e ingagliardisce coll'esercizio e che, associata all'agilità, rende capace il corpo delle più ardue prove e delle più arrischiate ginnastiche.

E che ginnasta fosse Garibaldi lo sappiamo da lui stesso. «Credo d'essere nato anfibio», soleva dire per esprimere la facilità con cui fin dalla prima volta in cui si buttò in acqua si trovò naturalmente a galla. Abbiamo notato infatti le persone da lui salvate dall'acqua, e sono sedici: il che potrebbe bastare, anche non essendo Garibaldi, alla rinomanza d'un uomo.

E come nuotava, cavalcava, saltava, s'arrampicava, tirava di carabina, di sciabola, occorrendo di pugnale, senza che nessuno gliel'avesse mai insegnato, e avendone trovato soltanto nella struttura delle proprie membra e negli istinti della propria indole il segreto e la maestria.

Del suo corpo poi, come uomo che sa d'averne bisogno, era curantissimo. Egli non vestì sempre il costume con cui il mondo s'abituò a vederlo fin dal 1860. In America alternò, secondo i casi, il vestire paesano del *gaucho*, la giacca del capitano di mare, e l'uniforme bianca, rossa e verde della «Legione Italiana»; venuto in Italia, se non era sotto le armi, nel qual caso tornava alla tunica rossa orlata di verde (non camicia per anco), al cappello piumato a larghe falde, al mantello bianco ed ai calzoni grigi instivalati; indossava un grosso soprabito abbottonato sino al mento, e fu con quello che noi lo vedemmo per la prima volta a Torino nel 1859.

Soltanto la mattina del 5 maggio comparve sullo scoglio di Quarto colla camicia rossa e il *poncho* sulle spalle; e sia stato amore di quell'assisa fortunata o certezza che quella foggia si attagliasse meglio d'ogni altra alla sua figura, non l'abbandonò mai più.

Ma anche più che all'eleganza del vestire, tenne alla nettezza della persona. Usava frequente bagni e lavacri d'ogni sorte; aveva delle sue mani, de' suoi denti, de' suoi capelli una cura attentissima; non avreste trovata sulle sue vesti, spesso logore e strappate, una sola macchia. Strano a dirsi come quel mozzo paresse un gentiluomo. Nel primo abbordo aveva quel non so che di semplice e decoroso insieme che è il primo incantesimo con cui tutti i grandi uomini pigliano di solito i minori. Non dava che del *voi*; tenne il *tu* per i figli e per i più vecchi e più intimi amici; e fuori che al Re non l'abbiamo sentito dare del *lei* a chicchessia. Nel ricevere porgeva egli per il primo famigliarmente la mano; alle signore, tanto più se onorande per età o per lignaggio, gliela baciava con galanteria di cavaliere.

Nei colloqui preferiva l'ascoltare al parlare, segno questo pure di cortesia aristocratica. Nelle cose minime, nelle questioni secondarie d'etichetta o di forma, quando si trattasse di rendere un servizio, di liberarsi da un fastidio, o di concedere un favore, fosse colui che gli parlava ricco o povero, umile o potente, era d'un'amabilità e d'un'arrendevolezza affascinanti. E da ciò la sua troppa facilità nel concedere commendatizie ed attestati d'onestà e di patriottismo anche ai meno meritevoli, e l'abuso che tanti indegni poterono fare della sua parola e del suo nome. Ma in tutti gli argomenti a' suoi occhi importanti, quando fosse in giuoco alcuna delle sue opinioni predilette, o degli affetti dominanti del suo cuore, allora il discorso cominciava a diventar difficile, e se l'interlocutore s'infervorava nelle obbiezioni, con una sentenza, un motto, talvolta una scrollata di spalle, troncava la disputa. Nel 1864 quando visitò Lord Palmerston in casa sua, avendo questi condotta la discussione sulla Venezia e tentato di fargli capire che la questione veneta era da rimettersi al tempo, alla Diplomazia, ai Trattati: — Ma che cosa mi dite, — interruppe di scatto — ché non è mai troppo presto per gli schiavi rompere le loro catene —, e con una mossa subitanea piantò stupito e quasi a bocca aperta il suo eloquente contraddittore.[1]

E ciò sganni una buona volta coloro che, non sappiamo con quali fini, si son sempre finto un Garibaldi automa senza idee e senza volontà, e di cui i pochi furbi che l'accostavano potevano a lor grado guidare i movimenti e far scattare le molle. Delle idee ne aveva poche, ma tanto più tenaci quanto più avevano trovato libero il campo dello spirito in cui abbarbicarsi. Discutere con lui era, anche per quelli che più stimava ed ascoltava, la più ardua e più erculea delle imprese. Era una sfera d'acciaio brunito che non lasciava presa d'alcuna parte. Francesco Crispi, nel di lui elogio funebre alla Camera dei Deputati, disse: — Non ci fu uomo che sia stato come lui forte nelle sue volontà; egli fece sempre soltanto quello che volle, ma non volle che il bene d'Italia —, e questa af-

---

1. «Lo raccontò Garibaldi stesso a me nell'uscire dalla casa del Palmerston. Io ero rimasto con altri del seguito in una sala attigua al gabinetto in cui il Generale era entrato; ma pochi momenti dopo vidi uscire il Generale col viso tutto infiammato; ed io che lo conosceva, capii subito che il colloquio non gli era andato pel suo verso. Però in carrozza azzardai una domanda. — Pare che vi abbiano fatto inquietare, Generale? — Cosa volete, *amigo* ... — e mi raccontò il dialogo testé riferito» (Guerzoni).

fermazione d'un testimonio che gli fu al fianco nei più gravi momenti della patria, ci dispensa dal dirne di più.

Le maniere gentili traevano risalto dai costumi semplici. Pochi uomini più di lui furono nel bere più sobri, nel cibo più parchi. Fino agli ultimi anni, in cui il vino gli fu ordinato quasi per medicina, bevette sempre acqua e dell'acqua migliore si pretendeva buon gustaio finissimo, e l'assaporava, e la decantava talvolta ai commensali, che non erano sempre del suo gusto, come il più prelibato de' nettari. Quanto alle vivande, mangiava poca carne, anche per un residuo di scrupoli pittagorici[1] che non aveva mai saputo vincere; prediligeva il pesce, i frutti e i legumi. Un piatto di fichi e di baccelli lo metteva d'appetito meglio d'un fagiano tartufato! Il pesce godeva, quand'era sano, pescarselo da sé; e allora due o tre volte la settimana, al pallido lume di Venere-Diana, presi seco or l'uno or l'altro de' suoi figli e per turno questo o quello de' suoi compagni di Caprera (quasi sempre, nel 1854, anche lo scrittore di questo libro), scendeva in canotto, ed ora al largo, ora nei seni più pescosi di quella pescosissima marina, passava tal volta coll'amo, tal altra coi filaccioni, quasi mai colle reti, l'intera mattinata, tornandone, rare volte, a mani vuote, quasi sempre con tanto di preda da fornire il desinare a lui e a tutta la colonia.

Ma la sua passione predominante fu l'agricoltura. «Di professione *Agricoltore*», scriveva egli stesso sulla scheda del Censimento del 1871, e non aveva mentito. Un terzo della Caprera[2] fu ridotto fruttifero per molta parte del lavoro sudato della sua fronte, o colla scorta de' suoi precetti e per impulso della sua volontà.

La prima sua opera era stato un vigneto sopra un piccolo altipiano, a metà via tra la sua casa e Punta Rossa, ma quantunque l'uva, tutta bianca, ne fosse squisita, la vendemmia non compensò mai la fatica e la spesa. Più tardi, già preoccupato del problema del pane quotidiano, volle tentare la coltura dei cereali, e ridusse a

---

1. Allude alla dottrina della metempsicosi, che fu accolta anche da Pitagora, e al suo conseguente vegetarianismo. 2. Il lato settentrionale dell'isola di Caprera, che era stato messo in vendita dal Demanio sardo, fu comprato da Garibaldi nel 1855. Allora il Generale aveva di suo circa 60.000 lire. «Aveva riscosso alcuni residui dei suoi stipendi di Montevideo: nei suoi ultimi viaggi marittimi aveva messo da parte qualche peculio; una sommetta aveva raccolta dall'eredità del fratello Felice; anche gli pareva venuto il momento di metter a profitto i suoi modesti capitali, e che nessun impiego fosse migliore di quello» (Guerzoni).

frumento un quadrato di forse quattro ettari; ma qui pure, per colpa non del cultore, ma del terreno, il frutto non corrispose al dispendio.

Ma il suo vero amore, era il podere modello di Caprera, era il Fontanaccio. Esso pure, fino al 1859 non era che dura roccia, e d'anno in anno ci fece la vite, il fico, il pesco, il mandorlo, il fico d'India, e, sebbene più sensibili alle sferzate di grecaio, gli agrumi.

E colà ogni mattina, per lunghi anni, coperto il capo da un cappellone a larghe falde, in camicia rossa sempre, armato di coltelli e di forbici agricole, di cui gran parte portava appesi ad una cintura, passava le lunghe ore a potare, sfrondare, innestare; lieto fin che lo lasciavano solo, rannuvolato tostamente se un visitatore importuno, se un telegramma malarrivato, venivano ad interrompergli il piacere di quelle gradite occupazioni.

Né agiva empiricamente. Nella sua biblioteca i trattati d'agronomia abbondavano, e parte col sussidio dei libri, parte col consiglio di questo o quell'agronomo, che metteva subito nel novero de' suoi amici, parte coll'aiuto del suo ingegno, naturalmente incline a tutti gli studi fisici, s'era formato un corredo d'idee scientifiche e razionali, che certo molti de' più grossi agricoltori d'Italia non hanno mai posseduto.

Epperò fece venire d'Inghilterra macchine agricole, aprì fosse di scolo per dar esito alle acque piovane, sanò dalle sotterranee i terreni più plastici, sostituì alla rotazione dodicennale la coltura più intensiva delle alberate e degl'ingrassi e agli ingrassi provvide coll'allevamento del bestiame; (ebbe persino centocinquanta capi di armento bovino e quattrocento d'ovino); a poco a poco fornì quel suo podere, strappato zolla per zolla alla breccia ed al granito, di tutto quanto la scienza ha indicato di più acconcio alla sua coltura; e stalle e concimaie e capanni per marcimi e lettimi, e colombaie e alveari e via dicendo; e si rovinò del tutto. Garibaldi non fu mai ricco; ma i suoi pochi risparmi fatti in America, le eredità fatte dai fratelli, i denari ricavati dai ricchi regali mandatigli, i denari stessi donatigli o prestatigli dagli amici di tutto il mondo; tutto andò a finire nel pozzo senza fondo di Caprera, che non restituì mai al suo innamorato cultore nemmeno il salario quotidiano delle fatiche che per circa venti anni le aveva spese d'attorno.

## III

### TUTTO L'UOMO

Ed ora chi è quest'uomo?

Nasce nella oscura casipola d'un porto da una famiglia di umili marinai, e già immortale prima della morte, migra dalla terra cogli onori d'un Re ideale, nella gloria d'un'apoteosi olimpica, lasciando dietro a sé piuttosto la tristezza d'un astro che s'allontani per salire ad una sfera più fulgida, che il dolore di un uomo che muoia.

Trascina la giovinezza in una faticosa vicenda di monotone navigazioni e di travagliati esigli; e ad un tratto irrompe dalla sua penombra coi fulgori d'un'apparizione fantastica, e di grado in grado ascendendo gigantegggia nell'arena del nostro secolo come uno de' suoi più portentosi figliuoli.

Sbalestrato dall'Oriente all'Occidente, volta a volta pedagogo e corsaro, mandriano e guerrigliero, agricoltore e capitano, candelaio[1] e dittatore, la sua vita si svolge nel ciclo di tre generazioni con tutte le varietà e i contrasti, le sorprese e gli incantesimi d'un poema ariostesco, mentre colla fusione della storia e della leggenda, della realtà e della poesia, sembra risuscitare la classica unità della omerica epopea.

È un corsaro; ma comincia il suo byroniano romanzo liberando gli schiavi neri trovati a bordo della nave predata e rifiutando dai mercanti prigionieri gli scrigni di gemme che gli offrono per il loro riscatto.[2]

È un filibustiere; ma una volta, cadutogli nelle mani colui che sei anni prima gli aveva inflitto l'oltraggio anche più che il dolore della tortura, lo rimanda libero e perdonato.[3]

1. Dopo la difesa di Roma e la ritirata di San Marino, respinto dal Piemonte e da ogni altro stato d'Europa, nel 1850 Garibaldi si rifugiò a New York, dove trovò lavoro nella fabbrica di candele di un certo Meucci, genovese. 2. Nel 1836, facendo la guerra di «corsa» per Rio Grande del Sud contro il Brasile, Garibaldi si impadronì di una goletta brasiliana, rifiutò i gioielli che un mercante gli offriva a riscatto della sua vita, lo mandò libero a terra insieme con tutti gli altri passeggeri, e diede la libertà ai negri componenti la ciurma, i quali consentirono a seguirlo come marinai. 3. Nella stessa guerra di cui alla nota precedente, ferito e fatto prigioniero, Garibaldi fu posto alla tortura da un certo Millan, governatore di Gualeguaj nell'Entre-Rios. Dopo due mesi fu liberato. Dieci anni più tardi, combattendo Garibaldi per la repubblica di Montevideo contro l'Argentina, saputo che il Millan era stato fatto prigioniero dalle sue trup-

È un avventuriere; ma, lo diremo colle stesse parole del generale Pacheco,[1] «se recavasi negli uffici del governo era soltanto per domandare la grazia d'un cospiratore, o per chiedere qualcosa a favore d'un infelice».

È un condottiere; ma non riceve altro soldo dal paese a cui consacra da dodici anni la vita, che la razione del gregario: distribuisce fra i feriti, gli ammalati e le vedove dell'esercito il primo regalo che la Repubblica gli fa; rifiuta i gradi e gli onori che essa gli offre; e di fatto, se non di nome, Generale Ammiraglio, quasi Dittatore, non possiede che una camicia, i piedi gli sboccano dagli stivali sfondati, e non ha tanto da pagare il lume del povero abituro in cui si ricovera.

Lo immaginano un fiero lupo di mare e di terra, ispido e coriaceo, vago soltanto degli spettacoli sanguinosi delle cariche e degli arrembaggi; eppure l'uomo che nel *saladero*[2] di Camacua con soli tredici compagni sfidava, cantando, l'assalto di trecento cavalieri e accettava di seppellirsi tra le fiamme e le rovine del suo fragile asilo piuttosto che arrendersi, o che nelle acque del Paranà dopo tre giorni di lotta «a ferro freddo», piuttosto che ammainar la bandiera, faceva saltar egli stesso l'ultimo legno della sua flottiglia; era lo stesso che in un giorno di battaglia marciando contro il nemico s'arrestava, dimentico, ad ascoltare il gorgheggio d'un usignolo innamorato, e che udendo in una cruda notte d'inverno belar tra le rupi della sua Caprera un'agnella abbandonata, s'alzava di letto per andare, tra il rigor del libeccio ed il frizzar di brumaio, a cercare la derelitta e ospitarla nella sua medesima stanza.

Lo acclamano infine l'Ettore di Montevideo, il Camillo di Roma, l'Argonauta di Marsala; ma l'uomo a cui poteva parer poca gloria la statua di Giove Ultore che dall'alto del Gianicolo assicura il Quirinale e sfida il Vaticano, non chiede all'Italia non invoca dalla sua famiglia altro pegno d'amore che di dormire poca cenere in un'urnetta di granito, accanto al sarcofago delle sue bambine, sotto l'acacia che l'ombreggia; novissimo fantasma d'eroe che non potendo morire come Orlando sulla catasta dei nemici, muore

pe: — Non voglio vederlo, — esclamò — lasciatelo libero! —, e fu quella la sua vendetta.  1. Il colonnello Pacheco y Obes era ministro della guerra nella repubblica di Montevideo (1842). Garibaldi, che cooperò in vario modo alla difesa della repubblica, vi comandava la legione italiana. 2. *saladero*: capannone per salarvi le carni. Questo fatto d'arme avvenne nella guerra contro il Brasile; il successivo nella guerra contro l'Argentina.

come Washington, decretando a sé stesso il «rogo di Pompeo».[1]

Chi è dunque quest'uomo? Costretto a vivere la vita nomade e quasi selvaggia dei *gauchos* o dei *rastreadores*;[2] mescolato dalla sua fortuna alla schiuma degli avventurieri e dei fuorbanditi di tutte le stirpi, cresciuto suo malgrado alla scuola delle rivoluzioni e delle guerre perpetue, travolto a controgenio nella mischia di fazioni feroci e sanguinarie, conserva intatta in mezzo a tanto contagio la nativa purità dell'anima sua, riportando dal forzato consorzio qualche difetto e qualche stranezza, non un solo abito vizioso né un solo sentimento colpevole.

Braccio designato di tutte le congiure, campione atteso di tutte le rivolte, alfiere desiderato di tutte le parti, si consacra a tutte, ma non serve a nessuna, e nel tumultuante pandemonio delle chiese, delle confessioni, delle sètte del suo tempo, si innalza come un Pontefice a cui tutti si volgono e s'inchinano, e che nessuno può dir suo.

Ama dell'amore geloso e intollerante del selvaggio la sua patria, e va cavaliere errante di tutte le patrie e crociato di tutte le libertà. Proclama la fratellanza dei popoli, ma ad ogni straniero che s'accampi entro il sacro confine della sua terra, grida minaccioso lo sfratto del poeta:

*Ripassin l'Alpi e tornerem fratelli.*

Si protesta repubblicano, ed offre due volte la sua spada a due re. Resta democratico rivoluzionario socialista; ma partendo per la più maravigliosa delle sue imprese riconsacra sulla bandiera il patto d'Italia con Vittorio Emanuele e la monarchia dei plebisciti.

È un Dittatore onnipotente per la gloria e la fortuna, e festeggia egli stesso l'arrivo del Re e dell'esercito che vengono a spodestarlo; e fatto nascostamente bottino d'un sacco di civaie, colla ricchezza di questa preda, colla gioia di chi perdendo il potere ricupera la libertà, dispare novellamente nella solitudine del suo mare.

1. Era volontà di Garibaldi che il suo corpo fosse bruciato («voglio esser bruciato come Pompeo, all'aria aperta») su una catasta di acacie della Caprera, con la faccia rivolta al sole, e che la cenere fosse messa in una urna «anzi in una pignatta qualunque» e deposta sul muricciuolo dietro le tombe delle figliole Anita e Rosita. La sua volontà non fu rispettata.
2. *rastreadores*: sorta di indagatori e di spie dell'America del Sud, le cui affermazioni avevan valore di prova presso i tribunali.

È un ribelle, e scrive sulla bandiera il nome del Re a cui si ribella; poi ferito e imprigionato da lui, continua a restargli fedele, e per la causa per cui era caduto di palla italiana sul colle d'Aspromonte, cade di palla austriaca a piedi di Monte Suello.

È un Belial, un Lucifero, un Dragone; sfolgora la grande simonia del Poter Temporale colle invettive di Dante, e odia la Chiesa Romana dell'odio di Lutero; a sentirlo si direbbe che sia pronto a cominciar da un istante all'altro una Saint-Barthélemy di cattolici, e se incontra uno di quei preti ch'egli chiama *buoni*, è il primo a stendergli la mano, e crede ancora alla possibilità d'un clero evangelico, amico della libertà e del progresso; e cerca nelle parole di Cristo i precetti della «Religione del Vero», e confida alle sue *Memorie* la sua fede in Dio e nell'anima immortale.

Chi è dunque quest'uomo?

Vittor Hugo, il Garibaldi della lirica, lo chiama «l'eroe dell'ideale», ma è un responso apollineo: Giulio Michelet esclama: «Degli eroi non ne conosco che uno: Garibaldi»; ma l'iperbole tradisce la difficoltà del giudizio; Giorgio Sand scrive: «Garibaldi non assomiglia a nessuno, pure v'è qualcosa in lui di misterioso che fa pensare»; ma in tal modo ripropone il problema, non lo risolve. Una delle più celebrate effemeridi della Gran Brettagna, l'«Athenaeum»,[1] tenta seriamente di trovare in lui l'incarnazione del veltro allegorico:

> *Questi non ciberà terra né peltro*
> *ma sapienza ed amore e virtute;*

ma con ciò non fa che addensare sulla fronte del Proteo le nebbie del più oscuro simbolo dantesco.

I partiti se lo palleggiano; i repubblicani lo contrastano ai monarchici; i rivoluzionari lo levano al cielo; i reazionari lo inabissano nel fango; i preti di Sicilia lo annunziano dai pergami come un nuovo Messia, i preti di Roma lo folgorano d'anatemi come un Anticristo; la rettorica consuma tutte le sue metafore; l'amore profonde tutti i suoi inni; l'idolatria esaurisce i suoi incensi; l'odio erutta tutte le sue bestemmie; la critica stanca i suoi occhi e la filosofia i suoi ragionamenti; ed egli, al pari della favolosa Jungfrau, di cui a tutti è concesso ascendere i fianchi e superare le prime

---

1. «Vedi l'"Athenaeum" del 16 febbraio 1861» (Guerzoni).

vette, ma a nessuno toccare la cima, ravvolta nell'intatto velo delle nevi eterne; egli nasconde ancora la parte più alta e più pura di se stesso, e dalla sua solitaria rupe continua a sfidare i definitori e gli interpreti.

Ancora una volta: chi è quest'uomo?

Il lettore rammenta certamente quell'apparizione quasi fantastica del secolo XVIII che fu chiamata l'uomo di Rousseau. Prediletto figlio della natura, dotato delle più nobili facoltà, più ricco d'istinto che di ragione, e più di sensibilità che di riflessione, uscito più che a mezzo dallo stato di barbarie, ma ancora esitante sul confine della civiltà, e portando sempre seco in tutti i passi della sua vita le abitudini, i gusti e i ricordi della nativa selvatichezza; cresciuto nella fede che la natura abbia creato l'uomo virtuoso e felice, e la società sola l'abbia fatto colpevole e infelice; carezzato dal sogno d'una età reditura di perfezione e di felicità, da cui non già le colpe sue, ma la prepotenza di pochi malvagi l'abbiano sbandito; educato a vedere in un ipotetico contratto sociale, quando e come scritto non si saprebbe, il patto leonino del più astuto o del più forte imposto al più dabbene e al più debole, l'uomo di Gian Giacomo, quantunque non corrisponda ad alcuna realtà storica e sia manifestamente il portato di un erroneo concetto, rappresenta ancora in una figura simbolica quella lotta antica e perenne della società e della natura, dell'ideale umanitario e dell'ideale politico, d'onde uscirono ed usciranno in perpetuo, insieme alle periodiche convulsioni del genere umano, i periodici progressi del suo incivilimento.

Agli occhi dell'Adamo ginevrino la natura è la madre, e la società è la matrigna; da quella la cornucopia di tutti i beni, da questa il vaso di Pandora di tutti i mali.

Dio si rivela da se stesso alla coscienza umana nelle opere della sua creazione, nei beneficî della sua provvidenza, e la società ne oscura il limpido concetto colla fola delle religioni, le superstizioni dei culti, il mendacio de' sacerdoti. La terra fu concessa dal Creatore per stanza e nutrimento di tutti i suoi figli, e la società sancisce l'usurpazione del più forte e il furto della proprietà. La natura creò dal suo grembo tutti gli uomini uguali, e la società vi sostituisce la superfetazione dei privilegi e delle caste. La natura largì a tutti i cuori i diritti del libero amore, e la società li sconosce o li violenta coll'imposizione delle nozze artificiali e indissolubili. La natura donò alle arti pacifiche e benigne dell'uman genere il fuoco

de' suoi soli, i metalli delle sue viscere, la scintilla de' suoi corpi, tutte le arcane potenze de' suoi elementi, e l'egoismo o l'ambizione di pochi privilegiati convertirono tutte quelle forze benefiche in istrumenti di distruzione e di rovina. La natura infine scrisse nell'anima d'ogni suo figliuolo i sentimenti della giustizia, della carità e dell'amore, e dacché in un angolo di quest'aiuola si strinse il primo consorzio umano,

> . . . *una feroce*
> *forza il mondo possiede, e fa nomarsi*
> *dritto!*

Tutto in questo dorato ergastolo della civiltà, dove l'uomo della natura si sente incarcerato, tutto gli è sospetto ed esoso. La scienza è un pericolo, il lusso un oltraggio, i trovati dell'uman pensiero un'insidia, le arti, le arti stesse divine, ponno mutarsi in scuola del vizio ed in veleno della virtù.

Quale meraviglia pertanto se un uomo siffatto traendo a fil di logica le ultime conseguenze delle sue premesse, conformando il fatto alla dottrina, brandisse la fiaccola d'Erostrato[1] e appiccasse egli stesso le fiamme ai bugiardi templi di quella civiltà ch'egli gridò la grande nemica dell'umana famiglia? Ma rassicuratevi. L'uomo che vi sta dinanzi non fu mai un dialettico; il sentimento domina troppo il suo intelletto, l'amore sovrasta troppo ai suoi odii, perché egli possa, coll'inflessibilità d'un Convenzionale e la brutalità d'un Comunardo, giungere imperturbato alle ultime illazioni de' suoi principii ed erigere sopra monti di teste, al chiaror delle torcie petroliere, la città nuova de' suoi sogni.

Perisca pure la logica, ma sia salva l'umanità; e però la stessa voce che poco prima nelle medesime pagine scrollava come vento impetuoso le mura della vecchia società, risponderà a coloro che gli rinfacciarono di non saper usare strumenti più efficaci e più pronti: «E che! bisognerà dunque distruggere la società, annientare il tuo e il mio, e tornar cogli orsi a vivere nelle selve? Pochi, cacciati dal rimorso o chiamati da una popolare vocazione, lo potranno; ma i più, ma tutti coloro che avranno udito la voce dell'Eterno e compreso la necessità di cooperare colla virtù a' suoi alti disegni, coloro rispetteranno i sacri legami della società di cui sono

---

1. *Erostrato*, nel 356 a. C. incendiò il tempio di Artemide in Efeso allo scopo di rendersi in qualche modo famoso. Fu condannato a morte.

membri, ameranno i loro simili, serviranno scrupolosamente alle leggi ed agli uomini che ne sono gli arbitri ed i ministri, e onoreranno sopra ogni cosa i Principi buoni e saggi che sapranno prevenire o guarire la moltitudine crescente degli abusi e dei mali che senza posa ci assalgono e ci percuotono.»[1]

Ora si riuniscano tutte le idee capitali di questa dottrina, e si spiri loro un'anima; si raccolgano tutti i lineamenti sparsi dell'uomo immaginario che ci passò davanti, e si gettino nella forma concreta e salda d'un uomo vivo e vero; si dia quindi a quest'uomo reale e storico lo stesso istinto del bene e intuito del vero, lo stesso concetto della vita e del mondo, lo stesso amore appassionato della natura e la stessa antipatia invincibile della società; si compia la sua figura colla semplicità de' costumi, il gusto della libertà campestre, il fastidio della vita cittadina, il bisogno profondo e ineffabile di solitudine e di pace; non si nascondano per questo alcune delle ombre che frastagliano anco più scuramente la fronte del simbolico *Emilio*: la sensibilità eccessiva, la mobilità impetuosa, la intemperanza delle passioni, la crudezza del linguaggio; si collochi quest'essere fantasioso e ardente, sdegnoso e pio, istintivo e geniale, innanzi alla civiltà d'un secolo non più, credo, ma non meno corrotto di quanti l'hanno preceduto, in faccia alle religioni bugiarde non ancora sfatate, alla clerocrazia tuttora prepotente, ai privilegi mutati, ma non distrutti, alle caste trasformate, ma non annichilite, al grido delle nazioni oppresse, all'urlo delle plebi affamate, al gemito dei bambini venduti, al pane salato dalle lagrime di vergogna della donna prostituita, e tuttavia saporito al dente dello Stato, e ciò fatto si dia ad un uomo simile il cuore d'un eroe e il · braccio d'un atleta, lo si armi d'una spada, in luogo d'una penna; si converta ognuna delle sue idee e delle sue passioni in un fatto, e ogni fatto in un prodigio; gli si apra per arena il vecchio e il nuovo mondo, e lo si segua sopra un'interminabile Via Sacra che va da Laguna a Montevideo, dal Salto a Roma, da Varese a Marsala, dal Volturno a Bezzecca, da Mentana a Dijon; si riepiloghi finalmente tutta questa epopea nell'egloga di Caprera; si nasconda tutto questo mondo di gloria e di virtù in una povera urna, fra due bambine, sotto un'acacia, — e si avrà Garibaldi.

---

1. «Rousseau, *Discours sur l'origine de l'inégalité parmi les hommes*. Deuxième Partie, Note neuvième, nella edizione d'Amsterdam 1772, a pag. 126, 127» (Guerzoni).

# NOTA

Ai dati sulle edizioni, raccolti nelle note bibliografiche, aggiungiamo qui alcune altre indicazioni sui testi di cui ci siamo valsi. Per *Le mie prigioni*, oltre l'edizione di EGIDIO BELLORINI, già menzionata, abbiamo tenuto presente quella di MICHELE SCHERILLO, Milano, Hoepli, 1910, e in particolar modo quella di ANDREA GUSTARELLI, Firenze, Sansoni, 1924. Per *Lo stato romano* si è seguìta l'edizione Le Monnier 1853; il testo delle *Ricordanze* del SETTEMBRINI è ovviamente quello di ADOLFO OMODEO, e le pagine del BRESCIANI sulla Sardegna sono riprodotte dalla prima edizione di quell'opera (1850). Per le *Noterelle* dell'ABBA si sono tenute presenti le tre prime edizioni, 1880, 1882, 1891; e per le pagine del BANDI l'edizione già citata del 1912. Di quali edizioni ci siamo serviti per tutti gli altri testi, l'abbiamo già detto nelle note bibliografiche.

Qui crediamo, inoltre, di dover avvertire che talvolta, non nelle opere che abbiamo date per intero, ma nelle parti più propriamente antologiche, si sono dovuti fare dei tagli, che sono stati indicati e contrassegnati ai lor luoghi. Tali omissioni, però, ci sono state sempre ed esclusivamente imposte da motivi di natura tecnica, quando era necessario mantenere la continuità della narrazione, che nel testo era interrotta o sviata o rilassata da esigenze e da interessi di varia natura. Nulla, invece, si è omesso in omaggio a motivi di *pruderie* moralistica o pietistica, essendoci sempre preoccupati che anche dalle parti antologiche apparissero con sufficiente chiarezza, o almeno non risultassero mai deliberatamente falsati, il tono generale delle varie opere e i fondamentali tratti caratteristici dei singoli autori.

G. T.

# INDICE

INTRODUZIONE     IX

*MEMORIE DI PATRIOTI E LETTERATI*

ISABELLA TEOTOCHI ALBRIZZI
*Profilo biografico*     3

DAI « RITRATTI »

    I.   Ippolito Pindemonte     5
    II.   Giuseppe Albrizzi     7
    III.   Ugo Foscolo     8
    IV.   Anonimo     9
    V.   Melchiorre Cesarotti     10
    VI.   Vittorio Alfieri     13

SILVIO PELLICO
*Profilo biografico*     17

LE MIE PRIGIONI     21

CARLO BINI
*Profilo biografico*     179

DAL « MANOSCRITTO DI UN PRIGIONIERO »

    I.   [La prigione del signore e quella del povero.]     183
    II.   [Sul suicidio.]     196
    III.   [L'anima, l'ordine morale e l'ordine sociale.]     208
    Mia madre     223

GIOVANNI RUFFINI
*Profilo biografico*     227

DAL « LORENZO BENONI »

CAPITOLO XVI. L'università. Il mio mondo fantastico si sgretola dinanzi a tristi realtà.     231
CAPITOLO XVII. Come feci la conoscenza di Fantasio e come ambedue facemmo quella del direttore di polizia.     242
CAPITOLO XXII. Pena di Tantalo. Caccia infruttuosa. La valle di San Secondo.     248
CAPITOLO XXIII. Iniziazione. Sogni ridenti. Dubbi, aspirazioni troppo alte e delusione finale.     259
CAPITOLO XXIV. Estasi prodotta da una lettera. La dea invisibile si mostra. Incontro felice.     270

CAPITOLO XXV. Nuovo enigma. Scoperte. Il 1830. Due dottori aggiunti al resto.                                                        281
CAPITOLO XXVII. Arresto di Fantasio. Impotenza e disperazione da parte nostra. Facile scappatoia.                                   287

MASSIMO D'AZEGLIO

*Profilo biografico*                                                      301

DA « I MIEI RICORDI »

I.    [Castel Sant'Elia]                                                  307
II.   [Rocca di Papa]                                                     313
III.  [La vita a Marino]                                                  330
IV.   [Il viaggio di propaganda politica e il colloquio con Carlo Alberto]                                                           348

GIUSEPPE GIUSTI

*Profilo biografico*                                                      373

CRONACA DEI FATTI DI TOSCANA (1845-1849)

*Introduzione.*                                                          377

PARTE PRIMA

I.    Condizioni della Toscana. Giuseppe Montanelli.                     381
II.   Gino Capponi. Vincenzo Salvagnoli.                                 384
III.  Le gesuitesse a Pisa.                                              388
IV.   Il D'Azeglio in Toscana. Sollecitazioni e promesse del Piemonte.                                                               392

PARTE SECONDA

V.    Elezione di Pio IX.                                                395
VI.   Il caro. Rumori ai mercati di Monsummano, di Pistoia e di Prato.                                                               398
VII.  Processi per comunismo. Cosimo Ridolfi.                            401
VIII. Riforme e giornali.                                                404
IX.   La congiura di Roma. Feste popolari. Dio e il Popolo.              407
X.    Francesco Domenico Guerrazzi.                                      410
XI.   Il nuovo governo. Cose di Lucca e di Livorno.                      415
XII.  La Guardia civica. Il battaglione di Pescia. Il Giusti maggiore.   419
XIII. Il doppio gioco del Guerrazzi. Trattative per il ritorno del Granduca. Il dittatore.                                           424
XIV.  Firenze non si muove, se tutta non si duole.                       430
XV.   Gino Capponi in Palazzo vecchio.                                   438
XVI.  Il popolo contro il Guerrazzi.                                     440
XVII. Gli Austriaci entrano in Toscana.                                  444

DALL'« EPISTOLARIO »

I.    A Giacinto Collegno                                                447
II.   A . . .                                                            450
III.  Ai direttori della « Rivista »                                     452

| | | |
|---|---|---|
| IV. | A Lorenzo Marini | 454 |
| V. | A Lorenzo Marini | 457 |
| VI. | Al marchese Gino Capponi | 461 |

FRANCESCO DOMENICO GUERRAZZI
*Profilo biografico* 465

DALLA «APOLOGIA»

| | | |
|---|---|---|
| I. | [Responsabilità dei tumulti] | 471 |
| II. | [Nascita del governo provvisorio] | 478 |
| III. | I giorni 11, 12 e 13 aprile 1849 | 486 |

DALLE «LETTERE»

| | | |
|---|---|---|
| I. | A Gino Capponi | 511 |
| II. | A Niccolò Puccini | 513 |
| III. | Alla signora Gaetana Cotenna del Rosso | 513 |
| IV. | A Niccolò Puccini | 516 |
| V. | Al cittadino Giuseppe Mazzini | 517 |
| VI. | A Francesco Michele Guerrazzi | 517 |
| VII. | A Francesco Michele Guerrazzi | 518 |
| VIII. | A Giuseppe Montanelli | 519 |
| IX. | Al dottor Antonio Mangini | 522 |
| X. | A Giovanni Antonio Sanna | 525 |
| XI. | Ad Amelia Sanna | 526 |
| XII. | Ad Amelia Sanna | 527 |
| XIII. | Ad Amelia Guerrazzi Sanna | 528 |
| XIV. | A Francesco Michele Guerrazzi | 528 |
| XV. | Alla contessina Eloisa Fusconi | 529 |
| XVI. | All'onorevole signor Cesare Cantù | 530 |

LUIGI CARLO FARINI
*Profilo biografico* 535

DALLO «STATO ROMANO»

| | | |
|---|---|---|
| I. | [Il papato di Leone XII] | 541 |
| II. | [La restaurazione pontificia nelle Romagne dopo il moto del 1831] | 547 |
| III. | [Pio IX. Difficoltà del ministero laico] | 554 |
| IV. | [Mazzini e Gioberti] | 559 |
| V. | [Uccisione di Pellegrino Rossi] | 564 |
| VI. | [Fisiologia del mal governo] | 572 |
| VII. | [Mazzini a Roma] | 577 |
| VIII. | [Caduta della Repubblica Romana] | 582 |

LUIGI SETTEMBRINI
*Profilo biografico* 595

DALLE «RICORDANZE DELLA MIA VITA»

I. L'università 601
II. La rivoluzione del 1848 609
III. [Gli ergastolani] 614

DALL'«EPISTOLARIO»

I. Alla moglie 622
II. Al sig. Giorgio Fagan 624
III. Al fratello Giuseppe 628
IV. Al fratello Giuseppe 630
V. Al prof. F. Fiorentino 632

ANTONIO BRESCIANI
*Profilo biografico* 637

DAI «COSTUMI DELL'ISOLA DI SARDEGNA»

I. [Le nobili selve di Sardegna] 641
II. [La pesca e la caccia] 645
[III] Danza, musica e canto 650
IV. [Usanze maritali] 656
V. [Fa più una dozzina di missionari che dieci reggimenti di
soldati] 661

VINCENZO PADULA
*Profilo biografico* 667

DALLO «STATO DELLE PERSONE IN CALABRIA»

I. Il massaro 671
II. Varietà del massaro 676
III. I mezzadri 679
IV. I braccianti 682
V. Bifolchi, giumentieri, pastori, caprai e vaccari 694
VI. I concari 706
VII. Le impastatrici 710

SCRITTORI GARIBALDINI

GIOVANNI COSTA
*Profilo biografico* 719

DA «QUEL CHE VIDI E QUEL CHE INTESI»

I. [XII] La Pasqua del 1849 in Roma 723
II. [XIII] Il trenta aprile 726
III. [XIV] Il tre giugno 730

IV. [XV] Durante l'assedio   737
V. [XVI] Estrema difesa di Roma. La capitolazione e l'entrata
dei francesi   742

GIUSEPPE CESARE ABBA
*Profilo biografico*   749

DA QUARTO AL VOLTURNO
(Noterelle d'uno dei Mille)   755

GIUSEPPE BANDI
*Profilo biografico*   897

DA « I MILLE »
I. [Lo sbarco a Marsala]   901
II. [Da Marsala a Calatafimi]   936

EUGENIO CHECCHI
*Profilo biografico*   1007

DALLE « MEMORIE DI UN GARIBALDINO »
I. (XXIX) In Bezzecca   1011
II. (XXX) La battaglia   1015
III. (XXXI) Dietro la siepe, e sul carro   1021
IV. (XXXII) I feriti   1025
V. (XXXIII) Nello spedale   1029
VI. (XXXIV) Da Storo a Vestone   1035
VII. (XXXV) L'addio   1038
CONCLUSIONE. Trentasette anni dopo   1042

ANTON GIULIO BARRILI
*Profilo biografico*   1051

DA « CON GARIBALDI ALLE PORTE DI ROMA »
I. Sul monte Sacro   1055
II. Mentana   1071

GIUSEPPE GUERZONI
*Profilo biografico*   1085

DA « GARIBALDI »
I. Il patriotta e l'umanitario   1089
II. L'uomo privato   1096
III. Tutto l'uomo   1101

NOTA AI TESTI   1109

IMPRESSO NEL MESE DI NOVEMBRE MCMLIII
DALLA STAMPERIA VALDONEGA
DI VERONA